PETER FELTEN

MANUAL DE
HISTORIA DOMINICANA

FRANK MOYA PONS

MANUAL DE HISTORIA DOMINICANA

9ª. EDICION

CARIBBEAN PUBLISHERS
Santo Domingo
1992

DEPOSITO LEGAL: B. 27.293-1981
ISBN 84-399-7681-X
Impreso en República Dominicana

EDITORA CORRIPIO, C. POR A.
Calle A, Esq. Central, Zona Ind. de Herrera,
Santo Domingo, República Dominicana

INDICE

		Páginas
'REFACIO		IX
I.	LA SOCIEDAD TAÍNA	1
II.	LA SOCIEDAD ESPAÑOLA EN EL SIGLO XV	11
III.	EL ORO Y LAS ENCOMIENDAS DE INDIOS (1493-1520)	19
IV.	EL AZÚCAR Y LA ESCLAVITUD DE LOS NEGROS (1520-1607)	31
V.	MONOPOLIO Y CONTRABANDO EN EL CARIBE (1503-1603)	39
VI.	LA GANADERIA, EL CONTRABANDO Y LAS DEVASTACIONES (1503-1608)	51
VII.	CONSECUENCIAS DE LAS DEVASTACIONES (1606-1655)	63
VIII.	LOS BUCANEROS, LOS FILIBUSTEROS Y LA INVASIÓN INGLESA DE 1655 (1621-1655)	75
IX.	LA OCUPACIÓN FRANCESA DEL OESTE DE LA ISLA (1655-1697)	87
X.	LA POBREZA DOMINICANA EN LA SEGUNDA MITAD DEL SIGLO XVII (1655-1700)	99
XI.	LA RECUPERACIÓN ECONÓMICA DE SANTO DOMINGO (1697-1731)	113
XII.	LA OCUPACIÓN FRANCESA DE LAS TIERRAS FRONTERIZAS (1697-1777)	125
XIII.	LA FORMACIÓN DE LA FRONTERA (1731-1789)	143
XIV.	LA COLONIA FRANCESA DE SAINT DOMINGUE Y LA REVOLUCIÓN HAITIANA (1789-1804)	159
XV.	EL TRATADO DE BASILEA Y SUS CONSECUENCIAS (1795-1801)	175
XVI.	LA ERA DE FRANCIA Y LA RECONQUISTA (1801-1809)	193

FRANK MOYA PONS

Capítulos	Páginas
XVII. LA ESPAÑA BOBA Y LA INVASIÓN DE BOYER (1809-1822)	211
XVIII. LA DOMINACIÓN HAITIANA: COMIENZOS (1822-1825)	225
XIX. LA DOMINACIÓN HAITIANA: PROBLEMAS (1826-1838)	243
XX. LA TRINITARIA, LA REFORMA Y LA CAÍDA DE BOYER (1838-1843)	255
XXI. LA SEPARACIÓN (1843-1844)	267
XXII. GUERRA Y POLÍTICA EN EL AÑO 1844	281
XXIII. SANTANA (1844-1857)	297
XXIV. SANTANA Y BÁEZ (1849-1857)	309
XXV. CAUSAS Y CONSECUENCIAS DE LA REVOLUCIÓN DE 1857 (1844-1861)	321
XXVI. LA ANEXIÓN Y LA RESTAURACIÓN (1861-1865)...............	337
XXVII. LA RESTAURACIÓN Y SUS EFECTOS INMEDIATOS (1865-1868)	359
XXVIII. LOS SEIS AÑOS DE BÁEZ (1868-1873)	371
XXIX. ROJOS, VERDES Y AZULES (1873-1879)	379
XXX. LOS GOBIERNOS AZULES (1879-1886)	391
XXXI. LA ECONOMÍA DOMINICANA Y EL PARTIDO AZUL (1865-1886)	403
XXXII. LILÍS Y LAS DEUDAS (1887-1899)	413
XXXIII. LA DEUDA Y LOS COMIENZOS DE LA INFLUENCIA AMERICANA (1899-1907)...	427
XXXIV. RAMÓN CÁCERES (1906-1911)	447
XXXV. EL DERRUMBE DE LA SOBERANÍA (1911-1916)...............	457
XXXVI. LA OCUPACIÓN MILITAR NORTEAMERICANA (1916-1924)	475
XXXVII. HORACIO VÁZQUEZ (1924-1930)	495
XXXVIII. LA ERA DE TRUJILLO (1930-1961)	513
XXXIX. DEMOCRATIZACIÓN Y GUERRA CIVIL (1961-1966)	527
XL. LOS DOCE AÑOS DE BALAGUER (1966-1978)	537
XLI. ANTONIO GUZMÁN (1978-1982)..............................	551
XLII. SALVADOR JORGE BLANCO (1982-1986)	559
XLIII. EL RETORNO DE BALAGUER (1986-1990)	569
BIBLIOGRAFÍA	591
GOBIERNOS Y GOBERNANTES DE LA REPÚBLICA DOMINICANA (1844-1977)	665
ÍNDICE ONOMÁSTICO	679
ÍNDICE ANALÍTICO	699

Láminas entre páginas 621 y 664:

LOS PADRES DE LA PATRIA

RETRATOS DE PRESIDENTES Y GOBERNANTES DE LA REPÚBLICA DOMINICANA

MAPAS Y GRÁFICOS

VIII

PREFACIO

Este libro ha sido escrito para que los estudiantes de nuestras escuelas secundarias y universidades, así como las personas interesadas en conocer la Historia Dominicana, lo lean fácilmente y sin perderse en detalles que puedan dificultar su comprensión global de los acontecimientos. En este sentido, esta obra presenta una visión de conjunto del acontecer histórico dominicano poniendo especial atención en aquellos procesos económicos que han influido decisivamente en la ocurrencia de importantes coyunturas políticas y en el modo de vida del pueblo dominicano.

Para facilitar su uso, el texto de la obra va acompañado de acotaciones marginales que sirven, al mismo tiempo, de *Indice Analítico* del contenido. Hay también varios apéndices cuya utilización permitirá a los lectores ampliar las informaciones que aparecen en el texto. Estos apéndices son: una *Bibliografía General*, por capítulos, en la cual figuran las fuentes de donde proceden las informaciones que aparecen en el texto; una lista de *Gobiernos y Gobernantes de la República Dominicana entre 1844 a 1977* que permite localizar fácilmente la duración y períodos de los gobiernos nacionales; un conjunto de *Mapas* y otro de *Gráficos* que detallan algunos procesos históricos mencionados en el texto; una colección de *Retratos de Presidentes y Gobernantes de la República Dominicana* y, finalmente, un *Indice de Nombres y Lugares* que permite la localización directa de personas y sitios históricos dentro y fuera del país.

Creo que el libro habla por sí solo y no requiere mayor introducción que estas palabras.

Sin embargo, no quiero dejar de expresar que esta obra no habría podido ser lo que es de no haber contado con la colaboración desinteresada de varias personas que me ayudaron a prepararla en el tiempo justo para enviarla al "Concurso del Año de Duarte" organizado por la Academia Dominicana de la Historia con los auspicios de la Compañía Anónima Tabacalera. Quiero mencionar, en primer lugar, a Doña María Ugarte, quien dedicó largas horas de su valioso tiempo y puso su excepcional talento a mi disposición para reducir mi *Historia Colonial de Santo Domingo* a una tercera parte de su volumen convirtiéndola en una versión adaptada al plan de este libro. Este trabajo de Doña María Ugarte sobrepasa en mucho lo que yo hubiera podido hacer en ese mismo sentido.

Otra persona que me ayudó sobremanera fue mi generoso amigo Don Héctor Incháustegui Cabral, quien siempre estuvo a mi disposición y leyó más de una vez los originales de cada uno de los capítulos a medida que yo iba terminándolos, librándolos de aparecer con incontables errores de estilo. Igualmente valiosa me resultó la ayuda de Arístides Incháustegui, inteligente estudioso de nuestra historia, quien sacó muchas horas de su ocupado tiempo para ayudarme a preparar la "Cronología Histórico-Política, 1960-1976" que aparece al final de la obra. Arístides Incháustegui también me ayudó a preparar la lista de "Gobiernos y Gobernantes de la República Dominicana, 1844-1977" utilizando como base un trabajo similar preparado hace ya varios años por su padre.

No puedo dejar de mencionar la abnegada dedicación de las cuatro secretarias que se enfrentaron a la ardua tarea de copiar los manuscritos y originales de esta obra para darle su forma final. Son ellas las señoritas Jeannette Canals, Socorro Arias, Surelis Medina y Magda Canals, a quienes agradezco de todo corazón su empeño profesional. También deseo expresar mi reconocimiento a los dibujantes Miguel Agustín Rivera y Nelson Dávila, quienes trabajaron en la preparación de los mapas con verdadero entusiasmo.

A Monseñor Agripino Núñez Collado, Rector de la Universidad Católica Madre y Maestra, así como a la señorita Carmen Alvarez, Directora de la Biblioteca de esa institución, deseo hacer constar mi agradecimiento por haber hecho

X

posible la habilitación de horarios extraordinarios en las labores del personal de la Biblioteca para que yo pudiera trabajar continuamente, de día y de noche, durante las vacaciones navideñas.

Gracias al Fondo para el Avance de las Ciencias Sociales pude contar en todo momento con amplias facilidades que me permitieron trabajar con más eficiencia en la preparación de esta obra. A esta institución y a sus directores va también mi agradecimiento.

I

LA SOCIEDAD TAINA

CUANDO AMERICA FUE DESCUBIERTA por Cristóbal Colón en 1492, las islas que hoy conocemos como las Antillas estaban habitadas por pueblos completamente diferentes de los que hasta entonces conocían los europeos. Las informaciones que Colón y otros viajeros dejaron escritas en los años del Descubrimiento indican que las comunidades que habitaban las Antillas en aquel tiempo apenas habían alcanzado un grado de civilización comparable al neolítico superior de los antiguos pueblos europeos.

Hoy se sabe que las Antillas se poblaron originalmente con grupos aborígenes provenientes de las cuencas de los ríos Orinoco, en Venezuela, y Xingú y Tapajos, en las Guayanas. Y se sabe también que esos pueblos del nordeste de Sudamérica pertenecían a uno de los muchos grupos aborígenes que poblaban ese continente a finales del siglo xv. Este grupo vivía en las forestas tropicales y sus actividades dependían en gran medida de la disponibilidad de canoas para moverse por entre los grandes ríos continentales. A él pertenecían varios sub-grupos a quienes la agricultura ya empezaba a serles modo de vida. Pero por razones que desconocemos, hubo gentes que no pudieron sedentarizarse y emigraron adentrándose en el Mar Caribe en sus canoas. Así fueron poblándose paulatinamente la mayor parte de esas islas desde tiempos anteriores a la Era Cristiana. Esta ocu-

Origen sudamericano de los indios antillanos.

Migraciones.

1

pación, sin embargo, no parece haber sido continua, y los arqueólogos actuales convienen en que se efectuó a través de varias oleadas migratorias a lo largo de más de doce siglos.

Las investigaciones arqueológicas revelan en las Antillas cuatro momentos o períodos migratorios durante los cuales fueron ocupadas todas las islas. El primer nivel de ocupación corresponde a pueblos con una cultura de concha cuyas habitaciones estaban ubicadas a orillas de ríos, pantanos, ensenadas y bahías. Sin alfarería y sin agricultura estos pueblos llamados *siboneyes* llegaron a ocupar algunas áreas de la Española y de Cuba, además, claro está, de las Antillas Menores.

Siboneyes.

El segundo período u oleada migratoria desde América del Sur corresponde al nivel arqueológico llamado *Igneri*. Estos fueron pueblos del gran tronco Arauaco —del tipo de foresta tropical— que llegaron a ocupar así todas las Antillas Menores, hasta las islas de Puerto Rico y Haití, desplazando o absorbiendo las posibles poblaciones siboneyes que encontraban a su paso. Su alfarería llegó a ser la más elaborada de todas las Antillas.

Igneris.

El tercer período corresponde a la gran expansión arauaca que llevó a la eliminación de los remanentes siboneyes de Haití, Cuba, Jamaica y las Bahamas, con excepción de dos pequeños núcleos localizados en la Punta de Guanahatabibes en el extremo occidental de Cuba y aparentemente en zonas aledañas a Punta Tiburón en el extremo occidental del sur de Haití. Es durante este período donde se debe buscar el origen de un desarrollo independiente de las tradiciones culturales continentales que permitió que los habitantes de las Antillas Mayores desarrollaran una cultura diferente que se conoce actualmente con el nombre de Cultura Taína.

Cultura taína.

El cuarto y último período se inicia alrededor del siglo XI de la Era Cristiana con una nueva oleada de grupos pertenecientes igualmente al tronco arauaco, pero con características culturales diversas a las de los poblados igneris y taínos. Fueron los *caribes*, grandes navegantes, bien ejercitados en el uso del arco y las flechas, comedores de carne humana, que no tardaron en asimilar los remanentes igneris

Caribes.

2

de Trinidad y las Antillas Menores, comiéndose los hombres y esclavizando las mujeres, quienes les servían como cocineras, tejedoras o alfareras. Por esta última causa la alfarería caribe es tan elaborada como la igneri. Cuando Colón descubrió América, la marcha de los caribes los había llevado a tener ocupadas todas las Antillas Menores y a realizar incursiones frecuentísimas en Puerto Rico y la parte oriental de la Española, donde atacaban los poblados taínos y mantenían las poblaciones de esos lugares en constante asedio. Este último período también registra el último desarrollo de la cultura taína, especialmente de sus creencias religiosas.

El origen sudamericano de los aborígenes de la Española encuentra más de una prueba en las similaridades lingüísticas, en el uso del tabaco, en la técnica de la construcción de viviendas, en el cultivo del maíz y la yuca, en el uso de la hamaca y en la construcción y uso de canoas, además de las múltiples similitudes entre los diferentes estilos cerámicos. Los restos de asentamientos taínos explorados en el curso de más de un siglo arrojan también una serie de objetos que no tienen antecedentes entre las tribus sudamericanas, como son, por ejemplo, las piedras tricornes o trigonolitos, que eran utilizados con fines religiosos, y los grandes aros de piedra de uso todavía desconocido. *Origen sudamericano de los taínos.*

Los taínos llegaron a hacerse agricultores sin dejar por ello de vivir, al mismo tiempo, de la pesca y de la caza. Su principal legado fue un conjunto de plantas domesticadas ya en Sudamérica, que parecen haber traído consigo desde las primeras migraciones. La más importante de esas plantas fue la *yuca*. De ella sacaban el *cazabí*, que es el casabe actual, gracias a un procedimiento que se conserva casi igual hasta nuestros días. El nombre de las plantaciones de yuca era en lenguaje taíno *conuco*. *Agricultura aborigen.*

El casabe era el pan de los indios. Después de la llegada de los españoles se convirtió en el "pan de las Indias", pues los españoles pronto se acostumbraron a su sabor y, además, la falta de harina de trigo provenientes de Castilla los forzó a consumir casabe en las más diversas circunstancias. *Casabe.*

Entre los cultivos importantes estaba el *maíz*, palabra que pasaría más tarde al Continente. El maíz era comido *Cultivos aborígenes*

3

tierno, crudo o asado. Otros cultivos que componían parte de la dieta vegetal de los taínos eran las *batatas*, que comían asadas o hervidas; los *lerenes*, que comían igualmente asados o cocidos; el *maní*, el cual comían acompañado de casabe para obtener mejor sabor, los *ajes* y las *yahutías*. Además de estas plantas, los indios apreciaban grandemente el *axí*, que ellos comían cocido, asado o crudo.

La mayor parte de las proteínas las obtenían los indios de los animales que conseguían por medio de la caza y de la pesca. Pese al alto número de habitantes que parece haber existido en toda la Isla a finales del siglo XV, todavía a la llegada de los españoles había un gran número de *jutías*, *curíes*, *quemíes* y *mohíes*, roedores cuya carne era muy apreciada por los taínos. También cazaban corrientemente iguanas y culebras que comían con deleite. En cuanto a las aves, parece que la cacería era dejada a los muchachos que subían a los árboles y atrapaban cotorras, palomas y patos. La pesca era numerosa tanto en los ríos como en el mar y, a pesar de la bien establecida tradición agrícola, los taínos seguían haciendo uso de redes y anzuelos hechos de huesos de pescados para atrapar lisas, *xureles*, pargos y dorados bien adentro en el mar desde sus canoas. En los ríos atrapaban róbalos, *dahos* o dajaos, *zages* o zagos, diahacas, camarones y *xaibas*. Hay evidencias que señalan que los taínos también gustaban de comer gusanos, caracoles, *lambí* y murciélagos, arañas y otros insectos. Con el uso de arpones se dedicaban a la pesca del manatí, que abundaba en algunas costas de la Isla.

Además de hacerlo en la agricultura, la caza y la pesca, los taínos trabajaban en la construcción de sus viviendas, llamadas comúnmente por ellos *buhíos*, que eran de dos tipos bien definidos. El tipo más corriente era de planta circular que poseía el techo cónico y estaba sostenido por postes dispuestos alrededor de un poste central, donde se hacía descansar el techo, fabricado, al igual que las paredes, de yerbas, yaguas y *bejucos*. El nombre particular de estos bohíos era *caney*. El otro tipo era de forma rectangular, más amplio, aunque hecho de los mismos materiales y se construía preferentemente para los caciques. Su techo era de

4

dos aguas y las casas principales estaban dotadas de una marquesina o zaguán para recibir a los que llegaban.

En sus casas, las mujeres se dedicaban a la fabricación de objetos de barro, tales como ollas, vasijas, burenes, potizas, tinajas y otros utensilios para cocer sus alimentos. Existen evidencias de que los taínos también practicaron actividades de cestería y fabricación de vasijas, cucharas y vasos utilizando el fruto del higüero, que ellos sembraban con estos propósitos. La construcción de *canoas* para la navegación por las costas y las islas debía consumir también bastante tiempo y debía ser obra de especialistas. Las canoas eran construidas utilizando un solo tronco, generalmente de *caoban* o caoba y del árbol llamado *ceiba*. La fabricación de *macanas* de madera de palma era actividad de los hombres, así como la de las hachas de piedra que ellos utilizaban para diferentes usos, entre ellos militares. El fuego era conservado, pero cuando se extinguía se hacía de nuevo utilizando para ello un palillo pulido frotado sobre otras dos astillas, todos extraídos del árbol de *guázima*.

La familia taína, entre la gente común, era monógama, aunque entre los *caciques* y hombres principales, los llamados *nitaínos*, la poligamia era un hecho común. Oviedo dice que "en esta isla cada uno tenía su mujer, e no más, y los caciques o reyes tres e cuatro e cuantas querían". Todo lo cual sugiere la existencia de estratos sociales cuya diferenciación se basaba en la disponibilidad de medios económicos y en el ejercicio del poder político. La autoridad principal de la familia estaba en las manos del marido y la estructura de la misma sugiere que el patriarcado fue la forma predominante. Sin embargo, la herencia y la sucesión correspondían a una organización matrilineal que consistía en lo siguiente: Al morir el padre o el cacique, en las familias importantes, la herencia pasaba a su hijo mayor, pero a falta de éste pasaba al hijo o hija mayores de la hermana del muerto "porque decían que aquél era más cierto sobrino o heredero (pues era verdad que lo parió su hermana)..."

La existencia de estas normas tan precisas que establecían la costumbre sucesoral de los taínos también sugiere la correspondencia entre las estructuras de familia amplia-

Cerámica.

Cestería.

Canoas.

La familia taína.

5

Clanes

da con la organización en *clanes*, como unidades más amplias de organización social y familiar. Estos clanes eran exógamos, y es probable que esto explique el por qué de ese horror al incesto entre los taínos que fue inmediatamente notado por los españoles.

El número de hijos variaba entre tres y cinco, los cuales convivían con sus padres, aparentemente en la casa de los abuelos paternos. Allí eran educados por sus padres, por sus madres y por los viejos del clan. Esto quiere decir que la educación era al mismo tiempo una responsabilidad familiar y social. En el seno de las familias se socializaban recibiendo los valores y las costumbres en uso, lo cual recaía preferentemente sobre los padres y las madres.

Comercio.

En sus momentos de ocio, los hombres también se dedicaban al comercio. El trueque de los excedentes de la producción doméstica por objetos necesarios para el consumo o uso familiar era la forma de intercambio comercial existente entre los taínos. Los juegos de pelota servían para estas actividades y los *bateyes* de la zona central de los pueblos hacían las veces de mercados o ferias para intercambiar productos.

Solidaridad social.

Uno de los rasgos más notables de la sociedad taína fue el alto grado de solidaridad social entre sus miembros o, por lo menos, entre los miembros de los diversos clanes que se agrupaban en pueblos, pues tanto Las Casas como Oviedo hicieron notar que difícilmente había reyertas entre ellos. La misma estructura social contribuía a fomentar ese sentimiento de unidad tribal. El matrimonio se llevaba a cabo a través de un ceremonial aparentemente equivalente a la *compra de la novia* que es común en muchos pueblos no ilustrados, dando regalos a la familia de la novia, generalmente collares hechos de piedrecillas o huesos.

Conflictos sociales.

Entre los diversos grupos *taínos*, las pugnas no parecían ser tan frecuentes como entre éstos y los *caribes* que, como se sabe, a la llegada de los españoles a finales del siglo xv habían penetrado tan lejos en sus incursiones guerreras como para mantener en hostigamiento permanente a los habitantes de *Borinquen* (Puerto Rico) y a los pobladores de la región de *Higüey*, en el este de Haití. Contra los caribes

6

peleaban los taínos unidos, pues ellos constituían el peligro más grande de extinción para estos últimos, ya que el motivo de las incursiones era apropiarse de los hombres para comerlos y de las mujeres taínas para esclavizarlas y hacerlas tener hijos que serían castrados, engordados y luego comidos.

Las decisiones de ir a la guerra eran tomadas nada más que entre los principales, sin participación del grueso de la población. Entre estos principales se destacaba mucho la figura del *behique*, que hacía las veces de sacerdote y ejercía un poder considerable sobre todos los individuos, pues actuaba no solamente como intermediario entre los hombres y sus divinidades, sino también como curandero. El gobierno era ejercido por el cacique y los "principales" de cada comunidad o grupo. Estos "principales" eran conocidos con el nombre de *nitaínos*, que actuaban como asistentes de los caciques.

Hechiceros.

Nitaínos.

La riqueza de los caciques, que les permitía mantener usualmente seis o siete mujeres y sus hijos, no provenía de la imposición de tributos sobre el grueso de la población, puesto que ésta gozaba de un amplio grado de libertad, sino del trabajo de una capa de siervos llamados *naborías*, que se encontraba socialmente por debajo de los taínos. Es probable que esos siervos fuesen descendientes de pobladores más antiguos —quizás los igneris— que fueran sometidos por los taínos. Así, pues, esta diferenciación social entre caciques y nitaínos que vivían del trabajo de los naborías, por un lado, y la gente común, por el otro, permitía al grueso de la población compartir sus bienes y servicios en forma colectiva, en vez de tener que trabajar para mantener a sus gobernantes.

Naborías.

Según los cronistas, a la llegada de los españoles, los taínos estaban agrupados en cinco grandes confederaciones cuyos jefes eran llamados *caciques*, "debajo de los cuales había otros caciques de menor señorío, que obedescían a alguno de los cinco principales... E así, todos cinco eran obedescidos de los inferiores que mandaban o eran de su jurisdicción e señorío, e aquellos menores venían a sus llamamientos de paz o de guerra, como los superiores orde-

Caciques.

naban, e mandábanles lo que querían. Los nombres de los cinco eran éstos: Guarionex, Caonabo, Behechío, Goacana-garí, Cayacoa".

"Guarionex tenía todo lo llano e señoreaba más de sesenta leguas en el medio de la isla. Behechío tenía la parte occidental de la tierra e provincia de Xaraguá, en cuyo señorío cae aquel gran lado de que en adelante se dirá. El cacique o rey, Goacanagarí tenía su señorío a la parte del Norte, donde y en cuya tierra el almirante dejó los treinta y ocho cristianos, cuando la primera vez vino a esta isla. Cayacoa tenía la parte del Oriente desta isla, hasta esta cibdad e fasta el río de Haina, e hasta donde el río Yuna entra en la mar, o muy poco menos; y, en fin, era uno de los mayores señores de toda esta tierra, e su gente era la más animosa por la vecindad que tenía de los caribes. Y queste murió desde a poco los cristianos comenzaron a le hacer la guerra; e su mujer quedó en el Estado, e fue después cristiana, y se llamó Inés de Cayacoa. El rey Caonabo tenía su señorío en las sierras, y era gran señor y de mucha tierra. Este tenía un cacique por su capitán general en toda la tierra, e la mandaba en su nombre, que se decía Uxmatex; el cual era bisco o bisojo, y era tan valiente hombre que le temían todos los de la isla. Este Caonabo casó con Anacaona, hermana del cacique Behechío, e seyendo un caribe principal, se vino a esta isla como capitán aventurero, y por el ser de su persona, se casó con la susodicha e hizo su principal asiento donde agora está la villa de Sanct Juan de la Maguana, e señoreó toda aquella provincia."

"Nunca habían ni acaescían guerras o diferencias entre los indios desta isla sino por una destas tres causas: sobre los términos e jurisdicción, o sobre las pesquerías, o cuando de las otras islas venían indios caribes flecheros a saltear. Y cuando estos extraños venían, o eran sentidos, por muy enemigos e diferentes que los principes o principales caciques desta isla estuviesen, luego se juntaban y eran conformes, y se ayudaban contra los que de fuera venían."

Estas informaciones indican que ya los caribes habían penetrado lo suficiente como para ser aceptados por los

8

taínos a cambio, posiblemente, del abandono de su canibalismo. Incluso ya había una zona de la Isla en donde la penetración caribe era notable por el uso de arcos y flechas por sus habitantes, que era la zona de los *ciguayos,* en el nordeste de la Isla. Estos ciguayos debían ser el resultado de un proceso de integración de grupos caribes con grupos taínos en las regiones de Samaná y lo que es hoy Río San Juan, Cabrera y Nagua. La aculturación sufrida por estos grupos los habían llevado a olvidar su lengua y a hablar la de los taínos, aunque no totalmente. Aunque usaban arcos y flechas, también habían perdido la costumbre de envenenar sus dardos con el zumo de la planta llamada *guao* como acostumbraban los caribes. Su jefe, durante la administración de Cristóbal Colón en la Española, se llamaba Mayobanex, y, a juzgar por las palabras de Oviedo, el mismo estaba sometido a la autoridad de Caonabo. Esta influencia de Caonabo sobre los ciguayos, siendo Caonabo de origen caribe, sirve también para reforzar la hipótesis del origen caribe de los ciguayos. Ellos fueron los que atacaron a Colón durante su primer viaje en el paraje que el Almirante bautizó con el nombre de *Golfo de las Flechas.*

Ciguayos.

Todos los nativos de la Española hablaban un lenguaje común y compartían un credo religioso igualmente común.

Idioma.

De acuerdo con los relatos recogidos por un fraile llamado Ramón Pané, los mitos de los indios se relacionaban con el origen del sol y de la luna, salidos de una cueva llamada Jovovava; con la conversión de los seres humanos en piedras, árboles o pájaros por la implacable acción de los rayos solares; con la transformación de mujeres en seres extraños que, aunque tenían forma de persona, carecían de sexo, y con la fantástica creación del mar al romperse una calabaza desparramándose el agua que contenía en proporciones tales que con ella cubrió la tierra.

Religión.

Mitos.

Estos mitos y otras creencias eran transmitidos oralmente de generación en generación por aquellos ancianos más respetados de las familias, los clanes y las tribus, y componían parte de todo un cuerpo de creencias organizado en versos medidos llamados *areytos,* que eran cantados siempre de la misma manera para no corromperlos.

Ritos.

9

Los areytos se celebraban como bailes cantados, dirigidos por una persona principal que recitaba las historias danzando en cierto contrapaso. Esas historias eran repetidas en voz más alta por un coro danzante compuesto por hombres, una veces, o por mujeres, otras, o por grupos mixtos en muchos casos.

El aspecto práctico de su religión era desempeñado por los *behiques* o médicos-hechiceros, que hacían amplio uso de la magia para sanar enfermos. Estos médicos-hechiceros siempre andaban acompañados de sus *cemíes*, a los cuales les asignaban propiedades curativas. Sus funciones estaban especialmente ligadas al uso del *tabaco* y la *cohoba*, que eran inhalados para vomitar y purificar y entrar en trance en las casas de los enfermos antes de proceder a las curaciones. Todos esos aspectos mágicos, medicinales, religiosos y rituales estaban íntimamente compenetrados y formaban un complejo orgánico de creencias y prácticas indisolublemente unidas.

Cemíes.

Tabaco.

10

II

LA SOCIEDAD ESPAÑOLA EN EL SIGLO XV

EN EL MISMO AÑO EN QUE Colón descubría América, los españoles conquistaban la ciudad de Granada. La toma de esta ciudad era el resultado final de una larga guerra iniciada a principios del siglo VIII por monarcas cristianos del norte de España que, estimulados por el fervor religioso despertado por las Cruzadas, se dispusieron a expulsar a los árabes de las tierras de la Península.

Guerra de la Reconquista.

Esta larguísima campaña que se llamó la *Guerra de la Reconquista* dejó huellas muy profundas sobre la economía, la sociedad y el espíritu españoles. En primer lugar, la ocupación de enormes cantidades de tierra que eran puestas en manos de grandes nobles, órdenes militares o altas dignidades del clero, contribuyó a consolidar la posesión de vastos latifundios que, debido a la pobreza del suelo y a los altos precios de la lana española en el norte de Europa, eran dedicados mayormente al pastoreo de ovejas, sobre todo de la raza llamada merina que había sido importada desde el norte de Africa alrededor del año 1300.

Pastoreo de ovejas.

Otra de las consecuencias de la Reconquista fue la creación de municipios y pueblos en las regiones recién arrancadas a los moros. En una gran cantidad de casos esos pueblos obtuvieron de la Corona garantías, seguridades y privilegios que ratificaban jurídica y prácticamente su autonomía. Debido a que las circunstancias engendradas por

Pueblos y municipalidades.

11

la guerra hacían muy insegura la vida dentro y fuera de las ciudades y pueblos, éstos se agruparon en las llamadas *hermandades* que eran organizaciones policíacas con la finalidad de imponer el orden. Más adelante, todas las hermandades fueron organizadas dentro de la *Santa Hermandad*.

En Castilla, los nobles ejercían poderes tan absolutos en sus dominios que a veces obligaban al Rey a plegarse a sus demandas. La situación llegaba a tal extremo en el curso del siglo xv, cuando apenas quedaba Granada por conquistar, que los privilegios de la nobleza constituían una amenaza para el poder real. Los Reyes Católicos para contrarrestar esta fuerza, enfrentaron a los pueblos contra los nobles, utilizando para ello a la Santa Hermandad. Sin embargo, la Corona no pretendía con esto destruir la nobleza, sino solamente someterla a su autoridad, lo que finalmente consiguió en 1492. Y a medida que los nobles acataban el poder real, los Reyes también sometieron a los municipios, las ciudades y los pueblos a la tutela de los corregidores y a la justicia, administración y fiscalización de la Corona.

Espiritualmente la Reconquista tuvo también un impacto decisivo, pues fue una campaña predicada por la Iglesia y sancionada por la Corona como una guerra santa. Quedó, pues, en la cultura española de la época muy vivo y muy presente un "espíritu de cruzada", al cual también se le sumó un sentimiento medieval revitalizado en los combates: el sentido de la hidalguía. El hidalguismo representaba una sociedad predominantemente ganadera y pastoral, seminomádica y aristocratizante, en guerra permanente, que se contraponía a una sociedad agrícola donde el artesanado libre estaba compuesto mayormente por gentes que a ojos cristianos poseían una calidad inferior. El arte militar y la caballería pasaron a ser fines mismos para el sector de la población española que poseía la mayor parte de la riqueza, y el trabajo manual se vio con un estigma para el hombre digno.

En esos antecedentes residen las grandes contradicciones de la sociedad española que desempeñaría el papel de descubridora, conquistadora y colonizadora del Nuevo Mundo. La Reconquista había contribuido a romper con el orden

Hermandades.

Hidalguismo.

12

feudal. Sin embargo, había producido un proceso de acumulación de la tierra en manos de una aristocracia cuyos valores eran parte de una concepción religiosa y política del mundo. La propiedad de la tierra era la base de la riqueza y el principal símbolo de poder económico en una sociedad en que la ganadería ovina para la exportación de lana se encontraba extraordinariamente protegida. Esta especial conjugación de valores culturales y materiales impidió a España desarrollar o fomentar actividades que la hubieran incluido dentro de la naciente corriente del capitalismo europeo.

Ganadería ovina.

Este fenómeno se llegó a hacer evidente en la debilidad de la industria española, cualidad que se agravó en 1492 con la expulsión de uno de los dos grupos sociales más capaces y más versados en cuestiones económicas y financieras, los judíos, privando así a la economía española de los recursos financieros y humanos que más cerca se encontraban del naciente capitalismo.

Industria española.

Su lugar pronto fue ocupado por mercaderes y banqueros genoveses que desde principios del siglo xv habían venido radicándose en diversas ciudades españolas y se dedicaban preferentemente a la exportación de lana y otras materias primas españolas y a la importación de manufacturas extranjeras de diversas partes de Europa, además de al lucrativo negocio de comprar y vender dinero haciendo de banqueros de los mercaderes y hombres ricos de las ciudades y, lo que es más importante, haciendo de prestamistas de los Reyes.

Mercaderes y banqueros.

A finales del siglo xv, la vida financiera española estaba decisivamente influida por los intereses y decisiones de los genoveses y de diversos grupos de judíos, que lograron disfrazar su presencia de muchas maneras, y estaba influida, además, por unas cuantas familias nobles españolas que desde hacía algunas décadas habían aprendido a invertir las rentas provenientes de sus tierras en negocios y tratos comerciales de diversa índole.

Genoveses y judíos.

El sometimiento de la aristocracia y el reforzamiento de la monarquía por los Reyes Católicos coincidió con la mudanza de la nobleza del campo hacia las ciudades y con el consolidamiento de un patriciado urbano con recursos económicos que en la mayor parte de los casos fueron dispendiados. Los Reyes Católicos optaron por un absolutismo político que impidió una identificación de intereses más profunda con los incipientes grupos financieros, comerciales e industriales. Esto fue acentuado por el desconocimiento cabal de las potencialidades en la economía castellana debido a la ausencia de un sentido mercantilista en la Corona Española. La industria fue obstaculizada antes que fomentada por los Reyes Católicos a través de regulaciones y trabas que cerraban el paso a la inversión de capitales.

Así, en 1492 España era un país dedicado principalmente a la ganadería, aunque hubiera, por otro lado, extensas zonas de Andalucía, Castilla la Nueva y Aragón dedicadas a la agricultura. Por otra parte, era un país con una industria débilmente desarrollada. Además, España, aunque lograba consumar la unidad política al conquistar a Granada ese año, siguió siendo un país desarticulado económicamente, con ausencia de caminos y con economías regionales dispares pero influidas en una forma o en otra por la presencia de capitalistas extranjeros que favorecían las especulaciones financieras, cuyas ganancias iban a parar a manos de las grandes firmas que ellos representaban, generalmente con sede en Génova o Amberes.

La estructura social ampara esta situación. La nobleza, que componía el 1.64 % de la población, poseía cerca del 97 % de toda la tierra concentrada en extensos dominios pertenecientes al Rey, las órdenes militares y el alto clero. Estos tres grupos, unidos a los *infanzones* o *hidalgos*, que componían la masa secundaria de la aristocracia castellana, y a los *caballeros*, capa formada durante la Reconquista, no pagaban impuestos, estaban generalmente exentos de obligaciones judiciales y poseían amplísimos privilegios que no dejaban de chocar con los propósitos centralistas de la monarquía de los Reyes Católicos. Algunos *grandes* o *ricos hombres* tenían incluso potestad para ejercer la justicia criminal y civil en sus dominios, siempre y cuando no obstaculizaran la justicia real. El *clero común*, los *judíos conversos* que optaron por quedarse en España y la pequeña

14

capa de *pequeños propietarios de tierras* y *mercaderes* de posición acomodada no pasaba del 4 % de la población. En general vivían en las ciudades y su escasez denota la poca importancia de estos grupos medios dentro de la sociedad castellana cuya industria estaba apenas desarrollada. *La gran masa del pueblo* estaba constituida por los menestrales, artesanos y jornaleros urbanos, dentro de los cuales había un porcentaje significativo de moriscos y mudéjares, y por el grueso de la población rural compuesta por campesinos o semicampesinos libres entre los cuales también había un buen número de moros reducidos a la servidumbre durante la Reconquista. Ambos grupos, rural y urbano, componían el 94.6 % de la población española y su desposesión era tal que apenas eran propietarios de un tres por ciento de la tierra de la Península. Fue de esta gran masa de la población castellana de donde saldrían los conquistadores y colonizadores del Nuevo Mundo, pues para estimular la emigración hacia América la Corona haría grandes promesas de exenciones de impuestos.

Habiendo sido Castilla a quien tocara la organización inicial de las Indias, sus instituciones también son un antecedente tan importante como su economía y sus clases sociales para entender la vida institucional de sus colonias en América. En el Rey se concentraban la autoridad política, la administrativa y la judicial y los demás poderes del Estado. El patrimonio personal del monarca no pocas veces se confundía con el patrimonio real o de la Corona. Pero aunque en teoría el Rey era el señor absoluto de sus dominios, la práctica histórica había llevado, a través de la Reconquista, a un debilitamiento del poder real que sólo pudo ser reforzado en virtud de enormes trabajos y argucias por parte de los Reyes Católicos en el último cuarto del siglo xv.

En Castilla existían junto con el Monarca otras dos instituciones de orígenes diversos y de historias diferentes a finales del siglo xv. Una era el *Consejo Real* y la otra las *Cortes* de Castilla y de León. El primero se formó a través de la institucionalización de la costumbre de los monarcas castellanos de buscar consejo entre los hombres buenos, los ciudadanos o los letrados o teólogos que el Rey consideraba

Castilla.

Organización política castellana.

15

podían auxiliarle en la toma de decisiones. Las Cortes, por su parte, remontan sus orígenes a los poderosos concilios de nobles y del alto clero de Castilla de Vieja durante los siglos XII y XIII, que a través de un proceso de secularización se fueron convirtiendo en representaciones de los intereses de la aristocracia castellana y leonesa sobre todo frente a los intereses del monarca, a quien ellos consideraban uno entre iguales.

A medida que la Reconquista avanzaba, las Cortes fueron extendiendo su poder y su representación, pues además del clero y la nobleza también lograron ser incluidas las municipalidades que obtuvieron el derecho a enviar procuradores a representar los intereses de los vecinos de las mismas. En teoría, las Cortes debían asesorar al Rey y por ello eran convocadas por el monarca cuando éste lo consideraba conveniente. Pero siendo que las mismas representaban los intereses de los tres grandes estados —la nobleza, el clero y el pueblo llano de las ciudades—, y que una vez reunidas sus poderes abarcaban asuntos legislativos y financieros que en más de una ocasión llegaron a limitar bastante la autoridad real, los monarcas castellanos fueron sintiéndose cada vez menos inclinados a convocarlas frecuentemente. Este proceso se acentuó notablemente con los Reyes Católicos que aprovecharon las Cortes celebradas en Madrigal en 1476 para dividir la nobleza y las ciudades y utilizar el poder de estas últimas contra la primera.

Los Ayuntamientos.

La historia de las municipalidades también está entroncada profundamente en la tradición de la guerra de la Reconquista. La autonomía de las municipalidades, con sus *fueros* y privilegios, adquirió una dimensión social nueva al surgir la necesidad de repoblar las tierras conquistadas a los moros. Casi todos los fueros garantizaban el derecho de organización municipal en un *concejo* compuesto por los *vecinos* o cabezas de familia con propiedades, que anualmente entendían en elegir las autoridades locales en forma más o menos democrática. Estas autoridades ejercían diversas funciones. Por un lado estaban los *regidores*, encargados de supervisar la administración general de los intereses municipales, y por otro estaban los *alcaldes*, que eran

16

funcionarios encargados de la administración de la justicia local y actuaban como verdaderos jueces de asuntos civiles y criminales. Las funciones policiales estaban a cargo de los *alguaciles* que también estaban facultados, como en el caso del alguacil mayor, para dirigir los aprestos militares en caso de guerra. Estos funcionarios y otros más que se ocupaban de muchas otras funciones del gobierno local formaban el *ayuntamiento*, que se ocupaba de cobrar impuestos, mantener el orden, organizar el abasto de la ciudad, regular los precios, imponer y cobrar las multas y ejecutar las obras públicas.

Cuando Colón descubre América el poder de las ciudades ya había sido mermado considerablemente por la política centralista de los Reyes Católicos, pero la organización municipal, base de la vida local, tendría oportunidad de manifestarse en el nuevo ambiente de las Indias ajustándose a las circunstancias de cada región. En la Española la vida municipal tendría también sus propias características.

III

EL ORO Y LAS ENCOMIENDAS DE INDIOS

(1493-1520)

EL DESCUBRIMIENTO DE AMERICA fue la culminación de una serie de procesos que venían configurando la sociedad y la economía de Europa durante todo el siglo xv y que afectaron directamente a España durante la segunda mitad de esa centuria. El más significativo de esos procesos fue la emergencia de grupos capitalistas italianos —genoveses y venecianos— que controlaban el comercio de sedas, especias y piedras preciosas con el Oriente y habían llegado a establecer puestos y colonias muy adentro de los territorios levantinos que cruzaban las rutas que conectaban esas ciudades por tierra y por mar con los lejanos reinos de China y la India. Al tiempo que los genoveses y venecianos expandían sus imperios comerciales hacia Oriente y ampliaban sus redes financieras para la comercialización de sus productos en Europa, los florentinos también desarrollaban prácticas bancarias modernas que fueron pronto imitadas por otros grupos de banqueros en el resto de Europa.

Muchas regiones de Europa dependían de ese capital, de esas técnicas y de esos productos para el desenvolvimiento de sus economías, bien para exportar sus materias primas o para hacer frente a los gastos de sus haciendas o para proveerse de especias, sedas, joyas y medicinas orientales.

El clavo, la pimienta, la canela, la nuez moscada y el

El Descubrimiento de América.

19

jengibre, conjuntamente con la sal eran artículos utilizados para conservar las carnes necesarias para la alimentación de los pueblos europeos. Esta importancia de las especias y la distancia a que había que ir a buscarlas hacían subir los precios de las mismas hasta niveles sólo comparables con las sedas chinas y persas y con las piedras preciosas y los perfumes de la India.

Las rutas de las especias.

Las dos rutas principales hacia la China y la India estaban controladas por los italianos; la del norte, por los venecianos y la del sur por los genoveses. La primera pasaba por Constantinopla y el Estrecho del Bósforo, y la segunda por Suez. Este comercio fue la base de la riqueza de estas ciudades y una de las fuentes del capitalismo italiano de los siglos XIV y XV, que se vio conmovido en 1453, cuando, los turcos tomaron a Constantinopla interrumpiendo el monopolio que por tanto tiempo habían detentado los venecianos. El comercio no cesó totalmente pues los genoveses todavía controlaban la ruta de Suez y del Mar Rojo, pero los enormes impuestos exigidos por los turcos a los venecianos subieron el precio de los productos orientales haciendo que los consumidores europeos se resintieran económicamente. Y en esta búsqueda por encontrar nuevas vías de aprovisionamiento de especias que no fueran las italianas, quienes tuvieron más éxito fueron los portugueses.

El oro y la economía europea.

El oro, que resultaba tan necesario para los europeos del siglo XV como las especias, pasó a ser un artículo muy escaso y el dinero, que siempre lo había sido, una mercancía muy buscada por todos, príncipes, comerciantes, industriales y banqueros en España. El oro y las especias fueron las motivaciones económicas más importantes que movieron

La empresa del descubrimiento.

a Colón y a los Reyes Católicos a asociarse para organizar una empresa de exploración que buscaría una ruta más corta hacia el Asia navegando hacia el Oeste. Es bien conocida la historia de las vicisitudes que pasó Colón yendo de Corte en Corte en Europa tratando de vender su idea de que navegando hacia el Oeste por el *mar tenebroso* podía llegarse a la India puesto que la tierra era redonda. Y se conoce, asimismo, que sólo después que Luis de Santángel, un cortesano de origen judío que administraba por arren-

20

damiento los fondos de la Santa Hermandad, vio las inmensas posibilidades de lucro del negocio, fue cuando la Reina Isabel convino en llegar a un acuerdo con el marino genovés, que sólo exigía un octavo de todos los beneficios netos de la empresa, puesto que él mismo quería invertir un octavo del capital necesario para la realización de la misma. Fue, precisamente, a través de un préstamo hecho por Luis de Santángel como pudo financiarse la mayor parte de los gastos que se requerían para armar la primera expedición. El mismo Colón aportó una pequeña parte y lo mismo hizo un marino bastante rico de nombre Martín Yáñez Pinzón.

Los expedicionarios no encontraron ni la India ni el oro ni las especias buscadas sino unos pueblos culturalmente bastante atrasados que no sabían lavar el oro y que usaban como única especia el *ají*.

Con todo, las noticias que Colón escribió a Luis de Santángel y a Gabriel Sánchez, otro descendiente de judíos, así como las que él personalmente comunicó a los Reyes a su regreso, pusieron a toda la Corte en movimiento y, pese a la grande carencia de capitales existente en España en 1493, no tardaron en obtener dinero para proseguir con los planes de Colón de crear en la Española una factoría o una colonia de explotación de las nuevas tierras similar a las que él había conocido mientras anduvo con navegantes portugueses por las costas de Guinea y Cabo Verde, en Africa, muchos años atrás.

Financiamiento de la expedición de Colón.

Aparentemente Colón no comprendió cuán ajeno resultaba el modelo de factoría portuguesa al espíritu poblador castellano, y esa incomprensión, unida a las dificultades que desde el primer día empezaron a azotar a los que con él se embarcaron en el segundo viaje y fundaron la Isabela a finales de 1493, llegaría a ser uno de los ingredientes más explosivos de la dinámica social de la primera ciudad del Nuevo Mundo.

Fundación de la Isabela.

Las dificultades sufridas por los españoles en la Isabela son bien conocidas. Los alimentos y las medicinas empezaron a escasear desde los mismos momentos del viaje. La adaptación al nuevo ambiente produjo enfermedades entre

Dificultades en la Isabela.

21

los españoles que hicieron morir a una buena parte de los labradores y gente de trabajo. La falta de brazos y la carencia de animales de carga hizo que Colón dispusiera una distribución igualitaria del trabajo que llegó a hacerse obligatoria para todos. Todo eso provocó la ruptura entre Colón y los hijosdalgo que en busca de fortuna se habían trasladado a la Española, pues éstos consideraron indigna la obligación de trabajar con sus manos junto con gente común en las obras públicas de la Isabela. De ahí a la primera conspiración sólo hubo un paso. La misma fue descubierta por Colón, quien ahorcó a uno de los conspiradores, pero también produjo la deserción de los principales hijosdalgo que había en la Isla, entre ellos el Padre Bernardo Boyl y Mosén Pedro Margarite.

Campañas militares de Colón, 1494-1495.

Estas dificultades iban unidas a las campañas militares que Colón desató en el interior de la Isla durante el verano de 1494 y la primavera y el verano de 1495 para obligar a los indios a someterse al vasallaje de los Reyes Católicos y al servicio de los españoles. Esas campañas enajenaron a la población indígena de La Vega Real e hicieron que los indios huyeran hacia los montes.

En la Isabela, entretanto, el hambre desesperaba a todos sus habitantes. Los trabajos forzados, la dureza del gobierno de Colón y sus hermanos y la naturaleza monopolística de la factoría, que impedía la participación de los españoles en los beneficios del negocio, fueron creando un nuevo ambiente de conspiración. Aprovechando que el Almirante había regresado a España en marzo de 1496 a dar cuenta a los Reyes de sus nuevos descubrimientos en Cuba y Jamaica, los hombres de la Isabela se rebelaron contra Bartolomé, después que éste y su hermano Diego les habían negado el derecho a regresar a la Península. El jefe de la rebelión era el Alcalde Mayor de la Isabela, Francisco Roldán, antiguo criado del Almirante, quien se cuidó mucho de hacer ver que su desobediencia era contra los Colón y no contra la Corona. El grito de "¡Viva el Rey!" fue la consigna de los rebeldes.

Regreso de Colón a España, marzo de 1496.

Rebelión de Roldán.

La rebelión de Roldán duró dos años, tiempo que Cristóbal Colón pasó en España tratando de obtener fondos

22

con los Reyes para armar nuevas expediciones para repoblar la Española con labradores, mineros y gentes de armas, pues más de la mitad de la población que había llegado en 1493 había muerto. La falta de capitales en España por una parte, y la necesidad de utilizar los fondos y las naves disponibles para las guerras que España sostenía en Italia, por otra, retrasaron todo ese tiempo al Almirante en la Península y reforzaron la creencia de Roldán y su gente de que serían abandonados definitivamente. La Isabela quedó completamente despoblada, pues Roldán y los rebeldes se fueron a vivir a Xaraguá.

Entretanto, se descubrieron unas minas en los alrededores del Río Haina en el sur de la Isla, y ello movió a Bartolomé a fundar la población de Santo Domingo a poca distancia de esas minas en agosto de 1497. Cuando Colón regresó a finales de agosto de 1498, encontró que la autoridad de su hermano se encontraba grandemente deteriorada, pues casi toda la gente de trabajo se había ido con Roldán a vivir al oeste de la Isla.

Regreso de Colón.
Agosto de 1497.

Colón tuvo que ceder frente a todas las exigencias de los roldanistas aceptando pagar todos los salarios, aunque no hubieran trabajado en los últimos dos años, y donándoles tierras para avecindarse lo mismo que indios adscritos a ellas para trabajarlas, y nombrando a Francisco Roldán como Alcalde Mayor de la Isla —el segundo cargo judicial más importante.

La rebelión de Roldán sirvió como catalizador de importantes cambios tanto en la vida social de la factoría como en la orientación general del gobierno de la Española. En primer lugar, llevó al tope a la incipiente sociedad colonial a gentes que hasta entonces pertenecían en España a los más bajos estratos de la estructura social, haciéndolos dueños de las mejores tierras y de grandes cantidades de indios y dándoles participación efectiva, a través de su jefe Francisco Roldán, en el proceso de la toma de decisiones del gobierno de la Isla. Por otro lado, la rebelión demostró a la Corona la incapacidad de Cristóbal Colón para seguir administrando una empresa cuyas complicaciones iban mu-

Efectos sociales de la rebelión de Roldán.

23

cho más allá de la simple navegación y descubrimiento de nuevas tierras.

La complejidad de esta nueva cruzada para llevar la fe católica a otras regiones, junto con una empresa comercial pensada para satisfacer las necesidades de oro y especias en España, se acentuó con la participación de grupos sociales españoles que percibieron el Descubrimiento desde el primer momento como la guerra por donde podrían pasar a buscar las riquezas y los honores que hasta entonces no habían obtenido. La sutileza con que se manifestó la lucha de clases en la Española en los finales del siglo xv sólo parece haber sido percibida por la Corona, que decidió corregirla destituyendo a Colón y nombrando a Francisco de Bobadilla como Gobernador para canalizar las energías nacionales que brotaban del movimiento de Roldán.

Francisco de Bobadilla. Gobernador. 1500.

A Bobadilla, que era Comendador de la Orden Militar de Calatrava, no le fue repugnante proseguir con los repartimientos de tierras y de indios iniciados por Colón cuando quiso poner fin a la rebelión de Roldán, lo cual reforzó mucho más el poder de los 360 españoles que dejó Colón cuando fue enviado engrillado a España, a quienes Bobadilla permitió hacer todo lo que quisieron, pues también él sabía que su gobierno sería efímero y que detrás de él vendrían funcionarios y burócratas que establecerían la soberanía efectiva de la Corona española en la Isla.

Nicolás de Ovando. Gobernador. 1502.

En efecto, las instrucciones al nuevo Gobernador Nicolás de Ovando eran bien precisas en cuanto a la defensa de los intereses reales y al ordenamiento y control de la vida social de la Colonia. Ovando debía someter a su autoridad a las 2,500 personas que lo acompañaban, así como a los 360 individuos que gobernaban Bobadilla y Roldán. Además, Ovando tenía instrucciones sobre la forma en que los indios debían ser tratados, para impedir que los españoles les robaran y arrebataran sus bienes o sus familiares. Pero resulta que esos 360 españoles que carecían de ropas y calzado eran, no obstante, los dueños de las mejores tierras y de grandes contingentes de indios en virtud de los repartimientos legalmente sancionados que Colón les había concedido, y el ordenamiento de la vida colonial tenía que ser realizado de

24

acuerdo con sus intereses o de lo contrario ellos podían ejercer una resistencia peligrosa.

Cuando Ovando llegó a la Isla en julio de 1502, embarcó a Roldán y a sus principales allegados hacia España, privando al grupo definitivamente de sus principales líderes, pues todos se ahogaron en un naufragio al salir de Santo Domingo. Y para poder romper con el poder de esos 360 individuos, Ovando procedió a obligarlos a casarse con las indias con quienes hasta entonces convivían para tener así un pretexto para despojarlos de sus indios y de sus tierras aduciendo que ellos habían asimilado la misma calidad social inferior de los nativos. Ovando no pudo controlar la situación completamente de inmediato, pues los 360 eran demasiado poderosos. Su control del gobierno tuvo que ser paulatino y para ello tuvo que reforzar la élite burocrática y los caballeros escuderos que habían llegado con él, dándoles indios y tierras de las regiones que todavía no habían sido conquistadas por los españoles, que eran los cacicazgos de Higüey y Xaraguá, en el este y en el oeste de la Isla.

Los indios atrapados en el curso o después de las campañas militares eran puestos a trabajar en las minas, y durante los años de Colón fueron tratados como si fueran un recurso natural inagotable. Pese a que la Corona había declarado en 1501 que los indios eran sus vasallos libres y que no debían ser maltratados, nadie obedeció nunca esas sugestiones e incluso Ovando le hizo ver a la Reina en 1503 que si no se obligaba a los indios a trabajar para los españoles en las minas, la Isla se despoblaría y se perdería todo el negocio de ella. Por esta razón y por el enorme interés de los Reyes en obtener oro para hacer frente a sus gastos en Europa, la Corona legalizó el sistema imperante de repartir indios a los españoles para que trabajaran forzadamente para estos últimos en las minas y estancias, con la única condición de que los recipientes les enseñaran las cosas tocantes a la fe católica. Ese permiso fue dado el 20 de diciembre de 1503, y con el mismo comenzó legalmente el sistema de las Encomiendas en la Española, en cuyo nombre se cometieron tantos abusos que la desesperación de los

Trabajo forzado de los indios. 20 de diciembre de 1503.

25

indios que lograban salir vivos de las minas después de ocho a doce meses de trabajos forzados los llevaba a cometer suicidios en masa, matando a sus hijos e impulsando a las madres indias a hacerse abortos. El resultado fue que en 1508, fecha en que se realizó un censo de indios, solamente quedaban 60,000 de los 400,000 que aproximadamente había cuando Colón pisó la Isla por primera vez.

Descenso de la población aborigen.

Ese descenso de la población aborigen creó conciencia de la crisis de la mano de obra que se avecinaba e hizo descubrir a los españoles que los indios eran un recurso que se hacía cada vez más escaso y convenía aumentar. La solución que se adoptó fue la incorporación de indios de las Islas Lucayas. Aunque se importaron unos 40,000 indios entre 1508 y 1513, la disminución siguió pues la tradición del tratamiento inhumano a criaturas que los españoles consideraban como animales sin alma fue tan fuerte como la insaciable sed de oro del Rey Fernando.

Diego Colón, Gobernador. 1509.

Cuando Diego Colón sustituyó a Ovando en el gobierno de la Colonia en 1509, toda la atención de los pobladores de la Española se centraba en el modo de conseguir indios para hacerlos trabajar en las minas y en la forma de mantenerse en buenos términos con el Gobernador, para impedir que éste se los quitara y se los diera a otros.

El hecho de que Diego Colón fuera hijo del Almirante viejo y pretendiera hacer valer sus supuestos privilegios fijados en las célebres Capitulaciones de Santa Fe, lo opuso directamente a la Corona y a los colonos durante el tiempo que duró su administración. Esperando que Diego, al igual que su padre, actuaría más conforme a sus propios intereses que a los de la Corona, el Rey había nombrado ya en 1508 a Miguel de Pasamonte como Tesorero General de las Indias para que sirviera de elemento de control en la administración de los intereses reales.

Miguel de Pasamonte, Tesorero, 1508.

Pugnas por la posesión de los indios.

Las pugnas que surgieron, sobre todo alrededor del problema de la apropiación y posesión de los indios, terminaron malquistando a Diego Colón con los más importantes encomenderos y colonos que veían en él una amenaza para sus intereses y, con el mismo Rey, que no perdía de vista que Diego estaba actuando más como un encomendero particular

26

que como un funcionario al servicio de la Corona. Por esa razón fue creado un tribunal de apelación para que las decisiones de Diego no fuesen absolutas y los agraviados a quienes el Gobernador les quitara sus indios tuviesen otros resortes con qué modificar sus decisiones.

Real Audiencia de Santo Domingo, 1511.

Este tribunal de apelación o Real Audiencia, como se le llamó, fue un efectivo medio de control del poder del Gobernador, pues uno de los tres jueces que los componían, Lucas Vásquez de Ayllón, era un importante encomendero de la élite burocrática de Ovando, y los otros dos no tardaron en comprender que solamente adquiriendo indios para sí y aliándose con Pasamonte, que representaba los intereses reales y de la mayoría de los encomenderos, podían tener éxito en la Colonia.

En 1512 se podían distinguir claramente dos bandos políticos que representaban los dos grupos de intereses aglutinados en torno al Gobernador Diego Colón y al Tesorero Miguel de Pasamonte, jefés de los que se llamarían más tarde los *deservidores* y los *servidores* del Rey, respectivamente. En esa pugna Diego llevó las de perder pues finalmente en 1513 el Rey le canceló el derecho que le correspondía como Gobernador para repartir y confiscar indios en la Colonia, lo cual significaba una merma decisiva del poco poder que le quedaba. El Rey nombró a Rodrigo de Alburquerque en 1514 para que fuera a la Española a realizar un último y definitivo repartimiento general que arrancara los remanentes de indios y de poder que quedaban en manos de algunos individuos del grupo de los 360 de tiempos de Roldán, y para que confiscara todos los indios que Diego había repartido entre sus allegados políticos más íntimos dándolos a los que el Rey tenía establecido.

Bandos políticos en 1512.

Repartimiento de Indios, 1514.

El repartimiento de 1514 mostró ser el instrumento utilizado por la Corona para poner todo el poder económico —y por lo tanto político— en manos de la pequeña pero poderosa aristocracia colonial que comenzó a desarrollarse en tiempos de Ovando y que Diego Colón había obstaculizado con su tormentoso gobierno. Concentró casi la mitad de los 25,503 indios que quedaban en las manos de unas 86 personas que componían los estratos altos de la sociedad españo-

Población aborigen en 1514.

27

lense de la época, dejando al resto de la población que eran varios miles de personas, sin indios y con muy pocas posibilidades de ganarse la vida como no fuera con sus propias manos.

La concentración de la riqueza en tan pocas manos fue tan evidente y el modo con que se llevó a cabo tan violento, que casi toda la Isla se quería alzar contra Rodrigo de Alburquerque. Pero la rápida intervención del Rey prohibiendo con penas grandes que se hablara o se siguiera discutiendo sobre el Repartimiento reprimió cualquier intento de revuelta.

El hecho de que los indios siguieran disminuyendo a pesar de las importaciones de lucayos, y que los pocos que iban quedando se concentraran en pocas personas, había engendrado sentimientos de frustración entre las capas bajas de la población hasta el punto que empezaron a dejar la Isla.

Esa corriente emigratoria, que ya era bastante fuerte desde 1512, se aceleró vertiginosamente a partir de 1515 debido a la crisis de acumulación provocada por el Repartimiento de Alburquerque. Entre 1515 y 1517 abandonaron la Isla más de ochocientos vecinos que no podían sacar oro por haberse quedado sin indios. En 1516 los vecinos de todas las villas

y ciudades de la Española apenas llegaban a 715, lo que significaba una población total menor de 4,000 personas.

Las minas también empezaban a agotarse para esta época y por ello los vecinos que quedaban en la Isla, sobre todo los miembros del grupo oficial, se sentían muy alarmados. Por esa razón fue que desde 1515 empezó a hablarse de buscar nuevos recursos explotables para sustituir el oro y los indios. Todos aquellos que tenían algo que perder hicieron grandes esfuerzos por ver si podían reorientar la economía de la Isla tratando de desarrollar la agricultura. Entre todas las propuestas hubo dos que se destacaron: La explotación de la caña de azúcar y la creación de plantaciones de cañafístola que se utilizaba mucho en Europa como purgante.

Tocó a los Padres Jerónimos aceptar las sugerencias para construir molinos de fabricar azúcar. Los Jerónimos fueron enviados por el Cardenal Cisneros a la Española a fines de 1516 a poner en orden las cosas de la Colonia deteniendo la

28

explotación de los indios que se habían reducido a unos 11,000 en 1517. Su nombramiento fue uno de los resultados del cambio de gobierno que se operó en España a raíz de la muerte del Rey Fernando en febrero de 1516, pues debido a la minoría de edad del príncipe heredero Carlos, que se encontraba en Flandes, el Cardenal Cisneros, antiguo confesor de la Reina, fue nombrado Regente. Impresionado por la propaganda de los dominicos contra las encomiendas y la explotación de los indios desde el famoso sermón de Montesinos de 1511 y conmovido por el celo fanático de un antiguo encomendero ahora metido a clérigo, llamado Bartolomé de las Casas, Cisneros destituyó a los asesores de Fernando para los asuntos de Indias y decidió llevar a cabo un plan para arrancar de manos de los encomenderos de la Española todos los indios que quedaban y poner éstos otra vez bajo el mando de sus caciques agrupándolos en pueblos.

Bartolomé de las Casas.

Ese plan fracasó debido a la muerte del Cardenal ocurrida justamente cuando Carlos se hacía cargo del trono y debido a las intrigas políticas de los antiguos cortesanos fernandistas que al volver a la Corte con el nuevo Rey hicieron destituir a los Padres Jerónimos y repusieron en sus cargos a los Jueces de Apelación. Y fracasó también debido a una epidemia de viruelas que acabó con las dos terceras partes de los indios entre diciembre de 1518 y enero de 1519, reduciendo la ya pequeña población aborigen a unos 3,000 y obligando a mantener el sistema de las encomiendas para que el resto de la población española no abandonara la Isla.

En vista de estos problemas, los Padres Jerónimos decidieron facilitar dinero en préstamo a todos aquellos que querían permanecer en la Isla invirtiendo sus capitales en la construcción de molinos para fabricar azúcar. En 1519 apenas se pudieron obtener unos 2,000 pesos de oro en las minas y eso significaba la extinción de la economía aurífera conjuntamente con la extinción de los brazos nativos que hicieron posible su desarrollo.

Comienzos de la industria azucarera.

29

IV

EL AZUCAR Y LA ESCLAVITUD DE LOS NEGROS

(1520-1607)

LA INDUSTRIA AZUCARERA EMPEZO a desarrollarse a partir del gobierno de los Padres Jerónimos, pero se sabe que desde 1506 había en la Concepción de La Vega un vecino de nombre Aguilón que había fabricado unos instrumentos con los cuales preparaba rústicamente algún azúcar. Las cañas que Aguilón utilizaba eran descendientes de las primeras cañas introducidas en la Española por Cristóbal Colón durante su segundo viaje y fueron plantadas en la Isabela demostrando sus inmensas posibilidades de desarrollo y adaptación al clima de la Isla.

Orígenes de la industria azucarera, 1506.

En 1514 el Alcalde de la Concepción Miguel de Ballester también empezó a construir un pequeño trapiche para fabricar azúcar. Con todo, la mayor parte del producto tenía que ser importado desde España y las Islas Canarias, pues la producción de la Concepción apenas daba para el mercado local. El alza de los precios que sufrió el azúcar en Europa a partir de 1510 estimuló a otro vecino llamado Gonzalo de Vellosa a construir un ingenio en la costa sur de la Isla para aprovechar la cercanía del mar y del puerto de Santo Domingo y exportar su producto. Esta idea de Vellosa demostró que si se quería invertir fondos en la construcción de ingenios, éstos debían ser establecidos cerca de Santo Domingo, donde había facilidades de transporte y donde también residía la mayor parte de la élite de la Colonia.

Alza de precios del azúcar en 1510.

31

Fue, pues, en Santo Domingo donde surgió la mayor parte de los inversionistas azucareros, pues su cercanía con los principales administradores de la Colonia les permitió obtener préstamos con relativa facilidad. A juzgar por la lista de las personas que recibieron esos préstamos, solamente se beneficiaron de los mismos aquellos individuos que ya pertenecían desde hacía años al grupo oficial ligado a Pasamonte y a los Jueces de Apelación. La política de los Padres Jerónimos fue continuada por su sucesor, Rodrigo de Figueroa, quien a mediados de 1520 comunicaba a la Corona que los encomenderos ya habían construido seis molinos, tres de los cuales se encontraban produciendo azúcar. Esos primeros ingenios utilizaron mano de obra esclava compuesta por los pocos centenares de indios que quedaban y por varios centenares de negros esclavos que desde 1518 fueron importados para sustituir a los indios. Las primeras noticias de un embarque de azúcar hacia el exterior datan de 1521.

Primeros ingenios, 1520-1527.

Primeros embarques de azúcar, 1521.

Inversionistas azucareros.

Lo lucrativo de este negocio movió a las gentes principales de la Colonia a embarcarse de lleno en el mismo. Miguel de Pasamonte, el Tesorero; Juan de Ampiés, el Factor; Diego Caballero, el Secretario de Audiencia; Antonio Serrano y Francisco Prado, dos importantes regidores de Santo Domingo; Esteban Justinián, mercader genovés; Cristóbal de Tapia, Veedor; Francisco de Tapia, Alcaide de la Fortaleza de Santo Domingo; Lope de Bardecí, gran encomendero; Jácome de Castellón, negociante de esclavos indios; Hernando Gorjón, gran encomendero de Azua; Alonso Dávila, Regidor; Francisco de Tostado, Escribano de la Audiencia, y el mismo Diego Colón que regresó con su flamante título de Virrey en 1520, construyeron ingenios. En 1527 ya había en la Isla 19 ingenios y 6 trapiches funcionando a plena capacidad y enviando sus azúcares al puerto de Santo Domingo, los del sur, o exportando directamente por Puerto Plata los dos que fueron construidos en esa región. Un ingenio era un molino que funcionaba utilizando fuerza animal, generalmente bueyes o caballos. La mayor parte de esos ingenios y trapiches fueron construidos en las riberas de los ríos Ozama, Haina, Nizao, Nigua, Ocoa, Vía y Yaque del Sur.

La industria azucarera siguió desarrollándose más a partir de 1527, pero entretanto la Colonia había venido sufriendo una transformación radical en casi todos los aspectos de la vida social, económica y política. Los Padres Jerónimos habían aceptado las sugerencias de los colonos en el sentido de obtener de la Corona el permiso para importar negros sacados de Africa para ser pagados a medida que el negocio del azúcar se fuera desarrollando. Poco a poco fue poblándose la región sur de la Isla de negros esclavos, cuyo costo por cabeza oscilaba entre los 90 y los 150 pesos, lo cual obligaba a los dueños de los ingenios a dispensarles un tratamiento que no los matara como a los indios para no perder de esta manera su inversión.

Importación de negros esclavos.

La mayor parte de la gente blanca siguió emigrando con mucha mayor intensidad que antes, debido, sobre todo, a las noticias que llegaban acerca de que en México se habían descubierto nuevas tierras inmensamente pobladas de indios en donde había abundancia de oro. Tan grave resultó la emigración de gente blanca desde la Española que ya en 1528 habían desaparecido 5 pueblos y los que quedaban eran la Concepción, Santiago, Puerto Real, Higüey, Azua, San Juan de la Maguana, Santa María del Puerto, Salvatierra de la Sabana y la Yaguana, que apenas reunían entre todos unos 200 vecinos que eran unas 1,000 personas, además de las 3,000 que aproximadamente había en la ciudad de Santo Domingo.

Emigración española.

Despoblación.

La única ciudad que no sintió inmediatamente el peso de la emigración de gente española hacia México y Perú en las décadas de 1520 y 1540 fue Santo Domingo, en razón de que a través de ella era por donde llegaban los técnicos canarios y portugueses que venían a trabajar en los ingenios azucareros y los centenares de negros que periódicamente traían los genoveses, los alemanes, o los portugueses a quienes la Corona española concedió licencias sucesivamente para dedicarse con exclusividad a ese negocio. El puerto de Santo Domingo se mantenía bullicioso y pujante día tras día a medida que los ingenios se multiplicaban y la producción de azúcar aumentaba, pues era allí desde donde se exportaba el azúcar producido en el sur de la Isla. Un documento de 1528 menciona 33 mercaderes radicados en Santo Domingo en esa fecha, todos dependientes, en un modo u otro, de las grandes casas de Sevilla que ejercían un monopolio abusivo sobre el comercio y la navegación con las Indias Occidentales. Sin embargo, a pesar del monopolio que hacía subir los precios, en las calles de Santo Domingo se veían las gentes enriquecidas vestir las sedas, tafetanes, bordados y brocados más caros importados a través de España de otras partes de Europa, y en las casas señoriales de los ingenios así como en las principales casas de los mercaderes se consumían alimentos y bebidas importadas a seis veces más su precio original.

Los ingenios eran al mismo tiempo una plantación y una industria. Había ingenios como el de Melchor de Torres que llegaron a tener una población esclava de hasta 900 negros, pero en general la población esclava era variable y oscilaba entre los 60, que era al parecer la cifra mínima, y los 500, en ingenios más grandes. La multiplicación de los ingenios y trapiches hasta llegar a unos 35 en 1548 y la continua introducción de esclavos para hacer frente a la creciente mano de obra infló grandemente la población negra en la Española. Melchor de Castro, en 1546, afirmó que los negros debían llegar a unos 12,000 contra una población blanca que no pasaba de las cinco mil personas.

Con tan poca población española era muy difícil mantener un control estricto sobre las masas trabajadoras en los ingenios y los negros continuamente se escapaban. Cuando en 1514 y años subsiguientes se discutía en la Española sobre la necesidad de importar negros esclavos para utilizarlos en los propuestos ingenios azucareros, hubo sugerencias de vecinos que aconsejaron que los esclavos que fueran introducidos se sacaran directamente de Africa y no de los que ya había en algunas ciudades de España, pues estos últimos conocían muy bien el castellano y podían comunicarse entre sí y urdir tramas y levantarse contra los españoles. Estos negros ya occidentalizados eran llamados ladinos para diferenciarlos de los que se sacaban directamente de sus tribus en Africa, que eran llamados bozales. Pero con todas y estas preocupaciones, los negros que fueron importados por los genoveses también resultaron peligrosos porque pertenecían a una tribu famosa por su orgullo y altivez y reacia a aceptar maltratos y trabajos pesados, que era la tribu de los gelofes. Además, el hecho de que entre ellos existiera una lengua común facilitó la conspiración que estalló en rebelión en diciembre de 1522 en los ingenios del Almirante Diego Colón y de Melchor de Castro.

Rebelión de Enriquillo, 1519-1533.

Esta rebelión fue prontamente reprimida. Sin embargo, la represión no logró detener los alzamientos individuales que por falta de policía se producían continuamente, pues es sabido que en 1533 cuando Enriquillo convino con los españoles había muchos negros viviendo en el Baoruco, los cuales siguieron siendo perseguidos por los españoles utilizando ahora guías indios facilitados por Enriquillo. Y era que esos negros alzados, lo mismo que lo habían sido los indios de Enriquillo durante toda la década de 1520, constituían un peligro para la vida y el desenvolvimiento de los ingenios del sur de la Isla. Además del peligro para las vidas y haciendas de los campos del sur, la guerra del Baoruco también resultó ser un motivo de gran irritación para la mayor parte de los habitantes de Santo Domingo, pues a partir de 1523 en que se declaró formalmente la guerra a Enriquillo, las autoridades aplicaron impuestos a los precios de la carne, que elevaron más aún el alto costo de la vida en Santo Domingo, para con ellos financiar los gastos de las patrullas militares que eran enviadas continuamente a perseguir a los indios alzados y a los negros cimarrones.

Los negros de Baoruco no fueron del todo exterminados, pues en 1537 se menciona la existencia de un grupo de negros alzados —cimarrones— comandados por un líder que respondía al nombre castellano de Juan Vaquero que andaban por las sierras del sur y asaltaban a los españoles de los alrededores. Los alzamientos continuaron sucediéndose durante los años posteriores a esa fecha, que debía haber de 2,000 a 3,000 negros alzados en el Cabo de San Nicolás, en los Ciguayos —esto es, la región comprendida entre Río San Juan y Nagua—, en la Punta de Samaná y en el Cabo de Higüey. La cifra sorprende por lo alta, pero hubo gente que

Negros cimarrones en Baoruco, 1537.

la creyeron ascendente a 7,000 en ese año. Estos grupos de cimarrones vivían organizados en naciones con una organización social y económica propia y hasta con un sistema fiscal que permitía mantener a los jefes que los dirigían. A medida que pasaba el tiempo el miedo entre la población crecía, pues existía la seguridad entre los blancos de que debido a la superioridad numérica de los negros no estaba lejos el día en que toda la Isla llegaría a estar sometida a ellos.

Para impedir esta eventualidad fue nombrado Gobernador y Presidente de la Real Audiencia el licenciado Alonso de Cerrato en 1543. La situación en que encontró la Isla era de un miedo tal que la población blanca no se atrevía a salir a los campos si no era en partidas de quince o veinte personas armadas. Se calculaba que solamente en Baoruco había unos 300 hombres y mujeres y que en los alrededores de La Vega merodeaba otro grupo de unos cuarenta o cincuenta negros cubiertos con cueros de toros, al igual que los del Baoruco.

El temor aumentó cuando se alzó otro grupo de esclavos en San Juan de la Maguana que se unió a un jefe cimarrón de la zona llamado Diego de Guzmán y asaltaron el poblado dejando en la lucha un español y dos esclavos muertos, además de una casa de purga de un ingenio incendiada. Las autoridades enviaron cuadrillas de hombres armados al Baoruco, donde entablaron combate y pudieron matar a Guzmán y otros 18 cimarrones. En La Vega, entretanto, también había tenido lugar otra ofensiva contra los cimarrones. Cerrato también trató de acabar con la hegemonía que por diez años había mantenido un jefe negro llamado Diego del Campo y lanzó contra éste y su gente una cuadrilla de españoles. Los negros huyeron al Baoruco no sin antes pasar por Azua y San Juan de la Maguana donde quemaron casas de purga de los ingenios. Aunque se intentó posteriormente llegar a un acuerdo de paz con estos grupos, los españoles adujeron que el mismo había sido violado por los negros y recrudecieron las persecuciones logrando atrapar muchos de ellos que fueron ahorcados, asaetados, quemados o castigados a perder cercenados sus pies. Tan efectiva resultó esta

Luchas contra los negros cimarrones.

batida que Diego del Campo finalmente se sintió acosado y se refugió en la casa de un hidalgo residente en Puerto Plata, desde donde pidió perdón y se ofreció entonces a perseguir a sus antiguos compañeros a cambio de su vida. Los españoles aceptaron el trato y con tan valiosa ayuda pudieron hacer grandes daños a los cimarrones. Ya en junio de 1546, Cerrato podía escribir a la Corona que "lo de los negros cimarrones está mejor que ha estado de veinte años a esta parte". Y no mentía.

Por un momento pareció que las cimarronadas iban a estallar, al comenzarse en 1548 la persecución de un jefe negro llamado Lemba que desde hacía más de quince años se encontraba alzado en la región de Higüey y a quien seguían unas 150 personas. Sin embargo, pese a la huida de estos cimarrones montados a caballo, finalmente fueron atrapados dándoseles muerte a fines de septiembre de 1548.

Lemba, 1548.

Pese a lo que se ha sostenido insistentemente en algunos textos de historia, las cimarronadas no arruinaron ni afectaron decisivamente la producción de la industria azucarera. Las estadísticas de datos recogidos en archivos españoles demuestran que, a pesar de la inquietud existente en la Isla durante todos estos años, los comerciantes de Santo Domingo y los señores de ingenios siguieron exportando azúcar hacia España unas veces directamente a Sevilla, otras, vía Portobelo, en Panamá. Entre 1536 y 1565 entraron y salieron del Puerto de Santo Domingo y de otros puertos de la Isla 803 navíos que traían mercancías y manufacturas y llevaban a su regreso sus bodegas cargadas de los productos de la tierra, azúcar, cueros, cañafístola, guayacán y sebo, entre otras cosas.

Las rebeliones negras y la industria azucarera.

Los ingenios fueron concentrándose en las manos de cada, vez menos personas, pero siempre personas ligadas en un modo o en otro a los negocios oficiales de la Colonia. De acuerdo con una lista de los dueños de ingenios preparada en 1548, de los veinticinco molinos que producían azúcar en la Isla en ese momento, 20 pertenecían a individuos ligados al cabildo de Santo Domingo o al gobierno de la Colonia. De acuerdo con la Relación del Oidor Echagoian escrita en 1568, había en ese año unos 30 molinos funcionando en la

Concentración de ingenios en pocas manos, 1548.

37

Isla y la mayoría de los mismos se encontraban en manos de los descendientes de sus fundadores que se agrupaban en los cabildos, sobre todo en el de Santo Domingo, para defender sus intereses.

Según el Oidor Echagoian el total de los negros de la Colonia que trabajaban en los ingenios, las estancias y en el servicio doméstico en la ciudad para sus amos llegaba a 20,000 en el año 1568. Este alto número de negros puede explicarse en función de varias razones. Una de ellas fue que desde 1526 la Corona había dispuesto que en cada partida de esclavos importados a la Española un tercio fuera de hembras que eventualmente se aparearían o casarían con los varones y ayudarían a su multiplicación. Otra razón fue el contrabando de negros que no obstante los obstáculos que quisieron oponerle continuó durante todo el siglo XVI. Otra razón estaba en la continua importación.

Lo que afectó la población negra de la Isla fueron las enfermedades que cobraron cuerpo de epidemia en los años posteriores a la invasión de Drake en 1586. Según informes, en esos días hubo "grandes pestilencias en los negros con muerte de más de la mitad de los que había", lo cual provocó una crisis de mano de obra en los ingenios que sirve para explicar una de las causas que afectaron la industria azucarera y motivaron su declinación muy a finales del siglo XVI y a principios del siguiente. La otra causa fue el desarrollo del cultivo del jengibre que comenzó a producirse en grandes cantidades a partir de 1581 para su exportación hacia Europa, donde obtenía mejores precios que el azúcar.

Este cultivo también necesitaba del uso de gran número de esclavos. A partir de 1581 la utilización de la mano de obra esclava oscila entre los ingenios y las estancias de jengibre, pero a medida que los precios de este último aumentaban, los esclavos fueron dedicados casi exclusivamente a la explotación de esas estancias. De manera que en octubre de 1606, de los 9,648 esclavos que había, solamente 800 trabajadores estaban haciendo azúcar en los ingenios, y el resto, 6,742, trabajaban principalmente en estancias de jengibre y en estancias de casabe y de maíz. Una pequeña cantidad, 88 esclavos, estaban dedicados al servicio doméstico.

V

MONOPOLIO Y CONTRABANDO EN EL CARIBE

(1503-1603)

CUANDO LOS ESPAÑOLES se dieron cuenta de las riquezas que había en América, la Corona quiso poner bajo su monopolio absoluto toda la producción de las nuevas tierras, así como todas las actividades mercantiles que se llevaran a cabo entre España y las Indias. Aunque muy pronto hubo que dejar a un lado esas aspiraciones, los Reyes pudieron establecer un sistema por medio del cual la producción de las colonias quedaba reglamentada conforme a complicados sistemas de regalías, licencias y mercedes que permitían o restringían el cultivo o la explotación de determinados productos, al tiempo que lograban establecer una política fiscal que garantizaba entradas cuantiosas a la Hacienda Real. La institución utilizada para controlar las actividades económicas fue la llamada Casa de la Contratación que empezó a funcionar como tal a partir del año 1503 en Sevilla. En cada puerto del Nuevo Mundo la Casa mantenía funcionarios encargados de supervisar la producción, de cobrar los impuestos, de llevar los libros de cuentas de la Hacienda Real y de dar permisos para navegar y comerciar. Esos funcionarios eran llamados factor, veedor, contador y tesorero del Rey.

Al principio, este sistema resultó bastante útil para organizar las primeras expediciones que siguieron a la de Ovando de 1502, pero a medida que las colonias fueron diferencián-

Orígenes del monopolio español en América.

Casa de Contratación. 1503.

dose, surgieron intereses locales independientes de los metropolitanos y de los reales, y así fueron produciéndose conflictos que tenían su raíz en el proceso de centralización administrativa y política iniciado por los Reyes Católicos desde mucho tiempo antes de que se descubriera América.

Efectos del monopolio en la Española.

En la Española, estas tensiones se notaron desde muy temprano, sobre todo en las pugnas que se produjeron entre todos, colonos, Corona y gobernadores, por la apropiación de la mano de obra indígena para ponerla a producir oro en las minas. Pero donde este fenómeno produjo sus efectos más duraderos fue en lo relativo al control de los comerciantes sevillanos sobre la vida económica de la Isla, pues estos grupos contaban con el apoyo total de la Corona. Ese control tuvo sus efectos más notables en la dinámica de los precios de la Isla, debido a que la Casa de la Contratación respondía generalmente a los intereses de estos comerciantes, y no fue posible a todo lo largo del siglo XVI, para los vecinos de la Española, conseguir que las mercancías que se importaban pudieran ser traídas de otras partes de España ni de otras partes de Europa, para que, con la existencia de un régimen de libre concurrencia, la competencia y el aumento de la oferta mantuvieran un nivel de precios aceptables.

Alza de precios en España.

Así, no valieron las peticiones de los vecinos de la Española, en el sentido de que se les permitiera comprar y vender el azúcar, la cañafístola y los cueros de vacas que se producían en la Isla, directamente en esos países. La política establecida desde 1503 sostenía que no podía comerciarse con extranjeros, no podía permitirse que los extranjeros pasasen a las Islas a comerciar sin el riesgo de sufrir severas penas, y que tampoco podían salir barcos a las Indias como no fuera a través del puerto de Sevilla —o de Sanlúcar y Cádiz con licencias muy especiales— ni podían enviarse los productos coloniales a otro puerto español que no fuese Cádiz o Sevilla.

Era a todas luces evidente que España no había podido desarrollar durante el siglo XV ni tampoco durante el siglo XVI una industria ni una agricultura capaces de satisfacer las necesidades y demandas de sus colonias en América. Era

40

necesario, por lo tanto, importar de otros países los productos más buscados, pagando altos impuestos, para entonces proceder a re-exportar hacia las Indias pagando nuevos impuestos en Sevilla, seguros marítimos, fletes y otros impuestos en los puertos de destino. De esa manera, cuando las mercancías enviadas desde Sevilla llegaban a la Española, por ejemplo, costaban seis veces más su precio original. Esta situación no podía generar sino resentimientos, tanto en las colonias como en el resto de Europa, pues había grupos de capitalistas en Amberes, en el Havre, en Londres, en Lisboa e incluso en Génova, que querían participar en el enorme mercado que se desarrollaba con el paso de los años en América.

Una solución de los capitalistas europeos consistió en mantener agentes en Sevilla encargados de invertir en compañías que hacían negocios con las Indias. Esos agentes participaban en todo tipo de operaciones y tanto prestaban dinero a mercaderes para ir o enviar gente a las Indias, como al mismo Rey Carlos V. Así, a medida que fue avanzando el siglo XVI, la vida económica sevillana se fue haciendo cada vez más dependiente del capital extranjero. Los capitalistas extranjeros, actuando a través de sus agentes, llegaron a influir decisivamente en la asociación de mercaderes de Sevilla, que a partir de 1543 se agruparon en la institución llamada Consulado. Con el tiempo, el comercio propiamente dicho quedó en manos de genoveses, judíos conversos y algunos franceses y holandeses, además, desde luego, de algunos españoles, de tal manera que a mediados del siglo XVI casi todo el oro y la plata y los demás productos que llegaban de las Indias a Sevilla estaban comprometidos con firmas extranjeras.

Los comerciantes y el Consulado de Sevilla.

De esta manera, el oro de las Indias fue a parar a manos de los grupos financieros europeos y sirvió para reforzar las incipientes burguesías de esos países proporcionándoles mayor cantidad de numerario que, al aumentar el circulante existente, estimuló sus economías ya en desarrollo. Estos países pudieron absorber mejor que España la demanda que la afluencia monetaria generaba. Este fue un factor de diferenciación económica muy importante entre España y las demás potencias europeas.

El otro factor fue la conjugación de la Reforma con los planes y políticas imperiales de Carlos V en la dinámica política de la época, pues la Reforma dividió en dos la Europa del siglo XVI, no solamente en sentido ideológico sino también político y económico. Fue la gran ambición de la unidad imperial, lo que llevó a Carlos V a enfrentarse con todas las naciones de Europa en el curso de su reinado, lo que terminó definiendo los campos políticos en Europa y preparó la ruina de la economía española que comenzó en la segunda mitad del siglo XVI. Y fue también de las guerras que ese enfrentamiento produjo, desde donde surgió la respuesta más efectiva al monopolio español con sus colonias en el Nuevo Mundo: El corso y el contrabando. No es casualidad que los primeros corsarios de los cuales se tienen noticias de que anduvieron por las Indias fueran franceses, si se tiene en cuenta que con ningún rey estuvo Carlos V tanto tiempo en guerra como con el de Francia, Francisco I, que aunque no era protestante no dejó por eso de oponerse a los planos imperiales de Carlos V y permitió a sus nacionales navegar hacia el Caribe para ampliar las depredaciones que desde hacía años cometían en aguas europeas.

Desde 1513 había corsarios franceses cerca de las Canarias esperando el regreso de naves provenientes de la Española, y en 1522 un corsario francés de nombre Jean Florín atacó un barco que iba desde Santo Domingo hacia Sevilla cargado de azúcar robando su cargamento y llevándolo a su país. En 1527 apareció en el puerto de Santo Domingo un barco inglés que pidió ser admitido para descansar su tripulación y hacerse de agua dulce en la ciudad diciendo que se había extraviado de ruta después que había salido a navegar hacia América del Norte. Aunque la Audiencia le permitió anclar, el alcalde de la fortaleza, Francisco de Tapia, lo hizo huir a cañonazos, bajo el pretexto de que eran extranjeros y que buscaban entablar comercio con los vecinos de la ciudad, pues una vez fondeó la nave sus tripulantes enseñaron telas y otras manufacturas a los curiosos que fueron a conocer a los recién llegados.

Las guerras europeas y el comercio español en América.

Corso y Contrabando.

Primeros corsarios. 1513.

Comerciantes ingleses en Santo Domingo, 1527.

42

Ya en 1526 la Corona también se quejaba de que, pese a las prohibiciones existentes, había signos abundantes de que se estaban introduciendo negros de contrabando. En 1537 otro corsario francés, aprovechando las hostilidades entre Carlos V y Francisco I en Europa, atacó la villa de Azua, asaltó y quemó algunas casas de ingenios, robó azúcar y cueros y de ahí pasó a Ocoa, donde cometió hechos parecidos. Y en julio de 1540 un navío español que recién había zarpado del puerto de Santo Domingo cargado de azúcar y cueros fue asaltado por corsarios ingleses que andaban en un barco que tenía un piloto francés.

Contrabando de negros, 1526.

Ataques corsarios en Azua y Ocoa, 1537 y 1540.

Todos esos hechos fueron obligando a las autoridades coloniales a pensar en la construcción de murallas para cercar la ciudad de Santo Domingo y protegerla contra los corsarios. Ya en 1541 la Corona aprobaba el plan de amurallar la ciudad y daba permiso para aumentar los impuestos y poner esclavos negros a trabajar en las obras. La situación se agravó tanto que a partir de 1543 la Corona española dispuso que los navíos que iban y venían entre Sevilla y las Indias debían hacer sus viajes en flotas o grupos de barcos debidamente resguardados que debían salir dos veces al año, tanto de Sevilla como de los puertos de Veracruz, en México y de Nombre de Dios, en el Itsmo de Panamá, de manera que fuera más difícil para los corsarios atacarlos.

Plan de murallas para Santo Domingo, 1541.

Orígenes de las flotas, 1543.

El sistema de flotas alteró notablemente el ritmo y el flujo de la navegación en el Caribe y sirvió para rematar el proceso de aislamiento en que Santo Domingo había ido cayendo desde que se inició la fuga de sus habitantes hacia Cuba, México y Perú. Ahora los barcos que quisieran ir a Santo Domingo debían zarpar semestralmente de España junto con la flota y al llegar al Caribe debían entonces tomar su propia ruta, solos y sin protección, hasta llegar a Santo Domingo navegando por aguas muy peligrosas. La navegación hacia la Española se fue haciendo más y más cara, pues los fletes fueron subiendo debido a los crecientes costos de los seguros marítimos.

Sistema de flotas.

El sistema de flotas no funcionó regularmente hasta 1566 en que entraron los galeones y se reajustaron las disposi-

Galeones, 1566.

43

ciones de las ordenanzas de 1543 y a partir de entonces La Habana pasó a ser el puerto más importante del Caribe, quedando Santo Domingo marginado. A Santo Domingo y Puerto Rico se les asignaron unas cuantas galeras y bajeles a principios de los años de 1550 para que defendieran sus costas contra los franceses que las rondaban, pero unas fueron destruidas por las tormentas y huracanes y las demás se perdieron en manos de los corsarios. Solamente la terminación de la larguísima pugna entre Francia y España en 1559 con la firma del Tratado de Chateau-Cambresy pudo dar a las atemorizadas autoridades de Santo Domingo el respiro que tanto deseaban.

Los habitantes de la Española seguían clamando por la abolición del monopolio y por la autorización para poder comerciar libremente con las demás naciones de Europa. El desarrollo de la industria azucarera, por una parte, y el jugoso negocio de reexportación de esclavos, por otra, hacía que los señores de ingenios y algunos funcionarios coloniales mantuvieran continuamente sus peticiones para que la Corona concediera licencias para seguir importando más negros. Como la Corona denegó muchas de esas peticiones y como los portugueses, que eran los principales proveedores de negros en el Caribe, estaban dispuestos a venderlos aún ilegalmente, el contrabando de negros continuó. Junto con los negros, los portugueses también traían artículos diversos. Los habitantes de la Española estaban demasiado necesitados de mano de obra esclava y de jabones, vinos, harinas, telas, perfumes, clavos, zapatos, medicinas, papel, frutas secas, hierro, acero, cuchillos y muchísimos otros artículos como para detenerse a pensar en leyes que todos acataban pero que nadie cumplía.

Esto no era un secreto en Europa, pues un marino y comerciante inglés llamado John Hawkins, que hacía negocios con las Islas Canarias, estaba enterado de la situación y consideraba que, siendo España incapaz de proporcionar a sus súbditos y colonias lo que ellos necesitaban, no sería imposible obtener permiso de la Corona o de las autoridades para llevar a las Antillas algunas mercaderías y negros a negociarlos por los productos de la tierra. Con este objetivo en mente, Hawkins buscó y encontró apoyo financiero de grupos capitalistas ingleses. El negocio consistía en formar una compañía entre ellos, comprar tres barcos que comandaría Hawkins, llenarlos de mercancías, equiparlos con buena tripulación y proveerse de negros en Africa para llevar todo ese cargamento a la Española y cambiarlo por azúcares, cueros, cañafístola y palo brasil.

Efectivamente, Hawkins se embarcó de acuerdo con sus planes en octubre de 1562 y se detuvo en Tenerife, Islas Canarias, para hacer contacto con amigos suyos relacionados con los vecinos de Puerto Plata acostumbrados al contrabando y avisarles que dentro de algún tiempo él iría a la Española con un buen cargamento de negros y mercancías. De las Canarias, Hawkins fue directamente a Sierra Leona, donde obligó a los portugueses a venderle 300 negros, y de ahí se embarcó hacia la Española. En abril de 1563 Hawkins llegó a Puerto Plata y, después de ser amenazado por las autoridades, se alejó hasta el abandonado puerto de la Isabela donde desembarcó y esperó la llegada de los vecinos de Puerto Plata, del cura y sus autoridades que llegaron con sus productos a cambiarlos por las mercancías que traía el inglés.

Hawkins en Puerto Plata, abril 1563.

Hawkins, fue muy cuidadoso pagando todos los impuestos. Sin embargo, las autoridades de Puerto Plata, para guardar las apariencias, decidieron retenerle 100 negros como rehenes, como "castigo", después de haberle comprado entre todos los vecinos los 200 restantes y una gran parte de sus mercancías. El importe de la venta obtenido en cueros y azúcares, que valía de cinco a diez veces más en Europa, fue enviado por Hawkins a España con su asociado Tomas Hampton, pero al llegar a la Península, Hampton fue hecho preso, su cargamento confiscado y sólo después de grandes dificultades pudo escapar de la Inquisición. En la Española, entretanto, las autoridades de Santo Domingo enviaron una patrulla de sesenta hombres a Puerto Plata y ordenaron la confiscación de todas las mercancías rescatadas.

Este primer viaje de Hawkins resultó un fracaso económico, pero demostró a los ingleses que los colonos estaban dispuestos a negociar con ellos. Después de esta experiencia Hawkins preparó otros dos viajes. El segundo, que no tocó la Española, rindió un 60 % de beneficios sobre el capital invertido, y el tercero fracasó debido a que la flota de Hawkins fue sorprendida por una flota española frente a las costas de San Juan de Ulúa, en México, y fue destrozada, salvándose nada más que un puñado de hombres entre los cuales se encontraba un marino llamado Francis Drake.

Este incidente, unido a la política internacional de Felipe II con Isabel I en lo relativo a la navegación de ingleses en aguas del Atlántico español, abrió definitivamente la brecha hacia el deterioro de las relaciones entre los dos países. La situación empeoró cuando Inglaterra decidió apoyar movimientos holandeses en su lucha por su independencia del dominio español, y cuando Felipe II ordenó a mediados de 1585 el apresamiento de todos los barcos extranjeros surtos en puertos españoles. Isabel I, después de estos hechos, no vaciló en dar apoyo financiero y político a Francis Drake para que zarpara a "castigar al Rey de España en sus Indias".

Drake salió de Plymouth en septiembre, y después de atacar el puerto de Vigo en España en octubre, se dirigió a Santo Domingo donde él esperaba encontrar la rica y floreciente ciudad de que se hablaba en Europa desde comienzos del siglo. El viernes 11 de enero de 1586 sus naves fueron vistas bordeando la Punta de Caucedo desde muy temprano en la mañana y en el curso del día pasaron frente a la ciudad de Santo Domingo donde la gente, sabiendo que eran velas enemigas, se llenó de espanto. En la noche desembarcó Drake sus hombres en Haina y al otro día temprano iniciaron la marcha hacia la ciudad. Entretanto, los hombres más valerosos trataron de hacer frente a la situación. Un documento de esos días dice que "salieron treinta hombres de a caballo de la ciudad a hacer rostro al enemigo, mientras las mujeres salieron fuera de la ciudad, las cuales salieron todas, aunque sólo con lo que tenían vestido". Y otro: "Pusiéronse asimismo precipitada-

Antagonismos entre Inglaterra y España, 1585.

Francis Drake ataca a Santo Domingo, enero 1586.

46

mente en cobro el pusilánime capitán general y presidente Cristóbal de Ovalle, llevándose el oro, las cosas de plata y las joyas."

Con muy poco esfuerzo pudieron Drake y su gente ocupar la ciudad. Un mes completo pasaron los ingleses en Santo Domingo alojados en la Catedral, saqueando todo lo que pudieron y no fue sino después de largas negociaciones que Drake aceptó desalojar la plaza, recibiendo como compensación la suma de 25,000 ducados, que fue a lo que alcanzaban las joyas, la plata y el oro sacado por el Presidente y el resto de los vecinos. Además del rescate pagado, Drake consiguió llevarse las campanas de las iglesias, la artillería de la Fortaleza y los cueros, azúcares y cañafístolas que encontró en los depósitos del puerto de Santo Domingo y en otros almacenes.

Este asalto demostró a los ingleses y a los enemigos de España en Europa que el imperio español seguía siendo vulnerable y que España no tenía fuerzas suficientes con qué aplicar totalmente su doctrina del *mare clausum* que oponía a las teorías de la *ocupación efectiva* de que hablaban los ingleses para rechazar el monopolio español y portugués tanto en América como en Asia. A los españoles este asalto les demostró que si no se ejecutaba una política de reforzamiento militar de sus principales puertos en el Caribe su imperio corría peligro de ser desarticulado en el futuro.

Por ello, la Corona invirtió cuantos fondos pudo para establecer un sistema de *avisos* o *paquebotes* (buques de alarma) encargados de mantener una efectiva comunicación entre la Península y las Indias, sobre todo en lo relativo al movimiento de corsarios y a la salida y llegada de las flotas. Esa convicción llevó a la Corona a invertir grandes sumas en las fortificaciones de La Habana, Puerto Rico, Cartagena, Portobelo, Veracruz y San Agustín de la Florida. Santo Domingo ya había perdido importancia, pues el Continente era la gran fuente de la riqueza del Imperio y todo el sistema de defensa se concentró en proteger los puertos y las rutas de las flotas. Por esta razón, el contrabando no

Fortificaciones españolas en el Caribe.

Continuación del contrabando, 1590-1600.

47

pudo ser impedido ni disminuido en la Española durante los años de 1590.

Antagonismos entre España y Holanda. 1594.

Para 1594, la guerra por la independencia de los holandeses contra el dominio español en los Países Bajos había llegado a un punto en que las provincias marítimas del norte podían ahora tomar la ofensiva en el mar, gracias al apoyo que en tierra les habían dado los ejércitos franceses e ingleses. Y aunque ni España ni Holanda estaban interesados en la guerra marítima, el arresto de unos 400 navíos holandeses surtos en puertos españoles en 1595 aceleró un proceso ya en marcha desde hacía algún tiempo: El impulso de los holandeses de buscarse otro mercado de sal que resultara menos problemático que España y Portugal donde ellos se proveían de la mayor parte de la sal utilizada por su industria de la pesca.

Presencia de holandeses en el Caribe, 1598.

Este arresto, al igual que el de 1585 y otro posterior en 1598 hizo que los holandeses decidieran irse a otras partes a buscar la sal que necesitaban sin necesidad de los propietarios e intermediarios peninsulares. El lugar que escogieron fue la Península de Araya, en las cercanías de Cumaná, en Venezuela. Durante sus viajes, prohibidos por las leyes españolas, los holandeses descubrieron cuán necesitados de negros y manufacturas europeas estaban los vecinos de Tierra Firme y las Antillas y cuán ricas eran esas tierras en azúcares, cueros, tabaco, zarzaparrilla, perlas, cañafístola, jengibre y, desde luego, la preciada sal. De manera que poco a poco, los holandeses también se metieron en la corriente de contrabando que desde hacía décadas inundaba el Caribe. Para prevenirse de posibles represalias de los españoles, los navíos holandeses navegaban bien armados.

Comercio holandés en las Antillas.

A su regreso a Holanda, la mayoría de los barcos pasaba por Puerto Rico, Isla Mona y la Española, en donde se detenían a cargar agua y a negociar los cueros y otros productos que guardaban los vecinos de sus costas. Estos cueros eran un producto básico en la economía europea de la época. Cuando los holandeses también descubrieron, como lo habían hecho los franceses, portugueses e ingleses décadas atrás, la gran fuente de producción de cueros que eran las Antillas, no vacilaron en dedicarse de lleno al negocio de contrabando y hoy se sabe que solamente para el contrabando con la Española y Cuba los holandeses dedicaban anualmente veinte barcos de doscientas toneladas cada uno.

VI

LA GANADERIA, EL CONTRABANDO Y LAS DEVASTACIONES

(1503-1608)

LAS CRONICAS DE LOS VIAJEROS que estuvieron en la Isla a mediados del siglo XVI, hablan de cientos de miles de cabezas de ganado que habitaban las sabanas y montes de la Isla en enormes rebaños, muchos de los cuales con el paso del tiempo se habían hecho cimarrones. Esos ganados eran descendientes de los animales que habían sido importados en tiempos de Ovando para desarrollar la ganadería de la Colonia, pues los pocos animales que Cristóbal Colón había traído fueron aniquilados durante la rebelión de Roldán. El clima de la Isla resultó altamente favorable para estas especies y en pocos años se reprodujeron notablemente.

Origenes de la ganadería en la Española.

A medida que se fueron despoblando los pueblos y villas del interior de la Isla por haberse agotado el oro y los indios de esas regiones, aquellos que no pudieron emigrar se ajustaron a las nuevas circunstancias de una economía natural y fueron convirtiéndose en pastores de los ganados que podían amansar en sus lugares. Así, el proceso de ruralización que acompañó el desarrollo de la industria azucarera también se efectuó a través de la reorientación de las actividades de algunos grupos de personas que se dedicaron a vivir de las monterías de puercos y vacas salvajes y de la crianza de ganado manso.

También los dueños de ingenios llegaron a ser dueños de grandes cantidades de ganado manso, para alimentar los centenares de esclavos negros que trabajaban en sus molinos. Había otro grupo de propietarios de ganado que vivían en la ciudad de Santo Domingo y que poseían decenas de miles de cabezas que eran sacrificadas para obtener sus pieles desperdiciando la carne que por ser tanta no había quien la consumiera toda. Entre este grupo se encontraban el Obispo de Puerto Rico y de Venezuela don Rodrigo de Bastidas, quien llegó a tener unas 25,000 cabezas de ganado, y una señora muy devota, doña María de Arana, viuda de un tal Diego Solano, quien llegó a poseer unas 42,000 reses en sus hatos entre los años de 1544 y 1546.

De toda la población que vivía del ganado, la que residía en Santo Domingo y en el sur de la Isla, alrededor de los ingenios, era la única que podía contar con ciertas facilidades para exportar regularmente sus cueros a España. El resto de la población de la Isla debía transportar su ganado vivo hasta Santo Domingo desde regiones tan alejadas como Santiago, La Vega y Cotuí. El transporte de los cueros de estas regiones al puerto de Santo Domingo sufría tantas dificultades y peligros y resultaba tan caro, que al llegar habían costado más en llevarlos que lo que valían realmente.

La gente de Puerto Plata y de la Yaguana esperaban algún navío español para vender oficialmente sus cueros delante de las autoridades pagando los debidos impuestos. Pero como en esas regiones, a medida que fue avanzando el siglo XVI, la presencia de esos navíos se hizo accidental debido al peligro que significaba navegar por las costas de la Española infestadas de corsarios franceses, los pobladores de Puerto Plata, Montecristi, la Yaguana y otros hatos cercanos a las costas del norte y del oeste de la Isla no tardaron en entenderse con los franceses, los ingleses y, sobre todo, con los portugueses que ofrecían negros baratos a cambio de sus cueros.

Así fue desarrollándose el contrabando en las costas más alejadas de Santo Domingo. Los preferidos por los vecinos de esta región llamada *la banda del norte,* al principio, eran los portugueses, pues hablaban un idioma parecido, no eran corsarios sino contrabandistas, y ofrecían la mercancía más estimada por los españoles de la colonia, que eran los negros. Pero como Portugal apenas poseía una industria parecida a la española, la mayor parte de las manufacturas que los vecinos demandaban eran producidas por otros países y resultaban más baratas si eran obtenidas directamente y sin intermediarios.

Ya para 1577 el negocio del contrabando era la base de la economía de la Banda del Norte y había conformado incluso una mentalidad y una ética social muy diferente a la de los pobladores de la ciudad de Santo Domingo, que respondían más a los intereses de la burocracia real de la cual dependían, que a los de aquellos cuyas existencias estaban ligadas directamente a la producción de frutos de la tierra.

Consolidación del contrabando en el comercio de Santo Domingo.

Este negocio, que crecía cada día debido a la complicidad de las autoridades locales, tuvo sus repercusiones también sobre la economía de la región sur, especialmente de la ciudad de Santo Domingo. A medida que el negocio crecía, los dueños de hatos de Santo Domingo, desde los más pequeños hasta los más grandes, empezaron a llevarse sus animales hacia las regiones donde el contrabando se realizaba con regularidad.

La merma del comercio oficialmente regulado significaba una reducción de los ingresos del tesoro real por concepto de los impuestos que estaba dejando de percibir el fisco con la evasión producida por el contrabando, pues los hatos de los alrededores de Santo Domingo estaban vacíos por la ausencia de ganados.

A esta declinación del comercio de cueros en el puerto de Santo Domingo, que resultaba tan irritante para los mercaderes de esta ciudad y que perjudicaba los intereses de sus asociados en Sevilla, iba unido otro problema que afectaba la raíz misma del poder y la soberanía de la Corona sobre sus colonias en las Indias y, particularmente, en la Española. Este problema era de tipo ideológico y tenía sus orígenes en las guerras de España contra las otras naciones europeas, especialmente Inglaterra y Holanda, cuyo apartamiento del catolicismo había tenido profundas repercusiones en la vida económica y política de esos países.

53

Así, el contrabando empezó a ser también como una vía de penetración de ideas religiosas y de lealtades políticas ajenas al pueblo y a la Corona españoles que por su propia función en la vida europea resultaban enormemente subversivas y decididamente antiespañolas y anticatólicas. En 1594 el Arzobispo de Santo Domingo Fray Nicolás Ramos escribía una carta al Rey denunciando que si no se ponía remedio a la situación, la Isla iba en camino de perderse para los cristianos pues el tráfico de los vecinos con los ingleses y franceses herejes era tan intenso y tan lucrativo que ya casi nadie guardaba las apariencias en la Banda del Norte y se había perdido todo el respeto por la autoridad real y por la autoridad del Papa.

Lo que más preocupaba al Arzobispo Ramos era la creciente tendencia de los habitantes de la Banda del Norte a olvidar sus deberes como católicos y como súbditos españoles, todo lo cual era evidente por la práctica de bautizar a sus hijos con ritos protestantes y con padrinos extranjeros también protestantes, lo que tendía a hacer más firmes los lazos y obligaciones de la gente de la Banda del Norte con los extranjeros.

Este proceso parecía muy difícil de detener, pues los jueces enviados por la Audiencia a investigar los casos habían entrado también en tratos con los contrabandistas que les reportaban altos beneficios. Esta situación fue ampliamente descrita por Baltasar López de Castro en 1598 en dos memoriales que denunciaban los daños que, a su juicio, estaba produciendo el contrabando. En esos memoriales López de Castro advertía sobre la necesidad de tomar medidas para evitar que esos daños continuaran y recomendaba cuáles de esas medidas resultarían más efectivas.

Pese a que todo el que vivía de una manera u otra del contrabando justificaba sus actividades diciendo que "no pueden vivir en la dicha Isla sin rescatar, porque les falta la mayor parte de las cosas que les son necesarias para el sustento de la vida", López de Castro, lo mismo que los demás burócratas de Santo Domingo identificados con los intereses reales y sevillanos, planteó la situación en términos de las necesidades oficiales y capitaleñas sosteniendo que como los extranjeros venían a buscar cueros principalmente, y esos cueros provenían de los ganados de la Banda del Norte, la medida más indicada para eliminar el contrabando debía ser trasladar todos los ganados y todos los vecinos de esas regiones a los alrededores de la ciudad de Santo Domingo hacia sitios que la Audiencia les señalare para ello.

Estos memoriales y sugerencias, unidos a las insistentes denuncias sobre el contrabando que enviaban a la Corte las autoridades de Santo Domingo y de otras partes de las Indias, como Cuba, Jamaica y Venezuela, sobre todo por las frecuentes incursiones de los holandeses en estos territorios, crearon cierto espíritu de inquietud entre los altos funcionarios del gobierno español que desde Madrid se disponían a hacer frente a la situación. Entre la serie de decisiones que se adoptaron para combatir a los holandeses y a los ingleses en las Antillas estuvo la creación de la llamada Armada de Barlovento a finales de 1601. Pero esta Armada nunca salió de aguas españolas debido a que numerosos problemas obligaron al nuevo Rey Felipe III a cancelar el plan antes de su ejecución.

Armada de Barlovento, 1601.

Así, los holandeses siguieron sus contrataciones en todo el Mar Caribe contando con la colaboración de casi todo el mundo. Y como no había otras soluciones a mano, con excepción de los memoriales de López de Castro, quien además se encontraba en la Corte insistiendo ante el Consejo de Indias para que adoptaran sus sugerencias, la Junta de Guerra del Consejo acordó finalmente, en enero de 1603, hacer suyos los puntos de vista de López de Castro a quien ellos calificaron de "hombre de buen discurso y práctico de aquella tierra", y sugirió al Rey la despoblación de los lugares de Puerto Plata, Bayajá y la Yaguana. La exposición del Consejo resultó convincente para Felipe III, quien una vez la recibió contestó sin reparos: "Está bien lo que parece al Consejo, y assi se haga."

La despoblación de las costas como medio de evitar el contrabando, 1603.

Entretanto, el nuevo arzobispo de Santo Domingo Fray Agustín Dávila y Padilla, que había sustituido a Ramos a la muerte de éste, también había tomado posición frente al problema del contrabando. Una vez que Dávila y Padilla

La Iglesia, el contrabando y el protestantismo

llegó a la Isla, una de sus primeras decisiones fue enviar a la Banda del Norte un representante a indagar sobre la situación de los vecinos de aquellas partes, en especial sobre el estado espiritual en que aquellos hombres y mujeres se encontraban. El enviado cumplió con su misión llevando de regreso a Santo Domingo unas 300 biblias protestantes que pudo confiscar de los vecinos visitados y de manos de algunos extranjeros que las llevaban. Todo lo cual convenció al Arzobispo de que si quería salvar la Colonia de quedar absorbida por los protestantes, con quienes todos de una manera o de otra hacían negocios, era necesario adoptar medidas que satisfacieran tanto a la Corona como a la Iglesia como a los mismos vecinos cuyas necesidades los habían arrojado en brazos del enemigo.

Esas medidas o remedios, como los llamó Dávila y Padilla, podían ser dos: una, permitir que vinieran navíos de esas partes vendiéndoles sus artículos y recibiendo a cambio de ellos los cueros, azúcares y demás productos de la tierra, en la misma forma en que lo hacían los extranjeros. Pero para ello sería necesario enviar galeras que protegieran estos navíos "porque sin esta seguridad sería poner los navíos en manos del enemigo". La otra medida, o el segundo remedio consistía en "conceder V.M. a los pueblos de aquella banda el comercio libre como lo tienen en Sanlúcar y en Canarias las naciones extranjeras. Esto era lo más fácil, aunque es muy desabrido para los mercaderes de Sevilla que son solos los que de toda ella cargan para esta ysla".

Pero estas proposiciones no fueron tomadas en cuenta y esta carta del Arzobispo quedó más como prueba de una situación que como un documento que influyera en la toma de decisiones del Consejo. Antes al contrario, los puntos de vista de Baltasar López de Castro reflejaban perfectamente los intereses de la oligarquía comercial de Sevilla y de sus agentes en Santo Domingo y estaban en consonancia con las prácticas absolutistas de la Corona Española y resultaron ser los criterios adoptados. Al año siguiente a la aprobación por el Rey, en agosto de 1604, llegó López de Castro a Santo Domingo portando un conjunto de cédulas reales que ordenaban al Gobernador Antonio de Osorio proceder

Ordenes reales para despoblar la costa norte, 1603-1604.

a ejecutar mudanzas y despoblaciones de los lugares del norte "en la forma en que dice Baltasar López y se retiren los ganados dentro de la tierra para que no se puedan proveer ni aprovechar de ellas los enemigos ni para la comida ni para llevar los cueros".

La reacción de los pobladores de Santo Domingo y de la Yaguana fue inmediata, lo mismo que de algunos miembros de la Real Audiencia que consideraban inconveniente la despoblación de la Banda del Norte, pues el contrabando constituía la principal fuente de aprovisionamiento de manufacturas de los pobladores de la Isla, incluso de los mismos habitantes de la ciudad de Santo Domingo. Gran parte de la población protestó. Esas protestas fueron formalmente presentadas en sendas exposiciones preparadas por los cabildos de Santo Domingo y la Yaguana en las que denunciaron hasta doce inconvenientes que eran suficientes para aplazar la adopción de esas medidas.

Protestas de vecinos contra la despoblación.

Esos inconvenientes, decía el cabildo de Santo Domingo, consistían en que sería imposible sacar todo el ganado de la Banda del Norte porque la mayoría del mismo era cimarrón y con las dificultades que conllevaría sacar el manso, la mayor parte se escaparía y se quedaría en esas partes, y los habitantes de la Banda del Norte terminarían por arruinarse al no encontrar gente que les ayudara a sacar sus ganados. Y siendo la mayor parte de esos habitantes "gente común, mestizos, mulatos y negros", que apenas tenían algunos hatillos donde criaban uno o dos cientos de reses mansas y vivían de la montería del ganado cimarrón, todos ellos harían lo posible por quedarse a vivir en la Banda del Norte al resultarles imposible sacar de esa zona sus ganados.

Cuadro social del contrabando.

Advertencias contra las despoblaciones.

Además, otro inconveniente sería el que "los negros son tan belicosos y tan poco domésticos que sin poderlo sus amos remediar, se han de quedar allá muchos de ellos que bastarán solos a rescatar como lo hacen". Así atraerían a otros negros esclavos a escaparse de sus amos como lo habían estado haciendo, y entre todos se harían dueños del negocio del contrabando que se trataba de impedir. A esto se sumaría el agravante de que por no existir poblaciones iba a resultar imposible cobrar diezmos para las iglesias y hospitales, y también podría darse el caso de que esa gente alzada se convirtiera más rápidamente en herejes, por falta de control y por andar fuera de todo trato con los católicos. Todos esos argumentos, con otras palabras, también fueron esgrimidos por los regidores de la Yaguana añadiendo, por su parte, que allí se perdería un ingenio muy rico cuyo valcr ascendía a unos 50,000 ducados y los negros de la ciudad, que eran unos 1,500, se escaparían hacia los montes, y la ciudad quedaría en manos de los enemigos que "serán señores de todo".

Tratando de impedir las despoblaciones el Cabildo de Santo Domingo intentó sugerir remedios o soluciones, muy parecidas a las que años antes había sugerido el Arzobispo Dávila y Padilla. Pero ya era muy tarde y el Gobernador Osorio desestimó tanto las protestas o inconvenientes como los remedios, con excepción de unas sugerencias de los regidores, que por defender los intereses de los grandes señores del ganado cometieron la imprudencia de sugerir al Gobernador que sí destruyese los pequeños hatos y hatillos de personas pobres de poco ganado que estaban cerca de las costas, sobre todo cerca de las de Montecristi. Este era un pueblo —decían ellos— que sí debía ser despoblado junto con las estancias de sus alrededores, puesto que no era de importancia por lo despoblado y convenía fundirlo con Puerto Plata, la cual debía ser reforzada y fortificada.

Comienzos de las despoblaciones, febrero de 1605.

Osorio, desde luego, no se dejó impresionar mucho por los regidores de Santo Domingo y soportó sus presiones y sus injurias. Así, después de varios meses de intranquilidad y de conflictos en Santo Domingo, a mediados de febrero de 1605 salió el Gobernador Osorio hacia la Banda del Norte a cumplir con las órdenes que tenía de proclamar un perdón general a todos aquellos que hasta la fecha habían estado envueltos en los contrabandos invitándolos a recoger sus pertenencias personales, ganados, esclavos y demás bienes y a marchar hacia los lugares dispuestos cerca de Santo Domingo donde se concentrarían en nuevas poblaciones.

Proceso de las despoblaciones, 1605-1606.

Como era de esperarse, hubo una gran resistencia por

parte de los habitantes de la Banda del Norte. Pero, a pesar de la misma, Osorio pudo obligarlos a salir de sus casas en el término de veinticuatro horas después de proclamadas las cédulas de despoblación y procedió a quemar los bohíos, ranchos, iglesias, sembrados y todo lo que fuera necesario para impedir que los vecinos quisieran quedarse en los lugares. En esta labor Osorio contó con la ayuda de unos 150 soldados de la guarnición de Puerto Rico que habían sido enviados por la Corona.

Así fueron despoblados Puerto Plata, Montecristi, la Yaguana y Bayahá. En este último lugar los vecinos intentaron hacer frente a la despoblación y se levantaron en armas contra Osorio y sus soldados, alzándose sobre los Valles de Guaba encabezados por el antiguo alcalde de la ciudad de nombre Hernando de Montoro. Esta fue una verdadera rebelión popular de la gente común, mulatos y negros libres que veían en las despoblaciones el comienzo de su ruina, y aunque todavía al año siguiente Montoro y su grupo no habían podido ser capturados, ni lo serían nunca, las persecuciones arrojaron más de setenta personas ahorcadas "por haber tratado y comunicado con enemigos después de la nueva ley".

Pueblos y lugares despoblados: Montecristi. Puerto Plata, Bayajá y la Yaguana.

Al comenzar las despoblaciones se encontraban surtas en la Bahía de Gonaives unas 16 naves holandesas que aprovechando la confusión reinante llegaron incluso a ofrecer a los rebeldes ayuda militar y apoyo político en contra de las autoridades con la condición de que abandonaran su fidelidad al Rey de España y renunciaron a la fe católica. Los vecinos de la Yaguana, por su parte, también opusieron una fuerte resistencia, y una parte de los mismos prefirió salir huyendo hacia Cuba antes que dejarse reducir a vivir en una población que iba a ser fundada en una zona estimada por todos como de las de peores tierras de toda la Isla.

Resistencia armada a las despoblaciones.

Todos estos pobladores de Montecristi, Puerto Plata, Bayahá y la Yaguana fueron concentrados en unos pueblos al norte de Santo Domingo, que fueron llamados San Antonio de Monte Plata y San Juan Bautista de Bayaguana, para significar la unión de las poblaciones de Montecristi

Nuevas poblaciones cerca de Santo Domingo: Monte Plata y Bayaguana.

59

y Puerto Plata en Monte Plata y de Bayahá y la Yaguana en Bayaguana. También fueron mudados los vecinos de todos los hatos comprendidos entre Neiba y San Juan de la Maguana, que una vez en marcha las despoblaciones también fueron acusados de contrabandistas y Osorio determinó mudarlos hacia los alrededores de la antigua villa de la Buenaventura.

Esta mudanza fue aprovechada por los negros de los alrededores que desde hacía años se encontraban alzados, quienes negociaron su pacificación con la Audiencia a cambio de ser asentados en los lugares despoblados de San Juan de la Maguana, lo cual no fue difícil pues apenas llegaban a veintinueve. Las protestas de los vecinos de San Juan de la Maguana, por su parte, y de la misma población de Santo Domingo, que decía que de San Juan era de donde esta ciudad se proveía de quesos, mantequilla y sebo, hizo que al poco tiempo se permitiera a los vecinos regresar a sus antiguos sitios, quedando así toda la población española de la Isla reducida a los límites de las guardarrayas impuestas por las autoridades que prohibían a los vecinos bajo pena de muerte adentrarse más al norte o al oeste de Santiago de los Caballeros y más al oeste de San Juan de la Maguana y Azua.

Guardarrayas.

Efectos inmediatos de las despoblaciones, 1606-1608.

Tal como había sido previsto por los cabildos de Santo Domingo y la Yaguana, no fue posible sacar ni siquiera el diez por ciento de todo el ganado manso de la Banda del Norte recién despoblada. Según los cálculos hechos en esos días, de las 110,000 reses mansas que había en aquellas regiones solamente fue posible trasladar unas 8,000 a los nuevos lugares, quedando el resto sin dueño y uniéndose al poco tiempo a las manadas de ganado cimarrón de la zona. Estas mudanzas y las pérdidas de reses que se sucedieron por alzarse la mayor parte, mientras eran trasladadas a otros sitios, se hicieron sentir en la ciudad de Santo Domingo donde se agravó la existente carestía de carne. De esta manera, ni se sacó todo el ganado, ni se favoreció de inmediato el comercio exportador de la ciudad de Santo Domingo, ni se impidió que la gente común siguiera haciendo contrabando, y en cambio se disgustó definitivamente toda la población de la Isla, se favoreció el alzamiento de muchos esclavos negros hacia los montes, se arruinaron docenas de familias de la Banda del Norte, y se despoblaron las costas septentrionales de la Isla dejándolas expuestas libremente a las visitas de los holandeses.

El Gobernador Antonio de Osorio fue relevado de su cargo a mediados del año de 1608. Aunque era de rigor someterlo a un juicio de residencia, la Corona ordenó a su sucesor Diego Gómez de Sandoval no poner trabas para que Osorio pudiera regresar sin tener que responder a las acusaciones de que fuera objeto por cuestiones relativas a las despoblaciones. A partir de 1606 la sociedad españolense sería otra cosa diversa a lo que hasta entonces había sido, pero sujeta todavía a las mismas fuerzas que la dominaban.

VII

CONSECUENCIAS DE LAS DEVASTACIONES

(1606-1655)

LAS DESPOBLACIONES PREPARARON las condiciones que harían posible todo lo que con ellas se querían evitar: el establecimiento de individuos de otras naciones en las costas del norte y del oeste de la Isla. Los primeros efectos percibidos en Santo Domingo fueron los de una notable carencia de carne debido a que todos los dueños de ganado de los hatos circundantes prefirieron matar sus animales y exportar todos sus cueros de una vez antes que correr el riesgo de perderlos en nuevas mudanzas y despoblaciones. La carencia de carne se agravó a medida que pasaron los meses y afectó fatalmente a las nuevas poblaciones de Monte Plata y Bayaguana, porque de las 110,000 cabezas de ganado manso que había en la Banda del Norte, sólo pudieron ser trasladadas unas ocho mil que se redujeron a menos de dos mil debido a que muchas de ellas murieron por falta de pastos y el resto fue consumido por esas poblaciones para no morir de hambre en unos terrenos que tenían fama de ser "los peores y más estériles que hay en toda la Isla".

Efectos de las despoblaciones.

Las mudanzas de los hatos comprendidos entre Neiba y San Juan de la Maguana, que luego tuvieron que ser repoblados, también sirvieron para agravar la crisis del abasto de carne a la ciudad de Santo Domingo de 1608 en adelante. Tan escasas se hicieron las reses en las carnicerías de Santo Domingo que los vecinos tuvieron que recurrir al expediente

Crisis económica, 1608.

63

de salar la carne para consumirla de esa manera. De acuerdo con las noticias de esos días no había siquiera aves u ovejas que sustituyeran la carne de res.

Situación general de la Colonia, 1606-1609.

La situación general de Santo Domingo y sus alrededores a mediados de 1608 cuando llegó el nuevo Gobernador Diego de Sandoval a sustituir a Antonio de Osorio era de hambre, miseria y aflicción, y mucho más difícil era la de los vecinos de Bayaguana y Monte Plata que desesperadamente pedían a las autoridades que les permitieran irse a vivir a Santo Domingo, lo cual no llegó a ser concedido. Más de un tercio de la población de Bayaguana murió de hambre y enfermedades entre 1606 y 1609 y, a pesar de la negativa de las autoridades, los más jóvenes de los habitantes de estos dos poblados se fueron colando entre la población de Santo Domingo. Las dificultades de estos vecinos, ahora arruinados, los llevó tan lejos como a dedicarse al robo de ganados para no morir de hambre, de tal manera que cuando Diego Gómez de Sandoval hizo su investigación sobre la situación general de la Colonia, el cuatrerismo era uno de los problemas que más preocupaban a los dueños de hatos de Santo Domingo. Para colmo de males, en mayo de 1609 el pueblo de Bayaguana sufrió un fuego que abrasó muchos de los bohíos construidos un par de años atrás.

Crisis de la ganadería.

El Gobernador Gómez de Sandoval adoptó una serie de medidas para fomentar el crecimiento de los ganados y la multiplicación de los hatos, que eran la única riqueza de la población: Prohibió que se mataran las hembras y los becerros, y ordenó a todos los dueños de hatos mantener jaurías de perros mansos para que con sus mayorales se dedicaran a perseguir a los perros cimarrones que abundaban en decenas de miles persiguiendo los ganados y siguiendo a los cazadores para comer las carnes desperdiciadas en las monterías.

Otra medida de Gómez de Sandoval fue la de permitir que fueran a la Banda del Norte algunas cuadrillas escoltadas por soldados para recoger los restos de los ganados allá dispersos y llevarlos a los hatos de Santiago y sus alrededores. Sin embargo, algún celoso defensor de los intereses reales informó a la Corona sobre estas licencias para formar cua-

64

drillas y Sandoval fue advertido por el Rey en 1610 sobre los peligros de que tanto los soldados como los miembros de las cuadrillas pudieran dedicarse a rescatar los cueros otra vez con los enemigos de España en vez de llevar los animales vivos a Santo Domingo.

Las despoblaciones afectaron decisivamente al comercio exportador de Santo Domingo al escasear los ganados, lo mismo que afectaron la capacidad adquisitiva de los vecinos que empezaron a consumir menos artículos importados por el puerto de Santo Domingo debido, tanto a la falta de dinero como a los enormes precios que había que pagar por los mismos. "Sueldos tan cortos para tierra tan cara" fue una expresión del Gobernador Gómez Sandoval para retratar la situación de estancamiento económico que se hacía tanto más grave cuanto que la exportación y la importación no proporcionaban entradas fiscales suficientes como para cubrir los gastos de la burocracia colonial ni mucho menos de los 200 soldados destacados en Santo Domingo. Mientras se reproducía el ganado y se aumentaba la producción de cueros, que era cuestión de varios años, las medidas adoptadas consistieron en reducir a 100 el número de soldados, y, por otra parte, en buscar que el déficit de la administración fuera cubierto por asignaciones subsidiarias enviadas desde México anualmente, las cuales fueron llamadas *situados*.

Alza de precios.

Situados.

En 1621 España decidió entrar en la llamada Guerra de los Treinta Años que envolvió a todas las naciones de Europa. Los últimos doce años de tregua habían dado un respiro a las autoridades de la Española que, entretanto, se ocuparon en mantener el sistema de cuadrillas funcionando bajo el control de los militares que en ocasiones eran movilizados por Gómez de Sandoval para perseguir algunos grupos de negros alzados que se mantenían en puntos difícilmente accesibles alejados de todo contacto con los españoles.

España y la Guerra de los Treinta Años, 1619.

Pero ahora, con España en guerra nuevamente, sobre todo con una nación con tan fuerte marina como Holanda, las autoridades de todas las Antillas iban a necesitar de un servicio de defensa en sus costas y principalmente puertos, en donde desde 1619 ya se sabía que los holandeses se preparaban para regresar tanto a rescatar como a realizar actos de represalia. En medio de todas estas circunstancias murió Gómez Sandoval en 1623, dejando tras de sí la Colonia tan pobre como la había encontrado quince años atrás cuando los vecinos no pudieron ir a recibirlo porque muchos de ellos no tenían ropa que ponerse.

Pobreza de la Colonia, 1624.

Esa situación de pobreza afectaba a casi todo el mundo, en especial a la ciudad de Santo Domingo que, al decir del sucesor de Sandoval, el nuevo Gobernador Diego de Acuña, se encontraba pobrísima y no había dinero con qué hacer frente a los gastos militares para reforzar la plaza. Esos dineros también habrían de venir de México porque no había de donde producirlos. Lo más grave era que esos gastos tendrían que aumentar porque a juicio de Acuña hacían falta cien hombres adicionales para reforzar la guarnición existente porque "la gente de la tierra es tan poco aficionada a la guerra que no hemos de hacer mucho caudal della como poco diestra y no inclinada a la milicia". Y es que la población criolla de la Isla, la gente de la tierra, nunca había tenido el menor interés en ahuyentar o hacer la guerra a los enemigos de España. De ahí que en 1624 no existiera un espíritu militar vivo entre la población de Santo Domingo, lo cual era inconveniente para los intereses imperiales de España en las Indias una vez esta nación se había embarcado en la Guerra de los Treinta Años con un enemigo tan temido como Holanda.

Compañías de las Indias Occidentales, 1621.

Fue precisamente la fundación de la llamada Compañía de las Indias Occidentales en 1621, organizada por un poderoso grupo de capitalistas holandeses para hacer la guerra a los intereses comerciales españoles en América, y particularmente en el Caribe, lo que movilizó las decisiones en la Corte para reforzar militarmente todos aquellos lugares que habían sido relegados durante décadas y concentrar esfuerzos en la explotación de las riquezas de Perú y México.

Actividades militares, 1623-1625.

Los años de 1623 a 1625 son de intensa actividad naval y militar en el Caribe, que hizo reactivar las defensas españolas en las Antillas y que obligó a los gobernadores de la Española a poner en práctica nuevos programas de militarización para cuyo financiamiento fue necesario buscar dinero en las Cajas Reales de México. Por todo ello, no es sorpresivo que la Corona ordenara en noviembre de 1624 al Gobernador que impidiera que los soldados siguieran dedicándose a las monterías y los obligara a regresar a Santo Domingo a servir militarmente y a preparar la defensa de la plaza contra posibles ataques enemigos.

Esos ataques no llegaron por el puerto de Santo Domingo sino treinta años más tarde y no precisamente de manos de los holandeses, pero los preparativos y los esfuerzos para reforzar a Santo Domingo, que de buenas a primeras se venía convirtiendo en un lugar de importancia estratégica, dieron un carácter diferente a la vida de la ciudad y contribuyeron a cambiar la personalidad social de la misma. La mayor parte de los documentos de los años posteriores al traslado de Acuña a Guatemala en 1626 insisten continuamente en los asuntos militares y no parece haber cabida a otras preocupaciones mayores entre las autoridades de Santo Domingo como no sean las de reforzar y proteger la plaza de acuerdo con las instrucciones de la Corona, que estaba envuelta en una de las más serias guerras europeas.

Asuntos militares, 1626.

Los diez años de la administración del gobernador Gabriel Chávez de Osorio, quien sustituyó a Acuña, son años de intensa actividad militar en la Banda del Norte y de intenso entrenamiento de nuevas tropas llegadas de otras partes a Santo Domingo. Entretanto, la producción seguía estacionaria. Se había vuelto a producir suficiente ganado como para abastecerse la ciudad de Santo Domingo, pero nunca a los niveles anteriores a las despoblaciones. Los ingenios seguían produciendo cada día menos azúcar. Después de rota la tregua, España se vio obligada a reforzar la defensa de sus flotas de galeones y distraer todos los barcos hábiles para este objeto, sobre todo después de 1628 cuando la flota de ese año fue atacada y tomada casi en su mayor parte por corsarios holandeses.

Comienzos del militarismo colonial.

Decadencia de la industria azucarera, 1628.

Un documento de 1629 habla de la imposibilidad de exportar los frutos de la tierra "porque ordinariamente falta embarcación en que conducirlos". Las únicas inversiones que se realizaban estaban orientadas a mejorar las defensas con el propósito de hacer de Santo Domingo una plaza inexpugnable desde el mar o desde tierra y de dotarla de una

Falta de dinero en la Colonia, 1629.

67

armadilla de varios bajeles que hicieran guardacosta entre Santo Domingo y La Habana para resguardarlas de los holandeses.

En noviembre de 1630 regresaron las cuadrillas militares que habían sido enviadas a la isla de la Tortuga algunas semanas antes, para desalojar a los enemigos de España que se habían refugiado en ella después de haber sufrido un fuerte ataque en la islita de San Cristóbal el año anterior por la armada de don Fradique de Toledo que regresaba del Brasil, adonde había ido a expulsar a los holandeses que se habían adueñado de las tierras de la región de Bahía. Esos enemigos, ingleses y franceses, perdieron todo lo que habían podido llevar desde San Cristóbal, incluso sus esclavos, los que tomados prisioneros por los españoles fueron luego vendidos en Santo Domingo para pagar los sueldos de los mismos soldados que habían asaltado la Tortuga.

Ese pequeño triunfo, sin embargo, lejos de dejar satisfecha a las autoridades sirvió para mostrarles cuán cerca se encontraban los enemigos y para moverlos a seguir con los planes de defensa y fortificación de Santo Domingo. Otro de los frutos de la militarización fue la formación de una pequeña élite militar, encabezada por el Presidente que era al mismo tiempo Gobernador y el Capitán General de la Isla, que buscó enriquecerse a través de las construcciones o a través del control de las operaciones fiscales que debían llevarse a cabo en las aduanas de Santo Domingo. De este último sistema fue beneficiario directo el mismo Presidente que a través de algunos testaferros llegó a acaparar importantes negocios y murió después de haber acumulado una fortuna.

La victoria de Ruy Fernández de Fuenmayor en 1635 contra los ingleses que habían regresado y vuelto a ocupar la Tortuga, después del primer asalto de los españoles cuatro años antes, resaltó aún más la efectividad de la organización militar en la Española. Después de reunir unos ciento cincuenta hombres en el interior de la Isla y de sumarlos a los cien del presidio de Santo Domingo, el Capitán Fernández de Fuenmayor cayó sobre los ingleses y degolló 195 enemigos, tomó 39 prisioneros y pudo apresar también más de

Extranjeros en la Isla de la Tortuga, 1630.

Expulsión de los extranjeros de la Tortuga, 1630.

Nueva expedición contra la Tortuga, 1635.

treinta esclavos negros que aquellas gentes tenían en su poder. Los gastos de esta campaña fueron, al decir de la Audiencia, considerables.

Pese a que la producción de cueros había vuelto a subir, la exportación de los mismos rendía muy poco al tesoro público, debido a las rebajas de impuestos de exportación que durante más de veinte años había otorgado la Corona para favorecer a los vecinos de Santo Domingo y a que la situación de guerra abierta en el Caribe hacía la navegación hacia Santo Domingo sumamente peligrosa y muy pocos se aventuraban a ir a la Española a buscar unos productos (azúcar, cueros, cañafístola, jengibre, tabaco) que podían ser obtenidos a más bajos precios, en mayores cantidades, con menos riesgos y más bajos fletes en las ferias de Portobelo y Veracruz. Así la pobreza de Santo Domingo proseguía entre las actividades militares y la construcción de fortificaciones para la defensa de la plaza.

Situación económica de la Colonia, 1635.

La situación se iba tornando diferente. En lugar de los antiguos y poderosos dueños de ingenios que controlaban todos los aspectos de la vida local, iba surgiendo una élite militar compuesta por hombres venidos de otras partes de las Indias y dirigida por un Presidente y Capitán General que también era llegado de otras partes y que la experiencia demostraba que su poder era prácticamente absoluto. La presencia de estos hombres en Santo Domingo repercutía sobre la vida local de diversas maneras. Por una parte, ellos eran la nueva fuente de riqueza para los comerciantes, pues una gran parte del dinero que llegaba con el situado desde México se convertía en salarios y era gastado por los soldados en la compra de los artículos de consumo necesarios para satisfacer sus necesidades.

Comienzos de la hegemonía militar en Santo Domingo.

En general, cuando los sueldos llegaban se esfumaban rápidamente, pues tanto los soldados como los burócratas, como los religiosos que recibían sus salarios de las cajas reales vivían endeudados y la llegada de sus dineros sólo servía para saldar cuentas y empezar a comprar al fiado de nuevo. Pero aún así, y a pesar de encontrarse individualmente en manos de los comerciantes y usureros de Santo Domingo, los soldados seguían siendo la base del poder real

Militarización de la vida dominicana, 1636-1644.

en la Colonia y después de más de diez años de intensa actividad militar su presencia no podía ser eludida por nadie que viviese en Santo Domingo por más noble y antiguo y honrado que fuese. De manera que a pesar del constante rechazo que recibían de los más rancios pobladores de la ciudad, los militares imponían un nuevo estilo de vida de la comunidad que no dejaba de provocar conflictos sociales.

Los más hábiles comprendieron perfectamente el rumbo de los cambios y no tardaron en adaptarse a los mismos aliándose íntimamente con los militares y, especialmente, con los gobernadores de turno, fenómeno que resultó mucho más notorio durante los ocho años de la gobernación de Juan Bitrián de Biamonte (1636-1644), quien aprovechó las naturales divisiones y conflictos entre los miembros de la clase alta para apoyarse en unos y oponerlos a los otros arruinando a los menos hábiles y enriqueciéndose él y un pequeño grupo con el negocio de las licencias de exportación e importación de cuya obtención dependía el comercio colonial, y enriqueciéndose también con el negocio de la venta de ropas a los soldados "a exorbitantes precios".

Efectos de la militarización.

En los cientos de folios que componen la documentación de este período resaltan los efectos de la inclusión de los militares en la vida españolense de la época, destacándose entre ellos el sometimiento definitivo del Cabildo de Santo Domingo y los demás cabildos de la Isla a los dictados de la Real Audiencia especialmente de su Presidente que llevaba en sus manos no sólo el poder judicial, sino también el militar, por ser el Capitán General de la Colonia.

El proceso no fue pacífico ni mucho menos tranquilo. En tiempos de elecciones las luchas se sucedían sin descanso, y las pugnas reflejaban el choque entre los intereses locales y los intereses de los recién llegados de otras partes, ora como soldados, ora como comerciantes, ora como burócratas. El mismo Bitrián, que llegó a mantener un poder absoluto que ningún otro gobernante igualaría en la Colonia, llegó a sentir los inconvenientes de la intranquilidad y a pedir a la Corona que legislara para que los alcaldes fueran electos de la siguiente manera: uno criollo, de la tierra, para satisfacer a los vecinos, y otro español nacido fuera, para satisfacer a los venidos de otras partes. Los alcaldes eran los representantes del pueblo en la administración de la justicia y en un período en que el poder fluía hacia los militares advenedizos, los vecinos querían retener ese poder en sus manos.

Así la población de Santo Domingo pasó por años de intensa zozobra. Pobre hasta más no poder, dependiendo para vivir de una suma de dinero que venía irregularmente desde México y corriendo grandes riesgos, se encontraba en manos de una pequeña oligarquía que no pasaba de cincuenta familias que poseían todo, las tierras, los ganados, los ingenios, los esclavos y el comercio y, para mayor angustia, se encontraba en manos, también, de una dotación de 300 soldados portugueses que España estimaba necesarios para defender la plaza y que los gobernadores de turno todavía creían insuficientes y solicitaban continuamente que fueran aumentados. *Oligarquía colonial.*

Pese a la tiranía de Bitrián de Biamonte, la población atemorizada nada podía hacer, pues ya hacía años que los enemigos de España habían vuelto a rondar las costas de la Isla, esta vez no como contrabandistas en busca de vecinos necesitados y amistosos, sino como agentes de guerra de sus naciones respectivas que se encontraban envueltas en la Guerra de los Treinta Años contra España. En 1642 dos navíos de corsarios desembarcaron en la Bahía de Ocoa un grupo de hombres que atacó uno de los ingenios de Azua "y se lleuaron doscientos panes de azúcar". *Ataques corsarios. 1642.*

Además, ya desde hacía años se sabía que había enemigos radicados en la isla de la Tortuga y se habían hecho varios esfuerzos por desalojarlos violentamente con esas tropas, lo cual había cambiado en cierto grado las antiguas lealtades de los vecinos que décadas atrás veían en los holandeses, ingleses y franceses aliados para satisfacer sus necesidades. Después de haber pasado treinta años de las devastaciones y haber vivido concentrados en los alrededores de Santo Domingo y haber padecido la influencia de la vida militar y los efectos de la propaganda antiextranjera que se publicaba frecuentemente en Santo Domingo, el sentimiento *Necesidad de militarización.*

71

de la hispanidad de los pobladores del sur de la Española creció hasta el punto de llegar a ver en la militarización un proceso necesario para salvarse todos de un posible ataque que los incorporara a Holanda, Inglaterra o Francia.

Nuevos ataques corsarios, 1644.

Nuevamente, en febrero de 1644 Azua fue atacada y saqueada por corsarios que llegaron incluso a hacer prisioneras catorce mujeres blancas y negras. Este hecho, junto con la presencia de las fortificaciones francesas en la Tortuga y las incursiones de los holandeses en la Bahía de Gonaives alarmaron todavía más a las autoridades, que se creían demasiado débiles para poder resistir algún eventual ataque contra Santo Domingo. Por eso fue que las principales personas de esta ciudad volvieron a insistir a principios de 1645 en que la Corona proveyera de otros cien soldados para reforzar a la guarnición de la plaza de Santo Domingo. El interés del nuevo Gobernador Nicolás de Velasco era mantener toda la población hábil continuamente bajo las armas.

Aumento de la guarnición militar de Santo Domingo, 1647.

A finales de 1647, la Corona aprobó aumentar la dotación en 50 soldados más urgiendo al Gobernador a conservar en buen estado la dotación de 300 ya existentes, y una compañía de caballería que con la gente noble y caballeros de la ciudad de Santo Domingo había compuesto Bitrián años atrás, junto con otra compañía de milicias para "correr las costas". Esta decisión de la Corona de aumentar la dotación militar de Santo Domingo obedecía, más que a las peticiones de las autoridades coloniales, a las informaciones enviadas por el embajador español en Inglaterra, don Alonso de Cárdenas, quien había descubierto en Londres una trama dentro del gobierno inglés para "ocupar la Isla de Santo Domingo en las Indias".

Paz de Westphalia, 1648.

Con todo, el ataque inglés no se ejecutó inmediatamente, pues ya en 1648 la gran Guerra de los Treinta Años llegaba a su fin con las negociaciones que concluyeron en la Paz de Westphalia. La atención del Gobernador de Santo Domingo, ahora que la paz reinaba, volvió a concentrarse en los problemas locales y coloniales que tenían mucho que ver con la presencia de franceses en las costas del norte de la Isla,

72

en donde hacía años se encontraban cazando ganado y manteniendo un centro de operaciones militares, marítimas y comerciales en la isla de la Tortuga que conspiraba contra todos los controles y todos los intereses españoles en sus colonias del Caribe.

VIII

LOS BUCANEROS, LOS FILIBUSTEROS Y LA INVASION INGLESA DE 1655

(1621-1655)

LA REANUDACION DE LOS ATAQUES holandeses contra las posesiones españolas y portuguesas en todos los mares del mundo fue uno de los efectos más importantes de la Guerra de los Treinta Años. Por su parte, Inglaterra y Francia, alineadas en favor de los Países Bajos, autorizaron grupos de sus súbditos a realizar acciones de corso, contrabando o simple coloniaje en tierras y mares de las Indias.

Los enemigos de España en el Caribe.

Uno de esos grupos, dirigido por Thomas Warner, se estableció en la isla de San Cristóbal a partir de 1622. Cosechó tabaco que llevó a Inglaterra donde pudo lograr apoyo económico de algunos capitalistas para sembrar el producto y hacer el corso contra naves y establecimientos españoles. La Isla se convirtió pronto en centro de operaciones de algunas firmas inglesas interesadas en el negocio del tabaco.

En el 1625 un grupo de franceses que huía de los ataques de los españoles llegó a la isla de San Cristóbal donde se les acogió y proporcionó trabajo en las plantaciones. Con su ayuda, los ingleses masacraron la población aborigen y al correr de los años, el territorio de la Isla se dividió entre franceses e ingleses.

Estos establecimientos eran ilegales, de acuerdo con el punto de vista de la Corona española. Mientras los ingleses y los franceses actuaban con el respaldo de algunos inversionistas y capitalistas de sus naciones respectivas, los ho-

Compañía Holandesa
de las Indias Occiden-
tales.

landeses habían descubierto una fórmula mucho más eficaz para hacer la guerra comercial y naval a las posesiones españolas y portuguesas en América. Siguiendo el esquema de la llamada Compañía de las Indias Orientales que había operado en Asia haciendo competencia al comercio portugués durante los doce años de la tregua (1609-1621), los holandeses, al romper las hostilidades, consiguieron reunir a los más importantes capitalistas de las ciudades de Amsterdam, Middelburgo, Rotterdam y Groninga en una organización comercial, marítima y militar que se llamaría *Compañía de las Indias Occidentales* "cuya primera obligación era hacer la guerra a España y practicar en gran estilo la piratería de corsarios".

Con un capital de siete millones de florines la Compañía empezó a trabajar y a finales de 1621 ya tenía organizada una fuerte escuadra hacia el Atlántico para hacer la guerra a los españoles. El blanco principal fue la ciudad de Bahía, en Brasil, la cual fue tomada en 1624, pero tuvo que ser desalojada al año siguiente. Puerto Rico, también, fue atacada por los holandeses, pero fracasaron en el intento. Pero en 1628, los holandeses pudieron finalmente asaltar y atrapar casi enteramente la flota mejicana en aguas cubanas, obteniendo un botín equivalente a unos quince millones de florines, dejando a la Corona española y a los comerciantes de Sevilla sin dinero para las operaciones de ese año.

La reacción española frente a la situación de guerra en el Caribe fue de reforzamiento de los puntos y ciudades estratégicas para impedir que los holandeses lograran ocupar alguna de las plazas fuertes de las Antillas como estuvo a punto de ocurrir en Puerto Rico. Y además de este reforzamiento y de la reorganización militar que frenéticamente se llevaba a cabo en las Indias, la Corona española también adoptó medidas para hacer frente directamente al empuje de la Compañía, que entre 1623 y 1626 había enviado al Caribe unos 806 barcos con unos 67,000 marineros que habían podido atrapar unas cincuenta naves españolas y en 1628 a toda la flota mejicana.

La más importante de estas medidas fue la organización de una fuerte armada al mando de don Fradique de Toledo,

Armada de Barloven-
to, 1629.

la Armada de Barlovento, que se encargaría a partir del año 1629 de escoltar las flotas de Cartagena y Veracruz. Al zarpar Toledo recibió órdenes de atacar y desalojar a los franceses e ingleses que se habían asentado en la isla de San Cristóbal años atrás. Esto no fue difícil, pues las disensiones entre ingleses y franceses debilitaron la defensa de la isla y después de un violento ataque, los sobrevivientes se vieron obligados a rendirse salvando sus vidas bajo el compromiso de no permanecer en la Isla. Los que huyeron fueron a parar a la costa norte de la Española, abandonada desde los días de las devastaciones, y fue precisamente la despoblación de la tierra y la abundancia de ganado lo que los llevó a tomar la decisión de no regresar a San Cristóbal.

Orígenes de la ocupación extranjera de la Tortuga.

Contactos posteriores con los holandeses que rondaban las aguas de la Española terminaron convenciéndolos de las ventajas de quedarse definitivamente en el norte de la Española, pues los representantes de la Compañía de las Indias Occidentales "les prometieron no dejarles perecer, suministrándoles todo lo que necesitaran, a cambio de los cueros que obtuvieran de la caza de ganado".

Este grupo se vio atraído por la tranquilidad y fertilidad de las sabanas de la costa sur de la isla de la Tortuga y una buena parte prefirió establecerse allí, cultivando tabaco y acumulando y vendiendo cueros a naves inglesas y holandesas que pasaban periódicamente y los trocaban por productos europeos.

Así se formó un núcleo de más de trescientos individuos, en su mayoría ingleses y franceses, que abastecían de cueros y carne a las naves enemigas de España. El grupo aumentó con personas llegadas de otras islas que no se quedaban en la Tortuga o se establecían en la costa norte de la Española.

Enteradas las autoridades de Santo Domingo de la presencia de extranjeros en la Tortuga enviaron en 1635 una expedición al mando del Capitán Ruy Fernández de Fuenmayor con el propósito de desalojarlos de esa isla. Las tropas españolas tomaron por sorpresa la plaza, mataron al jefe de los extranjeros y a 195 personas, hicieron 39 prisioneros y regresaron con el botín a Santo Domingo. Aquellos que

Ataque español contra extranjeros de la Tortuga 1635

77

pudieron escapar a la matanza huyeron en sus lanchas a la parte norte de la Española y se internaron con sus esclavos en los bosques.

El triunfo español no fue sin embargo duradero, porque al dejar el lugar abandonado después de la campaña, los que pudieron escapar regresaron a la Tortuga y ya en 1636 se contaban allí unos 80 ingleses con unos 150 negros trabajando de nuevo entre ambas islas.

Las autoridades españolas no se atrevían a organizar otra expedición por no descuidar la plaza de Santo Domingo, sobre todo después de conocer que Curazao había caído en manos de los holandeses. Hasta que en 1638 el Almirante de la flota de galeones, don Carlos Ibarra recibió órdenes de atacar la Tortuga y pasar a cuchillo a sus habitantes. La disposición fue cumplida y los que pudieron salvarse huyeron a la costa norte de la Española que era llamada Tierra Grande.

Después que pasó el peligro, los pocos sobrevivientes regresaron a la Tortuga y al año siguiente llegaron unos 300 aventureros que venían de otras islas a vivir a la Tortuga encabezados por un inglés llamado Roger Flood, quien logró imponer su jefatura sobre todos, ingleses y franceses. Flood, quien había sido un funcionario de la Compañía Inglesa de la Providencia, no fue capaz de mantener en armonía los intereses de los ingleses debido a que los franceses, lo mismo que los ingleses con su compañía, habían entablado relaciones con la recién fundada Compañía Francesa de las Indias Occidentales, que había sido fundada por Richelieu para aprovecharse, al igual que los ingleses y holandeses, de la guerra que contra España llevaban estas potencias en el Caribe.

El centro de operaciones de la Compañía Francesa de las Indias Occidentales se estableció en la isla de San Cristóbal que había sido poblada nuevamente bajo el patronato de la Compañía. El estilo de penetración de estas empresas, que eran verdaderas compañías por acciones compuestas por importantes capitalistas de sus países respectivos, llegó al mismo corazón del imperio español en América y empezó a romper definitivamente con el monopolio sevillano en las Indias Occidentales. Las compañías también eran organizaciones militares con derecho al corso y a la piratería contra España y Portugal o contra cualquier otra nación enemiga.

En el caso de la Tortuga en 1640, la situación fue de conflicto entre los intereses de los asociados a dos de esas compañías: Mr. de Poincy, Gobernador de San Cristóbal e Intendente de las islas francesas bajo mandato de la Compañía Francesa de las Indias Occidentales, y Roger Flood, antiguo funcionario de la Compañía Inglesa de la Providencia. Frente a las quejas de los franceses de la Tortuga por la administración de Flood, el Gobernador de San Cristóbal decidió actuar enviando a un aventurero de nombre Mr. Levasseur a deponerlo.

En agosto de 1640, Levasseur invadió la Tortuga con 49 hombres y a partir de entonces y por más de doce años, mantuvo el control absoluto de la Tortuga resistiendo un nuevo ataque lanzado por las autoridades de Santo Domingo en 1643, que fracasó debido a que Levasseur, además de ser un hábil comerciante, también era un sobresaliente ingeniero y pudo disponer una reorganización en las defensas de la isla que hicieron de la Tortuga algo así como una fortaleza inatacable. La Tortuga en tiempos de Levasseur se pobló como nunca antes lo había estado, lo mismo que la costa norte de la Española.

Control Francés de la Tortuga, 1640-1653.

Fracaso de un nuevo ataque español contra la Tortuga. 1643.

Los *filibusteros* eran los aventureros de todas las naciones que se dedicaban bajo la jefatura suprema de Levasseur a la piratería en las aguas del Caribe y que tenían como refugio las fortificaciones de la Tortuga. Su vida era el mar y su guarida la Tortuga.

Filibusteros.

Los *bucaneros* se dedicaban, por su parte, a vivir de la Tierra Grande, o la Española, cazando las reses y puercos cimarrones que pastaban por miles en las extensas y despobladas sabanas de la Isla. Se alimentaban de carne ahumada, la cual preparaban en unos asadores llamados en aquella época *boucan*, de donde les viene el nombre de bucaneros. A medida que iban cazando iban conservando los cueros y al cabo de varios meses cruzaban el estrecho que separa la Española de la Tortuga, donde vendían el producto

Bucaneros.

79

de su trabajo y se reponían de pólvora y municiones y de una que otra prenda de vestir. Luego regresaban a la Española a comenzar el ciclo de caza que duraba entre seis meses y un año. Otra de sus actividades consistía en proveer de carne y sebo a los *habitantes* que era el grupo de aventureros que había preferido sedentarizarse y dedicarse a la agricultura plantando tabaco, generalmente en las cercanías de la costa para no tener que caminar mucho a la hora de embarcar los fardos de tabaco hacia la Tortuga donde los vendían y los cambiaban por los artículos que necesitaban. Estos tres grupos se hallaban sujetos en última instancia al poder de Levasseur quien como dueño absoluto de la Tortuga o como Gobernador en nombre de la Compañía de las Indias Occidentales, percibía un impuesto bastante alto por cada operación de compra y venta que se realizara en la Tortuga para fines de exportación.

Habitantes.

El absolutismo de Levasseur terminó malquistándolo con todo el mundo. Ya en 1652 De Poincy hacía arreglos para destituirlo y nombrar en su lugar un gobernador que resultara más dócil, pero el asesinato de Levasseur en manos de dos aventureros le ahorró los problemas de la sustitución. La sucesión se realizó sin mucha violencia, cuando los asesinos comprendieron que no podían luchar contra la Compañía y aceptaron sin muchas dificultades al nuevo Gobernador enviado por De Poincy que respondía al nombre de De Fontenay.

Cambio de gobierno en la Tortuga, 1652.

El cambio de gobierno tuvo efectos notables sobre la vida de la Tortuga. Dice Oexmelin que "la isla recuperó muy pronto su estado floreciente; la religión católica y el comercio fueron restablecidos. El caballero (De Fontenay) reconstruyó el fuerte que estaba completamente en ruina; agregó dos buenos bastiones; hizo construir una plataforma y colocó seis piezas de cañón en batería, que impedían la llegada de los enemigos a la rada".

"Los aventureros volvieron a la Tortuga más frecuentemente y en mayor número que antes."

"Los bucaneros volvieron también a la Tortuga, que se vio así más poblada que lo había estado nunca, y la buena inteligencia, que reinó entre unos y otros, causó muchos daños a los españoles."

"El Caballero viéndose tan seguro de su isla creyó que todas las fuerzas españolas reunidas no serían capaces de debilitarlo. Permitió a todos los que quisieron, salir en expediciones corsarias y se dejó así de desguarnecer la plaza. El no pensó nunca que podía ser atacado, cuando un día un bucanero vino a advertirle que había divisado una escuadra naval española, que según todas las apariencias traía algún propósito contra la Tortuga. El Caballero, que era activo y todo una pólvora, puso al instante lo que le quedaba de sus hombres en pie de guerra, como si los enemigos estu-vieran ya a la vista."

Pero todo fue inútil, pues esta vez los españoles habían preparado muy bien su expedición y venían dispuestos a destruir definitivamente la Tortuga con sus bucaneros, fili-busteros y habitantes. El plan era de extinción total, y su ejecutor, el Gobernador interino don Juan Francisco Monte-mayor de Cuenca, estaba dispuesto a llevarlo a cabo para corregir lo que él consideraba había sido un descuido del Gobernador anterior don Andrés Pérez Franco, quien en sus dos años de gobierno (1652-1653), no había sido capaz de mantener la organización militar en el mismo nivel que la habían mantenido sus antecesores, debido a su avanzada edad y a las intrigas políticas entre los oidores de la Audien-cia y los regidores del Cabildo de Santo Domingo.

Planes españoles con-tra la Tortuga.

Durante los meses de noviembre y diciembre de 1653 estuvieron las autoridades planeando el ataque, y después de algunas calamidades, el 30 de diciembre salieron las tropas de Santo Domingo en cinco naves rumbo a la Tor-tuga. La campaña duró diez días y la victoria de los espa-ñoles no pudo ser más aplastante. Las fuerzas españolas habían podido alcanzar el éxito que no lograron en 1643, y el mismo se debió a la conjugación de la organización de Montemayor de Cuenca que recogía toda una tradición mi-litar existente en Santo Domingo desde hacía veinticinco años, por un lado, con la impresión y descuido del Gober-nador de la Tortuga, el Caballero de Fontenay, que dejó convertir en habitantes a muchos hombres de armas y per-

Gran ataque español contra la Tortuga.

81

mitió que el resto de los mismos se fuera a la mar a vivir de la piratería.

Ocupación española de la Tortuga, 1654.

Esta imprevisión le costó caro a De Fontenay, pues aunque en agosto de 1654 quiso encabezar un grupo de 130 hombres para recuperar la Tortuga, fracasó en el intento porque esta vez el Gobernador de la Española había dejado una guarnición de 150 hombres bien armados custodiando las fortificaciones. De esta manera volvió la Tortuga a manos españolas, precisamente en las vísperas de la ejecución de uno de los más osados planes europeos para desmembrar el imperio español en América. Un plan que había sido madurado durante años, por lo menos desde 1647, y que ahora empezaba a cuajar teniendo a Santo Domingo como primer blanco dentro de la gran cadena de ataques que se pensaba llevar a cabo.

Plan inglés para desalojar españoles de Santo Domingo, agosto de 1654.

En agosto de 1654, Oliverio Cromwell, Lord Protector de Inglaterra, nombró una comisión para que ejecutara las instrucciones relativas a un plan para enviar una poderosa flota a atacar a Santo Domingo, y desde allí irse apoderando de las demás posesiones españolas en América. La idea de atacar a Santo Domingo no era nueva en Inglaterra, pues ya Drake la había realizado con éxito setenta años atrás, y no hacía mucho tiempo que Thomas Gage, un antiguo jesuita convertido al luteranismo que había viajado por Centroamérica, había escrito y publicado un libro titulado *A New Survey of the West Indies*, en donde llamaba expresamente la atención de los ingleses sobre las enormes ventajas que podían derivar de una guerra con España que tuviera como finalidad arrancarle sus posesiones americanas.

Ya en 1647 un grupo de comerciantes ingleses intentó llevar a cabo una operación como la que Gage proponía, pero la misma no se llevó a efecto en razón de que en 1648 se firmó la Paz de Westphalia y, mucho más importante, los acontecimientos relativos al derrocamiento de la monarquía y a la decapitación del Rey Carlos I no aseguraban mucho éxito. De ese plan dio cuenta detallada el embajador español en Londres, don Alonso Cárdenas, quien puso sobre aviso a las autoridades españolas cuando gobernaba don Nicolás Velasco Altamirano. Las inquietudes de Gage y de todos

82

los otros proponentes del proyecto de conquista de las colonias españolas en América, cayeron en terreno fértil con la ascensión de Cromwell al poder, pues la falta de dinero y la necesidad de asegurar el poder político a través del apoyo de una Francia también deseosa de entrar en guerra contra España hicieron que el Protector alentara esas ideas y se decidiera llevarlas a cabo.

Ya a principios de diciembre de 1654 estaban todos los preparativos hechos. Pero, entretanto, el Embajador Cárdenas no descansaba en su espionaje y en septiembre había enviado las primeras noticias al Rey de España sobre el secreto con que se realizaban las labores. Y aunque la Junta de Guerra al Consejo de Indias no puso mucha atención a las comunicaciones del Embajador porque no creían que Inglaterra pudiera enviar una expedición sin antes declarar la guerra, ya en diciembre estaban convencidos de que la partida de la expedición era inminente y de que era necesario enviar algunos refuerzos a Santo Domingo.

Preparativos de expedición inglesa contra Santo Domingo, 1654.

Las previsiones de Cárdenas resultaron ciertas y ya era tarde para arreglar las cosas de manera que pudiera hacérsele frente a 34 navíos de guerra con 7,000 marineros y 6,000 soldados, como no fuera con los recursos que las propias autoridades y vecinos de Santo Domingo pudieran reunir. Montemayor de Cuenca estaba prevenido desde el mismo mes de agosto, y sus peticiones de ayuda junto con las nuevas noticias del Embajador hicieron que en diciembre, finalmente, le enviaran 200 soldados desde España, porque no había otra parte en las Antillas de donde sacarlos. De manera que cuando la flota inglesa zarpaba hacia Santo Domingo éstos eran los únicos refuerzos que España había sido capaz de reunir.

Preparativos españoles para resistir expedición inglesa.

La flota inglesa zarpó el 1 de enero de 1655 y llegó a las aguas de Santo Domingo el 23 de abril, después de haberse detenido algún tiempo en Barbados, donde completó las tropas de infantería con 3,000 hombres que hacían falta para alcanzar los seis mil que se necesitaban para el ataque. Entretanto, las autoridades de la Española hacían todos los preparativos para recibir a los ingleses. Junto con los doscientos soldados llegados de España, también se recibieron

Expedición de Penn y Venables, abril 1655.

unos 200 arcabuces, pólvora, municiones y cuerda, además de otros pertrechos. Y también llegó a Santo Domingo el nuevo Gobernador titular de la Colonia, don Bernardino Meneses y Brancamonte, Conde de Peñalba, que sustituiría a Montemayor de Cuenca, quien se había ocupado todo el tiempo de los arreglos para la defensa de la plaza. Estos arreglos comprendieron la reorganización total de todos los asuntos de guerra en la Isla. Más de 1,300 lanceros del interior de la Isla vinieron a sumarse a los 700 hombres de armas que componían toda la fuerza militar de la ciudad de Santo Domingo, comprendiendo a los militares y al resto de los hombres disponibles.

Trabajos de defensa de Santo Domingo.

Los ingleses desembarcaron en Nizao, demasiado lejos de Santo Domingo como para tomar la ciudad por sorpresa, y después de varias horas de marcha muy difícil, por lo fragoso del terreno, establecieron su cuartel general en Haina. Este fue el último de una serie de errores que habían venido cometiendo durante el curso de la ejecución del plan, que al acumularse, probarían ser fatales y los llevarían a la derrota. De acuerdo con las fuentes inglesas, cuando se reclutaron las tropas, se escogieron los peores y más revoltosos oficiales y soldados que se habían formado durante las guerras civiles en Inglaterra años antes y no había entre ellos una verdadera y uniforme tradición militar.

Desembarco inglés en Nizao.

Además, desde el principio los dos comandantes supremos de la expedición, el Almirante William Penn y el General Robert Venables, se mostraron contradictorios y mantuvieron una pugna de puntos de vista y pareceres que no dejó de reflejarse entre los marinos y los soldados, tanto que, después de casi cinco meses de viaje, al llegar a Santo Domingo, los marineros mostraban el más claro desprecio por los soldados y éstos no dejaban de resentirse contra aquéllos, llegando incluso a producirse motines que amenazaban con el orden de la expedición.

Problemas de la expedición inglesa.

Para colmo de males, los 3,000 hombres que fueron embarcados en Barbados resultaron ser incapaces de mantener un espíritu de disciplina ajustado a las normas militares. De manera que todo esto, unido a las informaciones que rindió un prisionero hecho por un grupo de cien españoles que habían salido a reconocer el terreno y atacó una patrulla que avanzaba frente a un batallón inglés en Nizao, sirvió a los españoles de ventaja a la hora de recibir el ataque de los 6,000 hombres que venían avanzando desde el domingo 25 de abril hacia Santo Domingo, con una caballería de 120 unidades.

Esa primera emboscada amilanó a las tropas inglesas al verse atacados por lanceros del interior que con sus desjarretadoras que usaban para matar el ganado, parecían "el tipo de vagabundos que se salvan de las galeras españolas". Pero más los alarmó el hecho de ser recibidos con gran fuerza desde las murallas de Santo Domingo por los españoles desorganizándoles el ataque y matándoles más gente. Cuando preparaban la segunda acometida contra las murallas, y esperaban el concurso de los barcos que aún no habían empezado el cañoneo contra la ciudad, aparecieron de improviso los contingentes españoles que se habían mantenido ocultos en el fuerte de San Gerónimo y quedaban en la retaguardia de los ingleses. La confusión fue tal que el mismo General Venables se acobardó y, según las fuentes inglesas, llegó incluso a ocultarse tras un árbol mientras los españoles atacaban, "tan poseído por el terror que apenas podía hablar". Esta segunda emboscada, llevada a cabo con pericia, rapidez y suma violencia, mató más de seiscientos ingleses.

La retirada se realizó en desorden, siendo los ingleses perseguidos y asediados por las fuerzas españolas. Al llegar a Haina, los jefes ingleses discutieron largamente sobre si volver a atacar la ciudad con tan desastrosa experiencia en su contra. Cerca de mil heridos elevaron las bajas a 1,500. La gente de Barbados no quería pelear y la decisión final de los oficiales ingleses fue reembarcarse, lo cual hicieron una semana más tarde. Una vez en alta mar, se dirigieron a Jamaica, que estaba más despoblada y peor defendida que la Española, donde sí pudieron atacar con éxito y desalojar a los españoles, quedando esa isla desde entonces en poder de los ingleses.

De esa manera se salvó la ciudad de Santo Domingo de caer en manos inglesas por segunda vez en menos de un

Causas de la derrota ii glesa.

siglo. La derrota de los ingleses fue obra de sus propias debilidades organizativas y militares, más que de una acción defensiva extraordinaria de parte de España que, derrotada como estaba, apenas podía prestar una ayuda mínima a su colonia de la Española.

Lo que inglaterra no pudo lograr con una expedición de 13,000 hombres, lo conseguiría parcialmente Francia utilizando como instrumentos de su política internacional a los hombres que desde hacía más de veinte años merodeaban por los mares de las Antillas en busca de tierras en donde establecerse para cultivar tabaco y matar vacas para explotar sus cueros.

IX

LA OCUPACION FRANCESA DEL OESTE DE LA ISLA

(1655-1697)

LA INVASION INGLESA DEJO ENTRE los habitantes de Santo Domingo el sentimiento de que la Española era la pieza más codiciada por los enemigos de España y que éstos no tardarían en volver a atacarlos. Casi nadie entendía cómo había sido posible que la ciudad no cayera en manos de los enemigos. Tan increíble resultaba esa victoria que andando el tiempo los dominicanos llegarían a inventar una leyenda basada en los cangrejos para explicarse un triunfo que 'ellos consideraban como caído del cielo.

Ese sentimiento de inseguridad fue lo que hizo que las autoridades de Santo Domingo se reunieran el día 10 de junio de 1655, para deliberar qué nuevas medidas de defensa debían adoptarse para proteger aún más la ciudad y discutir si debía considerarse el traslado de las tropas que habían sido dejadas en la Tortuga protegiendo la Banda del Norte contra el regreso de los filibusteros y bucaneros. Durante esa reunión todos opinaron que la guarnición dejada en la Tortuga debía ser llamada a rendir servicios en la plaza de Santo Domingo. Solamente tres militares, Alvaro Garabito, Baltasar de Calderón y Gabriel Rojas del Valle, que conocían la importancia estratégica de la Tortuga, se opusieron al proyecto de demolición y abandono de las fortificaciones y al traslado de las tropas, tal como se opuso el mismo Montemayor de Cuenca, quien sostuvo que "si el ene-

87

migo volviese a ocupar la Tortuga, volvería sin duda a lo mismo que antes...".

Quince días más tarde, el nuevo Gobernador Don Bernardino Meneses de Brancamonte, dio la orden de que se desmantelara y abandonara el sitio de la Tortuga. El pretexto para tomar tal decisión fue una Real Orden de septiembre de 1654, anterior a la invasión inglesa, en la que se ordenó a las autoridades de Santo Domingo trasladar los militares de la Tortuga para que reforzaran las defensas de la plaza e hicieran frente al ataque inglés que se preparaba en Londres.

La orden se cumplió con relativa rapidez, aunque el comandante de la Tortuga opuso cierta resistencia argumentando no poder embarcar la artillería. Pero al recibir respuesta de que la enterrase y cumpliera rápidamente con lo mandado, Baltasar de Calderón, que era su nombre, no tuvo más remedio que dejar el sitio y marchar hacia Santo Domingo en septiembre de ese mismo año de 1655 dejando la Tortuga nuevamente despoblada y a merced de los filibusteros.

Cuando los aventureros franceses se dieron cuenta de que los españoles habían abandonado la Tortuga, empezaron a regresar a la isla. En 1656 don Félix de Zúñiga, que sustituyó a Brancamonte como gobernador de la Española, notificaba este hecho a la Corona.

En ese mismo año, el Rey de Francia designaba a un aventurero, Jeremie Deschamps señor Du Rausset, Gobernador y Teniente General de la isla de la Tortuga y otras dependencias. Du Rausset se trasladó a la Tortuga en 1659 con un refuerzo de bucaneros y asaltó la plaza sometiendo a los grupos que la poblaban. Pero en 1664, la nueva Compañía Francesa de las Indias Occidentales obligó a Du Rausset a venderle sus derechos de propiedad sobre la isla y designó como gobernador de la misma a Bertrand d'Ogeron.

En esos momentos vivían en la Tortuga unos 250 a 300 aventureros y en la costa norte de la Española habitaban unos 800 franceses —*bucaneros y habitantes*— dedicados a la cacería de ganado y a la siembra de tabaco. Estos últimos, a juicio de Ogeron, podrían serle útiles en sus planes de

Desocupación española de la Tortuga, septiembre 1655.

Nueva ocupación francesa de la Tortuga, 1656.

Gobierno de la Compañía de las Indias Occidentales en la Tortuga, 1659.

Población de la Tortuga, 1659.

formar una fuerza militar poderosa para atacar a Santo Domingo y apoderarse de la ciudad, que él creía muy mal defendida. Para ello necesitaba concentrarlos en la Tortuga.

En 1667, los bucaneros y filibusteros bajo el mando de Ogeron se organizaron y marcharon hacia el centro de la Isla asaltando la ciudad de Santiago de los Caballeros que fue completamente pillada. En vista de este exitoso ataque, Ogeron, pidió a la Compañía nuevos recursos y más gente para "atacar la Villa de Santo Domingo y hacerse amo de toda la Isla por estos medios".

Ataque de bucaneros y filibusteros contra Santiago de los Caballeros, 1667.

Los propósitos de Ogeron tenían una causa más inmediata que la simple ambición política y era que desde hacía ya varios años los franceses estaban sintiendo una creciente escasez de ganado en el norte y en el oeste de la Isla debido a la matanza indiscriminada que durante lustros los bucaneros habían llevado a cabo. Por ello había sido necesario dejar que los bucaneros, en vez de concentrarse en la Tortuga, se adentraran mucho más hacia los montes y valles de la parte occidental de la Española. Durante esta penetración los más osados se aventuraron en la llanura de Cul de Sac y en las sabanas de los alrededores de la antigua población española de la Yaguana que ahora adoptaba el nuevo nombre de Leoganne.

Ocupación francesa de las costas occidentales de la Isla, 1668.

Ogeron partió en 1668 hacia Francia en donde estuvo hasta mediados del año siguiente gestionando el apoyo que necesitaba para ocupar toda la isla Española, y para fundar una nueva colonia francesa en la Florida. La población de la Tortuga, que antes no pasaba de unas 400 personas, ahora alcanzaba las 1500, en tanto que los habitantes y los bucaneros seguían aumentando y estableciéndose cada vez más adentro de la parte occidental de la Española.

Aumento de la población de la Tortuga, 1668.

Durante la ausencia de Ogeron ocurrieron graves desórdenes entre estos aventureros, pues el sistema de explotación colonial de la Compañía era tan oneroso que impedía que los colonos se enriquecieran cultivando tabaco o cazando reses cimarronas. Una serie de revueltas ocurridas entre los años 1669 y 1670 pusieron en peligro no solamente el control político de Ogeron sobre los habitantes y bucaneros sino también su propia vida cuando en agosto de 1670 fue ata-

Situación económica de los bucaneros, 1669-1670.

Revueltas de bucaneros contra la Compañía, 1665-1671.

cado mientras trataba de impedir las manifestaciones violentas de un grupo de habitantes que protestaban porque no se les- quería dejar comerciar con dos barcos holandeses que estaban en las aguas de la Banda del Norte.

Resultaba muy difícil para la Compañía impedir estas revueltas hasta tanto no se permitiera a aquellos hombres comerciar con quienes quisieran. Pero entretanto había que someterlos por la fuerza y eso fue lo que Ogeron hizo contando con la ayuda de una escuadra francesa que pacificó la Banda del Norte. Con todo, todavía en 1671 no había podido someter a los habitantes y bucaneros de Cul de Sac, donde residía para esta fecha el mayor núcleo de franceses dedicados al cultivo del tabaco. El descuido en que la Compañía mantuvo a los habitantes de su colonia era tal que en 1674 el mismo Ogeron reconocía que "la probreza de muchos habitantes de la Tortuga y de la Costa de Santo Domingo es tan grande que ellos no tienen los medios para comprar armas ni pólvora...".

Ogeron decidió irse a Francia nuevamente en busca de apoyo, pero la muerte le sorprendió en París a finales de enero de 1676, quedando en el gobierno de la Tortuga y de la parte occidental de la Española su sobrino Mr. de Pouancay, quien durante los próximos siete años haría de las tierras occidentales de la Española un territorio al servicio del Rey de Francia y no de la Compañía, pues el Ministro de Hacienda de Francia, Colbert, hizo que Luis XIV ordenara la disolución de la Compañía Francesa de las Indias Occidentales y que el mismo Gobierno se hiciera cargo a partir de entonces de manejar los negocios que pertenecían a aquélla.

Disolución de la Compañía Francesa de Indias Occidentales, 1676.

Los planes de Pouancay siguieron los mismos lineamientos que Ogeron había trazado años antes: someter a todos los bucaneros y filibusteros a su mandato, fomentar aún más el cultivo del tabaco, fortificar las habitaciones para impedir que fueran atacadas por los españoles y, eventualmente, pasar a la parte oriental de la Española con suficientes fuerzas como para arrebatar a España toda la Isla. Todo esto ocurría en los momentos en que Francia se encontraba **en guerra contra** Holanda, España e Inglaterra las que, aliadas en Europa para resistir las pretensiones imperiales de Luis XIV, mantenían en el Caribe sus fuerzas operando en contra de los filibusteros franceses.

De manera que la guerra de Europa significaba guerra en las Antillas. Por ello de Pouancay se interesó tanto en la fortificación de los sitios habitados por franceses en el oeste de la Española en 1677 en los cuales había más de cuatro mil personas, *engagés*, filibusteros y esclavos negros, cuya principal ocupación, con excepción de los filibusteros, era la producción de tabaco que se vendía en Francia y que alcanzó en 1677 los veinte mil quintales. Esa producción había que protegerla de los ataques de los españoles que durante los años 1677 y 1678 estuvieron enviando tropas a asaltar los lugares poblados por franceses y sólo dejaron de hacerlo cuando supieron que una gran armada francesa al mando del Conde de Estrées enviada por Luis XIV para hacer la guerra en las Antillas llegaría en breve a la Española.

Estas incursiones de los españoles eran ejecutadas por patrullas militares muy móviles compuestas de unos treinta soldados. A principios de 1679 llegó la noticia a Santo Domingo de que el año anterior Francia y España lo mismo que las demás potencias en guerra en Europa, habían firmado las paces. El nuevo Gobernador don Francisco de Segura Sandoval y Castilla envió a de Pouancay el mensaje sobre el Tratado de Nimega y la necesidad de que españoles y franceses dejaran de atacarse.

Este contacto inicial abrió las comunicaciones entre los gobernadores de ambos territorios y aunque Segura quiso, a mediados de 1680, impedir que los franceses siguieran cazando ganado en la parte occidental de la Isla argumentando la ilegalidad de su presencia allí, de Pouancay dejó entender bien claro que ellos no abandonarían a la Española porque poseían esas tierras desde hacía unos cuarenta años por "derecho de conquista". Esa negativa fue seguida de nuevas comunicaciones entre ambos gobernadores que poco a poco fueron derivando hacia la discusión sobre las posibilidades de entablar relaciones comerciales entre ambas colonias y de establecer límites precisos dentro de los cuales debían desenvolverse los habitantes de una y otra parte.

Fomento del tabaco entre franceses, 1677.

Fortificación de las poblaciones de franceses, 1677.

Ataques españoles contra los franceses, 1677-1678

Tratado de Nimega, 1678.

Inicio de relaciones franco-españolas, en la Isla, 1680.

91

Inicio del comercio entre franceses y españoles, 1681.

Pese al miedo que los españoles y franceses se tenían los unos a los otros, poco a poco las necesidades de ambos grupos fueron imponiéndose y a partir de 1681 empezó a desarrollarse un activo comercio de "caballos, carne salada y cueros de vaca". Al igual que a finales del siglo XVI, los habitantes de las zonas más alejadas de Santo Domingo volvían a entrar en contacto con los extranjeros, a pesar de las prohibiciones existentes, para poder sobrevivir a las duras condiciones de pobreza a que el sistema comercial español los tenía sometidos.

Aumento de la población francesa, 1681.

Las ventajas de este comercio y la estabilidad de la colonia francesa gracias a la Paz de Nimega atrajeron muchos otros filibusteros a sedentarizarse y a dedicarse al cultivo del tabaco. En mayo de 1681 de Pouancay informaba a su gobierno que según el censo realizado bajo sus órdenes había en la Colonia 7848 personas. Casi la totalidad de la población francesa estaba dedicada al cultivo del tabaco, cuya producción fue aumentando a medida que la población fue creciendo, todo cual trajo como consecuencia un aumento de la oferta en el mercado francés ya ligeramente saturado con tabaco extranjero que hizo bajar grandemente los

Cultivos de los franceses, 1681.

precios amenazando con arruinar a todo el mundo. Con esta crisis los habitantes empezaron a desencantarse del cultivo del tabaco y poco a poco fueron pensando en "dedicarse a otros cultivos y ocupaciones, como a fabricar azúcar, sembrar algodón, cacao, añil y a criar ganado", al tiempo que continuaban el comercio con los españoles que dejaba tantos beneficios.

Comunicaciones entre franceses y españoles, 1685.

Esta era la situación general de la colonia francesa cuando murió de Pouancay a mediados de 1683 y fue sustituido por Tarin de Cussy, un nuevo Gobernador que tendría como estilo de gobierno en los próximos años tratar de mantener las buenas relaciones logradas parcialmente con los españoles interesados en continuar con el comercio de ganado. Al logro de este propósito dedicó de Cussy muchas de sus energías escribiendo con cierta frecuencia al Gobernador de Santo Domingo para que éste impidiera que los españoles siguieran atacando a los franceses y para ver si conseguía que aceptara oficialmente la práctica del comercio entre ambos grupos, estableciendo conjuntamente límites fronterizos que definieran más claramente la jurisdicción de ambos gobiernos.

Muy poco fue lo que de Cussy pudo sacar, pues el Gobernador de Santo Domingo, don Andrés de Robles, un recalcitrante funcionario, se negó a permitir a los españoles comerciar con los franceses y mucho menos quiso aceptar entrar en negociaciones para el establecimiento de límites. Además, Robles advirtió a de Cussy para que hiciera que los franceses permanecieran "en la línea de sus poblaciones".

Entretanto, la vida de los franceses seguía discurriendo como antes, mientras sus autoridades buscaban organizar más adecuadamente la Colonia. En 1684 las necesidades más visibles entre sus habitantes eran de mujeres y negros.

Falta de mujeres y negros en poblados franceses, 1684.

A pesar del reconocimiento de que los habitantes necesitaban negros para desarrollar las nuevas plantaciones las autoridades coloniales todavía no estaban seguras de si la masiva importación de los mismos produciría efectos beneficiosos sobre el aumento de la población francesa de la colonia. En 1685, la situación parecía estacionaria: el comercio continuaba con los españoles, el tabaco se había reducido "casi a nada", el añil comenzaba a prosperar, el algodón no había probado ser provechoso y todavía no se había podido producir azúcar.

Situación económica de los franceses, 1685.

Mientras tanto, los gobernadores de ambas partes de la Española seguían discutiendo sobre la presencia y avance de los franceses hacia las tierras ocupadas por españoles. Por un lado, el Gobernador de Santo Domingo continuaba advirtiendo que no permitiría a los franceses avanzar más allá de sus establecimientos actuales, mientras que el gobernador francés, por su lado, seguía insistiendo que estaba dispuesto a observar la tregua en la Española, mientras los españoles no atacaran a los franceses que habitaban esa tierra conforme al derecho de conquista.

Agravamiento de conflictos, 1687-1688.

En agosto de 1687 un bergantín español, atacó la población de Petit de Goave, obligando sus habitantes a huir. Este acto fue considerado por los franceses como una traición y al mismo se le sumó un nuevo incidente acaecido en mayo de 1688 cuando un navío de Santo Domingo atrapó dos bar-

FRANK MOYA PONS

cos franceses y apresó sus tripulaciones encerrándolas junto con una veintena de habitantes apresados en Bayahá.

Estos asuntos deterioraron las relaciones entre ambos gobiernos coloniales, pues aunque de Cussy reclamó su devolución, el Gobernador Robles se negó a ello. Los franceses reaccionaron consecuentemente, sobre todo después de haber tenido noticias de que en Santo Domingo se hacían preparativos de guerra contra ellos. De Cussy decidió responder atacando y durante los últimos meses de 1688 y todo el año de 1689 se dedicó a planear un gran ataque para tomar a Santo Domingo y arrebatar toda la Isla a los españoles, decidiéndose a lanzar sus hombres contra la ciudad de Santiago de los Caballeros. Estos planes coincidieron con la llegada de la noticia de que España entraba en guerra contra Francia nuevamente.

El día 6 de julio de 1690 de Cussy entró a la ciudad de Santiago de los Caballeros con unos mil cuatrocientos hombres después de haber desbaratado las débiles defensas que los españoles quisieron oponerle. De Cussy ordenó pegarle fuego a la ciudad en vista de que los habitantes de Santiago habían dejado abandonado el sitio. En esos momentos Santiago tenía unos 200 bohíos y unas 30 casas de piedra, además de cinco iglesias y dos capillas. De Cussy quiso respetar las iglesias que encontró "muy bellas y bien abastecidas", y no les prendió fuego, pero en cambio quedaron destruidas unas 160 viviendas.

La reacción española fue rápida. El nuevo Gobernador de la Colonia don Ignacio Pérez Caro ordenó una movilización de tropas de diversos puntos del país hacia Santiago para impedir que los franceses regresaran con nuevos contingentes y ocuparan permanentemente la plaza y se trasladó personalmente a Santiago para reorganizar la ciudad y preparar las fuerzas que se encargarían de llevar a cabo un ataque de represalia. Por coincidencia el 9 de noviembre llegó a Santo Domingo la Armada de Barlovento con el situado destinado a la Colonia portando su comandante el encargo de ponerse a las órdenes del Gobernador en cualesquiera operaciones que las autoridades de Santo Domingo intentaran contra los franceses.

94

Con este apoyo, los españoles agilizaron sus operaciones y en dos meses tuvieron preparado el ataque contra el principal establecimiento francés en la Isla, la ciudad de Cap Français. El 21 de enero de 1691, en la sabana de Guarico (La Limonade), los españoles se lanzaron contra las tropas francesas que aguardaban desde hacía días el ataque. El encuentro fue violento y rápido y en él perdieron la vida el Gobernador De Cussy y algunos de sus principales lugartenientes junto con unos 400 franceses. Las bajas españolas fueron de unos 47 muertos y 130 heridos. Al día siguiente, las tropas españolas avanzaron y cayeron sobre la ciudad de Cap Français, apoyadas por la Armada de Barlovento que había estado siguiendo desde el mar las operaciones.

Ataque español contra franceses de El Cabo.

Batalla de la Limonade, enero 1691.

La destrucción y el saqueo de la ciudad de Cap Français y de los demás establecimientos franceses en el Guarico dejaron la región completamente desorganizada. Con todo, los españoles dejaron el resto de la Colonia intacta. El nuevo Gobernador Mr. Ducasse procedió a organizar la región y creó varias compañías de milicias para hacer frente a eventuales ataques españoles. Los españoles, después del ataque a Cap Français, habían vuelto a organizar sus patrullas de vigilancia en la frontera y mantenían un estado de guerra permanente a los habitantes de los establecimientos de la colonia francesa.

Antagonismos entre franceses y españoles.

Los años que siguieron fueron un período de constantes preparativos hechos por los gobernadores de ambas colonias para apoderarse de la Isla entera. Los franceses no sólo buscaban tierras en Santo Domingo, sino también hostilizar a los ingleses en el Caribe como parte de su estrategia general mientras durara la Guerra. Jamaica, la principal colonia inglesa en las Antillas, fue durante todos estos años el blanco principal de los filibusteros y corsarios franceses que todavía quedaban en el Caribe.

Corsarios franceses.

A mediados de 1694, Ducasse lanzó un fuerte ataque que hizo grandes daños a los ingleses, pues mató e hirió más de cien colonos y quemó unas 50 casas de hacer azúcar junto con otras 200 viviendas inglesas. Esto decidió la represalia en gran escala. A principios de 1695 el Gobernador de Santo Domingo, don Ignacio Pérez Caro, fue invitado por las auto-

Alianza anglo-española contra franceses, 1694.

95

ridades de Jamaica a apoyar el ataque que ellas pensaban lanzar contra la colonia francesa. Pérez Caro aceptó y ya en mayo unos 1,500 españoles armados se encontraban en Manzanillo esperando la escuadra inglesa. De allí avanzaron hasta Cap Français arrasando a su paso los establecimientos franceses, cuyos dueños huían despavoridos. La armada inglesa y sus barcos bombardearon la ciudad tomándola antes de que los españoles llegaran, pasando a Port de Paix donde después de un largo combate también lograron desalojar a los franceses.

Nuevo ataque contra El Cabo y Port de Paix, 1694.

En ambos casos, los marinos y soldados ingleses se dedicaron al pillaje dejando muy poco del botín a los cansados españoles que venían a pie a marchas forzadas desde su colonia. Estos se incomodaron bastante y se negaron a seguir a los ingleses hacia el sur para continuar el ataque contra Leoganne y Petit Goave, pese a que el Almirante inglés les dejó en posesión de los territorios conquistados izando la bandera española en lugar de la inglesa que fue puesta originalmente.

Este nuevo golpe no desalentó a Ducasse, quien ordenó a todos los habitantes del norte que se habían refugiado en los montes que abandonaran sus escondites donde vivían en gran miseria para que se concentraran en el sitio de Cap Français y se fundieran con la población de Port de Paix que debería quedar destruida pese a su importancia como centro de comunicaciones de la Colonia.

Ducasse sabía que tenía que hacerse fuerte nuevamente en el norte, sobre todo después que había recibido noticias de que los vecinos y autoridades españolas habían pedido a su Corona que les enviaran nuevos refuerzos y una inmigración de 6,000 familias flamencas para desalojar a los franceses del oeste de la Española y repoblar sus tierras con nuevas gentes de países aliados. Hasta este punto llegó a incidir la Guerra de la Liga de Augsburgo en los pobladores y autoridades de Santo Domingo.

Después de estas derrotas Ducasse tuvo que cambiar sus planes de ataque contra Santo Domingo pues el gobierno francés le ordenó poner sus recursos al servicio de un ataque corsario contra Cartagena aprovechando la llegada de la casi totalidad de los pobladores de la isla de St. Croix que se mudaron en bloque a la Española. Con esta orden Ducasse quedó desarmado pues el objetivo de toda su estrategia siempre había sido Santo Domingo. Lo único que le quedaba, después del ataque a Cartagena —que fue saqueada totalmente por los corsarios franceses a mediados de 1697— era tratar de convencer al Gobernador de Santo Domingo sobre las ventajas del comercio de manufacturas y ganado entre ambas colonias. Aunque lo intentó por diversos medios, no le fue posible hacerlo de inmediato.

Reconstrucción y reorganización de la colonia francesa, 1695-1697.

La reanudación de este comercio, como se verá más adelante, estaría determinada por un hecho ajeno a las voluntades y acciones particulares de los pobladores de ambas colonias: la terminación de la Guerra de Europa con la firma de la Paz de Ryswick en septiembre de 1697.

X

LA POBREZA DOMINICANA EN LA SEGUNDA MITAD DEL SIGLO XVII

(1655-1700)

LA ESTRECHA CONEXION DE LA ECONOMIA colonial dominicana con el sistema comercial español en las Indias, hicieron que Santo Domingo se viera decisivamente afectado por los vaivenes de la economía peninsular y que las causas que gobernaron la depresión y decadencia española en el siglo XVII operaran en forma similar en la decadencia económica dominicana durante el mismo período.

Decadencia de la economía española y decadencia de Santo Domingo.

La economía colonial dominicana del siglo XVI basada en la exportación de azúcar y de cueros de vacas hizo crisis a principios del siglo XVII debido a la creciente competencia de los azúcares mejicanos, primero, y de los azúcares brasileños, después de 1620.

Los cueros también pasaron por un período durante el cual su exportación estuvo grandemente limitada debido a la baja producción y a la falta de medios para embarcarlos hacia España. No fue sino hasta la década de 1639 cuando la exportación de cueros volvió a recuperar los niveles perdidos a raíz de las Devastaciones.

Exportación de cueros, 1639.

Durante un tiempo, los vecinos se contentaron con producir algún jengibre que era exportado conjuntamente con los cueros y el poco azúcar que se cosechaba pero todos notaban que hacía falta producir algún artículo sin la inversión de grandes capitales. De ahí que un poco antes de 1648 los vecinos de Santo Domingo, conocedores de la gran demanda

Siembra de cacao, 1648.

de cacao que existía en México por esos años, se dedicaron a hacer plantaciones de este árbol que en pocos años ya producían altos ingresos a sus propietarios.

Por un tiempo pareció que el cacao sería la salvación de la economía de la Colonia. Muchos de los vecinos hicieron intentos de importar nuevamente esclavos negros, pues la mayor parte de los que había murió en el año 1651 a causa de una epidemia. Repetidas veces pidieron a la Corona ayuda en este sentido. También pedían que se le prohibiera a los Capitanes Generales y Gobernadores imponer nuevos impuestos para cubrir gastos militares, pues esos impuestos, lo mismo que el papel sellado y la alcabala, cuya eliminación también solicitaban, hacían enormemente cara la vida en la Colonia. Sin embargo, la Corona dilató su decisión y mantuvo los impuestos, entre ellos el de alcabala, que, al decir del Gobernador Balboa de Mogrovejo en 1661, lesionaba en forma exorbitante el negocio del cacao.

En 1662, los vecinos volvieron a pedir licencia para importar esclavos con qué ayudarse en el cultivo del cacao a lo que la Corona respondió que en breve habría negros disponibles pues hacía poco tiempo se había formado un asiento con un especulador llamado Domingo Grillo para introducir unos 3,500 negros anualmente en las Indias. Ahora bien, como la necesidad de los vecinos no podía esperar, muchos de ellos presionaron al nuevo Gobernador don Pedro Carvajal y Cobos para que esclavizara nuevamente a varios cientos de negros alzados desde hacía años en las Sierras del Maniel, cosa que él ejecutó a mediados de 1665 después de una corta campaña militar que puso unos sesenta esclavos en manos de sus antiguos dueños en Santo Domingo.

En 1666, sobrevino una nueva epidemia de viruelas que mató a casi todos los esclavos y los cacaotales fueron atacados por una plaga que dejó la mayor parte de los árboles completamente secos, llevando a muchos de sus dueños a la ruina. La pobreza en que quedaron los vecinos, luego de esas catástrofes fue tal que en 1669, cuando por fin llegó un barco con unos cuatrocientos negros asignados para ser vendidos en Santo Domingo, a los vecinos sólo les fue posible comprar 140. La razón de esta escasez de dinero era, además de la quiebra de las exportaciones, el hecho de que en los últimos ocho años sólo habían llegado a Santo Domingo tres situados y no había dinero circulando en toda la Colonia.

Esa crisis que comenzó en el año 1666 con las viruelas, la plaga del cacao, un terremoto y un ciclón sumió a la población de Santo Domingo en un estado de depresión moral colectiva. Después de entonces no les quedó a los habitantes del sur de la Isla más ánimo que para abandonar la Colonia, cosa que no podían hacer por estarles prohibido y por no tener medios con que pagarse el viaje de salida. El cacao no volvió a producir a pesar de los esfuerzos que hicieron los vecinos. Las pocas matas que quedaban en 1672 fueron acabadas por un temporal que también afectó los conucos de yuca y plátano que los habitantes tenían para alimentarse.

A esta desgracia se sumó una nueva peste que, al decir del Cabildo de Santo Domingo, mató unas 1,500 personas en 1669, especialmente a los esclavos que habían quedado vivos de la epidemia anterior. A partir de 1668 la miseria se convierte en el tema principal de la mayor parte de los documentos tanto oficiales como privados. La falta de producción, de situado, de comercio, de contacto con el mundo exterior, especialmente con España, generó un profundo pesimismo entre los habitantes de la Española. La actividad económica en toda la Colonia se redujo a trabajos de subsistencia y la gente ahora se dedicaba a fabricar casabe, que se convirtió en la actividad más productiva por ser el pan ordinario de la población, y al cultivo de algunos vegetales y siguió, como antes, dedicada a la cacería y crianza de ganado.

Nueva epidemia, 1669.

Crisis económica colonial.

Estos son los años de mayor aislamiento de Santo Domingo y es en esta época cuando la ruralización de la vida dominicana llegó a su punto culminante. Mucha de la gente de las ciudades optó por irse a vivir a los campos para tener un lugar en donde poder subsistir aunque fuera autárquicamente. Algunos también dejaron la ciudad de Santo Domingo para no tener que pasar por la vergüenza de ser vistos sin ropa y vestidos adecuados. Esa acentuación en la ruralización de la vida dominicana llevó a los miembros de

Ruralización de la vida colonial.

Miseria de vecinos de Santo Domingo.

101

la Real Audiencia a pedir que se trasladara la institución a Venezuela pues apenas si había pleitos entre los vecinos. Aparentemente, los que se iban a los campos tenían posibilidades de pasarlo mejor que los que permanecían en la ciudad de Santo Domingo donde las dificultades continuaron.

Ciclón y pérdida de plantaciones de cacao y yuca, 1672.

Terremoto, 1673

En septiembre de 1672 pasó un ciclón que destruyó las plantaciones de yuca de la cual se fabricaba el casabe, lo mismo que los platanales y un "número grande de arbolitos de cacao en los cuales tenían los naturales puesta la esperanza de su remedio". En mayo de 1673, se produjo un terremoto que no hubo casa en la ciudad que "no cayese en el suelo o quedase ynabitable", incluyendo los conventos, las iglesias y los edificios públicos.

Fin de calamidades, 1675.

Por fin, en 1675 los vecinos empezaron a reaccionar positivamente frente a su situación después que notaron que durante el año anterior no hubo grandes dificultades. Esa nueva actitud fue reforzada por la idea de que todas esas calamidades habían sido producto de influencias astronómicas que habían estado operando durante un ciclo de siete años. Con nuevas perspectivas por delante, hubo algunos que volvieron a sembrar arbolitos de cacao, aunque no en gran escala "porque no ay esclavos".

Más fácil resultaba a los vecinos imitar a los franceses que habían hecho del tabaco su cultivo principal en la parte occidental de la Isla. En Santo Domingo se sabía que el volumen de las exportaciones francesas alcanzaba ya el millón de libras, y estimulados por estas noticias, poco a poco, muchos se dedicaron a la siembra de tabaco conjuntamente con la tradicional ocupación de montear y criar ganado.

Pobreza general, 1678.

En agosto de 1678 la Real Audiencia escribió a la Corona dando cuenta de la situación en un informe que describe mejor que cualesquiera otro documento de la época el estado de pobreza de la Colonia. En ese informe la Audiencia reconocía, muy apesadumbrada, que no existía salida favorable a aquella crisis, puesto que una de las alternativas a la mano, que era el comercio con otras partes de las Indias. había desaparecido y no había posibilidades de restablecerlo por la naturaleza competitiva de sus productos con los de

Santo Domingo; y, otra, la vía legal, que era el comercio con España, tampoco era posible por falta de navíos.

La miseria dominicana de mediados del siglo XVII era en muchos sentidos una resultante de la estructura del sistema comercial español y, particularmente, de la marginación de Santo Domingo de las rutas oceánicas al perder su importancia económica y al ser sustituido estratégicamente por Cuba y Puerto Rico como los puntos claves de la defensa española del Caribe. Estos puntos de vista se evidencian continuamente a lo largo de una buena parte de los documentos de la época, de los cuales también resaltan las noticias sobre las múltiples tensiones sociales que padeció la Colonia a consecuencia de la pobreza.

Marginación de Santo Domingo del sistema comercial español.

Esas tensiones provenían de todas partes. Tanto se producían en el seno de la Real Audiencia, como en el seno de la Iglesia, como en el seno de la población cada día más pobre, más frustrada y más angustiada que subsistía apenas gracias al *situado*, suma de dinero que era enviada desde México para sufragar los gastos de la Colonia por lo menos desde 1608, cuando la economía de la Española hizo su primera crisis a raíz de las Devastaciones. Ese dinero era poco menos que sagrado y de su llegada dependía la vida de la Colonia, pues era la única ocasión en que los vecinos de Santo Domingo tenían la oportunidad de manejar alguna plata aunque fuera por unos cuantos días, ya que la totalidad de la población vivía atada a una larga cadena de deudas en la cual los últimos acreedores formaban una pequeña oligarquía comercial que controlaba no sólo la salida de los pocos productos de exportación, sino también la entrada y venta de las escasas manufacturas que llegaban legal o clandestinamente al puerto de Santo Domingo.

El situado.

Entre todos los deudores el mayor era el gobierno colonial, que tenía que hacer frente no sólo a los gastos extraordinarios para la defensa de la Colonia, tales como manutención de tropas adicionales que recorrían la frontera y la construcción o reparación de la muralla de Santo Domingo. Precisamente, fue en ocasión de la llegada de un situado atrasado, en 1661, que ocurrió un serio complot de militares contra el entonces Gobernador y Capitán General de la Isla

Complot de militares 1661.

don Juan Balboa de Mogrovejo quien, al no poder pagar más que cuatro de los cinco sueldos atrasados a la guarnición militar de la ciudad, fue acusado de querer retener la plata del situado en perjuicio de los militares y logró con grandes dificultades conjurar la sedición.

En estos años había dos grandes prestamistas de los vecinos y del gobierno de Santo Domingo: el comerciante don Rodrigo de Pimentel y el Arzobispo de Santo Domingo que era, claro está, el administrador de los bienes y rentas de la Catedral que todavía antes de la crisis de 1666 eran bastantes. Durante años el Arzobispo y Pimentel mantuvieron el control económico de la capital de la Colonia pues mientras el situado se retrasaba ellos facilitaban dinero a crédito y con intereses a la población y una vez el situado llegaba sus testaferros se encargaban de los cobros, de manera que la circulación monetaria era bastante fugaz y a poco de haber llegado la plata se concentraba en unas pocas manos.

Acaparamiento de la riqueza.

Pimentel tenía una ventaja sobre el Arzobispo y era que él manipulaba el negocio de ropas y tejidos de contrabando que llegaba desde Curazao a la Española por la vía de los ríos del sur de la Isla. Además, Pimentel tenía a su servicio una amplia pandilla de secuaces que iban desde algunos importantes regidores del Cabildo local, hasta funcionarios de la Real Audiencia, junto con oficiales y soldados de la guarnición de la plaza.

Rodrigo de Pimentel y el Arzobispo de Santo Domingo, 1683.

Rodrigo de Pimentel mantuvo su hegemonía económica sobre los habitantes de Santo Domingo hasta el mismo día de su muerte que ocurrió en el año 1683, pudiendo rebasar con éxito las calamidades económicas de esos años. Se sabe, también, que su fortuna duró muy poco, pues fue dilapidada en menos de cuatro años por sus herederos no quedando desde entonces en Santo Domingo ninguna persona verdaderamente rica. Incluso el Arzobispo se había casi arruinado con las epidemias, los ciclones y la ruina del cacao.

Fue precisamente esta mala situación económica de la Catedral lo que llevó al nuevo Arzobispo don Juan de Escalante y Turcios, que llegó a Santo Domingo en julio de 1674, a elevar grandemente los precios de los servicios eclesiás-

104

ticos. Y fue, precisamente, esta disposición del Arzobispo otra causa de tensiones en Santo Domingo que llevaron a los vecinos a confabularse para expulsar al Arzobispo de la Isla, como en efecto lo hicieron un par de años más tarde.

Tan escasos se hacían los barcos con el situado y tan necesarios como frecuentes los préstamos buscados por el Gobierno, que en 1685 la deuda pública había subido a 385,399 pesos, de los cuales se les debían solamente a los sucesores de Rodrigo de Pimentel y a otros prestamistas unos 83,027 pesos.

Deuda pública en 1685.

Cuando el situado llegó en 1680, después de tres años de retraso, el dinero apenas alcanzó para sufragar los gastos corrientes del Gobierno. Algo similar ocurrió cuando llegó el próximo situado en 1687 que apenas alcanzó para pagar parte de las grandes deudas del Gobierno. Siendo la ruina económica poco menos que general, las fuentes de crédito fueron poco a poco resistiéndose y fue haciéndose cada vez más difícil conseguir dinero prestado para pagar a los militares.

Crisis económica, 1687.

Dentro de esta atmósfera de escasez cada cual buscó la forma más conveniente a su propia circunstancia para poder sobrevivir. En realidad, la población apenas si tenía algún estímulo que la incitara a dedicarse a trabajar arduamente, pues no había ninguna seguridad de que lo producido encontraría mercado ni dentro ni fuera de la Isla. Solamente en las zonas cercanas a donde los franceses tenían sus habitaciones existía la posibilidad de trabar algún tipo de relación comercial productiva, vendiendo ganado a los franceses a cambio de algunas manufacturas importadas por ellos desde Europa.

Falta de mercados para productos de la Colonia.

Fue precisamente en esos años, de 1680 en adelante, durante el gobierno de Francisco de Segura, que franceses y españoles empezaron a entrar en tratos comerciales. Este comercio fue otra de las vías buscadas por los vecinos para hacer frente a su pobreza. Ahora bien, esta era otra de las actividades conflictivas por estar prohibida por las leyes españolas, y más aún, porque se llevaba a cabo con los más recalcitrantes enemigos de España en aquellos años, que no sólo violaban el monopolio español en las Indias y le hacían

Inicio de comercio entre franceses y españoles, 1680.

la guerra a España en Europa, sino también que buscaban apoderarse de la isla Española.

Irregularidad del comercio franco-español.

Por esta razón, el comercio con los franceses fue siempre algo irregular e inestable durante el siglo XVII y dependió más del carácter o de los intereses del gobernador de turno que de una política públicamente concertada por los gobiernos de ambas colonias. El problema que había con estas relaciones comerciales era la tendencia de los franceses a ocupar cada día mayor cantidad de tierras en la zona española de la Isla. Se sabe que Segura quiso obligar a de Pouancay a que impidiera que sus gobernados siguieran

Amenazas francesas.

avanzando hacia el este, pero sin ningún resultado. Este avance era muy temido en Santo Domingo pues los españoles conocían su inferioridad numérica frente a los franceses y conocían sus planes para echarlos de la Isla. En 1681 la población francesa en la Isla alcanzaba unas 7,848 personas, de las cuales había unas 4,000 con armas y con experiencia de guerra adquirida en sus tiempos de filibusterismo y piratería, mientras que la población española no alcanzaba las 1,500 familias repartidas en todo el país y agrupadas en pequeños poblados indefensos y sin murallas con excepción de la ciudad de Santo Domingo.

Desde hacía varios años las autoridades habían buscado hacer frente a la penetración de los franceses oponiéndoles un tipo de organización militar compuesto por unas cuadrillas de treinta soldados encargadas de recorrer los territorios fronterizos y de atacar aquellos establecimientos que hubiesen penetrado muy adentro de la colonia española. Estas cuadrillas gozaban de gran movilidad y su tamaño les permitía realizar efectivos ataques por sorpresa. Andando

Cincuentenas.

el tiempo fueron bautizadas por los franceses con el nombre de *cincuentenas* llegando a ser muy temidas por ellos y se convirtieron en la verdadera defensa de los territorios españoles.

Sin embargo, los vecinos y las autoridades nunca se hicieron ilusiones sobre la capacidad de estas tropas, pues sabían que sólo servían para impedir el avance de las ocupaciones de tierras, no para evitar que los franceses atacaran de golpe en alguna que otra ocasión, y, mucho menos, para expulsarlos de la Isla. En verdad, en estos momentos, año de 1681, los españoles se habían convencido de que la expulsión de los franceses era una tarea casi imposible debido a la falta de recursos humanos con qué llevarla a cabo. De manera que solamente poblando de nuevo la Isla podía ésta volver a ser totalmente posesión de la Corona española, pues en la medida en que la población creciera encontrarían los franceses mayor resistencia a su penetración.

Planes españoles para repoblar la Isla, 1681.

Por ello fue que las autoridades y vecinos de Santo Domingo llegaron a la conclusión de que la Corona debía permitir y estimular la migración de gente pobre de las Islas Canarias hacia la Española donde se les daría tierras mejores que las que ellos podían conseguir en su lugar de origen. Esta sugerencia cayó en buen terreno en el Consejo de Indias en Sevilla, pues las Islas Canarias eran otro foco de problemas para el gobierno español por la extrema pobreza en que vivían sus habitantes. La petición de los vecinos y autoridades de Santo Domingo tendía a aliviar tensiones por todas partes y la Corona la ejecutó inmediatamente.

Inmigración de Canarios.

Ya en 1684 llegaban las primeras cien familias canarias a Santo Domingo con las cuales se pretendía, entre otras cosas, fomentar el cultivo del tabaco, producto que sólo algunos pobladores de la zona de Santiago cultivaban siguiendo las especificaciones de los franceses, a quienes ellos finalmente lo vendían. La ruptura de la paz entre España y Francia en 1684 significaba en la Española la apertura de hostilidades entre los habitantes de ambas colonias. De manera que ahora se hacía más necesaria la acción de las cincuentenas que volvieron a operar con más vigor que antes, así como la inmigración canaria que era considerada por las autoridades y el Cabildo de Santo Domingo como la salvación de todos.

Llegada de primeros inmigrantes canarios, 1684.

Ese mismo año llegó un nuevo grupo de 108 familias, con un total de 543 personas que fueron repartidas en diferentes puntos del país. El grupo mayor fue asentado en la orilla del río Ozama. Desde el principio padeció de diversas enfermedades, entre ellas viruelas, lo cual provocó la muerte de un buen número de sus miembros, por lo que a finales de 1686 los sobrevivientes fueron trasladados a

Epidemia de viruelas y muerte de familias canarias.

Fundación de Villa de San Carlos, 1686.

unos cerros en las afueras de Santo Domingo en donde formaron un poblado llamado San Carlos, en memoria de la ciudad de San Carlos de Tenerife en las Canarias. Desde entonces, a este poblado se le conoció también como el "de los isleños".

La pobreza y la presencia de los franceses en el oeste de la Isla también involucraron a otro grupo humano en la política colonial durante estos años. En 1677 unos doce esclavos negros huyeron de las posesiones francesas y fueron a refugiarse a Santo Domingo, donde el gobernador interino, Juan de Padilla Guardiola, los acogió favorablemente y les permitió vivir libremente.

Esta actitud de las autoridades coloniales de Santo Domingo tenía una razón política que consistía en darles libertad a aquellos negros huidos de los franceses que no hubieran pertenecido antes a ningún español, estimulando a otros esclavos de los franceses a desertar las habitaciones del oeste con grave perjuicio para el enemigo. En muy poco tiempo el número de negros huidos alcanzó la cifra de cincuenta, los cuales fueron asentados en 1678 en unas tierras baldías del lado oriental del río Ozama. Desde entonces se convirtió en política de las autoridades de Santo Domingo agasajar a todos los negros que huían de las posesiones francesas y se creó una patrulla especial para buscarlos donde quiera que se encontraran y traerlos a residir al pueblo de San Lorenzo de los Mina, como llegó a llamársele a esta población en virtud de que los primeros negros eran del grupo Mina de Angola, posesión portuguesa en Africa. Como es natural, la Corona apoyó estas medidas de sus funcionarios coloniales en Santo Domingo.

Según noticias de 1684, mucha gente emigró de la Isla después de haberse iniciado el ciclo de desgracias en 1666 y se tenía por cierto que de seguir la emigración, que estaba prohibida, la Colonia se perdería en manos de los franceses. Por ello la inmigración canaria se estimaba tan necesaria y se requería con tanta vehemencia desde Santo Domingo. En 1687 llegaron otras 97 familias que fueron asentadas en puntos cercanos a los establecimientos franceses. El más importante de estos puntos llegó a ser el poblado de Bánica, fundado en 1664 a raíz de la mudanza de la población de la Villa de Guava. La intención de las autoridades era, y lo siguió siendo durante todo un siglo, utilizar a los canarios como una frontera viva que, al defender sus tierras recién adquiridas, defendiesen al mismo tiempo la Colonia contra los franceses.

En 1690 el Cabildo y la Audiencia de Santo Domingo escribieron a la Corona nuevamente pidiendo el envío de más familias, pues de todas las que habían llegado sólo quedaban dos tercios debido a las muertes causadas entre ellos por las viruelas. Esta vez las autoridades pidieron cien familias, cincuenta para Santiago, que era un lugar que convenía proteger de un nuevo ataque francés, y el resto para Azua y San Juan de la Maguana, avanzadas fronterizas por el sur. Al año siguiente, en 1691, llegaron las primeras 18 familias de este grupo con un total de 94 personas que fueron inmediatamente destinadas a Santiago.

Pedido de más familias canarias, 1690.

LLegada de otras familias canarias, 1691.

El comercio con los franceses pasó por varias etapas. La primera comenzó en 1679 y se desarrolló al amparo de la Paz de Nimega en 1678 y de la Tregua de Ratisbona en 1685 continuando hasta mediados de 1689 cuando los franceses, hostilizados por las cincuentenas, llevaron acabo el ataque contra Santiago de los Caballeros aprovechando la noticia de que la guerra había estallado de nuevo entre España y Francia en mayo de ese año. Durante esta primera etapa las relaciones entre franceses y españoles fueron continuas pero irregulares, en el sentido de que no todo el mundo se atrevía a negociar con los franceses. Sin embargo, pese a ese control y a las protestas de los comerciantes, los habitantes de las zonas cercanas a los franceses fueron comprendiendo las ventajas que el comercio les reportaba y empezaron a perder el miedo. Gracias a la presencia canaria, por una parte, y a la vigilancia de las cincuentenas que impedía la ampliación de las habitaciones francesas, por otra, los franceses, al decir del Gobernador Robles en 1687, seguían "en su línea" y no habían avanzado, pero los vecinos ya se habían acostumbrado a ellos y los recibían en sus hatos para venderles sus ganados.

Evolución del comercio con los franceses. 1679-1687.

Muchas veces los franceses llegaban tan adentro como

FRANK MOYA PONS

hasta las cercanías de Santiago cuyos vecinos, decía Robles, "son los peores basallos que V.M. tiene en esta ysla", por la forma descarada en que llevaban a cabo sus tratos e intercambios. Muy poco era lo que las autoridades podían hacer para evitar estas relaciones que, aunque ilegales, eran provechosas para casi todo el mundo con excepción de la élite comercial de la ciudad de Santo Domingo. El monopolio, que había arruinado tanto a España como a varias de sus colonias, seguía operando, y los vecinos de la Española continuaban sufriendo la misma escasez de mercancías de siempre.

Ruina económica de la Colonia.

En el caso de Santo Domingo, esa escasez se debía también a la decadencia de su producción que actuaba como factor desalentador sobre los comerciantes españoles que preferían otros mercados más ventajosos que los de esta colonia empobrecida y exhausta. La falta de incentivos del mercado colonial dominicano hacía enormemente difícil que llegaran barcos con mercancías desde España, con excepción del famoso "navío de registro" destinado especialmente a Santo Domingo, que no llegaba sino cada dos o tres años, y a veces más.

Decadencia comercial de Santo Domingo.

El comercio con los franceses era la respuesta natural a esa situación, como también lo había sido y lo seguía siendo el contrabando. En 1687, por ejemplo, el Gobernador de Santo Domingo daba cuenta de otro de los graves aspectos de la realidad económica colonial: la descapitalización progresiva e inevitable de la Colonia, pues una vez llegaba el situado, los vecinos tenían la necesidad de seguir consumiendo géneros y artículos extranjeros introducidos de contrabando porque la falta de comercio legal con España hacía que las únicas once tiendas que había en Santo Domingo en esos años estuvieran completamente despojadas de mercancías. En estos años este activo contrabando se llevaba a cabo prácticamente en todos los ríos del Sur de la Isla, desde el río Soco hasta Neiba, y pese a que se enviaron algunos soldados a esos puntos, no hubo forma de evitarlo.

Santiago y el Comercio con los franceses; 1689.

De acuerdo con documentos de 1690, los poblados del interior estaban en igual situación de desamparo y escasez, si no peor, que Santo Domingo. Santiago, era la que mejor

110

posición tenía, pues el comercio con los franceses les había permitido a algunos vecinos obtener algún capital y era la más poblada de las poblaciones de la Colonia, después de Santo Domingo. Y era que los vecinos de Santiago habían aprendido a sacar provecho al máximo de sus negocios con los franceses. Algún tiempo antes del ataque de julio de 1689, la población toda se beneficiaba del comercio de ganado, incluyendo a funcionarios coloniales así como a clérigos y religiosos.

Ese negocio era tan grande que los franceses mismos empezaron a fundar hatos y se dedicaron a criar ganado para su propio consumo en la llanura del Guarico en el noroeste de la Isla. Tan intenso llegó a hacerse el flujo de vacas, yeguas, mulas y caballos desde la parte española hacia la francesa que por momentos estos animales llegaron a escasear en Santiago. Lamentablemente este comercio estaba prohibido y las autoridades de Santo Domingo trataron por todos los medios de estorbarlo llegando incluso a interrumpirlo, cosa que provocó el ataque francés sobre Santiago y luego movilizó esta población hacia el ataque contra Cap Français en 1691.

Aumento del comercio con los franceses, 1680-1689.

Ambos hechos reiniciaron las hostilidades entre las dos colonias y las mantuvieron vivas durante un tiempo, pero al cabo de los años las necesidades económicas de ambas colonias pudieron más que los rencores producidos por viejos conflictos. El comercio de ganado hacia el oeste y el de manufacturas hacia el este de la Isla lograron imponerse por sobre todas las regulaciones que la Corona y las autoridades intentaron establecer en la Española.

XI

LA RECUPERACION ECONOMICA DE SANTO DOMINGO

(1697-1731)

LAS RELACIONES COMERCIALES entre los vecinos de las colonias francesa y española comenzaron a consolidarse luego que el Gobernador Jean Ducasse inició después de 1694 la construcción de ingenios de azúcar en la llanura del Guarico aprovechando la mano de obra esclava arrebatada a los ingleses en Jamaica durante las incursiones militares de ese año.

Construcción de ingenios por los franceses, 1698.

La construcción de esos primeros ingenios, de los cuales ya había tres en 1698, produjo importantes cambios en el uso de la tierra en el norte de Haití, pues a medida que fueron creciendo los campos de caña en esta zona, los franceses fueron extinguiendo o mudando los hatos que habían fundado allí a partir de 1685. Durante algún tiempo el Guarico fue la única zona de la colonia francesa que producía ganado para sus carnicerías. Ahora bien, esos hatos no producían todo lo que la población de la Colonia requería, y para hacer más grave la escasez fueron totalmente saqueados y destruidos por los españoles durante los ataques contra el Guarico en los años 1691 y 1698. Fue entonces cuando Ducasse inició la construcción de ingenios de azúcar en la zona norte de la parte francesa.

Estos ingenios necesitaban tierras pero éstas ya habían sido otorgadas años atrás para dedicarlas a la crianza de ganado, por lo que fue necesario, a partir de 1697, anular

113

muchas de las concesiones y concentrar las propiedades en manos de las nuevas compañías azucareras otorgando tie-rras nuevas a los colonos interesados en continuar con sus hatos en la región de la Limonade en las cuencas de los ríos Caracol y Yaquesí. Estos procedieron a comprar nueva-mente ganado a los españoles y poco a poco los hatos se multiplicaron y se extendieron hasta las orillas del Masacre. Tal crecimiento en la ganadería francesa hubiera bastado para satisfacer la demanda de carne en su colonia si al mismo tiempo los ingenios de azúcar no hubieran seguido multiplicándose y con ellos la población trabajadora tanto comprometida (engagé) como esclava. De manera que a pesar del aumento de la producción de ganado en sus pro-pios hatos los franceses seguían necesitando de las reses españolas para dar abasto a sus carnicerías.

Aumento de la pobla-ción francesa.

Los ingenios no eran los únicos centros de la demanda de ganado que había en la colonia francesa. Todo el resto necesitaba del ganado de la parte española para alimentarse. De ahí que el negocio de la carne se convirtiera en uno de los más importantes de toda la colonia francesa y el arren-damiento de las carnicerías fuera uno de los proventos que mayores beneficios dejaba a sus funcionarios. Otra de las razones por las cuales la demanda de ganado no podía ser satisfecha con la producción de sus propios hatos era que los franceses no querían dedicar sus tierras a la ganadería, prefiriendo aprovecharlas en plantaciones cuyos productos tenían un mercado más ventajoso en Europa, punto de vis-ta que compartían las autoridades coloniales.

Uso de la tierra en parte francesa de la Isla, 1711

Esa parece ser una de las varias razones que explican por qué en 1711 las autoridades francesas dictaron una Ordenanza por medio de la cual se establecía que todos los hatos y demás terrenos comprendidos entre la Limonade y el río Rebouc (río Guayubín) debían ser dedicadas a la agri-cultura. Andando el tiempo los hatos fundados por los fran-ceses para sustituir las importaciones de la parte española fueron dejando paso a una agricultura de plantaciones.

Aumento del número de ingenios franceses, 1716.

Ya en 1716 existían mucho más de un centenar de gran-des molinos de azúcar en la colonia francesa que a la vez que demandaban ganado de carne para sus trabajadores

114

exigían caballos y mulos para ayudarlos a mover sus máquinas, pues muchas de ellas trabajaban con tracción animal. Así, en cuestión de pocos años, y a medida que el número de habitantes de la Colonia crecía, la demanda de ganado español iba haciéndose mayor y el negocio entre ambas colonias aumentaba.

Aumento del comercio de ganado con los franceses.

En Santo Domingo hubo oposición oficial a estas relaciones. En muchos casos por mero legalismo y apego a la legislación monopolista española por parte de algunas autoridades, oidores y fiscales de la Real Audiencia. En otros, como ocurrió numerosas veces en los pueblos cercanos a la colonia francesa, esa oposición se hacía por simple venalidad de las autoridades, tanto locales como de la capital, que no querían permitir el comercio de ganado sin sacar alguna ventaja del mismo.

Abundan las noticias sobre la venalidad de los gobernadores españoles de Santo Domingo durante esta época, tanto en los documentos coloniales franceses como en los de la Real Audiencia. Nada más hay que ver los juicios de residencia de estos gobernadores para darse cuenta de que mientras por una parte ellos, como autoridades máximas de la Colonia, hacían publicar las leyes españolas prohibiendo todo comercio ilícito con los extranjeros, ya fuera por mar o por tierra, por la otra no dejaban de aprovechar las oportunidades que les ofrecía el control sobre las fuerzas armadas, que vigilaban los pasos y caminos de las fronteras, para imponer tributos a los exportadores de ganado o para enviar ellos mismos sus testaferros con ganados propios a la colonia francesa de donde venían cargados con mercancías que eran vendidas a subidos precios en la misma ciudad de Santo Domingo.

Venalidad de los gobernadores españoles.

Tanto Ignacio Pérez Caro, que gobernó la Colonia de 1691 a 1698 y luego de 1704 a 1706, como Guillermo de Morfy, que gobernó entre 1708 y 1710, como Fernando Constanzo y Ramírez, que gobernó entre 1715 y 1724, participaron en una forma o en otra en los contrabandos de mercancías que se hacían a través de las fronteras o en los ríos del sur de la Isla.

Este último gobernador quiso aprovecharse de la trata

de ganado poniendo tropas en el sitio de Dajabón con órdenes de impedir el paso de animales sin permiso suyo. Con esto buscaba establecer un impuesto por cada cabeza de ganado vendida a los franceses cuyo importe iría a parar eventualmente a sus bolsillos. Esto ocurrió a finales de 1720 y en enero de 1721, y la reacción de los pobladores de esas localidades fue la rebelión abierta contra esas medidas arbitrarias. A los cabecillas rebeldes no les fue posible conseguir que la gente de Cotuí y La Vega se levantaran junto con los de Santiago y la rebelión solamente se produjo en esta última ciudad que se declaró en abierta desobediencia del gobierno de Santo Domingo y eligió como su Gobernador a Don Santiago Morel de Santa Cruz y como su Teniente de Gobernador a Don Pedro de Carvajal, auxiliados por Don Juan Morel de Santa Cruz y por Bartolomé Tiburcio, capitanes los cuatro, que se dirigieron a Dajabón y depusieron los guardias colocados allí por orden del Gobernador. La ciudad de Santiago estuvo varias semanas en manos de este grupo de capitanes apoyados por la mayoría de los habitantes de la región que vivían del comercio de ganado y sentían amenazados sus intereses por las medidas adoptadas por el Gobernador.

Rebelión de los Capitanes en Santiago, 1720-1721.

Los documentos oficiales sobre la rebelión que se conservan en el Archivo General de Indias fueron, desde luego, preparados por personas y funcionarios adeptos al Gobernador y los verdaderos móviles de la rebelión son continuamente ocultados para hacer énfasis en el estado de inquietud y en los "alborotos y tumultos" provocados por la "traición" de esos capitanes que defendían sus intereses y los de sus compañeros.

Causas de la Rebelión de los Capitanes.

Pero en los documentos franceses, las causas de la rebelión aparecen mucho más claras. Según una carta de dos funcionarios franceses escrita en mayo de 1721, "la ciudad de Santiago se rebela. Se ha revolteado contra el Presidente de Santo Domingo queriendo éste último cargar la culpa a los franceses, pero... La verdad de los hechos es que el presidente queriendo establecer, por lo que dicen, unos derechos, prohibió a todos los españoles hacer ningún comercio con nosotros bajo el pretexto de que eso no conviene

116

a los intereses del rey. Para lograrlo puso guardias en casi todas las fronteras mandadas por gente de su confianza quienes dejaban pasar a todos aquellos que paguen un cierto derecho; e impedían pasar a quienes no lo pagaban. Santiago no soporta esto..."

El comercio por tierra con los franceses no era el único comercio ilícito que se practicaba en la Española. Desde hacía más de cincuenta años existía por los ríos del sur un activo contrabando de mercancías con franceses, ingleses y holandeses. Y este era el comercio que más preocupaba a las autoridades por su cercanía con la ciudad de Santo Domingo. El Gobernador Ignacio Pérez Caro participó en este negocio tan activamente que le llegó a costar el cargo. Los contrabandistas extranjeros cambiaban sus manufacturas por cueros y otros productos de la tierra.

Contrabando de mercancías en los ríos del sur.

El sucesor de Pérez Caro, Gobernador don Severino de Manzaneda, creyó que la solución al problema del contrabando por los ríos del sur podría estar en permitir a quienes lo desearan armar barcos con licencia para dedicarse al corso contra los extranjeros, y en el 1700 concedió la primera patente a don Juan López de Morla, quien armó un bergantín que, al mando del capitán Manuel Duarte, salió a correr las costas y condujo cuatro presas al puerto de Santo Domingo. También el alférez Sebastián Domingo armó una balandra y condujo a puerto otras tres presas. Otras presas más fueron realizadas por los dominicanos provocando el retiro de las embarcaciones extranjeras que infestaban la costa.

Corsarios españoles en Santo Domingo.

Pero el entusiasmo por tales éxitos duró poco, pues ya en 1701 la Real Audiencia se vio obligada a suspender las licencias porque los mismos corsarios empezaron a ejercer el contrabando, ocultando las presas que hacían y vendiendo lo captado a los vecinos. Los corsarios no desaparecieron con la suspensión dictada por la Real Audiencia. Como se recuerda, entre 1702 y 1713 se vivió la Guerra de la Sucesión española que enfrentó a España y a Francia contra Inglaterra y durante todo el tiempo que duró los españoles, no sólo de Santo Domingo sino también de Cuba y Puerto

Guerra de la Sucesión Española, 1702-1713.

Rico, volvieron a armar sus corsos y la emprendieron contra todo tipo de embarcación inglesa que encontraran.

Algunos incluso atacaban las embarcaciones aliadas, como eran las de los franceses y otros llegaban tan lejos como a no respetar siquiera a los navíos españoles. Esta situación se hizo más evidente después de terminada la guerra en 1713, pues como los ingleses obtuvieron en virtud del Tratado de Utrecht enormes concesiones comerciales a expensas de los españoles, los papeles cambiaron y ahora eran los españoles los que no respetaban el comercio entre Europa y América. Por eso, no obstante que la guerra había terminado, los españoles siguieron enviando sus corsarios contra todos los navíos que encontraran en el Caribe, tanto que entre 1715 y 1720, los documentos franceses no hacen más que quejarse de la interrupción del comercio que les producían los corsarios españoles salidos de Santo Domingo, Puerto Rico o La Habana. Esta situación mejoró un poco luego que las relaciones francoespañolas se normalizaron en Europa a partir de la firma del Convenio de alianza defensiva de marzo de 1721, pero el corso continuó contra los ingleses a lo largo de toda esa década, sobre todo, durante la nueva guerra entre España e Inglaterra que comenzó a principios de 1727.

Tanto el comercio fronterizo como el contrabando por los ríos del sur de la Isla tenían causas muy profundas y muy lejanas. La pobreza de Santo Domingo derivaba directamente de la estructura y desarrollo de la economía española durante los últimos doscientos cincuenta años. España poseía una economía subdesarrollada en relación con las demás naciones de Europa, y fue precisamente a España a quien tocó jugar el papel de organizadora y explotadora del Nuevo Mundo que se abrió a los europeos como la más grande y desconocida fuente de metales y otras riquezas.

España trató de aprovecharse ella sola de todo lo que las Indias ofrecían e instituyó un régimen de monopolio con el propósito de excluir a todas las demás naciones del comercio trasatlántico. Este empeño no fue aceptado en Europa y durante los siglos XVI y XVII tuvo lugar en las Indias, y particularmente en las Antillas, un constante flujo

Tratado de Utrecht, 1713.

Actividades de los Corsarios españoles en el Caribe, 1715-1720.

Causas del contrabando en los siglos XVI y XVII.

de contrabandistas y corsarios enemigos de España que aprovechaban por todos los medios la demanda de manufacturas existente entre los vecinos de las colonias americanas. España, con la insuficiencia y la poca capacidad de su industria, no había sido capaz de atender a las necesidades de sus colonias.

Las constantes guerras de España durante los siglos XVI y XVII hicieron que la mayor parte del oro y la plata que llegaba de América fuera a parar a otros lugares de Europa para allí ser dedicada al pago de sus operaciones militares. De manera que casi nunca hubo en la Península suficiente dinero con qué hacer frente a las crecientes necesidades de capital que la industria española y otros sectores de la economía requerían y, lo que fue peor, el constante drenaje de metales a que fue sometida la economía española durante más de ciento cincuenta años provocó continuas crisis económicas y financieras que llevaron a la Corona a la quiebra por lo menos ocho veces.

Así España fue perdiendo su capacidad para hacer frente no sólo a sus gastos internos, sino también a las necesidades cada vez mayores de sus colonias. Un mal entendido mercantilismo mantuvo a los administradores del sistema colonial español siempre reacios a modificar en algún sentido el monopolio con que España inició la explotación de los recursos americanos, y fue precisamente este monopolio la clave del colapso del comercio hispanoamericano durante el siglo XVII que terminó por arruinar a España y a algunas de sus colonias y, entre ellas, Santo Domingo.

La Corona creía que con el monopolio aseguraba la riqueza española al dominar el flujo de metales que llegaba de las Indias, pero, como quiera que fuese, su economía estaba controlada por extranjeros y el oro y la plata se fugaban de la Península y sólo dejaban tras de sí los efectos inflacionarios producidos por su fugaz circulación en algunos puntos del país.

Así, pues, con un explosivo aumento de los precios, y por lo tanto de los costos, la industria española se vio impedida de crecer no sólo en los sectores de consumo corriente sino en aquellos sectores claves para el mantenimiento de su sistema comercial como eran la metalurgia y la fabricación de barcos y otros artículos relacionados con la navegación. Al terminar el siglo XVII, la mayor parte de los barcos que se ocupaban del comercio trasatlántico eran de fabricación extranjera y las 5/6 partes del comercio entre Europa y las Indias estaba controlado por extranjeros, y los beneficios que se obtenían con este comercio iban a parar a otras manos radicadas en las ciudades de El Havre, Amberes, Londres, Lisboa, Génova o Liverpool. De ahí, que la economía española siguiera dependiendo de las importaciones y que la balanza de pagos siguiera siendo permanentemente deficitaria.

Necesidad del contra-bando y del comercio con los franceses.

El monopolio, como se ve, no llegó a rendir los frutos buscados y, a medida que pasó el tiempo, fue más una fuente de conflictos internacionales que de beneficios económicos para España. Precisamente por estos efectos fue que el contrabando nunca pudo ser erradicado de las Indias ni, particularmente, de Santo Domingo donde el fraude se convirtió en la respuesta al monopolio y a los impuestos establecidos por la Corona. Además, para los vecinos de Santo Domingo no parecía existir otra forma de abastecerse de mercancías como no fuera ilegalmente pues la marginación de esta ciudad de las rutas atlánticas de navegación impedía que llegaran las manufacturas europeas por las vías normales.

Es verdad que muchos funcionarios celosos del cumplimiento de las leyes intentaron estorbar estas relaciones continuamente, pero no es menos cierto que el afán de lucro de muchos gobernadores sirvió de vía para que los vecinos pudieran violar impunemente las disposiciones oficiales y la población siguiera abasteciéndose conforme a sus necesidades.

A juzgar por las informaciones disponibles, en toda esa red de relaciones comerciales entre la colonia francesa y los pueblos del interior, y entre éstos y la ciudad de Santo Domingo, y entre ésta y los ríos del sur de la Isla había un beneficiario final que venía a recibir prácticamente todo el producto de la suma total de todos los intercambios que tenían lugar dentro de ese ciclo económico. Ese beneficiario era el contrabandista extranjero y sus cómplices de Santo Domingo.

Las necesidades de la Colonia echaban por tierra cualquier intento de fiscalización del comercio con extranjeros o cualquier política económica orientada hacia la conservación del oro y la plata en manos de una población que apenas sabía de otra cosa que no fuera criar ganado en las condiciones más rudimentarias que pudiera imaginarse.

En realidad lo que había venido ocurriendo era que las economías de ambas colonias, la francesa y la española, se habían ido ajustando una a la otra y, aunque sus poblaciones mantenían pugnas y hostilidades por la apropiación de las tierras de la Frontera, poco a poco habían devenido complementarias. España no podía surtir a su colonia de manufacturas, Francia sí. España no podía mantener con su colonia una navegación y un contacto regulares, Francia sí. Pero por otro lado Francia no podía asegurar a su colonia la carne y los bastimentos que necesitaba para alimentarse, en tanto que Santo Domingo sí.

Complementaridad económica de las colonias francesa y española en el siglo XVIII.

El comercio intercolonial fue el resultado de demandas naturales surgidas de las propias estructuras económicas de ambas regiones en donde las economías respectivas se orientaron hacia dos usos totalmente diversos del aprovechamiento de la tierra, antagónicos si se quiere dentro de una misma zona, pero complementarios en términos de las necesidades de dos países diferentes. Mientras, por una parte, los franceses desarrollaban una economía de plantaciones, que implicaba un uso intensivo de la tierra en cultivos para la exportación, por la otra, en Santo Domingo los españoles continuaron apegados al modo tradicional de producción que consistía en la utilización extensiva de la tierra para dedicarla a la crianza de ganado o al cultivo de víveres que eran intercambiados por mercancías que ni ellos ni su metrópoli producían.

Las recuas de ganado que pasaban de un lado a otro de la frontera también llevaban tabaco y algunos otros productos de la tierra que los franceses compraban para reexportarlos o para su propio consumo. Este comercio tuvo sus particularidades y una de ellas fue haber servido de

Recuperación económica de la colonia española.

solución a las dificultades económicas y a la miseria que había estado padeciendo Santo Domingo desde los mismos principios del siglo XVII. El comercio fronterizo estimuló la producción ganadera en la colonia española, lo mismo que lo hacía el contrabando en las regiones del sur de la Isla. La actividad de los corsarios, por otra parte, también dio un cierto estímulo a la vida económica de Santo Domingo al introducir legalmente en el limitado mercado de aquella ciudad y en algunas otras del interior diversas mercancías robadas al enemigo.

Puede decirse que la primera mitad del siglo XVIII en Santo Domingo transcurrió dentro de un proceso de estimulación creciente de la vida económica. Aunque esa actividad, en razón misma de la estructura económica colonial, dejara escapar los capitales que, de haber sido ahorrados, hubieran permitido quizás la inversión en sectores tan reproductivos como era la industria azucarera, tal como ocurría en la colonia francesa cuyos ingenios se convirtieron en la gran fuente de riqueza de su metrópoli.

El volumen de este comercio era demasiado grande como para que los residentes y gobernadores de Santo Domingo no se sintieran atraídos a lucrarse de alguna manera. Pese a la Revuelta de los Capitanes en Santiago en 1721, las autoridades pudieron imponerse posteriormente sobre los negociantes de ganado de los pueblos del interior y lograron hacer que les fueran pagados los impuestos que ellos exigían.

Necesidad del comercio entre franceses y españoles, 1729.

Pero ya para 1729 el comercio entre ambas colonias era considerable y ninguna de las dos colonias, podía ni quería prescindir del mismo. Los franceses no querían porque "es ventajoso para ellos tener vecinos españoles que les proveen de todo lo que necesitan dándoles la oportunidad de sembrar sus terrenos de azúcar o índigo y sacarles mejor partido que empleando una parte para criar animales", como decía el mencionado Mr. Duclos en ese año.

Primer acuerdo fronterizo entre franceses y españoles, 1731.

Los españoles tampoco querían abandonar ese comercio porque el mismo había demostrado que, a pesar de estar prohibido, era beneficioso para todos, incluso para las mismas autoridades. Por estas razones, entre otras más que veremos más adelante, fue que un par de años después, en

122

1731, las autoridades de ambas colonias firmaban un acuerdo sobre límites fronterizos tratando de echar a un lado las muchas dificultades y conflictos que habían tenido lugar en aquellas regiones durante más de cuarenta años. Pero ese acuerdo tiene su historia y eso es lo que vamos a ver en el próximo capítulo.

XII

LA OCUPACION FRANCESA DE LAS TIERRAS FRONTERIZAS

(1697-1777)

LA PRESENCIA DE LOS FRANCESES en las tierras occidentales de la Isla y el desarrollo económico de su colonia, atrajeron la atención de los vecinos del interior de Santo Domingo y fomentaron el auge del comercio de ganado y de mercancías entre ambas regiones.

Este comercio fue lo que permitió a los vecinos de Santo Domingo salir del estado de miseria en que vivió sumida la colonia española durante el siglo XVII. Ahora bien, que la presencia de los franceses fuera un hecho que podía repercutir favorablemente sobre la vida y la economía de los habitantes de Santo Domingo fue una idea que tardó bastante tiempo en ser aceptada tanto por los grupos oficiales de la ciudad de Santo Domingo como por el mismo Consejo de Indias.

Efectos del comercio fronterizo, 1680-1731.

Fue necesario el paso de los años y la experimentación del relativo bienestar económico que se conoció en la colonia española sobre todo a partir de la segunda década del siglo XVIII, para que los mismos habitantes de la Colonia se dieran cuenta de que sin los franceses al otro lado de la Isla su modo de vida volvería a ser tan miserable como antes. Pero, eso sí, los franceses debían estar *al otro lado*, esto es, en aquellas tierras que desde las Devastaciones habían sido abandonadas.

Dos hechos políticos que tuvieron lugar en Europa a

Paz de Ryswick.
Felipe V, Rey de espa-
ña, 1701.

finales del siglo XVII también contribuyeron a fomentar las relaciones comerciales entre ambas colonias. El primero fue la terminación de la Guerra de la Liga de Augsburgo con la firma de la Paz de Ryswick en septiembre de 1697, y el segundo fue la ascensión al trono español en 1701 de Felipe V, un monarca nacido en Francia que era nieto de Luis XIV.

Efectos en Santo Do-
mingo de la Paz de
Ryswick.

En Santo Domingo la Paz de Ryswick fue percibida en dos formas diferentes: por un lado las autoridades captaron inmediatamente que este acuerdo sería utilizado por los franceses para justificar su penetración y ocupación de tierras a costa de los españoles; por otro lado, los vecinos de la Colonia llegaron a darse cuenta de que aunque los franceses seguieran ocupando esas tierras, que de derecho no les pertenecían, también representaban la única oportunidad, junto con el contrabando, para proveerse a través de ellos de las manufacturas que tanta falta les hacían. De manera que la ocupación de las tierras occidentales sólo era peligrosa si los franceses intentaban avanzar y ocupar los territorios ya fijados por la costumbre como propiedad española que se encontraban hacia el este del río Bayahá.

Pretensiones territo-
riales francesas.

Pero los límites que los franceses deseaban como fronteras tenían como demarcación el río Rebouc (río Guayubín) que quedaba a unas siete leguas más al este del río de Bayahá. De manera que la zona comprendida entre estos dos ríos se convirtió en una fuente de conflictos continuos porque los franceses la deseaban y la reclamaban por ser tierras en donde ellos podían expandir sus plantaciones y sus hatos o cazar ganado cimarrón para proveerse de carne.

Cuando se firmó la Paz, los españoles tenían las tropas de la frontera, las cincuentenas, reconociendo sus avanzadas en el río de Bayahá con órdenes de no rebasar esos límites hacia el oeste, pero con el encargo de hacer saber a las autoridades francesas que debían mantener a sus colonos dentro de esas demarcaciones.

Otras tierras en el sur también codiciadas por los franceses eran las que comprendían toda la cuenca del lago Enriquillo y el cabo Beata hasta el río de Neiba (Yaque del Sur) que era el límite aceptado por los franceses en

126

el sur de la Isla. Por ello, en 1698 el Rey francés, cuando permitió el establecimiento de la Compagnie Royale de Saint Domingue, le concedió el derecho de comerciar y repartir tierras a sus colonos hasta el río de Neiba "inclusivamente".

En la parte central de la Isla eran igualmente deseadas por los franceses las tierras de las cuencas de los ríos Canot, Libon y Artibonite, en donde fueron fundados varios poblados españoles para hacer frente a la penetración francesa, como se verá más adelante. El primero de esos poblados fue la Villa de Bánica, fundada nuevamente en 1664 en el lugar de la antigua población española del mismo nombre con grupos de familias canarias importadas; y el segundo fue Hincha, en 1704, con gente también de las Canarias.

Fundación de Hincha, 1704.

Estos eran los términos en que estaba definida la cuestión de los límites entre ambas colonias en 1701 cuando murió el Rey Carlos II y ascendió al trono español el nieto de Luis XIV, Felipe de Anjou, con el título de Felipe V. Durante todo su reinado y el de sus sucesores la historia de las relaciones entre ambas colonias fue la historia de la penetración francesa en las tierras del este y la resistencia española contra esa penetración. Pero al mismo tiempo que fue una historia de pugnas fronterizas, también lo fue de negociaciones, de acuerdos, acercamientos y colaboración entre las autoridades y los pueblos de ambas colonias.

La primera situación de colaboración se produjo a partir de 1701 cuando España, aliada a Francia, entró en guerra en Europa contra Inglaterra, Holanda y sus aliados que formaron una liga de naciones para oponerse y tratar de impedir la unión de esas dos potencias que alteraba por completo todo el balance de poder en Europa. Esta guerra duró hasta 1713 y concluyó con grandes perjuicios para España y con una humillación para Francia. España perdió, en 1704, a Gibraltar y varias otras de sus posesiones europeas. Y tuvo que reconocer la hegemonía de Inglaterra en el Mediterráneo así como su control de la navegación por el Atlántico, pues, al concluir la guerra con el Tratado de Utrecht en 1713, España se vio obligada a romper su régimen

Guerra de la Sucesión Española, 1702-1713.

127

de moncpolio y tuvo que acordarles a los ingleses el derecho de comerciar libremente con sus más importantes colonias en América.

Desde entonces el comercio inglés en el Caribe alcanzó proporciones jamás soñadas por los comerciantes de Londres, Liverpool y Bristol. Todo ello en detrimento de las pretensiones francesas de aprovechar en su favor la alianza dinástica entre las coronas de España y Francia que había tenido lugar en 1701. Por esa razón, la Guerra de la Sucesión tuvo notables efectos en la Española, en donde las autoridades y habitantes de ambas colonias fueron obligados por sus gobiernos respectivos a mantener la alianza y a colaborar en todo momento con los esfuerzos de sus metrópolis para alejar al inglés de sus posesiones.

Efectos de la guerra de Sucesión Española en Santo Domingo.

Los años de guerra estimularon nuevamente el aletargado espíritu militar de la colonia española gracias, sobre todo, a la presencia sucesiva de dos militares que comandaron las tropas y milicias de Santo Domingo, uno desde antes de la Paz de Ryswick, don Gil Correoso y Catalán, y el otro, durante los mismos años de la Guerra de Sucesión, don Juan de Barranco.

Militarización.

Santo Domingo volvió a ser la ciudad ocupada en asuntos de guerra, con movimiento continuo de tropas y soldados y con la participación de extranjeros con experiencia en los asuntos de guerra del Caribe. Gracias a estos extranjeros fue que el Gobernador Severino de Manzaneda pudo armar varios corsarios que persiguieron durante un tiempo las embarcaciones inglesas en el Caribe. No es sorpresa, pues, que entre 1702 y 1704, período en el cual no hubo Gobernador nombrado formalmente por la Corona, ejerciera el Gobierno en forma interina, pero absoluta, el Sargento Mayor don Juan de Barranco, quien entre otras cosas se dedicó a hacer de Santo Domingo una fortaleza inexpugnable. Con Correoso y Catalán a finales del siglo XVII, se inicia nuevamente el militarismo en la Española, tendencia ésta que permanecería hasta el fin de la Colonia.

Inestabilidad Política.

Los años de la Guerra de Sucesión fueron un período de gran inestabilidad política en Santo Domingo debido a la rápida sucesión de gobernadores interinos. En 1706 fue repuesto en su cargo el **Almirante Ignacio Pérez Caro**, que había sido depuesto por Correoso y Catalán en 1698 tras haber sido acusado de proteger el contrabando. Meses después Pérez Caro murió dejando vacante la Gobernación de Santo Domingo en un momento en que existía un grave enfrentamiento entre los militares y los regidores de Santo Domingo. Fue necesario que pasaran varias semanas de disturbios, chismes, discusiones y tensiones para que todos se dieran cuenta de que el gobierno colonial estaba deteriorándose y decidieran, después de una extensa envestigación en los archivos de leyes, llegar a un acuerdo por medio del cual se especificaran nuevamente las funciones de cada cual dentro de la administración de la Colonia. Este acuerdo fue firmado por todos y se le llamó "Papel de Concordia".

No obstante hubo un punto que los militares no quisieron dejar en otras manos y éste fue la calidad de la persona que debía ejercer el cargo de Gobernador de la Colonia. El 24 de noviembre de 1706 los capitanes del Presidio de Santo Domingo escribieron una carta a la Corona pidiendo que cuando se nombrase un nuevo Gobernador no lo hicieran sin el consentimiento de los militares o, por lo menos, sin que este nuevo funcionario fuese un militar. El Consejo de Indias respondió a esta petición nombrando un Mariscal de Campo, llamado Guillermo de Morfi, como Capitán General y Presidente de la Real Audiencia en septiembre de 1707 para que gobernara la Colonia. A partir de entonces todos los gobernadores coloniales de Santo Domingo fueron militares y la influencia militar en la Colonia afectó prácticamente a todos los órdenes de la vida social.

Gobernadores Militares, 1706.

Mientras tanto la guerra proseguía en el Mar Caribe contra los ingleses. Como los gobiernos de Francia y España habían ordenado a sus autoridades coloniales de la Española mantenerse en buenos términos, los franceses no se atrevían a atacar las patrullas españolas que hacían guardia en las regiones fronterizas, ni esas patrullas se atrevían a penetrar en los territorios ocupados por los franceses. Con todo, estos últimos seguían reclamando como límites las aguas del río Rebouc y llegaron incluso a sostener, en 1710, que si

Política de tolerancia hacia la ocupación territorial francesa, 1710.

129

ellos habían permitido que hubiese varios hatos españoles al oeste de este río "era por pura tolerancia".

En enero del año siguiente estuvo de paso por el puerto de Santo Domingo el gobernador francés Mr. Ducasse, quien departió cordialmente con las autoridades españolas y les informó de algunas de las victorias de los aliados franco-españoles contra los ingleses. La colaboración entre ambos grupos no podía ser mejor. Pero nuevos incidentes en la frontera ocurridos un año y medio más tarde, enturbiaron las relaciones. Las autoridades francesas ordenaron picar el corral de un hato y alentaron a sus súbditos a fomentar hatos y estancias en la zona hasta el río Dajabón y en la ciudad de Bayahá, con grave perjuicio para la ciudad y sus moradores.

*Límites de la toleran-
cia española.*

Se quejaron los vecinos de Santiago al Gobernador de Santo Domingo, y éste ordenó que los franceses fueran barridos de esos lugares por los mismos habitantes de Santiago auxiliados por las tropas del norte. Los españoles mataron algunos de los franceses asentados con sus hatos al este del río Dajabón e hicieron huir a los demás. Al mismo tiempo, las autoridades de Santo Domingo escribían al Consejo de Indias para que éste lograra que el Rey ordenara a su Embajador en Francia que reclamara del gobierno francés el retiro de los franceses de los alrededores del río Bayahá. El Consejo de Indias así lo hizo y, a la vuelta, ordenó al Gobernador de Santo Domingo que obligara a los franceses a salir de esos lugares y de todas las otras tierras españolas que habían ocupado desde 1701. La firmeza de la Corte española y la gravedad de esos incidentes convencieron a la Corte francesa de la necesidad de negociar un acuerdo de límites entre las dos colonias. En 1714 Francia propuso a España "nombrar comisarios para señalar los límites".

*Oficialización de la
política de tolerancia,
1715.*

Pero en abril de 1715 Felipe V dispuso posponer el nombramiento de esos comisarios hasta tanto se recibieran informaciones puestas al día desde Santo Domingo. Al mismo tiempo, y con motivo de esta disposición, el Rey de España también ratificó formalmente la política de tolerancia hacia los franceses que cobró forma legal en una cédula expedida al mes siguiente, por medio de la cual se ordenó al Gobernador de Santo Domingo "dejar a los franceses lo que ellos ocupaban, cuando el Rey había subido al trono".

En diciembre de 1717 la Real Audiencia informó al Rey sobre los avances de los franceses en la banda del norte, señalando que desde 1713 habían fundado en aquella región numerosas estancias y hatos y hasta tres ingenios y una iglesia. Además de esto la Audiencia seguía quejándose de la tolerancia que la alianza entre Francia y España les había impuesto hacia los franceses y señalaban que por esa tolerancia era que los franceses seguían ocupando tierras, amenazando con apoderarse de la Isla toda.

Avances franceses y ocupación de nuevas tierras, 1713-1717.

Esto era realmente lo que los españoles temían de los franceses. Que los franceses siguieran ocupando las tierras que desde hacía décadas poseían no era problema. Antes al contrario, era una bendición puesto que permitía a los españoles acrecentar sus economías con el comercio de ganado y proveerse de las mercancías y otros productos que les hacían falta. Los franceses sabían que los españoles lucharían hasta el final para impedirles avanzar muy adentro hacia sus tierras y sabían, además, que todavía no tenían los recursos suficientes como para explotar completamente la Isla en la forma en que estaban haciéndolo con las tierras del oeste.

Ventajas y desventajas de la penetración francesa, 1717-1719.

Ambas colonias se necesitaban y ambas estaban interesadas en garantizar la permanencia de la otra en la Isla pese a las diferencias que pudiera haber en Europa entre sus coronas respectivas. Esto pudo verse en ocasión de la nueva guerra que España sostuvo entre 1717 y 1719 con Austria, Inglaterra y Francia en un intento de revertir el desfavorable orden internacional que le había creado el Tratado de Utrecht en 1713. Durante esta guerra, en la cual entró Francia en enero de 1719, los intereses de la colonias de la Española pudieron más que sus lealtades políticas hacia sus metrópolis respectivas.

La mejor evidencia de esta nueva situación fue que el Gobernador de Santo Domingo aceptó en buen grado las proposiciones de neutralidad hechas por las autoridades francesas al saber que esa guerra podía significar un obstáculo para el libre desenvolvimiento del comercio colonial. Como se recuerda, el entonces Gobernador Fernando Constanzo y Ramírez tenía muy buenas razones para querer esta neutralidad y querer que el comercio de ganado continuara. Estos eran los momentos en que él trataba de obligar a los exportadores de ganado a pagarle un impuesto por cada cabeza vendida en la colonia francesa.

Así, la guerra europea de 1717-1719 no afectó las relaciones entre los habitantes de ambas colonias, quienes siguieron viviendo normalmente ocupados en sus labores habituales. Un solo incidente serio parece haber habido en aquellos años y éste fue la muerte de cuatro franceses sorprendidos en tierras españolas del sur de la Isla a principios de 1721.

Aunque la guerra como tal no alteró las relaciones entre las colonias, su terminación sí tuvo implicaciones directas sobre el problema fronterizo, pues en marzo de 1721, cuando España y Francia decidieron reanudar sus buenas relaciones diplomáticas firmando el convenio matrimonial entre el nuevo Rey francés Luis xv con la hija del Rey de España Felipe V, también decidieron aliviar las tensiones que las fronteras de Santo Domingo producían entre ambos gobiernos. Y así el Gobernador de la Española recibió una cédula fechada el día 16 de marzo de 1721 en la que se le ordenaba que "dege de recobrar lo ocupado por franceses antes de la vltima suspensión de Armas, pero que si despues de ella continuasen a estenderse se embaraze y recobre". Con esta orden que fue ratificada en mayo de 1723, quedaba definido muy claramente el status de las actuales ocupaciones de tierras de los franceses y se reconocía nuevamente su derecho a las antiguas posesiones ocupadas, además de las que en los últimos años habían realizado que eran, precisamente las que estaban produciendo los últimos conflictos fronterizos.

La historia de esas últimas ocupaciones la escribió el nuevo Gobernador de Santo Domingo a la Corona en una carta del 24 de noviembre de 1724 en la cual le decía que los franceses "se han ido estendiendo por la parte del Norte desde Yaquezillo a el Rio Daxabon y por la del Sur no excediendo antes del Puerto de Naybuco se hallan hoy estendidos

Consolidación de las ocupaciones francesas, 1721-1723.

Nuevos avances franceses, 1724.

desde Guma Gibes todo el valle de Atibonico hasta salir a dicho Naybuco cuyos Parages llaman ellos con otros nombres que constan en los Autos, y les tienen poblados de Ingenios de fabricar azúcar, haciendas de añil, hatos y ranchos de Ganado mayor y menor, algunas Iglesias y gran numero de vecindad y no contentos con esto, abusando de la ultima suspension de Armas han saltado por la parte de Guaba, a ocupar el sitio llamado Bayaha que ellos nombran Dondon, suponiendole parte de su antigua posesion, siendo como es perteneciente a españoles, y que jamas le havian ocupado franceses y sin embargo que han sido requeridos por este Govierno no ha sido posible hazerlos que evaquen aquellos sitios dandose por desentendidos sus Gefes y no respondiendo a proposito".

En 1727 los españoles establecieron un puesto de guardia permanente en la orilla oriental del río Dajabón, región ésta que entonces había sido vigilada periódicamente por las tropas del norte. Esta fundación significaba que los españoles no estaban dispuestos a ceder por las buenas ni un palmo de terreno más acá de este río. Y ello se hizo evidente en febrero de 1728 cuando varios soldados del recién fundado puesto de guardia atravesaron el río y atacaron un par de establecimientos franceses en Capotillo y "pillaron y destrozaron todo lo que encontraron".

Fundación del puesto de guardia de Dajabón, 1727.

Al año siguiente en julio de 1729, los españoles descubrieron que los franceses estaban otorgando tierras en la cuenca del río Artibonito y al ser puestos en estado de alerta por sus comandantes, dice Saint Méry, "tomaron las armas, marcharon a las fronteras de las Caobas y Verettes y hasta hirieron con un tiro de fusil a Etienne Trouvé, habitante de Mirebalais".

Nuevos avances franceses, 1729.

Nuevamente volvió a hablar del nombramiento de comisarios para discutir la fijación de límites fronterizos entre las dos colonias tanto en España como en Francia. En agosto de 1729 comenzaron las negociaciones y fueron nombrados como comisarios Mr. de Nolivos, hombre de confianza del Gobernador francés, y don Gonzalo Fernández de Oviedo, Auditor General de Guerra de Santo Domingo. Ambos funcionarios trabajaron junto con sus gobernadores intensa-

Negociación de límites, 1729-1730.

133

mente durante todo el resto del año 1729 y durante 1730. Entretanto, los franceses habían vuelto a establecerse en Capotillo y los españoles volvieron a exigirles que se retiraran, pero esas exigencias no fueron acatadas.

En eso pasó todo el año de 1730, hasta que a principios de 1731 se recibió en Santo Domingo una orden del Rey disponiendo que no se permitiera "que los franceses ocupen la habitación que la dicha tropa del Norte había quemado en 1728 en Capotillo". Esta orden sirvió de pretexto para que a principios de septiembre de 1731 unos 400 españoles cruzaran el río Dajabón y destruyeran y quemaran las habitaciones de tres franceses establecidos en Capotillo. Inmediatamente el Gobernador de Cap François se puso en movimiento y con unos 200 franceses cruzó el río Dajabón y atacó otras tres haciendas españolas haciendo lo mismo que éstos habían ejecutado en Capotillo, "pero sin emplear el fuego". Este grave incidente, que hizo medir fuerzas nuevamente a los dos gobiernos coloniales, convenció a sus funcionarios de que convenía aclarar las cosas cuanto antes.

Casi de inmediato a la represalia francesa, los gobernadores del Cabo y de Santiago se reunieron y "convinieron que el río Masacre (Dajabón) serviría de límite provisional" entre ambas colonias en la frontera del norte. En diciembre de ese año el Gobierno de Francia aceptó los límites de ese convenio y ordenó a sus súbditos no traspasar las aguas del río Dajabón hasta que los límites definitivos fuesen fijados oficialmente por comisarios nombrados por los reyes de España y Francia. Según una comunicación del Consejo de Indias, los terrenos comprendidos entre las aguas del Arroyo de Capotillo y las del río Dajabón quedarían como neutrales "hasta la decisión de los Soberanos".

En los años siguientes, sin embargo, las disputas continuaron: unas veces fueron por la apropiación de una isleta del río Dajabón que había sido declarada como propiedad española, pero que los colonos franceses quisieron apoderarse de ella en varias ocasiones. Las más de las veces, esas disputas fueron por la posesión de la franja de tierra que había entre las aguas de los ríos Capotillo y Dajabón. En este lugar el Gobernador español quiso adelantarse a los

Avances franceses y oposición española, 1731.

Primer acuerdo de límites: Río Dajabón como frontera del norte, 1731.

Falta de precisión de acuerdo fomenta conflictos fronterizos.

franceses y dio orden a algunos españoles para que "formasen entre Capotillo y Dajabón algunas poblaciones". Pero inmediatamente las autoridades francesas se opusieron. Esta medida del Gobernador español que buscaba que los franceses objetaran jurídicamente la ocupación del Capotillo por los españoles reconociendo legalmente la Convención de 1731, no dio el resultado buscado. Antes al contrario, los franceses también violaron lo convenido sobre la faja de Capotillo y volvieron a colocar sus establecimientos en la misma y en la isleta del río Dajabón.

En los años siguientes los problemas fueron también por la posesión de otras regiones que quedaban en los territorios más profundos del oeste, en las jurisdicciones de Bánica e Hincha.

En esta zona los límites no quedaron claramente establecidos en la Convención de 1731 que sólo definió con precisión la frontera del norte y dejó sobreentendida una raya de tolerancia muy indefinida en la del sur. Durante bastante tiempo, pues, las tierras del río de la Seiba o de la Sabana de Verettes fueron disputadas por las tropas y habitantes de ambas colonias. De acuerdo con la información disponible, los franceses otorgaron permisos a algunos de sus colonos para que se establecieran en esos lugares.

Frontera sigue indefinida por el sur, 1731.

Pero una vez que las patrullas españolas de la frontera detectaban nuevas habitaciones francesas en aquellos territorios procedían a destruirlos quemándoles las casas y sembrados y haciendo prisioneros a los mayordomos y esclavos que había en ellas. Esto ocurrió docenas de veces entre los años de 1736 y 1773. En 1736 tuvo lugar un serio incidente en la región de Mirebalais, donde las tropas españolas se apoderaron de la orilla occidental del río de la Seiba y, pese a la movilización de tropas francesas para echarlos del lugar, su comandante tuvo que permitir que los españoles conservaran ese río y sus márgenes occidentales hasta que los monarcas de ambas naciones decidieron el asunto.

Continúan conflictos fronterizos, 1736.

Al año siguiente, sin embargo, los franceses avanzaron sobre las llamadas tierras de Minguet que ellos habían abandonado hacía unos veinte años. El pretexto del avance de esas tropas francesas, compuestas de unos 40 hombres, era

Nuevos conflictos, 1737.

135

que ellos buscaban esclavos cimarrones. Los españoles de Hincha, Bánica y San Juan fueron movilizados por sus comandantes, pero éstos viendo que los franceses estaban dispuestos a pelear decidieron dejar la cuestión como estaba para no arriesgar un enfrentamiento desigual que sería lo mismo "que perderlo todo".

Repoblamiento de tierras fronterizas, 1739.

Este hecho hizo que el Gobernador de Santo Domingo escribiera a la Corona pidiendo el envío de familias canarias para poblar más densamente las fronteras. Fue precisamente esta petición de canarios lo que decidió al Consejo de Indias, en 1739, a elaborar el plan de repoblamiento de las zonas deshabitadas de la Colonia, de que ya hemos hablado. En 1741 los españoles establecieron un nuevo puesto de guardia cerca de la localidad francesa de Dondon para impedir la penetración por esta zona de algunos habitantes franceses que ya tenían plantaciones en ese territorio. Ya en 1729 los españoles habían establecido otro puesto de guardia en las orillas del río Las Caobas, lo que fue interpretado por los franceses como que ése era el límite entre las dos colonias.

Lo interesante del caso era que los colonos y plantaciones franceses establecidos desde hacía mucho tiempo no estaban interesados en apropiarse de toda la Isla, como eran la suposición y los temores de los españoles. Después de 1731, lo que los franceses deseaban era la fijación de límites en forma mucho más clara que lo que la Convención de ese año establecía.

Planes para ceder Santo Domingo a Francia, 1741.

Esto se notó muy claramente en 1741, cuando llegó al Cabo la noticia de que Francia y España estaban conversando sobre la posibilidad de ceder la colonia española a Francia para que ésta poseyera la Isla entera. Los colonos y propietarios de plantaciones, al saber la noticia, se opusieron a la cesión, porque la misma significaría la apertura de nuevas tierras al cultivo de plantaciones y la llegada de miles de inmigrantes más que al producir lo mismo que ellos, aumentarían la competencia y bajarían el precio de los productos coloniales.

Nuevos conflictos fronterizos, 1747-1765.

Durante el gobierno de Zorrilla de San Martín también hubo problemas fronterizos. En 1747 los españoles incur-

136

sionaron en un establecimiento propiedad de un francés en la parroquia de Dondon; en 1750 destruyeron otros establecimientos en Capotillo y en 1752 soldados españoles desalojaron al mismo propietario a quien habían atacado en 1747. En 1755 los españoles amenazaron a unos franceses cerca de Bayahá y en 1757 quemaron en el mismo lugar cuatro haciendas de franceses fomentadas en terrenos que reclamaban como suyos los españoles.

En 1761 las tropas españolas descubrieron dos estancias sembradas de café y otros frutos pertenecientes a dos franceses, en la parte llamada Arroyo Seco. El Comandante español no se atrevió a destruirlas sin antes informar al Gobernador de Santo Domingo. Sin embargo, se produjo un choque entre los franceses y los soldados españoles y el comandante, para evitar una carnicería, se retiró con sus soldados y pidió instrucciones al Gobernador. Este aconsejó prudencia y dijo que debían "caminar con pies de plomo" en materia de tanta gravedad.

Esta actitud del Gobernador indicaba un cambio de política con respecto a la frontera que fue provocado por varios factores. Uno, el enorme crecimiento y enriquecimiento de la colonia francesa que para esta época podía disponer de varios miles de hombres, tanto libres como esclavos, para cualquier operación militar en contra de cualesquiera enemigos, fueran éstos ingleses o españoles. Otro, la alianza entre las coronas de Francia y España que, precisamente en agosto de ese mismo año de 1761, las llevaría a firmar el Pacto de Familia para oponerse más firmemente al poderío inglés que amenazaba los intereses coloniales de estas dos potencias.

Inglaterra había ampliado sus posesiones y su poderío militar en todo el mundo a expensas de los imperios español y portugués y de las posesiones francesas y holandesas y tanto Francia como España buscaban revertir ese fenómeno o, al menos, detener ese impulso expansionista inglés tanto en Europa como en América, particularmente en las Antillas. Había, pues, que cerrar frentes y uno de éstos, obviamente, era la Isla de Santo Domingo, donde los franceses mantenían la más importante de sus colonias, cuyo desa-

Cambios de política fronteriza, 1761.

Pacto de familia entre Corona de España y Francia, 1761.

Amenaza inglesa fomenta alianza franco-española.

rrollo favorecía la vida económica de la colonia española.

De ahí que en 1763 el gobierno francés enviara como Gobernador de su colonia al Conde d'Estaing con órdenes de escoger la persona que habría de trabajar conjuntamente con el Gobernador español en la fijación de los límites definitivos. D'Estaing llegó el 19 de abril de 1764 y se puso en contacto inmediatamente con el Gobernador español que lo era entonces don Manuel Azlor. Pero esta vez los comisarios no pudieron reunirse puesto que Azlor no había recibido instrucciones precisas para ello y las únicas que tenía le ordenaban solamente hacer un reconocimiento de las fronteras conjuntamente con el Gobernador francés. Fue necesario casi un año para que Azlor realizara su viaje, cosa que hizo entre abril y mayo y entre septiembre y octubre de 1766.

De este viaje resultó un buen entendimiento entre ambos gobernadores, tanto que d'Estaing prometió visitar la ciudad de Santo Domingo para concluir sus negociaciones o enviar a su comisario ya nombrado el Mariscal Mr. De Portal. Por primera vez, un gobernador español dejaba a Santo Domingo para ir a recorrer personalmente las fronteras que hasta entonces habían sido gobernadas a través de los comandantes locales.

Ese viaje parece que impresionó mucho al Gobernador español pues en 1770 el mismo Azlor quedó convencido de que "la utilidad que resultara de que se prefixen los límites, con la Nación Francesa en esta Isla, es notoria". Este cambio de opinión del Gobernador español respecto a la conveniencia de fijar los límites se debía, según él mismo afirmó, a que "se ha visto los términos con que a toda priesa ban avanzando sobre nuestros terrenos, sin que quede esperanza de contenerlos como digo antes, ni con razones, ni con protextas, ni requerimientos".

Entretanto, a fines de 1769 hubo un serio incidente cerca de San Rafael en donde las tropas españolas apresaron un habitante francés confiscándole sus esclavos y bienes y llevándole prisionero a la ciudad de Santo Domingo. Pero este problema no obstaculizó las gestiones diplomáticas que llevaban a cabo las autoridades de ambas colonias. En cierto

Nuevas negociaciones sobre límites, 1764-1766.

Continúan negociaciones sobre límites, junio 1770.

modo aceleró la decisión de adoptar un acuerdo de comercio y límites, el 4 de junio de 1770, por medio del cual, en su artículo 5, se estableció que en caso de dificultades por motivos de discusión sobre los límites entre ambas colonias "los Comandantes respectivos de los Cuerpos de Guardia, puestos en las Fronteras, se avisaran mutuamente y juntos iran a los Parages, para verificar allí el objeto de las contextaciones y remediarlas provisionalmente y amigablemente: inmediatamente daran parte a sus Superiores directos. Estos a los Gobernadores Generales de su Nación, los que se entenderán juntamente y daran sus órdenes definitivas".

Este acuerdo fue puesto a prueba entre mayo y junio del año siguiente de 1771 cuando la frontera fue nuevamente conmovida por varios encuentros y choques sostenidos entre soldados y habitantes tanto españoles como franceses. Entre los establecimientos españoles atacados por los franceses se encontraban las haciendas de don José Guzmán, Barón de la Atalaya, una persona a quien los franceses siempre habían considerado como buen amigo suyo. Tal como el acuerdo de junio de 1770 ordenaba, los comandantes de los lugares respectivos intentaron resolver por las buenas esas diferencias con el auxilio del Gobernador francés, logrando, con grandes dificultades, que ambas partes devolvieran los terrenos tomados durante los incidentes.

Nuevos conflictos fronterizos, 1771.

Así las cosas, llegó a Santo Domingo el nuevo Gobernador, procedente de Caracas, don José Solano Bote, a mediados de 1771, mientras se sucedían esos últimos incidentes en la frontera. No bien había llegado, recibió una carta del ingeniero Saint Mausuy, comunicándole que él había sido nombrado oficialmente por el Gobernador francés para hacer los levantamientos definitivos de los !ímites franceses y españoles en la frontera del norte. Varios meses más tarde recibió la comunicación nombrando al Caballero de Valliére para hacer los mismos trabajos en la frontera del sur. En diciembre de ese mismo año de 1771, Solano nombró a don Fernando de Espinosa Comandante de la Frontera del Sur para que negociara, junto con el Gobernador francés

Comienzan trabajos de fijación topográfica de la frontera, 1771.

139

y sus ingenieros, todo lo relativo a la fijación definitiva de los límites fronterizos.

Continúan trabajos topográficos en la frontera, 1772-1773.

Los años siguientes, de 1772 a 1776, fueron años de intenso trabajo de campo en la frontera y una igualmente intensa correspondencia entre los gobernadores y otros funcionarios competentes de ambos lados de la Isla. La política francesa estaba orientada a conseguir un tratado definitivo de límites como quiera que fuese, pero la política española, llevada a cabo por Solano Bote, no se contentaba solamente con el tratado sino que buscaba la restitución de una serie de lugares que habían estado en disputa desde hacía décadas. Entre esos lugares estaban Capotillo, el antiguo puesto del Saltadero del río Canot, la Sabana de Verettes, y "todas las fundaciones poseídas por los franceses... y las demas que estan o se hallaren de la parte de acá de la raya de Tolerancia".

Solano estuvo dispuesto a dejarles a los franceses solamente las estancias de Café descubiertas diez años atrás en Arroyo Seco. Según las informaciones del Gobierno francés a sus funcionarios coloniales en 1772, la Corte de España ya estaba deseosa de que se terminara cuanto antes la cuestión de los límites de Santo Domingo.

Discrepancias franco-españolas sobre límites, 1772-1773.

El objetivo francés era obtener como frontera el río Neiba (Yaque del Sur), a la altura de San Juan de la Maguana y trazar desde allí una línea recta hasta el río Dajabón. Pero en agosto de 1773, mientras discutían la fijación de los límites de la frontera del sur, Solano obligó al comisionado francés a renunciar sus pretenciones amenazando con no vender más ganado y suspender la entrega de los negros fugitivos a la colonia francesa.

Aceptación francesa de demandas españolas, agosto 1773.

La firmeza del Gobernador Solano, unida a la escasez de carne existente en la parte francesa, fue suficiente para que el Comisionado francés firmara el 25 de agosto de 1773 "una convención que, al adoptar todas las pretensiones de los españoles, hace comenzar el límite setentional en el río Masacre, y lo termina al Sur en el río de Pedernales".

Aunque el Comisionado francés quiso protestar por este

acuerdo, las autoridades españolas se mantuvieron firmes requiriendo a los franceses que mantuvieran las cosas *in statu quo* y pidiendo a la Corte que hiciera saber al Gobierno de Francia la intención de no ceder en lo más mínimo en cuanto a lo firmado en ese acuerdo. En febrero de 1775 el Gobierno francés ordenó a sus funcionarios aceptar las cosas como estaban, ya que en agosto del año pasado había sido enviado un funcionario, Mr D'Ennery, con instrucciones de terminar de una vez por todas la cuestión.

Ya quedaba poco por hacer. El señor D'Ennery se reunió con Solano en febrero de 1776 en el poblado de San Miguel de la Atalaya donde firmaron un acuerdo sobre las bases de la Convención de agosto de 1773 y convinieron nombrar una comisión que fuera al terreno a fijar los límites con mojonaduras piramidales. Esta comisión trabajó arduamente en la colocación de esas pirámides, y ya en agosto de 1776 había concluido su trabajo. El día 28 de este mes ambos plenipotenciarios firmaron un Tratado provisional de límites entre ambas colonias que se hizo definitivo al año siguiente el día 3 de junio de 1777, cuando los Embajadores *ad hoc* nombrados por España y Francia se reunieron en el Castillo de Aranjuez, en las cercanías de Madrid, y lo ratificaron con sus firmas para que "pusiese fin para siempre a las dificultades".

Con la firma del Tratado de Aranjuez termina la litis legal sobre los límites fronterizos, pero no por ello terminaron los problemas que la coexistencia de dos colonias tan disímiles como Santo Domingo y Haití debían naturalmente provocar en las tierras de la Española.

Junto con el tratado de límites también se firmaron otros acuerdos sobre el comercio de ganado y sobre la restitución de negros fugitivos o de soldados y colonos desertores para también poner fin a los problemas que provocaban la presencia de esos individuos. Y fue precisamente este tratado sobre la restitución de negros a Santo Domingo el instrumento que llevó a la colonia española a participar años más tarde en los importantes acontecimientos que

Autoridades firman nuevo acuerdo más preciso sobre límites, febrero 1776.

Ratificación oficial de acuerdo sobre límites por Tratado de Aranjuez, junio de 1777.

Otros acuerdos sobre comercio de ganado y restitución de negros fugitivos, 1777.

141

tuvieron lugar en Haití con motivo del estallido de la Revolución de 1789 en Francia. Pero esos tratados también tienen su historia. La misma está ligada a la frontera, como lo estuvo el comercio de ganado y el desarrollo demográfico de ambas colonias durante el siglo XVIII.

XIII

LA FORMACION DE LA FRONTERA

(1731-1789)

LA FRONTERA ENTRE LAS COLONIAS francesa y española de Santo Domingo no fue una línea muerta trazada en gabinetes oficiales, sino un elemento vivo en la formación social del Pueblo Dominicano. La lucha por las tierras del oeste fue una lucha de intereses encontrados entre dos sociedades y entre dos economías. Fue una pugna entre la plantación y el hato, entre el capitalismo colonial francés y el sistema tradicional de explotación de las tierras españolas. Pero en sentido más particular, la formación de la frontera fue un proceso lento y conflictivo durante el cual los franceses quisieron redondear el borde de sus posesiones pretendiendo unas veces ocupar la Isla entera, y otras conservar lo ya ocupado.

La Frontera y la formación nacional dominicana.

Las pugnas fronterizas fueron pugnas por la preservación de la nacionalidad española en las tierras de Santo Domingo. Por ello, desde el mismo momento en que la presencia francesa se hizo permanente en el oeste de la Isla, los españoles descubrieron que para impedir su ocupación total por los franceses, era necesario reforzar las operaciones militares con el asentamiento de familias importadas de las Islas Canarias en las tierras en disputa.

Importación de familias canarias.

La importación de esas familias comenzó en 1684. Entre 1684 y 1691 fueron introducidas en Santo Domingo unas 323 familias que sumaban unos 1,615 individuos. Con

143

Fundación de San Carlos, 1684.

Fundación de Hincha, 1704.

Crecimiento de colonia francesa.

Pedido de nuevas familias canarias, 1718.

Llegada de nuevas familias canarias, 1720.

Planes para repoblar la costa norte, 1728-1735.

ellas se fundaron en 1684 los poblados de San Carlos, en las afueras de Santo Domingo y Bánica en las regiones fronterizas. A principios del siglo XVIII, en 1704, se fundó cerca de Bánica, pero mucho más al oeste, el poblado de Hincha. Por diversas razones, la introducción de canarios se detuvo en 1720. A partir de 1715 comenzaron los franceses a presionar con más vigor contra las posesiones españolas debido, sobre todo, a la tremenda expansión de su economía y a la cuadruplicación del número de sus habitantes y esclavos que sobrepasaban en mucho las 18,410 personas que vivían en la colonia española de Santo Domingo. Se sabe que unos cuantos años más tarde, en 1726, la colonia francesa alcanzó las 30,000 personas libres y "cien mil esclavos negros o mulatos".

Como los vecinos y el Gobernador de Santo Domingo percibían directamente esta crítica situación, requirieron a la Corona que reanudara los envíos de familias canarias suspendidos a finales del siglo XVII. El Consejo de Indias se hizo cargo nuevamente del asunto y en 1718 aconsejó que las remesas de familias fueran continuadas. El Rey decretó ese mismo año que los armadores de barcos de las Islas Canarias debían enviar uno periódicamente a Santo Domingo, Puerto Rico y Caracas con familias pobres de aquellos lugares. Al llegar a su destino se les daría tierras, ganados y semillas.

Así, en 1720 llegaron las primeras 50 familias, y entre ese año y el de 1725 arribaron a Santo Domingo unas 28 familias de unos cinco miembros cada una que fueron repartidas en diferentes lugares de la Isla. Después del último envío este año hubo cierto retraso que alarmó al Gobernador de la Rocha y le hizo escribir en 1728 al Consejo de Indias pidiendo que se volvieran a enviar familias y soldados de las Islas Canarias para poblar y fortificar los puertos de Montecristi y Samaná "a cuya ocupación aspiran principalmente los franzeses". Esta misma petición fue repetida por el Gobernador en diciembre de ese mismo año. Sin embargo, hubo que esperar muchos años hasta que en 1735 el entonces Gobernador Alfonso Castro y Mazo escribió, junto con el Fiscal de la Audiencia, dos cartas al Consejo de Indias en las cuales hablaban "sobre la conbeniencia de enviar familias que poblasen lo desierto de la Isla".

El Consejo ordenó inmediatamente al Juez de Indias en Canarias que reanudara el envío de las familias y al Gobernador de Santo Domingo que "disponga empiezen a poblar en el terreno más cercano a el que ocupan franceses facilitándoles para ello los auxilios y alivios que pudiere... Estas órdenes se expidieron y han empezado a tener efecto pues en Carta de 22 de Dizbre de 1737 da quenta el Presidente de haver llegado a aquella Isla de las de Canarias quarenta familias de a cinco personas (aunque no de tan buena calidad como él quisiera) con las que ha dispuesto la población de la antigua Ciudad de Puerto Plata, con el nombre de nuestra señora de la Candelaria y Sn Phelipe que es el Parage por donde con consejo de intelijentes le ha parecido empezar para impedir a los franceses que por aquella costa del Mar pasen sin ser vistos a la de Samaná".

El esfuerzo por repoblar a Puerto Plata no fue el único, sino uno entre muchos otros que tuvieron lugar durante la tercera y la séptima décadas del siglo XVIII. En 1733 fue fundada la villa de San Juan de la Maguana en tierras que eran deseadas por los franceses. En 1735 fue fundada la villa de Neiba; en 1740 la parroquia de Dajabón; en 1751, la villa de San Fernando de Montecristi. En 1756 fueron enviadas familias canarias a fundar el nuevo pueblo de Samaná. Al otro lado de la Bahía, frente a Samaná fue fundada en 1760, la población de Sabana de la Mar. Al año siguiente, en 1761, Azlor fundó San Rafael en la frontera y puso otras 26 familias canarias a vivir en la villa de Azua. En la Sabana de Baní se fundó otra población con ese nombre en 1764.

Todo ese movimiento de familias desde las Canarias a la ciudad de Santo Domingo y desde ésta hacia diferentes puntos del interior de la Isla costaba dinero. Para hacer frente a esos gastos el Consejo de Indias había recomendado en julio de 1739, y el Rey así lo ordenó en diciembre de 1741, que el financiamiento del proyecto de población de las costas del norte de la Española saliera de las Cajas Reales de Méjico cuyo virrey debía enviar a Santo Domingo, anualmente, además del situado, la suma de 16,000 pesos por cada

Llegada de más familias canarias.

Fundación de Puerto Plata, 1737.

Fundación de San Juan de la Maguana, 1733.

Fundación de Neiba, 1735.

Fundación de Parroquia de Dajabón, 1740.

Fundación de Montecristi, 1751.

Fundación de Samaná, 1756.

Fundación de Sabana de la Mar, 1760.

Fundación de San Rafael, 1761.

Repoblamiento de Azua, 1761.

Fundación de Baní, 1764.

Financiamiento de la repoblación de la Colonia, 1739-1744.

145

FRANK MOYA PONS

cincuenta familias canarias que fueran asentadas en Santo Domingo. El proyecto era cubrir toda la zona de la Isla que había sido despoblada un siglo y medio atrás cuando las Devastaciones y que los franceses estaban insistiendo sobre su gobierno para que las reclamara al Rey de España y les permitiera expandir su colonia hasta Samaná. Durante los primeros tres años se envió regularmente la mencionada suma, pero en 1744 el Virrey de Méjico suspendió las remesas.

Así marcharon las cosas durante los siguientes veinte años, en el curso de los cuales ingresaron a la Isla 225 familias y 2 personas. Una última población fundada en 1768 fue San Miguel de la Atalaya en el extremo más occidental de la Colonia. Su fundador fue don José Guzmán, a quien la Corona concedió el título de Barón de aquellas tierras, y quien llegó a ser un importante exportador de ganado hacia la colonia francesa.

Al tiempo que llegaban los canarios o que ocurrían diversos incidentes en la frontera, el comercio de ganado y de manufacturas entre ambas colonias continuaba. El Convenio de límites de 1731 estabilizó bastante las relaciones entre los franceses y los españoles de la isla de Santo Domingo y, aunque en múltiples ocasiones esas relaciones fueron afectadas por los conflictos fronterizos, lo cierto es que a partir de ese año las comunicaciones entre los gobiernos de ambas colonias empezaron a gozar de una continuidad permanente. El Convenio de 1731 legalizó tácitamente las posesiones francesas y ambos gobiernos se comprometieron a mantener las mejores relaciones posibles, no sólo porque sus Coronas así lo ordenaban, sino también porque así convenía a los vecinos de ambas colonias. Como se ha visto, el desarrollo de la colonia francesa había hecho posible el avivamiento de la vida económica de Santo Domingo gracias al comercio de ganado y al intercambio de manufacturas y otros productos.

La dependencia del ganado español irritaba a muchos franceses y en más de una ocasión hubo quienes propusieron fundar hatos nuevamente en aquellas zonas que no estuvieran siendo explotadas intensamente en plantaciones. Uno de los argumentos más fuertes en favor de la fundación de

Fundación de San Miguel de la Atalaya, 1768.

Acuerdos de límites favorecen comercio fronterizo y estimulan economía colonial.

Dependencia francesa del ganado español.

146

nuevos hatos en la colonia francesa era que los mismos proporcionaban nuevos empleos y además "podemos asegurarnos el abastecimiento de bestias en caso de que los españoles no nos provean por guerra entre las dos naciones". En diciembre de 1732 el Gobernador francés accedió a estos requerimientos y dispuso la concesión de ciertas exenciones fiscales en favor de los propietarios de hatos que tuvieran más de 300 animales. Sin embargo, siempre había entre los franceses algunos que defendían la ampliación de las plantaciones a costa de los hatos favoreciendo la eliminación de estos últimos.

La colonia francesa sin ser una productora de ganado podía darse el lujo de exportar grandes cantidades de cuero hacia Francia donde serían utilizados por la industria de ese país. Aunque todos estos cueros no provenían de Santo Domingo, aproximadamente la mitad de los mismos habían sido extraídos de los ganados comprados en la colonia española. En agosto de 1740 Castro Mazo escribió a su colega francés al otro lado de las fronteras y le hizo saber que "toleraría el comercio (de ganado) mientras no sea informado jurídicamente". Y no podía hacer otra cosa, pues éstos eran los momentos en que la colonia de Santo Domingo había llegado al más alto grado de dependencia en relación con la francesa.

Exportación de cueros a través de colonia francesa.

La navegación en el Caribe se había hecho tan difícil y peligrosa que Castro Mazo tuvo que recurrir al Gobernador Larnage para que enviara un barco francés a Santiago de Cuba a buscar el situado proveniente de México que había sido depositado en aquella ciudad. El problema era realmente que el año anterior, en 1739, había estallado la guerra nuevamente contra los ingleses en Europa en un intento de España para recobrar su perdida influencia en la política italiana. Esta guerra se trasladó al Caribe, poniendo a Santo Domingo y Jamaica otra vez en pie de lucha.

Nueva guerra entre España e Inglaterra, 1739.

En marzo de 1740 circularon rumores de que los ingleses pensaban atacar la ciudad de Santo Domingo, lo que hizo que sus autoridades se esforzaran frenéticamente a reforzar las defensas de la ciudad. Esos rumores resultaron falsos. En diciembre de ese mismo año los franceses hablaban de

147

un plan combinado, junto con los españoles, para atacar a Jamaica. Este plan tampoco fue realizado, y en cambio lo que se vio surgir en Santo Domingo fue el renacimiento del corso que durante los últimos años había sido ejecutado por corsarios cubanos y puertorriqueños que, a pesar de la tregua de 1729, habían seguido dificultando la navegación inglesa en el Caribe. El corso ejecutado por los españoles de Santo Domingo también fue otro de los factores que contribuyeron a activar la vida económica de la colonia española a mediados del siglo XVIII.

Resurgimiento del corso entre habitantes de Santo Domingo, 1739-1748.

Durante la llamada Guerra de Italia, que comenzó en 1739 y terminó en 1748, el corso fue una importante actividad entre los vecinos de la ciudad de Santo Domingo que, al decir de Sánchez Valverde, "se dieron más que antes a sus correrías", enriqueciéndose muchos de ellos y poniendo a circular dinero adicional al que proporcionaba la exportación de ganado a la colonia francesa. Durante estos años el comercio de ganado fue afectado por diversas medidas adoptadas por el nuevo Gobernador español don Pedro Zorrilla de San Martín, luego que llegó a la Isla en 1741 en un barco francés que hizo escala en la ciudad de Cap François. Durante su estadía en esta ciudad, Zorrilla descubrió que los franceses habían establecido un impuesto a la carne que se vendía en sus carnicerías, cosa que le pareció ilegítima pues significaba que un gobierno extranjero estaba lucrándose a costa de un artículo producido en territorio español. De ahí que, inmediatamente llegó a Santo Domingo, prohibió categóricamente la exportación de ganado hacia la colonia francesa, agravando con ello la gran carestía de carne que allí existía, debido a una sequía que desde hacía dos años azotaba la Isla. Esta disposición obligó al gobernador francés a rogarle a Zorrilla de San Martín que permitiera la exportación de por lo menos 200 cabezas de ganado por mes hasta que los hatos de la parte española estuviesen repuestos de la sequía. Zorrilla aceptó, pero agregó que "para hacer autorizar esta tolerancia por la corte de España, él creía deber establecer un impuesto sobre la exportación de animales y fijó ese derecho en cinco pesos por cada pareja". Las consecuencias de esta medida

Comercio de ganado y venta de carne en la colonia francesa. 1741-1764.

148

fueron el aumento del precio de la carne en la colonia francesa y la reacción de los españoles criadores de ganado que, descontentos con esa cuota, optaron por dedicarse a pasar ganado de contrabando a la colonia francesa. Cuando Zorrilla se enteró de esta situación, en 1744, amenazó a las autoridades francesas con cortar totalmente el suministro de ganado oficialmente permitido, por lo que éstas "para calmar sus sospechas y contener sus amenazas, nombraron una comisión que investigara la conducta de los encargados de comprar los ganados en la parte española para llevarlos a su colonia.

Así se mantuvo la situación durante todo el Gobierno de Zorrilla de San Martín y de sus sucesores: Con una cuota oficial de exportación que variaba según las conveniencias del Gobernador de turno y con una cantidad indeterminada de animales que pasaban la frontera por caminos ocultos hasta que, finalmente, en 1761, Francia y España firmaron el tercer Pacto de Familia para protegerse de los ingleses, cuyas posesiones en América del Norte ponían en peligro las posesiones españolas en América. Frente a esta alianza los ingleses declararon la guerra en 1762 y, al año siguiente, después de una rápida serie de victorias, atacaron y tomaron la ciudad de La Habana, que retuvieron en su poder durante varios meses. Durante los siete años que duró la guerra, los franceses enviaron tropas adicionales a la Isla para proteger ambas colonias contra un posible ataque inglés, por lo que ambos gobernadores, después de recibir órdenes de sus gobiernos, firmaron en junio de 1762, un tratado en uno de cuyos puntos quedó establecido que "atendiendo a que la carne falta a los franceses, los españoles la proveerán tanto para la subsistencia de las tropas actuales, como para las que esperan de Europa, durante la guerra, y sin traer consecuencias ni compromisos para el porvenir, ochocientos animales machos por mes y más si el estado de los hatos lo permite".

Los franceses incluso llegaron a pensar en obtener permiso del Gobierno español para importar ganados del oriente de Cuba, donde había tan grande cantidad "que la isla de Cuba no la puede consumir". Pero en eso llegó a Santo

149

Domingo una orden del Rey de España disponiendo que se permitiera a los franceses sacar de la colonia española todos los ganados que necesitaran. En cumplimiento de esta disposición, el Gobernador Azlor autorizó al Tesorero de Santo Domingo para que llegara a un acuerdo con los franceses sobre el asunto. El 22 de mayo de 1764 este funcionario y el oficial encargado por el Gobernador francés firmaron un tratado por medio del cual se permitía "la salida libre y exenta de impuestos de los ganados que necesitaban las colonias francesas, sin otra precaución que la de asegurar la reproducción".

Tratado sobre comercio de ganado, 1764.

La firma de este tratado hizo que el Gobernador Azlor publicara un bando anunciando a todos los españoles que a partir de esta fecha quedaba abierto nuevamente el comercio de ganado con los franceses a quienes les podrían vender sus animales libremente con la única obligación de obtener un permiso de sus comandantes locales. Sin embargo, Azlor, pese a lo establecido en el tratado, ordenó que al obtener el permiso de los comandantes, los españoles debían pagar los derechos oficiales, que eran "diez libras de Francia por cada cabeza de buey o vaca; tres libras por cada cerdo, muerto o vivo, y veinte libras por cada bestia caballar o mular". Y aunque el Gobernador francés protestó por esta medida, Azlor le contestó que dejaría así las cosas hasta tanto recibiera nuevas instrucciones de su gobierno.

Algo parecido ocurrió en 1766, cuando las autoridades de ambas colonias negociaron un nuevo tratado para la saca de ganados. Y volvió a ocurrir también en 1769 cuando el mismo Azlor que parecía "no haberse ocupado sino en estorbar la salida de los animales para la parte francesa", hizo un reglamento que establecía que en lo adelante esta salida no podía hacerse sino en virtud de un permiso que emanaría directamente de él y no de los oficiales de la frontera, a quienes prohibió siguieran dándolos. Estas disposiciones produjeron numerosas dificultades en la parte francesa lo mismo que en la parte española, lo que hizo que las autoridades francesas enviaran nuevamente otro de sus funcionarios a Santo Domingo a negociar un tratado menos perjudicial para sus colonos.

Tales acontecimientos tenían lugar en momentos en que las relaciones diplomáticas entre ambas colonias se encontraban sumamente tensas con motivo de los incidentes y conflictos fronterizos. Por eso el nuevo acuerdo para el suministro de ganado a los franceses fue firmado como un capítulo más del tratado general del 4 de junio de 1770 en que se definieron otros problemas relativos a la frontera. Para las autoridades españolas, el comercio de ganado no podía desligarse del problema fronterizo.

Esto se vio claramente al ser sustituido Azlor por el nuevo Gobernador José Solano Bote en 1772. Ahora bien, la participación de Solano en el comercio de ganado también estuvo ligada al monopolio que intentó establecer en Santo Domingo la llamada Compañía de Cataluña, fundada en Barcelona en 1755 con el propósito de aprovechar los recursos de la Isla Española tal como había hecho la famosa Compañía Guipuzcoana o de Caracas a partir de su fundación en 1728 de las tierras de Venezuela.

Compañía de Cataluña, 1755.

Aunque la Compañía de Cataluña no llegó a realizar grandes negocios en Santo Domingo, sí llegó a nombrar sus representantes en esta ciudad. Solano acababa de ser Gobernador de Caracas y estaba acostumbrado a servir a los intereses de la Compañía Guipuzcoana que desde hacía décadas mantenía un monopolio allí. Para él, los intereses de las Compañías reflejaban los intereses de la Corona, que las había fundado para reforzar en forma particular el sistema de monopolio en las Indias, y "como gobernador muy celoso de los intereses de la metrópoli, hizo prometer a esos agentes enviar seis buques por año a la colonia y se comprometió, a su vez, a asegurarles todas las ventajas de su comercio. Sólo existía un medio y era impedir que los españoles empleasen (como se venía haciendo desde hacía casi un siglo) en la parte francesa, el producto de los animales que se vendían allí, en mercancías de Europa. En consecuencia, en enero de 1772 hizo publicar una prohibición a todos los españoles, so pena de prisión, de llevar a la parte francesa animales y de traer de allí mercancías".

Impopularidad de la Compañía de Cataluña.

Los efectos de esta medida arbitraria no se hicieron esperar. Al suspenderse la venta de ganado a la parte francesa, sus colonos volvieron a sufrir de la misma carestía de carne que había padecido en ocasiones anteriores cuando el comercio había sido interrumpido por orden de algún gobernador. En la parte española, por otra parte, la reacción fue la acostumbrada: los dueños se dedicaron con más fervor que nunca al contrabando de ganado para venderlo en las carnicerías francesas.

Esta nueva crisis duró varios meses y pudo ser parcialmente resuelta en agosto de 1772 cuando Solano consintió en otorgar el privilegio exclusivo para la exportación de ganado a los dueños de la carnicería de Cap François, quienes aprovecharon este nuevo monopolio para aumentar el precio de la carne en la colonia francesa, ya de por sí bastante alto. Las autoridades francesas hicieron que su gobierno se quejara ante la Corte de Madrid por las medidas adoptadas últimamente por el Gobernador Solano. La respuesta del Consejo de Indias a esta nueva queja de los franceses fue decir que la Corona "necesitaba esclarecer los hechos, y mientras tanto daba órdenes para que la salida de los animales se hiciera de acuerdo con la convención hecha en 1776", que permitía a los carniceros o vendedores de carne de la parte francesa venir a la parte española a comprar los animales que necesitaban pagando los impuestos correspondientes.

Así siguieron las cosas hasta que se firmaron los acuerdos fronterizos provisionales de 1773 y 1776 y, más tarde, el Tratado de Aranjuez en 1777, en el cual los franceses consiguieron la inclusión de una cláusula que decía así: "La extracción de animales de la parte española para la subsistencia de las tropas y de los colonos de su majestad cristianísima, será permitida de la manera más conveniente al gobierno español, y la menos onerosa para los franceses; en consecuencia, el gobernador comandante-general de la parte española, librará los pasaportes necesarios para esta extracción, tanto a los empresarios de las carnicerías francesas, como a los españoles que los solicitaren". A partir de entonces, los franceses iban y venían libremente a abastecerse de ganado en la parte española y los vecinos de ésta vendían sus animales a las carnicerías de la otra colonia provistos de los permisos correspondientes.

La Revolución Norteamericana y el apoyo francés a las colonias inglesas en rebeldía hicieron que Francia e Inglaterra volvieran a la guerra nuevamente en 1778 y que España se alineara con Francia al año siguiente, en 1779, para tratar de recobrar lo perdido en la Guerra de los Siete Años. Durante todo este período la colonia francesa recibió grandes contingentes de tropas enviadas para defender toda la isla de un posible ataque inglés. Esas tropas, que cuidarían lo mismo de Santo Domingo que de Cap François, debían ser alimentadas y por ello la exportación de ganado fue aumentada.

Efectos de la Revolución norteamericana en la Isla, 1776-1783.

Aunque la guerra terminó en 1783 y la presencia de los soldados no fue tan necesaria como antes, no por ello disminuyó el volumen de animales vendidos a la parte francesa. Antes al contrario, el gobierno francés eliminó todos los monopolios sobre la carne en 1787, y la compra libre de ganados permitió un notable aumento del consumo que obligó a los compradores franceses a internarse cada vez más en la colonia española para conseguir los animales que necesitaban.

Comercio libre de la carne, 1787.

La ganadería en la colonia española alcanzó un enorme auge con motivo del desarrollo económico de la colonia francesa que necesitaba cada vez mayores cantidades de carne para alimentar una población que en 1789 totalizaba ya las 520,000 personas. Fue este comercio lo que realmente ayudó a la colonia de Santo Domingo a salir del estancamiento en que se encontraba a finales del siglo XVII. Sus efectos sobre la economía de la colonia española empezaron a ser percibidos en la tercera década del siglo. Ya en 1728 el Cabildo de Santo Domingo escribía a la Corona dando cuenta de que importantes cambios habían tenido lugar en la economía de la Colonia, sobre todo después de la llegada del Gobernador don Francisco de la Rocha, a quien ellos asociaban con la ocurrencia de estos cambios.

Efectos del desarrollo de la colonia francesa, 1728-1777.

De la Rocha lo que hizo fue aprovechar el auge económico de esos años para reorganizar la administración pública y militar en beneficio de los intereses locales. Con los dineros percibidos por conceptos de los barcos atrapados por los corsarios de la ciudad, este Gobernador se dedicó a cancelar deudas vencidas y a cubrir otros gastos de la Real Hacienda que desde hacía muchos años estaban en defecto. Por primera vez en cerca de un siglo ya no fue necesario buscar dinero prestado entre los vecinos ricos para ayudar a sufragar los gastos del gobierno colonial, en especial los gastos militares.

De manera que cuando Zorrilla de San Martín llegó a Santo Domingo en 1741, el comercio de ganado había iniciado ya el proceso de activación económica de la colonia de Santo Domingo. El corso fue, como hemos dicho, un factor adicional, pero no el más importante, por no ser el más permanente ni el que ocupaba mayor cantidad de personas.

Reactivación económica de la colonia española.

El brigadier don Pedro Zorrilla, autorizó a las naciones neutrales a proveer a la colonia española de víveres y los holandeses y los daneses compitieron en el comercio en tal forma que los artículos se abarataron hasta el punto de venderse al mismo precio que en Europa. Por su parte, esos comerciantes se abastecían de los productos que necesitaban para sus colonias y de ese modo, al lograr los labradores una salida para sus frutos, se dedicaban más a la agricultura. Además, muchos de los esclavos que traían no volvían a embarcarse, lo que redundaba en beneficio de los españoles.

Inmigrantes negros y extranjeros en Santo Domingo.

Durante el gobierno de don Francisco Rubio y Peñaranda la ciudad de Montecristi se convirtió en almacén común de franceses e ingleses y por ese puerto entraron muchos negros y forasteros que se establecían en la isla. En esos años se volvió a poblar Puerto Plata y se fundaron la ciudad de Samaná y el lugar de Sabana de la Mar. En el gobierno de don Manuel Azlor se fundaron las poblaciones de San Rafael, San Miguel y Las Caobas. Además, este gobernador dominó a los esclavos acantonados en las montañas del Baoruco. Don José Solano, por su parte, fomentó la agricultura, contuvo la extracción de ganado, frenó el contrabando y consiguió el permiso necesario para cambiar los

Fundación de ciudades: San Miguel y Las Caobas.

Agricultura.

154

ganados y bestias que se llevaban legítimamente los franceses por esclavos negros.

Todo esto debía tener, y realmente tuvo, sus efectos sobre la composición de la población y el crecimiento demográfico de la Colonia. Como se recuerda, en 1718 había en la parte española unas 18,410 personas de las cuales la mayor parte era gente de color. Esta población había aumentado casi veinte años después, a más de 30,058 personas, conforme a los datos recogidos en 1739 por el Arzobispo Domingo Pantaleón Alvarez Abreu. Treinta años más tarde, en 1769, la población de la Colonia había aumentado a unos 73,319 personas, según se desprende de los padrones parroquiales realizados durante ese año. En 1783 la población sobrepasa las 80,000 personas, incluyendo la ciudad de Santo Domingo que concentraba según dice Sánchez Valverde unas 25,000. De manera que la población de la Española se triplicó, por lo menos, durante el período del auge económico producido por el comercio de ganado y el corso a lo largo de la mayor parte del siglo XVIII. Ese aumento demográfico no fue solamente vegetativo, sino que se debió también a la inmigración de canarios y de extranjeros para quienes Santo Domingo volvía a ofrecer posibilidades de mejoramiento en sus condiciones de vida.

Crecimiento demográfico en el siglo XVIII.

Después del Tratado de Aranjuez, y en vísperas de la Revolución Francesa, la ciudad de Santo Domingo reflejaba un notable bienestar y un cambio positivo en su situación económica. No solamente se dedicaba la población al comercio y a las actividades conectadas con la ganadería o con el corso, sino también a la fabricación de azúcar en las antiguas zonas cañeras de los alrededores de Santo Domingo y en otras partes del sur de la Colonia. Entre el río Nizao y el río Ozama funcionaban nuevamente unos 11 ingenios movidos por bueyes y mulos, y alrededor de la capital unos 19 ó 20, uno de los cuales, el que había pertenecido a los jesuitas todavía conservaba unos cincuenta esclavos. Además, se veían en los alrededores de Santo Domingo diversas plantaciones de cacao, y más al oeste del río Nizao, donde terminaban los campos de caña, se podían ver también nue-

Fundación de nuevos ingenios azucareros, 1740-1783.

155

vas plantaciones de añil y algodón que algunos vecinos habían hecho siguiendo el ejemplo de los franceses.

Este mismo ejemplo había sido seguido por los pobladores del interior de la Isla, especialmente los de Santiago y La Vega, que desde hacía muchos años se dedicaban, además de la crianza de ganado, al cultivo del tabaco, cuyo producto vendían indistintamente en la colonia francesa y en Santo Domingo, hasta que en 1763 la Corona dictó una Cédula estableciendo una Factoría de Tabacos en Santo Domingo que se encargaría de fomentar su cultivo y acaparar su producción para ser enviada a las Reales Fábricas de Sevilla donde sería procesado junto con otros tabacos procedentes de otras colonias para lanzarlo al mercado en Europa.

La historia del tabaco cibaeño durante la segunda mitad del siglo XVIII está llena de incidentes, pues los intereses sevillanos, tal como habían hecho siempre, establecieron un monopolio que al poco tiempo perjudicó a los cultivadores de Santiago y sus alrededores. Los encargados de la Factoría de Santo Domingo establecieron un precio tope para la compra del tabaco en rama que no correspondía a los costos reales en que incurrían los productores quienes, además de procesarlo conforme a los requerimientos de los manufactureros sevillanos, debían transportarlos penosamente por tierra hasta Santo Domingo, o por agua navegando a lo largo del río Yuna en barcazas de donde era transbordado luego a Samaná para desde aquí enviarlo a la Capital.

Por eso, en 1771, los cosecheros de tabaco se reunieron en Santiago para demandar precios mejores diciendo que de lo contrario se arruinarían por no poder cargar con los costos que causaba todo el procedimiento exigido por los compradores. La Corona aceptó aumentar el precio de compra en 1773, con lo que los cosecheros volvieron a la siembra y otra mucha gente se dedicó a este cultivo. Pero en eso llegó una Real Cédula ordenando la imposición de una cuota a la producción de tabaco que no debía pasar de las 12,000 arrobas al año que era la cantidad que los monopolistas de Sevilla estaban dispuestos a comprar. Otra vez los intereses sevillanos volvían a afectar los intereses de los colonos de Santo Domingo. El Gobernador Solano abogó en favor de los cosecheros del Cibao, pero las Reales Fábricas de Sevilla fueron inflexibles y sólo permitieron, después de confirmar la cuota otra vez en 1775, que el excedente de la producción pudiese ser vendido a la colonia francesa.

Ahora bien, esa orden emitida en 1778, dejaba a los cultivadores en una crítica situación, pues disponía que serían considerados como tales excedentes aquellas hojas "que por su baja calidad no son de recibo en las reales fábricas" y disponía, asimismo, que a cambio de ese tabaco los colonos debían recibir de los franceses únicamente dinero o negros. El precio de la arroba de tabaco era de unos 12 pesos, pero hay que suponer que los franceses, acostumbrados a cultivar y a comprar muy buen tabaco no se dejarían engañar por esas medidas de la Corona Española.

Pero como quiera que fuese habría momentos en el futuro en que los cosecheros, hostigados por el monopolio y molestos por las malas condiciones del transporte, tratarían de vender todo su tabaco en contrabando a los franceses, con quienes ellos tenían mejores relaciones comerciales que con los oscuros y lejanos especuladores y mercaderes de Sevilla.

XIV

LA COLONIA FRANCESA DE SAINT DOMINGUE Y LA REVOLUCION HAITIANA

(1789-1804)

EL CRECIMIENTO DE LA COLONIA francesa está ligado al desarrollo del comercio mundial en el siglo XVIII como resultado de la política de expansión colonial de Francia, Holanda e Inglaterra en el siglo XVII. Y esta expansión fue el resultado, a su vez, del estímulo recibido por la Economía europea a consecuencia del flujo de metales que enriqueció los incipientes núcleos capitalistas de Europa y los incitó a buscar nuevos mercados a sus productos en las nacientes colonias de las Indias. De ahí surgió el contrabando en el siglo XVI y de ahí surgieron las ocupaciones de algunas islas antillanas por las potencias enemigas de España. Estas islas fueron convertidas en colonias de plantaciones donde se cultivó el tabaco, primero, después el añil y finalmente la caña de azúcar.

La economía mundial y las colonias europeas en las Antillas.

Los primeros en dedicarse al cultivo de la caña y a la producción de azúcar fueron los españoles. Luego le siguieron los portugueses en Brasil y más tarde los ingleses en Barbados y en Jamaica. Los franceses comenzaron con el tabaco y luego con el añil. No fue sino a finales del siglo XVII, estando el mercado mundial del azúcar completamente dominado por los ingleses, cuando el Gobierno francés decidió estimular a sus súbditos a participar en el negocio del azúcar. Cuando esto ocurrió ya la política colonial francesa había sido definida por Colbert en términos perfectamente mercantilistas que establecían el control ab-soluto de la metrópoli sobre sus colonias y la total subor-dinación de éstas a los intereses de aquélla. Así nació el sistema de monopolio francés llamado *L'Exclusive*, tan ce-rrado como el de la Casa de Contratación de Sevilla o como el monopolio inglés de las famosas *Navigation Laws*. Así nacieron las célebres compañías de Indias y con ellas las colonias de Francia e Inglaterra en el Caribe.

Francia llegó tarde al negocio del azúcar. Sin embargo, los franceses pronto alcanzaron a los demás competidores gracias a la organización de la industria azucarera de Mar-tinica, al principio, y luego, a partir de 1716, merced a la productividad de las plantaciones de Saint Domingue. Des-pués de esta fecha los ingleses fueron perdiendo lentamente el control del mercado mundial de dulces, aunque no sin dificultades para los franceses. Las guerras europeas del siglo XVIII fueron en gran medida guerras coloniales por las motivaciones últimas que las producían. El desarrollo de Saint Domingue, Guadalupe y Martinica, por una parte, y el de Norteamérica, Barbados y Jamaica, por otra, enri-quecieron poderosos grupos de capitalistas en los princi-pales puertos y ciudades de Francia e Inglaterra.

La influencia de estos grupos era tal que cualquier cam-bio en el panorama de sus intereses coloniales era suficiente para obligar a sus gobiernos a lanzarse a la guerra. La expansión y el crecimiento de las colonias generó en estos países la formación de poderosas burguesías mercantiles cuyo mayor interés era desplazar a los competidores ex-tranjeros por cualesquiera medios que fuese.

Ahora bien, el juego económico era tan importante como la maquinación política. Hacer que las colonias produjeran era una tarea nada simple. Había que poblarlas, que in-vertir grandes capitales, que organizarlas de tal manera que sus relaciones con la metrópoli fueran estrechas y firmes y que sus productos no fueran a parar a manos enemigas; había que establecer los mecanismos necesarios para que la producción colonial llegara al mercado mundial.

El comercio de negros fue la clave del desarrollo colo-nial y, por lo tanto, de la gran prosperidad de los grupos

La trata de esclavos.

de capitalistas metropolitanos. Los esclavos ponían a producir las plantaciones. De éstas se enviaban las materias primas a la metrópoli, allí se procesaban y se elaboraban y luego se distribuían. Los beneficios se invertían en manufacturas para las colonias que al ser vendidas dejaban nuevos beneficios. La demanda de manufacturas hizo surgir en Francia nuevas fábricas. Los industriales se asociaron a los comerciantes para aumentar la capacidad de consumo de las colonias. Pero como esto sólo era posible aumentando la población y la producción, había que proveer también a las colonias de mano de obra esclava. Los comerciantes y los industriales metropolitanos estaban dispuestos a proporcionarla.

De ahí el desarrollo de la trata de negros. Era una cuestión bien simple: Reunir los capitales, armar un barco, cargarlo con algunas mercancías, enviarlo a las costas de Africa, cambiar esas mercancías por negros a las tribus esclavistas de la zona, llevar el barco con los negros a las Antillas, cambiar los negros por productos coloniales, llevar esos productos a Francia en el viaje de regreso del barco, industrializar esos productos y distribuirlos entre los consumidores de toda Europa, ganando en todas las operaciones, en Africa, en las Antillas y luego en Francia. Esta era la esencia del *comercio triangular*, o circular, como también se le llamaba, que al final dejaba inmensos beneficios por la plusvalía acumulada en cada paso del proceso de intercambio.

El comercio triangular.

La base de la colonia de Saint Domingue era el azúcar, y aunque este artículo comenzó a ser producido en Saint Domingue relativamente tarde, casi terminado el siglo XVII, lo cierto es que los productores de esta colonia lograron superar la producción de todas las colonias inglesas juntas y reducir los costos de producción hasta en un 20 % en relación con los de las plantaciones inglesas. Este factor permitió a los franceses competir con éxito frente a los ingleses en el mercado europeo del azúcar.

El azúcar y el desarrollo de Saint Domingue.

Uno de los factores que contribuyeron al decaimiento del negocio del azúcar en las colonias inglesas a finales del siglo XVIII fue la independencia de las colonias norteameri-

FRANK MOYA PONS

canas que, una vez libres del monopolio comercial británico, empezaron a surtirse de las colonias francesas en el Caribe, especialmente de Saint Domingue. Precisamente, fue a partir de 1783, fecha en que terminó la guerra por la independencia de Norteamérica, cuando la colonia francesa de Saint Domingue aceleró su impresionante proceso de desarrollo y alcanzó niveles de productividad jamás logrados antes en ninguna otra región en la tierra.

Cuando Mr. Ducasse, Gobernador de Saint Domingue, decidió alentar la construcción de molinos de azúcar en la colonia francesa a finales del siglo XVII lo hizo para satisfacer a aquellos capitalistas franceses que deseaban participar en el gigantesco negocio de dulces. Hasta entonces la colonia francesa había sido un territorio pobre, cultivado con grandes esfuerzos por algo más de tres mil colonos servidos de varios centenares de negros y de cerca de tres mil trabajadores blancos comprometidos *(engagés)*. Con la multiplicación de los ingenios fue necesario importar cada vez mayores cantidades de negros desde Africa, y en poco tiempo la población esclava sobrepasó y desplazó a los engagés que tradicionalmente habían constituido la mano de obra servil de la colonia francesa.

Como el promedio de vida de un esclavo que trabaja en los ingenios era de apenas unos siete años, era necesario mantener un flujo continuo de barcos negreros yendo de Europa a las costas de Africa y de aquí a las Antillas para reponer la mano de obra que iba desapareciendo bajo el peso del hambre y los maltratos de los dueños de plantaciones.

En un principio el negocio de aprovisionamiento de esclavos negros a las plantaciones azucareras de Saint Domingue estuvo en manos de las compañías monopolistas creadas por el gobierno francés en la segunda mitad del siglo XVII. Pero luego que los colonos se rebelaron contra los abusos y el monopolio de esas compañías y éstas fueron abolidas, el comercio de esclavos cayó en manos de aquellos comerciantes que desde el principio mismo de la expansión francesa en las Antillas habían estado proporcionando

Multiplicación de ingenios y crecimiento demográfico de la colonia francesa.

162

a los colonos los trabajadores blancos comprometidos que necesitaban.

Esos comerciantes estaban radicados en los más importantes puertos de Francia y utilizaron sus capitales acumulados en la trata de mano de obra blanca para incorporarse al negocio de transportación y venta de negros a las colonias. Gran parte del estímulo recibido por la economía francesa a lo largo de este siglo provino de los altos beneficios recibidos por los grupos mercantiles marítimos ocupados en el comercio triangular de manufacturas, esclavos y productos tropicales.

Beneficios del comercio triangular.

Entre 1783 y 1789, sólo los comerciantes de Burdeos invirtieron en la colonia francesa unos 100 millones ‹de libras tornesas para aumentar la producción y hacer frente a las demandas de los Estados Unidos, pues para escapar a las restricciones comerciales británicas los norteamericanos hacía tiempo habían optado por abastecerse de azúcar, melazas, madera y aguardiente de las colonias francesas especialmente de Saint Domingue, aunque fuera ilegalmente.

Esas relaciones entre los franceses de Saint Domingue y los norteamericanos contribuyeron a la ruina de la industria azucarera jamaiquina y fue algo que los ingleses no perdonarían jamás. Desde entonces los británicos se dispusieron a hacer todo lo posible para quebrar el poderío comercial francés en las Antillas y para apoderarse nuevamente del mercado azucarero europeo. Esta fue una de las causas por las que el gobierno inglés alentó las actividades de las sociedades abolicionistas pues era necesario despojar de mano de obra esclava las plantaciones de Saint Domingue.

Ahora bien, había un aspecto del comercio triangular que atentaba contra el mismo y éste era la situación de dependencia en que fueron cayendo los colonos en relación con los capitalistas metropolitanos y su reacción frente a esa dependencia. En un proceso económico cuyo ciclo siempre dejaba la mayor parte de los beneficios en la metrópoli era de esperar que poco a poco los colonos se resintieran. El monopolio era irritante; los capitalistas negreros de Francia lo ganaban todo sin dejar a los colonos siquiera

163

la libertad de comerciar con las naciones aliadas. De ahí las tensiones que surgieron, muchas de ellas graves.

El ejemplo de las colonias inglesas de Norteamérica, que habían luchado por su independencia por razones bastante parecidas, señalaba a los colonos de Saint Domingue la solución a sus problemas. Durante varios años mantuvieron la demanda de que el monopolio fuera abolido. Finalmente consiguieron, en 1784, que el Gobierno francés abriera ocho puertos de la colonia al comercio extranjero, medida que puso en contacto directo a Saint Domingue con los Estados Unidos y creó un nuevo mercado para los productos coloniales. La producción se duplicó en algunos renglones y el comercio de esclavos alcanzó niveles hasta entonces desconocidos.

Disgustos de colonos franceses.

Sin embargo, el disgusto y las deudas de los colonos eran muy viejo. Pese a' la prosperidad de la Colonia, una parte de ellos se habían organizado en el célebre Club Massiac en París y allí conspiraban para obtener su autonomía política y darse un gobierno propio que acabara con el monopolio metropolitano. En 1789 existía un espíritu de verdadera desafección par parte de los grandes plantadores blancos hacia el sistema colonial francés y su meta era alcanzar su independencia de la misma manera que lo habían hecho los Estados Unidos.

Los mulatos de la colonia francesa.

Otro sector con intereses económicos similares a los de los grandes blancos y con mayor desafecto todavía hacia el sistema colonial francés era el de los mulatos libres. Los mulatos componían un poderoso grupo de intereses que aunque controlaba un tercio de las propiedades de la Colonia, sentían caer sobre sí los rigores del monopolio metropolitano además de la inquina de los blancos que no perdonaban que descendientes de esclavos hubieran alcanzado un lugar preeminente en la economía colonial.

En un principio los mulatos fueron muy pocos. Sin embargo, ya en 1780 eran más de 12,000. Su multiplicación se aceleró en los diez años posteriores y ya en 1789 la población libre de color llegaba a unos 28,000. Este proceso de mulatización se debió a la escasez de mujeres blancas que obligó a los dueños de plantaciones a utilizar las esclavas más atractivas de entre sus trabajadores para cumplir con sus impulsos naturales. Poco a poco, fue generalizándose la costumbre de las concubinas de obtener de sus amos la libertad de ellas o de sus hijos, preferentemente de estos últimos, que al pasar a la nueva condición de hombres libres adquirían plenamente sus derechos ciudadanos de acuerdo con el artículo 59 del Código Negro dictado en 1685 para regular la vida de los esclavos negros en las colonias francesas. Entre esos derechos que adquirían los hijos mulatos de las esclavas negras y sus amos blancos, estaba el de sucesión, siempre y cuando fueran reconocidos por sus padres.

El resultado fue, entre otros, la reacción de los blancos contra el crecimiento del poder social y económico de los mulatos, reacción que se tradujo en la promulgación de una serie de leyes discriminatorias dictadas con el propósito de detener el proceso de ascensión económica y social de los mulatos y obligarlos a reconocer que eran ciudadanos de segunda categoría. *Blancos vs. mulatos.*

Para defender sus derechos, los mulatos ricos que vivían en Francia organizaron una sociedad llamada *Sociedad de los Amigos de los Negros* que alcanzó un notable prestigio entre los grupos burgueses más liberales de Francia. De manera que en los momentos en que la burguesía dirigía al pueblo francés a la Revolución, existía ya una estrecha amistad entre algunos importantes dirigentes revolucionarios y los representantes de los mulatos ricos que vivían en París. *Sociedad de Amigos de los Negros.*

Además, la Sociedad de los Amigos de los Negros también mantenía contactos con las sociedades abolicionistas británicas y sus agentes en Francia, que con sus campañas en favor de la igualdad humana buscaban suspender el aprovisionamiento de esclavos negros a las colonias francesas, especialmente a Saint Domingue. Aunque los mulatos libres eran en su mayoría dueños de esclavos, este aspecto de las sociedades abolicionistas inglesas no les importaba mucho por el momento. Su problema era, en 1789, tratar de arrancar de la Asamblea Nacional francesa un decreto que reconociera la plenitud de sus derechos ciudadanos. Con ese *Sociedades abolicionistas.*

165

evolución France-
* los mulatos de
t Domingue, 1789.

fin, una vez estalló la revolución en Francia, los mulatos
ricos de París ofrecieron a los revolucionarios seis millones
de libras tornesas para ayudar al Gobierno a pagar la deuda
pública que había sido uno de los detonadores de la Revolución.

Pese a su ayuda, la burguesía francesa, vaciló mucho en
sus deliberaciones antes de conceder algún tipo de reconocimiento a los mulatos. Su razonamiento era que hacerlo así
era poner las bases para tener que reconocer posteriormente
la libertad de los negros quienes tarde o temprano también
reclamarían que "los hombres nacen libres e iguales en
derecho". La abolición de la esclavitud significaría necesariamente la ruina de la Colonia y con ella la ruina de
la burguesía marítima francesa cuyo poder derivaba precisamente de la dominación colonial. Esas vacilaciones de
la Asamblea Nacional revolucionaria permitieron a los blancos de la Colonia iniciar un movimiento de represión contra
los mulatos que pedían mayores libertades y al mismo tiempo los incitaron a reclamar que se les concediera el derecho
a gobernarse a sí mismos a través de una Asamblea Colonial,
con lo cual alcanzarían sus propósitos de autonomía tan
largo tiempo acariciados. El 8 de marzo de 1790 esto último
fue concedido después de una gran agitación tanto en la
Colonia como en Francia en la cual llevaron las de perder,
pues era de esperar que una Asamblea Colonial dominada
por los blancos no permitiría que la situación de los mulatos cambiara.

*amandas de colonos
*lancos y mulatos de
aint Domingue.

De ahí la desesperación de la Sociedad de Amigos de
los Negros, la cual envió a dos de sus miembros a Inglaterra en busca de ayuda, de donde se trasladaron a la Colonia con el ánimo de alcanzar por las armas lo que por
un decreto se les negaba. Vicente Ogé, el enviado de la
Sociedad, llegó en octubre de 1790 a Saint Domingue y trató
de organizar un movimiento armado en compañía de su
hermano y de otro mulato llamado Jean Baptiste Chavannes,
pero su empresa fracasó y ambos perdieron la vida debido
a su empeño de luchar solamente con el apoyo de los mulatos ignorando a los esclavos negros que eran la mayoría.

*icente Ogé y Jean
*aptiste Chavannes,
ctubre 1790.

La muerte de Ogé, Chavannes y sus compañeros enardeció a los mulatos de todo el país. Dos años pasó la Colonia en estado de intensa efervescencia revolucionaria. Todos hablaban de las libertades de la Revolución en Francia y de la justicia de sus causas respectivas. Los blancos, los grandes blancos sobre todo, buscaban su independencia. Los mulatos buscaban la igualdad con los blancos y eventualmente su independencia también. Lo que ninguno pensaba ni decía era que los negros esclavos tenían derechos o los merecían. Los esclavos fueron ganando conciencia de su condición y de sus posibilidades de escapar de ella. Poco a poco se fueron organizando, hasta que finalmente el día 14 de agosto de 1791, estalló la revuelta en las plantaciones del norte de Saint Domingue que no se detendría en los próximos diez años. Blancos y mulatos se vieron obligados a olvidar sus rencillas y a hacer frente a una situación que amenazaba con arruinarlos a todos por igual.

Fermentos revolucionarios, 1790.

Rebelión de los esclavos, agosto 1791.

Por eso se veía ya en 1792 a los blancos y a los mulatos aliados contra los negros apoyados por el Gobierno francés para impedir que la revuelta de los esclavos terminara con su dominación. Y por eso se veía, igualmente, a los negros luchando contra todos los propietarios sin distinción, pues en la destrucción del sistema estaba la garantía de su libertad.

Blancos y mulatos contra esclavos.

Y aquí surge lo interesante. Amenazados sus intereses por la revuelta de sus esclavos, los propietarios blancos y mulatos no sólo formaron un frente común apoyados por las bayonetas francesas, sino que acudieron en busca de la ayuda extranjera. Sobre todo después que descubrieron a una Inglaterra ávida de arrancar a Francia colonias, interesada súbitamente en olvidar sus anteriores campañas abolicionistas y en garantizar la permanencia de la esclavitud en sus colonias y en la Saint Domingue.

Ahora bien, la alianza entre blancos y mulatos no podía ser duradera debido a las profundas diferencias psicológicas y de propósitos que les dividían. En vano había enviado el Gobierno francés una Comisión Civil de alto nivel a finales de 1791 a Saint Domingue, pues la alianza que esta comisión organizó entre mulatos y blancos pronto se derrumbó liquidada por el odio que se tenían ambos grupos.

La Primera Comisión Civil Francesa, diciembre 1791.

167

FRANK MOYA PONS

Apoyo español a los negros rebeldes, 1792.

Los negros descubrieron su propio aliado extranjero: España. Los españoles veían en esta revolución la gran oportunidad para recuperar aquellos territorios perdidos hacía más de un siglo.

Así se fueron definiendo los campos. Por un lado los grandes blancos buscando el apoyo inglés. Por otro, los mulatos recibiendo el apoyo del Gobierno francés, que finalmente el 4 de marzo de 1792 había dictado un decreto reconociendo la igualdad de los mulatos con los blancos. Por otro lado, estaban los negros rebelados, quienes habían encontrado en los españoles un aliado que les prometía la libertad que Francia no les daba y les pedía únicamente a cambio, por el momento, que no traspasaran sus fronteras.

La Segunda Comisión Civil, septiembre 1792.

En esta situación se encontraba la Colonia cuando llegó a la ciudad de Cap François una segunda Comisión Civil en septiembre de 1792, acompañada de seis mil soldados con el propósito de imponer el orden. Esto era muy difícil, pues los mulatos y los blancos seguían luchando entre sí y los negros rebelados cada día crecían en número y empezaban a operar en todos los frentes. Peor todavía, como los comisionados civiles tenían el empeño de hacer cumplir el decreto de igualdad de derechos entre blancos y mulatos, los blancos se declararon abiertamente en contra del Gobierno francés y pidieron a los ingleses de Jamaica que intervinieran para salvarlos. Hubo enormes conflictos entre los comisionados civiles y los militares franceses pues varios jefes de estos últimos estaban a favor de los blancos. La existencia de estos conflictos no permitía a nadie llegar a un acuerdo claro sobre lo que debía hacerse en la Colonia.

Cambios políticos en Europa.

En medio de esta situación ocurrieron en Francia cambios políticos de primera importancia. El gobierno burgués de los girondinos fue derrocado por los radicales jacobinos quienes inmediatamente declararon la guerra a Inglaterra, Holanda y España, potencias enemigas de la Revolución Francesa. Aprovechando esta coyuntura los ingleses de Jamaica respondieron al llamado de los blancos y empezaron a enviar tropas bien armadas y disciplinadas a Saint Do-

168

mingue, las que en breve tiempo ocuparon gran parte del sur y de las costas del oeste del país.

Por su parte, los españoles de Santo Domingo, que habían establecido un cordón a lo largo de las fronteras, con el apoyo de los negros sublevados, lograron conquistar la mayor parte del norte de la colonia en una campaña militar tan rápida como exitosa. Los franceses empezaban a verse perdidos y posiblemente hubieran sido derrotados por los extranjeros de no haber sido por la astuta decisión de uno de los comisionados que el 29 de agosto de 1793, habiendo llamado a los negros para que los apoyaran en contra de la intervención inglesa, dictó un decreto aboliendo la esclavitud en la Colonia.

Abolición de la esclavitud en Saint Domingue, 29 de agosto de 1793.

El resultado de esta medida fue notable. Los negros se dividieron, pues los cabecillas principales no quisieron acogerse al llamado de los comisionados civiles y prefirieron seguir luchando como auxiliares de los españoles.

División de los negros.

Sin embargo, uno de los cabecillas, llamado Toussaint L'Overture, cuyo liderazgo había crecido vertiginosamente, aceptó el llamado y se pasó al bando francés con unos 4,000 hombres. Los mulatos, por su parte, también se dividieron. Unos apoyaron al Gobierno francés, aunque estuvieron inconformes con el derecho de abolición de la esclavitud. Otros, los más ricos, apoyaron a los grandes blancos partidarios de los ingleses y dieron un vivo apoyo a la intervención extranjera.

Toussaint L'Overture, aliado de los franceses.

A partir de entonces, los españoles perdieron en cuestión de meses casi todas las posesiones ganadas en la colonia francesa pues el grueso de las operaciones militares había sido llevado a cabo por los negros y sólo ellos controlaban las zonas conquistadas. Hincha, Las Caobas, Bánica, San Miguel de la Atalaya y San Rafael pronto cayeron en manos de los negros dirigidos por Toussaint L'Overture. Los pobladores de estas ciudades huyeron en su mayoría y se refugiaron en otros poblados del sur de la parte española especialmente en San Juan de la Maguana y Azua.

Pérdidas españolas.

A partir de entonces, Toussaint L'Overture y los franceses, mandados por el General Laveaux, se dedicaron con todas sus fuerzas a expulsar a los ingleses de la colonia.

Guerra contra los ingleses.

Así comenzó una guerra internacional que duraría unos cinco años y que terminaría con la retirada de las fuerzas inglesas después de haber perdido más de 25,000 hombres en la campaña.

Tratado de Basilea, 22 de julio de 1795.

España fue a la guerra por defenderse contra el republicanismo francés, pero la perdió y a mediados de 1795 se vio obligada a poner fin a la lucha firmando un tratado de paz en la ciudad de Basilea, el 22 de julio de ese año. Con este tratado España logró recuperar sus posiciones perdidas en manos de los franceses, a cambio de entregarles a éstos la parte oriental de la isla de Santo Domingo. Esta cesión a Francia de la parte oriental de la Isla, mientras los ingleses ocupaban importantes territorios en la costa occidental, preocupó al Gobierno inglés que protestó arguyendo que no la reconocía pues violada viejas estipulaciones contenidas en el Tratado de Utrecht e hizo que los ingleses lanzaran a sus tropas contra la parte oriental queriendo evitar que los franceses la ocuparan antes que ellos.

Las tropas inglesas llegaron a penetrar hasta San Juan de la Maguana y Neiba, pero al cabo de un tiempo perdieron esas posiciones, pues Toussaint L'Overture cada día acrecentaba su ejército y hacía retroceder a los ingleses. En 1796 Toussaint fue nombrado General de Brigada y, al año siguiente, General de División. Una nueva Comisión Civil, la tercera, llegó en mayo de 1796 y todos juntos, Toussaint, el Gobernador Laveaux y los comisionados civiles empezaron a trabajar por la reconstrucción del país en las zonas aseguradas, obligando a los negros a trabajar nuevamente en las plantaciones.

Poco a poco la parte del norte de la Colonia, que era la región controlada por Toussaint y los franceses, logró recuperarse de las devastaciones de la guerra, aunque la producción nunca volvería a ser lo que había sido antes de la Revolución. En el sur, el General mulato Rigaud, también logró hacer volver a los trabajadores negros a las plantaciones dentro de un régimen de trabajo asalariado pero cuya obligatoriedad y dureza recordaba mucho a la abolida esclavitud.

Los ingleses finalmente salieron de la Isla en abril de 1798, luego de la misión de un enviado especial británico, el General Maitland quien firmó con Toussaint un tratado secreto por medio del cual los ingleses renunciaban a su ocupación militar a cambio de ciertas ventajas comerciales. En el curso de las negociaciones Maitland hizo insinuaciones a Toussaint para que se declarara independiente, bajo la protección de Inglaterra. Toussaint no aceptó las proposiciones y prefirió siempre seguir gobernando la Colonia a nombre de Francia. Luego que desalojó a los ingleses Toussaint procedió a la reorganización de la Colonia. Mantuvo el sistema de las plantaciones, devolvió a sus dueños legítimos sus propiedades, buscó mantener un equilibrio entre blancos, negros y mulatos, obligó por la fuerza a los antiguos esclavos a volver a sus trabajos habituales bajo el pretexto de suprimir la vagancia y estableció relaciones con los Estados Unidos para que le suministraran armas, alimentos y otras mercancías a cambio de los productos coloniales.

Pero en eso los mulatos partidarios de Rigaud se rebelaron. En su condición de hombres libres y de grandes propietarios, los mulatos y especialmente Rigaud no aceptaban ser gobernados por un negro que apenas hacía unos años era cochero esclavo de una plantación en el norte de la Colonia. En febrero de 1799 estalló la guerra civil. Durante dos años, negros y mulatos lucharon para tratar de imponerse unos a otros. La superioridad numérica de los negros unida al brillante liderazgo militar de Toussaint hizo posible que los mulatos fueran derrotados y aceptaran la victoria de Toussaint en agosto de 1800. Desde entonces, Toussaint L'Overture, Gobernador y Comandante en Jefe del Ejército de Francia en Saint Domingue, gobernó omnímodamente tratando de devolver a la Colonia el mismo esplendor económico de antaño.

La diferencia ahora sería que los antiguos esclavos trabajarían como asalariados en las plantaciones. Un cuarto del producto de una plantación iría a parar a manos de los trabajadores, la mitad debía ser entregada al Tesoro Público como impuesto, y el otro cuarto quedaría en manos del propietario. Una forma muy curiosa de socialismo cuan-

Expulsión de los ingleses de la Isla, ab 1798.

Gobierno de Toussai. L'Ouverture.

Mulatos vs. negros.

Rigaud contra Toussaint, febrero 1799.

Guerra civil.

Victoria de Toussaint.

171

do todavía esa palabra era un vocablo conocido solamente por·los filósofos de Europa. Toussaint dictó el 12 de octubre de 1800 un código regulando la producción agrícola en todos sus aspectos, lo que dio motivo a que los perjudicados y también la propaganda de mulatos y blancos propietarios, refugiados en Cuba y Estados Unidos, acusaran a Toussaint en todos los tonos.

Sin embargo, el ataque real le vendría a Toussaint de un hombre y de un conjunto de fuerzas históricas que igual que él eran hijos de la Revolución Francesa: Napoleón Bonaparte y el interés de la burguesía francesa de lanzarse a la conquista del mundo recuperando el control del imperio colonial de Francia e instituyendo un imperio mundial en la Europa de entonces.

Napoleón había llegado al poder en Francia como expresión de un profundo deseo de paz y orden en el seno de la burguesía francesa que había hecho la Revolución pero que necesitaba estabilidad para la buena marcha de sus negocios. Su famoso Golpe de Estado del 18 Brumario (9 de diciembre de 1799) fue financiado por los banqueros franceses en su empeño por liquidar la agitación y la inestabilidad que se vivía en Francia bajo el gobierno del Directorio. Napoleón fue apoyado por los campesinos propietarios de tierras adquiridas en tiempos de la Revolución. De ahí el poder de Bonaparte desde el principio mismo del Consulado y su empeño en exportar el republicanismo burgués francés al resto de Europa, que, por monárquica, era enemiga de la Revolución.

Ahora bien, para lanzarse a la conquista de Europa Francia necesitaba de los recursos de sus colonias, especialmente de Saint Domingue. Francia no podía conquistar a Europa si su control de Saint Domingue no era absoluto, lo que significaba que los negros estuvieran tan sometidos y tan dóciles como hacía doce años. Eso quería decir que era necesario restaurar la esclavitud o, al menos, deponer a ese jefe que había hecho de la libertad de los negros el valor más alto. El plan de Napoleón era, además, utilizar toda la isla de Santo Domingo como la base de operaciones

Política económica de Toussaint, octubre de 1800.

Napoleón Bonaparte contra Toussaint, 1800.

Planes de Napoleón.

de un más amplio proyecto de expansión colonial que explotaría igualmente a la Luisiana con negros esclavos.

Por eso quiso Napoleón mantener a la parte española, cedida a Francia en 1795, lejos de las manos de Toussaint. Pero el jefe negro era demasiado astuto y al parecer intuyó los planes de Napoleón, pues a finales de 1800 obligó al último miembro de la tercera Comisión Civil que quedaba en la Colonia, el Comisario Roume, a autorizar por un decreto la entrega de Santo Domingo al gobierno colonial francés que él comandaba.

Después de diversos incidentes relacionados con el decreto, el 26 de enero de 1801 Toussaint invadió la parte oriental de la Isla y llegó a Santo Domingo donde procedió a unificar ambas partes de la Isla bajo su gobierno. Aquí nombró diversos funcionarios y dispuso algunas medidas para el desarrollo de la agricultura de exportación. Luego regresó a la parte occidental a seguir ocupándose de la reorganización del país y a trabajar diplomáticamente para que Napoleón respetara el orden político, social y económico que había resultado en la Colonia después de la Revolución. Sin embargo, Napoleón tenía sus ideas y no pensaba variarlas. Para comenzar, Napoleón consiguió secretamente que España le cediera la Louisiana. Para terminar, Napoleón lanzó una imponente invasión con una flota más de ochenta navíos y unos 58,000 hombres a arrancar la colonia de Saint Domingue de manos de los negros.

Toussaint unifica la Isla, 26 de enero de 1801.

Esa flota llegó a las aguas de la Isla el 29 de enero de 1802. El mismo Toussaint pudo observar en Samaná, adonde se había trasladado, la llegada de la mitad de los barcos e inmediatamente salió hacia el oeste a organizar la resistencia. La otra mitad de la flota se presentó frente a la ciudad de Cap Francois el día 3 de febrero. Las operaciones comenzaron y las fuerzas francesas fueron divididas para atacar por todas partes a las de Toussaint. Una parte fue a Santo Domingo, ciudad que fue tomada después de algunas dificultades, otra a Montecristi, otra quedó en Samaná, otra fue a Puerto Príncipe y otra, la más importante, quedó operando contra la ciudad de El Cabo comandada por el general Leclerc, jefe de la expedición y cuñado de Napoleón.

Invasión francesa, 29 de enero de 1802.

173

Guerra entre negros y franceses, 1802-1804.

Prisión y muerte de Toussaint, 1802.

Lo que hubo a partir de entonces fue una guerra sumamente sangrienta, en la cual los negros fueron perseguidos llevando la peor parte durante todo el curso del año 1802. Toussaint mismo cayó prisionero el 7 de junio de ese año, creando este hecho gran consternación en las filas de sus partidarios que, viéndose perdidos y engañados por los franceses, decidieron pelear bajo la consigna de la tierra arrasada. Nuevamente volvieron a arder las ciudades de Saint Domingue y nuevamente los negros a pelear por su libertad. En el lugar de Toussaint fue elegido para dirigir el ejército negro su lugarteniente Jean Jacques Dessalines, secundado por el General Henri Cristophe.

Derrota francesa.

Durante veintiún meses estuvieron los franceses tratando de someter a los negros. Cincuenta y ocho mil hombres de las fuerzas armadas francesas que había triunfado arrolladoramente en Italia y en Egipto no pudieron ganar esta vez porque a los negros se les unió un aliado: la fiebre amarilla. De acuerdo con las cifras militares francesas, unos 50,270 soldados perdieron la vida en esta campaña que terminó con la rendición y la huida de los sobrevivientes a finales de diciembre de 1803. Dessalines y los demás generales negros triunfadores, proclamaron la Independencia de Haití el día 1 de enero de 1804.

Independencia de Haití, 1 de enero de 1804.

Dessalines y Cristophe.

Nuevamente tuvieron los negros que comenzar a reconstruir el país devastado por la guerra. Pero ahora lo harían sin los blancos. Durante y después de la guerra, Dessalines y Cristophe pasaron a cuchillo a todos los blancos existentes en la Colonia, y confiscaron sus propiedades, las entregaron intactas a los generales para que siguieran cultivándolas como antes y proclamaron una constitución que prohibió para siempre que los blancos poseyeran propiedades en Haití. Entretanto, Dessalines se preparaba para expulsar el pequeño reducto de militares franceses que quedaban en diversos lugares de la parte oriental de la Isla.

XV

EL TRATADO DE BASILEA Y SUS CONSECUENCIAS

(1795-1801)

LA REBELION DE LOS ESCLAVOS provocó en el curso
de varios años la ruina de la colonia española de Santo
Domingo. En realidad, fueron los efectos de la Revolución
Francesa los que afectaron decisivamente la vida de Santo
Domingo. Los veinte años que transcurrieron a partir del
estallido de la Revolución Francesa son la época del gran
cambio en la vida de los pobladores de toda la isla de Santo
Domingo.

Efectos de la Revolución Francesa en Santo Domingo, 1789-1809.

Los de la parte francesa se envolvieron en una sangrienta
revolución que terminó barriendo totalmente a los antiguos
amos blancos, quedando como únicos dueños de la situación
los que hasta entonces habían sido esclavos o descendientes
de éstos. Los pobladores de la parte española, vieron so-
brevenir una serie de acontecimientos al ser cedidos a Francia en 1795, al ser invadidos dos veces por los haitianos, en
1801 y 1805, y al tener que luchar durante casi un año, entre
1808 y 1809, para recuperar su nacionalidad perdida e intentar volver a ser españoles como lo habían sido durante
más de tres centurias. Todo lo que ocurrió en la isla de
Santo Domingo durante esos veinte años estuvo marcado
por la violencia.

Inmediatamente las autoridades españolas tuvieron noticias de la agitación producida en la colonia francesa con
motivo de la Revolución en 1789, el Gobernador de Santo

Domingo don Joaquín García y Moreno puso sus tropas en estado de alerta. En 1790 las tropas de esta zona habían sido reorganizadas bajo una Comandancia General de las Fronteras del norte con sede en Dajabón, y otra en el sur con sede en San Rafael. Sin embargo, con excepción de su intervención en el incidente del mulato Vicente Ogé, estas tropas no participaron en ninguna acción de envergadura hasta casi tres años después en que España e Inglaterra declararon la guerra Francia a raíz del guillotinamiento del rey Luis XVI.

Por el momento, los españoles se dispusieron a esperar el desarrollo de los acontecimientos, uno de los cuales fue la huida, captura y devolución de Ogé al Gobierno colonial francés. Esta devolución iba de acuerdo con la tradición diplomática colonial de los últimos años. Pero después que la presencia francesa en la Isla quedó reconocida definitivamente por medio del Tratado de Aranjuez, ya no tenía objeto seguir reteniendo esclavos huidos y asilándolos en la población de San Lorenzo de Los Mina. Sin embargo, ese tratado sobre la devolución de los negros fugitivos se

Guerra entre Francia y España, marzo 1793.

mantuvo vigente mientras Francia y España mantuvieron las paces, pues no bien estalló la guerra entre ellas en marzo de 1793, las autoridades españolas de Santo Domingo variaron su política de los últimos años y volvieron a acoger a

Apoyo español a negros rebeldes, 1792-1794.

los negros esclavos rebelados. La confusión existente en la parte francesa con motivo de la Revolución proporcionaba la posibilidad de que ayudando a los líderes de los esclavos rebelados, los franceses podrían ser expulsados de la Isla y España recobraría las tierras perdidas cien años atrás.

Así fueron atraídos Jean Francois, Biassou y Toussaint L'Overture, quienes aceptaron la ayuda de los comandantes españoles de la Frontera junto a los que lucharon contra los franceses hasta que los ingleses invadieron las costas del sur y del oeste de Saint Domingue y las autoridades francesas abolieron la esclavitud con el propósito de ganar

Toussaint abandona españoles, mayo 1794.

el apoyo de los esclavos rebelados. En mayo de 1794 Toussaint abandonó la lucha al lado de los españoles y fue con toda su gente a dar apoyo a la causa de la libertad de los negros en donde él creía que podía hacerse más efectiva que era de parte del Gobierno francés.

Los dos años de la guerra entre Francia y España no afectaron mucho la vida de los habitantes de Santo Domingo, con excepción de los de las zonas fronterizas. La guerra, mientras se llevaba a cabo del otro lado de la Frontera, dirigida por comandantes españoles, pero ejecutada por las tropas negras de Jean François y Biassou, era buen negocio. Los vecinos vendían sus ganados o los cambiaban por artículos obtenidos por los combatientes en los saqueos de los lugares conquistados. Fue tanto el ganado que se consumió en el mantenimiento de las tropas de la Frontera, que al cabo de dos años de guerra ya era difícil encontrar carne para todos. Además, después de la defección de Toussaint la situación cambió para los españoles, pues ahora sus tropas tuvieron que ocuparse directamente de la conservación de las principales posiciones ocupadas tanto en el norte como en el sur de Saint Domingue. A pesar de esos esfuerzos, los españoles no pudieron evitar la pérdida de la mayor parte de sus conquistas.

Efectos de la guerra entre Francia y España.

Peor todavía, el empuje de las fuerzas francesas, compuestas ahora en gran medida por las masas de Toussaint, obligó en octubre de 1794 a los españoles a abandonar los importantes puestos fronterizos de San Rafael, San Miguel e Hincha para reconcentrarse en las villas de Las Caobas y Bánica, en el Sur, y en Dajabón, Bayajá y Montecristi, en el Norte. Hasta ese momento Bayajá había sido la única posesión francesa que los españoles habían podido sostener firmemente. Los "cordones" fronterizos establecidos por las autoridades de Santo Domingo quedaron rotos por las operaciones de Toussaint, quien siguió luchando durante todo un año hasta obligar en agosto de 1795 a los españoles a abandonar también a Las Caobas y Bánica, luego que estas poblaciones fueron ocupadas durante un tiempo por los ingleses, quienes al igual que los franceses también se preparaban para una eventual ocupación de la parte española de la Isla.

Derrotas españolas en la Frontera, octubre 1794-agosto 1795.

La situación de las regiones fronterizas de Santo Domingo no podía ser más crítica. La alarma cundió entre los

177

FRANK MOYA PONS

vecinos de Santo Domingo y otras partes de la Colonia al saber que las tropas de Toussaint desalojaban a los españoles de las ciudades y villas fronterizas y que éstos huían con sus ganados para refugiarse en San Juan y en Azua. En eso llegaron a Santo Domingo las noticias de España de que la guerra con Francia terminaba en Europa y de que la paz había sido firmada el 22 de julio de 1795 en la ciudad de Basilea.

Tratado de Basilea, 22 de julio de 1795.

Esas noticias se recibieron en Santo Domingo el día 18 de octubre de 1795, en los momentos en que los españoles reconquistaban las posiciones de Bánica y Las Caobas, gracias a una derrota sufrida por Toussaint en la parte francesa por los ingleses. La paz, sin embargo, no significaba esta vez que los españoles quedarían libres de los franceses, sino todo lo contrario. El tratado de Basilea decía que a cambio de la restitución de los territorios conquistados por los franceses en el norte de la Península, "el Rey de España, por sí y sus sucesores, cede y abandona en toda propiedad a la República Francesa toda la parte española de la isla de Santo Domingo en las Antillas". Y decía además que "un mes después de saberse en aquella isla la ratificación del presente Tratado, las tropas españolas estarán prontas a evacuar las plazas, puertos y establecimientos que aquí ocupan, para entregarlos a las tropas francesas cuando se presenten a tomar posesión de ellas". Finalmente, se concedía que "los habitantes de la parte española de Santo Domingo, que por sus intereses u otros motivos prefieran transferirse con sus bienes a las posesiones de S.M. Católica, podrán hacerlo en el espacio de un año contado desde la fecha de este Tratado".

Reacción de habitantes de Santo Domingo ante el Tratado de Basilea.

Hay que imaginar lo que produjeron estas noticias en una población que tenía más de un siglo en constante lucha por su supervivencia contra la penetración y la usurpación de sus tierras por los franceses y cuyos esfuerzos durante esos dos últimos años habían estado encaminados precisamente a expulsar a los franceses en cuyas manos ella caía ahora por una decisión en la cual ella no había tenido ninguna participación. La lucha contra los franceses había conformado entre los pobladores de Santo Domingo un verdadero

178

sentimiento de la nacionalidad definido en términos de la hispanidad más acendrada.

Mucha gente tomó la decisión de emigrar en los barcos que el Gobierno dispuso para ello, aunque la mayoría de la población prefirió quedarse tratando de ejercer influencia sobre el gobierno español para ver si la decisión de la cesión podía ser reconsiderada. Los primeros grupos de emigrantes se dirigieron a Cuba, en donde las autoridades habían dicho que se les daría tierras y propiedades equivalentes a las que habían dejado abandonadas en Santo Domingo.

El embarque de esas primeras familias que salieron hacia Cuba a finales de 1795 estuvo lleno de dificultades, pues no sólo hubo que posponer varias veces la salida de las embarcaciones para evitar los ataques de los corsarios ingleses de Jamaica, sino también porque cuando llegaron a Cuba encontraron que las tales tierras y propiedades no aparecían. El costo de la vida era tan alto que nadie que no fuera rico podía mantenerse sin problemas. Las mejores tierras de Cuba estaban ya ocupadas. A los que pensaban emigrar se les ofrecieron tierras en Guantabanó, pero al saberse en Santo Domingo que ésas eran las peores de aquella isla, los dominicanos empezaron a sentir reticencia a abandonar su país.

Emigración de Familias, diciembre 1795.

Por ello los vecinos escribieron al Rey para que se les concediera un plazo mayor de un año para salir de la Isla, y solicitaron que se les permitiera ir a otros lugares del Caribe, entre ellos Puerto Rico y Venezuela, específicamente Caracas, donde había una gran abundancia de tierras disponibles, además de que se sabía que la agricultura y el comercio se encontraban en un período de verdadero apogeo. Entretanto, la ciudad de Santo Domingo empezó a sentir una crítica escasez de víveres, pues en poco tiempo se aglomeró allí una población flotante en espera de turno para emigrar, que al no poder salir sino con grandes retrasos, consumió mucho de lo que había disponible en esa ciudad y sus alrededores.

Problemas de la emigración.

Otro problema que se presentó a las autoridades, fue la cuestión de la salida del Arzobispo y del clero, tanto reli-

Salida del clero de la Isla.

179

gioso como secular. Las instrucciones enviadas al Arzobispo decían que él debía ordenar al clero que recogiera, empacara y embarcara todos los bienes muebles de la Iglesia, previo inventario de los mismos, cuidándose de conservar en buen estado las alhajas y los libros parroquiales. Todos debían salir, pero el Arzobispo debía esperar a que se embarcaran las autoridades superiores y la Real Audiencia para entonces salir él y no dejar a la feligresía católica sin pastor. Este Arzobispo, don Fernando de Portillo y Torres, que tenía un profundo odio a los franceses, trató por todos los medios de acelerar su partida y la de los religiosos, pero no fue sino al cabo de varios años cuando logró conseguir que el Gobernador le permitiera embarcarse.

Resistencia del clero a abandonar sus posesiones.

El Gobernador don Joaquín García y Moreno, mientras tanto, instaba al Arzobispo a que obligara al clero religioso a salir de la plaza, "pues así nos aliviamos de este peso, y se logra economizar el consumo de víveres en la Isla que pueden sernos de mucha utilidad en todo caso". El clero secular debía permanecer para partir junto con el Arzobispo. Ahora bien, muchos querían continuar en la Isla a pesar de los cambios que iban a sucederse. Unos por razones de dinero, otros porque habían sido ganados por las ideas de la Revolución francesa o se habían desinteresado de la Iglesia; otros, por su parte, se mostraban reticentes a la salida porque no querían abandonar sus familias o porque sentían que alguien debía hacerse cargo del cuidado espiritual de los vecinos que quedaban.

Los franceses y la Iglesia de Santo Domingo.

Los franceses, sabiendo que sin la Iglesia Católica les iba a ser mucho más difícil gobernar la Colonia, publicaban una y otra vez que respetarían los usos y costumbres religiosos de los habitantes de la parte española. Así lo hizo saber el Comisionado enviado por el Gobierno francés a Santo Domingo, para realizar los preparativos de la toma de posesión en una carta que le escribió al Arzobispo a finales de julio de 1796. El Arzobispo, atrapado entre dos fuegos, el de la propaganda francesa en favor de la tolerancia religiosa y el de los sacerdotes que se negaban a salir de la Isla sin antes vender sus propiedades, finalmente se rindió a la realidad. A mediados de 1796 Portillo declaraba que "he concedido mi anuencia a los muchos curas que quieren permanecer en la Isla hasta vender". Ahora bien, vender las propiedades no era tarea fácil para casi nadie, pues en esos momentos casi todo el mundo quería hacer lo mismo y muy pocos querían comprar.

En esos problemas pasó el Arzobispo tres años, hasta que finalmente salió de la Isla en abril de 1798 dejando tras de sí a una población en crisis y una clerecía más interesada en salvar sus intereses que en obedecer al Rey de España. La mayor parte del clero secular se quedó en la Isla sirviendo a sus feligreses y esperando que la situación política finalmente se decidiera, pues a medida que pasaba el tiempo y la guerra contra los ingleses continuaba en la parte occidental de la Isla, a los franceses les iba resultando más difícil enviar las tropas necesarias para ocupar la parte española.

Salida del Arzobispo de Santo Domingo, abril 1798.

De manera que un año después de haberse anunciado la firma del Tratado de Basilea, la mayoría de la población dominicana quedaba todavía ocupada en sus labores habituales y ya empezaba a preguntarse si no llegaría el día en que la cesión sería invalidada quedando ellos súbditos de España como siempre. Esta esperanza tenía sus fundamentos, pues se sabe que el Gobierno español trató de recuperar la parte española de Santo Domingo algún tiempo después de la firma del Tratado de Basilea proponiendo a cambio al Gobierno francés el traspaso de la Luisiana. La creencia de los franceses de que tarde o temprano ellos pacificarían su colonia de Saint Domingue y de que con la Isla unificada volverían a convertirla en el emporio que antiguamente había sido, hizo que el Gobierno de París rechazara la proposición española y siguiera planeando su ocupación definitiva.

Expectativas de la población de Santo Domingo, 1796.

Para ello habían enviado al Comisario Roume de St. Laurent a Saint Domingue con instrucciones específicas de "preparar amistosamente y de antemano las cosas para que se efectúe la evacuación de las Plazas, Puestos y establecimientos de aquella Isla cuando parezca conveniente y sea posible enviar allá con este objeto las fuerzas francesas necesarias" y de valerse "de todos los medios posibles

Preparativos para la entrega de Santo Domingo a Francia.

181

de persuación para desimpresionar a aquellos ciudadanos de las falsas ideas que hayan podido imprimírseles a la Revolución francesa y disipar en su espiritu quantos recelos se les haya inspirado acerca del libre ejercicio de su religión".

Roume tenía que trabajar rápido pues los ingleses amenazaban con romper el cordón militar de las fronteras para apoderarse de Santo Domingo antes que los franceses. Los ingleses estaban llevando a cabo una campaña de captación de simpatías entre los propietarios y demás vecinos de la Colonia divulgando a través de impresos y proclamas no sólo el respeto a la religión católica, sino también el mantenimiento de la esclavitud, cosa que no harían los franceses.

Siendo éste un punto sumamente sensible en los intereses de los influyentes propietarios españoles, muchos de ellos optaron por esperar el desarrollo de los acontecimientos sobre todo después que se divulgó la noticia de que los que habían emigrado a Cuba estaban pasando enormes penalidades. Pero en general, las seguridades de los franceses, especialmente al Gobernador de Saint Domingue, Juan Esteban Laveaux, de que las propiedades serían respetadas, y las de Roume, de que la religión podría ser ejercida libremente, hizo que la mayoría de la población propietaria de bienes raíces reconsiderara la idea de una emigración intempestiva. Algunos incluso pidieron una prórroga mayor para el abandono y entrega de la Colonia, como fue el caso de los principales vecinos de La Vega.

Lo más importante para los franceses era impedir la emigración, especialmente de la gente de armas. Sin embargo, la política francesa hacia la esclavitud ahuyentó a muchos propietarios que estaban dispuestos a cualquier cosa antes que a perder sus esclavos. Ya ellos sabían que el Gobernador Laveaux, de la parte francesa había declarado en diciembre de 1795 que "los Esclavos que se hallan en la parte española, desde el momento en que la República estaría en posesión gozarían de la libertad". De ahí que muchos españoles esclavistas armaran una gran agitación que llegó incluso a preocupar al Gobernador don Joaquín García pues los propietarios empezaron a sacar sus negros del país

Intereses franceses en Santo Domingo, 1795-1796.

182

junto con ellos, en tanto que los agentes franceses en la Colonia agitaban en contra de esa práctica a los esclavos para que se rebelaran contra ella.

Ya en diciembre de 1795 se decía que los esclavos se levantarían e incendiarían los cañaverales y las casas de campo o los ingenios. Pero ese temor no llegó a hacerse realidad hasta octubre de 1796, fecha en que los doscientos esclavos del principal ingenio de la parte española el llamado ingenio de Boca de Nigua, propiedad de don Juan de Oyarzábal, se levantaron en armas haciendo huir a su propietario, destrozando e incendiando los cañaverales y los edificios, y matando los animales que encontraron. Esa revuelta fue prontamente sofocada, perdiendo la vida un buen número de esclavos. En el ánimo de los pobladores prevalecía una gran confusión en la cual nadie sabía qué hacer, para dónde ir, dónde quedarse o a quién seguir...

Rebelión de esclavos en Boca de Nigua, octubre 1796.

Solamente el Gobernador García, además del Comisario francés Roume, sabía lo que quería: Cumplir con el Tratado y forzar al Gobierno español y a las autoridades francesas de Saint Domingue a acelerar la entrega de la parte española. Durante el primer año después de la cesión, García trabajó arduamente buscando proteger las fronteras españolas de un ataque inglés y al mismo tiempo tratando de hacer que las autoridades de Cuba y de Madrid facilitaran medios para el transporte de los emigrados y de los negros auxiliares de Jean François y Biassou, quienes al producirse la cesión solicitaron salir de la Isla bajo la protección española, cosa que hicieron en gran número a mediados de 1796.

Emigración de negros auxiliares, 1796.

Siguiendo instrucciones del Gobierno de Madrid, García hizo entrega a los franceses de la plaza de Bayajá, y se dispuso a entregar las demás partes de la Colonia paulatinamente para concentrar las tropas españolas en Santo Domingo, desde donde deberían embarcarse una vez llegaran las tropas francesas. En julio de 1796, cuando era más seguro que la entrega se haría en breve término, sucedió lo inesperado: El General Rochambeau, quien debía pasar a Santo Domingo a ejecutar la incorporación de la parte española a la francesa, se negó a hacerlo con un ejér-

Entrega paulatina de la colonia a Francia.

cito compuesto por negros, que eran las únicas fuerzas de que podía disponerse en ese momento.

Poco tiempo después, los españoles se vieron en la obligación de entregar Las Caobas a Toussaint, lugar que se convirtió en un nuevo escenario de la guerra, pues casi inmediatamente los ingleses atacaron este poblado y obligaron a Toussaint a abandonarlo. Desde ahí los ingleses se dispusieron a invadir el resto del país en especial las villas de Neiba y San Juan, próximas a sus nuevas posesiones.

Estos nuevos incidentes obligaron al Gobernador de Saint Domingue, el General Laveaux, a posponer la toma de posesión de la parte española "hasta nueva orden". García hacía saber públicamente que él como gobernador de un territorio ya cedido a otra potencia, se mantendría neutral en esa lucha. Y fue tal vez por esa razón por la que los vecinos de San Juan y Neiba no opusieron resistencia a los ingleses cuando éstos ocuparon esos lugares en marzo de 1797. Para entonces García se encontraba desesperado por la imposibilidad de ejecutar la entrega y por las dificultades de cumplir con las órdenes del Príncipe de la Paz, Manuel Godoy, quien desde Madrid mandó que se concentraran las tropas en Santo Domingo, no importando a quien se le dejaba el interior de la colonia española.

Crisis financiera.

El Gobierno colonial estaba en bancarrota. Aunque García había querido evitarlo, la invasión inglesa de las regiones fronterizas del sur, lo obligaban a mantener las tropas de Azua y Baní en pie de guerra, y para ello había que contar con dinero.

Crisis de la ganadería.

Los acontecimientos de los últimos años habían lesionado seriamente la multiplicación de los ganados. De hecho lo que ocurrió fue más bien la extinción de la ganadería en muchas partes, especialmente en las zonas fronterizas. Por ello la carne se convirtió en un artículo escaso para el mantenimiento de las tropas que esperaban en Azua un ataque inglés.

La falta de dinero ponía en peligro la ocupación de los franceses de la parte española y de no andar rápido ésta podía caer en manos de los ingleses. Lo que impidió que

184

esta posibilidad se realizara fue el contraataque de Toussaint y los franceses contra las recién conquistadas posesiones de los ingleses que comprendían a Mirebalais, Grandbois, Bánica, Las Caobas, San Juan y Neiba, de donde fueron desalojados en abril de 1797. A partir de entonces los ingleses trataron de invadir esas mismas regiones desde el mar, al tiempo que intentaron tomar algunos lugares del norte de la Colonia especialmente Montecristi y Dajabón que fueron entregadas a los franceses en julio de ese mismo año.

Derrota de los ingleses en las fronteras, abril 1797

García dejó a un lado las consideraciones de orden militar provocadas por la presencia de los ingleses en esas regiones y siguió adelante con sus planes para entregar próximamente las ciudades de Santiago y Puerto Plata a los franceses. Entretanto, concentraba las tropas en la ciudad de Santo Domingo, en donde cada día la situación se hacía más difícil. Inglaterra dominaba en esos momentos todo el Mar Caribe. Puerto Rico fue bloqueado durante varios meses y el situado que debía venir desde allí estuvo detenido durante más de un año.

Amenazas inglesas.

Con el agravamiento de la situación económica de Santo Domingo, mucha gente se dispuso a emigrar, aunque no todos lo consiguieron debido a la falta de medios disponibles. Por eso cuando la Real Audiencia habló en Santo Domingo de suspender las emigraciones, el Gobernador García reaccionó escribiendo lo siguiente: "Es preciso reflexionar con piedad y con justicia y guardar las mismas consideraciones que S.M. tuvo para conceder un año a la emigración y ofrecer después la solicitud de otro a favor de estos habitantes. Una Isla de más de cien mil almas, aunque de ellas no salgan más que el tercio, no puede evaquarse en las pocas ocasiones que hubo (transporte) para la Havana".

Problemas de la emigración.

Lo que buscaban los Oidores de la Real Audiencia con la prohibición de la emigración era desentenderse definitivamente del problema fundamental de los habitantes de la Colonia, que era el de su supervivencia, para irse ellos tranquilamente a vivir a La Habana o a otras partes de América, donde sabían que les esperaban puestos públicos similares o mejores a los de Santo Domingo. La situación era muy

185

Continuación de la guerra con Inglaterra.

Dificultades del Gobernador español, julio 1797.

grave en esos momentos: Puerto Plata fue atacada, bombardeada durante tres horas y media y luego saqueada por los ingleses, en julio de 1797, y Montecristi también acababa de ser atacado. Y en octubre se descubrió un complot para entregar la ciudad a los ingleses. El complot fracasó, pero dejó a García más inquieto todavía sobre las posibilidades de mantenerse en Santo Domingo hasta que pudiera hacer entrega formal de la Colonia a los franceses. Por eso no quería él dejar salir a los oidores de la Real Audiencia. El necesitaba entregar poco a poco los lugares de la tierra adentro permitiendo a todos los que quisieran que pasaran a Santo Domingo y se embarcaran cuando pudieran. Para eso requería la asistencia de los jueces de la Audiencia, ya que podían aparecer cuestiones judiciales que debían ser resueltas.

Ahora bien, la entrega no podía ser efectuada en esos momentos. Los franceses de la parte occidental no tenían tropas de confianza para tomar posesión de la Colonia española y no se atrevían a ocuparla con las tropas de Toussaint, pues se sabía el temor que los antiguos esclavos de la parte francesa inspiraban a los vecinos españoles. Durante esos dos años y medio después del anuncio de la cesión a Francia, el gobierno colonial español había llegado a los extremos de la ruina, sin fondos, sin tropas y sin seguridades. El situado seguía retenido en Puerto Rico debido a la intensa actividad de los corsarios ingleses en el Mar Caribe.

El Gobernador García por momentos llegó a pensar que la situación podía cambiar a partir de abril de 1798, fecha en que los ingleses, derrotados, empezaron a desalojar las posiciones que ocupaban en la parte francesa. La paz se veía llegar y, junto con ella, la entrega. La esperada Comisión francesa también había llegado a Santo Domingo a finales de marzo, pero su jefe, el General Hedouville, para desmayo de García, no quiso conversar en esa ocasión sobre la entrega. El problema principal de Hedouville en esos momentos era pasar a Saint Domingue y tratar de arrancar el poder político y militar de las manos de Toussaint L'Overture, quien se había convertido en el amo absoluto de la situación.

Hedouville fracasó en su misión y fue obligado por Toussaint y sus tropas a abandonar la Isla en octubre de 1798 bajo la amenaza de perder la vida. La situación de la colonia española seguía indefinida. Para agravarla las tropas francesas blancas que habían llegado a Santo Domingo junto con el General Hedouville no pudieron ser ocupadas en ninguna acción útil, pues el Agente Roume, que manejaba los asuntos franceses en Santo Domingo hasta que la cesión se consumara, viajó a la parte francesa a ocupar el lugar de Hedouville. Las tensiones entre los negros y los mulatos se habían agravado críticamente después de la salida de los ingleses y la guerra civil entre negros y mulatos mantuvo a Roume alejado de Santo Domingo y prácticamente prisionero de Toussaint, posponiéndose así por año y medio más de la entrega de la parte española a Francia.

Entre febrero de 1799 y agosto de 1800 no había autoridad en la Isla debidamente autorizada para pasar a Santo Domingo a tomar posesión a nombre de Francia. El Gobernador García se desesperaba por la crisis económica de su colonia. La única persona con fuerzas suficientes para ocupar a Santo Domingo era Toussaint pero éste estaba demasiado envuelto en la lucha contra Rigaud y los mulatos, y no podía trasladarse personalmente a tomar posesión. Este era un objetivo importante en la mente de Toussaint, pero podía esperar hasta que su propio país se pacificara o hasta que consiguiera la autorización del Gobierno de Francia para hacerlo.

Esta autorización era un asunto muy delicado, pues el Gobierno francés no quería que los negros de Saint Domingue pasaran a la parte española encabezados por Toussaint, quien de una manera o de otra se las ingeniaría para consolidar también su jefatura en esta parte de la Isla y sería más difícil todavía arrancar de sus manos un liderazgo que, aunque ejercido en nombre de Francia, resultaba inconveniente para los planes imperiales de Napoleón Bonaparte y la burguesía francesa. Tanto Roume como el General Antonio Chanlatte, quien quedó en Santo Domingo en su lugar

Imposibilidad de entregar la Colonia a Francia, abril-octubre 1798.

Posposición de entrega de la Colonia a Francia, abril-octubre 1798.

Posposición de entrega de la Colonia a Francia, febrero 1799-agosto 1800.

Política francesa hacia Toussaint.

187

como Comisionado francés, tenían órdenes de no ocupar la parte española a menos que no fuese con tropas especialmente enviadas desde Francia para ello.

Entretanto había que seguir la política de atracción de los habitantes hacia la República francesa para que el cambio político se realizara sin violencias y adecuadamente. El Gobernador García, por su parte, seguía trabajando para abandonar la Isla. En noviembre de 1799 llegaron finalmente varios buques de la Real Armada española con los situados atrasados de los últimos años que ascendían a la suma de un millón y ciento catorce mil pesos. En estos buques se embarcaron los miembros de la Real Audiencia y sus familias, quedando el Gobernador sólo con las últimas tropas de la guarnición de Santo Domingo, que apenas ascendían a 1,165 hombres, sin contar la oficialidad y el Estado Mayor que quedaban en último turno para salir de la Isla. Ya en diciembre de 1799 se sabía en Santo Domingo que Toussaint estaba haciendo planes para ocupar con gente suya la parte española, a pesar de la oposición del Gobierno francés, por lo que mucha gente se alarmó con la seguridad de que perderían sus esclavos tan pronto la entrega se consumara.

García comunicaba en mayo de 1800 que entre la gente que quedaba en la ciudad de Santo Domingo "hay muchas familias y considerable número de esclavos" y decía que siendo tan inminente la entrega "el esclavo que no se saque antes, será perdido el día de ella". El Gobernador español quería concluir cuanto antes esa tormentosa espera que hacía cinco años lo agobiaba. Su único problema era tener el transporte a mano el día que las tropas francesas, cualesquiera que éstas fuesen, llegaran.

Desde que Roume llegó a Saint Domingue, Toussaint solicitó autorización para tomar posesión en Santo Domingo. Según declaró el General Chanlatte en junio de 1800, Roume se negó una y otra vez aduciendo que ello sería violar las instrucciones del Gobierno francés. Así pasó todo un año, hasta que en abril de 1800, exasperado por las negativas del Agente francés, Toussaint ordenó a sus tropas del norte que pasaran al Guarico, lugar donde se encontraba

Salida de funcionarios españoles, noviembre 1799.

Planes de Toussaint para invadir colonia española diciembre de 1799.

Toussain. prepara invasión, abril 1800.

188

Roume, y le exigieran la promulgación de un decreto autorizándolo a tomar posesión de la parte española. Roume cedió y el decreto fue firmado el 27 de abril del año de 1800 y enviado inmediatamente al Gobernador Joaquín García y al General Antonio Chanlatte en Santo Domingo.

Dos días después de tenerse noticia del decreto en Santo Domingo llegó el General de Brigada Agé acompañado sólo de su ayudante y su secretario requiriendo a García y a Chanlatte la entrega del mando de la Colonia. Al saberse la noticia de que la entrega iba a consumarse, dice García en una carta escrita en esos días, "se consternaron los espíritus de la Ciudad", y la gente, los miembros de la Iglesia, el Cabildo, llenos de angustia y zozobra pedían que no se entregara la plaza y que se pospusiese la toma de posesión. En vano declaró el General Agé que detrás de él vendrían tropas blancas y que la paz se mantendría en la Colonia. "Todos temían este acontecimiento como la mayor de las calamidades públicas; la imagen horrorosa del desorden la Colonia con sus ríos de sangre y la invasión de las propiedades se apoderó de todos los vecinos que en tan críticas circunstancias, se dirigieron, con el mayor respeto, a las autoridades, implorando su socorro y protección. El venerable Clero —narra Chanlatte en un informe—, unió sus súplicas a las de sus fieles; todas las clases sociales, todos los gremios se juntaron, formando un solo cuerpo para pedir que se retardara la toma de posesión hasta que Francia lo ordenara".

Los vecinos de Santo Domingo quisieron atentar contra el General Agé y sus acompañantes, a quienes hubo que alojar en la casa del Comisionado Chanlatte. El Cabildo pidió formalmente que se les expulsara de Santo Domingo y como los clamores contra los enviados de Toussaint aumentaban, el Gobernador García tuvo que colocar una guardia en la casa de Chanlatte para protegerlos de cualquier tropelía. La hora tan febrilmente buscada por García había llegado y, sin embargo, la entrega no podía ser realizada. La oposición de los vecinos lo impedía. Según Chanlatte y Kerversau, García no podía hacer otra cosa que acogerse a la petición de los habitantes de la Capital, pues "la desesperación y el asombro eran a tal punto que la negativa de esta petición

Misión del General Agé.

Resistencia francesa contra Toussaint en Santo Domingo.

189

podía producir una sublevación general, y causar males tan grandes para los mismos españoles como aquellos que se temían".

Al General Agé, mientras tanto, se le convenció de que no debía permanecer en Santo Domingo a riesgo de aumentar la agitación "y se le obligó a convenir en que la tranquilidad pública, y la suya propia exigían su retirada". Finalmente, Agé y sus asistentes salieron de la ciudad el día 25 de mayo acompañado de las mayores consideraciones por parte de las autoridades, y para evitar que se le hiciera cualquier daño, García ordenó que se les escoltara fuera de las murallas de la ciudad hasta llegar a su destino.

La salida del General Agé, e inmediatamente la de los diputados que fueron a Madrid y a París en busca de una posposición de la entrega, tranquilizaron un poco los ánimos, aunque los menos optimistas se dedicaron a proveerse de armas para repeler una eventual invasión de las fuerzas de Toussaint.

Al conocer la actitud de los vecinos, Toussaint escribió al Gobernador de Santo Domingo diciéndole que convenía en esperar la decisión de Francia "pero que estaba muy sentido que el General Agé huviera experimentado el mal tratamiento de que se quejaba". Roume, por su parte, también se sintió con ánimo para reaccionar y el 26 de junio dictó un nuevo decreto anulando el anterior para la toma de posesión. Inmediatamente remitió este decreto a García y a Chanlatte aconsejándoles que "nada se alterara hasta que las órdenes de Francia y España llegaran".

Estas noticias calmaron bastante a los pobladores de la parte española, con excepción de los de San Juan de la Maguana, que cada día más se resentían de la ocupación francesa de los poblados de Bánica, Neiba y las demás villas fronterizas. A finales de noviembre y a principios de diciembre del año 1800 empezaron a llegar a Santo Domingo noticias de que en las cercanías de San Juan y Neiba se estaban produciendo movilizaciones de tropas, de provisiones y de pertrechos, y de que "hay grandes preparativos por tierra y por mar para bloquearnos aquí".

Movilizaciones militares de Toussaint, noviembre-diciembre 1800.

190

Durante todo el mes de diciembre se vivió en gran inquietud en Santo Domingo. Dicen Chanlatte y Kerversau que ese período transcurrió entre "la incertidumbre del temor y la esperanza", hasta que finalmente el día 6 de enero de 1801, a las tres de la tarde, el Gobernador español recibió una carta de Toussaint fechada dos días atrás "por la cual le anunciaba que sus ocupaciones le havían impedido hasta entonces ocuparse de la toma de Posesión, y de la reparación de las injurias hechas al General Agé, y se encontraba en aquel momento en estado de llenar su doble objeto, y que a éste efecto se havía dirigido a San Juan con las fuerzas necesarias para tomar posesión de la parte Española, y que él mismo se ponía a la cabeza de ésta Expedición para evitar toda efusión de sangre: que al mismo tiempo havía mandado al General Moysé con fuerzas respetables para tomar posesión de Santiago". En otra comunicación Toussaint también le señalaba al Gobernador García que las propiedades y los usos religiosos de los españoles que quisieran quedarse en la Isla serían respetados, comprometiendo a ello "mi inviolable palabra militar".

Invasión de Toussaint, enero 1801.

En vano quiso García argumentar que todavía estaban pendientes de la decisión de Napoleón y del Gobierno de Madrid. Ya Toussaint estaba en marcha y nadie podía detenerlo, pues pese a que muchos vecinos se organizaron bajo el mando del General Chanlatte y se prepararon para resistir la invasión, a medida que se recibían noticias del arrollador avance de Toussaint hacia Azua y luego hacia Baní, gran parte de los defensores fueron siendo ganados por el miedo y dejaron a sus comandantes con apenas 600 hombres y una caballería que no pasaba de treinta unidades, todos muy mal armados. En los alrededores del río Nizao, las tropas de Toussaint destrozaron en combate la débil resistencia que quiso oponérseles y luego de haber negociado con el Gobernador García la capitulación de la plaza, marcharon sin oposición alguna hacia Santo Domingo donde entraron el día 26 de enero de 1801.

Oposición a Toussaint.

Capitulación de Santo Domingo, 26 de enero de 1801.

Durante los días en que se llevaron a cabo las negociaciones, todas las autoridades y los funcionarios franceses que hasta entonces habían estado residiendo en Santo Domingo, se embarcaron y salieron con rumbo hacia Venezuela o hacia otras partes de las Antillas. A Venezuela solamente llegaron entre enero y febrero por lo menos unas 1,988 personas huyendo desde Santo Domingo. De los que emigraron a otras partes todavía está por determinar el número, pero se sabe que no fueron pocos, pues Antonio del Monte y Tejada, quien se encontraba en Santo Domingo en los días en que Toussaint hizo su entrada a la ciudad, afirma que "fue grande la emigración de españoles a los puntos más inmediatos de los dominios españoles, Puerto Rico, Maracaibo, Caracas, etc.". Y dice: "yo recuerdo la confusión, el terror, la sorpresa con que todos contemplaban á aquellos negros regimentados con sus arreos é insignias militares y civiles, así como el abatimiento de los espíritus cuando se vió desplegada en la fortaleza del Homenaje la bandera tricolor en lugar de la española, sustituyendo en el gobierno al Capitán General Don Joaquín García, el jefe de los negros Toussaint Louverture".

Con esta ceremonia parecía que terminaba para siempre el dominio de España en la parte oriental de la isla de Santo Domingo. Una nueva época comenzaba.

192

XVI

LA ERA DE FRANCIA Y LA RECONQUISTA

(1801-1809)

AL LLEGAR A SANTO DOMINGO Toussaint quiso despejar de la mente de los habitantes de Santo Domingo todo el miedo que tanto él como sus tropas pudieran inspirar en una población atemorizada por las noticias que durante años habían estado llegando de la convulsionada parte francesa. En una primera proclama a los habitantes de Santo Domingo, emitida el día 27 de enero de 1801, Toussaint pedía a sus nuevos conciudadanos volver a sus trabajos habituales e invitaba a aquellos que habían abandonado la Isla a regresar con "las personas de todos los colores" que hubieran salido con ellos.

Política de Toussaint en Santo Domingo.

Toussaint publicó otras nuevas proclamas sobre la administración de la parte española. Decretó que el peso fuerte español que valía entonces ocho reales, valiera once a partir del 10 de febrero y para reglamentar el sistema de producción promulgó una serie de decretos tendentes a limitar el otorgamiento de tierras a nuevos propietarios. Prefirió obligar a los habitantes a trabajar en las tierras ya ocupadas, limitando la venta y ocupación de nuevos terrenos. Su intención era, según declaró en otra proclama, que los cultivadores permanecieran en sus habitaciones respectivas disfrutando de la cuarta parte de sus rentas, sin que nadie se atreviera a ser injusto con ellos, pero a la vez exigía que trabajaran y fueran subordinados. De lo contrario, advirtió que

Decretos y proclamas de Toussaint sobre la economía.

193

estaba resuelto a castigar severamente a quienes faltaran a sus obligaciones.

La política agraria de Toussaint, tendía a erradicar el sistema laboral tradicional dominicano. Toussaint, se daba cuenta de que la indolencia de los habitantes del Este se debía mucho a los condicionamientos de la economía ganadera que había sido el sostén de la colonia española desde hacía casi tres siglos y pretendió transformar un territorio dedicado a la crianza de ganado sin más agricultura que la de subsistencia, en una colonia agrícola en donde la tierra estuviera explotada intensivamente con cultivos orientados hacia la exportación, conforme al modelo francés de plantaciones capitalistas desarrollado en Saint Domingue en el siglo XVIII.

Toussaint era hijo de su época. Su régimen de conservación de las plantaciones en la parte española así lo demostraba. Solamente para la agricultura de plantaciones, decía él, lo encontrarían dispuesto a hacer concesiones para explotar tierras nuevas. Por ello eliminó todos los impuestos de exportación existentes en tiempos de los españoles y creó uno solo de apenas un 6 % para los azúcares, cafés, algodones, cacaos y tabacos que fueran exportados por los puertos de la antigua parte española. Esa era, a su juicio, la única forma de combatir la ruina en que se hallaba la antigua colonia de Santo Domingo.

Y tenía razón. La parte oriental de la Isla estaba arruinada. Ya en 1797 el Comisario Roume lo comprobaba: la producción en todos los ramos había decaído alarmantemente. Incluso el tabaco, cuya producción anual había sido de alrededor de unas 12,000 arrobas, ahora apenas llegaba a las seis mil. Y en cuanto al ganado, decía Roume que faltaba mucho para que el número de animales fuera lo que debiera ser, debido a las enfermedades, la destrucción por causa de la guerra y a las ventas hechas a los ingleses por los hateros. Sin embargo, Roume creía que en la Colonia había un fondo de cabezas suficiente para "guarnecer todos los pastos antes de quince años", mediante una sabia economía y la importa-

ción de animales de Caracas En 1801, la situación se había agravado. Miles de reses habían sido exterminadas y muchísima gente se había ido de la Colonia después de vender su

194

ganado a los ingleses, a los mismos españoles o a los franceses. Esa importación de que hablaba Roume nunca se efectuaría y nadie se ocupó en reproducir sus animales.

Lo que Toussaint se proponía realizar era una revolución: cambiar de un todo el sistema de producción de la antigua parte española y convertir este nuevo territorio en una región agrícola similar a la colonia francesa, de la cual él era Gobernador en nombre de Francia. De no haber sido por la oposición de Napoleón y de otros poderosos intereses en Francia, quién sabe lo que hubiera sido de la antigua parte española, con sus hatos y conucos de subsistencia convertidos en plantaciones y con todo el Valle del Yuna, desde La Vega hasta Samaná, como soñaba Toussaint, transformado en sembrados de "todo género de Cultura".

Programa económico de Toussaint, 1801.

Pero en eso llegó la invasión francesa. Un año para realizar una revolución agrícola nunca ha sido suficiente. En vano se arreglaron los caminos reales durante el gobierno de Toussaint en Santo Domingo. En vano se buscó incorporar a los habitantes de la parte del Este a la vida política de la Colonia haciéndolos elegir diputados para la preparación de una Constitución Política que consolidaría definitivamente las bases de la Revolución Haitiana. En vano había Toussaint luchado incluso contra su propia gente para atraer nuevamente a sus antiguas plantaciones a los colonos blancos que habían emigrado. Todo fue en vano porque en febrero de 1802 se tuvo noticia de que las primeras naves francesas estaban llegando y fondeaban en la Bahía de Samaná.

Invasión francesa, 1802.

Con la expedición llegó a la parte francesa la guerra y la destrucción. La parte española, aunque inicialmente menos afectada, también sufriría las consecuencias de la ambición francesa por dominar totalmente la Isla de Santo Domingo y someter nuevamente a los negros a la esclavitud. La esclavitud fue abolida automáticamente por Tuossaint a su llegada y esa abolición fue ratificada por la Constitución Política de la Colonia promulgada en Santo Domingo el día 27 de agosto de 1801.

La gigantesca expedición francesa echó por el suelo la dominación de los antiguos esclavos franceses en la parte española de Santo Domingo y nuevamente la esclavitud fue insti-

195

tuida por los generales franceses que ocuparon la Capital el 25 de febrero de 1802. Los franceses volvieron a la isla de Santo Domingo a intentar colocar su antigua colonia en la misma situación que se encontraba en 1789. Los propietarios de Santo Domingo nunca habían estado en favor de una revolución social que había dado la libertad a los esclavos y por eso apoyaron a las tropas francesas. No era coincidencia que fuera un militar criollo llamado don Juan Barón quien dirigiera las operaciones militares para expulsar de Santo Domingo las tropas de Paul L'Overture y facilitar la entrada de los soldados franceses dirigidos por el General Kerversau.

Apoyo dominicano a los franceses.

La principal causa por la cual los habitantes de Santo Domingo se oponían a la ocupación francesa y no estaban interesados en volverse republicanos era su temor a la libertad de los esclavos. Los propietarios de la parte española solamente aceptaron a los franceses cuando descubrieron que éstos habían cambiado de política con respecto a la esclavitud, una vez que Napoleón había decidido lanzar su expedición contra Toussaint. Por ello, todo el que pudo colaboró en la expulsión de las tropas de Toussaint.

Había un hecho de orden cultural que también contribuía a que los criollos de Santo Domingo simpatizaran ahora con unos extranjeros, como eran los franceses, y no con los antiguos esclavos de Saint Domingue. Ese hecho tenía mucho que ver con la autopercepción racial de los habitantes de la parte española quienes, a pesar de ser en su mayoría gente de color, esto es, mulatos descendientes de los antiguos esclavos, siempre se consideraron a sí mismos como españoles. Los habitantes de Santo Domingo componían un tipo muy singular de españoles: mulatos libres y blancos pobres a quienes la miseria había igualado socialmente. El problema racial en Santo Domingo fue echado a un lado mientras la población francesa crecía al otro lado de las fronteras y junto con ella también crecía por millares anualmente la población de esclavos negros. Los gobernadores españoles, presionados por las circunstancias de las luchas fronterizas, dejaron a un lado los escrúpulos legales que creaba la legislación colonial relativa a la gente de color utilizando y dando cabida a los vecinos de la Colonia en

La raza y la nacionalidad dominicana, 1800.

196

todo lo que fuese posible, siempre y cuando su mestizaje pudiese ser debidamente explicado.

En Santo Domingo, para aquella sociedad empobrecida y desennoblecida, lo importante era no ser totalmente negro o demasiado negro. Con esta única salvedad se adquiría una categoría social bastante cercana a la de la gente blanca, aunque no del todo igual. Así, andando el tiempo, surgió el término "blanco de la tierra" que venía significando dominicano o español criollo de Santo Domingo. Poco a poco, el esclavo fue identificándose casi exclusivamente con el negro. El mulato no quería ni remotamente ser considerado como negro. Ese desdén del mulato hacia el negro fue tan universal como la misma esclavitud. El mulato quería ser blanco, o por lo menos, ser considerado como tal.

En Santo Domingo esa "desvinculación del negro" también fue producida por otro factor y éste fue la presencia de familias canarias importadas durante el siglo XVIII para oponerlas a la penetración francesa en las fronteras y costas de la Isla, y para reforzar a los casi extinguidos grupos de familias hispánicas puras que habían quedado. Acostumbrados a pensar en el hombre de color como un esclavo o, al menos, como un ser inferior, los canarios se mostraron desde el principio reticentes a mezclarse con el resto de la población. Durante la segunda mitad del siglo XVIII, la población de la colonia española, además de sentirse profundamente hispánica por haber sido capaz de preservar su nacionalidad frente al empuje de los franceses, también se consideraba a sí misma blanca. Por ello hubo tanto miedo cuando se supo que en la parte francesa los esclavos se habían rebelado en 1791. Y por ello hubo tanta angustia cuando llegaron las noticias de que la parte española quedaría unida a la francesa luego del Tratado de Basilea.

Por ello, el terror se apoderó de mucha gente cuando se supo que era Toussaint con sus tropas negras quien venía a tomar posesión y a gobernar a Santo Domingo en 1801. Por ello hubo tanta oposición al régimen de Paul L'Overture durante ese año. Y por ello fue que muchos criollos dominicanos arriesgaron sus vidas para ayudar a las tropas francesas de la expedición de Leclerc a expulsar a los negros

"Blancos de la tierra".

Formación nacional dominicana en el siglo XVIII.

Oposición dominicana a Toussaint, 1801-1802.

occidentales y a restituir a la vieja servidumbre a los pocos miles de esclavos que quedaban. Sin estas consideraciones es difícil entender por qué los dominicanos, una población mayoritaria de color, nunca quisieron apoyar la lucha abolicionista de los esclavos de la parte francesa.

Durante los dos años que duró la guerra entre Francia y sus antiguos esclavos de Saint Domingue, las tropas francesas recibieron el apoyo de una gran parte de la población dominicana. Dos generales franceses, junto con otros oficiales se repartían el comando militar del país: el General Kerversau, en Santo Domingo, y el General Louis Ferrand, en Montecristi. Sin embargo, no todo el mundo se sintió satisfecho con el gobierno militar del General Kerversau en Santo Domingo. Bastó el primer año de ocupación francesa, para que el malestar se hiciera sentir en Santo Domingo, cuyos vecinos aceptaban a los franceses como la única salida para evitar caer en manos de las tropas de Toussaint y Dessalines, pero se indignaban cada día "con las parcialidades, abusos y avaricia de los hombres comisionados, tanto para el alistamiento de los soldados como para el reparto de los impuestos".

La guerra terminó con la más aparatosa de las derrotas para las armas francesas. Más de cincuenta mil soldados murieron en veinte meses de lucha, quedando de aquel formidable ejército solamente unos 600 hombres de Montecristi, al mando del General Ferrand, y otros 400 en Santo Domingo al mando de Kerversau. El resto había ido a parar a Santiago de Cuba, o había caído en manos de los ingleses de Jamaica quienes intervinieron en la guerra contra los franceses y recibieron de su jefe, el General Rochambeau, la capitulación oficial el 28 de noviembre de 1803.

Frente a esta cruda realidad, el General Kerversau no vio otro camino que el de obedecer la orden de capitulación cuando los ingleses se presentaron en Santo Domingo. Pero en eso surgió lo imprevisible: El General Ferrand que comandaba las tropas francesas de la guarnición de Montecristi, se negó a rendirse y decidió marchar a Santo Domingo en donde se proponía resistir con sus escasas fuerzas el último ataque de los negros. En dieciocho días de marcha

Ocupación militar francesa, 1802-1804.

Fin de la guerra franco-haitiana, 28 de noviembre de 1803.

forzada Ferrand llevó sus hombres a la Capital de la antigua parte española y el día 1 de enero de 1804, coincidiendo con la proclamación de la República Independiente de Haití, dio un golpe de Estado y depuso a Kerversau del mando. Aunque Kerversau intentó resistir, sus soldados le abandonaron y Ferrand lo hizo embarcar rumbo a Europa.

El general Louis Ferrand ocupa a Santo Domingo, 1804.

A partir de entonces quedó Ferrand dueño de la situación en una colonia en donde la gente sólo buscaba irse a otras islas de las Antillas, pues temía que de un momento a otro los antiguos esclavos de la parte francesa, llamados ahora haitianos, invadirían la parte española para desalojar el último reducto del ejército napoleónico.

Ferrand lanzó proclamas por todos los puntos de las Antillas en donde podría haber soldados del derrotado ejército francés invitándolos a regresar y a defender la Colonia de un eventual ataque haitiano. Unos 300 soldados regresaron y, junto con las tropas de Ferrand y unos 500 guardias españoles, integraron una fuerza de unos 1,800 hombres dispuestos a defender la plaza de Santo Domingo. Todo el año de 1804 fue de intensa actividad militar y administrativa en Santo Domingo. Ferrand encontró que en esta ciudad no había nada con qué mantener sus tropas y trató de buscar personas pudientes que le ayudasen a sostener su pequeño ejército y a echar a caminar la Colonia.

Reorganización de la Colonia bajo Ferrand.

Así, el 22 de enero de 1804, el General dictó un decreto confiscando todas las propiedades de los habitantes de la antigua parte española que habían emigrado sin pasaporte, a menos que regresaran dentro de los próximos tres meses.

Política económica de Ferrand, 1804.

Ferrand encontró algún crédito entre los comerciantes; hizo vender madera de caoba que pertenecía a la administración o a los españoles que habían huido de la ciudad o abandonado sus haciendas; y sin aumentar los impuestos, buscó recursos mientras esperaba noticias de Francia. En el sur, "los cortes de madera, caoba y guayacán, se convirtieron en la fuente de dinero de la Administración francesa. La agricultura hacía ligeros progresos en los alrededores de la Capital y con excepción de dinero, había todo lo necesario para la vida".

En el interior del país, la situación fue diversa desde el

principio de 1804 pues una vez que las ciudades de Santiago, La Vega y Cotuí fueron evacuadas por los restos del ejército francés, Dessalines aprovechó la coyuntura para incorporarlas al nuevo Estado de Haití. Al mismo tiempo que hizo esto, Dessalines impuso a los habitantes del interior la contribución de un millón de pesos para ayudar al gobierno haitiano a reparar los gastos sufridos en la pasada guerra. Dice Antonio del Monte y Tejada, quien vivía en Santiago en esos momentos, que "esta noticia alarmó extraordinariamente porque envolvía una amenaza tácita en caso de negativa, y así fue como algunas familias nobles del país y con bienes de fortuna aprovecharon este momento en que las autoridades eran personas conocidas que gobernaban el departamento para emigrar á la isla de Cuba por Puerto Plata y otros puntos, no obstante la expresa prohibición que para ello se impuso". Los que se quedaron decidieron, por su parte, enviar dos comisiones a Haití a suplicar a Dessalines una prórroga de tres meses para reunir el dinero que éste demandaba. Ambas comisiones fracasaron y Dessalines siguió presionando a los habitantes del interior para que declarasen su lealtad y reconocieran su Gobierno.

En eso llegaron a Santiago tropas compuestas por personas que habían emigrado hacia la Capital en meses anteriores y que Ferrand había organizado con el propósito de expulsar a los haitianos de Santiago. El día 15 de mayo estas tropas cayeron sorpresivamente sobre la ciudad y, luego de un combate que duró toda la tarde y la noche de ese día, los haitianos se vieron obligados a evacuar Santiago. Sin embargo, a pesar de ese triunfo, los habitantes y las tropas recién llegadas decidieron abandonar la plaza, temiendo que Dessalines enviaría de inmediato un ejército en represalia. El día 18 de mayo Santiago amaneció "absolutamente desierto", y así permaneció por espacio de casi dos meses.

Esta nueva oleada de emigrantes dejó a Santiago, lo mismo que a La Vega y a Cotuí muy corta de gente adinerada, y las pocas que quedaron fueron a parar a Santo Domingo o se escondieron en los montes. En julio, la gente se atrevió a regresar, organizándose militarmente para hacer frente a

Influencia haitiana en el interior del país.

Franceses desalojan a los haitianos de Santiago, mayo de 1804.

Temor a los haitianos.

Nuevas emigraciones.

200

un eventual ataque por parte de los haitianos. A partir de entonces quedaron los habitantes del interior bajo el dominio francés gobernados por un representante suyo, reconocido por Ferrand como tal, llamado José Serapio Reinoso de Orbe.

En Haití, entretanto, Dessalines se ocupaba de la reorganización de su ejército y en los trabajos de reconstrucción del país. De acuerdo con Arredondo y Pichardo, nuevamente "Santiago se convirtió en un centro animado y próspero", hasta que el día 26 de febrero de 1805 llegó una comisión enviada por el General haitiano Enrique Cristóbal conminando a los pobladores a permitir el paso de su ejército que se dirigía a Santo Domingo, procedente de Cabo Haitiano, con el fin de unirse a otro ejército comandado personalmente por Dessalines que por la ruta del sur y casi sin oposición se encaminaba a dar el último golpe para expulsar a los franceses de la Isla.

Invasión de Cristóbal y Dessalines.

Unos 200 pobladores de Santiago, encabezados por Reinoso de Orbe, decidieron luchar contra los 2,000 hombres de Cristóbal, antes que permitirles el paso hacia Santo Domingo. Como los haitianos superaban en diez a uno los defensores de la plaza, el combate que se libró fue sumamente desigual y la ciudad cayó en manos de las tropas enemigas, siendo saqueada totalmente y los prisioneros degollados casi en su totalidad.

En Santo Domingo, entretanto, la ciudad se aprestaba a resistir el ataque, de manera que cuando Dessalines y Cristóbal llegaron con sus ejércitos ya Ferrand había preparado la defensa de la plaza, incendiando la población de San Carlos, elevando la muralla, acopiando víveres, y armando para la lucha a la población hábil que a la hora de combatir apenas alcanzaba a 2,000 hombres. El 8 de marzo de 1805 comenzó el sitio de la plaza que quedó rodeada por un ejército de 21,000 haitianos.

Tres semanas duró el cerco. En este tiempo hubo algunas familias que tuvieron la suerte de salir de la ciudad por mar en los pocos bergantines disponibles que había. Santo Domingo tenía en esos momentos una población de 6,000 almas, además de la guarnición militar que la defendía de

201

los haitianos. Luego de las dos primeras semanas de bloqueo, los alimentos se agotaron y la población tuvo que consumir todos los alimentos que había: Caballos, asnos, perros, hasta ratones. Pero aun así, los franceses no se rendían pues Ferrand tenía noticias de que en el Caribe navegaba una escuadra francesa hostilizando las posesiones inglesas de las Antillas Menores y era de esperar que en cualquier momento arribara a Santo Domingo.

En efecto, el día 26 de marzo, aparecieron en el horizonte las velas de la escuadra francesa. Los haitianos, observando que dos fragatas seguían hacia el oeste y suponiendo que se dirigían a su antigua colonia francesa, decidieron levantar el sitio de la ciudad para ir a combatir en su propio terreno, en caso de que la escuadra decidiera desembarcar tropas en Haití. En realidad, las fragatas no pasaron de Azua, pero la presencia de la escuadra fue suficiente para librar a Santo Domingo de ser ocupada y saqueada por los haitianos.

Los pueblos del interior, en cambio, no se libraron de la ira de Dessalines y de Cristóbal. La invasión haitiana había tenido lugar después de que Ferrand proclamara el 6 de enero de 1805, su intención de reiniciar las hostilidades contra los haitianos haciendo publicar un decreto por medio del cual se autorizaba a las tropas a cazar niños y niñas negras menores de catorce años para ser vendidos como esclavos en la Colonia y en el extranjero.

El decreto de Ferrand era insultante para los haitianos y Dessalines no podía permitir que se aplicara, y así lo declaró a su regreso de Santo Domingo, diciendo que lo que había provocado su invasión había sido el decreto expedido por Ferrand. Ahora bien, como la expedición fracasó y solamente Santo Domingo quedó fuera del alcance de la ira provocada por el decreto de Ferrand, Dessalines decidió llevar a cabo una devastación total del territorio de la antigua parte española, convertida ahora en colonia francesa.

Después de haber atacado, saqueado e incenciado las poblaciones de Monte Plata, Cotuí y La Vega, los haitianos llegaron a Moca, donde pasaron a cuchillo durante la mañana del día 3 de abril a todos sus pobladores y luego

Devastación y degüellos de Dessalines en el interior del país, marzo-abril 1805.

pegaron fuego a las casas. En Santiago ocurrió más o menos lo mismo. Todo el que cayó en manos de los haitianos fue degollado y la ciudad e iglesias fueron incendiadas quedando los altares, los archivos y hasta el reloj público reducidos a cenizas.

En Moca únicamente dos personas salvaron la vida gracias a haber quedado atrapadas bajo los cadáveres de las víctimas. Después de la invasión, solamente permanecieron en pie, además de Santo Domingo, los poblados de Bayaguana, el Seibo e Higüey y las miserables aldeas de Samaná y Sabana de la Mar. Todo el resto, Monte Plata, Cotuí, La Vega, Moca, Santiago y San José de las Matas quedaron desoladas.

Otra vez volvieron las emigraciones. La gente continuó yéndose a vivir a Puerto Rico y a Cuba. Los dominicanos más conservadores llegaron a la conclusión de que si se quedaban en la Isla, tarde o temprano la Colonia caería en manos de los haitianos y ellos sufrirían un destino similar al que habían sufrido en años anteriores los plantadores blancos de Saint Domingue. De todos los que salieron, la mayoría no regresó jamás a la Colonia, pero otros volvieron, sobre todo a partir de 1806 después que Dessalines fue asesinado y Haití se dividió políticamente en varios Estados antagónicos, cuyas luchas internas garantizaba que los haitianos no estarían en mucho tiempo en condiciones de volver a invadir la parte del Este.

Nuevas emigraciones.

Dice Lemonier Delafosse, testigo de estos acontecimientos, que todo el año de 1805 fue ocupado por los franceses en las labores de la reconstrucción y consolidación de la Colonia. Ferrand lanzó nuevas proclamas en el extranjero llamando a los franceses a vivir a Santo Domingo; muchos acudieron al llamado lo mismo que algunas familias españolas, y así continuaron las cosas mejorando increíblemente después de tantas vicisitudes. En Samaná, por ejemplo, que hasta entonces había sido una aldea pobre y olvidada, el Gobierno fomentó la plantación de cafetales que ya en 1808 prometían dar nueva vida a esta región, cuya población francesa creció tanto que Ferrand llegó incluso a hacer preparar los planos de una moderna ciudad que llevaría como

Reconstrucción de la Colonia, 1805.

nombre "Puerto Napoleón". Los bosques de madera, que hasta entonces habían sido explotados muy esporádicamente, fueron objeto de una explotación regular, pues la caoba de la Isla por su belleza tenía gran demanda en Estados Unidos y en Europa. Los impuestos fueron rebajados hasta el mínimo a fin de ayudar a los habitantes de la Colonia a recuperar sus fortunas.

Gobierno paternal de Ferrand.

Ferrand estableció un gobierno paternal, amparado en un decreto de Napoleón del año 1803 por medio del cual ordenaba respetar los usos y costumbres españolas, especialmente en lo que a la organización jurídica tocaba. Lo cierto fue que hubo colaboración entre la población y las autoridades, aunque Ferrand, convencido de que los sentimientos hispánicos seguían vivos entre la gran mayoría de la población, evitaba tanto como era posible, las ocasiones de hacerles sentir su poder.

Toda esta tranquilidad vino a quebrarse con motivo de dos acontecimientos que tuvieron lugar, uno en la Colonia y el otro en Europa. El primero fue la orden de Ferrand a los habitantes de la Colonia para que suspendieran todo trato comercial, en especial las ventas de ganado, a la parte occidental de la Isla gobernada por los haitianos.

Napoleón invade a España, 1808.

El otro acontecimiento que vino a turbar la existente armonía entre franceses y dominicanos fue la invasión de España por Napoleón Bonaparte a principios de 1808. Napoleón aprovechó la profunda crisis política que aquejaba la monarquía española en aquellos momentos a consecuencia de la caída del Príncipe de la Paz, Manuel Godoy y de la abdicación al trono del Rey Carlos IV en favor de su hijo Fernando VII, para atraer a éste a Francia con las falsas promesas de darle su apoyo, pero con el propósito de hacerlo prisionero obligándolo a abdicar también para colocar así en el trono español a su hermano José Bonaparte.

Impacto de invasión francesa en España.

Estos hechos se conocieron en detalle en las posesiones españolas casi inmediatamente y ya a principios de mayo se sabía que Napoleón tenía la intención de nombrar a su hermano Rey de España. En Santo Domingo, particularmente, en donde los franceses gobernaban a una población que todavía seguía considerándose española, la traición de Na-

204

poleón contra los monarcas de España provocó la indignación de los propietarios más importantes que ahora se consideraban doblemente humillados al saber que también la Madre Patria había caído bajo el dominio francés y al ver sus negocios lesionados por la prohibición de vender sus ganados a los haitianos.

Algunos de ellos, como fue el caso de don Juan Sánchez Ramírez, rico propietario de hatos y cortes de caoba en los alrededores de Coutí e Higüey, se indignaron en grado extremo y pensaron en obtener la colaboración del Gobernador de Puerto Rico, y de la población dominicana que había emigrado a esa isla, para luchar contra los franceses de Santo Domingo de la misma manera que lucharían los españoles para expulsar a los invasores de la Península.

Juan Sánchez Ramírez y la resistencia contra la ocupación francesa, julio 1808.

Las revueltas populares que tuvieron lugar en Madrid contra los franceses el 2 de mayo de 1808 fueron prontamente conocidas por los habitantes de Puerto Rico y, ya en julio, Sánchez Ramírez sabía que la Junta de Gobierno que había sustituido a Fernando VII antes de su salida, había declarado la guerra a Francia.

A partir de entonces Sánchez Ramírez se dedicó a viajar por toda la Colonia con el propósito de levantar los ánimos de los pobladores con sentimientos prohispánicos para organizarlos y llevarlos a la guerra contra los franceses. Durante los meses de julio a noviembre, Sánchez Ramírez anduvo cabalgando de pueblo en pueblo haciendo contactos, discutiendo y convenciendo a sus amigos de que con la ayuda del Gobierno de Puerto Rico ellos podrían expulsar a los franceses.

Durante todo ese tiempo mantuvo una intensa correspondencia secreta con don Toribio Montes, el Gobernador de Puerto Rico, quien efectivamente le prometió todo tipo de ayuda con tal de que Sánchez Ramírez se comprometiera a enviarle suficientes cargamentos de caoba para cubrir los gastos de las operaciones. En agosto recibió Ferrand una comunicación de Toribio Montes declarándole la guerra a los franceses. Ferrand intentó restar importancia al hecho y en vano lanzó una proclama invitando a los dominicanos a mantener la calma.

205

La agitación que produjo en Puerto Rico la declaratoria de guerra entre Francia y España indicaba que los miles de dominicanos emigrados que vivían en esa isla estaban dispuestos a regresar a vivir en su país luego que restablecieran la situación anterior al Tratado de Basilea. Durante varias semanas estuvieron llegando emisarios del Gobernador Toribio Montes con proclamas revolucionarias y con instrucciones y ayuda para Sánchez Ramírez y sus seguidores quienes llegaron incluso a pactar con el General Petión, Presidente de la República de Haití.

Planes para expulsar a los franceses de Santo Domingo

Entretanto la conspiración continuaba y diversos incidentes tenían lugar tanto en el sur como en el interior del país. Los representantes del gobierno francés en Santiago informaron a Ferrand sobre el desarrollo de la conspiración y las dificultades que había para atrapar a los cabecillas. En octubre Ferrand envió tropas al sur, en donde se supo que se preparaba un levantamiento apoyado por los haitianos y los ingleses. El jefe de los rebeldes en el sur se llamaba Ciriaco Ramírez, por cuya cabeza y la de los demás líderes de la conspiración el gobierno francés ofreció pagar varias recompensas.

Conspiración, octubre 1808.

En los primeros días de noviembre desembarcaron en Boca de Yuma unos 300 hombres enviados por el Gobernador de Puerto Rico. Estas fuerzas se unieron a las tropas que Sánchez Ramírez había podido reunir en el Seibo con el propósito de marchar contra Santo Domingo. Aunque hubo combates en el sur, donde los franceses no fueron capaces de contener la marcha de los dominicanos, la batalla decisiva se libró en la sabana de Palo Hincado el día 7 de noviembre de 1808, entre unos dos mil hombres mandados por don Juan Sánchez Ramírez y otros seiscientos comandados por el General Ferrand.

Los incidentes de esta batalla son bien conocidos. Las tropas francesas fueron casi enteramente aniquiladas y Ferrand, avergonzado por tan inesperada derrota, se ocultó en una cañada cercana y se quitó la vida de un pistoletazo. Los sobrevivientes salieron huyendo y se dirigieron a Santo Domingo adonde llegaron quince días más tarde después de una dramática marcha por los bosques de la parte oriental de la Colonia.

La noticia de la derrota llegó a Santo Domingo al otro día de la batalla de Palo Hincado e inmediatamente los franceses pusieron toda la ciudad en pie de guerra para resistir el ataque que se sabía sobrevendría. El día 12 de noviembre la plaza fue declarada en estado de sitio por el sustituto de Ferrand, el General Dubarquier, y el día 27 de noviembre llegó Sánchez Ramírez a los alrededores de la Capital instalando su campamento en la sección de Jainamosa, del otro lado del río Ozama. Días más tarde, lo trasladaría a la famosa hacienda de Gallard (hoy Galá), desde donde Dessalines había dirigido el cerco contra la ciudad en 1805.

Cerco de Santo Domingo, 27 de noviembre de 1808.

Entretanto, a los tres días después de la batalla de Palo Hincado, los ingleses se habían aparecido con tres fragatas y dos bergantines en Samaná, obligando a los comandantes franceses a capitular y a entregar la plaza a los insurgentes. A partir de entonces la colaboración británica se convertiría en un factor decisivo de la lucha de los dominicanos de Santo Domingo y los españoles de Puerto Rico contra los franceses.

Apoyo inglés a Sánchez Ramírez.

En efecto, no bien comenzó el sitio de la ciudad, los ingleses iniciaron un bloqueo por mar, que duraría prácticamente todo el tiempo de la llamada Guerra de la Reconquista. El bloqueo inglés del puerto de Santo Domingo impidió a los franceses abastecerse más a menudo y el hambre volvió a ser el peor enemigo. Durante ocho meses resistieron las tropas de Dubarquier el sitio que el ejército de Sánchez Ramírez impuso a la ciudad y en los últimos meses la escasez de alimentos era tan grave que los soldados y la población que no habían abandonado la plaza volvieron, como en 1805, a comer caballos, burros, ratones, palomas, cotorras y hasta cueros de vaca hervidos con su pelambre.

En vano intentaron los franceses romper el cerco con salidas de tropas que solamente alcanzaron a ocupar el Castillo de San Jerónimo. El ejército de Sánchez Ramírez era mucho más numeroso y controlaba todos los alrededores de la ciudad desde el mar hasta Cotuí. Durante la guerra de la Reconquista más de 30,000 reses fueron consumidas en todo el sur de la Isla, dejando esta región completamente devastada pues hasta los cañaverales de los alrededores sirvieron de alimento a la caballería dominicana. Las labranzas de las haciendas cercanas a Santo Domingo desaparecieron y mucha gente que vivía de la agricultura decidió abandonar esos lugares para irse del país o mudarse a otra parte de la Colonia.

Como la ayuda que los ingleses prestaron durante los ocho meses que duró el sitio y el bloqueo de la ciudad no era desinteresada, resultó que los únicos beneficiados por la guerra de la Reconquista fueron ellos, pues las provisiones, armas y municiones que los dominicanos consumían se compraban a los ingleses a cambio de troncos de caoba que eran embarcados en grandes cantidades por los ríos del sur y del este de la Colonia.

Los franceses optaron por rendirse a las tropas de Su Majestad Británica desembarcadas a principios de julio de 1809 bajo el mando del Comandante Hugh Lyle Carmichael antes que aceptar ser derrotados por "los tercios españoles (si acaso podía llamarse ejército a aquella muchedumbre de negros formando guerrillas, medio desnudos)". Los ingleses tomaron posesión de la ciudad el día 11 de julio, luego de acordar la capitulación con los comandantes franceses.

Entonces tuvo Sánchez Ramírez que entrar en negociaciones con los nuevos ocupantes de Santo Domingo para la entrega de la plaza. Esta fue finalmente entregada a los dominicanos luego que se comprometieron a compensar los gastos incurridos por las fuerzas británicas en el bloqueo de la ciudad, que ascendían a unos 400,000 pesos.

No fue sino en agosto de 1809 cuando Ramírez y su gente pudieron alcanzar el control absoluto de la Colonia, después que entregaron a los ingleses todas las campanas y una parte de la mejor artillería de la ciudad, además de enormes partidas de caoba en pago de sus reclamaciones, y se comprometieron a proporcionar a los buques británicos libre entrada a los puertos de la Colonia y a otorgar a los productos importados por esos barcos el mismo tratamien-

208

to arancelario que se daría en lo adelante a los productos y manufacturas españolas, pues a partir de ese momento los dominicanos volvían a considerarse tan dependientes política y económicamente de España como en los viejos tiempos.

XVII

LA ESPAÑA BOBA Y LA INVASION DE BOYER

(1809-1822)

EL PAIS QUEDO TOTALMENTE DEVASTADO al terminar la guerra de la Reconquista. En 1809 la situación general de la parte española sólo reflejaba desolación y miseria. La población mermada, la agricultura prácticamente inexistente, la ganadería extinguida y la economía descapitalizada por la fuga de dinero quedaban como el resultado de una cadena de calamidades que había comenzado veinte años atrás con el estallido de la Revolución Francesa.

Efectos de la Guerra de la Reconquista.

Sánchez Ramírez heredó una colonia en crisis. En vano invitó a los dominicanos que habían emigrado para que regresaran ofreciéndoles pagarles el pasaje por cuenta del Estado. En vano decretó una rebaja en los pocos impuestos existentes. Muy poca gente regresó a la Colonia y los que quedaron pensaban continuamente en irse.

La desarticulación de la economía era total. La agricultura estaba en decadencia, reduciéndose las exportaciones al tabaco, algún cuero y, al cabo de unos años, a maderas, así como a algunas mieles y aguardientes. La producción del café y el cacao era muy baja y no se explotaba ninguna mina. La importación se limitaba a lo estrictamente necesario para una población escasa y pobre, que podía calcularse en 80,000 almas. El ganado vacuno se había consumido durante la guerra y el caballar estaba casi extinguido. Y aunque algunas familias que habían emigrado regresaron,

Situación de la agricultura.

211

volvieron pobres, sin los capitales que habían logrado sacar del país.

En el Cibao, la gente se vio obligada a vivir de una agricultura de subsistencia y para pagar las poquísimas importaciones que hacían falta para el consumo fue necesario recurrir a las exportaciones de madera de todas clases, especialmente caoba. De ahora en adelante el tabaco y la caoba sustituirían a los cueros como los productos principales del comercio exterior dominicano.

Situación de la ganadería.

La ganadería que había sido la base económica de Santo Domingo durante más de tres siglos, había quedado arruinada. En su largo proceso de recuperación, que tomaría décadas, junto con ella se desarrollaría una economía tabaquera en los alrededores de Santiago y La Vega, que serviría para mantener un flujo regular de exportaciones a través de Puerto Plata. Gracias al tabaco pudo el Cibao recuperarse algo de la devastación en que lo dejó Dessalines en 1805 y gracias a la caoba logró la región del sur de la Colonia conseguir algunos medios de cambio con qué pagar sus importaciones. Pero esto sólo ocurriría con los años, porque todavía en 1812 la situación era de crisis.

Conspiraciones en 1810, 1811 y 1812.

Parte de esos problemas fueron varias conspiraciones que tuvieron lugar en Santo Domingo durante los años de 1810, 1811 y 1812, todas provocadas por el descontento existente por la falta de dinero. Algunas de estas conspiraciones fueron estimuladas por las noticias de los levantamientos contra España que llegaban a Santo Domingo procedentes de Caracas y otros puntos de América, donde los grupos criollos se lanzaban a la guerra por su emancipación. La primera fue la patética trama de un habanero de nombre don Fermín, la cual tuvo lugar en 1810 con el propósito de declarar a Santo Domingo independiente de España. Don Fermín fue acusado de sedicioso y encerrado durante siete años en la cárcel de la Torre del Homenaje. Otra conspiración fue la famosa "rebelión de los italianos", descubierta a mediados de 1810, que llevó a los complotadores al patíbulo bajo la acusación de querer levantar en armas la guarnición de Santo Domingo para repetir lo que había

Rebelión de los Italianos, 1810.

212

ocurrido el 19 de abril en Caracas donde había estallado un movimiento independentista contra España.

Los grupos criollos de Venezuela, Buenos Aires, Nueva Granada y México también tendrían sus fracasos, al igual que estos conspiradores, pero mientras la mayor parte de ellos se lanzaba a la lucha, los dominicanos se entregaban nuevamente al tutelaje de una España arruinada cuyo gobierno se encontraba ejercido simultáneamente por una Junta de Gobierno perseguida y por una oligarquía militar impuesta por una intervención extranjera. De ahí que la ayuda tan esperada por los triunfadores de la Reconquista quedara limitada solamente al envío de un situado de 100,000 pesos que llegó en marzo de 1811 y que no sirvió apenas más que para vestir y alimentar un poco la tropa. Esta situación era tanto más grave, en medio de aquel ambiente de conspiraciones, cuando que ya los ganaderos habían decidido no venderle más carne al Gobierno para el consumo de los militares, pues era tan poco el dinero circulante que no era posible ofrecer a los hacendados precios justos por sus reses.

Falta de dinero.

Hubo en estos mismos tiempos un complot de cuatro sargentos franceses que intentaron dar un golpe de Estado para restituir la Colonia al Gobierno francés, pero fracasaron en su intento y fueron fusilados. Y Núñez de Cáceres estuvo a punto de perder la vida, cuando un teniente de artillería de apellido Aguilar, "exasperado por la miseria" y poniéndole la punta de la espada en el cuello trató de obligarlo a pagar el sueldo de los militares con quienes el Gobierno, por falta de dinero, se encontraba atrasado. En agosto de 1812, se produjo una revuelta de la gente de color de los alrededores de la ciudad de Santo Domingo, algunos libres y otros esclavos, quienes se propusieron reunirse en un paraje llamado Mojarra para desde ahí trasladarse a Montegrande y provocar un levantamiento general de negros "matando á todos los blancos". Esta revuelta fue develada a tiempo y los cabecillas castigados a morir ahorcados, luego descuartizados y sus restos fritos en alquitrán. En ese entonces ya Sánchez Ramírez había muerto y gobernaban la Colonia interinamente el Coronel don Manuel Caba-

Complot de sargentos.

Rebelión de negros, agosto 1812.

213

llero y el Licenciado José Núñez de Cáceres, este último con el cargo de Teniente de Gobernador e Intendente Político.

Todas estas dificultades eran provocadas por la pobreza de la Colonia. El problema se agravaba debido a que después de la Reconquista, Sánchez Ramírez colocó mucha gente bajo la dependencia del Estado que constituían una gran carga. Frente a esta situación, Núñez de Cáceres optó por la emisión de papel moneda. El situado se había agotado y no había de donde sacar dinero. Y aunque él estaba opuesto a la emisión de papel moneda "previendo su inutilidad", la gente la demandaba. En 1812 se emitieron las papeletas que, al poco tiempo de estar en circulación se devaluaron en un 75 %. La situación se agravó y, según dice Núñez de Cáceres, la gente prefería no sembrar frutos o dejar que se perdiera lo que había sembrado antes que cambiarlos por un papel completamente desacreditado.

En mayo de 1813 desembarcó en Santo Domingo don Carlos Urrutia, el Gobernador peninsular nombrado por la Junta de Gobierno de Sevilla el año anterior para ocuparse de la administración de la Colonia. Una de sus primeras medidas fue estudiar con Núñez de Cáceres la forma de suprimir la circulación del papel moneda, decisión que Urrutia tomó al poco tiempo argumentando que sería mejor sustituirlo por monedas de cobre para atender así a las exigencias de los militares que pedían que se les pagaran sus sueldos en metálico. Ahora la situación se hizo más difícil pues los propietarios y comerciantes habían acumulado una buena parte del papel moneda en circulación y, aunque se les prometió una justa y oportuna indemnización, sus acreencias contra el Estado por concepto de ese papel moneda nunca fueron satisfechas. En realidad no había con qué pagar a los comerciantes porque no había producción suficiente para convertir los productos de la tierra en dinero. Esto lo vio claro el nuevo Gobernador, y desde que llegó se dispuso a fomentar la agricultura entre los habitantes de Santo Domingo, obligando a los vecinos de Santo Domingo a dedicarse a los trabajos agrícolas.

Las medidas de Urrutia provocaron descontento entre

Emisión de papel moneda, 1812.

Carlos Urrutia, nuevo Gobernador, 1813.

Situación económica.

214

la población capitaleña de entonces acostumbrada a vivir parasitando de la burocracia colonial o de los trabajos de sus esclavos o en empleos cuyo desempeño no implicara la ejecución de trabajos físicos. Se conservan evidencias de la reacción de las capas altas de la población a la política de Urrutia de abrir estancias conuqueras en los alrededores de Santo Domingo.

La política de fomento de la agricultura no contó con muchas simpatías entre los únicos que conformaban la opinión pública en la ciudad de Santo Domingo y en poco tiempo la gente empezó a mofarse del Gobernador llamándole con el sobrenombre de Carlos Conuco. A pesar de todo, en 1818, año en que Urrutia fue sustituido por Sebastián de Kindelán como Gobernador de la Colonia, la agricultura de la zona había comenzado a prosperar y consecuentemente el comercio mostraba una cierta animación. Desde luego, esta era una agricultura conuquera, orientada a la subsistencia y al consumo de la ciudad de Santo Domingo y en ningún modo puede pensarse que fuera ni por asomo una agricultura de plantaciones orientada hacia la exportación.

Sebastián de Kindelán, nuevo Gobernador, 1818.

La única zona en donde la tierra se cultivaba para exportar sus frutos era el Cibao, donde el tabaco era la base de la economía. En el sur, la ganadería y los cortes de caoba quedarían como las actividades económicas fundamentales. Después de tres siglos y medio de dominación colonial, España no había sido capaz de desarrollar la agricultura en Santo Domingo. La crianza de ganado fue casi desde el principio el sostén de la economía, y en ningún otro sitio llegó a ser más evidente el refrán que se repetía en la Colonia de aquellos tiempos de que "la crianza aleja la labranza".

Tabaco en el Cibao.

El gobierno de Carlos Urrutia nunca pudo escapar de la crisis permanente de la escasez de dinero para mantener el aparato de la administración pública funcionando normalmente. Durante esos cinco años no fue posible para España enviar grandes sumas a Santo Domingo porque la movilización de cientos de miles de hombres en el Continente le impedía distraer sus recursos en un territorio cuya

Falta de dinero.

215

importancia hacía tiempo había sido descartada, mientras el resto de las colonias hispanoamericanas se encontraban en pie de guerra para alcanzar su independencia.

Situado desde La Habana.

Apenas unos 50,000 pesos llegaron a Santo Domingo en todo ese período, y ello ocurrió en julio de 1817. Cuando Kindelán llegó procedente de Cuba, trajo consigo "la miserable suma de diez mil pesos" que fue todo lo que pudo reunir en La Habana, a pesar de los muchos esfuerzos y peticiones desplegados ante la Corte para que auxiliara la colonia de Santo Domingo.

Crisis económica, julio 1821.

Kindelán trató de obtener ayuda de La Habana y de la Corte y de paliar momentáneamente la crisis monetaria con una nueva emisión de papel moneda que provocó peores resultados que la anterior. En julio de 1821, Kindelán reconocía que la presión de los funcionarios coloniales y de los militares estaba resultando difícil de controlar. La situación internacional en esos momentos se había complicado y desde hacía bastante tiempo rondaban las aguas dominicanas corsarios sudamericanos al servicio de Simón Bolívar buscando hacer daño a la navegación española en el Caribe. La Corona había ordenado la movilización militar de Santo Domingo para mantener una estricta vigilancia en las cosas del sur y del este de la Isla, en donde además de los corsarios transitaban contrabandistas que venían a negociar con los necesitados vecinos de la Colonia. Esas movilizaciones costaban dinero y no había con qué pagar a los militares.

Malestar político.

Rumores de golpe de Estado, 1821.

Además, había rumores de que algunos vecinos de la Capital, estimulados por los acontecimientos de otras partes de América, planeaban un golpe de Estado para proclamar la Independencia. Se sabía que en el año anterior de 1820 había circulado una carta subversiva escrita en Caracas y dirigida a los dominicanos para impulsarlos a la insurrección. Las comunicaciones con el resto de América eran frecuentes y los militares, burócratas y comerciantes, disgustados por la ineficacia de España para ayudarlos a salir de la decadencia en que se hallaban sumidos, empezaban a considerar los movimientos emancipadores sudamericanos como el ejemplo a seguir. Las conspiraciones comenzaron

216

nuevamente, pero sólo servirían finalmente a los fines del gobierno haitiano que nunca había perdido de vista el objetivo de unificar totalmente a la Isla bajo un solo gobierno que defendiera la independencia de Haití de una eventual invasión francesa.

En efecto, las intrigas urdidas en los gobiernos francés y español por algunos aventureros que pretendían interesar de nuevo al gobierno francés en la reconquista de la Isla, tanto de la parte española como de Haití, mantuvieron durante largos meses al gobierno haitiano a la expectativa. Todavía estaban frescas en la memoria de los haitianos las dos tentativas del gobierno francés de apoderarse de Haití en 1814 y 1816, tentativas que fueron descubiertas a tiempo pero que dejaron en el ánimo de los haitianos la convicción de que los intereses de los antiguos plantadores franceses seguían jugando un papel importante en la política exterior del gobierno de Francia.

Rumores de invasión francesa contra Haití, 1814-1816 y 1820.

Esos rumores se acentuaron de nuevo en 1820 y pusieron al Presidente haitiano Jean Pierre Boyer otra vez a la expectativa, pues las noticias ahora eran de que a Martinica habían llegado unos barcos franceses que se utilizarían para apoyar una invasión que harían unos aventureros sobre la parte española, para después enviar tropas francesas a recibirla de los aventureros simulando una operación militar de recuperación. Todo ello sugería, pues, que el flanco débil de la Independencia haitiana era la parte oriental de la Isla, ya fuera porque la guarnición de Santo Domingo no tuviera fuerzas con qué resistir un ataque desde el exterior o porque siguiera siendo una posesión española.

La reacción de Boyer, fue la de prepararse militarmente al tiempo que trataba de inducir a los habitantes del Este a levantarse contra los españoles e incorporarse a la república haitiana. En diciembre de 1820 llegaron a Santo Domingo los rumores de que un agente de Boyer, el Teniente Coronel Dézir Dalmassi, se encontraba en los pueblos de Las Matas, San Juan de la Maguana y Azua proponiendo a los haitianos de estas regiones que se movilizaran e incorporaran a la República de donde podrían obtener mayores empleos y grandes beneficios. Dalmassi conocía bien

Campaña haitiana en favor de la unificación de la Isla, diciembre 1820.

217

el terreno que pisaba, pues era negociante de ganado y residía la mayor parte del tiempo en territorio español y, pese a que su presencia y proposiciones alarmaron mucho a las autoridades pro-españolas de esas localidades, ninguno de los jefes militares de esos puestos se atrevió a hacerlo preso ni a tomar ninguna medida en contra suya.

Misión de Désir Dal massi en favor de unificación.

El Capitán Manuel Carvajal, veterano de la Guerra de la Reconquista, salió hacia el Sur con órdenes de detener a Dalmassi. Pero Dalmassi no llegó a ser apresado, porque después de cumplida su misión regresó a Haití tranquilamente. Kindelán reprendió duramente a los Ayuntamientos de San Juan y Neiba por haber dejado en las manos de los comandantes militares la información de la agitación creada por Dalmassi, pero éstos respondieron que ellos no habían visto nada anormal en su presencia allí dada su condición de comerciante de ganado y que las noticias recibidas de algunos haitianos que acababan de entrar en esas poblaciones hacían ver que eran falsas las intenciones de invasión por parte de Boyer.

Rumores de invasión haitiana, enero 1821.

Sin embargo, antes de que Carvajal llegara a Neiba a sustituir al Comandante de aquella plaza, Domingo Pérez Guerra, éste volvió a escribir a Kindelán el 1 de enero de 1821 diciéndole que "acaban de llegar unos españoles de Puerto Príncipe y dicen que se habla mucho de subida a la parte española del presidente Boyer" y que de alguna manera se filtró esta información entre ellos, lo que "incomodó mucho" a Boyer, quien amenazó con castigar a quienes habían dejado correr la voz diciendo que todo aquello era falso. Irónicamente, la única persona que parecía darse cuenta en todo el sur de Santo Domingo de que Boyer gestaba una idea de la invasión fue Domingo Pérez Guerra, quien resultó ser el único destituido de todos los comandantes militares al servicio de los españoles.

Por lo menos desde principios de noviembre de 1820 Boyer estaba trabajando en el sur de Santo Domingo, a través de sus agentes, para provocar una situación que permitiera a las fuerzas armadas haitianas ocupar la parte oriental de la Isla.

En el Cibao, entretanto, ocurrían acontecimientos similares. Al mismo tiempo que Kindelán recibía las noticias de la agitación de los pueblos del sur, el Comandante Militar de Santiago recibía una carta de un sujeto llamado José Justo de Silva, que vivía en Haití, adonde había ido a parar prófugo después de haber sido acusado de robo en la parte española. En esa carta, Silva le comunicaba confidencialmente al comandante, que entre los planes de la invasión francesa contra la parte española estaba desembarcar entre febrero y marzo de 1821 unos "veinte y cuatro mil habitantes franceses para habitar esa parte (y no trayendo ellos negros) desde luego que hacen cuenta de habitarla a fuerza de los pobres españoles", lo cual preocupaba mucho al gobierno haitiano, decía Silva.

Nuevos rumores de invasión francesa, febrero-marzo 1821.

Frente a esta confidencia, el Comandante de Santiago se alarmó y la comunicó rápidamente al Gobernador Kindelán. Pero éste, que ya había recibido noticias del fracaso de los planes de los aventureros para preparar la expedición francesa contra Santo Domingo, descubrió que detrás de esa comunicación se ocultaban los planes de Boyer para difundir entre los habitantes de la parte oriental el temor a ser esclavizados por los franceses que supuestamente no tardarían en invadir y para estimular las inquietudes ya existentes entre los grupos mulatos de la población dominicana en el sentido de buscar protección bajo el gobierno haitiano que desde hacía meses venía ofreciéndola generosamente en forma de empleos, tierras, abolición de los impuestos a la exportación del ganado, solamente a cambio de la aceptación de la unificación política de los dos territorios.

Política de sonsaca de los haitianos.

Las razones de este interés de Boyer en la adquisición de la parte del Este tenía mucho que ver con la nueva situación que él había heredado a partir de la incorporación del reino de Cristóbal dentro de la República en 1820. La caída de Cristóbal había legado a la República un gran número de oficiales superiores. Estos oficiales sin empleo y descontentos de haber perdido su prestigio eran una permanente amenaza de conspiración que mantenía al Gobierno alerta. Apoderándose de un vasto territorio Boyer trataría

Interés haitiano por Santo Domingo.

de crear nuevas comandancias y podría arrojar así sobre el Este ese excedente de oficiales que le molestaba.

Para lograr su propósito Boyer estimularía cualquier movimiento contra los españoles por la independencia de Santo Domingo, pues él había llegado a saber que además de los núcleos pro-haitianos había otro grupo interesado en deponer el gobierno español para confederar a Santo Domingo con la Gran Colombia. Por lo menos en dos ocasiones durante la primavera de 1821 este grupo parece haber tratado de dar un golpe de Estado y proclamar la independencia, lo cual no pudo lograr debido a las prevenciones militares que adoptó el gobernador Kindelán y a que los jefes del mismo no recibieron apoyo a tiempo.

Los denunciantes del movimiento no lograron convencer al Gobernador Kindelán de la culpabilidad de los conspiradores, que eran altos funcionarios del Gobierno y del ejército, y éste se limitó a desestimar la cuestión como "una intriga". Pero su sustituto, el Gobernador Pascual Real, que llegó a Santo Domingo en mayo de 1821, sí creyó en la existencia de la conspiración en la que se hallaba envuelto de manera evidente el Auditor de Guerra don José Núñez de Cáceres. Por falta de tropas, Real decidió no atacar de frente a los sospechosos y se dedicó a consolidar la posición del Gobierno tratando de atraer a su favor las simpatías de los principales hombres de armas, entre ellos el Coronel Pablo Alí, jefe del Batallón de Morenos.

Pero había un hecho que Pascual Real no podía dominar y éste era que Pablo Alí era de origen haitiano y, de acuerdo con la Constitución de Cádiz, puesta en vigencia el año anterior, no había alcanzado todavía la categoría de ciudadano español, lo cual fue aprovechado por el fiscal de la Hacienda Pública, que también estaba conspirando, para comunicarle que existía una Real Orden por medio de la cual se le negaba la Carta de Ciudadanía que tanto él como otro de sus capitanes habían solicitado. Este hecho humillante, unido a las promesas de ascensos, para sus hombres y a la promesa de otorgar libertad a todos los esclavos que le fueron hechos a Alí por los conspiradores, hicieron que éste se decidiera definitivamente en favor del mo-

220

vimiento contra los españoles. Habiendo ganado a Alí, que estaba en contacto con agentes de Boyer por lo menos desde hacía un año, Núñez de Cáceres aseguraba el apoyo del más importante batallón del ejército en Santo Domingo. El resto de las tropas fueron igualmente conquistadas a través de Alí y del Comandante del Ejército del Sur, don Manuel Carvajal, y de otros importantes comandantes militares, entre ellos el Capitán de Caballería D.N. Vásquez.

De esta manera el gobierno colonial fue perdiendo apoyo paulatinamente, mientras los conspiradores aumentaban.

Conspiradores.

De un lado se encontraban José Núñez de Cáceres y los más importantes miembros de la élite política y militar de Santo Domingo encabezando un movimiento en favor de la emancipación dominicana para crear un Estado independiente que se aliaría y buscaría una confederación con la Gran Colombia. De otro, los agentes de Boyer, mulatos establecidos en el territorio español con instrucciones de mover los ánimos para pedir al Presidente haitiano que pasara a la parte del Este donde los dominicanos querían ser independientes de España y deseaban unirse a la República de Haití.

Este último movimiento empezó a manifestarse públicamente en el despoblado de Beler el 8 de noviembre de 1821 encabezado por el Comandante Andrés Amarantes, y ya el 15 de ese mes se había extendido a Dajabón y a Montecristi.

Proclamación de la Independencia de España en Beler, 8 de noviembre de 1821.

Este movimiento era el resultado de las pugnas surgidas entre los haitianos de la región con motivo de la división de opiniones sobre la finalidad y los propósitos del derrocamiento del gobierno español ya que los ánimos se encontraban divididos, después que un corsario sudamericano, el Comodoro Aury, había estado en Montecristi instando a los vecinos a separarse de España y unirse a la Gran Colombia. Antes que la situación continuara, los mulatos pro-haitianos decidieron pronunciarse en favor de la Independencia a principios y mediados de noviembre de 1821.

La noticia llegó pronto a Santo Domingo, donde Núñez de Cáceres y su grupo comprendieron de inmediato que la situación estaba escapándoseles de las manos y que de no actuar con rapidez los resultados podrían ser contrarios a lo que ellos buscaban. La solución era salirle al encuentro a los acontecimientos y ello significaba apresurar el golpe. El día treinta a las once y media de la noche las tropas de morenos encabezados por Pablo Alí y José Núñez de Cáceres sorprendieron la guardia de la Fortaleza ocupando el recinto y encerrando al poco tiempo al Gobernador Pascual Real en la Torre del Homenaje. A las seis de la mañana del día siguiente 1 de diciembre los cañonazos disparados desde la Fortaleza anunciaron a los vecinos el cambio político operado.

Proclamación de la Independencia en Santo Domingo, 1 de diciembre de 1821.

Coincidiendo con la proclamación del "Estado Independiente del Haití Español" y con la instalación del nuevo gobierno, llegaron a Santo Domingo tres altos oficiales haitianos enviados por el Presidente Boyer con el encargo de comunicarle a Pascual Real los pronunciamientos de Dajabón y Montecristi y sondear la situación para ver si ya estaban maduras las condiciones para pasar a Santo Domingo a fin de "obrar allí una revolución del todo moral", que colocaría a sus "compatriotas de la parte oriental, bajo la protección tutelar de las leyes de la República".

El Estado Independiente del Haití Español.

Al encontrarse con la nueva situación, el Coronel Fremont, jefe de la misión haitiana, se puso en contacto con Núñez de Cáceres, a quien aparentemente le hizo creer que Boyer apoyaría el nuevo gobierno incorporado a la Gran Colombia. Boyer, mientras Fremont regresaba de Santo Domingo, preparaba la opinión pública haitiana a través del Senado para justificar una movilización del ejército hacia la parte del Este. Las gestiones del partido pro-haitiano durante diciembre de 1821 solamente pudieron pronunciar en favor de la unificación con Haití los poblados de Santiago y Puerto Plata, pero en el curso de enero de 1822 lograron obtener la solidaridad de alguna gente de Cotuí, La Vega, Macorís, Azua, San Juan y Neiba.

Manifiestos del partido prohaitiano en favor de la unificación, diciembre 1821-enero 1822.

Boyer anuncia invasión, 11 de enero de 1822.

El día 11 de enero Boyer tenía ya todos los hilos del movimiento en sus manos y escribió a Núñez de Cáceres una larga carta con el propósito de convencerlo de la imposibilidad de mantener dos gobiernos separados e independientes en la Isla y le anunciaba que: "como mis deberes están trazados, debo sostener a todos los ciudadanos de la república; los vecinos de Dajabón, Montecristi, Santiago, Puerto de Plata, Las Caobas, las Matas, San Juan, Neyba, Azua Lavega, &c. &c han recibido mis órdenes y las obedecen. Yo voy a hacer la visita de toda la parte del Este con fuerzas imponentes, no como conquistador (no quiera Dios que este titulo se acerque jamas á mi pensamiento) sino como pacificador y conciliador de todos los intereses en harmonía con las leyes del Estado".

"No espero encontrar, seguía diciendo Boyer a Núñez de Cáceres, por todas partes sino hermanos, amigos (e) hijos que abrazar. No hay obstáculo que sea capaz de detenerme..."

Cuando Núñez de Cáceres recibió este apabullante mensaje, se dio cuenta de que lo tenía todo perdido. El sabía, lo mismo que Boyer, que la mayor parte de la población era mulata y veía con mejores ojos la unificación con Haití, cuyo gobierno prometía tierras y la liberación de los esclavos —que eran muy pocos, por cierto— y sabía, asimismo que ni siquiera de la gente de su clase podía esperar ningún apoyo. Estaba derrotado y lo sabía. La habilidad de Boyer, el sordo pero latente conflicto de razas, su carencia de tropas en quien confiar la defensa y la misma impopularidad de la causa antiespañola entre los blancos propietarios, dejaron a Núñez de Cáceres solo con una única salida: aceptar por las buenas la entrada de las tropas de Boyer cuando la ocasión se presentara. El día 19 de enero escribió a Boyer diciéndole que había leído su mensaje a los jefes militares y a la municipalidad y que "convinieron todos unánimemente en colocarse al amparo de las leyes de la República de Haití".

Boyer venía con un ejército de 12,000 hombres que había estado siendo preparado para la marcha a partir del 1 de enero bajo la supervisión del general Bonnet. El sabía que los ánimos de los dominicanos estaban divididos por lo menos en tres partidos: uno pro-haitiano, uno procolombiano y otro sinceramente hispano. El primero era su garantía, pero de los otros dos él tenía que cuidarse, pues su "revolución moral" iba a afectar sus intereses, sobre todo en lo que tocaba a la institución de un nuevo derecho de pro-

Avance del ejército haitiano.

223

FRANK MOYA PONS

piedad basado en las leyes franco-haitianas y en lo que significaría para ellos la abolición de la esclavitud y el igualamiento social y jurídico entre blancos, mulatos y negros que no tardaría en producirse.

Boyer sabía que venía a voltear de arriba a abajo toda esa situación de siglos y que no iba a poder imponerse sino con el uso de la fuerza militar. Por eso dividió su ejército en dos columnas, a la manera de Toussaint y Dessalines, y lo despachó el día 28 de enero acompañando él mismo la columna que atravesaría el Sur y encargando a Bonnet de la jefatura de la del Norte.

El día 6 de febrero ya Boyer se encontraba en Baní y el día 8 llegaba al pueblo de San Carlos, en las afueras de Santo Domingo, donde se unió a la columna de Bonnet que llegaba de Santiago en donde este comandante tuvo que oponerse con su artillería a sus propias tropas para impedir el saqueo y el pillaje de la ciudad por los soldados.

A las siete de la mañana del día 9 los miembros del Ayuntamiento esperaban en la Puerta del Conde al Presidente Boyer para acompañarlo a la Sala Municipal donde se le rindieron honores como Presidente y "el ciudadano José Núñez de Cáceres le entregó las llaves de la ciudad". Después del acto, en que se aclamó vivamente la Independencia, la República y al Presidente, todos los presentes pasaron a la catedral "para presenciar un Te Deum...". Así terminó la dominación colonial española en Santo Domingo y se inició la ocupación haitiana de la parte oriental de la Isla que duró 22 años.

Boyer en Baní, 6 de febrero de 1822.

Boyer en Santo Domingo, 8 de febrero de 1822.

Abolición de la esclavitud, 9 de febrero de 1822.

224

XVIII

LA DOMINACION HAITIANA: COMIENZOS

(1822-1825)

LA PRIMERA DECISION PUBLICA de Boyer, una vez tomó posesión de la parte del Este en la ciudad de Santo Domingo, fue decretar la abolición de la esclavitud y prometer tierras a todos los libertos para que pudieran dedicarse a vivir libremente de la agricultura en parcelas propias donadas por el Estado. En su circular del 11 de febrero de 1822 Boyer ordenó a los comandantes militares haitianos de las comunidades orientales que tuvieran en cuenta que "es necesario, así por el interés del Estado como por el de nuestros hermanos que acaban de recobrar la libertad, que se vean obligados a trabajar cultivando la tierra de la cual dependían y recibiendo una parte de la renta fijada para ellos por los reglamentos".

La cuestión de la tierra.

Boyer instruyó a sus comandantes para que, a la vez que trabajaran por inclinar los libertos a la agricultura, también difundieran entre los habitantes de la parte del Este los conceptos básicos del derecho de propiedad en uso en Haití que provenía de la jurisprudencia francesa. Porque el derecho de propiedad español en vigencia en la parte oriental desde hacía tres siglos, lo mismo que el régimen de tenencia de la tierra eran radicalmente distintos a la legislación franco-haitiana y a las formas de propiedad existentes en Haití desde los tiempos de Petión. En Haití la propiedad privada absoluta de la tierra garantizada por títulos emi-

Oferta de tierras a los libertos.

tidos por el Estado se convirtió en la norma prevaleciente, mientras que en la parte española el sistema predominante fue el de los terrenos comuneros que implicaba una posesión múltiple de la tierra y un régimen de tenencia completamente irregular reforzado por la escasez de la población, por la abundancia de tierras y por su forma de explotación extensiva consistente básicamente en la crianza de ganado y el corte de maderas.

El problema, pues, radicaba en la determinación de la propiedad de la tierra en la parte oriental. Y como tal cosa no podía hacerse de inmediato, los libertos tuvieron que esperar algún tiempo antes de recibir las tierras prometidas. Todavía el día 15 de junio Boyer seguía prometiéndoles en una proclama que haría valer sus derechos de adquirir en propiedad, a título de donación nacional, la porción de tierras del Estado que sembraran de café, cacao, caña de azúcar, algodón, tabaco y frutos menores.

Entretanto, aquellos antiguos esclavos que quisieron emanciparse de sus amos, pues una parte prefirió seguir conviviendo con ellos, no tuvieron más salida que incorporarse a las filas del ejército haitiano, para cuyo efecto se creó el llamado batallón 32, que junto con el de morenos libres que comandaba el Coronel Pablo Alí, llamado Batallón 31, constituyeron la fuerza militar principal encargada de la seguridad de la parte del Este.

Boyer estaba interesado en realizar cuanto antes la unificación de la Isla y hacer de todos sus pobladores verdaderos haitianos, fueran éstos blancos o libertos, negros o mulatos. A su proclama de junio siguió el nombramiento de una comisión, el 26 de agosto, para que investigara las propiedades que en la parte española debían pertenecer a la República para entonces proceder a repartirlas entre los libertos y todos los haitianos que desearan cultivarla.

La comisión rindió su informe el 12 de octubre declarando que "pertenecían irrevocablemente al Estado: Primero, las propiedades pertenecientes al gobierno español; segundo, los conventos de Santo Domingo, San Francisco, la Merced, Regina y Santa Clara, así como las diferentes casas, hatos, animales, suelos y solares que les pertenecían; tercero, los edificios y dependencias de los hospitales de San Andrés, San Lázaro y San Nicolás, situados en Santo Domingo, con las propiedades pertenecientes a ellos; cuarto, los bienes de los franceses secuestrados por el gobierno español que no habían sido devueltos a sus dueños; quinto, los bienes de las personas que cooperaron a la agresión de Samaná y que emigraron en la escuadra francesa; sexto, todos los censos o capellanías eclesiásticas, que por vetustez o prescripción, habían caído en poder y provecho del arzobispado, y habían sido donados para utilizarse de la renta a sacerdotes que habían muerto o estaban ausentes; y séptimo, las hipotecas fundadas en favor de la Catedral con los fondos provenientes de la fábrica".

Bienes del Estado.

Boyer sometió el informe a la consideración de la Cámara de Diputados y del Senado y el 7 de noviembre ambos cuerpos le dieron su aprobación en todos sus puntos, lo cual fue interpretado por el Comandante y Gobernador de Santo Domingo, el General Borgella, que el mismo había adquirido fuerza de ley, dedicándose a confiscar propiedades que aparentemente pertenecían a la Iglesia o las corporaciones mencionadas, pero que estaban en manos de particulares desde hacía décadas quienes fueron despojados de sus posesiones por el Gobernador para dárselas a los esclavos recién liberados o venderlas a bajos precios a sus amigos o entregarlas a los militares, oficiales y funcionarios que solicitaban tierras o casas donde alojarse.

Primeras confiscaciones y repartos de tierras, noviembre 1822.

El malestar que se produjo por las reclamaciones de las personas que se consideraban lesionadas, movieron a Boyer a nombrar una nueva comisión el 22 de enero de 1823 para que estudiara el problema y resolviera sobre "las reclamaciones de los habitantes del Este cuyos bienes están en poder del Estado". Esta comisión tenía ante sí un problema gigantesco y delicado, pues la confusa situación en que habían caído los bienes y propiedades eclesiásticos, desde hacía 25 años, después del abandono de la Isla por el arzobispo y las órdenes religiosas a raíz del Tratado de Basilea, habían servido para que muchos dominicanos ocuparan esas tierras y edificios bajo la mirada paternal de Ferrand y de los gobernadores españoles de los años posteriores. De manera

Nueva comisión investigadora, 22 de enero de 1823.

que cuando Boyer llegó a Santo Domingo, esa posesión estaba amparada por una ocupación de más de veinte años, que en un régimen como el español daba a esos ocupantes una garantía de propiedad mucho más valedera que cualquier documento oficial.

Para aclarar esa situación, Boyer expidió un decreto el día 8 de febrero de 1823 otorgando "un plazo de cuatro meses, a partir de la fecha, a los habitantes propietarios de la parte española que habían emigrado antes del 9 de febrero de 1822, para que pudieran regresar al país a gozar de sus bienes", exceptuando de esta gracia a los colaboradores de la conspiración francesa de Samaná que tuvo lugar a principios de febrero de 1822. De no regresar antes del 8 de junio de 1823, decía el decreto, los militares encargados del gobierno de la parte del Este tenían órdenes de confiscar las propiedades de "los dominicanos que no hicieran uso del permiso de regresar al país". Como era de esperarse, la mayor parte de los emigrantes no regresaron y sus propiedades pasaron a manos del Estado, creando el natural malestar entre los actuales poseedores y ocupantes que en no pocos casos eran parientes y familiares de los ausentes y que por encontrarse sin título de propiedad no eran considerados como propietarios de acuerdo con las leyes haitianas.

Hasta el momento, el gobierno haitiano no había podido mantener en calma a la población dominicana de tendencias proespañolas. Antes al contrario, su política de tierras ya había lesionado profundamente los intereses de los propietarios blancos de la parte del Este, entre los cuales se encontraba ocupando una posición bastante incómoda el Arzobispo de Santo Domingo, quien no supo ocultar su disgusto frente a la política de nacionalización de las propiedades eclesiásticas, y mucho menos frente a la orden de Boyer del 5 de enero de 1823 suspendiendo el pago de los sueldos que tanto él como los otros miembros del cabildo eclesiástico recibían de manos del Estado.

La Iglesia y el Estado.

El punto de vista del gobierno haitiano era que los curas debían mantenerse de ahora en adelante de las rentas eclesiásticas y en caso de que éstas resultaran insuficientes, entonces deberían hacerse cargo de las parroquias y curatos de la Banda del Sur que necesitaba mucho de religiosos. En vista de esta disposición, el Arzobispo Valera quiso nombrar como vicario suyo en toda la parte occidental al doctor Bernardo Correa y Cidrón, pero Boyer, resentido por la negativa del Arzobispo de colaborar con el gobierno haitiano bajo el pretexto de "que él no era sino subdito del rey don Fernando VII", se negó a reconocer su dignidad de Arzobispo y a aceptar la validez de sus nombramientos hasta que Valera "no se considerara arzobispo y ciudadano de Haiti". Esta crisis, como es natural, provocó resentimiento entre el clero dominicano que ya había perdido sus sueldos y que también perdió sus cargos en la Universidad de Santo Tomás, después que en diciembre de 1823 Boyer dio órdenes de reclutar a todos los jóvenes de 16 a 25 años de edad para alistarse en el ejército. La Universidad, al perder sus estudiantes, no tuvo más recurso que cerrar sus puertas definitivamente.

A principios de 1824 los ánimos estaban muy exaltados entre los grupos de dominicanos que mantenían su fidelidad a España. Parte de esa agitación provenía de la frustración de muchos debido a que el gobierno haitiano pudo descubrir por lo menos tres conspiraciones en el curso del año anterior, además de haber sofocado un motín que se produjo contra las tropas haitianas que vigilaban un grupo de trabajadores que limpiaban el camino que iba de Santiago a Puerto Plata. A mediados de febrero de 1824 volvieron a sucederse las reuniones para conspirar contra el Gobierno, esta vez encabezadas por Baltazar de Nova y el cura de los Alcarrizos, Pedro González.

Conspiraciones, 1824.

Esta conspiración fue denunciada al Gobernador Borgella por algún individuo de tendencia pro-haitiana y el día 24 de febrero el mismo Gobernador marchó a Los Alcarrizos con unos 200 hombres apresando a los conspiradores, con excepción de cinco de ellos, entre los cuales se encontraba el cabecilla, Baltazar de Nova, que pudo embarcarse subrepticiamente hacia Venezuela. Todos los prisioneros fueron sometidos a la justicia inmediatamente y el jurado, compuesto casi totalmente por dominicanos partidarios del ré-

La conspiración de los Alcarrizos, febrero-marzo, 1824.

229

gimen, condenó a muerte a cuatro de ellos, que fueron ahorcados el día 9 de marzo en Santo Domingo. El resto fue condenado a penas que iban de dos a cinco años de prisión. Estos hechos, y la dureza con que fueron reprimidos, asustaron a una buena parte de los individuos más connotados por sus sentimientos españolistas, pues se sabía que la conspiración de los Alcarrizos tenía por finalidad levantar la parte del Este contra los haitianos y tornarla de nuevo al tutelaje de España.

Emigración de familias.

Antes de que pudieran adoptarse medidas contra ellas, un nuevo grupo de familias, tanto del Cibao como de Santo Domingo, se embarcaron con destino a Puerto Rico tomando el camino del exilio. Este grupo venía a engrosar la corriente migratoria que inició Núñez de Cáceres en abril de 1822 cuando salió, derrotado por los acontecimientos, con su familia y su imprenta rumbo a Venezuela. Su salida del país favorecía los planes del Gobierno, que eran obtener la mayor cantidad de tierras que fuera posible para repartirlas entre "los libertos de la palma", los militares, los funcionarios del Gobierno y los partidarios de la unificación.

Ley sobre derechos de propiedad y bienes del Estado y de la Iglesia, 8 de julio de 1824.

El 8 de julio de 1824 Boyer hizo promulgar una "Ley que determina cuáles son los bienes mobiliares e inmobiliares, radicados en la parte del Este, que pertenecen al Estado, y regula, respecto de las particulares en esa parte, el derecho de propiedad territorial, conforme al modo establecido en las otras partes de la República, y que fija los sueldos del alto clero del Cabildo Metropolitano de la Catedral de Santo Domingo, y asegura la suerte de los religiosos cuyos conventos han sido suprimidos".

Esta ley venía a coronar todos los esfuerzos que el gobierno haitiano había realizado para encontrar una solución jurídica y práctica que sirviera para ejecutar el cambio de la legislación territorial española a la legislación haitiana de origen francés, con el propósito de alterar los patrones de tenencia de la tierra lo mismo que el régimen de propiedad imperante. Con esta ley, según el Gobierno, todos los habitantes de la República tendrían derecho a poseer tierras propias amparadas por un título expedido por el Estado, y la Iglesia, que iba a resultar la institución más perjudicada

230

por la extinción de sus derechos territoriales, sería compensada otorgándoseles de nuevo un salario anual a cada uno de sus funcionarios adscritos a la Catedral de Santo Domingo. Por medio de la misma fueron incorporadas a los bienes del Estado: Primero, todas las propiedades territoriales situadas en la parte oriental de la Isla, que antes del 9 de febrero de 1822, no pertenecían a particulares; segundo, "todas las propiedades mobiliarias e inmobiliarias, todas las rentas territoriales y sus respectivos capitales que pertenecían ya sea al gobierno precedente de dicha parte oriental ya sea a conventos de religiosos, a monasterios hospitales, iglesias u otras corporaciones eclesiásticas". Tercero, "todos los bienes muebles e inmuebles que pertenecen, en la parte oriental, ya sea a los individuos que, hallándose ausentes del territorio cuando se produjo la unión, no habían vuelto el 10 de junio de 1823, esto es, dieciséis meses después de dicha unión, ya sea a los que se marcharon de la isla sin haber jurado, en el momento de la unión, fidelidad a la República" como a los que se ausentaron de ella después de la unificación.

La ejecución de la ley requería la fijación de los límites de las propiedades para lo cual Boyer se hizo autorizar con el derecho de nombrar las personas que se encargaran de realizar un catastro general y que determinaran cuáles eran los bienes que quedarían definitivamente incorporados al patrimonio del Estado. Pero por encima de todos los artículos de esa ley se encontraba con problemas de orden práctico cuya solución no podría alcanzarse sin lesionar los intereses de muchos que poseían tierras.

Problemas de la aplicación de la Ley del 8 de julio de 1824 y los terrenos comuneros.

El más importante de esos problemas consistía en que la mayor parte de los títulos de tierras que se encontraban en manos de los dominicanos desde la era colonial estaban afectados, en mayor o menor grado, por la posesión, división, usufructo, venta y participación de los terrenos comuneros, lo cual hacía enormemente difícil la determinación de los verdaderos propietarios. Boyer pensó que esta cuestión podría resolverse autorizando a sus agentes para que reunieran los títulos de propiedad existentes en la parte española "para proceder á un deslinde proporcional al de-

FRANK MOYA PONS

recho de propiedad de cada uno, en virtud del cual daría
plena posesión á los que merecieran de la cantidad de terreno que en justicia les perteneciera, expidiéndose nuevos
títulos en reemplazo de los antiguos".

Según la ley, ningún nuevo propietario podía tener menos de 5 "carreaux", esto es 76.8 tareas, y en caso de que
en el reparto les tocara menos de esa cantidad, los nuevos
propietarios estaban obligados a solicitar al Estado la cantidad de tierra necesaria para completar el mínimo establecido que eran casi 80 tareas, unidad novedosa para los dominicanos que andando el tiempo llamaron "boyerana". En
sus nuevas propiedades, los dueños debían dedicarse a producir principalmente frutos para la exportación además de
los víveres necesarios para su subsistencia y, en caso de que
alguno no quisiera mantener toda la unidad produciendo,
quedaban en la obligación de cederla o venderla a otros
propietarios. Además se prohibió criar puercos o fundar
hatos en extensiones menores de 5 boyeranas, unas 380 tareas aproximadamente, que era la cantidad mínima necesaria para criar ganado con cierto provecho.

Dicho en pocas palabras, la ley del 8 de julio de 1824
buscaba eliminar el sistema de los terrenos comuneros, bajo
el cual la propiedad territorial de la parte del Este no podía
ser fiscalizada en modo alguno por el Estado, al mismo
tiempo que buscaba hacer de cada habitante rural un campesino dueño del terreno que ocupaba y que estaba obligado
a cultivar. Esta ley atacaba directamente el peculiar sistema
de tenencia de la tierra de Santo Domingo y de ejecutarse
iba a dejar los grandes poseedores de títulos de propiedad
originados en las mercedes reales de la Corona española en
tiempos coloniales con sus propiedades fragmentadas y repartidas parcialmente entre todos los ocupantes reales de
la tierra.

Boyer y los grandes propietarios dominicanos.

Como muchos de esos grandes propietarios se encontraban endeudados debido a la decadencia del mercado de cueros que sirvió de sostén a la economía colonial en siglos
anteriores, Boyer quiso halagarlos rebajando a un tercio las
deudas que ellos habían adquirido cuando hipotecaron sus
propiedades con préstamos que les fueron otorgados por la

Iglesia cuyos bienes ahora pasaban a manos del Estado. Y para que fuera más fácil pagar esta nueva deuda rebajada, Boyer les concedía un plazo de tres años, dentro de los cuales cancelarían sus hipotecas reembolsando al Estado el dinero adeudado en amortizaciones semestrales.

A los religiosos, tanto de las órdenes monásticas como a los seculares adscritos a la Catedral, el Estado les daría en compensación un sueldo anual de 240 pesos por persona, y al Arzobispo, que resultaba ser el más lesionado de todos, puesto que no había religiosos desde tiempos de Toussaint, el Estado lo mantendría con unos 3,000 pesos anuales de sueldo. Pese a esto, el Arzobispo nunca le perdonaría a Boyer la ruina en que dejaba a la Iglesia dominicana y siguió negándose a aceptar el sueldo asignado, manteniendo desde entonces una actitud de franca oposición hacia el gobierno haitiano.

Ruina de la Iglesia.

Para sorpresa de Boyer y los demás comandantes militares, no sólo el Arzobispo se negaba a colaborar, sino también los mismos campesinos del Cibao y del sur que no le encontraban sentido a las órdenes de cultivar cacao, caña de azúcar y algodón y preferían dedicarse a las actividades que desde hacía décadas habían probado ser provechosas porque sus productos tenían un mercado extranjero asegurado: el corte de caoba en el Sur, la siembra de tabaco en el Cibao y la crianza y montería de ganado en gran parte de las tierras del Este. Como la mayor parte de la caoba que había existido en las orillas de los ríos y en las tierras de sus desembocaduras cercanas al mar se había agotado, una gran parte de los habitantes del Sur se introducían en las tierras que ahora pertenecían al Estado —pero que eran vistas como tierras de nadie— y seguían cortando caoba. Las noticias de estos hechos disgustó a Boyer, quien no tardó en escribir a los jueces de paz de las localidades del Sur para que "le indicaran á la mayor brevedad posible los terrenos pertenecientes al Estado en que existieran montes de caoba, con el fin de impedir que los tumbaran y los vendieran sin previa autorización". Pese a las medidas restrictivas que fueron dictadas por el gobierno haitiano durante los años siguientes para impedir el corte ilegal de caoba y

Resistencia dominicana a la dominación haitiana.

Política agraria de Boyer.

233

su contrabando en las bocas de los ríos del Este, los propietarios del Sur y del Este nunca abandonaron este negocio y, con excepción del cultivo de los víveres necesarios para su subsistencia, tampoco se dedicaron a ninguna de las siembras en que estaba interesado el gobierno haitiano.

En realidad, el país no estaba más floreciente debido, más que al corte ilegal y al contrabando de caoba, a los efectos socio-económicos de la política haitiana de repartimiento de tierras a todos los que las deseaban y a la quiebra paulatina de las plantaciones haitianas y producida por la emergencia de un campesinado independiente en Haití que, al encontrarse sin la obligación de trabajar tierras ajenas, prefería dedicarse a vivir tranquilamente de los víveres que producían sus pequeñas parcelas. Petión fue el padre de ese campesinado en Haití, mientras que Boyer lo sería en Santo Domingo pero esa política, que al principio fue popular entre todos, incluso entre la élite mulata de Haití que poseía las más grandes plantaciones, fue demostrando con el paso de los años que el Estado se empobrecía al tiempo que la agricultura de plantación sucumbía por falta de obreros agrícolas que trabajaran obligatoriamente a cambio de un salario, como había ocurrido bajo Toussaint, Dessalines y Cristóbal.

Poco a poco la élite mulata haitiana fue reaccionando frente a esta situación y fue ejerciendo su influencia sobre Boyer para que adoptara medidas para contrarrestarla, ya que ni siquiera en Santo Domingo, en donde había una población mucho más pequeña y sometida bajo un gobierno militar, la política de fomento de las exportaciones había dado resultado. Que en la parte del Este los propietarios rurales no cultivaran los frutos exportables era explicable, pues aquí la tradición había estado limitada a criar ganado, cortar maderas y plantar tabaco, y los habitantes de esta parte eran, de acuerdo con los haitianos "un pueblo indolente y poco trabajador, que no cultiva sino según sus necesidades". Pero en Haití, que era precisamente donde la élite mulata que ejercía el gobierno poseía sus más importantes propiedades, había que hacer algo y ello no podía ser otra cosa que volver a obligar a los campesinos a trabajar para

Cortes de caoba.

Agricultura.

234

las plantaciones. El 1 de mayo de 1826 Boyer compareció frente al Senado haitiano y presentó un conjunto de leyes encaminadas a reorganizar la economía agrícola de Haití sobre el principio de que el trabajo de los campesinos en las plantaciones era obligatorio y nadie podría eludirlo sin ser castigado.

El Código Rural, como se le llamó a este conjunto de leyes fue diseñado para que la economía haitiana recobrara los niveles de productividad de tiempos de Dessalines. Puesto que nadie quería ser jornalero ni empleado de otros y en muchos casos ni siquiera quería ocuparse de su propia tierra, el Código estableció que nadie que no fuera funcionario del Gobierno o tuviera una profesión reconocida podía dejar de trabajar la tierra ni abandonar el predio en donde vivía, sin previa autorización del Juez de Paz local o del jefe militar del lugar. Los hijos de los trabajadores agrícolas no podrían ir a la escuela abandonando las parcelas de sus padres, sin permiso de estas autoridades, y ningún trabajador podía dejar el campo para dedicarse al comercio bajo ninguna circunstancia. Mucho menos, ordenaba el Código, podía un trabajador construir su vivienda e irse con su familia fuera de la plantación en que trabajaba asalariado.

Código Rural, 1 de mayo de 1826.

La rigidez de esta última disposición era tal que ni siquiera con el permiso del dueño de la plantación podía un trabajador pasar más de ocho días fuera de la misma, y una vez que un agricultor era empleado por un dueño de plantación quedaba obligado a servirle por un mínimo de tres años, antes de los cuales no podía dejarlo sin sufrir penas graves en forma de multas, prisión o trabajos forzados. La vagancia quedaba terminantemente prohibida y para aplicar todas estas medidas y otras muchas más encaminadas a ligar al agricultor al trabajo de las plantaciones, el ejército quedaba encargado de mantener soldados asignados a cada una de las plantaciones supervigilando los trabajadores, para lo cual serían mantenidos por los dueños de las mismas. Incluso las mujeres tenían la obligación de trabajar hasta el cuarto mes de preñez y a partir del cuarto mes de haber dado a luz. Todas estas disposiciones valían igualmente para las plantaciones de los mulatos del oeste como

235

para los hatos de los grandes propietarios del este, a quienes Boyer tenía interés en mantener complacidos para asegurar su favor hacia el régimen o, por lo menos, su neutralidad.

Pese a que en sus días el Código fue considerado como una obra maestra de la legislación haitiana y pese al enorme interés de los mulatos y del gobierno haitianos porque fuese aplicado sin dilación ni contemplaciones, el Código no funcionó por muchas y diversas razones, siendo la principal de ellas que los trabajadores rurales haitianos simplemente ignoraron su existencia y se mostraron en todo tiempo renuentes a obedecer cualesquiera sugerencias en el sentido de volver a servir en las grandes propiedades en calidad de siervos como lo habían hecho bajo Cristóbal y Dessalines.

Poca aplicación del Código Rural.

Durante todos estos años se había producido un fenómeno que Boyer y su élite parecía perder de vista y éste era la aparición de un campesinado independiente, propietario de pequeñas parcelas que no estaba interesado en otra cosa como no fuera subsistir cómodamente. Este campesinado minifundista, del cual también los soldados formaban parte, tenía intereses opuestos a la *grande culture*, puesto que el desarrollo de la misma defendía de su explotación como siervos adscritos a la misma. Boyer y el Gobierno no podían hacer nada efectivo para obligar a los campesinos a trabajar, simplemente porque la mayoría del pueblo haitiano era propietario de pequeños predios y muy pocos estaban dispuestos a emplearse como peones en las tierras de terceros.

Campesinado.

En la parte del Este, el Código tampoco funcionaría porque "las masas de habla española de la parte oriental de la isla no habían experimentado jamás la clase de trabajo obligatorio con que la mayoría de los haitianos habían estado familiarizados en un tiempo o en otro. Su no cooperación hacía difícil la aplicación del Código".

En las plantaciones propiamente dichas, el Código tampoco funcionó debido a que, al igual que en los hatos del Este, la explotación de la tierra había ido adoptando formas que no implicaban mucho trabajo ni una dedicación exclusiva para el dueño de la tierra. La forma predominante

236

era la aparcería y la medianería y aunque un tercio, por lo menos, de la población haitiana trabajaba, además de las suyas propias, tierras ajenas a medias o a tercias, en estas últimas los trabajadores preferían ponerle más atención a sus propios cultivos dentro de las plantaciones —víveres, etc.— que a los cultivos de exportación en que estaban interesados los plantadores. Así, pues, Boyer y sus colaboradores pronto descubrieron que no había manera de conseguir que los campesinos trabajaran obligatoriamente.

El ejército, que en teoría debía ser el encargado de aplicar el Código junto con los jueces de paz de las comunes, tampoco estaba en condiciones de hacerlo, por dos razones: Una, porque la mayoría de los soldados eran pequeños propietarios de origen rural, lo mismo que sus familias, y no iban a volverse contra éstas para favorecer una élite de grandes propietarios. La otra, porque el año anterior a la publicación del Código, esto es, en julio de 1825, el gobierno haitiano había aceptado la firma de un acuerdo con Francia que al garantizar definitivamente la independencia de Haití quitaría del ejército todo el peso que había estado cargando desde los días de la Revolución en espera de una invasión francesa que algún día llegaría a reducirlos a todos de nuevo a la esclavitud. Este acuerdo eliminó al enemigo que había servido de pretexto para mantener la disciplina del ejército.

El ejército y el Código Rural.

Francia reconoce la independencia de Haití, 1825.

Los soldados, al sentir el alivio que implicaba no tener que mantenerse preparados para una guerra que tarde o temprano llegaría, empezaron muy pronto a relajar sus hábitos militares y a ocuparse más de sus asuntos personales, de sus pequeñas propiedades, de sus familias y de sus intereses, que de hacer el papel de fuerza policial en los campos. De suerte que cuando el Código Rural fue promulgado ya la disciplina militar que se encargaría de ejecutarlo se adentraba en un proceso de decadencia del cual no saldría en todo un siglo. La ironía de todo esto fue que el Código también había sido concebido como instrumento que elevaría la producción exportable de Haití para poder pagar a Francia los 150 millones de francos que el acuerdo esta-

237

blecía como indemnización a los antiguos colonos y como condición para el reconocimiento de la independencia.

Ese acuerdo fue el resultado de largas y tormentosas negociaciones que se iniciaron en 1821 a instancias de los antiguos colonos franceses que hacían presiones sobre su gobierno para que encontrara una solución favorable a sus intereses perdidos desde la Revolución. Esas negociaciones, fueron llevadas por Haití sobre la base de que si el gobierno francés publicaba un documento reconociendo la independencia de toda la Isla y su legitimidad como república, el gobierno haitiano estaría dispuesto a pagar una suma determinada de dinero en compensación por los perjuicios sufridos por los antiguos colonos a finales del siglo XVIII. Durante las conversaciones que se llevaron a cabo durante el año 1824, el punto que rompió todos los acuerdos previos a que se había llegado fue la insistencia de los emisarios haitianos de que la declaración de reconocimiento debía incluir la parte oriental de la Isla, mientras que los franceses sostenían que su Gobierno no tenía autoridad para tratar sobre la parte del Este debido a que todavía se reconocía internacionalmente como posesión española, puesto que España no había renunciado aún a sus derechos sobre la misma. La ruptura de las negociaciones creó mucha inconformidad en Francia entre los grupos de presión interesados en su indemnización y entre los comerciantes exportadores e industriales franceses que veían en el restablecimiento de relaciones con Haití la posibilidad de extraer ventajas económicas, pues uno de los puntos que los franceses demandaban de los haitianos era que en cualquier arreglo que se hiciera debían incluirse cláusulas para favorecer los intereses comerciales franceses en el intercambio exterior haitiano. Esa inconformidad fue acentuada cuando se supo en Francia, en el momento en que se suspendían las negociaciones, que un grupo de comerciantes ingleses estaba ofreciendo préstamos a Boyer para que éste hiciera frente a los reclamos de los colonos franceses y luego tratara independientemente con el Gobierno francés la cuestión del reconocimiento sobre bases exclusivamente políticas.

Frente a la noticia de que además del asunto del prés-

Deuda con Francia.

238

tamo que negociaban, los ingleses habían obtenido del gobierno haitiano la concesión para explotar las minas de oro, plata y cobre que existieran en la Isla, los capitalistas y banqueros franceses, conjuntamente con otros grupos de capitalistas europeos, denunciaron que Boyer estaba ejerciendo actos de favoritismo hacia una potencia rival de Francia. Esto último, junto con las demás consideraciones, era más que suficiente para que el Gobierno francés se decidiera a actuar unilateralmente con el propósito de obligar a Boyer a aceptar sin oposición las condiciones que Francia quisiera imponer sobre Haití a cambio de su reconocimiento. En abril de 1825 el Rey francés preparó una Ordenanza por medio de la cual disponía lo siguiente: Primero, que todos los puertos *de la parte francesa* de la Isla quedaban abiertos al comercio con todas las naciones y los impuestos que las mercancías de esas naciones pagaran sería igual para todas con excepción de las mercancías francesas que sólo pagarían la mitad; segundo, que "los habitantes actuales *de la parte francesa* entregarán a la caja de depósitos y consignaciones de Francia, en cinco cuotas iguales, año por año, venciendo la primera el 31 de diciembre de 1825, la suma de ciento cincuenta millones de francos, destinada a indemnizar a los antiguos colonos que reclamen alguna reparación"; y tercero, que "en tales condiciones concedemos con esta ordenanza a los habitantes actuales *de la parte francesa* de Santo Domingo, la plena y total independencia". Como los franceses sabían que Boyer no aceptaría ninguno de los términos de esta ordenanza sin discutir, como en derecho le correspondía, el gobierno francés decidió enviarla en manos de uno de sus más inteligentes oficiales de marina a bordo de una flota de guerra compuesta por once barcos, que llegaron a la rada de Puerto Príncipe a principios de julio de ese año con instrucciones de bombardear la ciudad en caso de que Boyer se negara a aceptar los términos establecidos.

Boyer quiso protestar, pero la presencia de la flota frente a la ciudad era un disuasivo bastante poderoso como para obligarlo a complacer a los comerciantes extranjeros de Puerto Príncipe que, atemorizados por la amenaza de un

Tratado de reconocimiento de la Independencia e imposición de la deuda, abril-julio 1825.

239

bombardeo, enviaron una comisión ante el Presidente rogándole que "no provocara la ruina de la ciudad, en donde existía una gran cantidad de mercancías, que les pertenecía y que habían sido llevadas al país confiando en la buena fe del gobierno". Derrotado, Boyer sometió el documento a la consideración del Senado, que tampoco se atrevió a oponerse y lo aceptó a unanimidad. Según un testigo de los acontecimientos de esos días, "la restauración de la paz y una alianza entre Francia y su antigua colonia llenó a los negros de intoxicación. La independencia de Haití fue proclamada en Puerto Príncipe entre los mayores regocijos, y los oficiales del escuadrón francés fueron trasladados como huéspedes nacionales, como los honrados representantes de un pueblo que por sobre todos los demás exigía la admiración y el respeto de sus aliados haitianos. En el entusiasmo del momento, quedaron sin terminar todos los detalles para un arreglo definitivo entre las dos naciones, y se nombró una comisión para concluir las negociaciones sin dilación alguna".

El principal problema que esta comisión y el gobierno haitiano tenían ahora por delante era conseguir el dinero necesario para pagar la primera cuota convenida; pues tanto Boyer como sus funcionarios financieros sabían que las cajas del tesoro haitiano se encontraban vacías y que había que sacar el dinero de alguna otra parte. La solución fue la siguiente: Mientras por una parte Boyer contrataba un empréstito con un banco francés, por unos 30 millones de francos, para pagar la primera cuota que se vencía el 31 de diciembre de 1825, por la otra preparaba a la población para que contribuyeran a pagar la deuda, declarándola "deuda nacional", a finales de febrero de 1826, y promulgando una ley que imponía a los habitantes *de ambas partes de la Isla* una contribución extraordinaria de 300,000 gourdes, a partir del 1ro. de enero de 1827 que finalizaría el 31 de diciembre de 1826", para ayudar a pagar la "deuda consentida en favor de Francia por el reconocimiento de la independencia de Haití".

Esa ley fue motivo de enormes disgustos entre los habitantes del Este pues aunque la Ordenanza de 1825 decía cla-

Empréstitos con banco francés.

Cuotas de la deuda, 1825-1826.

240

ramente que quienes debían pagar las cuotas anuales de treinta millones eran *los habitantes de la parte francesa*, Boyer dispuso que se distribuyera igualmente entre todos los habitantes de la Isla, imponiendo a los de la parte del Este la contribución de 458,601 gourdes anuales.

Tan grande fue la oposición de los habitantes del Este al considerarse injustamente tratados por obligárseles a pagar una deuda que ellos sostenían no era suya, como fue la de los mismos haitianos del Oeste que, incitados por los enemigos políticos de Boyer, se negaron en su mayoría a contribuir a pagar por una independencia que ellos consideraban que había sido ganada por las armas durante la Revolución.

Los dominicanos y la deuda con Francia.

La situación durante el año 1827 se tornó bastante crítica para el gobierno debido a la resistencia de los ciudadanos a pagar, así como a la campaña lanzada contra el Gobierno desde el Senado por los adversarios haitianos del régimen que alegaban una pobreza demasiado grande en el país y la imposibilidad de cumplir con lo exigido por el Gobierno. Frente a esta agitación, Boyer no tuvo más remedio que suspender el cobro de la contribución cambiándola, en abril de ese año, por una contribución de sólo 200,000 gourdes, que también serían repartidos entre los pobladores de ambos lados de la Isla. Como esta suma era evidentemente insuficiente, Boyer tuvo que apelar al recurso de emitir papel moneda iniciándose así un proceso de devaluación que en menos de dos años deprecó el gourde haitiano en un 250 por ciento y que, andando el tiempo, lo desacreditaría definitivamente en el exterior.

Malestar político, 1827.

Emisión de papel moneda, 1827.

Como era de esperarse, estas emisiones no resolvieron la situación, pues la producción agrícola, que se quería aumentar mediante la ejecución del Código Rural, siguió estancada y Boyer, que quería cumplir a todo trance con sus compromisos frente a Francia se vio obligado a buscar un nuevo empréstito a fines de 1827 con otro banco francés que aprovechó las dificultades económicas haitianas para exigir intereses y comisiones altísimas quedando la República de aquí en adelante con menor capacidad que antes para cumplir con las exigencias de Francia.

Nuevo empréstito, 1827.

XIX

LA DOMINACION HAITIANA: PROBLEMAS

(1826-1838)

LA IMPOSICION DE LA ORDENANZA de 1825 no favoreció a los franceses, puesto que puso sobre la economía haitiana una carga imposible de sobrellevar, como lo demostró la insolvencia de la República en 1827, y mucho menos pudo favorecer a Boyer quien, pese a sus grandes deseos de lograr de Francia algún instrumento jurídico que garantizara la independencia de Haití, pronto descubrió que el precio a pagar era demasiado alto y que además de la ruina del Tesoro Público iba a tener que afrontar una oposición bastante fuerte dentro de la élite haitiana que se consideraba humillada por los términos y el procedimiento en que se había realizado el acuerdo con Francia.

Ruina del Tesoro Público.

En la parte del Este la primera persona que protestó públicamente contra el acuerdo con los franceses fue el General Borgella, Comandante de Santo Domingo. Aunque Borgella demostró ser fiel a Boyer durante su permanencia en Santo Domingo como gobernador. hay evidencias que demuestran que en la parte occidental un grupo de oficiales, disgustados por la creciente presencia de los franceses en Haití, creyendo que las críticas de Borgella eran sinónimo de sedición se lanzaron a una conspiración contra Boyer a mediados del 1827 con el ánimo de eliminarlo y elegir en su lugar a Borgella, quien era uno de los militares de mayor prestigio y poder en toda la Isla. Esta conspiración fue

Malestar político y conspiración, 1827.

descubierta y sus cabecillas fueron juzgados y ejecutados y, aunque Boyer estaba convencido de que Borgella no había tenido ningún conocimiento de la misma, no dejó de reprocharle "haber expresado tan abiertamente su opinión en relación con la aceptación de la ordenanza francesa: lo que había causado que los opositores creyeran poder contar con él en caso de que él (Boyer) fuera víctima del complot".

Durante la investigación que Boyer ordenó para determinar si Borgella podía haber tenido alguna noticia de la conspiración, salió a relucir que en Santo Domingo la presencia y autoridad de Borgella "parecen tener a todo el mundo doblegado bajo su voluntad, lo mismo que bajo la de las personas que le rodean", y "que la justicia no se administraba como no fuera bajo la aquiescencia de este general y los jueces consultaban previamente su voluntad", antes de tomar sus decisiones, lo cual da una idea del grado de control que Borgella ejercía sobre la población de Santo Domingo, donde "contaba con la adhesión personal de algunos dominicanos influyentes", entre los cuales se encontraban Tomás de Bobadilla y los demás miembros del servicio civil dominicano. Tan efectivo llegó a verse este control que a mediados de 1827 Boyer creyó innecesaria la presencia de las tropas haitianas que quedaban en el territorio oriental y ordenó que los dos batallones que había, el 12 y el 14, regresaran al Oeste cuanto antes, lo cual se llevó a cabo a finales de octubre de ese año.

A esta medida sucedieron varios hechos que, aunque sin conexión ninguna con ella, influyeron notablemente sobre la organización del control militar haitiano sobre la parte del Este. El primero fue la noticia que circuló en el país a principios de 1828 de que "España hacía preparar en La Habana una expedición militar para venir a apoderarse de la parte Este de Haití. Se decía que un almirante Laborde tendría el comando de la flota que transportaría las tropas. Este rumor, esparcido en el Este, ocasionó una cierta emoción; y aunque Boyer no lo creía fundamentado, creyó prudente hacer pasar varios regimientos del Oeste y del Norte. La guarnición de Santo Domingo fue reforzada; uno de estos regimientos fue colocado en Azua, y otros en San

244

Juan, Santiago y en Puerto Plata. Esta medida de precaución trajo la calma a los espíritus, y las tropas fueron llamadas a comienzos de 1829".

En realidad, lo que ocurría era la filtración de la noticia de los preparativos que hacía en Cuba Don Felipe Fernández de Castro, quien desde 1824 estaba tratando de convencer a su gobierno para que iniciara una reclamación contra Haití, y quien finalmente obtuvo la autorización para ir a Puerto Príncipe a entrevisatrse con Boyer y exigirle que devolviera a España la parte Este de la Isla, puesto que, según sus argumentos, era a esta potencia a quien pertenecía. Fernández de Castro llegó a Puerto Príncipe a mediados de enero de 1830 y pese a que su diplomacia fue llevada con firmeza y hasta con la amenaza de que Fernando VII intervendría militarmente en caso de que Boyer no accediera a devolver la parte del Este, los diplomáticos haitianos mantuvieron la tesis de que España no tenía nada en Santo Domingo por haberla perdido en manos de Núñez de Cáceres, de quien la recibieron los haitianos. La tesis de los *derechos perdidos*, en virtud del movimiento de Núñez de Cáceres y del llamamiento de los pueblos fronterizos, sirvió de base a la posición haitiana y, pese a sus amenazas de invasión, Fernández de Castro no tuvo más remedio que retirarse a fines del mismo mes de enero de 1830.

España reclama devolución de Santo Domingo, enero 1830.

En estos momentos la cabeza de la oposición dominicana en Santo Domingo era el Arzobispo Pedro de Valera quien no aceptaba el régimen haitiano, sobre todo después que el Gobierno había despojado a su iglesia de todos sus bienes territoriales. Como Valera no ocultaba sus simpatías por la Monarquía y trató de agitar los ánimos de sus feligreses en favor de las demandas de Fernández de Castro, pronto fue acusado de haber enviado a Cuba a Francisco Solá, uno de sus seguidores, con el encargo de buscar apoyo para levantar la parte del Este y separarla de los haitianos. Tomás de Bobadilla, Comisario del Gobierno, publicó el día 3 de julio de 1830 un folleto atacando las pretensiones españolas y advirtiendo públicamente contra los que "quisiesen, con disfraz, alejarnos de vuestros intereses", lo que parecía ser un señalamiento de la conspiración del Arzobis-

El Arzobispo Valera contra el Gobierno haitiano.

pado y del doctor Juan Vicente Moscoso, quienes pretendían aprovechar el entusiasmo provocado por la visita de Fernández de Castro. Ese folleto fue leído en los dos idiomas durante tres domingos, sucesivos en todas las iglesias del país, y el Arzobispo, aludido de esta manera, y sintiéndose amenazado tomó un barco para Santiago de Cuba el 28 de este mismo mes, adonde llegó el día 2 de agosto junto con otros 49 dominicanos envueltos en la trama recién descubierta.

Salida del Arzobispo Valera de la Isla. 28 de julio de 1830.

Para Boyer no pasó desapercibido el hecho de que esas manifestaciones de júbilo que tuvieron lugar el mes de enero de 1830, y la conspiración del Arzobispo y el doctor Moscoso, era una muestra de que sus afanes por unificar nacionalmente la Isla habían fracasado. De nada había servido obligar a todos los hombres a cumplir con un servicio militar, ni haber decretado casi seis años atrás la prohibición de usar el idioma español en los documentos oficiales ni el intento de llevar a cabo la enseñanza primaria en idioma francés. Pese a todos esos esfuerzos, los sentimientos hispánicos de los habitantes de Santo Domingo seguían vivos y las manifestaciones de enero lo demostraron. Con todo, Boyer no se rindió y en vez de renunciar a mantener la unificación, lo que hizo fue dar órdenes, a mediados de junio de 1830, para que todos los escudos de armas y símbolos de España que hubiera en sitios públicos, iglesias y conventos fueran sustituidos por los de la República.

Fracaso de la unificación de la Isla. 1830.

Oposición dominicana a la dominación haitiana.

El prejuicio anti-haitiano que Boyer notó cuando llegó a Santo Domingo en 1822 seguía vivo en 1830, por lo menos en una parte importante de la población. Las razones para que este prejuicio se mantuviera eran muchas y estaban demasiado enraizadas, por lo que no podían ser despejadas en pocos años. El control que llegó a poseer Borgella sobre los dominicanos fue un control sustentado más en el poder militar que en la aceptación voluntaria de la mayoría de la población. Por mejores que fueran las intenciones del Presidente cuando explicó a sus comandantes militares que "el interés de la República exige que el pueblo de la parte oriental cambie a la brevedad posible de hábitos y costum-

246

bres para adoptar los de la República, a fin de que la unión sea perfecta y que la antigua diferencia... desaparezca sin más", lo cierto fue que la política económica haitiana y su legislación relativa a la organización de la propiedad de la tierra y del trabajo agrícola, enajenaron desde muy temprano a la mayor parte de la población dominicana, pues aunque en la letra el sistema francés que se quería imponer aparentaba más justo y más moderno, ya que en teoría garantizaba un título a cada propietario y una propiedad a cada persona, de hecho bajo el mismo sistema español de los terrenos comuneros una población escasa como era la de Santo Domingo no se encontraba urgida por la necesidad de poseer tierras legalmente, porque podía ocupar, explotar y usufructuar toda la que quisiera sin desmedro de ninguno de los propietarios reales.

Esto fue lo que Boyer y los funcionarios haitianos no lograron comprender y lo que ayudó a mantener vivo el germen de oposición en la parte oriental de la Isla. Además, era natural que en una región donde la ganadería había sido durante siglos la actividad económica predominante, resultara impopular una política destinada a fomentar el reparto de tierras para la agricultura, sobre todo si se autorizaba a los agricultores "á matar, sin consecuencias de ninguna clase, las reses agenas que les hicieran daño a sus labranzas", como ordenaban la resolución del 12 de junio y la ley del 28 de julio de 1829 que, al decir de García, "dió origen a continuas riñas entre ellos i los criadores, y hasta á frecuentes muertes y asesinatos", pero que pese a todo fue mantenida en perjuicio de los hateros. Crear una tradición agrícola en donde lo que existía era una de carácter ganadero no era fácil y podía llegar a ser impopular, como lo había sido en 1826 la limitación de la celebración de las fiestas religiosas tradicionales. Esto era olvidar el carácter del hombre dominicano que prefería holgar en una hamaca o jugar gallos con sus vecinos que ocuparse en los trabajos que una plantación al modelo francés requería continuamente. Por eso también debió resultar igualmente impopular la resolución de Boyer de febrero de 1830 cerrando las

Agricultura vs. ganadería, 1829.

247

galleras, "no quedando permitido el juego de gallos sino en los campos los domingos y días festivos".

El interés de Boyer estaba centrado más en la agricultura que en cualquier otra actividad económica, puesto que tanto él como el resto de la élite haitiana estaban convencidos de que en un país como Haití, sin industrias y sin un comercio desarrollados, sólo la agricultura podía ser base permanente de la riqueza. El Código Rural reflejó esta filosofía, lo mismo que las resoluciones y circulares oficiales a los comandantes de los departamentos de ambos lados de la Isla a quienes se urgía continuamente para que sembraran los frutos de exportación y toda clase de víveres.

Desde luego, la protección que Boyer daba a la agricultura no implicaba que los agricultores estuvieran exentos de controles fiscales por parte del Estado, pues las leyes del 3 de mayo de 1826 y del 23 de diciembre de 1829 establecían que los agricultores debían pagar anualmente al Estado un cinco por ciento de los productos que no sirvieran para la exportación, ya que estos últimos ya estaban debidamente gravados. Un impuesto similar también debían pagar los dueños de alfarerías, cortes de leña, fábricas de fósforos, salinas y cortes de yerba. De todos los agricultores, los que en teoría debían estar más protegidos debían ser los cultivadores de tabaco del Cibao, a quienes en abril de 1830 el gobierno dispuso comprarles todo su tabaco en rama anualmente, "a precio razonable". Según García, "esta disposición fue causa de grandes abusos por parte de los empleados haitianos, que siendo comerciantes en su mayor parte, y si ellos no, sus mujeres, se aprovecharon de ella para arrebatar á los labradores, â los ínfimos precios, el tabaco que cultivaban á costa de muchos afanes y desvelos".

En el Sur, las restricciones y el control de las autoridades y oficiales haitianos sobre el corte y comercio de caoba estorbaban de continuo esta ocupación por los registros y contribuciones que eran requeridas, y para escapar a estas restricciones fiscales una parte de los dominicanos no tuvo escrúpulos en dedicarse al contrabando.

El descontento era general en ambos lados de la Isla, pues además de las naturales rivalidades que existían desde hacía décadas entre la élite gobernante haitiana y la masa de la población negra, en 1832 un nuevo problema se agregaba a la crisis general y ese problema consistía en una notable devaluación de la moneda, que aunque hacía subir ficticiamente los precios del café y el gobierno utilizaba esos indicadores para señalar que había una mejoría en la marcha de la economía, lo cierto era que "los asuntos comerciales y la posición de cada individuo se resentían del efecto producido por el sistema financiero desde la creación del papel moneda" que se había emitido para ayudar a pagar los gastos ocasionados por la ordenanza de 1825. Ese malestar, logró encontrar su vía de expresión continua a través del Senado y de la Cámara de Representantes de la República, en donde algunos abogados jóvenes, influidos por las ideas liberales de la Francia de Luis XVII, quisieron alterar, a través del debate parlamentario, algunos de los procedimientos de gobierno en uso en Haití desde la fundación de la República. Muchas de las tensiones políticas de los años posteriores a 1832 se descargaron, no sin violencia, en los debates que tenían lugar en el Congreso haitiano entre los líderes parlamentarios de la Oposición y los defensores del gobierno de Boyer, entre los cuales siempre se encontraron pronunciándose positivamente los representantes de la parte del Este. Como la situación no mejoró, las pugnas se fueron haciendo cada vez más fuertes y violentas, llegando el gobierno en agosto de 1833 a expulsar del Congreso a los dos principales líderes de la Oposición.

Oposición de líderes parlamentarios, 1832.

Los oponentes del Gobierno lo único que consiguieron fue arreciar la persecución oficial contra ellos. La estructura del sistema político haitiano cerraba todas las puertas a un cambio radical en el control del Estado, pues la presidencia de Boyer tenía carácter vitalicio y solamente desaparecido el Presidente se podía pensar en un cambio total de gobierno. El centralismo y el autoritarismo eran la norma predominante y mientras Boyer mantuviera el control de los militares no había nada que pudiera conmover su gobierno.

Centralismo y autoritarismo.

En abril de 1835, los diputados volvieron al ataque denunciando la situación económica haitiana y declarando que, aunque el cultivo del café había mejorado, la producción

Diputados contrarios al Gobierno, abril 1835.

249

de otros productos no aumentaba y que el comercio, "segunda fuente de la prosperidad pública, perdía cada día sus ventajas" debido a la devaluación de la moneda, a la desigualdad entre la exportación y la importación y al empobrecimiento de las ciudades. La crítica al gobierno fue tan lejos como las circunstancias lo permitían, y los diputados denunciaron que "las dificultades que paralizan algunas veces la marcha de la administración pública provienen menos de la imperfección de nuestras leyes que de la incuria de los funcionarios encargados de su ejecución". Los defensores del gobierno respondieron señalando que los comerciantes eran los responsables de la depreciación monetaria y acusándolos de ser ellos los que introducían continuamente en el país las monedas falsas y de baja clase que amenazaban con arruinar la economía. En 1836, la Oposición sentía crecer poco a poco el respaldo de los comerciantes en su lucha contra el Gobierno. Este respaldo se vio estimulado a mediados de año, cuando Boyer hizo pasar una ley por medio de la cual cerraba cinco puertos del Oeste al comercio exterior en donde había importantes casas comerciales cuyos negocios dependían de las importaciones y las exportaciones. Esta medida —dice Ardouin—, generó la oposición contra Boyer. Los negociantes y especuladores en mercancías y comestibles importados, los mayoristas y los detallistas, todos, que dependían del comercio directo con el extranjero, se disgustaron al verse obligados a recurrir para su abastecimiento al comercio de otras ciudades y pueblos más importantes, donde seguramente los costos eran más altos y los beneficios menores".

La oposición al Gobierno era cada día más patente como lo demostró la reelección al Congreso de los diputados opositores que habían sido expulsados por el Gobierno de las Cámaras en años anteriores. Esta vez, estos diputados venían a la sesión de 1837 con nuevas fuerzas y nuevos motivos de crítica contra el Gobierno. En abril comenzaron las sesiones bajo la influencia de los líderes de la oposición, H. Dumesle y D. Saint-Preux, cuyas presiones y exigencias al gobierno para que "mejorara" la situación del país alcanzaron su climax en junio cuando la comisión encargada de

Defensores del gobierno en el Congreso

Decadencia de la economía y oposición política, 1837.

250

revisar las cuentas nacionales pudo constatar que la producción agrícola seguía estancada y que la del café, que era la base de la economía, había bajado alarmantemente en los últimos tres años, de 48 millones de libras en 1835 a 37 millones de 1836, y que la producción de ese año no iba a ser mejor. De hecho, la producción de 1837 bajó a 31 millones de libras debido a la sequía que afectó al país durante casi todo el año.

Saint-Preux, que era el presidente de la Comisión, le achacó al gobierno la culpa de esta decadencia denunciando "el desuso en que había caído el código rural, la invasión de la ociosidad y la apatía que el clima favorece, la perezosa y descuidada policía rural y la expoliación establecida en las aduanas". Estos hechos provocaron una gran agitación dentro de la Cámara de Diputados que después de varios discursos apasionados, resolvió enviar un mensaje al Presidente de la República "para exponerle la enojosa situación en que se encontraba el comercio del país", debido sobre todo, decía Couret, uno de los diputados, "a la ley de 1835 sobre el pago de los derechos de importación en moneda extranjera que molestaba todas las transacciones", cuya derogación se consideraba urgente.

La verdad era que esta ley había colocado un serio impedimento al desenvolvimiento del comercio exterior de Haití con los Estados Unidos y Europa. Por eso en su mensaje a Boyer, bajo la influencia de los líderes de la Oposición que parecían ser los únicos que se daban clara cuenta de la situación, los diputados le demandaron que trabajara para "mejorar el sistema monetario del país (porque) la crisis financiera que sufrían en el exterior Europa y los Estados Unidos, producía efectos desastrosos sobre el comercio y la industria de Haití, y privaba al pueblo de los objetos de primera necesidad, amenazando nuestro sistema monetario con una caída funesta". La recomendación que hizo la Cámara al Presidente consistía en promulgar "una ley suspensiva del pago de los derechos aduaneros en monedas extranjeras", de manera que el comercio del país pudiera reponerse saliéndose de la situación que le obligaba a entregar una parte de sus divisas al Estado, situación que los comerciantes

Crisis comercial.

251

buscaban eludir, introduciendo falsa moneda o de baja ley en la República, lo que también sirvió para acentuar la devaluación de la moneda.

A finales de julio de 1837, poco tiempo después de haber recibido el mensaje de los diputados, Boyer les respondió con una proclama que no dejaba duda de que el diagnóstico de la Oposición era correcto en cuanto a las causas de la crisis comercial. Las palabras de Boyer explican mucho de la situación económica de Haití durante este año, que resultó crucial para la historia dominicana por los efectos que tuvo sobre los intereses de los comerciantes de la parte del Este, víctimas también de los mismos problemas que sus colegas occidentales. Parte de la proclama de Boyer reconocía que el mal que aquejaba al comercio haitiano se debía "sobre todo, a la crisis financiera que sufrían Europa y los Estados Unidos desde hacía un año".

Boyer en su proclama atacaba a la Oposición y acusándola de ser "sistemática" y de "no buscar más que una popularidad peligrosa para la sociedad", y llamaba la atención hacia el hecho de que su gobierno había mantenido una constante atención hacia la agricultura. Como había de esperarse, Boyer no quiso aceptar las demandas de la Cámara de Diputados, a la cual creía dominada por la Oposición y, luego de haberse justificado, trabajó para que el Senado, una semana más tarde, rechazara las propuestas de los diputados contra la ley sobre el pago de los derechos aduaneros en moneda extranjera. Entre las más importantes razones que Boyer tenía para no derogar la mencionada ley se encontraba la urgente y permanente necesidad de asegurar para el tesoro de la República los recursos para pagar la deuda nacional. Con esta resistencia a las demandas de los diputados que representaban, como era el caso del legislador Couret, los intereses de los comerciantes, Boyer sumó nuevos motivos de disgustos entre estos últimos. Esos disgustos volvieron a tomar cuerpo al año siguiente, en mayo de 1838, cuando un grupo de militares opositores al Gobierno intentaron asesinar al Presidente y a su Secretario General, el Ministro Inginac, que era el segundo ejecutivo del régimen.

Comerciantes contrarios al gobierno, 1837-1838.

Complot contra el gobierno en Puerto Príncipe, mayo 1838.

El complot fue descubierto cuando Inginac fue atacado de noche en su casa recibiendo un balazo en el cuello que le salió por la boca, pero salvando milagrosamente la vida. Y aunque en la común de Leogane se produjo una revuelta inspirada por los conjurados, la misma fue reprimida rápidamente y la mayor parte de los implicados en la conspiración fueron hechos prisioneros. Los cabecillas fueron condenados a muerte y el resto a sufrir prisión por tres años. Uno de ellos, interrogado sobre los motivos de la conspiración, declaró durante el juicio que ella se debía a que todos estaban descontentos por "los tratados que Boyer acababa de concluir con Francia". Esta declaración, que parece haber sido hecha con el ánimo de desacreditar aún más el gobierno de Boyer, surtiría su efecto en el curso de los años siguientes, pues era cierto que a principios de 1838 Boyer había podido llegar finalmente a un acuerdo con el gobierno francés después de trece años de negociaciones y había podido salirse con la suya obligando a Francia a transigir con la insolvencia económica haitiana y a rebajar sus demandas a la suma de 60 millones de francos que serían pagados en treinta años, y a declarar de una vez por todas que Francia reconocía a Haití como Estado libre, independiente y soberano".

Reducción de la deuda con Francia, 1838.

La Oposición haitiana, hizo de estos acuerdos una bandera de lucha por atacar al régimen de Boyer en los años que siguieron a 1838. En la parte del Este, mientras tanto, ya no hacía falta recoger otros pretextos para nuevas conspiraciones. Durante los últimos dieciséis años habían ocurrido demasiados acontecimientos desagradables para el espíritu y los intereses de los dominicanos, y esos acontecimientos, posiblemente estimulados por la cadena de conspiraciones y revueltas del lado occidental de la Isla y abonados por la crisis comercial de los últimos dos años, pusieron en movimiento a un grupo de jóvenes de Santo Domingo, algunos de ellos comerciantes o hijos de comerciantes, que el 16 de julio de 1838 se reunieron para integrar una sociedad secreta con el propósito de organizar la resistencia dominicana y separar la parte del Este de la República de Haití. La Trinitaria, que fue el nombre de esta

La crisis comercial.

Fundación de la Trinitaria, 16 de julio de 1838.

253

sociedad encabezada por el comerciante Juan Pablo Duarte y Diez, logró reunir en su seno a la mayor parte de la juventud de la ciudad de Santo Domingo cuyas familias habían sido lesionadas en una o en otra forma por las diversas disposiciones legales o militares del gobierno haitiano.

XX

LA TRINITARIA, LA REFORMA Y
LA CAIDA DE BOYER

(1838-1843)

POR MAS QUE BOYER trató de obligar a los propietarios de la parte del Este a someter sus títulos a las autoridades para delimitar las porciones de tierras que debían corresponderles de acuerdo con la Ley del 8 de julio de 1824 y con las otras resoluciones legales que la completaban, el hecho fue que todos opusieron una fuerte y continua resistencia elevando sus protestas a través de los dominicanos prominentes ligados al gobierno haitiano. Con estas tácticas, los años pasaron·y no fue posible para Boyer incorporar a los bienes del Estado otras propiedades que no fueran las que habían pertenecido a la Iglesia y las que habían sido confiscadas a los dominicanos ausentes que no habían querido regresar. *Oposición permanente a la dominación haitiana.*

Las mayores quejas por las confiscaciones de tierras siempre fueron levantadas por los familiares de los ausentes que no pudieron hacer frente a las exigencias del gobierno por no poseer títulos, pero que consideraban que, de acuerdo con la tradición dominicana, ellos eran sus legítimos dueños. Aún después de la Separación hubo quienes publicaron exposiciones en favor de los antiguos dueños de esas tierras, y de las que habían pertenecido a la Iglesia para que fueran devueltas por el gobierno de la nueva República Dominicana. Esas proposiciones encontraron una inmediata resistencia entre aquellos dominicanos que, sin *Quejas por las confiscaciones de tierras.* *Resistencia a la aplicación de la Ley del 8 de julio de 1824.*

255

haber sido esclavos, sino altos funcionarios de la burocracia haitiana durante la Dominación, participaron en las operaciones de compra y venta de los bienes nacionales o adquirieron tierras y casas antiguamente pertenecientes a la Iglesia o a los ausentes en virtud de la ley del 7 de mayo de 1826, adicional a la del 8 de julio de 1824 que ponía en venta los bienes del Estado que no estuvieran reservados para utilidad pública.

Pese a las insistentes demandas de las autoridades haitianas, en 1834 todavía no había sido posible para el gobierno haitiano conseguir que los grandes propietarios entregaran sus títulos. Por ello, el 7 de abril de ese año Boyer dictó una resolución acordando un nuevo plazo para que los propietarios pasaran por las oficinas públicas "para verificar sus títulos de propiedad".

Esta resolución, que era algo así como un ultimátum que amenazaba con extinguir el derecho de propiedad de aquellos que no cumplieran con lo estipulado en la misma, tenía como finalidad abolir de una vez por todas la organización territorial dominicana basada casi exclusivamente en el sistema de los terrenos comuneros. La resolución alarmó a los grandes propietarios de Santo Domingo, quienes apelaron a las autoridades encargadas de ejecutarla y como Boyer quería eliminar asperezas, pero al mismo tiempo "no queriendo renunciar a las ideas que habían presidido la votación de esta ley, con la finalidad fiscal de reunir bajo el dominio público muchas tierras, se vio forzado, sin embargo, a emitir una proclamación, el 11 de agosto, por medio de la cual acordaba a los propietarios usufructuarios un plazo *indefinido* para ejecutar las disposiciones de esta ley", las cuales exigían mensurarlas siguiendo el ejemplo de las propiedades rurales de la parte occidental de la República. Pero los habitantes del Este "no pudieron ser convencidos y las cosas continuaron igual". Así, todavía en 1840 el problema no había sido resuelto y los propietarios, confiados en el plazo indefinido que les había sido otorgado años antes no habían vuelto a dar muestras de inconformidad con el Gobierno.

Este tardío triunfo de los propietarios dominicanos solamente alivió a aquellos que temían perder parte de sus tierras cuando se procediera a sanearlas catastralmente, pero no satisfizo a los familiares de los ausentes ni tampoco a los usufructuarios de las tierras y propiedades de aquéllos y de la Iglesia. José María Bobadilla, hermano de Tomás de Bobadilla, afirma que durante esos años "se desparpajaron los bienes de las Iglesias y los de aquellos Dominicanos que estaban ausentes hacía muchos años, como los de los que emigraron en los años veinte y uno y veinte y dos, por evitar el azote del vandalismo occidental. Las casas y las haciendas de los unos y de los otros se mercedaron á los haitianos, ó se les vendieron á tan ínfimos precios; que si bien se considera, los contratos de venta, mas fueron unos simulacros derrisorios, que ajustes y convenios fundados en la razón; en el precio y en la naturaleza de las cosas. Casas de cuatro, seis, ocho, diez y doce mil pesos, se vendian por dos ó trescientos pesos en moneda provincial: consiguiéndose de esta manera el que los haitianos se señoreasen, escudados con la sombra de títulos legítimos, de las casas, posesiones y propiedades ó de las Iglesias, ó de esos infelices Dominicanos que andaban errantes buscando un asilo que los pusiese al abrigo de las vejaciones haitianas". Estos hechos, aunque no hubieran sido tan frecuentes como los dominicanos de aquellos días proclamaban con insistencia, eran de por sí suficientes para dejar una huella muy honda sobre la población blanca y propietaria de la parte del Este, que tenía también otros motivos para sentirse disgustada con el gobierno de Boyer.

Despojos de tierras y propiedades a los dominicanos.

De manera que en 1834, doce años después de la unificación, existían sobrados motivos entre la población dominicana, especialmente entre la de origen hispano de Santo Domingo, para hacer cualquier cosa que los librara de la ocupación extranjera.

A mediados de diciembre de ese año, un hecho aparentemente intrascendente, encendió la chispa de la conspiración en Santo Domingo: "La muerte natural del Capitán D. Javier Miura, que era de la gendarmería, dió ocasión para que el General Carrié que... era gobernador de Santo Domingo, cometiera una arbitrariedad en perjuicio de Wenceslao de la Concha... Tenía el capitán anexo el cargo de habilitado del cuerpo, y Carrié, para favorecer a su propio hijo, lla mado Samí, lo trasladó del regimiento 31, en que servía en el cargo de furriel al cuerpo de gendarmes, y elevándolo de grado, lo nombró y postergó a Wenceslao". José María Serra, entonces un joven de unos 15 años de edad, al enterarse de este incidente se llenó de indignación porque Wenceslao era su amigo. Ese mismo día y el siguiente, (17 y 18 de diciembre), dice Serra, "me los pasé escribiendo con letra disfrazada contra el gobierno, sin concretar caso alguno, pero concitando a la revolución. Por la noche regué por la ciudad furtivamente mis autógrafos, que a la mañana produjeron un efecto alarmante, y mucho contentamiento de mi parte. La firma que llevaban era: *El Dominicano Español*". Así comenzó el movimiento de propaganda contra el régimen, al cual pronto se incorporó Juan Pablo Duarte, según relata el propio Serra.

A juzgar por lo que dice Serra, él y Duarte pasaron por lo menos unos tres años (1835, 1836, 1837) agitando la población dominicana con sus libelos que circulaban clandestinamente "por otros campos y poblaciones como San Cristóbal, Baní y Azua", y que los haitianos llegaron a formar "foutré espagnol". Estos fueron los años de la formación revolucionaria de Juan Pablo Duarte, quien había regresado al país en 1831 de Europa vivamente impresionado por los movimientos liberales que tenían lugar en España y en Inglaterra, donde, al igual que en Francia existía en esos años una ola de liberalismo político que generalmente iba acompañado de un nacionalismo romántico.

Mientras llevaba a cabo su labor de propaganda contra el régimen haitiano junto con Serra, Juan Pablo Duarte asistía a clases de latín, geografía, música, historia, matemáticas y dibujo que le permitieron completar su formación y adquirir un cierto ascendiente sobre sus compañeros de estudios. Aparentemente Duarte y Serra comenzaron su trabajo de agitación movidos más por un sentimiento de rencor contra el gobernador haitiano que había humillado a su amigo Wenceslao de la Concha, que con el propósito de ejecutar algún plan definido y llevar a cabo acciones

José María Serra y la propaganda dominicana contra la dominación haitiana, 1834.

Juan Pablo Duarte y José María Serra, 1834-1838.

Activismo político de Duarte, 1834-1838.

concretas. Fue andando el tiempo cuando Duarte llegó a captar el profundo sentido de su labor propagandística y logró percibir claramente la finalidad a que la misma debía llevar necesariamente. Fue entonces cuando propuso la formación de una sociedad secreta, revolucionaria, a la que llamó la Trinitaria.

El día 16 de julio de 1838, Duarte y ocho amigos más se reunieron en la casa de una familia amiga en el centro de Santo Domingo y procedieron a organizar los trabajos revolucionarios. Para sufragar gastos, los trinitarios reunieron entre sí unos ciento y pico de pesos y se los entregaron a Duarte para que los invirtiera en el negocio de su padre y utilizara los beneficios de ese pequeño capital como cuenta de gastos corrientes de la sociedad. Como los medios eran escasos, los trinitarios no tuvieron más alternativa que proseguir con la labor de propaganda contra el gobierno haitiano, con la ventaja de que ahora se realizaba incorporando nuevos miembros al movimiento.

Fundación de la Trinitaria, 16 de julio de 1838.

Existen muchos testimonios de que La Trinitaria tuvo gran impacto entre los jóvenes, sobre todo en los de la ciudad de Santo Domingo, que veían en Duarte su verdadero líder pues éste, junto con el Padre Gaspar Hernández enseñaba filosofía y Duarte, además, enseñaba idiomas. Dice Rosa Duarte en sus *Apuntes* que su hermano Juan Pablo "los enseñaba con gusto sin hacer distinción de clases ni colores, lo que le atraía una popularidad incontrastable". La otra actividad de Duarte y sus amigos consistió en la creación de una Sociedad Dramática para montar obras que crearan conciencia revolucionaria entre la población de Santo Domingo. Dos de las obras representadas encontraron eco entre los espectadores que percibieron claramente el mensaje oculto en las mismas que denunciaba la opresión de un pueblo por otro. Todo este movimiento tuvo lugar, entre temores, aventuras y obras teatrales, en la ciudad de Santo Domingo durante los años de 1838 y 1842, mientras en la parte occidental los haitianos continuaban librando su vieja batalla parlamentaria y política para obligar a Boyer a liberalizar el régimen y a mejorar las condiciones de la economía haitiana.

Impacto de la Trinitaria en la juventud de Santo Domingo, 1838-1842.

Los riesgos que corrieron los trinitarios fueron muchos. Por ejemplo, en abril de 1842 viajaron a Baní dos trinitarios que habían ido a ese poblado y al de San Cristóbal a hacer propaganda contra el gobierno. Pedro Alejandroni Pina y Pedro Valverde y Lara, que así se llamaban, tuvieron que salir huyendo de Baní pues su presencia allí despertó sospechas entre los partidarios de Boyer, quienes lanzaron pasquines denunciando que había un grupo de dominicanos que querían levantarse contra el gobierno para anexar la parte del Este nuevamente a la Gran Colombia y que pensaban esclavizar nuevamente a los negros del país. En estos momentos, también había otros trinitarios trabajando en su labor revolucionaria en Puerto Plata y en La Vega, en donde, según García, esas denuncias crearon cierta alarma y estuvieron a punto de ser descubiertos.

Y así, mientras en el Este continuaba la conspiración llevada adelante con extremo cuidado por los miembros de La Trinitaria, en el Oeste, los opositores de Boyer se organizaban en una llamada Sociedad de los Derechos del Hombre y del Ciudadano dirigida por H. Dumesle con el propósito de luchar por la liberalización del sistema político y, eventualmente, por el derrocamiento del Presidente Boyer. La labor revolucionaria de esta sociedad de liberales haitianos que buscaban realizar reformas constitucionales profundas se llevaba a cabo principalmente en frecuentes banquetes en las casas de los principales líderes mulatos del Sur de Haití, en donde la oposición a Boyer era ya una tradición de varios años y en donde el liberalismo político había sentado raíces bien profundas en las mentes de los hombres más influyentes.

Esos "banquetes patrióticos" se celebraban preferentemente en Jéremie y Les Cayes, centros del antigobiernismo en estos momentos. En ellos, los líderes de la Oposición agasajaban a los pequeños propietarios y los visitaban luego en sus propias fincas en donde también celebraban reuniones y brindis "excitando los deseos de estos pacíficos ciudadanos en favor de un nuevo orden de cosas que ellos esperaban fundar, y prometiéndoles sobre todo una venta mucho más ventajosa de sus productos y la compra de mercancías extranjeras a un precio mucho más bajo que su valor actual; pues según ellos, la mala administración de Boyer, el papel moneda que éste había hecho emitir, y el pago de derechos de importación en moneda extranjera, etc., no eran más que medidas calculadas para traer la miseria al pueblo".

El Gobierno, pese a que tenía noticias de la sedición que se estaba llevando a cabo en el Sur, no pudo hacer nada, pues el 7 de mayo de 1842 a las cinco y media de la tarde, un terrible terremoto se hizo sentir en toda la Isla, especialmente en el Norte, en donde destruyó casi totalmente las ciudades más importantes que eran en esos días Santiago de los Caballeros y Cabo Haitiano. Boyer se vio obligado a dedicar todas sus energías y la de su ejército a impedir los saqueos que durante varios días azotaron a estas dos ciudades. Lo Oposición supo explotar la ocurrencia del terremoto, acusando a Boyer, quien se encontraba enfermo en Puerto Príncipe, de haber sido insensible a las desgracias de sus ciudadanos y de no haberse presentado personalmente al lugar de los acontecimientos a consolar a las familias afectadas por el mismo que dejó unos cinco mil muertos en Cabo Haitiano y unos 200 en Santiago, además de otros muchos en Port de Paix. Una gran inquietud se produjo durante los meses siguientes en todo el país, con motivo de las acusaciones de la Oposición y de las investigaciones que desplegó el Gobierno a fin de descubrir los participantes en los pillajes y otros actos de bandolerismo realizados entre las ruinas de las ciudades.

Terremoto del 7 de mayo de 1842.

En los meses siguientes, la Oposición pudo organizarse. En septiembre de 1842 la Sociedad de los Derechos del Hombre y del Ciudadano, después de haber realizado una importante reunión en Les Cayes, lanzó un "Manifiesto o llamado a los ciudadanos de Les Cayes y a sus conciudadanos", en el que denunciaba el malestar que existía en el país en esos momentos y en el que atacaba duramente a Boyer, a la Cámara de Diputados y a la Constitución de 1816 que hacía posible un régimen absolutista como el que existía en esos momentos.

Manifiesto de Les Cayes contra Boyer, 1 de septiembre de 1842.

Después de acusar al Gobierno de querer reducir a los

habitantes del país a la más horrorosa miseria, el manifiesto continuaba analizando la situación de la agricultura, de la policía rural, de la educación y de los impuestos, sobre todo "esa ley infernal que estableció el pago de los derechos de aduana en moneda extranjera". Los redactores del Manifiesto también denunciaban que los empleos públicos, tanto civiles como militares, estaban "ocupados por sujetos incapaces, inmorales, desconsiderados, que no han sabido llegar allí más que por medio de la adulación, la intriga y el oportunismo, mientras que los ciudadanos patriotas, los más ilustres, conscientes, virtuosos, cubiertos de títulos, conocidos por sus eminentes servicios, perfectamente aptos, permanecen en el olvido y en la inactividad, si es que no son perseguidos...".

El Manifiesto denunciaba además que los tribunales estaban compuestos por magistrados improvisados y que la guardia nacional y el ejército seguían el sistema de ascender a los oficiales más por el favor y el capricho de su comandante en jefe que por los méritos de los oficiales y su antigüedad en el servicio. Frente a todo esto sólo había una cosa que hacer, decía el Manifiesto, y ésta era derrocar la "gerontocracia" que los gobernaba, cambiar la Constitución, y organizar antes de todo, un gobierno provisional compuesto de hombres notables en la magistratura y en el ejército.

Preparativos de revolución contra Boyer, 21 de noviembre de 1842.

El 21 de noviembre de 1842 todo estaba listo y debidamente organizado para iniciar la revuelta contra Boyer. Este día hubo una última reunión formal de los principales dirigentes de la Sociedad de los Derechos del Hombre y de los Ciudadanos, en la cual se fijaron definitivamente los poderes de Charles Hérard *ainé*, que quedaba investido como jefe máximo de la revolución y cuyo título fue ampliado al de "Jefe de Ejecución de las Voluntades del Pueblo Soberano y de sus Resoluciones". Mientras se esperaba el momento propicio para dar el golpe, las reuniones clandestinas continuaban y el Manifiesto circulaba en todo el país.

Impopularidad de Boyer.

La impopularidad de Boyer llegó a tal punto que en una reunión que éste convocó entre sus más importantes fun-

262

cionarios civiles y militares a finales de noviembre, Borgella explicó que tanto él como los funcionarios tenían noticias de que se tramaba derrocar el Gobierno, pero que por más que se buscaba determinar quiénes eran los cabecillas del movimiento, no aparecía una sola persona dispuesta a denunciarlos. Posiblemente, Borgella, habitante de Les Cayes, al igual que los demás líderes revolucionarios, prefería dejar pasar los acontecimientos para ver qué partido tomaría finalmente. Si él conocía ya el manifiesto, tenía que saber que tanto a él como a Bonnet, como a otros tres viejos generales se les mencionaba como candidatos para dirigir el gobierno provisional que surgiría del derrocamiento de Boyer. Así, pese al evidente movimiento de personas consideradas como opositores del gobierno que visitaban constantemente Les Cayes y se reunían con frecuencia con los otros líderes de la Oposición, Borgella no adoptó medidas preventivas contra ninguno.

No las tomó, por ejemplo, contra M. Benoit, el diputado por Santo Domingo compañero de Alcius Ponthieux que también había sido expulsado en abril de este año de las Cámaras por pertenecer al movimiento reformador. Benoit había sido enviado a Les Cayes, por los liberales haitianos de Santo Domingo para ponerse en contacto y coordinar el movimiento de oposición en la parte del Este, en donde el manifiesto había circulado y había despertado grandes espectativas tanto entre los dominicanos como entre los haitianos residentes en Santo Domingo, San Cristóbal y Baní. Dice Manuel María Valencia, quien estaba al tanto de la situación, que "cuando llegó el manifiesto del 1ro. de septiembre de 1842, comunicado éste a un número muy limitado de personas: no hubo una siquiera que se negase a abrazar la causa de la regeneración, llegando el entusiasmo hasta el extremo de cometer inútiles imprudencias. Contestamos oficialmente a la junta patriótica de los Cayos asegurándoles nuestra leal cooperación, y se escogió para este mensaje a un Dominicano que no puso la menor dificultad para desempeñar tan peligroso cargo". Este enviado, que resultó ser Juan Nepomuceno Ravelo, no logró cumplir con la misión encomendada, aparentemente porque no conocía suficientemente la situación y las personas en Les Cayes o quizás porque no logró captar la confianza de los principales líderes haitianos de la Oposición.

La única persona, entre los liberales dominicanos que podía tener éxito en Les Cayes era Ramón Mella, pues tanto Ponthieux como Benoit eran sus amigos, lo mismo que el General Borgella, quien conocía a su familia desde los días en que éste era Comandante de Santo Domingo. El día 26 de enero de 1843 llegó Mella a Les Cayes, y se hospedó en casa de Borgella lo que contribuyó a ocultar el móvil de su visita. Luego de hacer los arreglos con los conspiradores para coordinar ambos movimientos en el Este y el Oeste, partió de regreso a Santo Domingo, pues el mismo día de su llegada comenzaban las movilizaciones militares y se preparaba para el día siguiente el pronunciamiento público contra el gobierno.

El día 27 de enero comenzó la revuelta contra Boyer, que fue llamada Movimiento de la Reforma, en la finca de Praslin que pertenecía a Charles Herard ainé. Borgella, rodeado como estaba de militares opuestos al Gobierno, no quiso tomar ninguna medida contra los revolucionarios y sólo celebró una reunión con sus oficiales, entre los cuales se encontraba el Capitán Fabre Geffrard, quien creyendo que Borgella aceptaría sumarse al movimiento sorprendió a todos gritando "¡Abajo el Presidente! ¡Viva el general Borgella!". El general no adoptó medidas contra Geffrard por este acto de insubordinación, permitiéndole huir y unirse a las fuerzas antigobiernistas, pero actuó conforme Boyer le exigía: El día 29 de enero declaró a Charles Herard traidor a la patria y esperó a que los acontecimientos se desarrollaran. Sus medidas militares se limitaron a enviar un coronel a las afueras del destacamento de Les Cayes con tropas y órdenes de perseguir a los insurgentes, pero al llegar a Praslin este coronel no encontró a nadie pues Charles Herard y los otros revolucionarios se habían movilizado hacia otros puntos del sur de Haití, en donde se les sumaron nuevas fuerzas y en donde la revuelta fue ganando terreno.

El día 2 de febrero, Boyer lanzó una proclama al país

Alianza de liberales dominicanos con revolucionarios haitianos, enero 1843.

Charles Hérard encabeza la revolución contra Boyer, 27 de enero de 1843.

Boyer enfrenta la revolución contra Boyer, 27 de enero de 1843.

en Puerto Príncipe informando de la revuelta, y movilizó todos los recursos militares a su disposición, elogiando a Borgella a quien él todavía consideraba leal a su persona y a quien nombró Comandante Superior Provisional de todo el Departamento del Sur con el encargo de dirigir las operaciones contra los insurgentes. El día 5, todavía, Boyer celebró una gran parada militar en Puerto Príncipe con el propósito de impresionar a sus enemigos demostrando públicamente el apoyo de las fuerzas armadas. Sin embargo, era ya muy difícil para las tropas del Gobierno liquidar las fuerzas oposicionistas porque la mayor parte de la población civil del sur de Haití estaba en contra del Gobierno y se negaba a facilitarle o a venderle provisiones a los oficiales y soldados de Boyer, y, además, casi todos los destacamentos militares del Sur se fueron pronunciando uno tras otro en favor de la revolución. Después de quince días de movilizaciones, pronunciamientos y negociaciones entre los diversos comandantes militares de ambos bandos, ya el día 20 de febrero la revuelta parecía haber ganado a casi todo el mundo en el Sur y las fuerzas de Boyer perdían terreno minuto a minuto.

Boyer enfrenta la revolución, enero-marzo 1843.

El día 25 de febrero Charles Herard atacó uno de los últimos pueblos que quedaban en manos del Gobierno, Anseá-Veau, ocupándolo y consolidando con este triunfo la posición de sus fuerzas. La muerte de otro importante Coronel oficialista, Cazeau, desmoralizó mucho más a las tropas de Boyer, que se retiraron de sus posiciones tratando de refugiarse en Les Cayes, único reducto que no había caído en manos de los revolucionarios. El día 4 de marzo Borgella no tenía otro recurso que pactar el rendimiento de la plaza, pues los vecinos de la ciudad le demandaron, a través de una exposición pública, que entregara el puesto a las fuerzas revolucionarias, lo cual Borgella aceptó, después de haber consultado con los principales oficiales de su ejército con el fin de "evitar derramamientos de sangre".

Derrota de fuerzas boyeristas, 4 de marzo de 1843.

La entrega de Les Cayes en manos de los revolucionarios el día 8 de marzo fue realizada por Borgella en consulta con los más importantes jefes militares de los otros departamentos del país. Con esta derrota el Presidente quedaba, virtualmente sin apoyo militar para defender a Puerto Príncipe. Boyer se enteró de la misma el día 13 en la tarde, cuando llegó al Palacio, procedente de Les Cayes, un funcionario que había partido en un guardacostas la noche de la entrega para darle la noticia. Esa misma noche, a las ocho, Boyer y su familia se embarcaron a bordo de una goleta inglesa que los llevaría al exilio después de veinticinco años de gobierno. Al otro día, el 14 de marzo, el Comité permanente del Senado y el Secretario General, en quienes Boyer había dejado la responsabilidad del Gobierno, anunciaron la renuncia del Presidente y exhortaron al pueblo a mantener la calma. La noticia corrió rápidamente por todo el país y los revolucionarios se aprestaron a marchar hacia Puerto Príncipe para hacerse con el poder que quedaba, desde esos momentos, a su disposición.

XXI

LA SEPARACION

(1843-1844)

LA NOTICIA DEL DERROCAMIENTO de Boyer llegó a Santo Domingo en la tarde del día 24 de marzo de 1843 en medio de un ambiente de agitación, conspiración y espera. Y fue como la señal para que los grupos políticos de oposición se pusieran en movimiento y se lanzaran a las calles gritando vivas a la Independencia y a la Reforma. En poco tiempo se formó una turba de revolucionarios encabezados por el patriota Juan Pablo Duarte, el ex-diputado opositor Alcius Ponthieux y el General antiboyerista Etienne Desgrotte, quienes dirigieron a los amotinados hacia la fortaleza de la ciudad con el propósito de tomarla por la fuerza. Pero al llegar a la plaza de la Catedral, el grupo fue detenido por tropas oficiales y, después de intercambiar algunas palabras, se produjo un tiroteo que dejó por lo menos dos muertos y cinco heridos.

Impacto del derrocamiento de Boyer en Santo Domingo, 24 de marzo de 1843.

Frente a esta resistencia, y teniendo en cuenta su inferioridad militar, los revolucionarios huyeron saltando las murallas de la ciudad y fueron a refugiarse al poblado de San Cristóbal donde conminaron al Comandante de Armas del lugar a pronunciarse en favor del movimiento de la reforma que ellos encabezaban. De allí enviaron emisarios a los campos y pueblos vecinos de Baní y Azua, obteniendo una respuesta favorable. Dos días más tarde, después de haber reunido un pequeño ejército de unos 2,000 hombres, los revolucionarios

267

se presentaron frente a Santo Domingo, en donde el Comandante de la ciudad, el General Carrié, ya había sido obligado el día 26 por los comerciantes y otros altos funcionarios de la ciudad a reconocer el gobierno provisional revolucionario que se instalaría en breve en Puerto Príncipe. El único apoyo con que Carrié contaba para hacer frente a los rebeldes eran las tropas del Batallón 32 que comandaba el viejo General Pablo Alí, pero éste, viendo la popularidad de los revolucionarios, se puso de su parte y Carrié no tuvo más remedio que capitular y entregar la plaza a una Junta Popular formada el día 30 por los cabecillas civiles de la revuelta.

Durante el curso del mes de abril de 1843, a medida que las noticias e instrucciones de Santo Domingo y Puerto Príncipe fueron llegando a las diferentes localidades del Este, los líderes liberales de las mismas también formaron comités o juntas populares con el propósito de defender el movimiento de la Reforma. Estos líderes eran en su mayoría gente joven sin experiencia política y no faltaron incidentes y tensiones entre ellos y los grupos y élites locales tradicionales que habían ejercido el Poder sin interrupción desde hacía décadas, no obstante todos los cambios políticos ocurridos en la parte del Este en los últimos cincuenta años. Intereses económicos, políticos, ideológicos y hasta generacionales separaron desde estos momentos a los jóvenes liberales del resto de la población madura de la parte del Este.

Y ello se explica. La organización de la Sociedad La Trinitaria se había realizado en el mayor secreto y sus miembros nunca pudieron ser identificados del todo. Sin embargo, los dominicanos sabían que ese grupo de jóvenes se había fijado como meta la separación de la parte del Este de Haití con el propósito de constituir una república independiente que se llamaría República Dominicana. Tan público se hizo el rumor que incluso el cónsul francés en Puerto Príncipe llegó a saberlo por lo menos una semana antes del derrocamiento de Boyer, y hubo algunos que, como don Marcos Cabral en Baní, opuestos totalmente a la separación, regaron la voz de que existía un movimiento separatista que intentaba anexar nuevamente la parte del Este a

Revuelta contra funcionarios boyeristas en Santo Domingo, 24-26 de marzo de 1843.

Juntas Populares, abril 1843.

La Trinitaria y el movimiento por la Independencia.

268

Colombia y restablecer la esclavitud, como había ocurrido en tiempos de José Núñez de Cáceres veintiún años atrás. De ahí que mucha gente llamara a los trinitarios "colombianos", para oponerlos a las masas de color para quienes el término significaba esclavitud, y para oponerlos, igualmente, a los propietarios que recordaban con desagrado la proclamación de Núñez de Cáceres y creían que ésta había sido la causa de la dominación haitiana.

Debajo de esas acusaciones yacían los más diversos intereses políticos, pues el derrocamiento de Boyer ocurría precisamente en los momentos en que en la parte del Este, junto con un espíritu generalizado en favor de la separación, co-existían varios movimientos independientes orientados a lograr esa separación con el apoyo de alguna potencia extranjera. Puede decirse que había por lo menos cuatro movimientos separatistas definidos: Uno pro-español, del cual eran exponentes en Santo Domingo los sacerdotes Gaspar Hernández y Pedro Pamiés, y en Puerto Plata el veterano General Andrés López Villanueva, quienes separadamente escribieron en ocasiones diversas a las autoridades españolas de Puerto Rico y Cuba exponiéndoles la situación general de la parte del Este y el estado de dominación en que se encontraban sujetos sus habitantes. Estos dos grupos pidieron al gobierno español que enviara tropas para desalojar a los haitianos de la parte del Este y ofrecieron sus servicios para ayudar a realizar con éxito la empresa. En ninguno de los dos casos el gobierno español se mostró interesado, pese al convencimiento del mismo Cónsul francés en Puerto Príncipe, durante la primera mitad del año 1843, de que España estaba realmente interesada en la parte del Este debido al precedente de la misión de Fernández de Castro en 1830.

El segundo movimiento separatista se inclinaba a buscar la protección de Inglaterra y lo encabezaba un propietario de Las Matas de Farfán llamado Pimentel, quien llegó a escribir al Cónsul inglés en Puerto Príncipe invitándolo a colaborar con el grupo de dominicanos que él representaba para expulsar a los haitianos de la parte del Este a cambio de ventajas comerciales en favor de Inglaterra. Este movi-

Grupos separatistas.

Grupo proespañol.

Grupo proinglés.

miento tampoco llegó a cuajar por falta de interés del gobierno británico en el caso dominicano.

Otro movimiento separatista, el que encabezaba Juan Pablo Duarte, buscaba una independencia pura y simple sin intervención ni ayuda extranjera y el cuarto lo componía un grupo de hombres maduros, la mayor parte de los cuales había ocupado puestos administrativos dentro del gobierno haitiano y que por estar familiarizados con la legislación francesa y haber tratado de cerca al Cónsul francés en Puerto Príncipe, creían poder alcanzar la eliminación del dominio haitiano con ayuda de Francia, a cambio de otorgar a esta potencia privilegios políticos, arancelarios y territoriales. Los cabecillas visibles de este movimiento eran un rico propietario de Azua llamado Buenaventura Báez y el importante abogado y comerciante Manuel Joaquín Delmonte.

Afrancesados.

Mientras cada uno de éstos urdía sus planes y llevaba adelante su estrategia, el Gobierno Provisional de Puerto Príncipe procedía a convocar a las diversas juntas a elegir sus diputados a la Asamblea Constituyente que debía reunirse a partir del 15 de septiembre en Puerto Príncipe para preparar la Constitución que los liberales haitianos creían que curaría a Haití de todos sus males "y añejas preocupaciones".

Preparación de Asamblea Constituyente en Puerto Príncipe.

El Gobierno Provisional ordenó que se realizaran elecciones municipales el día 15 de junio de 1843, disposición bien recibida por los liberales dominicanos pues sabían que ellos controlaban la política interna a través de la organización adquirida con el sistema celular de La Trinitaria. A medida que las elecciones se acercaban, las relaciones entre los liberales dominicanos y los liberales haitianos fueron deteriorándose, pues los haitianos descubrieron que la colaboración que Duarte y sus compañeros les habían ofrecido un par de meses atrás correspondía a una medida táctica que consistía en derrocar a Boyer como un paso previo para lograr la separación.

Elecciones municipales, 15 de junio de 1843.

La situación se agravó el 8 de junio de 1843, cuando un grupo de dominicanos dirigió a la Junta Popular una *Representación* denunciando que, pese a la colaboración dominicana en el movimiento de la Reforma, se estaban produ-

Demandas de los dominicanos por sus derechos: La Representación del 8 de junio de 1843.

ciendo de continuo acuartelamientos y patrullajes que fomentaban la intranquilidad de los vecinos, sobre todo si se tenía en cuenta que los mismos estaban ocurriendo en los días previos a las elecciones. Además, decían los firmantes, en vista de que la parte del Este no era concebida como una región conquistada, ellos querían que se les permitiese escribir sus documentos oficiales en idioma español, por lo que pedían a la Junta Popular que instruyera a los diputados que salieran electos a la Constituyente para que reclamaran "la observancia de nuestra Religión Católica, y que se conserve el idioma, usos y costumbres nativos y locales, á la vez que en esto, ni se opone, ni contradice, ni debilita la unión simple é indivisible de la República democrática".

La consideración de este documento en el seno de la Junta Popular suscitó "serios debates" y "discusiones acaloradas" entre Pedro Alejandrino Pina y el haitiano Jean Baptiste Morin, lo mismo que entre el resto de los miembros "por el calor con que los dominicanos la defendían y la terquedad con que los haitianos la contrariaban". Hubo un haitiano que frente a esta franca defensa de la dominicanidad de los habitantes del Este por parte de los miembros orientales de la Junta llegó a exclamar: "¡Estamos perdidos, la independencia de los dominicanos es un hecho!".

En medio de esta atmósfera de tensión pasó la semana y llegó por fin el día de las elecciones. Tanto en Santo Domingo como en la mayoría de los pueblos de la parte del Este los partidarios de La Trinitaria salieron triunfantes por encima de los demás grupos de afrancesados y prohaitianos. En el Cibao, el espíritu de conspiración era tal que los vecinos de Macorís y Cotuí, aprovechando que el poder municipal recaía legalmente en sus manos, depusieron a los comandantes militares haitianos y decidieron ejercer el poder independientemente.

Victoria de los trinitarios y exaltación política.

Los principales cabecillas de estos cambios fueron Rafael Servando Rodríguez y Pablo Paz del Castillo, en Santiago, quienes estaban en contacto con los curas de Macorís y Cotuí, adonde Ramón Mella había ido con el propósito de coordinar el movimiento. En el Seibo e Higüey, Ramón y Pedro Santana y otros militares en las localidades y en

271

Baní, Jacinto de Castro e Hipólito Billini, trabajaban en favor de la sublevación contra el gobierno haitiano. La exaltación política que envolvía a todo el mundo hizo proliferar panfletos, hojas sueltas y pasquines conteniendo proclamas, décimas, denuncias, sátiras y otros escritos en favor y en contra de la separación. Muchos de estos escritos llegaron a manos de las autoridades haitianas, quienes descubrieron que de no actuar rápidamente, no tardaría en producirse un golpe de Estado en la parte del Este.

Para evitarlo, Augusto Brouard, delegado especial del gobierno haitiano, y el General Desgrotte, sabiendo que Charles Hérard desde hacía más de dos meses tenía el encargo de visitar con su ejército la parte del Este para organizar el movimiento reformista, le comunicaron la necesidad de que ese ejército "llegara cuanto antes... pues suponían ambos, en vista de las seguridades que les daban sus parciales, que con esos bastaba para que se desvanecieran como humo todas las combinaciones separatistas". En esos momentos, julio de 1843, Hérard se encontraba en Cabo Haitiano con su ejército e inmediatamente se puso en movimiento llegando en primer lugar a Dajabón, donde para su sorpresa encontró que la población era "de otras costumbres, de otras inclinaciones; con un idioma diferente del nuestro", y a partir de entonces, según dice el mismo Hérard, tuvo que utilizar un intérprete para comunicarse con el pueblo.

Después de haber despachado hacia Santo Domingo y Santiago dos brigadas, Hérard se trasladó a Puerto Plata donde encontró la población dividida en tres partidos. Ahí descubrió lo que todos los dominicanos sabían desde hacía muchos años: Que el Administrador de Hacienda de la ciudad había estado robándoles las tierras y los títulos de propiedad a los vecinos y que el Tesorero y el Administrador de Aduanas se enriquecían ilícitamente dejando pasar contrabandos. Al llegar a Santiago, el bando prohaitiano le denunció la conspiración de los separatistas y acto seguido, escribía Hérard a los miembros del gobierno haitiano en Puerto Príncipe, "Hice detener a todos los traidores que me denunciaron; los interrogué, y los que resultaron implicados

Agitación política.

Invasión de Charles Hérard, julio 1843.

Medidas represivas de Hérard.

272

en esa conspiración, os fueron enviados a Puerto Príncipe por la vía de Puerto Plata". Supo también que varias familias de Santiago habían perdido sus tierras y títulos de propiedad "violentamente", y tratando de ganarse sus simpatías Hérard ordenó que unas y otros les fueran devueltos.

En La Vega destituyó al Comandante y de allí pasó a San Francisco de Macorís, otro foco de conspiración, donde el teniente coronel Charlot, comandante de la plaza, había sido destituido por el municipio. Hérard hizo detener al cura, a quien consideraba jefe del partido "colombiano trinitario" y al que se le atribuía haber urdido un complot para matarle. Ascendió al grado de comandante de la plaza de Macorís al teniente coronel Charlot y pasó de inmediato a Cotuí, donde arrestó al cura por ser amigo y cómplice del de San Francisco de Macorís. Junto con el sacerdote, Hérard hizo detener a Ramón Mella, enviado de Santo Domingo para concertar con el cura la destrucción del ejército haitiano. Ambos fueron enviados a Puerto Republicano, al igual que se hizo con el cura de Macorís y otros conjurados.

Después de haber sometido a los pobladores de Cotuí, Hérard salió hacia Santo Domingo, donde llegó el día 12 de julio a las once de la mañana. "Todas las puertas de los ciudadanos de origen español estaban cerradas; solamente estaban abiertas las de los ciudadanos de origen francés". Los trinitarios se movilizaban en la clandestinidad tratando de escapar de la búsqueda que Hérard estaba a punto de iniciar. Desde el día anterior Duarte y sus compañeros se encontraban ocultos en diferentes lugares. Con la ciudad ocupada militarmente poco podía hacerse como no fuera tratar de no caer prisionero.

Duarte y los trinitarios perseguidos.

Momentáneamente el movimiento separatista quedó en desbandada. Desde Santo Domingo, Hérard aprovechó para enviar gente a los demás pueblos del Sur y del Este con órdenes de hacer prender a todos los separatistas implicados en la conspiración. En el Seibo fueron arrestados Ramón y Pedro Santana y en Higüey un capitán llamado Vicente Ramírez y el ciudadano Nicolás Rijo. Hérard junto con sus tropas pasó varios días en Santo Domingo, donde reorganizó

273

el municipio, los tribunales, la guardia nacional, todo, de acuerdo con los intereses haitianos.

Después de hacer cantar un Te Deum, y haber expulsado a dos sacerdotes por conspiraciones separatistas en favor de España y de haber hecho varias docenas de prisioneros, Hérard abandonó la ciudad aterrorizada por los allanamientos realizados días atrás por las tropas en busca de Duarte y sus compañeros quienes habían sido denunciados al jefe haitiano desde antes de su entrada en Santo Domingo. Después de haber corrido mil peligros, Duarte pudo finalmente embarcarse subrepticiamente en una goleta el día 2 de agosto con rumbo a Saint Thomas, dejando tras de sí su partido independentista completamente desorganizado, perseguido y desmoralizado por la rápida maniobra del General Hérard.

Exilio de Juan Pablo Duarte, 2 de agosto de 1843.

No obstante esta derrota, los trinitarios pudieron reponerse poco a poco bajo el liderazgo de un joven mulato llamado Francisco Sánchez que logró escaparse de la persecución fingiéndose enfermo y simulando, con la ayuda de sus amigos no comprometidos públicamente, su muerte repentina. Durante los meses que siguieron al exilio de Duarte, los trinitarios se vieron obligados a actuar encabezados por Sánchez, Vicente Celestino Duarte y por Ramón Mella, quien regresó a Santo Domingo a finales de septiembre de 1843, luego de haber sido amonestado y libertado por el Gobierno de Puerto Príncipe junto con los demás presos políticos que había hecho Hérard durante su recorrido. Estos fueron los meses menos peligrosos para la conspiración debido a que en el Oeste los haitianos se encontraban profundamente divididos con motivo de la celebración de la Asamblea Constituyente y debido, también, a que el viaje de Hérard había provocado grandes desacuerdos en el seno del Gobierno.

Desarticulación y reestructuración del movimiento trinitario.

Liderazgo de Sánchez y Mella.

La inquietud que provocó la celebración de la Asamblea Constituyente en Puerto Príncipe y la misma participación en ella de varios importantes hombres de la parte del Este, permitió un respiro a los diversos grupos separatistas que, pese a las persecuciones sufridas durante los meses de julio y agosto, sabían que no ocurrirían nuevos encarcelamientos a menos que dieran muestras de planear algún golpe de

Estado en combinación con los militares. Esto último no era posible inmediatamente, pues el más exaltado de los grupos, el de los trinitarios, había quedado bastante desarticulado y con su jefe en el exilio. Por su parte, el otro grupo influyente dentro de la población dominicana, el de los afrancesados, no se atrevía a actuar hasta no conseguir la promesa formal del representante del gobierno francés en la Isla de que Francia apoyaría su movimiento.

Después de una intensa correspondencia con Juan Pablo Duarte los trinitarios elaboraron su estrategia: Duarte conseguiría armas y recursos en Venezuela y Curazao, y con ellos fletaría un barco para desembarcar el 9 de diciembre o antes, en la playa de Guayacanes, al este de Santo Domingo. Según creían Francisco del Rosario Sánchez y Vicente C. Duarte, los creadores del plan, este movimiento era de suma importancia para poder anticiparse a "la audacia de un tercer partido, o de un enemigo nuestro, estando el pueblo tan inflamado". Pero Duarte no pudo conseguir ni las armas ni los recursos y este plan se vino abajo, por lo que Sánchez y su grupo tuvieron que adherirse a la táctica desplegada por Ramón Mella, que consistía en tratar de ganar nuevos partidarios para la causa de la Separación entre la población madura de Santo Domingo.

Conspiraciones de los trinitarios con los boyeristas, diciembre 1843.

Esta nueva actitud dio sus frutos, pues a finales de 1843 los trinitarios pudieron conquistar para su movimiento a Tomás de Bobadilla, antiguo funcionario del gobierno haitiano durante los años de Boyer, a quien el movimiento de Reforma había dejado fuera de la administración pública y quien se consideraba disidente del gobierno revolucionario. La colaboración de Bobadilla era algo que no tenía precio en aquellos momentos en que los duartistas se encontraban divididos y necesitaban una persona con suficiente experiencia política.

El grupo afrancesado, entretanto, trabajaba calladamente. Los mismos trinitarios llegaron a creer que se había debilitado de tal modo "que sólo los Alfau y los Delgados" permanecían en él. Pero su labor era llevada a cabo en Puerto Príncipe, que era el verdadero centro de la actividad política, pues sus principales cabecillas eran Buenaventura Báez y Ma-

nuel María Valencia, quienes habiendo sido electos como
diputados a la Asamblea Constituyente, aprovecharon nuevamente la ocasión para ponerse en contacto con el Cónsul francés, Mr. Levasseur a quien apremiaron a conceder apoyo al
viejo plan de separación que desde hacía más de un año se
había discutido para favorecer la independencia de la parte
del Este y ponerla bajo la protección de Francia a cambio de
la cesión a esta potencia de la Bahía de Samaná.

Levasseur, quien al principio había alentado estas ideas
entre los dominicanos, en los meses que siguieron al derrocamiento de Boyer se había visto obligado a inhibirse de
fomentarla, pues el Gobierno Provisional se había declarado
en bancarrota y se negaba a seguir pagando a Francia las
cuotas anuales convenidas por el último acuerdo de 1838.
Esta nueva situación obligaba al Cónsul francés a ser más
conservador en su política hacia la parte del Este, pues sabía
que la deuda era parcialmente sufragada con las entradas
provenientes de la exportación de tabaco y caoba, principales productos de la región oriental de la Isla.

Sin embargo, a mediados de diciembre ocurrió algo que
hizo cambiar nuevamente la actitud al Cónsul francés, y
ello fue la llegada a Puerto Príncipe de un enviado plenipotenciario del gobierno de Francia con el encargo de negociar con el gobierno haitiano la cuestión de la deuda y exigir
del mismo, como garantía, cualesquiera ventajas posibles, en
especial territoriales, entre las cuales se encontraba la posesión de la Bahía de Samaná. Al conocer Levasseur estas
instrucciones de su Gobierno, se dispuso a acelerar sus planes para implantar definitivamente la influencia francesa
en la Isla y obtener la Península de Samaná para Francia,
accediendo entonces a las insistentes peticiones de protección de parte de los diputados orientales y comunicando
a su Gobierno que el 16 de diciembre él había recibido de
manos de los siete diputados representantes de la parte del
Este el acto "por el cual éstos colocan, en nombre de sus
comitentes, su propio territorio bajo la protección de Francia en condiciones que no he querido discutir ni modificar...".

Dice Levasseur que las conversaciones que sostuvo en

este sentido con el plenipotenciario de su Gobierno, Mr. Barrot, con el jefe de la escuadra francesa y con el nuevo Cónsul francés destinado a la ciudad de Santo Domingo, lo movieron a actuar de esta manera. Eso explica la anticipación con que Báez y los demás miembros del grupo afrancesado fijaron como fecha del golpe contra los haitianos el 25 de abril de 1844.

Plan del golpe de Estado de los afrancesados para el 25 de abril de 1844.

Esta noticia, que era la más explosiva de cuantas podían llegar a Santo Domingo, se difundió rápidamente entre toda la población dominicana, pues Manuel María Valencia, uno de los diputados, la transmitió a un amigo suyo en Baní, donde la supo el trinitario José María Serra, quien inmediatamente se trasladó a Santo Domingo y la comunicó a Francisco Sánchez y a un grupo de trinitarios que se encontraban reunidos ese día en casa de Sánchez. Después de discutir el asunto, dice Serra, se convino allí "la necesidad de anticipar el pronunciamiento y declarar la parte del Este *estado libre e independiente*", antes que los afrancesados pudieran hacerlo. El día fijado fue el 20 de febrero de 1844, esto es, dos meses antes de la fecha acordada por el grupo de Báez. Y así, ambos grupos, separadamente, empezaron a moverse en el mayor secreto, especialmente los trinitarios, quienes no querían que los afrancesados descubrieran que ellos se les adelantarían.

El día 1 de enero de 1844 los afrancesados de Azua lanzaron un manifiesto dando cuenta de las razones que los llevaban a buscar la separación de la República y a ampararse bajo la protección de Francia. Quince días más tarde, el 16 de enero, Bobadilla y los trinitarios prepararon su propio manifiesto en el cual invitaban a la rebelión contra los haitianos luego de enumerar una serie de agravios que a su juicio había padecido la población dominicana durante los veintidós años de la Dominación.

Manifiesto de Azua, 1 de enero de 1844.

Manifiesto trinitario del 16 de enero de 1844.

Esos dos manifiestos venían a ser la última expresión de la población oriental que se consideraba totalmente diferente de la haitiana, sobre todo en lo que tocaba a sus rasgos culturales básicos: Lengua, raza, religión y costumbres domésticas que, a pesar de todas las reglamentaciones y presiones oficiales de los últimos veintidós años, habían

FRANK MOYA PONS

permanecido inalterables. Ambos manifiestos circularon profusamente por el país exaltando los ánimos contra los haitianos, a quienes sus autores acusaban de los peores crímenes. A mediados de febrero de 1844 la población dominicana, en especial la de la ciudad de Santo Domingo, se encontraba suficientemente sensibilizada por la propaganda separatista de ambos grupos y se disponía a dar el golpe: los afrancesados en abril y los trinitarios el 20 de febrero.

Sin embargo, los trinitarios necesitaban la seguridad de que los hateros seibanos, que tenían como jefes a los hermanos Ramón y Pedro Santana, decidieran apoyar el golpe. Los días pasaron y no fue posible para los conspiradores de Santo Domingo llevar a cabo ninguna acción hasta el 26 de febrero día en que, por fin, recibieron la información de que en la noche anterior los seibanos se disponían a marchar hacia Santo Domingo.

Esta noticia decidió la situación, pues, con el mayor sigilo los conspiradores se pusieron en movimiento y acordaron reunirse la noche del 27 a las 11, en la Puerta de la Misericordia para, desde allí, lanzarse a ocupar el baluarte de El Conde, en donde el teniente Martín Girón, conquistado a última hora, los esperaría con sus hombres, listos para hacer frente a la posible reacción de los haitianos que tenían como cuartel general la fortaleza Ozama. El golpe fue consumado rápidamente y al otro día, el 28 de febrero, la población capitaleña se aglomeró frente a la Puerta de El Conde a esperar el resultado de las negociaciones entre las autoridades haitianas y los revolucionarios, organizados ahora bajo la dirección de un Comité Insurreccional encabezado por Francisco del Rosario Sánchez.

Estas negociaciones dieron por resultado la firma de una capitulación por parte de los haitianos que garantizaban la entrega pacífica del Poder a los dominicanos y facilitaba la salida de los funcionarios depuestos y sus respectivas familias dentro de un plazo razonable y en condiciones honorables. Las negociaciones concluyeron al caer la tarde del día 28 y se llevaron a cabo contando con la mediación del Cónsul de Francia, Eustache Juchereau de Saint-Denis, quien había sido transferido desde Cabo Haitiano a Santo Domin-

Plan trinitario de golpe militar para el 20 de febrero de 1844.

Los hateros seibanos.

Posposición del golpe trinitario hasta el 27 de febrero de 1844.

Capitulación de los haitianos. 28-29 febrero de 1844.

go por el Cónsul General de la Isla, Mr. Levasseur, con instrucciones de favorecer los planes de colocar la parte del Este de la Isla bajo la protección política de Francia.

El día 29 de febrero los haitianos entregaron los bienes, archivos y equipos militares que tenían a su cargo a las nuevas autoridades dominicanas y el Comité Insurreccional dejó solemnemente constituida la República Dominicana nombrando, al mismo tiempo, varios delegados para que visitaran los demás pueblos de la parte del Este para comunicar las noticias de la Separación y tratar de que esos pueblos proclamaran a su vez su separación de Haití.

En los días siguientes, todos los pueblos del país fueron pronunciándose en favor de la Independencia. Los primeros fueron Monte Plata, Bayaguana y Boyá. Luego siguieron los pueblos del Sur, San Cristóbal, Baní, Azua, San Juan de la Maguana y Neiba, al tiempo que también lo hicieron el día 2 de marzo los otros dos pueblos del Este, Hato Mayor e Higüey. En el Cibao, el día 4 de marzo se pronunció La Vega, el día 6 lo hizo Santiago y el día 7 San Francisco de Macorís. Los habitantes de San José de las Matas proclamaron su adhesión a la Junta el día 10 y los de Puerto Plata lo hicieron el 14. En cuestión de quince días, todos los pueblos de la parte oriental de la Isla habían decidido separarse de Haití.

Pronunciamientos separatistas, 29 de febrero al 14 de marzo de 1844.

Así nació la República Dominicana, gracias a la dedicación y a la actividad de los trinitarios, quienes a última hora tuvieron que aliarse con el antiguo partido boyerista de Santo Domingo, cuyos líderes principales se encontraban en desgracia, entre ellos Tomás de Bobadilla y José Joaquín Puello, quienes poseían un enorme prestigio entre la clase alta de la Capital, el primero, y entre las masas de color, el segundo. Y fue precisamente este prestigio lo que influyó para que el día 1 de marzo de 1844, cuando se organizó la Junta Central Gubernativa en sustitución del Comité Insurreccional, resultara electo presidente de la misma Tomás de Bobadilla en lugar de Francisco del Rosario Sánchez, quien hasta entonces había encabezado el movimiento y quien vio desvanecerse así el plan acordado por los trinitarios de mantener el control político del Gobierno a través

Organización de la Junta Central Gubernativa.

del ejercicio de la presencia de la Junta. Sánchez quedó, es cierto, como Comandante de Armas de la ciudad, pero su partido tuvo que aceptar el hecho de ver pasar la dirección del movimiento separatista a manos de la misma persona que había contribuido durante veinte años a mantener en el país la dominación haitiana.

XXII

GUERRA Y POLITICA
EN EL AÑO (1844)

EL GOLPE DEL 27 DE FEBRERO produjo una inmediata reacción en Haití. El gobierno del Presidente Hérard no podía tolerar que en medio de una revolución, como la que él había encabezado, el país se dividiera y los recursos que iban a ser necesarios para pagar a Francia el resto de la deuda se redujeran a causa de la separación de la parte del Este. Su decisión fue someter a los dominicanos por la fuerza de las armas como lo había hecho en el verano del año anterior y ya el día 10 de marzo puso el ejército haitiano en pie de guerra, luego de haber lanzado una proclama llamando a los dominicanos a reconsiderar su actitud y a volver al seno de la República de Haití.

Reacción haitiana al golpe del 27 de febrero, 3-10 de marzo de 1844.

Los dominicanos, como es natural, no hicieron caso al llamado de Hérard y también se prepararon para la lucha. Rápidamente organizaron un ejército compuesto por todo aquél que tuviera algún arma disponible y nombraron jefe del mismo a Pedro Santana, importante hatero del Seibo que un día antes del 27 de febrero se había pronunciado junto con su hermano Ramón en contra de los haitianos y en favor de la separación de Haití. Santana pudo reunir alrededor de 3,000 hombres y con ellos se dirigió rápidamente a Azua, en donde se preparó para resistir el ataque haitiano que se avecinaba.

Organización del ejército dominicano del sur.

Entretanto, en Santiago los dominicanos hacían lo mis-

Preparativos para resistir invasión haitiana en el Cibao.

281

mo. En esta ciudad la defensa estuvo a cargo de Ramón Mella y de Francisco Antonio Salcedo, quienes tuvieron que enfrentar grandes dificultades para organizar las escasas fuerzas disponibles debido al miedo reinante entre la población. Frente a estos problemas, fue necesario recurrir a los jefes militares de La Vega y Moca quienes llegaron con refuerzos y organizaron la resistencia bajo el liderazgo de José María Imbert, mientras Mella viajaba a San José de las Matas en busca de más ayuda.

Miedo a los haitianos en Santo Domingo.

En Santo Domingo las familias más conservadoras se encontraban atemorizadas. Muchas de ellas buscaron refugio en el consulado francés mientras otras se embarcaban hacia el extranjero en cualesquiera naves que hubiera disponibles en el puerto del río Ozama. El Gobierno Dominicano, que funcionaba colectivamente en la Junta Central Gubernativa, hacía esfuerzos desesperados por lograr un apoyo más decidido del Cónsul de Francia en Santo Domingo, quien desde su llegada hacía dos meses había estado estimulando a los dominicanos para que se separaran de Haití y había dejado entrever la posibilidad de que Francia ofreciera ayuda militar para rechazar a los haitianos. Sin embargo, el Cónsul de Francia no tenía autoridad para comprometer las fuerzas navales de su país que se mantenían a poca distancia frente a las costas dominicanas.

Batalla del 19 de marzo de 1844.

El día 18 de marzo apareció frente a la ciudad de Azua el ejército haitiano comandado personalmente por el Presidente Hérard. Allí tomó posiciones en las orillas del río Jura, donde estableció su campamento, y al otro día, el 19, lanzó sus tropas de vanguardia organizadas en plan de ataque, divididas en dos columnas de infantería acompañadas de caballería. Los dominicanos los recibieron a cañonazos mientras su infantería disparaba a fuego cerrado. Después de una refriega que duró un par de horas, los haitianos se replegaron a su campamento y recogieron sus heridos y muertos. No hubo otro encuentro entre ambos grupos durante ese día.

Retirada de Santana a Baní, 20 de marzo de 1844.

Por la noche, Santana organizó sus tropas y abandonó el pueblo de Azua junto con sus pobladores, retirándose hacia Baní. En el camino dejó dispuestas sus tropas colo-

282

cándolas en diferentes puntos estratégicos, especialmente en el paso del desfiladero de El Número, en donde el General Antonio Duvergé quedó a cargo de la defensa. Al otro día, cuando los haitianos se preparaban para atacar, se dieron cuenta de que Azua estaba desierta y entonces procedieron a ocuparla el día 21. De ahí intentaron cruzar las serranías de El Número, pero las tropas y guerrillas dirigidas por Duvergé les cerraron el paso. También quisieron cruzar por un lugar situado más al norte llamado El Memiso, y ahí también las guerrillas de Duvergé les impidieron el paso. Como no había paso por la costa, pues la topografía de la zona comprendida entre el Palmar de Ocoa y Playa Caracoles no les favorecía y varias goletas dominicanas artilladas con cañones se lo impedían, los haitianos tuvieron que permanecer en Azua, estacionados ociosamente mientras su Presidente y comandante intentaba con poco éxito hacer entrar en acción a su Marina de Guerra, compuesta por unos cuantos barcos de mala calidad. En poco tiempo la inactividad y el ocio, unidos a la falta de recursos y de aprovisionamiento, afectaron la moral de las tropas haitianas que empezaron a desertar cada día en mayor número, inconformes con la situación en que se encontraban, al tiempo que el prestigio del Presidente Hérard también disminuía.

El Memiso.

La retirada de Santana no fue bien comprendida por muchos de los contemporáneos, pero lo cierto es que al poner las escarpadas lomas de El Número entre su pequeño ejército de tres mil hombres mal armados y los diez mil soldados haitianos de Hérard, la ciudad de Santo Domingo se libró del enorme riesgo de ser nuevamente ocupada por los invasores en caso de que se hubiera perdido una batalla que parecía a todas luces muy desigual. Azua era un poblado de casas de madera situado en medio de una sabana y podía ser cercado muy fácilmente por un ejército numeroso y luego reducido a cenizas con la simple ayuda del fuego. El encuentro del 19 de marzo sirvió a las tropas dominicanas para detener momentáneamente a los haitianos y para luego retirarse y posicionarse estratégicamente en Baní y Sabana Buey. A juzgar por sus efectos, el retiro de las tropas de Azua fue una buena medida.

Efectos de la Batalla del 19 de marzo.

En Santiago, entretanto, se esperaba la llegada de los haitianos de un momento a otro. La noticia del avance haitiano la había dado un comerciante inglés que vivía en Santiago pero que se encontraba en Cabo Haitiano cuando se movilizaban las tropas para la invasión. Este comerciante se llamaba Teodoro Stanley Heneken y viajó a escondidas a Santiago y pudo dar la voz de alarma, después de correr grandes riesgos mientras se trasladaba de un país a otro. Por eso los dominicanos tuvieron tiempo suficiente para prepararse contra la invasión que se avecinaba. Las tropas invasoras llegaron finalmente el día 30 de marzo y se dispusieron inmediatamente a tomar la ciudad por asalto en un ataque en formación abierta y con el río Yaque a sus espaldas. Como la ciudad de Santiago quedaba en un promontorio de difícil acceso desde donde se divisaban todas las operaciones de los haitianos, la lucha fue increíblemente fácil para los dominicanos, quienes desde varios fuertes y desde trincheras improvisadas utilizaron su artillería y su infantería contra los haitianos produciendo una enorme matanza entre las tropas extranjeras. El combate duró toda la tarde del día 30 de marzo, al cabo de la cual, los haitianos sufrieron unas 715 bajas y los dominicanos solamente una.

Batalla del 30 de marzo de 1844.

Al final de la jornada, el comandante haitiano, el General Pierrot, pidió una tregua para que les permitieran recoger del campo sus muertos y heridos y tratar de llegar a un entendido con los jefes militares dominicanos. Una comisión de oficiales dominicanos bajó a conversar con el General Pierrot llevando consigo una hoja impresa que había sido preparada en Santo Domingo y había llegado a Santiago hacía pocos días en la cual se decía que el Presidente Hérard había muerto en combate el día 19 en Azua. Esa hoja fue mostrada al General Pierrot, quien, frente a la gravedad de la noticia, se llenó de temor y pensando en los problemas de la sucesión presidencial en Haití, decidió esa misma noche levantar el campo y retirarse al otro día con sus tropas a su país abandonando incluso muchos de sus heridos. Esa retirada fue aprovechada por los dominicanos para hostilizar las vencidas tropas haitianas con gue-

Retirada de los haitianos, 31 de marzo.

MANUAL DE HISTORIA DOMINICANA

rrillas que las persiguieron durante todo el trayecto, casi hasta Dajabón.

Lo curioso de esta situación fue que Hérard no había muerto en Azua y la hoja impresa había sido una simple propaganda destinada a levantar la moral de los dominicanos que habían visto caer en el combate de Azua a algunos oficiales haitianos de alta graduación vistiendo lujosos uniformes, uno de los cuales parecía ser el Presidente Hérard. De alguna manera esa hoja llegó a Santiago y su efecto fue algo inesperado. Pero más inesperada todavía fue la sorpresa de Pierrot cuando llegó a Cabo Haitiano y supo que su Presidente estaba vivo y en pie de guerra en Azua y que él lo había abandonado y ahora aparecía como traidor, sobre todo después que Hérard supo de su retirada y le ordenó pasar a Azua a reforzar con sus soldados el ejército haitiano que operaba en el Sur. Pierrot se negó a obedecer a Hérard, cuya posición política se había debilitado enormemente debido a la agitación que realizaban en Puerto Príncipe los antiguos amigos de Boyer, y prefirió unirse a éstos el día 25 de abril de 1844, favoreciendo al anciano general Guerrier para sustituir como Presidente a Hérard, que como tal fue proclamado luego de un golpe de Estado llevado a cabo en Puerto Príncipe el día 2 de mayo.

Efectos de la batalla del 30 de marzo en Haití.

Golpe de Estado en Haití, 25 de abril de 1844.

Comprendiendo que su situación en Azua se hacía insostenible debido a la continua deserción de sus tropas y a la traición del ejército, Hérard decidió finalmente levantar el campo y regresar a su país a luchar para mantener su posición política. Antes de abandonarla, los haitianos prendieron fuego a Azua, pero en su retirada fueron hostilizados por guerrillas dominicanas que los persiguieron hasta el último poblado de habla española en la frontera. Antes de llegar a Puerto Príncipe, Hérard comprendió que su causa estaba perdida y que era incapaz de mantenerse en la Presidencia de la República, y en una playa cercana a Puerto Príncipe se embarcó para el exilio.

Retirada de los haitianos de Azua.

El General Guerrier quedó entonces, a partir del 3 de mayo, al frente de la situación política haitiana, pero las complicaciones que surgieron durante su gobierno fueron tantas que no tuvo la oportunidad de invadir la parte del

285

Este de la Isla, aunque sí se ocupó de lanzar algunos manifiestos llamando a los dominicanos a reintegrarse de nuevo a la República de Haití. Pero ya los dominicanos habían resuelto separarse de una vez y para siempre de Haití y habían demostrado que estaban dispuestos a luchar hasta la muerte con tal de mantener la independencia de la República Dominicana.

La política dominicana después del 30 de marzo.

Mientras la guerra se llevaba a cabo en los campos del Sur y en Santiago, y mientras los haitianos se debatían en sus conflictos internos, los dominicanos se iniciaban en los problemas de organizarse políticamente como país independiente. La política fue, desde el principio, entre los trinitarios y la gente adulta de Santo Domingo, motivo de graves enfrentamientos debido a las diferentes concepciones existentes entre esas dos generaciones.

Entre las primeras disposiciones de la Junta Central Gubernativa estuvo el envío de una goleta a Curazao para que trajera al seno de la Patria a Juan Pablo Duarte, quien se encontraba en el exilio desde julio del año anterior. Duarte desembarcó el día 15 de marzo en Santo Domingo e inmediatamente fue nombrado General de Brigada e incorporado a la Junta pues todos sabían que el movimiento de la Separación había sido inspiración y obra suya.

Regreso de Duarte al país, 15 de marzo de 1844.

Cuando llegaron las noticias de que Santana se había retirado a Baní después de la Batalla del 19 de Marzo, Duarte pidió que lo autorizaran a salir hacia el Sur para auxiliar a Santana y, en efecto, la Junta le encargó la misión de asistir al Jefe del Ejército en su campaña contra los haitianos y lo autorizó, además, a sucederlo en el mando en caso de que faltara. Duarte llegó a Baní el día 23 de marzo y allí quiso obligar a Santana a cambiar su estrategia de mantenerse a la defensiva para que lanzara a los dominicanos al ataque contra los haitianos que ocupaban la ciudad de Azua, pero Santana rechazó en todo momento las sugerencias de Duarte mientras pedía a la Junta que acelerara sus gestiones frente al Cónsul francés para obtener el apoyo militar y político de Francia que tanta falta le hacía en aquellos momentos.

Pugnas entre Duarte y Santana.

Duarte y Santana pronto empezaron a tener problemas

286

pues Duarte siguió insistiendo en que el ejército dominicano atacara al enemigo y, frente a la negativa de Santana, llegó incluso a pedir autorización a la Junta para dirigir él mismo las operaciones ofensivas. Pero la Junta, que confiaba más en el juicio militar de Santana, previendo que un ataque como el que proponía Duarte podía ser muy arriesgado, y teniendo noticias ya de las desavenencias que surgieron entre él y Santana, decidió llamarlo de regreso a Santo Domingo acompañado solamente por su Estado Mayor.

Esta primera crisis alteró decisivamente la alianza que hasta el momento habían mantenido los trinitarios con los conservadores de Santo Domingo y dio inicio a la aparición de profundas diferencias de intereses y hasta generacionales que existían entre los dos grupos. Pues con Bobadilla, el jefe de los antiguos boyeristas en la Presidencia de la Junta, y teniendo que compartir el Poder con personas que en ningún momento estuvieron afiliadas a la Sociedad La Trinitaria, muy poco era lo que Duarte y sus compañeros podían decidir libremente y sólo podían actuar como simples miembros del Gobierno al ver el control del ejército en manos de Pedro Santana que ahora abandonaba el partido duartista y se aliaba con los conservadores en una política sumamente cauta que no quería arriesgar el movimiento en un enfrentamiento abierto con los haitianos, prefiriendo obtener apoyo militar y político de Francia para consolidar el movimiento separatista.

Trinitarios vs. Conservadores.

Otro de los primeros actos de la Junta fue suscribir una comunicación dirigida al Cónsul francés el 8 de marzo de 1844, ratificando en más de un sentido los términos del plan que los afrancesados habían presentado a Mr. Levasseur, Cónsul francés en Puerto Príncipe en meses anteriores. El Cónsul francés en Santo Domingo, Saint-Denys, no pudo atender inmediatamente las peticiones de la Junta por no tener autorización de su gobierno para ello, y por esta razón a medida que pasaron las semanas los conservadores fueron intensificando las gestiones en favor de un protectorado de Francia a cambio de la Bahía y Península de Samaná, y no transcurrió mucho tiempo sin que esos planes se hicieran de conocimiento público.

Gestiones por el protectorado francés, 8 de marzo de 1844.

287

Oposición duartista al protectorado francés, 26 de mayo de 1844.

Duarte protestó en varias ocasiones oponiéndose a cualquier entendido que tuviera como precio la cesión a Francia o a cualquier otra potencia de la península y la bahía de Samaná, pues él consideraba que eso lesionaba por completo la soberanía de la naciente República Dominicana. Pero como su influencia en la Junta no era decisiva, pues las opiniones estaban sumamente divididas, a medida que pasó el tiempo las relaciones entre los trinitarios y los demás miembros de la Junta se fueron haciendo cada vez más tirantes. Y así, el día 26 de mayo de 1844, la crisis política que venía incubando este movimiento en favor del protectorado de Francia finalmente estalló en una reunión de la Junta cuando el Arzobispo de Santo Domingo, Tomás de Portes e Infante, y el Presidente Tomás de Bobadilla, expresaron su preferencia por el protectorado francés. El debate que entonces se produjo fue tan violento que la reunión se disolvió sin que se llegara a ningún acuerdo. En esta ocasión se hizo evidente que los trinitarios hacía tiempo habían perdido influencia al entregar la presidencia de la Junta y la jefatura del Ejército a los conservadores.

Duarte busca el poder militar, 31 de mayo de 1844.

Duarte y su grupo entonces intentaron tomar el Poder por medio de las armas y tras reunirse con la guarnición de la Fortaleza Ozama, el día 31 de mayo, lograron que 56 oficiales activos firmaran un documento dirigido a la Junta solicitando que Duarte fuera nombrado General en Jefe del Ejército y que a los demás trinitarios, entre ellos Sánchez, Mella, Villanueva y Puello se les nombrara Generales de División o Generales de Brigada, ello con el evidente propósito de colocarse en una posición de mando superior a la de Santana lo que les otorgaría el control de las Fuerzas Armadas. Pero la Junta no se dejó impresionar por esta manifestación de los militares de la guarnición de la ciudad y respondió a la petición expresando que "habiendo cesado por ahora las hostilidades no ha lugar al aumento de grado que varios oficiales solicitan" en favor de Duarte, Sánchez, Mella y Villanueva, y que "la Junta declara que no nombrará en adelante más oficiales generales, para estar en armonía con los principios del manifiesto del 16 de enero del presente año".

Al otro día de esta comunicación, esto es, el 1 de junio, la Junta volvió a solicitar la protección política y militar de Francia para defenderse de los haitianos logrando conciliar de alguna manera las posiciones para que tanto Sánchez como Duarte firmaran la nueva comunicación.

Nueva petición de ayuda a los franceses, 1 de junio de 1844.

Pero la unidad era simplemente aparente, pues a la semana siguiente, el 9 de junio, el grupo más radical de los trinitarios se reunió nuevamente en la Fortaleza y allí, de acuerdo con los oficiales de la guarnición de la ciudad, decidieron dar un golpe militar con el propósito de eliminar de la Junta Central Gubernativa a su Presidente, Tomás de Bobadilla, y a los demás miembros conservadores, José María Caminero, Francisco Javier Abreu y Francisco Ruiz, a quienes consideraban culpables de haber conspirado contra la soberanía nacional al mantener negociaciones encaminadas a obtener la protección de los franceses.

Golpe de Estado del 9 de junio de 1844.

La exaltación de los ánimos era tal que Sánchez previó que alguno de los conservadores podría perder la vida en el movimiento y les dio aviso de lo que se fraguaba para que tuvieran tiempo de asilarse en el consulado francés, como en efecto lo hicieron algunos de ellos. Consumado el golpe, Francisco del Rosario Sánchez fue nombrado Presidente en sustitución de Bobadilla y los demás miembros conservadores de la Junta fueron reemplazados por los trinitarios Pedro Alejandro Pina, Manuel María Valverde y Juan Isidro Pérez. El General Duarte, además de seguir perteneciendo a la Junta, fue nombrado Comandante militar del Departamento de Santo Domingo con lo que obtenía la jefatura de la principal guarnición militar del país.

Sánchez, Presidente de la nueva Junta Central Gubernativa.

Al otro día, el 10 de junio, y ya establecidos en el poder, los trinitarios se dedicaron a planear cómo destituir a Santana del mando del Ejército del Sur, que era el principal contingente armado con que contaba la República en esos momentos. También la nueva Junta decidió enviar a Duarte a las provincias del Cibao, de donde habían estado llegando noticias de que existía una gran inquietud política producida por la cuestión del protectorado que se gestionaba. En el Cibao la oposición en torno a este asunto estaba dividida. El día 20 de junio Duarte salió hacia el Cibao con el encargo

Nueva Junta Central Gubernativa, 10 de junio de 1844.

Duarte va al Cibao, 20 de junio de 1844.

de "intervenir en las discordias intestinas y restablecer la paz y el orden necesarios para la prosperidad pública" en aquellas regiones.

Entretanto, el hermano de Pedro Santana, Ramón, murió de repente, el día 15 de junio, y Santana, que había estado sintiéndose mal de salud y había pedido a la Junta anteriormente que lo relevara temporalmente de su cargo reiteró nuevamente su petición aduciendo ahora que tenía que encargarse de los negocios del difunto. Esta era la oportunidad que Sánchez y los trinitarios esperaban y, así, el día 23 de junio la Junta ordenó al Coronel Esteban Roca que sustituyera temporalmente a Pedro Santana como Jefe del Ejército del Sur.

Duarte proclamado Presidente en el Cibao, 4 de julio de 1844.

A su llegada al Cibao, Duarte se enteró de que Ramón Mella había estado gestionando proclamarlo Presidente de la República, y presenció, el día 4 de julio de 1844, su proclamación en la ciudad de Santiago y días más tarde en Puerto Plata, produciéndose entonces una cadena de pronunciamientos en este sentido que colocaban a la Junta en la embarazosa situación de reconocer que en el Cibao parecía haber surgido un nuevo gobierno presidido por Duarte.

Militares a favor de Santana, 3 de julio de 1844.

Las cosas se complicaron más cuando el día 3 de julio el Coronel Esteban Roca llegó a Azua y se dispuso a sustituir a Santana tal como le había encargado la Junta, descubriendo que tanto la oficialidad como el grueso del ejército se negaban a acatar la orden expresando "que de ninguna manera consentían en que se separase de ellas el General Pedro Santana, que con él habían venido y con él debían retirarse, cuando ya hacen cuatro meses que estaban con las armas en las manos, fuera de sus familias, que la República tenía mucha gente con qué reemplazarlos para ir ellos a descansar, que estaban firmemente resueltos a no separarse de su General al que seguirían constantemente donde quiera que los llevase", por lo que, tanto el General Santana como el Coronel Roca, tuvieron que suspender la sustitución e informar a la Junta de las dificultades que había para cumplirla.

El ejército de Santana era, en rigor, un ejército personal compuesto por peones de los hatos de sus amigos, compadres y familiares y, ciertamente, él no estaba dispuesto a dejarse despojar del mando para entregarlo a Duarte y a los trinitarios ni tampoco estaban los soldados de Santana en ánimo de quedarse sin su jefe, a quien los ligaban lazos personales mucho más fuertes que el nuevo mando militar que se les trataba de imponer. En consecuencia, Santana decidió marchar a Santo Domingo a restablecer el orden que había desaparecido con el golpe del 9 de junio y que se había alterado radicalmente con las proclamaciones de Duarte como Presidente de la República en el Cibao, tal como Sánchez había expresado en carta personal a Ramón Mella el día 5 de julio diciéndole que las "exaltaciones tumultuarias" que producía la proclamación de Duarte como Presidente de la República en Santiago podían llevar al país a la anarquía.

Reacciones de Santana y Sánchez contra la Presidencia de Duarte.

Cuando Sánchez supo que Santana marchaba con su ejército desde Azua hacia Santo Domingo, trató de detenerlo por las armas ordenando al Comandante de Armas de la Plaza José Joaquín Puello que preparara la defensa. Pero Puello se negó a atacar a Santana influido por las presiones del Cónsul francés, quien amenazó con retirarse de la ciudad con sus barcos de guerra en caso de que se recurriera a la fuerza para repeler a Santana. Sánchez entonces no tuvo más remedio que trasladarse a San Cristóbal con el propósito de buscar una salida política a la situación a través del diálogo con Santana. Después de una reunión que se caracterizó por la violencia verbal de Santana, quien acusó a la Junta de haberle negado el apoyo que el ejército necesitaba mientras él estaba en campaña en Azua, y que demostró que las relaciones entre el Ejército del Sur y la Junta estaban completamente deterioradas, Sánchez no tuvo más remedio que asegurarle a Santana que se le permitiría entrar con su ejército a la ciudad de Santo Domingo, lo que hizo Santana el día 12 de julio de 1844, a las 11 de la mañana, a la cabeza de 2,000 hombres completamente leales a su persona.

Regreso de Santana a Santo Domingo, 12 de julio de 1844.

El próximo paso de Santana consistió en reunir al ejército en la plaza de armas y luego de una arenga del Coronel

Antonio Abad Alfau, los oficiales empezaron a gritar "¡Abajo la Junta, viva el General Santana, Jefe Supremo del Pueblo!", lo que no dejaba dudas de que se estaba produciendo un nuevo golpe militar. Santana tenía intenciones de hacerse proclamar Dictador, pero el Cónsul francés Saint-Denys lo disuadió y le hizo ver la conveniencia de rehusar la dictadura y conservar la Junta eliminando los miembros ilegales introducidos y haciendo volver a su seno a los que habían sido expulsados el pasado 9 de junio, haciéndole ver las ventajas de convertirse en Presidente de la Junta, que era la institución que hasta entonces la mayoría había reconocido como Gobierno desde la fundación de la República.

En los días siguientes el movimiento contra los trinitarios cobró fuerza, sobre todo después que el General Santana lanzó una proclama acusatoria que no dejaba dudas de que estaba dispuesto a acabar con la influencia del partido duartista. Pero no fue fácil sustituir a los trinitarios, pues el día 15, cuando Santana intentó hacerlo estuvo a punto de perder la vida en manos de Juan Isidro Pérez, quien en su exaltación intentó agredirlo diciendo que así como Roma había tenido su Bruto, así también lo tendría la República Dominicana. Este incidente culminó con la prisión de los trinitarios que habían jugado un papel importante en los acontecimientos de las últimas semanas. Y ya el día 16 de julio, a las 3 de la tarde, con la ciudad bajo su control, Santana procedió a reinstalar la Junta Central Gubernativa con los miembros depuestos el mes anterior conservando él la Presidencia de la misma.

En el Cibao, entretanto, Duarte y sus amigos estaban completamente ajenos a lo que ocurría en Santo Domingo y, llevado de su entusiasmo, Ramón Mella envió una comunicación a la Junta el día 19 de julio para informarle oficialmente la proclamación de Duarte como Presidente de la República, mientras Duarte, el día 20, en Puerto Plata, expresaba su emoción por las manifestaciones en su favor. Cuando la comisión enviada por Mella llegó a Santo Domingo y comunicó a la Junta el nombramiento de Duarte como Presidente, este organismo, presidido por Santana,

Nueva Junta Central Gubernativa, 16 de julio de 1844.

Santana. Presidente de la nueva Junta.

emitió un Manifiesto el día 24 de julio declarando que "no reconoce ni reconocerá el nombramiento de Presidente en el General Duarte ni en ninguna otra persona, a menos que no sea hecho por el Congreso Constituyente", agregando que el General Ramón Mella "ha cesado y debe cesar inmediatamente en las funciones de Comandante en Jefe del Departamento de Santiago y fronteras del noroeste; que el General Duarte ha cesado y debe cesar en las funciones de Delegado del Gobierno".

Destitución de Duarte y Mella como Delegados del Gobierno en el Cibao, 24 de julio de 1844.

El manifiesto de la Junta, que también declaraba traidores a la Patria a Duarte y a Mella, fue recibido en Santiago el día 28 de julio, lo que hizo que Mella entonces se trasladara a Santo Domingo a tratar de aclarar la situación, pero al llegar a esta ciudad fue detenido y encerrado junto con los otros trinitarios presos. Ese mismo día, también el Arzobispo de Santo Domingo Tomás de Portes lanzó una Carta Pastoral expresando que era ofensa de Dios no obedecer los mandatos y órdenes "tanto del General de División y Jefe Supremo Santana, como de la Junta Central Gubernativa para lo cual os conminamos con excomunión mayor, a cualquier persona que se mezclare en trastornar las disposiciones de nuestro sabio gobierno".

Duarte y Mella declarados traidores a la Patria, 24 de julio de 1844.

Para que no quedara duda de quién mandaba, el 1 de agosto el Ejército del Sur, llamándose ahora Ejército Libertador, lanzó un Manifiesto firmado por 628 oficiales y soldados exigiéndole a Santana ejercer "justicia contra los asesinos de la Patria" y pidiéndole aplicar las mayores penas contra ellos. Pero dos días después otro manifiesto fue puesto a circular en la ciudad por 68 padres de familia quienes también pidieron que los trinitarios fuesen castigados, pero sugiriendo que, en vez de ser fusilados, se les expatriase del país, como en efecto se hizo el día 22 de agosto cuando la Junta Central Gubernativa resolvió declarar traidores e infieles a la Patria a Juan Pablo Duarte, Ramón Mella, Francisco del Rosario Sánchez, Pedro Alejandro Pina, Gregorio del Valle, Juan Evangelista Jiménez, Juan José Illas y Juan Isidro Pérez, decretando su destierro a perpetuidad.

Destierro de los trinitarios, 1-22 de agosto de 1844.

Entretanto, Duarte se vio obligado a esconderse en los campos de Puerto Plata y pasó casi todo el mes de agosto

293

Prisión y destierro de Duarte, 27 agosto-10 septiembre de 1844.

oculto en aquellas regiones, pero fue finalmente apresado el día 27 de agosto y encerrado en la fortaleza de la ciudad desde donde fue trasladado a Santo Domingo días más tarde. El 10 de septiembre de 1844 Duarte fue expulsado del país quedando a partir de entonces completamente desarticulado el grupo de los trinitarios pues la Junta expatrió a sus principales dirigentes a diferentes puntos de Alemania, Inglaterra, Estados Unidos y Venezuela. También a partir de ese momento todo el poder político en la República Dominicana quedó en manos de los conservadores.

El triunfo de Santana, Bobadilla y los afrancesados frente a los trinitarios les permitió ocuparse de lleno en la organización del Gobierno y trabajar para dotar a la República Dominicana de una Constitución política. Así, el mismo día en que se expidió el manifiesto contra Duarte y Mella, esto es, el 24 de julio, la Junta Central Gubernativa también dictó un decreto convocando las Asambleas Electorales para que se eligieran los diputados que habrían de formar la

Asamblea Constituyente, agosto-noviembre de 1844.

Asamblea Constituyente que debía redactar la nueva Constitución. Una vez electos, entre los días 20 y 30 del mes de agosto, los diputados constituyentes se reunieron solemnemente en San Cristóbal a partir del 21 de septiembre y estuvieron trabajando en la redacción de la Constitución hasta el día 6 de noviembre. Cuando terminaron sus trabajos

Constitución de San Cristóbal, 6 de noviembre de 1844.

presentaron a la Junta un proyecto de Constitución basado en la Constitución haitiana de 1843 y en la Constitución norteamericana, que establecían la separación de poderes y la preeminencia del Poder Legislativo sobre el Poder Ejecutivo.

Cuando Santana y sus asesores estudiaron el proyecto se sintieron inconformes porque consideraron que el mismo dejaba poco campo de acción al Presidente de la República para actuar con la prontitud que las circunstancias del país lo exigían. Santana se negó a aceptar ser elegido como Presidente si se mantenía el texto de la Constitución como estaba, aduciendo que el Poder político en la República Dominicana debía ser militar y no civil, pues el estado de guerra así lo demandaba. Al principio el Congreso se mostró reticente a aceptar las exigencias de Santana produciéndose entonces una crisis política que mantuvo una gran tensión entre la Asamblea Constituyente y la Junta Central Gubernativa. Pero esta crisis se resolvió, finalmente, cuando a instancias de Tomás de Bobadilla se incluyó un nuevo artículo en el texto constitucional que establecía que "durante la guerra actual y mientras no esté firmada la paz, el Presidente de la República puede libremente organizar el ejército y armada, movilizar las guardias de la nación; pudiendo, en consecuencia, dar todas las órdenes, providencias y decretos que convengan, sin estar sujeto a responsabilidad alguna".

El artículo 210 de la Constitución.

De manera que con este artículo, que resultó ser el número 210, quedó consagrada una dictadura política que invalidaba por completo las provisiones democráticas del texto constitucional anterior. Uno de los pocos que protestaron por la inclusión de este artículo en la nueva Constitución fue Buenaventura Báez, quien había sido uno de los principales redactores del proyecto original. Pero esta protesta tuvo poco eco entre los diputados porque para hacer aprobar el texto del artículo 210, Santana había enviado a San Cristóbal, que era donde seguía reunida la Asamblea Constituyente, un batallón de soldados que rodeó amenazadoramente la casa donde los diputados estaban deliberando y les hizo saber la conveniencia de acatar los deseos de su jefe.

Legalización de la dictadura.

Complacido por la inclusión del artículo, Santana entonces aceptó ser elegido Presidente de la República por dos períodos consecutivos de cuatro años cada uno, o sea hasta el 15 de febrero de 1852, siendo inmediatamente juramentado el día 13 de noviembre y procediendo luego a nombrar su primer Consejo de Ministros y a designar a los gobernadores de las diferentes provincias del país, que resultaron ser todos militares de reconocida experiencia. La Junta, por su parte, resolvió disolverse pues ya había cumplido su papel de dotar al país de un gobierno constitucional que se disponía ahora a ejercer el poder en la República Dominicana.

Santana, Primer Presidente Constitucional de la República.

Disolución de la Junta Central Gubernativa.

Los años que siguieron fueron años sumamente difíciles para los dominicanos pues, aunque se hicieron grandes es-

295

fuerzos para organizar institucionalmente el país, las nuevas invasiones haitianas del año 1845 y la crisis económica que resultó como consecuencia de estas invasiones, terminaron desacreditando el Gobierno de Santana cuyos ministros fueron incapaces de encontrar soluciones a los problemas económicos y cuyo Presidente mantuvo una política dictatorial que le hizo perder paulatinamente muchas simpatías dentro y fuera del Gabinete.

XXIII

SANTANA

(1844-1857)

EL PRIMER GOBIERNO CONSTITUCIONAL del Presidente Santana estuvo plagado de dificultades. Uno de los primeros problemas que tuvo que afrontar fue la conspiración urdida por algunos parientes y amigos de los trinitarios que querían derrocarlo para traer al país a Duarte, a Sánchez y a sus demás compañeros. Esta conspiración estuvo dirigida por María Trinidad Sánchez, tía de Francisco del Rosario, quien al ser descubierta a principios del 1845, fue juzgada y condenada a muerte junto con sus cómplices, siendo ejecutada el 27 de febrero de 1845, en el primer aniversario de la Independencia nacional.

Conspiración y fusilamiento de María Trinidad Sánchez, 27 de febrero de 1845.

Otra de las dificultades que confrontó Santana en su primer año de gobierno fue la creciente oposición de algunos miembros de la Iglesia que no aceptaron la ley promulgada por el Gobierno el día 7 de junio de 1845 ratificando la política haitiana iniciada en 1824 para dejar extinguidos para siempre los censos, capellanías, capitales y rentas eclesiásticas que afectaban los bienes rurales situados en la antigua parte española llamada ahora República Dominicana, dejando estos bienes y propiedades exentos de todo gravamen o hipoteca. Esta ley, como es de suponer, quitó toda esperanza a la Iglesia de recobrar no sólo sus antiguas propiedades sino también los intereses que ella creía acumulados por las hipotecas, censos y capellanías que fueron eli-

Los bienes de la Iglesia y los bienes nacionales, junio-julio de 1845.

minados por los haitianos en 1824 y que algunos miembros del clero consideraban debían ser reinstituidos ahora que la Dominación Haitiana había terminado. A esta ley sucedió otra publicada el día 2 de julio declarando bienes nacionales aquellos muebles e inmuebles que fueron adquiridos por los haitianos durante la Dominación, muchos de los cuales habían pertenecido a la Iglesia y al proclamarse la República habían sido abandonados al verse obligados sus dueños a dejar el país.

La atmósfera de opinión que había llevado al Gobierno a promulgar estas leyes también había llevado a la Iglesia a expresar sus puntos de vista a través de uno de sus miembros más conocidos, el presbítero José María Bobadilla, quien el 17 de mayo publicó un folleto defendiendo los derechos de la Iglesia a poseer y conservar los bienes que le fueron confiscados por los haitianos en 1824. Pero a este folleto le salió al paso el Administrador e Inspector General de Hacienda, Manuel María Valencia, quien en otra publicación señaló los inconvenientes que produciría la devolución por el Estado de esos bienes que ya estaban afectados por complicadas operaciones de compra y venta que involucran derechos de terceros, justificando así la política del Gobierno expresada en la Ley de Bienes Nacionales del 7 de julio de 1845.

Ley de Bienes Nacionales, 7 de julio de 1845.

El problema de las propiedades eclesiásticas y de los bienes nacionales llegó a convertirse en una seria cuestión política, pues la negativa del Gobierno de devolver los bienes eclesiásticos manteniéndolos como propiedad del Estado indispuso de tal manera al clero contra Santana que éste llegó a amenazar a algunos de sus miembros, y el presbítero José María Bobadilla se vio en la obligación de salir hacia el exilio para evitarse serios inconvenientes. Este incidente mantuvo siempre a la Iglesia adversa a Santana y también tuvo consecuencias de gran importancia para su Gobierno pues este sacerdote era hermano del Ministro Tomás Bobadilla quien hasta ese momento había sido el colaborador más eficiente que Santana tenía, pero quien, a consecuencia de la salida de su hermano del país, se sintió disgustado y terminó separándose del Gobierno nueve meses más tarde,

Rompimiento de Santana y Bobadilla.

298

MANUAL DE HISTORIA DOMINICANA

yendo a formar parte de las filas de la oposición, que poco a poco había ido ganando fuerza en el Congreso donde varios diputados y senadores estaban resentidos por el carácter dictatorial del Gobierno que se amparaba con el artículo 210 de la Constitución para actuar en forma autoritaria.

En ese mismo mes de julio de 1845, Santana también confrontó serios problemas militares cuando los pobladores de la sección de Santa María, en San Cristóbal, se negaron a formar parte del Ejército del Sur que debía marchar a las fronteras para defender la Patria contra los haitianos. Esta rebelión, que fue encabezada por la gente de color de origen haitiano, fue reprimida enérgicamente pues en aquellos momentos el Gobierno no podía darse el lujo de permitir que la sedición cobrara cuerpo en las filas del Ejército, del cual dependía la preservación de la nacionalidad. Esto ocurría en los precisos momentos en que Pierrot invadía la República por la frontera Sur y en que se hacía más necesario el concurso de todos los dominicanos. Esta rebelión, al parecer, tuvo su origen en la propaganda que difundían con gran insistencia los haitianos en aquellos días consistente en hacer creer a los dominicanos de color que el Gobierno iba a restituirlos a su antiguo estado de esclavitud.

El sucesor de Hérard, Philipe Guerrier, estuvo en el poder en Haití apenas un año, hasta su muerte acaecida en abril de 1845. Entonces fue sucedido por el General Jean Louis Pierrot, el anciano oficial que había perdido en Santiago la batalla del 30 de marzo de 1844 y quien tenía la idea fija de vengarse de los dominicanos por la derrota sufrida el año anterior. Por eso, el día 10 de mayo de 1845, Pierrot lanzó una proclama llamando a la unión con Haití a los dominicanos, diciendo que "yo no renunciaré jamás a la indivisibilidad del territorio haitiano". Inmediatamente organizó su ejército y lo lanzó nuevamente contra los dominicanos. Esta segunda campaña militar tomó a los dominicanos mucho mejor preparados que el año anterior y la resistencia a esta nueva invasión haitiana se realizó con gran éxito.

El avance haitiano fue detenido en las fronteras del norte

Rebelión de negros en Santa María, julio de 1845.

Plan de nueva invasión haitiana, mayo de 1845.

299

y del sur, donde se libraron numerosos combates que mantuvieron a los generales Antonio Duvergué y José Joaquín Puello en continua actividad durante todo el resto del año 1845. Los haitianos apenas pudieron llegar hasta Las Matas de Farfán, de donde fueron desalojados en poco tiempo cuando fueron derrotados el 17 de septiembre de ese año en la formidable batalla librada en el sitio de La Estrelleta, retirándose a su país y dejando la región sur en paz. Al mes siguiente, el día 27 de octubre, los dominicanos desalojaron a los haitianos del fuerte de la Sabana de Beler, llamado también por los haitianos el Invencible, en la otra gran batalla de esta campaña, dejando libre la frontera del norte de la amenaza extranjera. El comandante dominicano que dirigió nuestras fuerzas en la batalla de Beler se llamaba Francisco Antonio Salcedo.

Batallas de la Estrelleta y Beler, septiembre y octubre de 1845.

Como la invasión por tierra había fracasado, los haitianos trataron de invadir por mar en diciembre de 1845, pero la escuadra que enviaron fue mal piloteada y al acercarse a las costas de Puerto Plata sus naves quedaron varadas y naufragaron cayendo todos los expedicionarios prisioneros en manos dominicanas el 21 de diciembre. Con estas derrotas, el ejército dominicano libró por segunda vez a la República Dominicana de ser sometida por los haitianos. El General Pierrot, por su parte, quiso contraatacar y anunció una nueva campaña el 1 de enero de 1846, pero sus oficiales y soldados, cansados de ocho meses de lucha estéril, acogieron con frialdad aquel nuevo llamamiento. De manera que al mes siguiente, en febrero, cuando Pierrot ordenó a sus tropas marchar sobre la República Dominicana, el ejército haitiano se amotinó y los soldados proclamaron su destitución como Presidente de Haití. La guerra contra los dominicanos se había hecho muy impopular en Haití, y por eso el nuevo Presidente, el General Riché, no estuvo interesado en invadir de nuevo. Aunque lo hubiera querido no habría podido hacerlo pues tras la caída de Pierrot se produjo un levantamiento revolucionario campesino y nuevamente estalló la guerra civil que mantuvo a los haitianos ocupados en sus propios problemas durante bastante tiempo.

Naufragio de flotilla haitiana en Puerto Plata, diciembre de 1845.

Derrota haitiana.

Caída del gobierno haitiano, enero-febrero de 1846.

A pesar de que los haitianos fueron derrotados en la

campaña de 1845, varios dirigentes del Gobierno, entre ellos el mismo Presidente Santana, Tomás de Bobadilla y Buenaventura Báez, mantenían la idea de que no sería posible salvar a la República de una nueva ocupación haitiana si no era con el concurso y la protección de una potencia extranjera. Y de ahí que en mayo de 1846 Buenaventura Báez fuera enviado en misión diplomática ante los gobiernos de España, Francia e Inglaterra con el propósito de negociar con ellos el reconocimiento de la República Dominicana como nación independiente pero, al mismo tiempo, con la intención de negociar un tratado de protección con la potencia que más ventajas ofreciera.

Búsqueda de protección política en Europa, mayo de 1846.

Las negociaciones que Báez llevó a cabo en Europa no produjeron ningún resultado inmediato pues en esos momentos el Gobierno español consideraba que todavía podía hacer valer sus derechos sobre la antigua parte española de la Isla de Santo Domingo y, por lo tanto, se negó a reconocer la Independencia dominicana y a comprometerse a acordar cualquier tipo de protectorado. Por su parte, el Gobierno francés convino en nombrar al señor Víctor Place como su representante consular en la ciudad de Santo Domingo, y el Gobierno inglés pospuso cualquier decisión hasta tanto estuviera mejor informado sobre los acontecimientos en la República Dominicana.

Política de potencias europeas en Santo Domingo.

Entretanto la situación económica iba de mal en peor pues el año 1846 fue un año de larga sequía que estropeó grandemente la cosecha de tabaco y la exportación de ese producto, lo que privó al Gobierno de importantes ingresos fiscales. La mala situación económica del país, que venía agravándose mes tras mes a consecuencia de los crecidos gastos militares y del deficiente manejo de las finanzas por parte del Ministro de Hacienda, fue aprovechada por algunos diputados opuestos al Gobierno de Santana encabezados por Tomás de Bobadilla, quien al salir del Ministerio había sido electo miembro del Congreso y desde allí encabezaba ahora la oposición.

Situación económica, 1846.

Crisis financiera y oposición política, marzo de 1847.

Esta oposición se hizo más patente en marzo de 1847 cuando fueron presentadas y leídas las memorias de los diversos ministerios, siendo discutida particularmente la Memoria del Ministro de Hacienda, Ricardo Miura, quien fue incapaz de defender adecuadamente ante el Congreso la política de gastos que había venido ejecutando el Gobierno en los años anteriores. El Ministro fue acusado de malversación de fondos por varios miembros del Congreso y la acusación disgustó profundamente al Presidente Santana quien entonces amenazó con renunciar, argumentando que estaba cansado de encontrar tantas dificultades en el ejercicio del Poder, especialmente aquellas que creaba el Congreso bajo la influencia de su Presidente, su antiguo Ministro Tomás de Bobadilla.

Ante la amenaza de renuncia de Santana, sus partidarios se alarmaron y acordaron redactar una solicitud a las Cámaras, que fue firmada por 92 oficiales del Ejército y 4 funcionarios públicos, a instancias del General Merced Marcano, Secretario privado de Santana, pidiendo que Bobadilla fuese destituido como tribuno y desterrado del país en un plazo no mayor de 48 horas. Este abierto enfrentamiento de la oficialidad del ejército santanista al Congreso Nacional contó, desde luego, con el apoyo de Santana y sus ministros quienes advirtieron a los congresistas que de no aceptar las demandas de los militares ellos renunciarían, agravando así

Crisis política y exilio de Bobadilla, marzo de 1847.

la crisis política. Frente a la gravedad de la amenaza que pendía sobre él, Bobadilla optó por renunciar y salir del país hacia el exilio. Tan pronto Santana tuvo noticias de que Bobadilla se había embarcado, se presentó con sus ministros en la sede del Congreso mientras mantenía sus tropas acuarteladas y en disposición de combate, y allí advirtió a los congresistas "que sus deseos eran seguir la Constitución y que esperaba que los diputados harían todo lo posible por sancionar las leyes que faltaban".

Como la situación económica siguió empeorando en el curso del año 1847 y el gabinete de Santana era incapaz de resolver los crecientes problemas que cada día se presentaban, y como el ambiente político se hizo más tenso todavía después de que el Gobierno acusó al General José Joaquín Puello y a su hermano Gabino de estar conspirando

Fusilamiento de los hermanos Puello, 23 de diciembre de 1847.

para derrocarlo, condenándolos a muerte y fusilándolos el 23 de diciembre de 1847 junto con otros compañeros suyos, la oposición al Gobierno se hizo más y más evidente. Poco a poco se fue creando un clima de desobediencia civil, al cual Santana se enfrentaba con verdadera rudeza. En unos casos llegó a fusilar hasta a pobres infelices acusados de haber robado un simple racimo de plátanos, como fue el caso de un tal Bonifacio Paredes el día 22 de octubre de ese año. En otros casos la dictadura se hacía sentir tratando de ejercer censura sobre la opinión de algunos diputados en cuanto a la situación financiera del país. En otros casos, como fue el 17 de febrero de 1848, trató de controlar el libre tránsito por el territorio nacional decretando una ley que obligaba a los dominicanos a usar pasaporte para trasladarse de un lugar a otro.

Rudezas del gobierno de Santana.

Pero lo que más disgustaba al grueso de la población era la mala situación economica que había devaluado el papel moneda nacional hasta caer a una tasa de cambio de 250 pesos nacionales por un peso fuerte. La crisis económica y el malestar político reinante unido a la creciente oposición parlamentaria que la exclusión de Bobadilla no había podido eliminar, influyeron en el ánimo de Santana, que se encontraba enfermo y deprimido, y lo llevaron a retirarse a su finca de El Seibo a finales de febrero de 1848, quedando el Poder Ejecutivo entonces en manos del Consejo de Secretarios de Estado. Durante la permanencia de Santana en El Seibo la oposición se hizo más activa en la ciudad de Santo Domingo y las sesiones del Congreso se caracterizaban por ser verdaderas manifestaciones políticas en donde los congresistas atacaban la política económica del Gobierno sin piedad. La concurrencia a esas sesiones era numerosísima y a mediados de 1848 ya era evidente que el Gobierno de Santana carecía de apoyo popular. El descrédito se hizo mucho más patente en ocasión de una crisis militar que tuvo lugar en el curso del mes de julio, en la que tanto Santana como el General Felipe Alfau quisieron destituir a un Coronel acusándolo de indecoroso, pero no pudieron encontrar entre sus compañeros de armas los testigos que reforzaran sus acusaciones dando por resultado que el Consejo de Guerra que juzgó a este Coronel, llamado Tomás Troncoso, lo declaró ino-

Devaluación del papel moneda, 1847-1848.

Descrédito del gobierno de Santana, febrero de 1848.

303

cente y Santana y Alfau descubrieron su falta de simpatías incluso dentro del propio Ejército.

Por todas estas razones Santana renunció el día 4 de agosto de 1848 ante su Consejo de Secretarios de Estado quienes ejercieron el Poder Ejecutivo hasta el día 8 de septiembre, fecha en que tomó posesión el General Manuel Jimenes, Ministro de Guerra y Marina, en quien todas las miradas se habían fijado para sustituir a Santana pues la gente y el Congreso consideraban que por su antigua afiliación trinitaria y por el aparente control que ejercía sobre el Ejército, Jimenes podría dar al país un gobierno liberal diferente al de Santana. Sin embargo, Jimenes no estaba hecho para gobernar, y aunque respondió a los pedidos de la oposición y de los partidiarios de los trinitarios que demandaban una amnistía general para los exiliados políticos, decretando el 26 de septiembre de 1848 que todos los expulsos por causas políticas podían regresar, en especial Duarte y su familia, Sánchez, Mella, Pina, Pérez, Jiménez y los demás trinitarios, lo cierto es que Jimenes socavó las bases de su Poder decretando la desaparición de los cuerpos de infantería del Ejército con el pretexto de que esos hombres hacían falta en los campos para dar impulso a la agricultura. Además, Jimenes disgustó también a muchos de sus simpatizantes cuando descubrieron que en él todavía operaban sus viejas pasiones personales de los tiempos en que rompió con los trinitarios y ahora, a pesar del decreto de amnistía, les regateaba a algunos el derecho de regresar al país conforme se había acordado.

La situación política de Jimenes empezó a complicarse a consecuencia de las gestiones que realizaban Buenaventura Báez y los demás diplomáticos dominicanos en Europa para la firma de un tratado de reconocimiento con Francia. El Presidente de Haití había muerto el 27 de febrero de 1846 y entonces subió al poder en Port-au-Prince un oscuro oficial, nacido en Africa y analfabeto, que fue electo por los políticos haitianos pensando que iban a gobernar el país a través de él. El nombre de este general era Faustino Soulouque. Durante los primeros dos años de su gobierno fueron tantas las conspiraciones y dificultades que tuvo que enfrentar

304

para mantenerse en el poder, que los dominicanos pudieron respirar tranquilos y dedicarse a organizar el país. Pero en 1848, cuando Francia finalmente reconoció a la República Dominicana como Estado libre e independiente, mediante la firma provisional de un tratado de paz, amistad, comercio y navegación, los haitianos inmediatamente reaccionaron y protestaron diciendo que este tratado era atentatorio contra su propia seguridad pues sospechaban que Francia había recibido el derecho de ocupación de la Bahía de Samaná. Además, dijeron los haitianos, si Francia reconocía la independencia dominicana, entonces ellos no tendrían posibilidades de reocupar de nuevo la parte del Este de la Isla y sacar el dinero y los recursos que necesitaban para pagar la deuda que habían contraído con Francia en 1825, a cambio del reconocimiento de su propia independencia.

Francia reconoce independencia dominicana, 1848.

Protesta haitiana contra reconocimiento francés.

Soulouque decidió invadir antes de que el Tratado fuera ratificado por el gobierno francés, y ya el 9 de marzo de 1849 un ejército de 15,000 hombres cruzaba las fronteras dividido en varios cuerpos comandados por los más importantes jefes militares haitianos. En una marcha arrolladora los haitianos se fueron apoderando, uno tras otro, de todos los pueblos fronterizos y en pocos días Soulouque llegó a San Juan de la Maguana, donde estableció su ·cuartel general. Las guerrillas dominicanas pudieron hacer muy poco para detenerlo a pesar de la insistencia con que hostilizaron a los haitianos. Cuando Soulouque se movió hacia Azua, los comandantes dominicanos evacuaron la ciudad el día 7 de abril y fueron a parapetarse a las lomas de El Número en donde reorganizaron nuevamente sus tropas y dispusieron sus guerrillas para emboscar a los haitianos.

Nueva invasión haitiana, 9 de marzo de 1849.

El día 17 de abril los haitianos fueron hostigados por las tropas de Duvergé en El Número, pero esta acción de los dominicanos no pudo ser mantenida y Duvergué se vio obligado a retirarse a Sabana Buey. Los haitianos, entonces, se prepararon para la batalla decisiva con el grueso del Ejército Dominicano, que comandaba el General Pedro Santana, quien los esperaba en el cruce del Río Ocoa, en el sitio llamado Las Carreras. El día 21 de abril los dos ejércitos estaban ya colocados a uno y otro lado del río y las opera-

Defensa de Duvergé en el sur.

Encuentro de El Número, 17 de abril de 1849.

Batalla de las Carreras, 19-21 de abril de 1849.

ciones fueron sucedidas por un violento y sangriento encuentro que obligó a Soulouque a retirarse con su ejército después de sufrir una aplastante derrota por las tropas de Pedro Santana. En su huida a Haití, Soulouque saqueó y quemó los pueblos de Azua y San Juan y todos los demás poblados dominicanos que encontró a su paso.

Soulouque fue derrotado en la campaña de 1849, pero la debilidad y la falta de energía con que el Presidente Jimenes dirigió los operativos militares creó una profunda desconfianza en el Congreso en abril de 1849, cuando los haitianos avanzaban arrolladoramente hacia la Capital a lo largo·de todas las poblaciones del Sur. Los congresistas perdieron la fe en la capacidad militar de Jimenes y olvidando los antiguos agravios, llamaron nuevamente al General Santana para que se pusiera al frente del Ejército y fuera a ayudar a los generales Duvergé y Alfau, quienes se encontraban en la loma de El Número en Sabana Buey esperando el ataque decisivo de los haitianos. Jimenes trató de impedir que Santana volviera a tener el mando efectivo del Ejército pero el Congreso se le impuso, y como Santana resultó triunfador en la Batalla de las Carreras en abril de 1849, recobró nuevamente su prestigio político.

En vista de que Jimenes había tratado de impedir su rehabilitación política y militar, tan pronto terminó la guerra, Santana hizo que el Ejército lanzara un manifiesto autorizándolo "a no depositar las armas hasta tanto no dejase establecido un gobierno liberal que respetase la Constitución y las leyes y alejase para siempre las discordias", lo que significaba que Santana se declaraba nuevamente en rebeldía contra el Gobierno cuyo Presidente fue acusado de haber puesto en peligro la integridad de la República desorganizando el Ejército y desmoralizando el espíritu nacional. Jimenes respondió a esta acusación con un decreto de destitución contra Santana. Pero el Congreso, que había reconocido su error al elegirlo como Presidente de la República y que estaba dispuesto a apoyar su destitución, lo desautorizó y apoyó la marcha de Santana con su ejército hacia la Capital con el propósito de derrocar el gobierno. Ya el día 17 de mayo de 1849 la ciudad de Santo Domingo fue declarada en estado de sitio y los bandos en pugna es lanzaron a una corta pero violenta guerra civil que dio por resultado el incendio del poblado de San Carlos, en las afueras de la Capital y, días después, la capitulación de Jimenes, cuyo descrédito político lo obligó a aceptar la mediación propuesta por los cónsules de Inglaterra, Francia y Estados Unidos y a entregar el poder el día 29 de ese mismo mes. Jimenes se vio obligado a embarcarse hacia el exilio y al otro día, el 30 de mayo, Santana entró con su ejército expedicionario en la ciudad y se hizo cargo del Poder Ejecutivo, según él mismo proclamó, "por mandato de los pueblos y el ejército", produciéndose entonces una cacería de opositores políticos que tan pronto fueron apresados fueron desterrados del país.

Derrocamiento de Jimenes 30 de mayo de 1849.

Esta vez Santana convocó a elecciones para escoger al Presidente de la República el 5 de julio de 1849. El presidente que resultó electo fue el ciudadano Santiago Espaillat, a quien Santana señaló para ese cargo, pero éste se negó a aceptar la Presidencia a conciencia de que si lo hacía se convertiría en un títere del jefe del Ejército. Así, el Congreso se vio obligado a convocar nuevas elecciones para el día 5 de agosto, mientras Santana recomendaba a los electores que votaran por el Presidente del Congreso, Buenaventura Báez, quien había sido responsable de su rehabilitación política y había contribuido a derrocar al Presidente Jimenes. En efecto, el día 18 de agosto Báez resultó elegido Presidente de la República, mientras Santana conservaba el mando del Ejército y se retiraba nuevamente a descansar a su hacienda de El Prado en El Seibo.

Elecciones presidenciales, 5 de julio de 1849.

Buenaventura Báez, electo Presidente, 18 de agosto de 1849.

XXIV

SANTANA Y BAEZ

(1849-1857)

BAEZ TOMO POSESION el día 24 de septiembre de 1849 y uno de sus primeros actos fue organizar el Ejército y la Marina para realizar una campaña de guerra ofensiva contra Haití por los puertos del sur de la Isla, al tiempo que negociaba con los cónsules de Inglaterra, Francia y Estados Unidos su mediación para que intervinieran frente al gobierno haitiano e impidieran nuevas invasiones por parte del enemigo. Estas gestiones fueron muy favorecidas por la ratificación del Tratado de reconocimiento, paz, amistad, comercio y navegación entre Inglaterra y República Dominicana el día 10 de septiembre de 1850, pues Inglaterra, en su interés de intensificar el comercio con la República Dominicana, también quería fomentar la paz y reforzar la soberanía de nuestro país de manera que la influencia de España, Francia y los Estados Unidos fuese cada vez menor. Los años del primer gobierno de Buenaventura Báez fueron de paz con Haití ya que, gracias a la mediación de estas potencias, Haití se vio obligado a convenir una tregua que, aunque originalmente fue de un mes, se prolongó por varios años.

Las primeras campañas de la guerra de independencia dejaron a la economía dominicana muy maltrecha y produjeron graves crisis políticas en Santo Domingo, pues desde un principio los líderes políticos y militares dominicanos

Toma de posesión de Buenaventura Báez como Presidente, 24 de septiembre de 1849.

Tratado comercial con Inglatera, 10 de septiembre de 1850.

Efectos de la guerra dominico-haitiana.

309

PLIEGO 21

buscaron el apoyo de Francia, Estados Unidos, España e Inglaterra para que los defendiera de los haitianos. Pero en esta búsqueda esos líderes les dieron demasiado derecho a intervenir en los asuntos políticos dominicanos a los representantes de esas potencias, y las pugnas que entre esos países se producían en su interés por controlar la política dominicana, también llegó a afectar las relaciones entre los mismos dominicanos como veremos más adelante.

De esas potencias, las más activas fueron Inglaterra, Francia y los Estados Unidos. El interés de estas dos últimas era apoderarse algún día de la Peninsula y Bahía de Samaná e impedir que una de las dos lo hiciera antes. El interés de Inglaterra era que ninguna de las tres ocupara a Samaná y que la República Dominicana siguiera siendo un país libre e independiente de toda ingerencia extranjera. Inglaterra era el país que más comercio sostenía con la República Dominicana, y sabía que si Francia o los Estados Unidos ocupaban a Samaná y ejercían un protectorado sobre la República Dominicana, ella perdería las oportunidades comerciales de que gozaba, sobre todo a partir de 1850 cuando firmó con la República Dominicana un tratado de paz, amistad, comercio y navegación.

Por esa razón, cuando la primera invasión de Soulouque terminó, Inglaterra trató de conseguir que Haití y la República Dominicana firmaran una tregua larga, para que la amenaza haitiana no obligara a los dominicanos a buscar apoyo de las otras potencias extranjeras. Inglaterra ya poseía a Jamaica en el Caribe y no estaba interesada en obtener nuevas posesiones. Así, pues, Inglaterra trabajó con los demás representantes extranjeros que había en Santo Domingo para obligar a Soulouque a firmar una tregua por 10 años con los dominicanos. Y aunque Soulouque sólo aceptó la tregua por dos meses, la presión diplomática que sus representantes ejercieron sobre él, le impidió invadir la República Dominicana nuevamente en los años siguientes y sus operaciones militares quedaron reducidas a simples movilizaciones del otro lado de la frontera. De manera que durante los años de 1851 a 1855 la República gozó de una relativa paz en sus fronteras.

La República Dominicana y las potencias extranjeras, 1850.

Política inglesa en Santo Domingo.

Tregua con Haití.

Tanto en su política internacional como en su política interna, el Presidente Báez actuó con gran independencia del General Santana y poco a poco fue consolidando su liderazgo político independientemente de los deseos y de la influencia del jefe del Ejército. Durante los cuatro años de su Gobierno, Báez amnistió varios grupos de exiliados políticos y protegió a muchos de los antiguos perseguidos por ser enemigos de Santana. También Báez aprovechó su presencia en el Poder Ejecutivo para llevar a cabo la reorganización de los mandos militares y favorecer a diversos oficiales que hasta entonces no habían contado con el favor de Pedro Santana. Por otra parte, Báez favoreció notablemente la negociación de un Concordato entre la Santa Sede y la República Dominicana que regularía las relaciones entre la Iglesia y el Gobierno y que produjo gran complacencia entre los miembros del clero que, tradicionalmente, habían estado opuestos a Santana desde la expulsión del Presbítero Bobadilla en 1846. Esto disgustó al Jefe del Ejército, quien poco a poco fue descubriendo que el hombre a quien él impuso como Presidente, había usado el Poder para formar su propio partido y para independizarse de su tutela política.

Características del gobierno de Báez, 1849-1853.

Por esa razón, tan pronto como Báez concluyó su período de cuatro años, para el cual fue elegido, en febrero de 1853, fue sustituido por el General Pedro Santana, quien naturalmente aparecía como el único capaz de reemplazarle en la Presidencia de la República. Entonces el partido santanista se reorganizó e incitó a Santana a sacar a Báez del país para evitar la competencia política que sus partidarios le estaban haciendo. Santana se dejó arrastrar por estas incitaciones y por los celos que se habían desarrollado en él a consecuencia de la política independiente de Báez como Presidente de la República. En marzo de 1853 el Gobierno provocó una crisis con la Iglesia dirigida a quebrar el apoyo que el clero había prestado y le estaba prestando a Báez en su pugna por el poder. Esta crisis comenzó cuando Santana hizo comparecer al Arzobispo ante una sesión pública del Congreso Nacional con la intención de obligarlo a jurar lealtad a la Constitución de la República luego de haberlo

Santana electo Presidente por segunda vez, febrero de 1853.

Crisis entre la Iglesia y el Gobierno, marzo 1853.

311

acusado de incitar al pueblo a la rebelión contra su gobierno.

Al principio el Arzobispo se negó a obedecer a las presiones de Santana, pero como éste le mostró un pasaporte y lo amenazó con expulsarlo inmediatamente, el Arzobispo finalmente claudicó y su salud mental quedó afectada definitivamente después de varias semanas de tensiones y conflictos con el Gobierno. Santana aprovechó este enfrentamiento para expulsar del país a tres sacerdotes a quienes culpó de ser "instigadores, verdadero origen y cooperadores en el plan de abusos con que se había estado aspirando, hacía algún tiempo, a investir al clero de derechos y atribuciones que eran del exclusivo resorte de los poderes del Estado".

Expulsión de sacerdotes.

Creyendo destruida la conspiración que él veía dentro de la Iglesia, y habiendo despojado a Báez de gran parte del apoyo con que contaba, Santana entonces creyó apropiado el momento para lanzar el día 3 de julio de 1853 un Manifiesto contra Buenaventura Báez acusándolo de los peores crímenes contra la seguridad de la República. En ese manifiesto Santana hizo especial referencia al supuesto convenio que existía entre las autoridades eclesiásticas y el ex-Presidente "para ayudarse mutuamente a oprimir al pueblo con ofensa de la Constitución y de la justicia" y lo acusó además de haber querido utilizar al clero y convencer al Ejército para quedarse en el poder como presidente vitalicio. En virtud de esas acusaciones dictó un decreto expulsando a perpetuidad del territorio de la República Dominicana a Buenaventura Báez, quien no quiso esperar a que lo apresaran y prefirió salir por el puerto de Azua en una goleta hacia Curazao.

Rompimiento entre Báez y Santana, 3 de julio de 1853.

Con Báez fuera del país, Santana se dispuso a ejercer el poder en la forma absoluta en que estaba acostumbrado, al tiempo que enviaba una nueva misión diplomática a España a cargo del General Ramón Mella con el propósito de obtener el reconocimiento de la Independencia de la República y la protección política y militar para defender al país de los haitianos, pues habían pasado ya ocho años de la primera misión y los tiempos, creía Santana, habían cam-

Misión de Ramón Mella en España, diciembre 1853-mayo 1854.

biado y podían favorecer las relaciones de España en la República Dominicana. Mella salió del país a finales de diciembre de 1853 y estuvo gestionando el reconocimiento español hasta mayo de 1854, cuando se vio obligado a regresar a Santo Domingo en vista de que en esos momentos el Ministro de Estado de España le manifestó que su Gobierno no estaba interesado en intervenir en los asuntos dominicanos. Mella dejó la misión en manos del periodista venezolano Rafael María Baralt y le encargó seguir insistiendo ante el Gobierno español y mantener informado al Gobierno Dominicano de cualesquiera coyunturas favorables al reconocimiento de la Independencia dominicana que pudieran presentarse.

Curiosamente, la actitud del Gobierno español cambió radicalmente al año siguiente cuando llegaron las noticias a Madrid de que el Presidente de los Estados Unidos, Franklin Pierce había enviado a la República Dominicana al general tejano William Cazneau con instrucciones de negociar con el Gobierno Dominicano el arrendamiento de algunos territorios de la Península de Samaná con el propósito de establecer una estación naval para la Marina de los Estados Unidos. La presencia norteamericana en Santo Domingo era una posibilidad que España quería evitar a toda costa porque ponía en peligro su hegemonía marítima en las Antillas, y por esta razón el gobierno español convino en firmar con el agente dominicano en Madrid, Rafael María Baralt, el día 18 de febrero de 1855, un Tratado de reconocimiento, paz, amistad, comercio, navegación y extradición, que fue aprobado por el Senado de la República Dominicana el 30 de abril de ese año.

Los Estados Unidos y la República Dominicana, 1854.

Tratado de Reconocimiento con España, 18 de febrero de 1855.

Por otra parte, desde el principio de su segundo gobierno, Santana volvió a experimentar una gran oposición civil a sus métodos autoritarios de gobernar, especialmente en el seno del Congreso donde los representantes demandaban firmemente una Constitución más liberal que despojara al Presidente de los excesivos poderes que le otorgaba el artículo 210. Así pues, en julio de 1853 Santana se vio obligado a convocar una Asamblea Constituyente que redactara una nueva Constitución. Esta Asamblea se reunión a mediados

Oposición liberal en el Congreso.

313

Constitución política
liberal. febrero de
1854.

de enero de 1854 y las modificaciones que hizo al texto constitucional de 1844 fueron bastante profundas pues estuvieron inspiradas en las doctrinas liberales de la época.

En efecto, el Senado fue investido de mayores poderes de los que anteriormente tenía, entre ellos la capacidad de otorgar los ascensos militares y de movilizar las Fuerzas Armadas en tiempos de paz y de guerra. También se creó el cargo de Vicepresidente de la República que hasta entonces no existía. Los constituyentes modificaron el régimen municipal para que los Ayuntamientos ejercieran efectivamente el gobierno político y económico de las ciudades. Y aunque se suprimió el artículo 210 para impedir que el Presidente ejerciera en forma absoluta e irresponsable el Poder, esta nueva Constitución introdujo una disposición transitoria para permitir que el General Santana ejerciera el cargo de Presidente durante dos períodos consecutivos que debían terminar el día 28 de febrero de 1861, e incluyeron otra disposición transitoria para permitir que el Presidente de la República pudiera conferir todos los grados militares que considerara necesarios entretanto la guerra continuara y no se firmara la paz con Haití. Esta última disposición, como es evidente, invalidaba aquellos artículos que conferían esa capacidad al Senado y, por lo tanto, colocaban nuevamente el comando absoluto de las Fuerzas Armadas en manos del Presidente de la República.

Santana inconforme
con nueva Constitu-
ción.

Esta Constitución fue promulgada el 25 de febrero de 1854, pero Santana no quedó muy conforme con que hubieran eliminado de la misma el artículo 210, y a medida que fue consolidando su poder en los meses siguientes fue influyendo en el Congreso para que éste, a principios de agosto, dictara un decreto concediéndole la facultad de adoptar todas las medidas que juzgara necesarias para garantizar el orden y la seguridad del Estado, lo que equivalía a poner en vigor nuevamente el espíritu del artículo 210. Con estos poderes en sus manos y, luego de esta demostración de debilidad del Congreso, Santana convocó extraordinariamente al Senado y a la Cámara de Representantes para que el 1 de noviembre de 1854 se reunieran y discutieran la conveniencia de redactar una nueva Constitución que mo-

314

dificara la de febrero de ese año, puesto que él consideraba que ésta no aseguraba debidamente la estabilidad del país por las diversas dificultades que imponía al Poder Ejecutivo para gobernar. Cuando el Congreso se reunió en la fecha fijada, Santana leyó una alocución dirigida a los representantes en la cual hizo conocer sus amenazas si la Constitución no era modificada conforme al proyecto de reforma que él sometía.

Atemorizados, los congresistas se reunieron y trabajaron bajo la influencia de los agentes de Santana en el Congreso en la redacción de un nuevo texto constitucional que se haría célebre en la historia dominicana por el despotismo que contenían tanto su espíritu como muchas de sus cláusulas. Por ejemplo, los derechos humanos y el ejercicio de libertades fundamentales quedaron fuera del texto constitucional y sometidos a la regulación de leyes especiales que podrían modificarse según conviniera al gobierno de turno, y las elecciones quedaron regidas por un sistema de voto indirecto a través de colegios electorales. El Congreso, que hasta entonces había sido bicameral y con más de 30 representantes, quedó reducido a un Senado Consultor con atribuciones legislativas, judiciales y consultivas cuyo número máximo de miembros era 7, que podían ser reelectos indefinidamente y que debía reunirse en sesiones legislativas que duraran solamente 3 meses al año, fuera de las cuales sus funciones quedaban reducidas a las de mero cuerpo consultor del Poder Ejecutivo. El gobierno de las provincias quedó en manos de un Gobernador, dependiente directamente del Poder Ejecutivo, cuyas facultades estaban por encima de las de los Ayuntamientos. Las demás disposiciones constitucionales fueron ajustadas al espíritu de este nuevo texto que, aunque no había introducido el artículo 210, había organizado el sistema político dominicano de tal manera que ahora el país quedaría regido por una oligarquía política reunida en una sola Cámara, esto es, un Senado de 7 miembros que vendrían a ser algo así como el coro que el Presidente de la República quería tener a su disposición para justificar o legitimar cualesquiera acciones que adoptara en el futuro. Esta Constitución, que fue promulgada

Constitución política conservadora, 23 de diciembre de 1854.

315

FRANK MOYA PONS

el día 23 de diciembre de 1854, se convirtió a partir de entonces en el texto preferido de las dictaduras que habrían de aparecer en la vida dominicana en el curso del siglo XIX.

Tan pronto como se promulgó la Constitución de 1854, Santana se retiró a descansar por varias semanas a su finca de El Seibo, dejando el poder en manos del Vicepresidente de la República que lo era, desde principios de año, el General Manuel de la Regla Mota. Todo el año siguiente de 1855, fue un período de intensa labor administrativa por parte del Gobierno, pero al mismo tiempo de intensa actividad revolucionaria por parte de Báez y de los demás opositores de Santana quienes convirtieron a Saint Thomas en la sede del exilio dominicano, que empezó a organizarse en torno a Buenaventura Báez olvidando sus antiguas banderías políticas y planeaba cómo regresar al país para desalojar del poder a Pedro Santana. Gran parte de la oposición al Gobierno se hizo atacando el proyecto de Tratado de Amistad, Comercio y Navegación que Santana había negociado con los Estados Unidos, y cuyas consecuencias hacían prever la cesión o el arrendamiento de la Bahía y Península de Samaná a los norteamericanos, a pesar de las protestas de los cónsules de Inglaterra y Francia que, al igual que los haitianos, veían con temor que los Estados Unidos extendieran su influencia militar hasta la República Dominicana.

El miedo de Haití era comprensible pues los Estados Unidos era una nación esclavista y su presencia en territorio dominicano podía significar un peligro para la independencia haitiana. Inglaterra no deseaba que los Estados Unidos se establecieran en la República Dominicana pues eso implicaría la pérdida de la hegemonía comercial que ella había adquirido en los últimos años gracias a la labor de su Cónsul Robert Schomburgk y a los positivos efectos del Tratado de Comercio entre ambas naciones firmado unos cuantos años atrás. Los baecistas y los demás enemigos de Santana tampoco veían con agrado el nuevo tratado con los Estados Unidos porque, de llegar a ejecutarse, las posibilidades de desplazar a Santana del poder se alejaban indefinidamente ya que el Gobierno Dominicano contaría entonces con un apoyo militar, económico y político que reforzaría enormemente su posición.

Los exiliados políticos y las relaciones entre la República Dominicana y los Estados Unidos, 1855

La presencia de los norteamericanos en el país y las relaciones dominico-haitianas.

316

En noviembre de 1855 Soulouque organizó otra vez su ejército y lo dividió en tres cuerpos que debían invadir la República por Dajabón, por Las Matas de Farfán y por Neiba. En diciembre ya los dos cuerpos del Sur y del Oeste se encontraban en marcha y avanzaron arrolladoramente hasta ocupar los poblados de Las Matas y Neiba. Entretanto, el General Santana había ocupado la ciudad de Azua, estableciendo allí su cuartel general. Desde ahí envió dos cuerpos del ejército con el propósito de desalojar a los haitianos de esos pueblos, comandados, uno por el General Domingo Contreras, dirigido hacia Las Matas, y el otro por el General Francisco Sosa, dirigido hacia Neiba.

Nueva invasión haitiana, noviembre de 1855.

El día 22 de diciembre, las tropas de Contreras, encabezadas por Cabral, y las de Soulouque trabaron una de las más encarnizadas batallas de toda la guerra dominico-haitiana, en una planicie cercana al pueblo de Las Matas, llamada Sabana de Santomé. Y ahí, después de más de cuatro horas de combate, en el cual los dominicanos hicieron intenso uso de sus machetes y sus lanzas, los haitianos fueron derrotados dejando por lo menos 695 muertos en el campo de batalla y en los montes, además de un altísimo número de heridos. La violencia del ataque dominicano llenó a los haitianos de mucho miedo, y todos, encabezados por el Emperador Souloupe, se retiraron huyendo hasta el otro lado de la frontera. Las guerrillas dominicanas los persiguieron y los hostilizaron durante los meses siguientes hasta el fortín haitiano de Cachimán, cercano a Las Caobas.

Batalla de Santomé, 22 de diciembre de 1855.

Estas persecuciones les costaron muchas bajas a los haitianos en los días siguientes a la Batalla de Santomé, pues los soldados haitianos fueron cazados por las guerrillas dominicanas hasta en las copas de los árboles, en donde se habían subido para escapar de sus perseguidores. Soulouque atribuyó la derrota a la incompetencia y a la traición de sus jefes y en su retirada decidió castigar a los más importantes haciéndoles juzgar por un tribunal de guerra que los condenó a muerte siendo luego ejecutados.

En Neiba, el mismo día 22 de diciembre, el General Sosa también batió a los haitianos en un lugar llamado Cambronal, donde fueron desalojados dejando en el campo de batalla numerosos muertos y heridos.

Batalla de Cambronal, 22 de diciembre de 1855.

317

Estos triunfos del sur fueron seguidos por otro triunfo igualmente decisivo e importante que las tropas dominicanas obtuvieron en el norte, en Sabana Larga, el 24 de enero de 1856 cuando derrotaron aparatosamente al ejército del norte de los haitianos dándoles alcance en la Sabana de Jácuba, en donde le hicieron tanto daño que es fama que no fue posible luego contar las bajas enemigas que formaban una estela de cadáveres y heridos que llegaba hasta Dajabón.

Como la derrota haitiana reforzó aún más el poder de Santana para seguir en sus negociaciones con los Estados Unidos, el nuevo Cónsul español, Antonio María Segovia, que había llegado a Santo Domingo en medio de la guerra contra Haití, el 27 de diciembre de 1855, trabajó también por su parte para impedir que los Estados Unidos y Santana se salieran con la suya. La actividad de Segovia consistió en dar apoyo político a todos los enemigos de Santana y de los Estados Unidos amparándolos como si fuesen ciudadanos españoles, de manera que su oposición al Gobierno no pudiese ser sancionada.

El procedimiento que utilizó Segovia para llevar a cabo su propósito fue la apertura de libros de registro en la sede del Consulado para que todo aquel que quisiese declararse ciudadano español pudiese hacerlo, aun cuando esta inscripción, o matriculación como se le llamó, violara lo establecido en el artículo VII del Tratado de reconocimiento firmado el año anterior entre España y la República Dominicana. Como el Gobierno de Santana había vuelto a sus antiguos hábitos dictatoriales, y como la política monetaria del Gobierno había colocado nuevamente la economía del país en crisis, la popularidad de Santana y su gobierno se fue deteriorando con gran rapidez, debido, particularmente, a la propaganda nacionalista de los opositores que denunciaban continuamente los supuestos planes del Gobierno de entregar parte del territorio nacional a los Estados Unidos, una nación esclavista con diferentes costumbres, lenguaje y religión. Aunque el Gobierno persiguió y castigó a muchos opositores con gran rudeza, una gran parte de la población capitaleña, que era donde la Oposición tenía mayor influencia, se registró en los libros de matriculación del consulado español y, así, poco a poco, el Gobierno se vio frente al hecho de que se encontraba gobernando una ciudad en donde una gran parte de sus habitantes eran ciudadanos de una potencia extranjera.

Santana, desde luego, protestó frente al Gobierno español de las intervenciones de su Cónsul en la política dominicana, pero mientras esas protestas eran cursadas diplomáticamente a través del enviado de la República en Madrid, que buscaba una aclaración de los términos del artículo VII del Tratado, la resistencia civil al Gobierno se fue haciendo tan grande y tan evidente a los ojos de Santana que éste, viéndose abandonado hasta por muchos de sus antiguos seguidores, se sintió profundamente deprimido, y argumentando que se encontraba enfermo, se retiró a su finca de El Seibo a preparar su renuncia. Pero antes de hacerlo declaró en estado de emergencia el país y puso en guardia a las Fuerzas Armadas con la intención de impedir cualquier intento de levantamiento o de invasión que sus enemigos quisieran iniciar. Esta retirada de Santana sirvió para desacreditar más aún su gobierno y, viéndose perdido, el Presidente renunció a su cargo el 26 de mayo de 1856, siendo sustituido por el Vicepresidente, General Manuel de la Regla Mota, quien, con el país arruinado a causa de la reciente guerra y de las emisiones monetarias sin respaldo que se habían hecho para financiarla, no tuvo más remedio que licenciar a los soldados que hubieran podido respaldarlo militarmente, debido a que el Gobierno no poseía fondos suficientes para pagarlos.

El licenciamiento del Ejército dejó a Regla Mota prácticamente sin ningún poder, coyuntura ésta que aprovechó el Cónsul Segovia para trasladarse a Saint Thomas, en donde se reunió con Buenaventura Báez, a quien ofreció su apoyo para garantizar su regreso e instalarlo de nuevo en el Poder en la República Dominicana. Báez regresó. Regla Mota tuvo que convenir con Segovia y la Oposición el nombramiento de Báez como Vicepresidente de la República para luego renunciar y permitir que éste volviera a la Presidencia por la vía constitucional. Así, el día 6 de octubre de 1856, Báez tomó posesión como Presidente de la República, luego de haber obtenido del Gobierno de Regla Mota una amnistía

Regreso de Buenaventura Báez y renuncia de Regla Mota.

Buenaventura Báez, Presidente por segunda vez, 6 de octubre de 1856.

319

para él y todos los exiliados políticos que aguardaban esta oportunidad para regresar al país.

Venganza de Báez contra Santana.

Ahora le tocaba a él su turno para vengarse de las ofensas que Santana le hizo en 1853 cuando lo expulsó del país declarándolo traidor a la Patria. Y así, en los meses que siguieron a su ascenso a la Presidencia, él y sus partidarios prepararon varias intrigas políticas para hacer aparecer a Santana como conspirador y como incitador a la rebelión en la común de Neiba, donde se descubrió un supuesto complot militar, y para acusarlo de los peores crímenes contra la ciudadanía y las instituciones, tales como haber gobernado tiránicamente, haber arruinado el país con la mala administración de la Hacienda Pública, además de echarle en cara haber asesinado en fusilamiento sin previo juicio a muchos de sus adversarios políticos. Tan pronto como todo quedó preparado para demostrar al pueblo la culpabilidad de Santana en lo que se le imputaba, el Gobierno dio

Prisión y expulsión de Santana, enero 1857.

órdenes de apresarlo a principios de enero de 1857, embarcándolo hacia el exilio días más tarde. Con Santana fuera del país y con el Gobierno en estado de alerta debido a la crisis política que acababa de superar, Báez modificó su antigua política liberal y utilizando como pretexto la conspiración que decía se había debelado, desató una implacable persecución política contra los partidarios de Santana obligándolos a renunciar al Senado y a los demás cargos públicos que ocupaban y llenando esas vacantes con sus propios partidarios. La Constitución de 1854, que facilitaba el ejercicio del poder absoluto por parte del Presidente de la República, vino como anillo al dedo a Buenaventura Báez, quien ahora llegaba al Poder imbuido de un espíritu de represalia contra todos los que él creía responsables de su anterior desgracia política. En este sentido, los comerciantes cibaeños de tabaco serían sus próximas víctimas, y la continua crisis monetaria que el país venía arrastrando desde 1844, sería su pretexto.

XXV

CAUSAS Y CONSECUENCIAS DE LA REVOLUCION DE 1857

(1844-1861)

EL AÑO DE 1844 FUE UN MAL AÑO para la República Dominicana desde el punto de vista económico. A consecuencia de las invasiones haitianas y frente a la amenaza de una nueva dominación, los comerciantes dejaron de importar y la exportación se paralizó debido a que la guerra ocupó todos los brazos que se dedicaban a la agricultura, a la ganadería y al corte de maderas que eran las principales actividades productivas del país. Además, cuando los haitianos fueron expulsados en marzo de 1844, apenas dejaron en las cajas del Tesoro Público en las ciudades de Santo Domingo y Puerto Plata 6,068.64 pesos fuertes y 5,093.77 pesos en moneda nacional, que apenas alcanzaron para cubrir los primeros gastos de las tropas para hacer frente a la invasión haitiana. En pocos días el Gobierno Dominicano quedó sin dinero contante y sonante y se vio obligado a recurrir a los comerciantes locales, especialmente a los extranjeros, y a los grandes propietarios para conseguir préstamos que le ayudaran a sufragar sus gastos. Durante ese primer año de vida independiente, el Gobierno Dominicano tomó prestados 12,000 pesos fuertes y 95,591.77 pesos nacionales a distintos comerciantes y propietarios que estaban establecidos en el país.

Durante los años siguientes, los préstamos se convirtieron en una práctica común, que venían a sumarse a las

FRANK MOYA PONS

emisiones sin respaldo que el Gobierno Dominicano hizo para mantener a la administración pública funcionando y para dotar de numerario al país. Estas prácticas mantuvieron al comercio continuamente en crisis y constituyeron la causa de la ruina de la Hacienda Pública que ayuda a explicar muchas de las inquietudes políticas de aquellos años.

Devaluación de la moneda en 1846.

Cuando Santana llegó al poder el 12 de julio de 1844 el país estaba padeciendo una "crisis financiera espantosa". El poco dinero haitiano que había quedado en circulación ya estaba en manos de los comerciantes y apenas había unas cuantas monedas en manos del público. En 1846, las nuevas emisiones habían puesto en circulación más de 2 millones de pesos sin respaldo y el peso dominicano había perdido ya el 90 % de su valor. La administración de la Hacienda Pública había sido sumamente deficiente a causa de la ignorancia de sus directores en materia de economía y cuando en marzo de 1847 el Congreso Nacional, alarmado por la crisis, pidió cuentas al Ministro de Hacienda, éste no pudo aclarar documentalmente el estado de las cuentas públicas, lo que le costó un violento ataque de parte de los congresistas que lo acusaron, a él y al Gobierno, de corrupción administrativa.

Crisis financiera en 1847.

La causa real de esta crisis financiera parece haber sido más la ignorancia que la mala fe, pues los mismos miembros del Congreso juzgaban que "la depreciación que ha sufrido la moneda nacional de la República proviene de las mismas causas que han producido los mismos efectos en todos los países cuyo estado de guerra ha causado gastos mayores que las entradas, y cuya diferencia ha sido satisfecha con emisiones de papel moneda que encontrándose en exceso de lo que las nesesidades del movimiento mercantil exige, desde luego, empieza a decaer. Tal es el estado de la circulación actual a que deseamos aplicar remedio, es decir que figuran en la circulación diez veces la cantidad de pesos que el movimiento comercial del país puede emplear, por consiguiente, cada peso ha decaído el valor real y proporcionado que le puede caber o que puede representar en la circulación monetaria, es decir, de diez centavos".

El malestar económico y financiero le enajenó a Santana

322

las pocas simpatías que le quedaban en el Congreso y fue una de las principales causas de su renuncia en agosto de 1848, quedando el poder entonces en manos de su Ministro de la Guerra Manuel Jimenes, cuya administración fue aún más incapaz que la de Santana para hacerle frente al problema monetario dominicano, pues no acogió ninguna de las sugerencias del Congreso, ni aplicó un plan de empréstitos y consolidación de la deuda pública que le fue sugerido, dejando que el numerario en circulación se fuera agotando para acumularse en manos de los grandes comerciantes. De manera que cuando se produjo la invasión de Soulouque en 1849 y el Gobierno tuvo que movilizar al ejército nuevamente, no había fondos con que encarar la nueva amenaza haitiana. A mediados de 1849, no había un solo centavo en las arcas del Tesoro Público para hacer frente a los nuevos gastos de guerra. El Gobierno no tuvo más recurso que lanzar una nueva emisión de un millón de pesos nacionales, que vino a sumarse a las muchas otras emisiones hechas anteriormente.

Deuda pública en 1848.

Ruina monetaria en 1849.

Cuando Buenaventura Báez tomó posesión de la Presidencia de la República en septiembre de 1849, ya se habían hecho por lo menos unas diez emisiones monetarias sin respaldo alguno, como no fuera la garantía del Gobierno. La falta de dinero en las cajas del Tesoro, nuevamente obligó a hacer más emisiones. La primera de estas nuevas emisiones, quedó "exclusivamente reservada para que a la mayor brevedad provea los arsenales de armas, pertrechos de guerra, fornituras, uniformes y demás de este ramo".

Emisiones monetarias, 1849.

Las siguientes emisiones también tuvieron ese mismo pretexto, pero esta vez el Gobierno adoptó una nueva política financiera consistente en emitir dinero nacional para cambiarlo por moneda fuerte extranjera y depositarla en un banco de Saint Thomas ganando un interés anual que oscilaba entre el 3 y el 6 %. Desde el punto de vista puramente administrativo ésta parecía a Báez una medida sana por cuanto que creaba una reserva de contingencia para hacer frente a gastos de emergencia. Pero desde el punto de vista de los ciudadanos, la medida era inconveniente pues ponía en manos de los productores y exportadores que generaban la ri-

Política monetaria de Báez, 1849-1853.

323

queza del país una moneda depreciada al tiempo que los despojaba de la moneda de buena ley.

Por esa razón fue que el representante de la zona tabacalera de Santiago y el Cibao, Benigno Filomeno Rojas, protestó ardientemente en marzo de 1853 diciendo que esta política de "emitir cinco o más millones de papel moneda, para reducirlos a cien mil pesos fuertes, y depositarlos en un banco de Saint Thomas, es una medida inconcebible, un hecho erróneo, que basta haber leído las primeras páginas de un Tratado de Economía Política para comprender que así es como debe ser calificado".

Invasión haitiana y emisiones monetarias, 1855-1856.

Cuando Báez fue sustituido por Pedro Santana en febrero de 1853, el país contaba con más de 100,000 pesos fuertes depositados en el extranjero como respaldo de la moneda nacional que circulaba en el país. No era una suma muy grande, pero era la mayor reserva con que gobierno alguno había contado desde la fundación de la República. Como ahora el país se hallaba en tregua con Haití, el pretexto de una invasión haitiana para hacer nuevas emisiones fue sustituido por el de la necesidad de recoger los billetes viejos que se habían deteriorado con el uso debido a la mala calidad del papel. Así Santana empezó por emitir 8 millones de pesos nuevos en dos tiradas, y en los dos años siguientes hizo tres emisiones adicionales, una de las cuales fue justificada diciendo que los haitianos se aprestaban a invadir y que era necesario contar con fondos para cubrir los gastos de la guerra que se avecinaba. La invasión haitiana de 1855 llegó, el dinero fue gastado, como era de esperar, y otra vez tuvo el Gobierno que recurrir a nuevas emisiones para sustituir los billetes viejos que se habían deteriorado.

Valor del peso dominicano en 1856.

Cuando Báez volvió al poder en octubre de 1856, gracias a las intrigas de Segovia y al malestar económico que la política financiera de Santana había creado, la República ya contaba con unas 23 emisiones monetarias que habían colocado el valor del peso dominicano muy por debajo del peso fuerte español o del dólar norteamericano, aunque no tanto como diez años atrás en los comienzos de la República. Según García, "Cuando Báez ingresó al Poder en 1856 circulaba el peso fuerte en la República a razón de 68 ¾ unidades, o lo que es lo mismo, valía la onza a $ 1,100 nacionales. La poca abundancia de papel moneda desmeritó de tal manera el oro, en vísperas de la cosecha de tabaco que las transacciones llegaron a celebrarse a *cincuenta por uno*. Los exportadores del Cibao comenzaron a introducir plata y oro en tan grandes cantidades, que el comercio en general optaba por el pago de sus derechos en esas especies de preferencia a la moneda del Estado".

"Un gobierno patriótico e inteligente habría aprovechado tan fácil coyuntura para recoger de una vez el papel moneda en circulación, con grande utilidad y ventajas para los tenedores y el fisco, o para restituirlo al valor de su primera emisión, pues, con poco esfuerzo podría haberse llevado muy lejos la alza del papel, compensada por el desmérito relativo del oro y de la plata. Pero Báez hizo todo lo contrario viendo la manera de especular con la situación, se dejó arrastrar por el deseo del medro, y bajo pretesto de recoger los billetes deteriorados, y de impedir los perjuicios que la falta de numerario pudiera ocasionar a los agricultores cibaeños, se hizo autorizar por el Senado Consultor para poder emitir seis millones de pesos nominales en papel moneda: dos millones destinados al primero objeto; y los cuatro restantes al segundo".

Nuevas emisiones monetarias.

"Como no era verdad que faltara numerario para las trasacciones, pues éste había venido de fuera atraído por el aliciente de la cosecha, y el oro y la plata alternaban ya en el Cibao con el poco papel moneda que quedaba en circulación, el aumento repentino de esta especie funesta y perjudicial, vino a destruir el equilibrio mercantil porque la desconfianza alejó por de pronto el metálico de todos los mercados y echó a rodar el papel moneda por la resbaladiza pendiente del demérito".

"Esto llegó a lo infinito, pues ampliada y extendida discrecionalmente por el Senado Consultor, el 2 de mayo de 1857, la facultad de emitir papel moneda acordada antes a Báez, éste en vez de cuatro hizo confeccionar diez y ocho millones de billetes, que repartidos para su venta entre los *numerosos ahijados de la administración*, al precio fijo de 1,100 unidades por una onza, acabaron de precipitar la bancarrota, pues se inundaron del funesto agente todos los mercados, con grave perjuicio del gremio agricultor, que habien-

Báez comete fraude monetario, mayo de 1857.

do principiado a vender por papel su cosecha de tabaco cuando el cambio estaba a 50 *por uno*, vino a deshacerse de él cuando ya circulaba a 68 ¾, experimentando la pérdida consiguiente a la fluctuación del ruinoso agiotaje, que por otra parte fue productivo para Báez y sus agentes, quienes no respondieron al Erario de las cantidades que les tocaron en el reparto sino al precio que les fueron entregadas, incautándose descaradamente la escandalosa diferencia".

Ruina de comerciantes y agricultores cibaeños.

"Con esta ruinosa operación consiguió Báez cuatro cosas: primero, dar un golpe mortal a los propietarios cibaeños, que nunca le habían sido afectos desde que en 1849, él había introducido en el Congreso un proyecto de monopolio del tabaco para administrarlo él a través de unos socios franceses que él propuso al gobierno para el otorgamiento de un empréstito; segundo, proporcionar a sus allegados políticos la manera de improvisar un pequeño capital a poca costa; tercero, reunir en oro la suma de cincuenta mil pesos que se hizo dar en compensación de los perjuicios inferidos a sus propiedades; y cuarto, tener en las cajas nacionales fondos bastantes para hacer frente a la revolución que veía ya venirle encima".

Revolución del 7 de julio de 1857.

En efecto, en la noche del 7 de julio de 1857 se reunieron en la Fortaleza de Santiago los principales hombres de armas de la ciudad, acompañados por los más importantes comerciantes, propietarios e intelectuales de la región y, en vista de las recientes medidas monetarias, lanzaron un manifiesto declarando su propósito de "sacudir el yugo del Gobierno del Señor Báez al cual desconocen desde ahora y se declaran gobernados (hasta que un Congreso, elegido por voto directo, constituya nuevos poderes) por un Gobierno Provisional, con su asiento en la ciudad de Santiago de los Caballeros". El gobierno se instaló inmediatamente y se nombró Presidente al General José Desiderio Valverde y Vicepresidente al abogado Benigno Filomeno de Rojas quienes, a la vez que recibieron el inmediato respaldo de casi todos los habitantes de las provincias del Cibao, organizaron un movimiento armado con el propósito de marchar hacia la ciudad de Santo Domingo para derrocar al Presidente Báez, que se disponía a resistir la revolución amparado tras las murallas de la ciudad y reforzado con los cientos de mi-

Gobierno Provisional de Santiago, julio de 1857.

osé Desiderio Valverde, Presidente Provisional del Gobierno Cibaeño.

les de dólares en oro y en tabaco que sus agentes habían estafado a los cibaeños en las semanas anteriores.

El Gobierno de Santiago puso las tropas revolucionarias bajo el mando del General Juan Luis Franco Bidó, y en pocos días cercaron la Capital, comenzando así la guerra civil. Con los recursos que tenía a su disposición, Báez no podía ser desalojado fácilmente de la Capital, y sintiéndose animado por la resistencia que las fuerzas leales al Gobierno opusieron a la Revolución en las ciudades de Samaná e Higüey, los baecistas se dispusieron a resistir tratando de romper el cerco que los asediaba. Frente al poder que demostró Báez desde los mismos comienzos de la guerra, pues el Gobierno de la Capital utilizó los recursos que tenía para importar armas y provisiones desde Curazao y Saint Thomas, el Gobierno cibaeño dictó un decreto de amnistía en favor del General Pedro Santana y de sus partidarios que se encontraban en el exilio, permitiéndoles regresar por los puertos de Monte Cristi y Puerto Plata para ponerse al servicio de la revolución. Santana se reintegró al país el 25 de agosto de 1857 tan pronto supo la noticia de su amnistía, y el Gobierno cibaeño lo nombró para que fuera a auxiliar con su experiencia militar, y con las tropas que él pudiera reunir en la región del Este, al general Franco Bidó, quien no había sido capaz de tomar la ciudad debido a la resistencia que Báez oponía detrás de sus murallas.

Cerco militar a la Capital.

Amnistía en favor de Pedro Santana.

Regreso de Santana al país, 25 de agosto de 1857

Este fue un error muy grave del Gobierno cibaeño, ya que los baecistas, al ver que ahora Santana se ponía al frente de las tropas revolucionarias, se dispusieron a resistir y a no dejarse vencer, pues todos sabían que Santana y su partido habían regresado al país con el espíritu de tomar represalias contra todos los responsables de su derrocamiento a principios del año anterior. Y así, una revolución que hubiera podido lograr el triunfo luego de un corto cerco a la ciudad, se vio impedida de una victoria inmediata por la tenaz resistencia que hicieron sus enemigos, quienes de ningún modo querían caer en manos de Santana. Además, el otro ingrediente del error del Gobierno cibaeño al poner a Santana a auxiliar al General Franco Bidó, fue que a las pocas semanas de su llegada, Santana había podido lograr integrar sus propias fuerzas luego de una rápida labor de recluta-

Santana recluta nuevo ejército.

miento de aquellas tropas que desde el año de 1844 habían sido leales a él y se encontraban trabajando en los hatos y cortes de madera del Este y del Sur en espera de su regreso. La propia fuerza militar de Santana, compuesta de un peonaje dócil y servil familiarizado con la zona de operaciones, hizo gravitar casi todo el mando hacia su persona, pues las tropas cibaeñas al mando del General Franco Bidó, a las pocas semanas de haber iniciado la campaña, empezaron a desmoralizarse debido a la lejanía de sus hogares y a la necesidad de regresar a sus campos a reiniciar de nuevo el ciclo agrícola que aseguraría la cosecha de tabaco del próximo año. Así Santana en breve tiempo, fue desplazando del mando al General Franco Bidó y ya el día 18 de septiembre se había convertido en el dueño de la situación.

Santana, jefe militar de la Revolución, 18 de septiembre de 1857.

La guerra siguió durante casi un año y fue sumamente sangrienta, pues ambos bandos combatieron con gran coraje. Durante todo este período ambos gobiernos, el de Santiago y el de Santo Domingo, siguieron emitiendo papel moneda para financiar sus gastos, y estas nuevas emisiones terminaron arruinando completamente al país produciendo, en consecuencia, la bancarrota del Estado, de tal manera que el peso nacional dominicano llegó a cotizarse entre las 3,125 y las 4,750 unidades por uno fuerte, mientras la masa de numerario circulante reconocida oficialmente por el Gobierno cibaeño alcanzaba ya la entonces astronómica cifra de $ 42,290,430, que era apenas la mitad de lo que realmente circulaba, pues Báez había emitido en un solo año unos $ 59,700,000 nacionales y el Gobierno cibaeño aproximadamente $ 20,000,000.

Efectos financieros de la guerra civil.

Entretanto, el Gobierno del Cibao actuaba para dar al país una nueva Constitución que sustituyera a la despótica de diciembre de 1854, y que representara los intereses de la mayoría de la población dominicana. El día 25 de septiembre convocó al país para que eligieran a los diputados a partir del día 7 de diciembre de 1857. Para la Asamblea Constituyente fueron elegidos los hombres más ilustrados del país cuyo pensamiento se hallaba en consonancia con las ideas liberales que habían inspirado el movimiento del 7 de julio. Tan pronto los constituyentes comenzaron sus trabajos, fue bien evidente que el Cibao contaba con una intelectualidad

Congreso Constituyente de Moca, 7 de diciembre de 1857.

sumamente vigorosa que deseaba implantar por primera vez en los 14 años de historia independiente de la República un gobierno auténticamente democrático y representativo.

La nueva Constitución que elaboraron en Moca los constituyentes fue proclamada el 19 de febrero de 1858. Con esta Constitución la pena de muerte por cuestiones políticas quedó abolida para siempre y se garantizó a los dominicanos el ejercicio absoluto de las libertades ciudadanas sin restricciones, en especial la libertad de expresión, el libre tránsito y la libertad de reunión pacífica. El gobierno debía ser civil, republicano, popular, representativo, electivo y responsable, y todo ciudadano con derecho a votar podía hacerlo directa y secretamente, en vez de en la forma indirecta establecida en las Constituciones anteriores. El Presidente de la República no podía ser reelecto en forma sucesiva, y los gobernadores de provincias no podrían ser en lo adelante los mismos comandantes de armas como había ocurrido en el pasado. El Poder Municipal volvió a ser restituido con toda su plenitud, en tanto que las Fuerzas Armadas quedaron declaradas como esencialmente obedientes al Poder Civil, sin facultades para deliberar y con la obligación de defender la soberanía de la Nación y el orden público, y de observar y cumplir la Constitución y las leyes. La capital de la República quedó fijada en la ciudad de Santiago de los Caballeros, mientras una disposición transitoria dispuso que el nuevo gobierno que surgiera debía ser electo por los mismos representantes de la Asamblea Constituyente. Como era de esperarse, el día 1 de marzo de 1858 resultaron electos para los cargos de Presidente y Vicepresidente, los mismos que hasta entonces habían venido gobernando el país, con excepción de la Capital, Samaná e Higüey, esto es, el General José Desiderio Valverde y el ciudadano Benigno Filomeno de Rojas quienes procedieron a organizar el país conforme lo establecía el nuevo Pacto Fundamental.

Constitución de Moca 19 de febrero de 1858.

Pero no todo salió como se esperaba, pues este nuevo texto constitucional disgustó mucho a Pedro Santana y a sus partidarios, quienes ya se encontraban perfectamente aglutinados en los campamentos que cercaban la Capital en espera del momento en que Báez abandonara la ciudad para ellos volver a ocupar el Poder, del que se sintieron despoja-

Santana contrario a la Constitución de Moca.

dos por las maniobras de Segovia. Como Báez había gastado gran parte de los recursos que poseía y había perdido las plazas de Samaná e Higüey, los santanistas nuevamente hablaban de volver a integrar su antiguo gobierno en la ciudad de Santo Domingo.

Sin embargo, todavía había que vencer la última resistencia de los baecistas refugiados detrás de las murallas de la ciudad, resistencia que poco a poco fue debilitándose por las deserciones y por la desmoralización de las tropas, que, de unos 2,000 soldados que había a principios de la revolución, apenas quedaban 400 cuando los cónsules empezaron a mediar para lograr un armisticio que asegurara la salida de Báez y sus seguidores del país con la garantía a sus vidas y propiedades. Estas negociaciones se llevaron a cabo en el curso del mes de junio, y el día 12 ya estaban acordadas las condiciones para la entrega de la plaza, pero las mismas fueron aceptadas por el Gobierno de Santiago con grandes reticencias el día 21, pues dejaban a Báez en libertad para irse con todo el dinero que había logrado sustraer de las arcas del Estado durante su gobierno, además del oro y el tabaco que había robado a los cibaeños en el año anterior, junto con los bergantines y goletas del Estado, varias de las cuales nunca fueron devueltas por él ni por los demás baecistas que se las apropiaron.

Según José Gabriel García, Santana, "que no poseía la facultad de disimular sus impresiones, no ocultó nunca desde su llegada al país, la tendencia a independizarse de toda sujeción disciplinaria, ni el propósito de dar al movimiento revolucionario un giro que convenía a sus intereses personales. Para él la cuestión se reducía simplemente a derrocar a Báez del poder, pero respetando la Constitución y las leyes que estaban en vigor; de suerte que sostenía desde su campamento la teoría de que una nueva constitución era ajar la majestad de la que regía, principalmente en momentos en que tenía lugar una lucha sangrienta que desgarraba las entrañas de la patria. No quería convenir en que en medio del tumulto de las armas y de los combates, y cuando sus amigos políticos, que eran para él las únicas notabilidades del país, vagaban unos en tierras extranjeras, y otros se encontraban al frente del enemigo, se quisiera constituir una na-

Derrota y exilio de Buenaventura Báez, 12-21 de junio de 1858.

Intereses políticos de Santana.

330

ción que estaba ya constituida desde 1844; subterfugio de que se valía con frecuencia para desprestigiar la Constitución de Moca, que consideraba alejada de la realidad y en contraposición con las costumbres, el genio, la religión y las necesidades de los dominicanos".

Por esta razón, tan pronto Santana y sus tropas entraron a la ciudad de Santo Domingo a la salida de Báez, su partido se movilizó para echar por tierra todo el esfuerzo de los cibaeños y volver la situación política al mismo estado en que se encontraba cuando Santana fue derribado del Poder. Así, el día 27 de julio de 1858 los más conspicuos representantes del santanismo y algunos baecistas reconciliados con Santana a última hora publicaron en Santo Domingo un "Manifiesto Nacional" y, actuando como "órganos de la voluntad del pueblo", visitaron al General Santana para que, oyendo la voz de las "provincias del sur", restableciera el orden anterior ejecutando algunas reformas legales, entre ellas, la puesta en vigor nuevamente de la Constitución de diciembre de 1854. En los días siguientes fueron apareciendo una serie de manifiestos similares en cada uno de los pueblos de la República que pedían a Santana que desconociera el Gobierno Constitucional del Cibao y la Constitución de Moca y que "por la soberana voluntad del pueblo se encargara de restaurar el imperio de la Constitución y las leyes". Antes de que estos manifiestos fueran publicados, Santana lanzó una proclama aceptando el nuevo mandato que "la ciudad de Santo Domingo por medio de una numerosa y respetable comisión me ha presentado".

Golpe de Estado de Santana contra el Gobierno cibaeño, 27 de julio de 1858.

Los cibaeños, desde luego, no aceptaron de inmediato la traición del hombre a quienes ellos habían llamado y rehabilitado políticamente para ponerlo al frente de su revolución, y se prepararon para resistir la marcha que Santana organizaba con su ejército hacia las provincias del Cibao con el propósito de instaurar el nuevo orden. Pero aunque el mismo Presidente José Desiderio Valverde marchó con tropas hacia la Capital para impedir que la traición cobrara cuerpo, muy pronto los cibaeños reconocieron que el único ejército verdaderamente efectivo y con plena capacidad de combate que existía era el que el General Santana había organizado en los campamentos revolucionarios con sus an-

Reacción cibaeña al golpe de Estado.

331

tiguas tropas sureñas y orientales que le seguían y obedecían ciegamente desde 1844. La marcha de Santana hacia el Cibao con estas tropas, fue suficiente para que muchos de los generales que habían apoyado la Revolución se declararan en su favor y abandonaran al Presidente Valverde y a los demás líderes de la revolución cibaeña.

El mes de agosto de 1858 fue un período durante el cual todo el ensayo de gobierno democrático de los cibaeños se vino completamente abajo. Durante ese tiempo y durante las primeras tres semanas de septiembre pudo Santana dejar instalados en cada uno de los pueblos que él o sus lugartenientes visitaron a los Comandantes de Armas que debían ayudarlo ahora a consolidar nuevamente su dictadura. El 23 de septiembre de 1858 Santana se encontraba de nuevo en la ciudad de Santo Domingo en compañía de sus incondicionales seguidores y el día 27 de ese mismo mes dictó dos decretos poniendo en vigor nuevamente la Constitución de 1854 y todas aquellas leyes y disposiciones que se promulgaron en virtud de la misma durante su anterior gobierno.

Los dos años que siguieron a la revolución fueron tiempos de profunda crisis económica. Todo el producto de un año de trabajo de la región más rica del país había sido robado por Báez y sus secuaces y ahora había que comenzar de nuevo pues también la producción de la región sur había sido casi nula a causa de la guerra. El papel moneda quedó completamente desprestigiado y el Gobierno tuvo que abstenerse por el momento de hacer nuevas emisiones para no empeorar aún más la situación. La tasa de cambio fue fijada en mayo de 1859 en unos 2,000 pesos nacionales por uno fuerte, pero los comerciantes extranjeros y muchos otros tenedores de papel moneda se negaron a aceptar las nuevas disposiciones monetarias del Gobierno y protestaron ante sus cónsules respectivos quienes trataron de conseguir con el Gobierno que fijara una tasa de cambio más beneficiosa. Pero el Gobierno se negó a complacerlos argumentando que esa era la tasa del mercado y que esa debía ser la que rigiera el cambio de la moneda. Como esas negociaciones no llevaban a ningún sitio, los cónsules salieron del país y en noviembre de 1859 regresaron acompañados de barcos de guerra de Francia, Inglaterra y España amenazando con bom-

Caída del Gobierno cibaeño, agosto 1858.

Constitución oligárquica de 1854 sustituye a la Constitución de Moca, 27 de septiembre de 1858.

Efectos económicos y financieros de la guerra civil.

Valor del papel moneda en noviembre de 1859

bardear la ciudad si el Gobierno no se acogía a sus pretensiones de que el papel moneda fuera cambiado a razón de 500 pesos nacionales por uno fuerte. Esta amenaza ejercida con toda seriedad en apoyo de los comerciantes extranjeros obligó al Gobierno a decretar esa nueva tasa de cambio en favor de todos los tenedores de papel moneda entre los cuales los comerciantes extranjeros se destacaban claramente.

Mientras estos problemas agobiaban al Gobierno de Santana, otras amenazas también pendían sobre la seguridad de la República pues tan pronto se terminó la Revolución, llegó a Santo Domingo el antiguo Cónsul francés en Puerto Príncipe, Maxime Raybaud, enviado en misión especial por el Emperador Soulouque, a proponer a Santana un entendido con el Gobierno haitiano haciéndole ver que si los dominicanos no aceptaban formar parte nuevamente de una federación con Haití, los Estados Unidos intentarían anexarse a la República Dominicana o ésta finalmente sería conquistada por Haití por medio de la fuerza. Los términos de estas proposiciones resultaron tan ofensivos al Gobierno Dominicano que Santana y sus ministros, indignados por las amenazas de Raybaud en nombre de los haitianos, lo obligaron a salir del país sin darle respuesta alguna. Pero quedaron con la preocupación de que Soulouque planeaba una nueva invasión del territorio dominicano y se veían en la situación de no tener recursos suficientes con qué hacerle frente a esa nueva campaña. En efecto, Soulouque quiso movilizar su ejército para invadir de nuevo a la República Dominicana, pero ya los oficiales haitianos estaban cansados de tantos años de tiranía y, viendo que cada vez que había guerra con los dominicanos Soulouque hacía asesinar a muchos de ellos, muy pronto organizaron una conspiración, que fue dirigida por el General Geffrard, a finales de diciembre de 1859, quien después de una rápida campaña militar lo derrocó y lo obligó a tomar el camino del exilio a principios de enero de 1860.

De las primeras cosas que hizo Geffrard al tomar el poder fue dar aviso al Gobierno Dominicano de que su Gobierno no planeaba ninguna invasión contra los dominicanos. Pero Santana no le creyó y siguió sus preparativos para hacer frente a esa invasión ordenando realizar dos nuevas

Amenazas haitianas, octubre 1859.

Derrocamiento de Faustino Soulouque en Haití, enero 1860.

Nuevas emisiones monetarias, enero-diciembre 1860.

333

FRANK MOYA PONS

emisiones de papel moneda para cubrir los gastos de la movilización militar, y con el pretexto de recoger los viejos billetes y de hacer frente a las falsificaciones de papel moneda que durante los últimos años se habían hecho muy frecuentes. La primera de esas emisiones de 10 millones de pesos, ordenada en enero de 1860, produjo un verdadero desastre en el país pues la moneda fuerte que había fue escondida por sus tenedores y los nuevos billetes fueron rechazados por el público, viéndose el Gobierno obligado a recogerlos aunque algunas semanas después volvió a ponerlos en circulación. En marzo de ese mismo año el Senado autorizó secretamente la emisión de otros 10 millones de pesos más, que fueron sucedidos por una tercera emisión de 10 nuevos millones de pesos en agosto y por otros 8 millones de pesos más en diciembre de 1860.

Emisiones monetarias en la Primera República.

Y así, este tercer gobierno de Santana emitió en pocos meses casi cuarenta millones de pesos en cientos de miles de billetes que inundaron nuevamente el país y, aunque muchos fueron utilizados para sustituir a los viejos que se habían deteriorado, lo cierto fue que sólo sirvieron para agravar el ya catastrófico problema monetario del país, pues en los 17 años que llevaba de fundada la República Dominicana sus gobiernos habían realizado por lo menos 33 emisiones monetarias sin más respaldo que el crédito del Estado, ascendentes a unos 148 millones de pesos, de los cuales en diciembre de 1860 todavía había unos $ 83 millones en circulación y el resto había sido recogido o incinerado. Para favorecer a los tenedores de este dinero, Santana y sus ministros decretaron el día 16 de marzo de 1861 una nueva tasa de cambio de 250 pesos nacionales por uno fuerte.

Valor del peso dominicano el 16 de marzo de 1861.

Negociaciones secretas con España, 1860.

Por otra parte, la invasión haitiana que Santana tanto temía nunca llegó, y mientras realizaba esas emisiones secretas, el Gobierno también llevaba a cabo negociaciones, también secretas, con el Gobierno de España para resucitar la vieja idea del protectorado o la anexión de la República a aquella potencia. La historia de esas negociaciones tiene mucho que ver con el estado de postración en que había caído la economía en aquellos años a consecuencia del fraude de Báez y de la Revolución de 1857, y las posibilidades de que los Estados Unidos aprovecharan la debilidad del Gobierno para

334

introducir grupos de aventureros en el territorio nacional
que dieran un golpe de Estado y se apoderaran del gobierno
como lo habían hecho por esos años en Nicaragua y como
lo sugerían los incidentes que tuvieron lugar en la Isla de
Alta Vela en octubre de 1860, cuando el Gobierno se vio obligado a desalojar un grupo de norteamericanos que había
desembarcado allí plantando su bandera y reclamando aquella isla como territorio de los Estados Unidos.

Amenazas norteame-
ricanas en Alta Vela,
febrero-octubre 1860.

XXVI

LA ANEXION Y LA RESTAURACION

(1861-1865)

LAS DIFICULTADES QUE CONFRONTO el Gobierno de Santana después de.la revolución de 1858 fueron tantas y tan graves que él y sus amigos decidieron resucitar la vieja idea de recurrir al auxilio de una potencia extranjera que los ayudara a resolver los problemas de su estabilidad política y de su seguridad económica. La misión de Raybaud tuvo mucho que ver con esa decisión pues Santana quedó temeroso de que Haití volviera a invadir y sorprendiera al Gobierno Dominicano sin recursos. También parece que a Santana le preocupó la posibilidad de que los Estados Unidos aprovecharan la debilidad del Gobierno para dar un golpe de mano similar al de un grupo de norteamericanos en Nicaragua hacía poco tiempo. El problema del papel moneda era cada día más grave y Santana y sus ministros llegaron a convencerse de que sólo con la ayuda de España podrían solucionar la crisis en que se debatía el Gobierno.

Debilidad del gobierno de Santana.

Por eso Santana aprovechó que el General Felipe Alfau se encontraba en viaje de descanso por Europa para nombrarlo Enviado Extraordinario y Ministro Plenipotenciario con la misión de exponer a la Reina de España la crítica situación en que se encontraba la República Dominicana, y le encargó solicitarle la ayuda y los medios necesarios para fortificar y artillar aquellos puntos y puertos de mar que eran codiciados por los norteamericanos por su importan-

Misión de Felipe Alfau en España, abril 1859.

cia estratégica o por su valor económico, y negociar, además, un acuerdo que tuviera como objeto el establecimiento de un protectorado político y militar de España en Santo Domingo que ayudaría a los dominicanos a preservar su independencia frente a los haitianos. Alfau fue recibido por la Reina a mediados de abril de 1859 y todo el resto del año lo pasó en contacto con diversos funcionarios españoles negociando y discutiendo las posibilidades y las condiciones para la firma de un tratado, convenio, protectorado o alianza por medio del cual la República recibiera lo pedido a España, en especial ayuda y asistencia en hombres, equipos y préstamos a cambio de la hipoteca de las aduanas y de la reducción de impuestos aduaneros a los barcos españoles que arribaran al país.

Todo el resto del año de 1859 lo pasó Alfau en España y las negociaciones avanzaron más allá de lo previsto, pues poco a poco el Ministro dominicano fue haciéndole ver al Gobierno español las muchas ventajas que España obtendría al ejercer un protectorado sobre el territorio dominicano, entre ellas el fortalecimiento de su posición estratégica en las Antillas. A medida que Alfau iba comunicando sus impresiones al Gobierno, el entusiasmo de Santana crecía más y más, tanto que a principios de 1860 ya Santana creía que un protectorado no era suficiente garantía para la estabilidad de su Gobierno y para la seguridad del país, y se dispuso a pedir a la Reina que considerara una solicitud de reincorporación de Santo Domingo a España en calidad de provincia, igual que lo eran en aquel entonces las islas de Cuba y Puerto Rico. Y así, el día 27 de abril de 1860 Santana se dirigió a la Reina en términos que no dejaban duda de que el interés de su Gobierno era anexar el país a España, nación de la cual, decía Santana, los dominicanos no debieron haberse separado nunca.

Santana solicita anexión a España 27 de abril de 1860.

En estos momentos el Gobierno Dominicano estaba pasando por una de las peores situaciones, pues las amenazas contra su seguridad habían crecido en los últimos meses. Los haitianos, por ejemplo, habían desistido de su anterior política de invasiones, tal como Geffrard lo había anunciado, pero ahora estaban sonsacando a los dominicanos de las regiones fronterizas para que establecieran relaciones comerciales con ellos, como en los viejos tiempos. Y como el mercado haitiano resultaba tan atrayente para muchos de los moradores de la frontera, fue muy fácil para los haitianos conseguir una reacción favorable. De manera que en pocos meses, tras varios años de tregua y con la declaración expresa de que no habría nuevas invasiones, el miedo a negociar se perdió y el comercio fronterizo surgió casi de la noche a la mañana con una intensidad inusitada. Según los dominicanos de aquellos días, lo que Geffrard quería con este comercio era "haitianizar" económicamente aquellas regiones para irlas penetrando poco a poco e ir dominándolas en forma pacífica y paulatina. En mayo de 1860, al decir del Ministro de Hacienda y Comercio, el comercio fronterizo había adquirido proporciones colosales y como el Gobierno no le prestaba atención al peligro que la presencia haitiana en aquellos lugares significaba, la gente de Azua estaba toda alarmada temiendo que aquellos pueblos fueran haitianizados de un momento a otro. En ese comercio se destacaba claramente la participación del General Valentín Ramírez Báez, primo de Buenaventura Báez y hombre de mucha influencia en aquellas regiones.

Relaciones dominico-haitianas, mayo 1860.

Otra amenaza importante que enfrentaba el Gobierno de Santana en aquellos momentos tenía mucho que ver con las actividades conspirativas de los baecistas, quienes desde el año anterior habían estado tratando de promover varias rebeliones en la región sur del país con el propósito de derrocar al Gobierno, y, aunque habían sido descubiertas y reprimidas con la mayor energía por Santana, seguían urdiendo conspiraciones desde Curazao y Saint Thomas alentados por su jefe Buenaventura Báez, quien no cesaba en su empeño de volver al país, y algunos de sus seguidores, entre ellos Francisco del Rosario Sánchez, mantenían contactos con los haitianos con el propósito de invadir el país para derrocar a Santana. Esta alianza entre los baecistas y los haitianos preocupaba mucho al Gobierno.

Oposición baecista al gobierno de Santana.

Pero más preocupante fue el incidente que se produjo en la Isla de Alta Vela entre abril y octubre de 1860, cuando el Gobierno supo que un grupo de aventureros norteamericanos había desembarcado allí y había plantado una bandera de los Estados Unidos declarando aquella isla territorio

Amenazas norteamericanas

norteamericano y disponiéndose, como en efecto hicieron, a explotar los yacimientos de guano que allí había. Como las protestas pacíficas no fueron suficientes, el Gobierno se vio en la obligación de enviar un barco de la Marina de Guerra dominicana que hizo prisioneros a aquellos norteamericanos y a sus peones trasladándolos luego a la ciudad de Santo Domingo. El incidente diplomático que se produjo a causa de estos aventureros fue sumamente significativo, pues aunque la República Dominicana consiguió que los Estados Unidos reconociesen su soberanía sobre la Isla de Alta Vela, el Gobierno descubrió que había otras zonas y territorios del país, además de Samaná, que también incitaban la codicia norteamericana.

Crisis financiera.

Por estas razones, y ante la imposibilidad de resolver por sí mismo la tormentosa crisis financiera que lo agobiaba, fue que Santana prefirió torcer el camino de las negociaciones que hasta entonces habían estado orientadas al logro de un protectorado, para insistir en favor de un tratado o acuerdo de reincorporación o anexión del país a España, que era todavía más del agrado de los funcionarios españoles que discutían con Alfau, pues el protectorado, a juicio de aquellos funcionarios, ofrecía menos ventajas que la anexión.

Bases de la Anexión.

A medida que transcurrió el año 1860, las bases para la anexión fueron precisándose y ya a principios de noviembre, Alfau y los diplomáticos españoles habían convenido en que si se optaba por la anexión, España se comprometería, primero, a no restablecer nunca la esclavitud en territorio dominicano; segundo, a considerar al territorio dominicano como provincia española permitiéndole disfrutar de los mismos derechos que las demás provincias; tercero, a utilizar los servicios del mayor número posible de funcionarios públicos y militares dominicanos en el nuevo gobierno que surgiera a consecuencia del tratado que se firmaría; cuarto, a amortizar todo el papel moneda circulante en la República Dominicana en aquellos momentos; y quinto, a reconocer como buenos y válidos todos los actos de los gobiernos dominicanos desde 1844 hasta la fecha.

España y los Estados Unidos frente a la República Dominicana.

Por momentos las negociaciones parecieron que fracasarían. En diciembre de 1860, el Primer Ministro de España, Leopoldo O'Donnell, declaró que su gobierno quería que se aplazara la reincorporación que ya se había acordado, al parecer debido al temor de ofender a los Estados Unidos y a su interés en esperar que se iniciara la guerra civil norteamericana. Pero ya las negociaciones habían creado demasiado entusiasmo entre los miembros del gobierno de Santana y del gobierno colonial de Cuba y entre el mismo Gabinete español como para que fuese posible detener lo que buscaban los círculos oficiales españoles y dominicanos, pues para muchos funcionarios españoles la anexión aparecía ahora como un nuevo paso de España para recuperar el prestigio y el poder perdido después de la guerra de emancipación de las colonias hispanoamericanas. Sobre todo, en unos momentos en que se rumoreaba que los Estados Unidos deseaban apoderarse de la República Dominicana para, desde Samaná y Santo Domingo, ejercer también su influencia en las Antillas.

Por estas razones, las negociaciones continuaron a instancias del Capitán General de Cuba, don Francisco Serrano, quien recibió órdenes del Gobierno español de completar las negociaciones y llevar a cabo la anexión a condición de que la misma apareciera como si fuera un acto espontáneo de la totalidad del pueblo dominicano, pues España no quería crear sospechas frente a las demás potencias de que estaba inspirada por móviles de conquista. Esta condición, como era de esperar, no era difícil de cumplir para un gobierno como el de Santana acostumbrado a mandar omnímodamente en la República Dominicana. De inmediato, Santana informó secretamente, en forma individual y personal, a cada uno de los comandantes de armas locales que gozaban de toda su confianza acerca de las negociaciones que se realizaban para que, en caso de que la reincorporación se llevara a cabo, ellos estuvieran preparados a respaldarla y hacerla respaldar por los habitantes de sus zonas respectivas. De manera que, entre diciembre de 1860 y marzo de 1861, la mayor parte de las actividades del Gobierno estuvieron orientadas a asegurar el éxito del cambio político que se preparaba a espaldas de la mayoría de la población dominicana.

Preparativos de la Anexión.

Pero algunos sospechaban lo que se tramaba y entre ellos se encontraba el General Ramón Mella, quien al manifestar

341

su desacuerdo con la política anexionista del Gobierno fue arrestado en enero de 1861 y luego expulsado del país. Y como los rumores fueron creciendo a medida que pasaron los meses, muy pronto los baecistas que se encontraban en Curazao comenzaron a denunciar los propósitos anexionistas de Santana y el General Francisco del Rosario Sánchez empezó a organizar una invasión por el territorio haitiano, a pesar de encontrarse gravemente enfermo. Pero nada podía detener al Gobierno que ya desde enero había estado recibiendo asistencia militar desde Cuba y Puerto Rico y había estado invitando a inmigrantes canarios que estaban en Venezuela a que se radicaran en territorio dominicano.

Ultimos preparativos para la Anexión, 4-16 de marzo de 1861.

Cuando ya todo estaba preparado, el día 4 de marzo de 1861, Santana pasó una circular a todos los generales y comandantes de armas de su confianza para que procedieran a informar a las autoridades y personas notables del país del resultado de las negociaciones en favor de la anexión y comunicaran las condiciones en que se había pactado la reincorporación de la República a España. Hecho esto, el Gobierno envió de inmediato hacia los pueblos del interior a uno de sus ministros con el propósito de recoger los pronunciamientos y las firmas en apoyo de la anexión que los comandantes militares recabarían entre la población domi-

Lucro de santanistas con la Anexión

nicana. El día 16 de marzo, Santana dictó un decreto anunciando una nueva tasa de cambio para el papel moneda a razón de 250 pesos nacionales por uno fuerte, que era mucho más favorable a los tenedores de papeletas que la anterior de quinientos por uno, con lo que adquirían ahora un sorprendente sentido las enormes emisiones monetarias que Santana había estado haciendo en los últimos meses pues resultaba evidente que mucha gente de su partido iba a quedar más que beneficiada por ese decreto cuando los españoles dieran inicio a la amortización del papel moneda.

Y como si esta jugada con el papel moneda fuera poco, "el general Santana asumió el mando en su calidad de presidente é hizo llamamientos á todos los militares de su partido que podía seducir; las propiedades que como remanente de las que dejaron los haitianos le quedaban al Estado, fueron distribuidas en pago de sueldos ó de acreencias imaginarias, entre los adeptos principales de la causa anexionis-

342

ta, tocándole á unos las casas, á otros los barcos y á muchos los más feraces terrenos; los ascensos militares fueron prodigados a manos llenas y hasta hubo distribución de grados masónicos, repartos que el vulgo apellidó 'bautismos', todo en previsión de quedar asegurados y en actitud de sacar las mayores ventajas del cadáver de la patria que en vano quisieron resucitar algunos buenos dominicanos", según afirma José Gabriel García.

Tan pronto se proclamó solemnemente la anexión en la plaza de la Catedral, el 18 de marzo de 1861, los manifiestos forjados a instancias del Gobierno empezaron a publicarse durante las semanas siguientes, dando así la impresión de que todo el país había apoyado la reincorporación a España y que los dominicanos todos renunciaban a su soberanía. Pero pronto empezaron a hacerse sentir las voces de la oposición a la anexión. El día 2 de mayo de 1861 el General José Contreras y un grupo de seguidores suyos, la mayoría gente de color y filiación política baecista, se levantaron en armas en protesta por el cambio político denunciando que los españoles habían vuelto al país a restablecer la esclavitud. Esta rebelión fue liquidada en breve tiempo y sus cabecillas fusilados. En junio de este mismo año, finalmente, Francisco del Rosario Sánchez invadió el país por el valle de San Juan, pero en un sitio cercano a El Cercado cayó en una emboscada puesta por fuerzas del Gobierno y fue herido, siendo prisionero y luego fusilado junto con otros compañeros suyos. El otro general y cabecilla de esta invasión, José María Cabral, pudo salvar su vida huyendo a Haití. Por otra parte, el Padre Fernando Arturo de Meriño, Vicario Apostólico, también intentó organizar una rebelión contra la anexión en complicidad con el General Eusebio Manzueta, de Yamasá, pero fracasó en el intento y cuando su oposición fue descubierta, fue hecho prisionero y expulsado del país.

Entretanto ocurrían estos incidentes, Santana, nombrado en mayo Capitán General de la provincia de Santo Domingo, procedió a organizar el Gobierno contando con los recursos que en dinero, armas, provisiones, funcionarios civiles y militares envió España para la administración de su nuevo territorio. Pero esa misma abundancia de recursos se convirtió en un grave problema para Santana, pues como su

Proclamación de la Anexión, 18 de marzo de 1861.

Oposición a la Anexión: Levantamiento de José Contreras, 2 de mayo de 1861.

Expedición de Sánchez y Cabral, junio 1861.

Santana nombrado Capitán General de la Provincia de Santo Domingo, mayo 1861.

343

autoridad dependía de la del Capitán General de Cuba, Don Francisco Serrano, y estaba supervisada por su lugarteniente, el Brigadier Antonio Peláez de Campomanes, Segundo Cabo de la Provincia, con quien él debía consultar todas sus decisiones, muy pronto le fue evidente que ya el ejercicio absoluto del mando no iba a ser posible para él, pues ahora se encontraba incorporado a un sistema de administración colonial en el cual su gobierno era una pieza más dentro del cuadro de intereses de España en las Antillas.

Organización de la Provincia.

Santana pierde autoridad.

Y así, a medida que los funcionarios y los militares españoles iban llegando para los cargos en que habían sido nombrados, Santana fue descubriendo que el poder, que él creía que España había venido a consolidar en su favor, se le escapaba de las manos pues muchos de sus partidarios, civiles y militares, fueron poco a poco desplazados de sus antiguas posiciones para dar paso a los funcionarios españoles venidos de Cuba y Puerto Rico.

Y así, a medida que el año de 1861 transcurría, muchos santanistas fueron despojados de sus cargos, causando serios conflictos entre Santana y los altos funcionarios españoles, en especial cuando se trataba de sustituir a los militares que hasta entonces habían sido leales al antiguo Presidente de la República, muchos de los cuales no pudieron ser aceptados como miembros del ejército español cuando sus Hojas de Servicio fueron estudiadas por una Junta Clasificadora nombrada para este efecto el día 6 de agosto de 1861.

Disgustos de Santana con el Gobierno español, agosto 1861.

En pocas palabras, ya a finales de año, Santana había descubierto que su poder se había desvanecido y que él era ahora un simple funcionario más, sujeto a numerosas regulaciones oficiales. Y como ésta era una situación que no se ajustaba a su personalidad autoritaria y absorbente, el día 6 de enero de 1862, Santana presentó renuncia como Capitán General de la Provincia, aduciendo motivos de salud.

Renuncia de Santana, 6 de enero de 1862.

La renuncia le fue aceptada pues desde hacía algunos meses, los funcionarios del gobierno español en Santo Domingo, acostumbrados como estaban a otro estilo de gobierno, habían sugerido al General Serrano que Santana fuera sustituido o relevado de su cargo, como lo habían sido sus antiguos ministros que obstaculizaban la marcha de la administración de Santo Domingo. Santana se mantuvo en el cargo esperando a su sustituto el General Felipe Ribero, que llegó finalmente el día 19 de julio de 1862, y aunque el Gobierno español lo distinguió con el título de Marqués de las Carreras y le fijó una pensión de retiro bastante generosa, Santana se sintió sumamente deprimido en los meses siguientes, al ver que sus propósitos de mantenerse en el mando con el apoyo del Gobierno español habían fracasado. No obstante, Santana se sentía satisfecho, pues su viejo sueño de hacer regresar a los dominicanos al seno de la Madre Patria, de la cual él creía no debieron haberse separado nunca, se había realizado y preveía que con la anexión sería incluso posible recuperar aquellos territorios perdidos en tiempos de Toussaint que impedían el ejercicio real de la soberanía de las regiones aledañas a Las Caobas, Hincha, San Rafael y San Miguel de la Atalaya.

Felipe Ribero Lemoine sustituye a Santana. 19 de julio de 1862.

Satisfacción de Santana con la Anexión.

Tan pronto como los españoles llegaron a Santo Domingo descubrieron que el pueblo que ellos venían a gobernar no era tan hispánico como les habían asegurado pues la población en su mayoría era de color y sus costumbres habían diferido enormemente de las españolas después de varios siglos de aislamiento y, lo que era más decisivo, después de 22 años de convivencia con los haitianos y de otros 17 años de vida independiente. De buenas a primeras las diferencias entre los soldados españoles y la población dominicana empezaron a manifestarse. Algunas de esas diferencias fueron graves desde el principio mismo de la anexión, en especial aquellas que tenían que ver con la raza y el color de los dominicanos. Este fue un tema de constante conversación entre todo el mundo pues los españoles ofendían continuamente a los dominicanos haciéndoles ver que en Cuba y en Puerto Rico ellos serían esclavos y tratándolos con evidente actitud de superioridad, cosa ésta que tuvo sus efectos incluso entre los mismos dominicanos, pues los más blancos empezaron a alejarse del trato de sus amigos de color, para no correr el riesgo de ser asimilados a ellos o considerados inferiores por los españoles que ahora gobernaban. Incidentes de esta naturaleza fueron sumamente frecuentes y hay noticias de que en Santiago produjeron graves conflictos sociales.

Conflictos entre españoles y dominicanos.

La cuestión de la esclavitud.

La otra cosa que predispuso desde el principio a los do-

345

minicanos contra el Gobierno fue la política seguida por la Junta Clasificadora de puestos militares que, al estudiar los merecimientos de los antiguos oficiales del Ejército Dominicano, dejó a muchos de ellos fuera de las milicias españolas y a otros los colocó en las reservas con derechos a percibir las pensiones relativas a sus rangos respectivos. Pero pronto fue evidente que los funcionarios españoles subestimaban la utilidad de estas reservas y dejaron de pagarles los sueldos que les correspondían atrasándose en algunas ocasiones por varios meses, cosa ésta que produjo grandes disgustos y creó serios problemas políticos al Gobierno en los poblados de Moca y Santiago a finales de 1862. Además, la prohibición hecha a los oficiales y jefes de las reservas de usar el uniforme español, hirió profundamente el amor propio de estas gentes y suscitó bastantes odios hacia los soldados peninsulares.

Además de estos disgustos, el Gobierno español afectó los intereses de una gran mayoría de la población y en especial a los comerciantes, cuando en abril se negó a pagar y amortizar el papel moneda incondicionalmente, tal como había pensado Santana que se haría una vez consumada la anexión. Las oficinas encargadas de recoger el papel moneda se negaron a recibir las papeletas deterioradas por el uso, y como en aquellos años el papel con que se fabricaban estos billetes era de mala calidad, en general casi todo el mundo tenía su dinero en muy mal estado. De manera que una medida como ésta surtió un efecto sumamente negativo en las masas que, además de haberse perjudicado enormemente por las emisiones sin respaldo de los gobiernos de Báez y Santana, ahora descubrían que su papel moneda que ellas creían iba a ser redimido a una mejor tasa de cambio, no era aceptado en todo su valor por las autoridades españolas. Eso provocó que los pobladores de Santiago enviaran una comisión ante el Gobierno a Santo Domingo para reclamar un mejor trato a los tenedores de billetes. Esa comisión finalmente logró que el papel moneda fuese aceptado en mejores términos, pero el acuerdo a que se llegó no pudo nunca despejar la desconfianza que crearon los primeros incidentes.

El llamado sistema de bagajes puesto en práctica por el

346

ejército español también le enajenó muchas simpatías entre los campesinos, especialmente de la región del Cibao. El sistema consistía en requisar sin garantía de devolución, todos los animales de carga que las tropas españolas necesitaban para realizar misiones militares, aunque a los animales se les estuviera utilizando en labores de transporte o carga en el momento de su requisición. En una región como el Cibao, en donde toda la economía tabacalera dependía de la buena disponibilidad de las recuas que transportaban el tabaco desde los campos a las ciudades y desde éstas al puerto de Puerto Plata, la pérdida de sus animales podía significar para mucha gente poco menos que la ruina. Y en este caso en que el sistema se generalizó, los bagajes vinieron a constituir una amenaza de desarticulación económica para toda la región norte del país. Según los periódicos madrileños, el sistema de bagajes era tan ofensivo que "baste decir que se arrojaban en medio de las calles las cargas que en sus caballos traían los campesinos; siendo de advertir que la urgencia del Real Servicio no era tanta que no hubiese tiempo para otra cosa, y que las bestias así embargadas, no siempre volvían a sus dueños".

Por otra parte, la llegada de un nuevo Arzobispo para dirigir la Iglesia dominicana también tuvo efectos negativos en el ánimo de la población, pues el Arzobispo, cuyo nombre era Bienvenido de Monzón, tan pronto llegó se dispuso a modificar las costumbres de los dominicanos, que él creía en deplorable estado debido a que en aquel entonces el matrimonio eclesiástico era muy poco frecuente en el país. La poca cantidad de matrimonios religiosos tenía sus raíces en la misma vida colonial, pues la falta de caminos y la pobreza en que vivió la Colonia durante siglos impidieron a sus habitantes contar con la asistencia permanente de los poquísimos miembros del clero que quedaron en Santo Domingo en los siglos XVII y XVIII. El resultado fue un estado generalizado de amancebamiento que la mayoría de la población aceptaba como algo natural y que a nadie molestaba, ni siquiera a los curas. Monzón consideró que aquella era una situación de inmoralidad que él debía corregir y quiso obligar a los dominicanos a casarse dentro de un determinado plazo, lo que irritó mucho a la mayoría de las fami-

La Iglesia y las costumbres.

La cuestión del matrimonio eclesiástico.

347

lias que, aunque no estaban legalizadas, sus uniones tenían para ellos un valor similar al del matrimonio religioso. En un país donde la mayoría de la población había nacido fuera del matrimonio, aquella disposición debía de aparecer como algo injusto, pues a partir de la misma sólo quedarían reconocidos como hijos legítimos los tenidos en las nuevas uniones, que no por ser legales tenían que ser las más estables o las más deseadas.

Además de estos empeños por obligar a las parejas a formalizar sus uniones, el Arzobispo trató de reformar las costumbres del clero dominicano, al cual él consideró también en estado de corrupción, pues era frecuente que los sacerdotes tuvieran hijos o fueran masones, así como también era normal que de la cuantía de los emolumentos que recibían en sus parroquias por sus servicios eclesiásticos, sus contribuciones a la Iglesia fueran mínimas. Monzón intentó obligar a los sacerdotes a que retuvieran solamente como sueldo fijo 50 pesos mensuales y les exigió que entregaran el resto de sus ingresos al Arzobispado. El clero, como es natural, se negó, y también se disgustó con el nuevo gobierno que se le impuso al país a consecuencia de la anexión.

La cuestión de la disciplina del clero.

Y así como el clero estaba disgustado con estas imposiciones, también las élites de los diferentes pueblos y ciudades se disgustaron cuando el Arzobispo atacó la masonería en sus cartas pastorales y dispuso el cierre de las logias. Esta medida difícilmente podía ser aceptada, pues la masonería en la República Dominicana no había tenido las características antimonárquicas ni antirreligiosas de la masonería en España, Italia y algunos países latinoamericanos, y sus actividades estaban limitadas a trabajos de asistencia social y a la educación de sus miembros. Además, muchos curas dominicanos eran masones y no estaban dispuestos a obedecer al Arzobispado en la persecución de sus logias.

La cuestión de la masonería.

Como éstas, también otras medidas terminaron creando un clima de malestar colectivo entre los comerciantes, los propietarios, los militares y los campesinos, como fueron las limitaciones que el Gobierno quiso imponer al comercio exterior del país en beneficio del comercio con España fijando impuestos a las mercancías y barcos no españoles que llegaran al país mucho más altos que los que pagarían las

Disgustos de los comerciantes.

Nuevos impuestos.

348

mercancías y barcos españoles. Algunas de esas medidas afectaron grandemente los intereses de los comerciantes exportadores de tabaco cuando el Gobierno quiso establecer un monopolio de este producto en favor de intereses metropolitanos. Este clima de malestar ya era evidente en los meses de noviembre y diciembre de 1862 cuando los oficiales españoles presentían el estallido de una rebelión en breve plazo.

Tal como lo previeron los españoles, la rebelión estalló a principios de febrero en Neiba, en donde un grupo de unos cincuenta hombres encabezados por el Comandante Cayetano Velázquez intentó asaltar la casa del Comandante de Armas, siendo rechazados casi inmediatamente por las fuerzas del Gobierno. Esta revuelta parece haber estado desvinculada de una gran conspiración que se venía tramando desde hacía meses en todos los campos del Cibao dirigida secretamente por el General Santiago Rodríguez, quien desde Sabaneta movía con gran cuidado los hilos de una acción que debía contar con todos los pueblos de la región el próximo día 27 de febrero, aniversario de la fundación de la República.

Rebelión de Neiba. 3 de febrero de 1863.

Conspiración en el Cibao.

El levantamiento general que se planeaba fue descubierto el día 21 de febrero en Guayubín y puso en movimiento las fuerzas españolas del General José Antonio Hungría, Comandante de Armas de Santiago, hacia esa población. Pero en su ausencia, los conspiradores de esta ciudad se aprovecharon para pronunciarse contra el gobierno español el día 24, y Hungría tuvo que devolverse para hacer frente al nuevo foco de rebelión de Santiago. Aquí pudo con poco esfuerzo, vencer a los rebeldes y entonces volvió a marchar a Guayubín y a Sabaneta en donde pasó un par de semanas combatiendo a los dominicanos que se habían organizado militarmente bajo las órdenes de Santiago Rodríguez hasta que pudo finalmente vencerlos haciéndolos huir hacia las lomas de la frontera y hacia territorio haitiano. Los jefes que acompañaron a Santiago Rodríguez en este levantamiento se dispersaron por los campos y en los meses siguientes se dedicaron al merodeo y organizaron guerrillas con el propósito de mantener vivos los ánimos de la rebelión

Rebelión de Santiago, 24 de febrero de 1863.

349

FRANK MOYA PONS

mientras Rodríguez buscaba armas, municiones, alimentos y dinero en Haití para continuar la lucha.

Medidas represivas de las autoridades españolas, 21 de febrero-17 abril, 1843.

Tan pronto como se produjo el levantamiento de Guayubín, el Gobierno español declaró el estado de sitio en todo el país y mantuvo sus tropas en alerta enviando refuerzos a Santiago al mando del General Pedro Santana para reforzar la guarnición de la ciudad. Finalmente, cuando se vio que la rebelión había sido vencida, el Gobierno dio un indulto general el día 16 de marzo para atraerse nuevamente a la población de las regiones rebeladas, pero mantuvo en prisión y luego hizo fusilar el día 17 de abril, a los cabecillas del movimiento de Santiago. Y aunque muchos campesinos se acogieron al indulto y regresaron a sus casas, los cabecillas del grupo de Santiago Rodríguez, entre los cuales se encontraban un antiguo peón suyo llamado Benito Monción, un hacendado llamado Pedro Antonio Pimentel y otro llamado José Cabrera, seguían operando en los campos de la frontera cercanos a Dajabón gracias a la protección del Gobierno haitiano.

Apoyo haitiano a los dominicanos contra la Anexión.

La ayuda de Geffrard a los dominicanos tenía su explicación. La anexión colocaba a Haití en una posición sumamente incómoda, al tener como vecino ahora a una potencia esclavista como España cuyas demás posesiones en las Antillas creaban un ambiente hostil a la independencia de los haitianos. Además, la anexión había puesto en peligro la posesión de los territorios de la Plaine Central que los haitianos habían arrebatado a los españoles en tiempos de Toussaint en violación al Tratado de Límites de Aranjuez de 1777 que los españoles pretendían hacer cumplir de acuerdo a una Real Orden del 14 de enero de 1862. Fue en virtud de esta orden que, después de la victoria de Guayubín y Sabaneta, los españoles que perseguían a los dominicanos, desalojaron y expulsaron a todos los haitianos que encontraron viviendo en las zonas de Dajabón y Capotillo que, según el Tratado de Aranjuez, pertenecía a España. Y como esta orden hacía valer los derechos de España sobre los poblados y campos de Hincha, Las Caobas, San Rafael y San Miguel de la Atalaya, lo menos que podía esperar el Gobierno haitiano era que en cualquier momento se produjera una invasión española contra un territorio que Haití considera-

350

ba propio desde hacía más de 60 años. Esta amenaza contra su seguridad hizo que Geffrard diera a los dominicanos todo el apoyo que pudo, a pesar de las amenazas españolas.

Finalmente, el 16 de agosto de 1863 un grupo de catorce dominicanos, encabezados por Santiago Rodríguez, cruzó la frontera y en el cerro de Capotillo enarboló la bandera dominicana en señal de que la guerra por la independencia y la restauración de la República comenzaba. En los días siguientes, la población de la Línea Noroeste empezó a unirse al movimiento mientras las tropas españolas enviadas desde Santiago entablaban los primeros combates con los dominicanos. El empuje de la revolución obligó a los españoles a batirse en retirada, mientras uno tras otro los pueblos del Cibao proclamaban su adhesión al movimiento restaurador. La Vega, Moca, Puerto Plata, San Francisco de Macorís y Cotuí se pronunciaron por la Restauración a finales de agosto y prepararon sus hombres para el combate y para ayudar a las tropas de la Línea Noroeste en el ataque a Santiago que se hacía inminente a partir del día 1 de septiembre cuando los revolucionarios ocuparon parte de esta ciudad.

Comienza la Guerra de la Restauración, 16 de agosto de 1863.

El día 6 de septiembre de 1863 comenzó el ataque al Fuerte San Luis en donde los españoles se habían refugiado. Los dominicanos habían podido reunir unos 6,000 hombres de todo el Cibao, mientras los españoles conservaban 800 soldados bien armados, parapetados detrás de los muros del fuerte. La batalla que siguió fue violenta y sangrienta y a consecuencia de ella la ciudad de Santiago sufrió un gigantesco incendio que abrasó la mayor parte de las casas. Aunque le llegaron refuerzos desde Puerto Plata, que nuevamente había caído en poder de los españoles, las tropas sitiadas no pudieron romper el cerco y después de varios días de combates y negociaciones, se concertó un armisticio para facilitar el abandono de la ciudad por parte de los españoles quienes debían retirarse a Puerto Plata el día 13 de septiembre. En su retirada los dominicanos persiguieron a las tropas españolas y las atacaron encarnizadamente produciéndoles numerosas bajas.

Batalla e incendio de Santiago, 6 de septiembre de 1863.

Abandono de Santiago por los españoles, 13 de septiembre de 1863.

Al otro día de la salida de los españoles de Santiago, los revolucionarios se reunieron en una casa cercana al Fuerte San Luis que el fuego había respetado y allí decidieron cons-

Instalación del Gobierno Provisional Restaurador, 14 de septiembre de 1863.

351

José Antonio Salcedo,
Presidente Provisional.

tituir un Gobierno Provisional Restaurador eligiendo como Presidente al General José Antonio Salcedo, quien se había distinguido como Jefe de Operaciones en los combates de los últimos días. Como Vicepresidente fue elegido Benigno Filomeno Rojas y como ministros los señores Ulises Francisco Espaillat, Máximo Grullón, Pablo Pujol, Pedro Francisco Bonó, Alfredo Deetjen, Sebastián Valverde y Belisario Curiel, en su mayoría antiguos líderes civiles de la revolución de julio de 1857. Tan pronto como el gobierno quedó constituido, sus miembros redactaron un Acta de Independencia en la cual daban cuenta de los motivos que tenían para tomar las armas denunciando la traición de Santana al consumar la anexión de la República a España. Esa acta circuló por todo el Cibao firmada por unas 10,000 personas, más del doble de las que habían firmado los pronunciamientos en favor de la anexión que Santana hizo fabricar en los días posteriores al 18 de marzo de 1861.

Líderes civiles de la
Restauración.

Lo que sigue a la instalación del Gobierno Provisional Restaurador es una guerra de casi dos años que le costó a España más de 10,000 bajas y unos 33 millones de pesos, y a los dominicanos centenares de vidas y la ruina de su economía. Con excepción de Santo Domingo, Puerto Plata y Samaná, que los españoles mantuvieron siempre en su poder, y de Azua, el Seibo, Hato Mayor e Higüey que fueron atacadas por los revolucionarios pero que los españoles pudieron conservar precariamente, todo el país se levantó en armas contra la anexión y los dominicanos se lanzaron a la guerra contra España. La Guerra de la Restauración, que comenzó siendo una rebelión de campesinos, muy pronto se convirtió en una guerra de razas, por el temor de los dominicanos de color, que eran la mayoría, a ser convertidos nuevamente en esclavos, y de ahí pasó a ser una verdadera guerra popular que puso en movimiento todas las energías de la Nación para lograr su independencia y la restauración de la soberanía.

Carácter de la Guerra
de la Restauración.

Guerra de Guerrillas.

Con los pocos recursos materiales con que contaban y teniendo en cuenta las condiciones naturales del país, los dominicanos sólo podían combatir a los españoles en una forma posible, y ésta era la guerra de las guerrillas. Desde el principio, cada comunidad rural, cada región del país, organizó sus propias fuerzas y nombró sus propios jefes coordinando con el Gobierno Provisional Restaurador la ejecución de sus operaciones. En más de un caso esos jefes actuaban por cuenta propia atacando tanto como podían y retirándose conforme su instinto lo indicaba. A veces se unían bajo el mando de jefes superiores encargados por el Gobierno Restaurador de llevar a cabo misiones especiales y entonces se organizaban grandes contingentes que se mantenían juntos mientras eran necesarios para realizar una misión determinada. Luego volvían a sus zonas y continuaban sus operaciones en pequeños grupos que hostigaban y perseguían a las tropas españolas o se desbandaban tan pronto como los españoles los atacaban y los perseguían con fuerzas superiores, para luego volver a reunirse. La guerra se convirtió así en una pesadilla para los españoles que en ningún momento encontraban un enemigo compacto y visible que se les enfrentara, con excepción de aquellos puntos como el Sillón de la Viuda, que era el paso hacia el Cibao, en donde desde el principio el Gobierno Restaurador destacó fuerzas permanentes al mando de Gregorio Luperón, primero, y del mismo Presidente Salcedo después, con el encargo de cerrarle el camino a las tropas de Santana que desde Monte Plata y Guanuma querían vencer su resistencia para invadir el valle del Cibao.

En ninguna de las operaciones que los españoles planearon para penetrar en la región del Cibao, tuvieron éxito pues las guerrillas dominicanas se posesionaron de todos los pasos de las Cordilleras Central y Septentrional y las tropas españolas no podían cruzar sin sufrir grandes bajas y alejándose peligrosamente de sus centros de abastecimiento. Además, tan pronto comenzó la guerra, los soldados españoles empezaron a enfermarse y morían en unas proporciones hasta entonces desconocidas. Las diarreas, los vómitos y las fiebres producidas por las aguas infectadas y los mosquitos, además del rámpano, les fue restando a los españoles alrededor de 1,500 soldados mensualmente que, tan pronto caían enfermos, tenían que ser enviados a los hospitales de Puerto Rico y Cuba para que no murieran en Santo Domingo. Y aunque hubo unos 107 combates durante todo el tiempo que duró la guerra, la mayor parte de las

Fracasos del Ejército español.

353

FRANK MOYA PONS

bajas que sufrieron los españoles fueron a causa de las enfermedades, llegando un momento en que los Capitanes Generales de Cuba y Puerto Rico se vieron casi sin hombres
para reponer los que cada día España perdía en Santo Domingo.

Frente a estas calamidades los gobernadores españoles
no podían hacer nada. El primero que se dio cuenta de la
imposibilidad de ganar la guerra fue el sustituto de Santana, Felipe Ribero, quien desde el principio hizo ver al Gobierno español la inutilidad de la lucha. Y aunque su sustituto, el General Carlos de Vargas, que tomó posesión de su
cargo el 23 de octubre de 1863, ideó un plan para importar
refuerzos masivos que se concentrarían en el norte de la Isla
para tomar Montecristi y desde allí seguir por la Línea Noroeste hasta Santiago, este plan en ningún momento pudo
ejecutarse a cabalidad pues una vez los españoles tomaron
Montecristi, el 15 de mayo de 1864, bien pronto descubrieron que el avance hacia Santiago era imposible por los enormes recursos que iban a ser necesarios para la marcha de
un ejército de más de seis mil hombres por una región llena
de espinas y cactus en donde la escasez de agua impediría
la utilización de varios miles de mulos sobre cuyos lomos
iría toda la carga de provisiones, artillería, municiones, alimentos, tiendas, ropa, medicinas y demás pertrechos militares de campaña.

El estudio de los costos de esta operación y de las bajas
que había que prever teniendo en cuenta el ritmo de pérdidas del ejército español que ascendía al 10 % mensual, hizo
que el Ministerio de Guerra en Madrid diera órdenes para
que suspendieran el plan de ataque desde Montecristi a
Santiago y que reconcentraran todas las tropas en las ciudades y puntos fuertes del litoral, hasta tanto el Gobierno
de la Reina decidiera si continuaba la guerra pues en España la oposición a la ocupación de Santo Domingo se había
hecho tan fuerte que había producido varias crisis políticas
que terminaron con la caída del gobierno del Ministro
O'Donnell, y su sustituto, el General Narváez, quería someter
la cuestión de Santo Domingo a la consideración y decisión
de las Cortes. De manera que cuando el General José de la
Gándara sustituyó al General Vargas como Gobernador, se

Carlos de Vargas, nuevo Gobernador español, 23 de octubre de 1863.

Ataque español a Montecristi, 15 de mayo de 1864.

Cambios políticos en España.

354

encontró con que sus posibilidades de ganar la guerra militarmente se alejaban de sus manos.

El General La Gándara tuvo, pues, que acogerse a las nuevas órdenes y planeó entonces ganar la guerra por medio de la diplomacia haciéndole saber al Gobierno Restaurador en septiembre de 1864 su intención de negociar la paz o, por lo menos, un canje de prisioneros. El Gobierno de Salcedo contestó que estaba dispuesto a conferenciar y más tarde envió una comisión a Montecristi a discutir con el General La Gándara los términos de la paz. Pero como ambas partes no pudieron ponerse de acuerdo debido a que sus representantes sólo querían negociar sobre la base de la claudicación del otro bando, las negociaciones fueron suspendidas y no pudieron ser reanudadas debido a que cuando Salcedo planeaba enviar una nueva comisión a entrevistarse con La Gándara, el General Gaspar Polanco y varios jefes militares que le eran desafectos lo derrocaron el día 10 de octubre de 1864, acusándolo de conducir la revolución a la derrota con esas conversaciones, pero, en el fondo, actuando bajo el temor de que Salcedo renunciara y llamara al viejo enemigo de los intereses cibaeños, Buenaventura Báez, en favor de cuya candidatura presidencial Salcedo se había pronunciado días antes cuando amenazó con renunciar a su cargo cansado de las desobediencias de sus subordinados.

Primeras negociaciones de paz, septiembre 1864.

Derrocamiento del Presidente Salcedo, 10 de octubre de 1864.

Mencionar el nombre de Buenaventura Báez entre los mismos hombres que habían dirigido la revolución de julio de 1857 era poco menos que una mala palabra y Salcedo no previó las consecuencias de sus declaraciones cuya gravedad era mayor si se tiene en cuenta que Báez había apoyado la anexión desde el exilio y había obtenido el nombramiento de Mariscal de Campo del Ejército Español. El odio que a Báez le tenía la élite cibaeña, era sólo comparable al odio que Santana despertó entre los restauradores a medida que la guerra fue cobrando intensidad. Santana era temido y en el Cibao se sabía que si lograba romper la resistencia restauradora en el Sillón de la Viuda, las consecuencias iban a ser fatales para todos los que dirigían la revolución.

Causas de la caída de Salcedo.

Pero Santana nada pudo hacer, pues en su campamento de Guanuma, cerca de Monte Plata, las tropas españolas

Santana en Guanuma.

355

bajo su mando se enfermaban y morían por montones día tras día y sus fuerzas se debilitaban cada vez más. Sin embargo, Santana pretendía luchar y romper la resistencia de los restauradores y por esa razón se negó a obedecer la orden de concentración hacia las cercanías de Santo Domingo que le había sido dada por el General Vargas a principios de marzo de 1864 en cumplimiento de las instrucciones del Gobierno de Madrid. Esa desobediencia hizo que Santana fuera recriminado fuertemente por sus jefes españoles y que se deprimiera profundamente su ánimo, bastante afectado ya por las enfermedades, la edad y la impopularidad que le había creado la anexión.

Destitución y muerte de Santana, 14 de junio de 1864.

Cuando meses más tarde fue relevado del mando por el General La Gándara, y sus tropas quedaron en manos de militares españoles en vez de los dominicanos que él creía debían sucederle, Santana se enfrentó a La Gándara en franca desobediencia y el Gobernador dispuso que saliera de la Isla hacia Cuba para que diera cuenta de sus actos ante un tribunal militar. Pero Santana no vivió para ello, pues el día 14 de junio de 1864 murió de repente en su casa de la ciudad de Santo Domingo siendo enterrado al siguiente día en el patio de la Fortaleza Ozama por el temor que tenían sus amigos y familiares de que su cadáver fuera profanado. La sorpresiva muerte de Santana en condiciones tan críticas para su carrera, su prestigio y su amor propio hicieron creer a muchos que se había suicidado.

Gobierno Provisional de Gaspar Polanco, octubre 1864-enero 1865.

Volviendo al Gobierno Restaurador, Polanco sólo estuvo en el poder menos de tres meses pues, siendo analfabeto e ignorante, su gobierno se convirtió en una tiranía desde el principio haciendo asesinar al ex-presidente Salcedo y persiguiendo encarnizadamente a todos aquellos que él creía que no eran amigos suyos. Además, pese a todas las opiniones contrarias, lanzó un ataque suicida contra los españoles en Montecristi en diciembre de 1864 que resultó en un total fracaso y quiso establecer un monopolio sobre el tabaco en favor de varios amigos suyos y esto era algo que los cibaeños no estaban dispuestos a tolerar. De manera que en los primeros días de enero de 1865, los demás generales restauradores se pusieron de acuerdo y derrocaron a Polan-

Derrocamiento de Polanco, enero 1865.

356

co acusándolo no sólo de tirano, sino también de haber hecho asesinar al ex-presidente Pepillo Salcedo. Estos generales, junto con los líderes civiles de la Restauración, organizaron una Junta Provisional Gubernativa en cuya presidencia colocaron a Benigno Filomeno Rojas y en la vicepresidencia a Gregorio Luperón.

Esta Junta Provisional emitió varios decretos rebajando los impuestos de guerra que el Gobierno hasta el momento había estado cobrando a los productores de tabaco y declarando en vigor la Constitución de Moca del 1858, hasta tanto se reuniera el día 27 de febrero de 1865 una Convención Nacional que redactaría un nuevo texto constitucional ajustado a las circunstancias y elegiría al Presidente constitucional de la República. Tan pronto los trabajos de la Convención estuvieron listos, la nueva Constitución fue proclamada y electo Presidente de la República el General Pedro Antonio Pimentel, quien inmediatamente nombró un Consejo de Guerra encargado de investigar la muerte del ex-presidente Salcedo. La nueva Constitución de 1865 era una nueva versión de la de Moca de 1858, por lo que los trabajos de la Convención fueron relativamente fáciles. Los Constituyentes eran gente convencida de los ideales liberales de la Constitución de Moca que servían en aquellos momentos de inspiración política a los restauradores.

Al tiempo que la Convención realizaba sus trabajos, también se reunían las Cortes en España. De sus debates, muy largos y acalorados, salió finalmente la decisión de abandonar a Santo Domingo en razón de que la guerra se había convertido en una empresa apoyada por la totalidad de los dominicanos y continuarla tendría los visos de una campaña de conquista de un territorio que España en rigor no deseaba. El día 3 de marzo de 1865 la Reina de España firmó el decreto derogando la anexión y aunque La Gándara trató de sacar algunas ventajas de las negociaciones que surgieron para arreglar las cuestiones relativas a la salida de sus tropas, el Gobierno Restaurador se mantuvo firme en defensa de sus derechos y se negó a pactar nada como no fuera la salida de las tropas españolas, la devolución de los prisioneros y garantía y seguridad para los heridos y enfermos.

Benigno Filomeno de Rojas, Presidente Provisional.

Junta Provisional.

Constitución de Moca en vigor hasta 27 de febrero de 1865.

Convención Nacional.

Nueva Constitución Política, febrero de 1865.

Pedro Antonio Pimentel, Presidente Constitucional.

Cortes de España decretan abandono de Santo Domingo, 3 de marzo de 1865.

357

Fin de la Guerra de la Restauración, 10 de julio de 1865.

El día 10 de julio los españoles comenzaron a embarcarse de regreso a Cuba, Puerto Rico y España y quince días más tarde no quedaba un solo soldado español en Satno Domingo en funciones militares. La Guerra de la Restauración había terminado.

XXVII

LA RESTAURACION Y SUS EFECTOS INMEDIATOS

(1865-1868)

LA GUERRA DE LA RESTAURACION dejó el país devastado y desarticulado. Con las ciudades de Santiago, Montecristi y Puerto Plata destruidas y con la mayoría del campesinado en armas, la economía del país quedó totalmente arruinada pues los hombres apenas atendían a sus campos y los pocos productos que se extraían de la tierra iban a parar a manos de las guerrillas restauradoras en campaña. Sólo el tabaco seguía vendiéndose en el exterior, pero los ingresos que el Gobierno Restaurador percibía por su exportación se esfumaban rápidamente en el pago de los pertrechos y demás suministros necesarios para la guerra. Para mantener la economía funcionando, el Gobierno de Santiago se vio obligado a realizar nuevas emisiones de papel moneda que disminuían cada día el valor del peso dominicano. Para contar con moneda fuerte con qué pagar las importaciones de armas y otras mercancías, el Gobierno tuvo que tomar dinero prestado a los comerciantes de Santiago y Puerto Plata, siguiendo la tradición de los gobiernos anteriores.

Pero lo más grave fue la increíble fragmentación política que la guerra produjo en la vida dominicana pues como la lucha contra los españoles había sido llevada a cabo gracias al sistema de la guerra de guerrillas, al terminar el conflicto el país quedó dominado por docenas de líderes militares con poca o ninguna instrucción que empezaron a disputarse

Ruina del país.

Fragmentación política.

359

el poder entre sí. En aquella época el país no tenía caminos ni carreteras que unieran el Sur y el Cibao y hasta entonces estas dos regiones habían vivido como dos países diferentes. Además, en cada una de las principales ciudades y pueblos del país, existían uno o varios líderes que por viejas razones personales, familiares o sociales se encontraban opuestos los unos a los otros y la lucha política se llevaba a cabo por medio de las pugnas de estos líderes locales que al estallar la revolución restauradora dejaron a un lado momentáneamente sus malquerencias para oponerse a los españoles, pero siguieron manifestándolas en los terribles momentos en que el Gobierno Restaurador se vio envuelto en los golpes de Estado contra Salcedo y contra Polanco y, después, cuando Pimentel fue elegido Presidente y persiguió a todos los que él creía que eran sus enemigos.

La Guerra de la Restauración fue posible gracias a que esos líderes locales y regionales pudieron estructurar una alianza temporal que sirvió para mantenerlos en la lucha hasta expulsar a los españoles. Sin embargo, tan pronto los *Fragilidad del sistema* españoles salieron del país se vio claro cuán precaria había *político.* sido esa alianza, pues los jefes guerrilleros del Sur, que habían estado operando casi por su cuenta durante todos aquellos meses, no querían reconocer la autoridad del Gobierno de Santiago y se encontraban opuestos al ejercicio de la Presidencia por parte de Pimentel. Como hasta entonces la política dominicana había sido una política basada en el personalismo y en el caudillismo, pues la población dominicana era mayormente campesina y sus lealtades sólo eran posibles a través de un sistema de adscripciones personales, los principios liberales de la revolución restauradora enunciados a través de la Constitución de Moca de 1858 apenas si tenían algún sentido para ellos.

Hasta entonces, el sistema de los grandes caudillos había sido el predominante y así seguiría siendo durante muchos años, pues la conformación social dominicana basada en una economía agropecuaria sólo hacía posible la existencia de un campesinado más o menos amplio en el Cibao, donde se cultivaba el tabaco en grandes cantidades, y de un peo- *Diferencias entre el* naje de hatos y cortes de maderas en el Sur. Las diferencias *Cibao y el Sur.* entre el Cibao y el Sur tenían sus orígenes en los cambios

360

económicos que sufrió el país a finales del siglo XVIII y a principios del siglo XIX cuando una parte de la población cibaeña se dedicó al cultivo del tabaco mientras la población del Sur siguió viviendo de la ganadería. Cambios éstos que se acentuaron durante la dominación haitiana, cuando la política agraria de Boyer instó a los campesinos a sembrar más tabaco en el Cibao y estimuló a los grandes propietarios del Sur a abrir cortes de maderas para la exportación, en especial caoba, campeche y guayacán cuyas ventas aumentaron considerablemente durante aquellos años hasta convertirse en la base de la economía de esa región.

De manera que cuando los dominicanos se separaron de Haití en 1844 la economía del país estaba basada en la producción de muy pocos productos cuya explotación se encontraba relativamente especializada por regiones geográficas. En el norte de la República, particularmente en el Cibao, se cultivaba tabaco, que constituía el fundamento de la economía de aquella región, mientras en el Sur y el Este los dos productos principales eran las maderas y el ganado.

Producción económica regionalizada.

Esa especialización económica regional también daba paso a la producción variada de otros productos derivados de los bosques, del tabaco y la ganadería, como la cera, la miel, los cigarros y las resinas, pero también permitía la existencia de una agricultura de subsistencia bastante variada que rendía lo suficiente para el mantenimiento de las familias dominicanas, pero que no podía ser acrecentada para fines de exportación debido a la falta de mercados en el extranjero y a la escasez de brazos disponibles que pudieran dedicarse intensivamente a la agricultura en aquellos años en que la mayoría de los hombres estaban continuamente ocupados en defender la Patria de las sucesivas invasiones haitianas, y más tarde, de la ocupación española que produjo la anexión.

En los pueblos del interior la población se dedicaba a producir sólo aquello que la naturaleza le permitía, pues la tecnología agrícola apenas pasaba del machete y la coa, y los habitantes del país vivían en perfecta adaptación a las condiciones ecológicas. Por ejemplo, en San Cristóbal, la gente vivía de la siembra de víveres y algo de tabaco y caña, de la cual fabricaban muy poco azúcar y algún melado. En

Producción en pueblos del Sur.

361

Baní, la gente vivía de las salinas, la crianza de ·chivos, la ganadería y el corte de maderas. En Azua, la mayor parte de la población se ocupaba de la fabricación de azúcar y el corte de caoba y otras maderas para exportación, además de la ganadería. En el Maniel, o San José de Ocoa, el azúcar era la principal producción de las poquísimas familias radicadas en aquellas tierras aisladas. En San Juan de la Maguana los pobladores se ocupaban principalmente de la ganadería, en crisis en los principios de la República debido a la guerra con Haití y a la falta de intercambio comercial con aquel país. La frontera estaba casi totalmente despoblada, convertida en una especie de tierra de nadie. En Montecristi, casi todos los habitantes vivían de la crianza de ganado vacuno y caprino. En la aldea de Guayubín lo mismo.

Producción en pueblos del Cibao

En Santiago la economía estaba mucho más diversificada que en el resto del país, pues, además del cultivo y mercadeo del tabaco, que ocupaba a la mayoría de la población del campo y de la ciudad, mucha gente se dedicaba al cultivo de víveres, a la crianza de puercos y de ganado vacuno, y en la ciudad había una numerosa capa de artesanos, mecánicos, sastres, que trabajaban junto con los obreros de las tenerías y fábricas de ladrillo y cigarrerías de la zona. Entre Santiago y Moca la tierra estaba bastante cultivada y se puede decir que existía un campesinado independiente bastante numeroso que constituía un mercado seguro para las importaciones de los comerciantes locales y una ·buena clientela para los profesionales de la ciudad. En Puerto Plata, que era una ciudad comercial, como se ha visto, el puerto ocupaba muchos brazos en las labores de carga y descarga, y los cortes de caoba alternaban con la ganadería y una incipiente agricultura de subsistencia. Moca todavía no era una región agrícola, sino más bien ganadera, pues sus campos apenas empezaban a dedicarlos a la siembra de tabaco y víveres. Con La Vega ocurría otro tanto. Aquí la ganadería constituía el principal medio de vida, junto con la agricultura conuquera de víveres y otros frutos menores. En la aldehuela de Jarabacoa, la crianza era por igual el sostén de sus habitantes. En San Francisco de Macorís se desarrolló desde tiempos de la Dominación Haitiana, la siembra de maíz, arroz y frijoles que eran vendidos en las ciudades vecinas. También se cultivaba algún tabaco y caña de azúcar. Sin embargo, la mayor parte de la población vivía de la crianza. En Cotuí la agricultura era casi inexistente, y la población vivía de la crianza de los cerdos y de algún ganado vacuno. La miseria en este pueblo era proverbial. En Samaná la gente subsistía de sus conucos que daban abundantes frutos para todos y alcanzaban para exportar algunos cueros, cocos y tabaco, aunque en pocas cantidades. Samaná era de los pocos pueblos que exportaba algo en la República Dominicana. Los otros eran, como se dijo, Santo Domingo, Puerto Plata, Azua, y más adelante Montecristi y La Romana que fueron habilitados para exportar maderas.

En los primeros 30 años de la República, esto es, de 1844 a 1874, la estructura de la economía no varió en lo más mínimo. Los cambios que hubo durante todo este primer período de nuestra historia nacional fueron más bien cuantitativos que cualitativos. Variaron las cantidades exportadas o importadas y el número de artículos o productos importados o exportados; pero el Cibao siguió produciendo taba- *El Cibao y el tabaco.* co, cada vez en mayores cantidades a pesar de las crisis periódicas que la política interna o las guerras internacionales producían. El Sur siguió exportando maderas, cada vez en mayor cantidad, hasta que los cortes se fueron alejando demasiado de la boca de los ríos y fue costando cada *El Sur y las maderas.* vez más su transporte, siendo necesario entonces intensificar este tipo de explotación en el Norte y en el Nordeste, sobre todo después de la Restauración.

Santo Domingo estaba dominado por una minoría de comerciantes extranjeros que se dedicaban a la exportación y a la importación, siendo los más importantes judíos, es- *Comerciantes de Santo Domingo.* pañoles y alemanes. Estos comerciantes eran los canales del comercio exterior dominicano y eran de los pocos individuos que contaban en todo momento con suficientes capitales para hacer frente a todas las eventualidades, incluso a las insistentes demandas de crédito por parte del Gobierno que siempre anduvo corto de fondos como veremos más adelante. Estos comerciantes extranjeros eran los fiadores y financiadores de los pequeños comerciantes al detalle, en su totalidad dominicanos, porque la ley no permitía que los extranjeros se ocuparan del comercio minorista en la República Dominicana, lo cual entre otras cosas nos da una idea de la escasa capacidad de formación de capital que existía entonces entre los grupos criollos.

En Puerto Plata, el comercio estaba igualmente en manos de extranjeros, alemanes en su mayoría, representantes de casas importadoras de tabaco de Alemania o de Holanda, existiendo, además, varios judíos que representaban firmas de Curazao o de Saint Thomas, hacia donde también se exportaba bastante tabaco dominicano. En el interior del país, el comercio estaba en manos de dominicanos y muy pocos extranjeros. Este era un comercio de poca monta, dependiente de los grandes importadores de los dos puertos principales, con excepción de los comerciantes de Santiago, que poseían grandes capitales y a veces exportaban e importaban por su cuenta, atendiendo un mercado interno compuesto por la masa de cultivadores y productores de tabaco, andullos y cigarros en toda la zona cibaeña.

Ahora bien, de esta masa de cultivadores y productores de tabaco surgió la Restauración de la República, así como en 1857 la revolución que se hizo contra Báez surgió de los comerciantes y exportadores de tabaco que se resistieron a ser arruinados por los fraudes del Gobierno. Pero en 1865, al igual que 1858, los líderes del Sur no quisieron aceptar

el liderazgo político de los cibaeños ni la dirección del Gobierno de Santiago. Y por eso cuando el Presidente Pimentel decidió trasladarse a Santo Domingo a principios de agosto de ese año, se encontró en Cotuí con la noticia de que los generales José María Cabral y Eusebio Manzueta se habían declarado en contra de su gobierno en la ciudad de Santo Domingo y habían proclamado a Cabral Jefe Supremo con el título de "Protector", para que instalara un nuevo gobierno que diera al país una nueva Constitución.

Pimentel se vio obligado a regresar a Santiago, en donde encontró que muchos de los jefes militares de la Restauración estaban en su contra, por lo que viéndose sin apoyo renunció. La oposición de estos jefes a Pimentel los llevó a apoyar el movimiento de Cabral en Santo Domingo, quien entonces procedió a formar un gobierno amparado en la Constitución de febrero de 1854. Al igual que en 1858, el Sur volvía a imponerse al Cibao por medio de la sorpresa aprovechando las divisiones políticas de los cibaeños.

Así como los gobiernos sureños de Santana y Báez habían optado por una Constitución que permitiera el ejercicio del poder en manos de una pequeña oligarquía de grandes propietarios o de sus representantes, así también los cibaeños habían logrado darse una Constitución liberal que expresaba la estructura socio-política de aquella región en donde la población estaba compuesta por un numeroso grupo de medianos propietarios cuyo poder tenía que ser siempre el resultado de alianzas o transacciones con los demás propietarios de la zona. El Sur pudo imponerse en estas ocasiones al Cibao porque en ambas coyunturas contó con un liderazgo político unificado en torno a un general que representaba los intereses del pequeño grupo de propietarios de aquella región. Después de muerto Santana, la oligarquía sureña se vio privada de uno de sus dos líderes principales y muchos volvieron los ojos hacia Báez como aquél que naturalmente debía llenar el vacío político dejado por el difunto Dictador.

Constitución de 1854 vs. Constitución de Moca.

Báez, líder del sur.

Por eso a las pocas semanas de haber instalado Cabral su gobierno, estalló un movimiento revolucionario en el Este dirigido por el General Pedro Guillermo con el propósito de obligar el gobierno a traer a Buenaventura Báez al país y entregarle las riendas del Gobierno. Este movimiento fue cobrando fuerzas en el Sur. Cabral, que era un baecista sin fuerza de voluntad suficiente para oponerse a los propósitos de su líder, finalmente se plegó a las presiones de su partido que favorecía a los revolucionarios cuyas tropas ya rodeaban la Capital y terminó renunciando el 15 de noviembre de 1865. El Poder Ejecutivo quedó entonces en manos del General Pedro Guillermo, hasta que Báez regresara de Curazao. La Constitución fue modificada para permitir este cambio político, y Báez a su regreso tomó posesión como Presidente el día 8 de diciembre de 1865. Como las últimas modificaciones constitucionales no eran del agrado de Báez, éste hizo que el Congreso Nacional restituyera nuevamente la de diciembre de 1854, de manera que le fuera más cómodo el ejercicio absoluto del mando.

Renuncia de Cabral, 15 de noviembre de 1865.

El General Pedro Guillermo encargado del Poder Ejecutivo.

Pero en los mismos días en que Báez se convertía en Pre-

FRANK MOYA PONS

Cibaeños contra Báez.

sidente por tercera vez, los cibaeños, especialmente los hombres ligados al comercio del tabaco en Puerto Plata y Santiago, se levantaron en armas para impedir que volviera al gobierno el mismo hombre que los había engañado una vez y que mientras ellos hacían la guerra de la Restauración él traicionaba a la República convirtiéndose en Mariscal de Campo español. El partido baecista se reestructuró nuevamente y volvieron al país los mismos hombres que habían gobernado con Báez en años anteriores. Pero los cibaeños, apoyados por viejos santanistas ahora sin jefe, se agruparon detrás de los líderes restauradores y poco a poco fueron configurando una alianza política que terminó llamándose Partido Nacional Liberal, o *partido azul* en contraposición con los baecistas que dieron por llamarse *partido rojo*. Estos nombres derivaron de la costumbre de colocar en los sombreros cintas azules o rojas para distinguirse a la hora del combate en la Revolución de 1857 y, luego, en las distintas revoluciones que tuvieron lugar en los años posteriores a la Restauración.

Orígenes de los Rojos y los Azules.

Estas revoluciones fueron el resultado de la pugna entre los baecistas y los azules que a partir de entonces se disputaron el poder con increíble saña pues mientras Báez y sus seguidores querían llegar al Gobierno para aprovecharse del Tesoro Público, los azules buscaban controlar la maquinaria política del Estado para imponer sus principios liberales consagrados en la Constitución de Moca y en su reforma de 1865, y para favorecer el desarrollo de la industria, la educación y el comercio en el país. En los años que siguen, la República Dominicana tuvo más de cincuenta alzamientos y revueltas que dieron por resultado unos 21 gobiernos entre 1865 y 1879. Cada vez que los azules llegaban al poder, ponían en vigencia la Constitución de 1865 con las modificaciones del caso. Pero cada vez que los rojos llegaban al poder, ponían en vigencia la Constitución de 1854 para facilitar el ejercicio de la dictadura por su único jefe.

Causas de la inestabilidad política de 1865 a 1879.

La toma de decisiones en los Rojos y en los Azules.

Las ventajas que originalmente Báez tuvo sobre sus contrarios azules pueden explicarse por el hecho de que al terminar la guerra de la Restauración él era el único líder político reconocido a escala nacional por haber sido Presidente dos veces. Los restauradores, por su parte, no tenían un

366

solo líder nacional, sino muchos líderes regionales que comulgaban con las ideas liberales pero que no podían coordinar rápidamente sus acciones políticas en aquellos tiempos en que las comunicaciones eran prácticamente inexistentes en el país. El sistema de dirección política de Báez descansaba en la red de lealtades personales que él como único caudillo de su partido había desarrollado en el curso de los años. Mientras que el sistema de dirección política de los azules descansaba en la capacidad de sus líderes para llegar a acuerdos entre ellos mismos a través de consultas informales, cosa que era sumamente inconveniente a la hora de tomar decisiones y que los colocaba en una relativa desventaja operativa frente a los rojos.

Los líderes restauradores estuvieron durante muchos años buscando consolidar un liderazgo único entre sus hombres, pero la misma conformación social del Cibao se lo impedía. Sin embargo, poco a poco, uno de ellos fue imponiéndose a los demás gracias a su talento político, a sus ambiciones de gloria, y a un indudable valor militar. Este líder fue el General Gregorio Luperón, quien tan pronto Báez tomó el poder en octubre de 1865, se reunió con otros jefes restauradores y se pronunció contra el Gobierno, comenzando así una revolución que aunque tuvo varios fracasos no terminó hasta que Báez se vio obligado a renunciar al poder el 28 de mayo de 1866. Los directores de esta revolución, Generales Gregorio Luperón, Federico de Jesús García y Pedro Antonio Pimentel constituyeron un Triunvirato militar que el día 30 de mayo creó una Junta Auxiliar presidida por ellos para atender los asuntos del Gobierno. Después de ocuparse en vencer la resistencia de algunos baecistas en la Línea Noroeste el Triunvirato se instaló en Santo Domingo el día 10 de agosto de 1866 disolviendo la Junta Auxiliar decretando la convocatoria de una Convención Nacional para elaborar una nueva Constitución y juramentar al nuevo Presidente que debía ser elegido.

Mientras tanto, la capital de la República era un hervidero político pues cada uno de los generales restauradores que vivían y actuaban allí se hacían acompañar de un numeroso Estado Mayor y sus viejas rivalidades ponían continuamente en peligro el orden público. De todos esos gene-

Gregorio Luperón contra Báez.

Renuncia de Báez, 28 de mayo de 1866.

Triunvirato, mayo de 1866.

Junta Auxiliar, 30 de mayo de 1866.

367

el que más tropas tenía a su disposición era el General
laría Cabral, enemigo decidido de Pimentel quien no
lonaba haberlo despojado del poder el año anterior.
s, Cabral contaba con el apoyo de los comerciantes
capitaleños, a quienes él protegió con sus tropas a la salida
de los españoles luego que los restauradores y los mismos
hombres de Pimentel quisieron castigarlos por la abierta
colaboración que habían prestado al Gobierno de la Anexión.
En las semanas que siguieron, Pimentel trató en más de una
ocasión de dar un golpe de Estado para desde la Presidencia vengarse de Cabral y de los comerciantes, pero en una y
otras ocasiónes Luperón y Cabral se lo impidieron.

*José María Cabral.
Presidente. 29 de sep-
tiembre de 1866.*

Como la situación política y el orden público se deterio-
raban cada día y el Triunvirato se veía con menos fuerza
debido a la carencia de tropas con qué defenderse, Luperón
propuso, y así tuvo que ser aceptado por los demás, que
Cabral volviera a encargarse del Poder Ejecutivo bajo el
compromiso de mantener a Báez fuera del país. Al mes siguiente, cuando se celebraron los simulacros de elecciones
que tenían lugar en estos casos, Cabral nuevamente volvió
a ser elegido Presidente de la República, de la cual tomó posesión el día 29 de septiembre. Este nuevo gobierno tuvo
que integrarse con hombres de los diversos grupos políticos
que había en el país, y Cabral tuvo que dar cabida a varios
líderes azules en su ministerio para garantizar su estabilidad
en el poder.

*Expedición baecista.
24 de octubre de 1866.*

Sin embargo, el mismo día en que tomó posesión, nuevamente los baecistas se levantaron en armas, al considerar
que Cabral los había traicionado aliándose con los azules.
Los baecistas incluso organizaron una expedición en Curazao que desembarcó en las playas de Yuma, cerca de Higüey
el día 24 de octubre, pero tras varios incidentes esta expedición fue liquidada aunque la revolución continuó en otras
partes del país y del otro lado de la frontera. Ya estaba claro
que los azules habían logrado separar a Cabral de Báez, y

*Cabral negocia la ven-
ta de Samaná a los
Estados Unidos.*

ahora Cabral se veía en la obligación de buscar el apoyo de
aquéllos para gobernar. Por esa razón, se explica su viaje al
Cibao en noviembre de 1866 en busca de apoyo político, y
por esa razón se explican las gestiones secretas que hizo
para negociar la venta o arrendamiento de Samaná a los

Estados Unidos a cambio de ayuda militar y financiera que le permitiera resistir la oposición que se le hacía y resolver los urgentes problemas monetarios heredados de la guerra de la Restauración.

Esas negociaciones fracasaron pues al saberse la noticia de la negociación con los Estados Unidos varios miembros del Gobierno se opusieron y el Gobierno haitiano, con quien Cabral quería llegar a un entendido para protegerse de los baecistas, aceptó firmar en julio de 1867 un tratado de paz a cambio de que Cabral se comprometiera a no ceder ni hipotecar a ninguna potencia extranjera ninguna de las partes del territorio dominicano. Este Gobierno haitiano estaba presidido por Silvain Salnave, quien derrocó a Geffrard a principios de 1867 y prestaba ayuda a los baecistas del otro lado de la frontera.

Tratado de Paz con Haití, julio de 1867.

La denuncia de que Cabral pensaba vender la Bahía de Samaná a los norteamericanos, apenas dos años después de terminada la anexión a España, le hizo perder la poca popularidad que le quedaba y la revolución siguió ganando fuerzas. A finales de 1867, cuando el enviado del Gobierno Dominicano en Washington quiso continuar las negociaciones, la revolución estaba a punto de triunfar y las tropas baecistas se acercaban peligrosamente a la Capital. Para los primeros días del año de 1868, los baecistas habían debilitado enormemente el Gobierno. Finalmente, el día 31 de enero Cabral tuvo que permitir la entrada de las tropas revolucionarias a la Capital, capitulando y embarcándose para el extranjero.

Cabral capitula frente a los baecistas, 31 de enero de 1868.

El día 15 de febrero se instaló un nuevo triunvirato compuesto por los generales José Hungría, Antonio Gómez y José Ramón Luciano quienes establecieron un régimen de terror y persecuciones contra los políticos y militares del partido azul que habían apoyado a Cabral, mientras nombraban una comisión con el encargo de trasladarse a Curazao a buscar al ex-presidente Buenaventura Báez para entregarle el Poder Ejecutivo. Báez regresó el día 29 de marzo de 1868 y después de preparar las elecciones de lugar para legalizar el cambio político que se operaba, tomó posesión el día 2 de mayo iniciándose así un período de gobierno que se caracterizó por la tiranía, los asesinatos, los robos de los

Triunvirato baecista, 15 de febrero de 1868.

Regreso de Báez al país, 29 de marzo de 1868.

Báez Presidente por cuarta vez, 2 de mayo de 1868.

fondos públicos, la censura, las persecuciones políticas, y el permanente empeño en vender, arrendar o ceder la República o la Bahía de Samaná a los Estados Unidos. Ese período duró seis años, esto es, hasta enero de 1874, y durante el mismo la vida política dominicana se degradó hasta el extremo de ver a su Presidente convertido en un aventurero con el único empeño de sacar dinero de la venta de la República a otros aventureros norteamericanos, entre los cuales también se encontraba el Presidente de los Estados Unidos Ulises Grant.

XXVIII

LOS SEIS AÑOS DE BAEZ

(1868-1873)

LA JUNTA DE GENERALES QUE trajo a Báez al poder en 1868, convocó una Convención Nacional para que elaborara una Constitución que, como era de esperarse, resultó ser la de 1854. La Convención reconoció como deuda pública el dinero que Báez había tomado prestado a la firma Jesurum & Zoon, de Curazao, para cubrir los gastos de la revolución que lo llevó al poder, y, antes de clausurar sus trabajos, le confirió a Báez el título de "Gran Ciudadano", para continuar con la tradición política que había proclamado a Santana "Libertador" y a Cabral "Protector" de la República. Para que no hubiera dudas del sistema de gobierno que pensaba poner en práctica esta vez, Báez dictó el día 18 de junio de 1868 un decreto por medio del cual las autoridades quedaban autorizadas a fusilar a todo aquel que fuese apresado con armas en las manos en actitud contraria al Gobierno. Este decreto se debió a que los generales azules que quedaron en el país se disponían a luchar contra Báez haciendo nuevamente sus preparativos revolucionarios.

Constitución oligárquica de 1854 en vigor nuevamente.

Decreto sobre fusilamientos.

Los más destacados generales que iniciaron en los campos del sur la lucha contra el Gobierno fueron los hermanos Timoteo, Andrés y Benito Ogando, mientras en la Línea Noroeste, el general restaurador José Cabrera organizaba también la oposición. Con estos aliados operando en territorio dominicano pudieron los generales Luperón y Cabral

371

intener viva la revolución durante un tiempo bastante lar-
en estas zonas del país, pero en poco tiempo fue evidente
le Báez contaba con recursos políticos superiores a los de
is enemigos y que la división en que los azules se encon-
aban impedía una acción coordinada que los llevara al
triunfo. Además, Báez contó en todo momento con la alianza del Presidente de Haití, Silvain Salnave, quien acordó con
el Gobierno dominicano la entrega de los revolucionarios
que traspasaran las fronteras. En esos días Salnave también
tenía que combatir una revolución organizada por el general haitiano Nisage Saget, quien, para protegerse de esta
alianza oficial, se alió con Luperón y con Cabral, y así vino
a darse el caso de que mientras los gobiernos dominicano y
haitiano se encontraban unidos, los opositores y revolucionarios que combatían a uno y otro lado de la frontera también se unían y se ayudaban mutuamente.

Oposición contra Báez.

La oposición al Gobierno de Báez se hizo más fuerte cuando los dominicanos descubrieron que él había derrocado a Cabral para dirigir personalmente las negociaciones y sacar ventaja de los beneficios del arrendamiento o
venta de la Bahía y Península de Samaná. Pocos días después de haberse juramentado como Presidente, Báez le hizo
saber al Gobierno americano que estaba dispuesto a enajenar a Samaná por $ 1,000,000 en oro y $ 100,000 en armas y
municiones, solicitándoles además que enviaran tres barcos
de guerra a Santo Domingo para que lo ayudaran a sostenerse en el poder mientras se adelantaban las negociaciones. Báez tenía noticias de que Luperón y Cabral se habían
aliado a los revolucionarios haitianos y les prestaban ayuda
para derrocar a Salnave a cambio de ayuda futura para derrocarlo entonces a él. Ya en agosto la revolución dominicana tenía como bandera de lucha su oposición a la venta
o el arrendamiento de Samaná.

Báez ofrece a los Esta-dos Unidos la venta de Samaná.

Las propuestas de Báez al Gobierno americano fueron
consideradas con mucho detenimiento por el Secretario de
Estado, William Seward, quien no se atrevió a acogerlas en
aquellos momentos en que una propuesta suya para comprar las Antillas Danesas estaba siendo seriamente objetada
en el Senado. Pero no obstante sus prevenciones, Seward le
hizo saber a Báez el interés de su gobierno por Samaná y

Interés norteamerica-no por Samaná, di-ciembre 1868.

el mismo Presidente de los Estados Unidos declaró en diciembre de 1868 su simpatía por la adquisición de esta parte del territorio dominicano.

Ahora bien, la prisa de Báez por lograr el apoyo ,americano, se debía a la enorme falta de fondos que padecía su Gobierno y que lo incapacitaba para lanzar una acción decisiva contra los revolucionarios. Como no era posible un entendido inmediato con los Estados Unidos, Báez decidió obtener esos recursos en otra parte. Primero recurrió a una emisión de papel moneda que, como era de esperar, se devaluó rápidamente por la falta de respaldo de esos billetes. Entonces Báez hizo que su socio Abraham Jesurum, de Curazao, viajara a Estados Unidos a negociar un empréstito que proveyera fondos rápidos para pagar sus gastos políticos y de guerra. Jesurum no pudo conseguir el empréstito en los Estados Unidos y tuvo que viajar a Europa, en donde lo obtuvo cuando hizo contacto con un aventurero financiero llamado Edward Hartmont quien se manifestó inclinado a prestarle 420,000 libras esterlinas, que eran cerca de 2,000,000 de dólares, a cambio del pago de unas comisiones e intereses tan altos, que nadie que no hubiera sido Báez lo habría aceptado.

El empréstito Hartmont como se le llamó a esta operación que fue negociada a principios de 1869, le facilitó a Báez los fondos que necesitaba con urgencia, pero dejó al país completamente hipotecado a un sindicato financiero británico pues Báez, en su afán por obtener dinero a cualquier precio, acordó reconocer esas 420,000 libras a un 6 % de interés anual durante 25 años, pagando de inmediato unas 100,000 libras de comisión a Hartmont e hipotecándole los ingresos de las aduanas, los bienes nacionales, las minas de carbón y los bosques del Estado, así como los depósitos de guano en la Isla Alta Vela. De manera que, además de estos gravámenes que Báez echaba encima de la economía dominicana, el Gobierno terminaría pagándole a los prestamistas la suma de 1,472,500 libras al vencimiento del préstamo que equivalían a unos 7,000,000 de dólares.

Ahora bien, Báez no recibió las 420,000 libras que le tocaban, pues Hartmont sólo pudo conseguir inmediatamente unas 38,000 libras como anticipo, pero como el contrato fue

Empréstito Hartmont, 1869.

373

firmado por el Gobierno Dominicano y Hartmont tenía que conseguir el dinero que se le pedía, entonces autorizó a un banco inglés de Londres, para que emitiera bonos sobre el empréstito dominicano por la suma de 757,700 libras, esto es, 337,700 libras más que lo estipulado en el contrato.

Fraudes de Hartmont.

A pesar del fraude que Hartmont y sus socios cometieron vendiendo bonos por tres cuartos de millón de libras esterlinas y entregando al Gobierno Dominicano solamente 38,000, a Báez no le importaron mucho esas operaciones. Para él lo importante era que ahora tenía suficiente dinero con qué comprar armas y pagar a sus generales y seguidores políticos para hacer frente a la revolución que dirigían Cabral y Luperón. El empréstito de Hartmont le permitió a Báez contar con recursos suficientes para mantenerse gobernando y aprovechar que el nuevo Presidente de los Estados Unidos, General Ulises Grant, que llegó al poder a principios de 1869, también estaba interesado en los negocios que podían derivarse de la compra o el arrendamiento de Samaná.

Báez propone anexión de la República a los Estados Unidos.

Oposición de Luperón.

De manera que con estas circunstancias a su favor, pudo Báez entonces dedicarse a negociar nuevamente con los norteamericanos cambiando poco a poco la idea de la venta de Samaná por la de la anexión de todo el país a los Estados Unidos. Para impedir que esas negociaciones tuvieran éxito, los azules dieron todo el apoyo económico que pudieron a Luperón y le facilitaron préstamos en metálico que le permitieron comprar un pequeño barco de guerra de unas 500 toneladas para facilitar el transporte de tropas revolucionarias por las costas de la Isla. Este vapor fue bautizado con el nombre de "Telégrafo" y con él pudo Luperón hostilizar durante casi un año diferentes puertos y ciudades del litoral, particularmente Puerto Plata, que fue atacada el 1 de junio de 1869 pero que Luperón no pudo mantener bajo su dominio. Tanto el "Telégrafo" como Luperón fueron declarados piratas por el Gobierno de Báez y perseguidos de cerca por la marina de guerra dominicana y por barcos de guerra norteamericanos que le daban apoyo a Báez. Frente a la imposibilidad de seguir operando en el mar, Luperón se vio obligado a vender el "Telégrafo" a finales de 1869.

Bases de la anexión a los Estados Unidos, julio 1869.

Las negociaciones a favor de la anexión continuaron entonces con mayor intensidad. A mediados de julio de 1869

Grant había enviado a Santo Domingo, a petición de Báez, un agente confidencial quien, después de varias semanas de conversaciones con el Ministro de Relaciones Exteriores dominicano, regresó a Washington con un borrador del proyecto para realizar la anexión, a cambio del envío inmediato de $ 100,000 en efectivo y $ 50,000 en armas para ayudar a Báez a sostenerse en el poder. Como Grant quería completar la anexión lo antes posible, envió otro agente suyo para que firmara el Tratado esbozado en el proyecto. El tratado fue firmado el día 29 de noviembre de 1869, pero para que fuese puesto en vigor se necesitaba que el Senado de los Estados Unidos lo aprobara y que un plebiscito de todos los dominicanos le otorgara su asentimiento. Como era de esperarse, Báez preparó el plebiscito y consiguió unos 16,000 votos en favor de la anexión, obtenidos por medio de la intimidación de una población pobre e ignorante como era la dominicana en ese entonces.

Tratado de Anexión, 29 de noviembre de 1869.

Pero el voto del Senado norteamericano era algo más difícil, pues allí el Presidente Grant no tenía ni el poder ni las simpatías suficientes para hacerlo aprobar rápidamente. Cuando el Tratado fue presentado a la consideración del Senado, sus miembros optaron por enviar una Comisión investigadora a la República Dominicana para que comprobara si era cierto que los dominicanos querían anexarse a los Estados Unidos y para averiguar las ventajas e inconvenientes que podían derivar los Estados Unidos de esta anexión. Todo el año de 1870 lo pasaron Grant y Báez en estas discusiones e intrigas con los diferentes miembros de sus gobiernos y con sus agentes, hasta que finalmente la Comisión investigadora del Senado salió hacia Santo Domingo a principios de enero de 1871. Luego de viajar por el país durante varias semanas y de hacer las averiguaciones que les interesaban, los miembros de la Comisión del Senado norteamericano regresaron a Washington y dieron su opinión favorable a la anexión, pues varios de ellos ya habían sido comprados por Grant y sus socios desde un principio y se inclinaron a favorecer la anexión.

Comisión Investigadora del Senado de los Estados Unidos, enero de 1871.

Sin embargo, el Senado de los Estados Unidos se dividió ante el proyecto gracias a una intensa campaña que llevaron a cabo en Estados Unidos los exiliados dominicanos y gracias a la oposición de varios senadores americanos, entre ellos Charles Summer, que consideraban la anexión como una inmoralidad del Presidente Grant y del Presidente Báez y como un negocio de varios aventureros norteamericanos que desde hacía años estaban detrás de las tierras de la Península de Samaná. Y por ello, después de largos debates, el Senado rechazó el tratado de anexión en julio de 1871 y todos los planes de Báez y Grant se vinieron abajo salvándose así los dominicanos de caer nuevamente bajo una dominación extranjera.

Para Báez, el fracaso del proyecto de anexión fue un inconveniente muy serio pues su aliado haitiano, el Presidente Salnave, había sido derrocado en enero de 1870 y el nuevo Presidente de Haití, Nissage Saget, les estaba dando la ayuda prometida a los revolucionarios dominicanos que operaban en la frontera encabezados por Cabral y Luperón. Como las perspectivas de obtener dinero del gobierno de los Estados Unidos se desvanecieron, Báez continuó entonces las negociaciones con los mismos aventureros que habían tramado todo el plan anterior de la anexión, en particular con uno llamado Joseph Fabens, para arrendar la Bahía y Península de Samaná a una compañía privada norteamericana que se había formado con este propósito bajo el nombre de "Samaná Bay Company". La idea de esta compañía venía de lejos. Venía desde los días en que este Fabens y otro socio suyo buscaban que el Gobierno Dominicano les arrendara a Samaná para ellos entonces promover la colonización de aquellas tierras y ofrecer la Bahía al gobierno americano para que instalara una base naval.

Ahora el plan era ceder a esta compañía todos los privilegios que se le concedían al Gobierno de los Estados Unidos por medio del proyecto de anexión del 29 de noviembre de 1869, esto es, la autoridad "para nombrar todas las autoridades ejecutivas, legislativas o judiciales en el territorio de Samaná" y "darle a la Compañía sin costo alguno, por cada milla de ferrocarril o de canal que construyera, una milla cuadrada de los terrenos del Estado aledaños a esas vías", quedando Samaná, en un estado jurídico anómalo y la República con una soberanía mutilada e imperfecta.

Con las cárceles llenas de presos políticos. con varios

El Senador norteamericano Charles Summer contrario a la Anexión.

Fracaso del Plan de Anexión, julio 1871.

Samaná Bay Company.

centenares de opositores muertos y otros tantos exiliados, con la mayoría de la población amedrentada y atemorizada, Báez pudo perfectamente obtener del Senado sin mayor oposición la ratificación del contrato que el día 28 de diciembre de 1872 su ministro de Relaciones Exteriores Manuel María Gautier había firmado con la Samaná Bay Company arrendándole la Bahía y Península de Samaná por 99 años. El plebiscito que Báez preparó el 19 de febrero de 1873 para aprobar el arrendamiento sólo tuvo 19 votos en contra, lo que da una idea del grado de control que él ejercía sobre el país en esos momentos.

Arrendamiento de Samaná a los Estados Unidos, 19 de febrero de 1873.

Sin embargo Báez empezó a perder ese control en el curso del año 1873, pues a medida que fueron pasando los meses y la situación económica del Gobierno siguió deteriorándose, los mismos líderes locales del partido rojo fueron dándose cuenta de que el creciente movimiento revolucionario terminaría derribando el Gobierno. Así, muchos de los partidarios de Báez empezaron a retirarle su lealtad, sobre todo a medida que se acercaba la fecha de las nuevas elecciones presidenciales que debían celebrarse a finales de 1873. Como era natural, varios de los líderes más importantes del partido rojo querían suceder a Báez en la Presidencia y empezaron a barajar candidaturas mencionándose entre ellas la del Vicepresidente Manuel Altagracia Cáceres. Pero esos mismos líderes se convencieron muy pronto de que por la vía electoral Báez no sería nunca reemplazado pues también la Constitución había sido modificada recientemente para permitir la reelección indefinida del Presidente de la República.

Deterioro del gobierno de Báez, 1873.

Una nueva conspiración surgió entonces del mismo seno del partido baecista. Su líder fue el entonces Gobernador de Puerto Plata Ignacio María González quien previendo el triunfo de la revolución azul y queriendo anticiparse a ella para no tener que salir al exilio, casi sorpresivamente se declaró en contra del Gobierno encabezando el llamado Movimiento Unionista el 25 de noviembre de 1873. Este movimiento contó de inmediato con el respaldo de todos los baecistas de Puerto Plata y se extendió por casi todo el país rápidamente, mientras los líderes revolucionarios azules veían cómo el poder que ellos habían contribuido a socavar se

Conspiración contra Báez.

Movimiento Unionista, 25 de noviembre de 1873.

les escapaba ·de las manos, pues la mayoría de la población
y muchos líderes civiles prominentes del partido azul apoyaron a González con tal de terminar de una vez por todas
con el régimen de Báez. Esta momentánea unión de rojos
y azules fue lo que le dio el nombre de Movimiento Unionista a la revolución de González.

XXIX

ROJOS, VERDES Y AZULES

(1873-1879)

LOS FIRMANTES DEL MANIFIESTO revolucionario del
25 de noviembre nombraron a González Jefe Supremo para
que constituyera un Gobierno Provisional y, en su calidad
de Comandante de los Ejércitos Revolucionarios, marchara
hacia Santo Domingo y destituyera a Báez, quien frente al
arrollador apoyo que todo el país le dio a González, decidió
negociar la capitulación con la mediación de los cónsules
extranjeros el día 31 de diciembre, renunciando frente al
Senado Consultor el día 2 de enero de 1874. Como los triunfadores eran los que habían sido hasta el mes anterior sus
propios protegidos, Báez pudo marchar tranquilamente al
extranjero a gozar de la fortuna que amasó durante los seis
años de su tiranía.

Renuncia de Báez, de enero de 1874.

Entre tanto, González y sus seguidores se instalaron en
la Capital y, para evitar que Luperón, Pimentel y Cabral le
impidieran el ejercicio del poder, dictó un decreto prohi-
biéndoles entrar al país hasta tanto se instalara el próximo
gobierno constitucional. Tanto Cabral como Luperón y Pimentel habían ejercido la presidencia en años anteriores, y
González esperaba que le hicieran competencia en las elecciones que debían celebrarse próximamente. No fue sino
después que esas elecciones se celebraron y que González
aseguró con ellas la Presidencia en febrero de 1874, cuando
se les permitió a esos generales regresar al país.

Ignacio María Gonzá-
lez, Presidente, febre-
ro 1874.

Nueva Constitución liberal.

Las elecciones fueron celebradas después que la Constitución de 1854 fue sustituida por una nueva Constitución que consagraba el ejercicio del voto directo y del sufragio universal. En ellas González triunfó arrolladoramente sobre la candidatura de otro baecista, el ex-vicepresidente Manuel Altagracia Cáceres, gracias a la manipulación de las votaciones y a que la mayoría de los azules votaron por González en agradecimiento por haberles quitado de encima la dictadura de Báez. Para todos era evidente que votar por Cáceres significaba una continuación del régimen derrocado.

El nuevo gobierno gozó al principio de una inmensa popularidad pues todos, rojos y azules, proclamaban el triunfo de la unidad de los dominicanos por encima de los intereses de partido. Esa popularidad se acrecentó grandemente con la decisión del Gobierno de rescindir el contrato de arrendamiento de Samaná, a la "Samana Bay Company", pues esta compañía se había atrasado en el pago de la cuota que le correspondía pagar por el año recién transcurrido, y como el contrato estipulaba que en caso de atraso la República Dominicana podía anularlo, el Gobierno de González lo rescindió satisfaciendo con ello las aspiraciones de una gran mayoría de dominicanos, en especial de los miembros del partido azul.

Recuperación de Samaná.

Tratado de Paz con Haití, 9 de noviembre de 1874.

También quiso negociar González un Tratado de Paz, Amistad, Comercio y Navegación con el Gobierno de Haití para resolver definitivamente el problema fronterizo que había afectado la vida política dominicana en los últimos 30 años, primero con las invasiones haitianas y, recientemente, con las actividades revolucionarias a uno y otro lado de la frontera. Ese Tratado fue negociado durante todo el año 1874 y fue finalmente firmado el 9 de noviembre estipulando que las líneas fronterizas se establecerían conforme a los intereses de ambos países y permitiendo el establecimiento del comercio libre, mediante el pago de una indemnización de ciento cincuenta mil pesos anuales durante ocho años en favor del Gobierno dominicano, quien aceptaba en forma tácita la soberanía de Haití en aquellos territorios ocupados por los haitianos hasta la fecha.

Efectos del Tratado

Con este Tratado, los dominicanos perdieron la posibilidad de recuperar los territorios que durante más de setenta años habían ocupado los haitianos en violación a la línea fronteriza establecida en 1777 en virtud del Tratado de Aranjuez, que fue la frontera que los dominicanos siempre reclamaron como verdadera. González, en realidad, lo que buscaba con este Tratado era tener una fuente segura de ingresos adicionales a los de las aduanas para poder mantener su gobierno funcionando con la indemnización que exigió a los haitianos.

El Tratado dio lugar a numerosos incidentes diplomáticos en los sesenta años siguientes, y también dio lugar a que los haitianos se sintieran autorizados a penetrar pacíficamente y a ocupar muchas tierras más acá de la línea fronteriza con el pretexto de que había libertad de comercio entre ambos países. También el comercio fronterizo provocaría en el siguiente medio siglo problemas muy serios a la economía de las zonas aledañas a Azua, San Juan de la Maguana y Dajabón.

Pero de inmediato los actos más notables del Gobierno de González estuvieron ligados a su política económica de concesiones para favorecer la inversión extranjera en el país, tanto en la industria como en el comercio. Durante sus dos años de Gobierno González expidió licencias para la producción de textiles, jabones, velas, azúcar de caña, almidón, chocolate, pólvora, maderas, café, sal, y ladrillo, y también exoneró de impuestos la importación de hierro galvanizado para techar las casas, que hasta entonces se cubrían en su mayoría de yagua, cana o tablitas. De todas esas concesiones, la que produjo mayor impacto económico fue la que favorecía la apertura de tierras para plantar caña y la construcción de molinos para fabricar azúcar.

Política económica de González.

Ahora bien, González no gobernó conforme se había proclamado en el manifiesto del movimiento unionista, pues al perder las elecciones los rojos se dedicaron a conspirar para imponer como Presidente a Manuel Altagracia Cáceres. Y González, al tener noticias de esa conspiración salió a mediados de julio de 1874 hacia las provincias del Cibao, en donde Cáceres tenía seguidores. En su recorrido González hizo prisioneros a algunos seguidores de Cáceres y éste, sintiéndose amenazado, reunió en la madrugada del 5 de agosto una treintena de partidarios con quienes sorprendió la for-

Conspiración baecista, julio 1874.

taleza de San Luis, en Santiago, y se pronunció contra el Gobierno.

Las tropas del Gobierno, con el apoyo de la población santiaguera, del partido azul, que no quería volver a los tiempos de Báez, pudieron derrotar a Cáceres después de un corto pero violento ataque. Pero González, creyendo que este levantamiento se debía al carácter liberal que hasta entonces había mantenido su gobierno, se dejó arrastrar por algunos partidarios suyos que le recomendaron un gobierno fuerte y se hizo proclamar el 10 de septiembre de 1874 "Encargado Supremo de la Nación por la Voluntad de los Pueblos", decretando que la Constitución de la República debía ser modificada por no ajustarse a las circunstancias del país. Para ello convocó una nueva asamblea constituyente. La vieja constitución liberal de los azules iba a ser ahora suplantada por una nueva Constitución autoritaria elaborada a instancias de un antiguo jefe rojo, que al separarse de sus antiguos compañeros y aliados decidió formar un nuevo grupo político adicto a su persona que fue reconocido en aquel entonces como partido *verde* o "rojos desteñidos".

Dictadura de González, 10 de septiembre de 1874.

La nueva Constitución fue promulgada a principios de marzo de 1875, y durante todos esos meses González gobernó autocráticamente produciéndose entonces su alejamiento del gobierno de los azules que lo habían apoyado anteriormente. Este distanciamiento se agravó cuando Luperón reclamó al Gobierno que reconociera como "deuda nacional" las acreencias en que él había incurrido durante los seis años de Báez para combatir la tiranía e impedir que la República fuera anexada a los Estados Unidos. Como el Gobierno no satisfizo esas demandas de Luperón y, por el contrario, los partidarios baecistas de González emprendieron una campaña de prensa contra Luperón, los azules reaccionaron en su defensa y denunciaron que la política antiliberal del Gobierno estaba poniendo en peligro la paz interna.

Nueva Constitución. marzo 1875.

Las acusaciones y contraacusaciones públicas se hicieron cosa corriente en aquellos días a pesar del empeño de González por controlar la prensa. El Gobernador de Puerto Plata quiso apresar a Luperón y hasta se dijo que quería asesinarlo. Entonces, los azules de Santiago, que habían reestructurado su partido y actuaban ahora bajo una asociación patriótica llamada "La Liga de la Paz", se dispusieron a medir fuerzas contra el Gobierno. En esos días la situación económica era sumamente mala. González había gastado prácticamente todo lo que ingresaba al Tesoro en dádivas y gratificaciones a los militares y políticos de todo el país con quienes él quería formar su propio partido en detrimento de las filas rojas y azules. Los pocos fondos de que podía disponer el Gobierno, González los dedicaba nada más que para pagar los salarios de los militares, a quienes él quería mantener contentos. Y en vista de esta situación que los azules consideraban injusta, sobre todo porque a muchos empleados públicos hacía meses que no se les pagaban sus sueldos, la Liga de la Paz y la "Sociedad Amantes de la Luz", lanzaron manifiestos contra el Presidente acusándolo de haber violado la Constitución convirtiéndose en un dictador y de haber malversado los fondos públicos con sus manejos financieros más recientes.

Estos manifiestos decidieron la situación política pues los principales generales azules se prepararon para la revolución a principios de febrero de 1876 en espera de que el Congreso de la República conociera la acusación contra González. En pocos días, los azules movilizaron toda la opinión pública del país e incluso obtuvieron el apoyo de muchos rojos para la revolución, en caso de que fuera necesario llegar a las armas. Pero como nadie quería la guerra civil nuevamente, los líderes políticos se reunieron en las afueras de la Capital, en una finca llamada "El Carmelo" y ahí concertaron un pacto por medio del cual el Congreso descargaría a González de las acusaciones que se le hacían, pero éste se comprometía a renunciar a la Presidencia dejando el Poder Ejecutivo en manos de un Consejo de Secretarios de Estado que lo entregaría a los jefes de la revolución, quienes a su vez organizarían elecciones para elegir un nuevo Presidente.

Así se hizo, aunque uno de los militares de González, el General Villanueva intentó dar un golpe de Estado el 27 de febrero en favor de Báez, pero el movimiento fue reprimido por los generales azules que con sus tropas habían llegado a la Capital. Esta vez todo el partido azul estaba unificado. Poco a poco sus hombres se habían dado cuenta de que ellos formaban el único núcleo con ideas políticas coherentes

La Liga de la Paz.

El Cibao contra González, enero-febrero 1876.

Acuerdo de El Carmelo, febrero 1876.

Renuncia de González.

383

para organizar el Gobierno dominicano conforme a los principios liberales de la época. Tras la iniciativa de Luperón, los azules acordaron llevar a la presidencia a Ulises Francisco Espaillat, un político que se había distinguido por sus ideas democráticas en la revolución de 1857, en la guerra de la Restauración y en la oposición a la tiranía de Báez.

Ulises Francisco Espaillat, Presidente, 24 de marzo de 1876.

Espaillat fue elegido el 24 de marzo de 1876 Presidente de la República en las elecciones organizadas por su partido. Desde el principio Espaillat intentó poner en acción sus viejas ideas sobre la organización del gobierno, en especial las relativas a la administración económica del Estado. Conforme a su credo liberal, Espaillat quiso mantener una prensa sin censura y favorecer el libre juego de las ideas. Su gobierno comenzó con la gran expectativa de que los azules por fin ejercerían el poder y cesarían las revoluciones.

Gobierno liberal de Espaillat.

Pero las circunstancias eran totalmente contrarias al experimento que Espaillat quería poner en práctica. En primer lugar, el país estaba prácticamente en bancarrota. El Tesoro estaba vacío y no había dinero con qué pagar a los empleados públicos. Para ahorrar y poder pagar a los empleados del gobierno y a los militares, Espaillat suprimió todos aquellos gastos políticos como asignaciones, regalos y prebendas que eran, en más de un sentido, la garantía de la estabilidad de los gobiernos de la época.

Los militares y la política, 1876.

La Restauración había lanzado a la vida pública dominicana a centenares de hombres armados que una vez terminada la guerra se quedaron organizados detrás de sus jefes guerrilleros e hicieron de la venta de sus servicios militares una profesión política. Las fuerzas armadas dominicanas, en aquellos momentos en que no estaban organizadas, eran el patrimonio de varias docenas de generales que tenían el prestigio o los recursos suficientes para levantar en armas y mantener un grupo de hombres más o menos amplio en defensa o en contra de una causa política, que normalmente estaba reducida a la lucha de personalidades o de intereses locales o regionales.

Espaillat no tenía un ejército organizado a su servicio ni lo había tenido ninguno de los gobiernos anteriores. Lo que los Presidentes de la República tenían era la capacidad de estructurar alianzas más o menos permanentes con los

384

demás generai.es del país a base de un mercadeo de servicios y gratificaciones económicas o personales. De tal forma que aquel Presidente que contara con fondos suficientes para mantener bien pagados o empleados a esos generales, podía asegurar su lealtad hasta que alguien los pagara mejor.

El ejercicio del poder militar adquirió durante el siglo XIX un carácter de mercado en la República Dominicana lo mismo que el ejercicio de la actividad política. Los dos grandes grupos políticos, los azules y los rojos, que se disputaban el poder en estos años, necesitaban del Tesoro público para mantenerse gobernado. Solamente los líderes más educados del partido azul tenían alguna ideología que los inspiraba en su lucha política y que los movía a la acción, independientemente de los lucros posibles en el manejo de las finanzas públicas. La lucha entre rojos y azules llevaba implícita la pugna de dos estilos de pensamiento. Uno liberal, el azul. El otro, el rojo, reaccionario y dictatorial. Pero como los azules funcionaban más como una alianza de voluntades muy disímiles, esta ideología se veía sumamente limitada por las personalidades e intereses individuales de sus líderes militares.

Rojos y Azules.

Al subir al poder, Espaillat actuó en contra del carácter de mercado de la clientela política de su partido, al declarar que sólo utilizaría los fondos del Gobierno para pagar a sus empleados, perdiendo así automáticamente el posible apoyo que podrían ofrecerle los que lo habían llevado a la Presidencia. González pudo sostenerse por dos años porque supo disponer del dinero del Estado para formar una clientela política leal a su persona y fue derribado cuando esos fondos se le agotaron y no fue posible reponerlos con las emisiones de vales en que incurrió varias veces durante su gobierno. Báez también se sostuvo durante seis años, gracias a que pudo agenciarse el empréstito de Hartmont y contó con el respaldo del·Gobierno de los Estados Unidos. Ahora, Espaillat que llegaba al poder declarando que no pensaba gobernar como lo habían hecho los anteriores presidentes quedaba puesto a prueba.

Habiendo nombrado a Gregorio Luperón como Ministro de Guerra y Marina de su gobierno, Espaillat quiso organizar un ejército profesional. Pero Luperón, que era más comerciante que burócrata, descuidó los asuntos de su ministerio y se fue a vivir a Puerto Plata para atender sus negocios personales. En esos días Luperón tenía grandes deudas y enormes responsabilidades económicas a consecuencia de los compromisos que hizo con empresarios dominicanos y extranjeros para financiar los gastos de la revolución contra Báez. Tan pronto Espaillat subió al poder, Luperón consiguió que éste dictara un decreto declarando deuda nacional esas sumas que Luperón debía en el país y en el extranjero que ascendían a $ 17,000. La reacción de los rojos fue, como era de esperarse, totalmente contraria a esta decisión y aparecieron varios manifiestos acusando a Luperón y a Espaillat de corrupción. Detrás de esos manifiestos comenzaron los alzamientos militares encabezados por los rojos y los verdes, que buscaban volver al poder. Y nuevamente el país se vio envuelto en la guerra civil.

Rojos contra Espaillat.

En vano intentó Espaillat crear un Banco de Anticipo y Recaudación con el propósito de aliviar la crítica falta de fondos del Gobierno. En vano trataron él y su Ministro de Hacienda, Mariano Cestero, de resolver el inquietante problema de la deuda pública que había venido creciendo enormemente en los últimos años a causa de la malversación de fondos y de las emisiones de papel moneda de los gobiernos anteriores. Sin el apoyo de los militares a quienes Espaillat no concedió las gratificaciones a que estaban acostumbrados, la mayor parte de los hombres de armas apoyaron los movimientos revolucionarios que surgieron tanto en el norte como en el sur del país, encabezados, uno por Ignacio María González y, el otro, por el general Marcos A. Cabral, que actuaban en nombre de Buenaventura Báez.

Movimientos militares.

En el poco tiempo que Espaillat estuvo en el Gobierno no le fue posible llevar a cabo ninguna de sus ideas y sí tuvo que dedicarse a combatir la insurrección que día a día ganaba terreno. A pesar de haber declarado el estado de sitio en todo el país en julio, y de haber nombrado a Luperón jefe de operaciones del Gobierno, Ignacio María González llegó con sus tropas a las puertas de la Capital el día 5 de octubre de 1876. Espaillat y sus ministros, pensando que era menos malo entregar el poder a los verdes que a los rojos, procedieron a sustituir a los diversos funcionarios azules

Estado de sitio, julio 1876.

González derroca a Espaillat.

386

del Gobierno por partidarios de González para impedir que el régimen constitucional fuese descontinuado. Entretanto González se hizo dueño de la situación hasta que el día 20 de diciembre Espaillat presentó renuncia y se asiló en el Consulado francés después de sólo siete meses de gobierno.

La renuncia, sin embargo, no satisfizo a los rojos. Los jefes baecistas pusieron cerco inmediatamente a la Capital y obligaron también a González a renunciar pues los azules, que habían sido su apoyo en años anteriores no lo defenderían ahora contra los baecistas después que él los había echado del Gobierno. González también tuvo que renunciar y dar paso a los generales baecistas que de inmediato avisaron a su jefe, Buenaventura Báez, quien llegó una semana después de la renuncia de Espaillat y tomó posesión de la Presidencia de la República por quinta vez el día 27 de diciembre de 1876 iniciando en seguida la persecución de los verdes y de los azules con la misma saña de antes.

Este nuevo gobierno de Báez duró apenas catorce meses, pero en el curso de este tiempo el viejo dictador volvió a gestionar frente al Gobierno norteamericano la anexión de la República en enero de 1877. Esta vez el Gobierno norteamericano no estaba interesado en la anexión y Báez no pudo conseguir mucho. Los azules reiniciaron la revolución en la frontera con el auxilio del Gobierno haitiano que también quería impedir la anexión de la República Dominicana a los Estados Unidos. Esta revolución hizo que Báez persiguiera y encarcelara a todos los que él creyó sus enemigos y terminó debilitándose a finales de 1877 por falta de unidad de sus jefes. Hasta que, nuevamente, a principios de 1878, los azules, bajo el liderazgo del Padre Fernando Arturo de Meriño, organizaron sus guerrillas y volvieron a la carga.

Ya en febrero Báez se dio cuenta de que nadie apoyaba a su Gobierno y se dispuso a salir del país. Pero antes obligó a todos los comerciantes de Santo Domingo a pagarle por adelantado los impuestos aduaneros y reunió 70,000 pesos con los que salió huyendo al extranjero el día 2 de marzo, después de haber acumulado otros 300,000 pesos en el año que duró su Presidencia reteniendo los sueldos de los empleados públicos y de las tropas en campaña. Con todo este

Dos gobiernos: Cesáreo Guillermo e ignacio María González.

dinero Báez se retiró de la política dominicana y se fue a vivir tranquilamente primero a Curazao y luego a Puerto Rico, donde murió varios años más tarde.

A la salida de Báez los revolucionarios formaron dos gobiernos de diferente inclinación política. Uno en Santo Domingo encabezado por el General Cesáreo Guillermo con el nombre de "Junta de Gobierno", pues fueron las tropas de este general baecista las que primero ocuparon la Capital, y otro en Santiago integrado por los seguidores de González llamado "Gobierno Provisional". En su empeño por impedir que la guerra civil continuara, los azules negociaron con González un nuevo entendido para permitirle que ocupara la Presidencia a cambio del nombramiento de ministros y generales de su partido en puestos públicos. González aceptó después de haber conferenciado con Luperón y haber anunciado que entre ellos se había producido una reconciliación. González tomó posesión el día 25 de junio de 1878, pero a las pocas semanas violó todas las promesas y acuerdos con los azules y dio órdenes de que Luperón fuera apresado junto con varios de sus aliados.

González Presidente nuevamente, 25 de junio de 1878.

González traiciona a los Azules.

Revolución.

Renuncia de González, 2 de septiembre de 1878.

Jacinto de Castro, Presidente interino.

Esto fue suficiente para que los azules se levantaran en armas nuevamente. González no pudo resistir esta nueva revolución y capituló el día 2 de septiembre mientras las tropas de Cesáreo Guillermo que operaban en las cercanías de la Capital cercaban la ciudad. La Presidencia recayó provisionalmente en el Presidente de la Suprema Corte de Justicia, Jacinto de Castro, quien integró un gobierno mientras se organizaban nuevas elecciones. El ministro de Guerra y Marina en este gobierno, el general triunfador Cesáreo Guillermo, se las arregló para hacerse elegir Presidente a finales de enero de 1879 y tomó posesión el día 27 de febrero. Luperón, entretanto, manifestó su deseo de mantenerse fuera de la política y se fue de viaje por Europa tan pronto como Guillermo declaró que deseaba ser Presidente de la República.

Cesáreo Guillermo, Presidente, 27 de febrero de 1879.

Asesinato de Manuel Altagracia Cáceres.

El único rival que podía oponerse a Guillermo en aquellos momentos era el General Manuel Altagracia Cáceres, tan baecista como él, pero que representaba mejor los intereses de los rojos que el mismo Guillermo. Cáceres fue asesinado una noche mientras conversaba en la casa de un amigo y el crimen fue considerado por algunos como obra del Gobierno, aunque otros también dijeron que había sido cometido a instancias del General Ulises Heureaux, lugarteniente de Luperón. En verdad nunca se ha sabido por orden de quién se cometió el asesinato y las sospechas siempre recayeron sobre estos dos generales.

Guillermo era un militar y político baecista del Seibo que había sido atraído poco a poco hacia el partido azul por el Padre Fernando Arturo de Meriño después de los seis años de Báez, pero esos antecedentes le impidieron ser aceptado totalmente por los demás militares azules. Por esa razón fue que Luperón prefirió entenderse con González el año anterior antes que permitir que Guillermo quedara como Presidente a la caída de Báez. Ahora en el poder, Guillermo olvidó sus compromisos con los azules y quiso establecer un gobierno personalista y autoritario al estilo de su antiguo jefe Buenaventura Báez. Durante varios meses se aprovechó de la Presidencia para desfalcar el Tesoro y repartirlo entre sus partidarios y amigos en detrimento de los generales azules, quienes junto con los empleados públicos de ese partido dejaron de percibir sus sueldos por falta de fondos.

Dictadura de Guillermo.

Las protestas azules sólo sirvieron para que Guillermo desatara una brutal persecución contra ellos, al igual que lo había hecho durante los seis años de Báez, cuando se jactaba de no dejar sin castigo a nadie que no fuera baecista. Llegó un momento en que para asegurar totalmente el poder en sus manos, Guillermo decidió sustituir a los generales azules que tenían puestos de mando en el Gobierno, particularmente al General Ulises Heureaux, lugarteniente de Luperón, quien fungía como Delegado del Gobierno en el Cibao. Heureaux renunció antes de ser destituido y se fue a Puerto Plata a esperar a Luperón que regresaba de Europa.

Tan pronto Luperón llegó, los azules todos se pusieron de acuerdo para derrocar el Gobierno de Guillermo y lo instaron a hacerse cargo de la Presidencia de un Gobierno Provisional que instalaron en Puerto Plata el día 6 de octubre de 1879 luego de lanzar un manifiesto desconociendo la autoridad de Guillermo. La revolución que sucedió a este pronunciamiento contó con amplio respaldo pues la mayoría de

Revolución y Gobierno Provisional de Luperón en Puerto Plata. 6 de octubre de 1879.

los generales respondieron al llamado de los azules, por lo que Guillermo fue derrotado por fuerzas superiores a las del Gobierno en una batalla que tuvo lugar en el Sillón de la Viuda cuando intentó marchar a pacificar el Cibao. Luego de esta derrota Guillermo se refugió en la Capital que fue inmediatamente cercada por los revolucionarios. Desde allí pidió ayuda al Capitán General de Puerto Rico para derrotar a los revolucionarios haciéndole ver que instalarían un gobierno antiespañol que favorecería las gestiones independentistas de los exiliados cubanos y puertorriqueños que vivían en el país. Aunque el Gobernador de Puerto Rico le concedió la ayuda que pedía, Guillermo no pudo resistir y se vio obligado a refugiarse a bordo de un barco de guerra español que había en el puerto el día 6 de diciembre de 1879 saliendo inmediatamente para el exilio.

Exilio de Cesáreo Guillermo, 6 de diciembre de 1879.

XXX

LOS GOBIERNOS AZULES

(1879-1886)

EL GOBIERNO PROVISIONAL DE Luperón quedó entonces controlando la situación y se dispuso a reorganizar el país conforme a los principios liberales que los líderes azules habían venido defendiendo desde 1857. Luperón prefirió gobernar desde Puerto Plata, y para atender los asuntos políticos y militares de la Capital y del sur del país nombró Delegado del Gobierno en Santo Domingo y Ministro de Guerra y Marina a su lugarteniente el General Ulises Heureaux. A partir de ese momento el país inició una nueva era en su vida política pues los gobiernos que se sucedieron en los años siguientes fueron todos compuestos y presididos por miembros del partido azul que quedó dominando definitivamente la vida política dominicana.

Luperón, Presidente Provisional gobierna desde Puerto Plata.

Ulises Heureaux, Delegado del Gobierno en Santo Domingo.

Para entonces ya el partido rojo estaba en decadencia y en desbandada. Su antiguo jefe, Buenaventura Báez, se encontraba rico, viejo y enfermo en el exilio y no tenía mayor interés en volver a la lucha en un medio en donde su nombre estaba totalmente desacreditado y sólo suscitaba odios. Los gobiernos de González y Guillermo habían debilitado el antiguo control de Báez sobre los rojos, pues después de su salida del país, éstos fueron los jefes, junto con Cáceres, que quedaron ejerciendo un liderazgo efectivo sobre los baecistas, liderazgo éste que los tres quisieron usar en provecho

Decadencia del Partido Rojo.

391

personal y que terminó liquidando la antigua unidad baecista.

Las luchas de los últimos años también arruinaron la
imagen y la influencia de esos jefes rojos y verdes pues a su
paso por el Gobierno demostraron, al igual que Báez, que
sólo estaban interesados en su lucro particular y no en el

*Diferencias entre Ro-
jos y Azules.*

progreso del país, con excepción del período en que González gobernó en alianza con los azules que lo llevaron a ejecutar una política de concesiones en favor de la industria.
Los azules tenían intereses e ideales por qué luchar. Eran
los comerciantes y propietarios más importantes del Cibao
y del norte del país y veían al Estado, conforme a su óptica
liberal, como un instrumento de progreso al servicio del
país fomentando la libre empresa y manteniendo el orden
público para garantizar el desarrollo de las actividades económicas.

El partido rojo también terminó desgastándose porque
llegó a convertirse en el partido de una generación que había comenzado su vida política a principios de la Primera
República y sus principales dirigentes ya estaban viejos y
cansados, además de haberse desacreditado. Los azules en-
carnaban los ideales de una nueva generación que se inició
en la vida política a partir de la Revolución de 1858 y continuó su lucha en la Guerra de la Restauración bajo la ins-

*Luperón, líder del
Partido Azul.*

piración de las ideas de los grandes pensadores y liberales
cibaeños Rojas, Espaillat y Bonó. De toda la generación de
seguidores y discípulos de estos pensadores, el más sobresaliente fue el joven General Gregorio Luperón, quien poseía
una rara mezcla de hombría de bien, de valor militar y de
sagacidad política que, unidos a un vivo espíritu empresarial, le permitió convertirse en el líder del llamado *Partido
Nacional Liberal* que terminó dominando la vida dominicana al concluir el período de inestabilidad que siguió a la
Restauración.

Gobierno de Luperón.

Luperón tomó posesión del Gobierno Provisional de Puerto Plata el 6 de octubre de 1879 con el apoyo de la mayoría
de la población dominicana. Al otro día decretó la suspensión del pago de la deuda pública que abrumaba al Gobierno

Juntas de Crédito.

y procedió a crear varias asociaciones de comerciantes llamadas Juntas de Crédito para obtener de ellas préstamos a

un interés más reducido que el que cobraba la Junta de Crédito que funcionaba en la Capital, que prestaba dinero al Gobierno al 28 % mensual. Con estos fondos, que Luperón contrató al 10 % mensual, pudo su Gobierno dar una serie de pasos tendientes a organizar la administración pública y a instituir un régimen de orden en el país a través de la reorganización del ejército.

Para dotar de mayores ingresos al Gobierno, Luperón aumentó los impuestos de exportación e importación de muchos productos, pero para favorecer los intereses del Cibao decretó la rebaja de los impuestos de exportación del tabaco de 75 a 25 centavos por quintal, diciendo que esa rebaja estimulaba a los cultivadores a aumentar la producción. También quiso Luperón acrecentar los ingresos del Gobierno dictando una ley de Estampillas para el cobro de rentas internas, pero el Congreso que se instaló al terminar su Gobierno la rechazó pues en aquellos tiempos los dominicanos sólo aceptaban como buenos los impuestos derivados de las operaciones de las aduanas.

Política económica.

Conforme a su credo liberal, Luperón dispuso que se le pasara una subvención de 40 pesos mensuales a todos los periódicos que se fundaran o se publicaran en el país, de manera que la República pudiera contar con una prensa libre de toda censura que ayudara a educar la opinión pública en el ejercicio de la democracia. Pero, para impedir que los enemigos del Gobierno creyeran que era posible conspirar con éxito, Luperón decretó el 8 de diciembre de 1879 la pena de muerte para todo aquel que fuese atrapado con las armas en la mano en intento de derrocar su gobierno. Como no hubo conspiraciones armadas durante este período ese decreto no fue aplicado.

Prensa libre.

En vista de la necesidad que había de dotar al país de una Constitución liberal, el día 7 de enero de 1880 Luperón convocó por decreto una nueva Convención Nacional para que se reuniera y preparara una nueva Constitución elaborada a partir de cualquiera de las anteriores "exceptuando en absoluto la de Diciembre de 1854", que había servido de instrumento a las tiranías del partido rojo. Esta convención se reunió en los meses siguientes y preparó un proyecto basado en la versión modificada de la de Moca que había sido

393

Constitución liberal del 28 de mayo de 1880.

Fomento de la cultura.

Organización del Ejército.

Relaciones diplomáticas con Haití.

Comercio con Haití.

promulgada a principios del año anterior. La nueva Constitución fue promulgada el día 28 de mayo de 1880.

Durante los meses siguientes Luperón continuó en su labor de mejorar el sistema de correos, crear nuevas escuelas, fomentar la creación de cátedras de estudios superiores en la Capital, fundando allí la Escuela Normal cuyo director fue el ilustre pensador puertorriqueño Eugenio María de Hostos, quien vivía como exiliado en nuestro país. También se repararon todos los cuarteles militares con sus fortificaciones y se construyeron locales para albergar las gobernaciones y comandancias de armas de diferentes ciudades y pueblos. Luperón hizo comprar armas y pertrechos nuevos para abastecer los arsenales de la República que estaban vacíos después de tantos años de guerras y revoluciones. Dispuso que las escuelas fueran dotadas de libros y otros materiales y compró uniformes nuevos de estilo europeo para los soldados de la República. Con los fondos que pudo obtener gracias a su política fiscal pudo pagar definitivamente a los empleados públicos y soldados que tenían sueldos atrasados desde los gobiernos de Báez, González y Guillermo, que ascendían a más de 200,000 pesos.

Algo muy importante que Luperón también hizo durante su gobierno fue obligar al Gobierno de Haití a respetar el Tratado de 1874 con la República Dominicana que el Presidente de aquel país, el General Salomón, pretendía hacer invalidar por el Congreso de su país. El Tratado establecía que las mercancías dominicanas entrarían en Haití libres de impuestos, pero Salomón dio órdenes para que todos los productos que llegaran en barcos o en recuas pagaran los mismos derechos que los artículos de cualquier otro país. Como esta maniobra de los haitianos estaba asociada a un plan de Salomón para ayudar a los baecistas en una nueva revolución contra los azules, Luperón ordenó la suspensión total del comercio con Haití.

Se produjo entonces una seria crisis comercial en aquel país pues "privado el público haitiano de ganados para alimentarse y de las copiosas ventas de mercancías que hacía con los dominicanos, se levantó un clamor contra el Gobierno haitiano, y las Cámaras forzaron al Presidente Salomón a entrar en una vía más amistosa y razonable con el

394

Gobierno Dominicano". La crisis se resolvió obligándose los haitianos a respetar el Tratado y a pagar al Gobierno Dominicano en varias cuotas la deuda de $ 824,378 contraídas por Haití en virtud del mismo Tratado. Haití necesitaba los ganados que los dominicanos les vendían a través de la frontera, además de otras muchas mercancías como maderas, resinas, cera y mieles que los haitianos compraban a los dominicanos para luego exportarlas. También necesitaban ron dominicano que se les vendía en grandes cantidades y que constituía un gran negocio para sus comerciantes, así como para cientos de alambiqueros dominicanos Fue precisamente de estos alambiqueros de donde surgió la oposición al impuesto de estampillas que Luperón quiso imponer para aumentar las rentas de su gobierno.

Puestas las bases para la continuación de los gobiernos azules, y habiéndose establecido en la Constitución que el ejercicio de la Presidencia estaba limitado a sólo dos años, para así dar oportunidad de llegar a ella a la mayor cantidad de aspirantes, Luperón procedió a buscar un candidato de entre las filas del Partido que continuase su labor en el Gobierno. Luego de ofrecerle la candidatura a varios de los más notables líderes civiles del Partido, que no quisieron aceptar, Luperón recomendó al Padre Fernando Arturo de Meriño como candidato, quien fue acogido por los demás líderes del Partido y elegido Presidente el día 23 de julio de 1880. Para estas elecciones, lo mismo que para las próximas, el procedimiento que se utilizó fue el de consultas y acuerdos entre los diferentes jefes azules, siempre siguiendo las recomendaciones de Luperón, quien controlaba tanto las finanzas como el poder militar del Partido. Hechas estas consultas, luego se procedió a las votaciones populares.

Fernando Arturo de Meriño, Presidente de la República, 23 de julio de 1880.

Meriño tomó posesión el día 1 de septiembre de 1880 y continuó la misma política de su antecesor. El partido azul actuaba ahora como un verdadero equipo en el Gobierno y sus hombres más prominentes trabajaban de mutuo acuerdo poniendo lo mejor de sus conocimientos al servicio de la consolidación de la paz y en la obra de reconstrucción nacional. Las fuerzas armadas quedaron siempre bajo la influencia del lugarteniente de confianza de Luperón, el General Ulises Heureaux, quien fue nombrado Ministro de lo In-

Ulises Heureaux, Ministro del Gobierno de Meriño.

395

terior pero tenía gran influencia sobre el nuevo Ministro de Guerra de Meriño, Francisco Gregorio Billini, al trasladarse la sede del Gobierno de Puerto Plata a Santo Domingo. Los demás líderes ejercían las diversas gobernaciones y comandancias de armas, además de los ministerios y otros puestos de confianza.

Meriño heredó unas finanzas públicas en bastante orden y con suficiente dinero en caja para continuar la obra de gobierno iniciada el año anterior. La atención que su gobierno también puso en la administración de las aduanas, le permitió percibir ingresos más altos que en los años anteriores. También recibió ingresos procedentes de Haití, cuyo gobierno cumplió con el pago de la primera cuota adeudada. Y como Luperón salió de viaje a Europa, nombrado Ministro Extraordinario y Enviado Plenipotenciario del Gobierno, Meriño quiso que se negociara un empréstito de 12 millones de francos que se emplearían en financiar la introducción de inmigrantes que ayudaran a desarrollar la agricultura y la industria del país. Luperón contrató ese empréstito pero luego fue suspendido por la fuerte oposición que le hizo al contrato la Junta de Créditos de la Capital, cuyos miembros creían que perderían el negocio que hasta entonces hacían facilitando créditos al Gobierno.

Nuevas conspiraciones baecistas.

Meriño mantuvo durante un tiempo el mismo estilo liberal de gobierno de Luperón, pero a medida que pasó el tiempo, su gobierno descubrió que los baecistas estaban conspirando en el sur del país bajo el liderazgo de Braulio Alvarez, y que Cesáreo Guillermo también preparaba una invasión con el auxilio del Gobernador colonial de Puerto Rico, quien veía con alarma la ayuda que los azules proporcionaban a los exiliados cubanos y puertorriqueños que luchaban por la independencia de sus países. Para prepararse contra

Decreto de San Fernando. 30 de mayo de 1881.

estas conspiraciones y, a pesar de que la nueva Constitución lo prohibía, Meriño decretó el día 30 de mayo de 1881 que todo aquel que fuera apresado con las armas en la mano contra el Gobierno sería castigado con la pena de muerte. Esta disposición, conocida como el "Decreto de San Fernando", porque fue publicado el día de ese santo, no impidió que los baecistas se lanzaran a la lucha.

Revolución contra Meriño, julio 1881.

En julio los generales Alvarez y Guillermo se levantaron

MANUAL DE HISTORIA DOMINICANA

en armas. Alvarez, en un campo intermedio entre San Cristóbal y la Capital llamado El Algodonal, y Guillermo desembarcando por las costas de Higüey con una expedición armada en Puerto Rico. Meriño destacó hacia el Este al General Heureaux, y él mismo en persona se puso al frente de las operaciones en Azua para impedir que esta provincia de tendencia baecista se levantara en armas en favor de Alvarez. La lucha contra estos revolucionarios duró un par de meses y la intentona fue aplastada por las tropas del Gobierno, cuyos jefes, Meriño y Heureaux, fusilaron a todos los enemigos que cayeron en sus manos.

Fusilamientos.

Temiendo que los fusilamientos produjeran nuevos levantamientos, y creyendo que la Constitución liberal del año anterior no era suficiente garantía para su estabilidad, Meriño hizo forjar varios manifiestos y actas pidiéndole que se declarara Dictador y que se aboliera la Constitución, cosa que él hizo sin muchas vacilaciones gobernando a partir de entonces con el concurso de su Ministro de lo Interior en forma autoritaria contra los enemigos de su Partido. La Dictadura de Meriño concluyó al determinarse que ya los rojos no constituían un peligro inminente y al concluir su período presidencial y dar paso en la Presidencia al nuevo candidato elegido por recomendación de Luperón, el General Ulises Heureaux, quien fue electo junto con el Vicepresidente, General Casimiro de Moya. En la Constitución del año 1880 no se había incluido vicepresidencia. En la nueva Constitución, que los azules elaboraron para sustituir la que Meriño desconoció, se creó este nuevo cargo para así dar mayor participación en el alto gobierno a los demás líderes presidenciales del Partido.

Dictadura de Meriño.

Heureaux tomó posesión el día 1 de septiembre de 1882, habiendo sido elegido, según decía Luperón, por los muchos méritos acumulados en favor del Partido y de la República desde que se inició como soldado en la Guerra de la Restauración. Heureaux fue siempre el hombre de confianza de Luperón en todos sus movimientos y operaciones políticas y militares durante los últimos veinte años. Heureaux había sido su Delegado en las provincias del Sur entre 1879 y 1880 y también Ministro de Guerra y de lo Interior con Luperón y Meriño. El triunfo de Heureaux en las campañas contra

Ulises Heureaux, Presidente de la República, 1 de septiembre de 1882.

397

Guillermo y Alvarez le dio un decisivo ascendiente militar por encima de todos los generales del Partido y lo colocó en una posición de fuerza no igualada por ningún otro jefe azul pues mientras Luperón viajaba por Europa, él quedó como jefe de las Fuerzas Armadas de la República y cabeza del Partido.

Este Gobierno de Heureaux fue una continuación de los anteriores de Luperón y Meriño. Pero se distinguió particularmente de aquellos en que Heureaux aprovechó su ascendiente político y militar para atraerse a los líderes rojos que buscaban un jefe a quien seguir y con quien medrar luego que Báez muriera en Puerto Rico el día 4 de marzo de 1884. Estos rojos, que fueron inicialmente protegidos por Heureaux para ampararlos en su caída política frente a los azules, le sembraron la idea de convertirse en jefe del partido azul con el apoyo de los baecistas que predominaban políticamente en el Sur. Y por eso, cuando se acercaban las fechas para elegir los candidatos a las próximas elecciones de 1884, Heureaux se dispuso a ser él quien nominara el próximo Presidente de la República.

La historia de estas elecciones muestra cómo Heureaux acumuló y utilizó el poder que le otorgó su presencia en el Sur y su jefatura militar ininterrumpida durante los últimos años. Luperón quiso que Bonó aceptara la Presidencia de la República, pero Bonó, que se encontraba retirado en San Francisco de Macorís haciendo vida de filósofo, se negó a ser candidato para no ser juguete de Heureaux, que, según él, era quien mandaba en la Capital. Luperón quiso luego buscar otros candidatos civiles en sustitución de Bonó y ninguno quiso aceptar la candidatura al igual que en las elecciones anteriores. Entonces Luperón declaró que no estaba por ningún candidato, al tiempo que notaba que Meriño y Heureaux querían imponer a Francisco Gregorio Billini y Alejandro Woss y Gil como Presidente y Vicepresidente de la República respectivamente.

A esta candidatura le salió al paso otra encabezada por el General Segundo Imbert y por Casimiro Nemesio de Moya, que hasta entonces era el Vicepresidente de Heureaux. Como Imbert era el más viejo de los generales azules, Luperón se declaró en favor de su candidatura que también era una

Heureaux, protector de los Rojos.

Elecciones de 1884.

Candidaturas azules.

candidatura cibaeña. Pero Heureaux y Meriño insistieron en mantener a Billini y a Woss y Gil y las elecciones esta vez no pudieron celebrarse con una candidatura única como había ocurrido en años recientes. Las elecciones se celebraron y, según cuenta el mismo Luperón, fueron ganadas por Imbert y Moya, pero Heureaux, que ya conocía cómo se hacían los fraudes, "violó groseramente la ley, metiendo quince mil votos en las urnas, y el Congreso poco avisado, proclamó la candidatura de Billini y Gil" y los juramentó como Presidente y Vicepresidente el 1 de septiembre de 1884.

Fraude electoral.

Francisco Gregorio Billini, Presidente de la República, 1 de septiembre de 1884.

Aunque los partidarios de Imbert y Moya quisieron que Luperón los ayudara a invalidar la elección fraudulenta de Billini, Luperón se negó a participar en la guerra civil que de seguro sobrevendría y dividiría el Partido. Prefirió, pues, irse a Europa aconsejando a los perdedores integrarse al Gabinete y formar un gobierno de unidad que preservara la paz y continuara la labor de los azules. Así se hizo, pero en poco tiempo fue evidente que con esta maniobra de Heureaux y de Meriño el partido azul quedaba dividido para siempre. Pronto también fue evidente que Heureaux manejaba la situación política con el concurso de los rojos de la Capital y que, bajo su protección, los antiguos baecistas conspiraban para destruir la hegemonía de Luperón en el partido azul. Según Luperón los rojos querían acabar con él para después acabar con Heureaux y quedarse ellos con el poder.

División del Partido Azul.

Pero los azules más liberales querían detener el creciente poder militar y político de Heureaux que había hecho posible el fraude electoral. Desde el principio empezaron a atacar con saña el gobierno de Billini en la prensa de Puerto Plata y Santiago, haciendo aparecer a Luperón como culpable de estas elecciones amañadas. En ausencia del jefe del partido azul, la prensa puertoplateña fue dirigida por el Gobernador de la Provincia Federico Villanueva que era enemigo de Luperón. A su regreso de Europa meses más tarde, Luperón encontró un ambiente sumamente hostil a su persona y creyó que su seguridad estaba amenazada.

Billini quiso protegerse de esos ataques declarando una amnistía política y llamando en su auxilio a Cesáreo Guillermo, quien se encontraba exiliado en Saint Thomas y quien también era enemigo de Luperón. Frente a estos hechos, y en especial, frente al llamamiento de Guillermo quien hasta entonces era considerado como un traidor a la Patria por su asociación con los españoles, Luperón amenazó a Billini con levantar una revolución para derrocarlo. Frente a esta exigencia y a otras muchas de Heureaux, quien quería dirigir el Gobierno desde su Ministerio de Guerra y Marina, Billini decidió renunciar y entregó el poder al Vicepresidente Woss y Gil el día 16 de mayo de 1885.

Renuncia de Billini, 16 de mayo de 1885.

Alejandro Woss y Gil, Presidente de la República.

Con la caída de Billini el control político de la situación quedó en manos de Heureaux, pues el nuevo Presidente Alejandro Woss y Gil era un hombre obediente a sus dictados ya que le debía el puesto que ocupaba. Luperón fue nombrado entonces Delegado del Gobierno en el Cibao, y así el ala militar del partido azul quedó en dominio total de la situa-ción. Sin embargo, el ala liberal alarmada por las tendencias absolutistas de Heureaux, se agrupó en torno a Casimiro N. de Moya y al mismo ex-Presidente Billini organizándose para alcanzar la Presidencia en las próximas elecciones de 1886.

Rojos fomentan la división del Partido Azul.

Estas actividades deterioraron la disciplina que había existido en el seno del partido azul. Ahora se hizo claro que los rojos habían logrado dividir el partido convirtiendo a Heureaux en un instrumento contrario al liberalismo azul. Dice Luperón que "Algunos rojos de fama, como los señores Generoso Marchena, Wenceslao Figuereo y Manuel María Gautier, con premeditado plan, se unieron a los azules; éstos, de muy buena fe los acogieron, llevándolos a los principales puestos. Mientras les decían a los Azules que eran Azules, procuraban colocar bien a todos los Rojos y hacer desprestigiar y perseguir a muchos verdaderos Azules. Así se vio al señor Gautier, jefe de un grupo de Rojos, instruir a Marchena para que trabajara en la división de Heureaux y Luperón, y (se vio) a muchos Azules, a los cuales les infiltraban con estudio la ambición del poder, luchar sin darse cuenta de la habilidad de Gautier y su camarilla, por salirse de las filas de la agrupación..."

Candidaturas presidenciales, 1886.

Todo esto fue evidente cuando llegó la fecha de presentar las candidaturas a las elecciones de julio de 1886. Nuevamente se negaron Bonó, Casimiro de Moya y José María Glass a

400

ser candidatos a instancias de Luperón pues todos previeron que las elecciones serían otra vez manipuladas por Heureaux. Solamente el General Casimiro N. de Moya, espoleado por sus amigos del ala liberal del partido azul que querían desquitarse del fraude de las elecciones anteriores, se atrevió a oponerse abiertamente a Heureaux. Moya había sido Vicepresidente de la República cuando Heureaux era Presidente en el período 1882-1884 y había compartido con él la dirección de todos los gobiernos azules, desde el Gabinete de Meriño.

Casimiro N. de Moya vs. Ulises Heureaux.

A Moya le correspondía la candidatura de acuerdo con la tradición implantada en el partido azul, pero los ataques que sus partidarios lanzaron en los meses anteriores contra Luperón, hicieron que Luperón se resintiera del ala liberal y apoyara la candidatura que presentó Heureaux para ser elegido nuevamente Presidente. De manera que cuando llegó el día de las elecciones el partido ya estaba claramente dividido en dos bandos irreconciliables, pues aunque Luperón había propuesto una candidatura única con Heureaux y Moya para lograr la unidad del partido, los partidarios de éste rechazaron la propuesta a pesar de que él mismo la favorecía.

Las tensiones subieron al punto más alto en las semanas anteriores a las elecciones. Los partidarios de Moya fueron perseguidos y encarcelados en muchos puntos del país y el mismo día de las elecciones no pudieron votar ni en la Capital ni en San Carlos ni en San Cristóbal ni en Sabana de la Mar ni en Matanzas debido a las persecuciones de que fueron objeto por los partidarios de la candidatura oficial y por las fuerzas militares del Gobierno de Woss y Gil que, precisamente, eran comandadas por el candidato oficial Ulises Heureaux, quien era a la vez Ministro de Guerra y Marina. En las elecciones hubo un claro uso de terrorismo político y hubo también un fraude colosal a la hora de contar los votos depositados en las urnas. De acuerdo con el mismo Luperón, "Moya contaba con la mayoría del país" y la inmensa mayoría del Cibao, hombres y mujeres, estaban en su favor.

Terrorismo político y fraude electoral.

Por eso, al verse todos engañados y encontrar que sus votos habían sido cambiados allí donde se esperaba una victoria abrumadora, todos clamaron por una revolución. Moya no deseaba protestar con las armas pues no quería envolver el país en una guerra civil, pero sus seguidores, especialmente el General Benito Monción, que tenía viejas disputas con Luperón, organizaron un movimiento revolucionario en su nombre y él se vio precisado a apoyarlos. La revolución estalló el día 21 de julio de 1886 y durante las semanas que siguieron la lucha fue extremadamente sangrienta muriendo en combate más de 600 hombres. Luperón se puso al servicio del Gobierno y ayudó a Heureaux a combatir a los revolucionarios, particularmente a Benito Monción. Heureaux comenzó perdiendo terreno, pero al poco tiempo entendió que podía vencer la revolución comprando a varios de sus generales, que la habían apoyado más por interés que por liberalismo.

De manera que con el dinero prestado por el comerciante puertoplateño Cosme Batlle, Heureaux se dedicó a sobornar a varios hombres claves de la revolución que así lo permitieron quedando los moyistas reducidos en varias semanas a unos pocos cantones y tuvieron que capitular. Tanto Benito Monción, como Mariano Cestero y Casimiro N. de Moya con todos sus familiares de La Vega tuvieron que salir del país para evitar males mayores, pues tan pronto las tropas del Gobierno comandadas por Lilís ocuparon la ciudad, las casas y fincas y propiedades de la familia Moya fueron pilladas por los soldados. Se dijo en aquella época que la revolución que Heureaux no pudo ganar con plomo, la había ganado con plata.

El gobierno de Woss y Gil, dio todo su apoyo a Heureaux para combatir la revolución de Moya que terminó a finales de octubre de 1886. Las elecciones fueron legalizadas y, después de imponer el orden con sus tropas en todo el país, Heureaux tomó posesión de la Presidencia el día 6 de enero de 1887 con varios meses de retraso debido a la guerra civil que lo mantuvo ocupado en el interior del país. El partido azul quedaba dividido para siempre, mientras el poder político caía en manos de Ulises Heureaux, de las cuales no saldría hasta su muerte ocurrida en julio de 1899.

La Revolución de Moya, 21 de julio de 1886.

Fin de la Revolución de Moya, octubre 1886.

Ulises Heureaux, Presidente de la República por segunda vez, 6 de enero de 1887.

XXXI

LA ECONOMIA DOMINICANA Y EL PARTIDO AZUL

(1865-1886)

EL QUE LOS AZULES LLEGARAN AL poder en 1879 y se instalaran en él definitivamente no fue por casualidad. Durante unos veinte años los cibaeños habían estado luchando contra los grupos oligárquicos y burocráticos del sur para imponer un estilo político basado en las teorías y doctrinas liberales de la época. Durante todo este tiempo la lucha fue ardua pues los cibaeños tuvieron primero que afrontar la oposición de las provincias del sur que en 1858 se resistieron a organizarse democráticamente en la forma que establecía la Constitución de Moca. También tuvieron que luchar durante dos años contra Santana y los españoles para reconquistar la soberanía y restaurar la República conforme a la misma Constitución de 1858. Más adelante tuvieron que luchar contra Báez y sus seguidores rojos para impedir que el país fuese vendido a los Estados Unidos y para derrocar la tiranía que se instituyó bajo los postulados de la Constitución de 1854 que había compuesto Pedro Santana para gobernar conforme a los intereses de la sociedad sureña. También tuvieron que luchar los azules contra sus mismos hombres que, imbuidos en un pernicioso militarismo caudillista, en varias ocasiones quisieron asaltar el poder amparados en los generales y guerrilleros que surgieron de la noche a la mañana durante la guerra de la Restauración.

Durante todo ese tiempo, el partido azul fue el partido

Tradición liberal del Partido Azul.

FRANK MOYA PONS

Los Azules y el tabaco.

de los intereses tabacaleros cibaeños, esto es, el partido que expresaba mejor la naturaleza de una sociedad rural y mercantil basada en una economía agrícola estructurada en torno a la explotación intensiva de pequeños predios cuyo producto era comercializado a través de una complicada cadena de relaciones económicas que involucraba a la totalidad de la población cibaeña. El partido rojo, en cambio, fue el partido de los grandes propietarios ganaderos y madereros sureños o norteños cuya fortuna y poder personal derivaban

El Cibao y el Sur.

de la posesión de extensos territorios explotados por una masa de peones dependientes de sus amos debido a la poca productividad agrícola de las tierras de aquella región.

Durante la Primera República y, luego, en los años posteriores a la Restauración, el Cibao y el Sur se comportaron como dos países diferentes e independientes entre sí y, al mismo tiempo, segregados política y socialmente. La falta de caminos hacía las comunicaciones entre estas dos regiones sumamente difíciles y, por ello, sus habitantes estaban ligados más directamente a los mercados compradores de sus productos que hacia el intercambio interregional. Como las dos regiones producían mercancías diferentes con distintos mercados, así vemos que mientras el Sur y Santo Domingo estaban orientados hacia Inglaterra, Curazao y Saint Thomas, el Cibao y Puerto Plata lo estaban hacia Hamburgo, Bremen y también Saint Thomas. La caoba llegó a ser la base de la economía sureña, así como el tabaco fue la base de la economía cibaeña.

La caoba y el Sur.

La caoba llegó a constituir el alma y nervio de la vida económica de la capital de la República y los más conspicuos representantes del sur hicieron sus fortunas gracias a la explotación y exportación de esta madera. El mismo Buenaventura Báez vivió durante muchos años, antes de ser Presidente de la República, de los extensos bosque de caoba que había heredado de su padre. En el Sur los cortes eran muchos, pero con pocos dueños. En cambio, en el Cibao el

El Cibao y el tabaco.

tabaco llegó a ser la vida de toda la economía de esa región. Su explotación se realizaba en empresas familiares que explotaban pequeños lotes, pero muchas pequeñas cantidades de tabaco sumaban una gran producción cada año. En el Cibao casi todo el mundo trabajaba por sí y para sí, aunque

404

en última instancia dependiera de los financiadores de la producción tabacalera que eran los grandes comerciantes exportadores e importadores de Puerto Plata que hacían de agentes de los compradores de tabaco de Saint Thomas, Hamburgo y Bremen.

Estas producciones tan diferentes —tabaco y maderas— que se desarrollaron debido a condicionamientos ecológicos y económicos tan diversos, terminaron conformando dos sociedades bastante desiguales con modos de pensar igualmente distintos. De acuerdo con los informes de los viajeros y cónsules extranjeros de aquella época, en el Sur era evidente la inexistencia de una agricultura sistemática a diferencia de las provincias norteñas en las que la agricultura era la principal actividad económica de sus habitantes. El Sur vivía de una economía recolectora que no estimulaba la realización de un trabajo creador entre la población de aquella región pues las maderas no se cortaban más que de temporada en temporada y el resto del tiempo lo pasaban holgando sin hacer nada. La baja productividad de la tierra no los entusiasmaba tampoco a dedicarse a la agricultura.

Dualidad estructural de la sociedad dominicana.

El Cibao, en cambio, con una agricultura y una industria establecida en el siglo XVIII, mantenía ocupada a toda su población en la producción cíclica del tabaco poniendo en marcha la totalidad de las energías de la región. El tabaco era una industria multiplicadora del trabajo y del ingreso y, por tanto, democratizante en sus efectos sociales. No sólo trabajaban en la producción del tabaco los campesinos que lo sembraban, sino también las mujeres que lo recogían y preparaban, los hombres que lo enseronaban y lo empaquetaban, los dueños de recuas que lo transportaban a los pueblos y luego al puerto de embarque. En los talleres había gente que trabajaba en la fermentación y empaque hasta que era estibado en los buques en que se exportaba.

Efectos sociales de la economía tabacalera.

Todo este proceso ponía en movimiento una enorme masa de agricultores con sus familias, de recueros, peones, fabricantes de sogas, fabricantes de serones, empacadores, andulleros, cigarreros, comerciantes, negociantes, prestamistas y corredores de la comercialización de la cosecha. También daba lugar a un dinámico ciclo económico al poner en circulación una gran masa de numerario que estimulaba la im-

El proceso económico en el Cibao.

405

portación y venta de mercancías para satisfacer la demanda de una población numerosa que ganaba dinero regularmente y consumía toda clase de artículos. Por eso el Cibao era una región activa, emprendedora y laboriosa, según narran los viajeros y cronistas que anduvieron por sus provincias a mediados del siglo pasado.

La democracia y el Cibao.

Y por eso también los cibaeños resultaban permeables a las ideas de igualdad y libertad humanas que propagaban los liberales europeos y americanos a mediados del siglo XIX. En una sociedad como la suya en donde la riqueza estaba mucho más repartida que en el Sur, los cibaeños debían tender mucho más naturalmente hacia la democracia que los sureños, cuya riqueza y propiedades estaban concentradas en manos de un pequeñísimo número de grandes propietarios, herederos de las tierras, del prestigio y del poder social y político de la antigua élite burocrática colonial que, aunque empobrecida en los siglos anteriores, pudo reponerse económicamente gracias al comercio de las maderas y pudo continuar ejerciendo su influencia durante la Dominación Haitiana entre 1822 y 1844. Influencia ésta que los sureños no permitieron a los trinitarios gozar plenamente cuando Duarte fue proclamado Presidente en el Cibao y que tampoco quisieron aceptar que los cibaeños compartieran en 1848, ni que ejercieran luego en 1858 ni en 1865.

Causas de la inestabilidad política dominicana entre 1865 y 1879.

Las luchas entre rojos y azules de 1865 a 1879 fueron la pugna entre los muchos caudillos que las guerrillas de la Restauración pusieron en circulación en la vida política dominicana, pero también fue la pugna entre dos sociedades estructuralmente diferentes, que poseían dos economías disímiles, dos estilos de pensamiento y dos concepciones políticas antagónicas.

Con la crisis que confrontaron los exportadores de caoba al final de la Primera República debido al alza de los costos de su producto causada por el paulatino alejamiento de los cortes de maderas que cada vez se iban distanciando más y más de los ríos y puntos de embarque, los capitales que hubieran podido servir para financiar la política de los rojos en los años que siguieron a la Restauración desaparecieron y forzaron a sus líderes, en especial a Buenaventura Báez, a buscar empréstitos en el extranjero que terminaron sumiendo a la República en un mar de complicaciones internacionales. Esta crisis de la caoba favoreció al Cibao y a los azules a largo plazo, pues los cibaeños siempre contaron en su favor la existencia de una economía de producción permanente ligada al cultivo intensivo de la tierra y no a la explotación de bosques que con los años se agotaban y tardaban décadas en reponerse. Por esa razón, los nuevos cortes de madera que aparecen después de la Restauración surgen en el Norte, en las costas de Puerto Plata, y en el noroeste, en la cuenca del río Yaque, para embarcarlas por Montecristi.

Fue precisamente la permanente capacidad de autofinanciamiento del Cibao lo que mantuvo el partido azul consolidándose progresivamente durante los años de 1865 y 1879, aun a pesar de numerosísimas dificultades. Y fue precisamente la riqueza cibaeña, basada en el tabaco, lo que permitió a Gregorio Luperón contar con un crédito continuo de parte de los comerciantes cibaeños y de Saint Thomas para financiar las continuas revoluciones que él y su partido levantaron contra Báez en el curso de este período. Luperón terminó siendo financiador de su propio partido y de los gobiernos de su partido al hacerse socio de los grandes comerciantes que negociaban invirtiendo dinero en las revoluciones. Pero el hecho que importa es que el triunfo final de los azules fue el triunfo del tabaco sobre las maderas y, por ende, el triunfo del Cibao sobre el Sur.

Hegemonía del Cibao sobre el Sur en los gobiernos azules, 1879-1886.

Los azules alcanzaron el poder en 1879 en los precisos momentos en que comenzaba a desarrollarse en el Sur una nueva industria a consecuencia, indirectamente desde luego, de la guerra de Restauración. La industria azucarera moderna apareció en la República Dominicana luego que se produjo una masiva inmigración de exiliados cubanos que vinieron al país a causa de la primera guerra de la independencia de Cuba, que comenzó en 1868 y terminó en 1878 con el llamado Pacto del Zanjón.

Orígenes de la industria azucarera moderna, 1868-1878.

La Restauración estimuló a los patriotas cubanos a lanzarse a la guerra con la finalidad de expulsar los españoles del suelo de Cuba como lo habían hecho los dominicanos del suelo de Santo Domingo. Desde los mismos comienzos de la guerra, muchos cubanos emigraron hacia la República Dominicana y en pocos años llegaron a nuestro país unos 5,000

Inmigración cubana.

exiliados, muchos de los cuales lo pasaron bastante mal porque fueron perseguidos por Buenaventura Báez y luego por Ignacio María González, cuyos gobiernos querían mantener buenas relaciones con el gobierno colonial español. Tan pronto como Báez fue derrocado y los azules pudieron actuar libremente, Luperón y sus amigos políticos les ofrecieron y dieron la mejor acogida y ayuda a todos los patriotas cubanos y puertorriqueños que llegaron al país, especialmente por Puerto Plata, en busca de refugio o de ayuda para independizar a sus países.

De estas relaciones resultaron hechos muy importantes. Uno fue que Puerto Plata y Santiago se beneficiaron muchísimo con la presencia y actividades de numerosos profesionales y hombres de empresa e intelectuales de esas islas que decidieron radicarse en el país creando un clima de cosmopolitismo y de avance cultural hasta entonces desconocido en ciudad alguna de la República. Muchos de esos cubanos, que eran gente muy educada, casaron con dominicanos y dominicanas y fundaron familias en el país. Pero el hecho más importante que produjo esa inmigración fue la decisión que tomaron algunos cubanos de invertir los capitales que habían traído consigo en la compra de tierras para hacer plantaciones de caña y construir molinos industriales para fabricar azúcar en forma moderna, esto es, utilizando maquinarias de vapor y empleando ferrocarriles para transportar la caña. La apertura y construcción de esas centrales azucareras comenzó en el sur y en el este, que era donde la tierra era más barata y donde había una tradición azucarera todavía viva en las zonas cercanas a la Capital.

Los cubanos y el azúcar.

Las primeras concesiones para construir esas centrales azucareras se hicieron en el gobierno de González, pero el verdadero estímulo político y económico para que esos inversionistas se decidieran a aportar sus capitales se debió a la política del partido azul de fomentar y proteger la inversión y la inmigración de extranjeros como un medio para favorecer el desarrollo económico y social del país. El "progreso", creían los azules, sólo era posible si los dominicanos lograban atraer suficientes inmigrantes y capitales para facilitar el desarrollo de la agricultura y la industria en el país. De manera que esas teorías económicas terminaron por

Concesiones industriales.

408

ser aceptadas por la mayoría y durante estos años los extranjeros pudieron obtener todas las concesiones que quisieron para instalarse en el país.

El primero que fundó un ingenio azucarero fue el cubano Joaquín Manuel Delgado en 1875 en la zona de San Carlos, adquiriendo para ello 5,000 tareas de tierra e importando las maquinarias, trenes y rieles para transportar la caña y fabricar el azúcar. A partir de ese año las inversiones se multiplicaron y ya en los siete años siguientes se fundaron 30 haciendas de caña e ingenios azucareros con una impresionante inversión de 21 millones de pesos, equivalentes a unos 6 millones de dólares, que era varias veces el monto del presupuesto nacional. Los propietarios de todos estos ingenios fueron extranjeros pues a los cubanos siguieron norteamericanos e italianos que terminaron controlando la industria azucarera.

Primer central azucarero. 1875.

El impacto de esta inversión se hizo sentir inmediatamente en el Sur al atraer a los dueños de tierras a venderlas por precios que ellos nunca soñaron que alcanzarían, aunque siempre muchísimo más baratas de lo que hubieran costado en Cuba, en Puerto Rico o en Luisiana. Muchos de estos dueños eran campesinos que resultaron atraídos por los altos salarios que pagaban los centrales en relación con lo poquísimo que podían hacer en sus predios. Muchos optaron por vender sus tierras a los ingenios e irse a trabajar como peones y obreros a los centrales, produciéndose así, en poco tiempo, un proceso de desposesión de la tierra de los pobladores de las zonas cercanas a la ciudad en favor de los ingenios.

Impacto de la industria azucarera.

Además de estos efectos, la industria azucarera, que ya en 1880 se encontraba en pleno desarrollo, produjo la quiebra de numerosos trapiches rurales que funcionaban en los campos del sur, particularmente, en las cercanías de San Cristóbal, Baní y Azua pues estos pequeños establecimientos ahora no podían competir con las monstruosas cantidades de azúcar que los centrales producían a un costo mucho menor y con una calidad superior a la tradicional raspadura de melado de los campos dominicanos.

Quiebra de trapiches.

Y más importante todavía que estos efectos fue que el desarrollo de la industria azucarera coincidió con un perío-

409

do en que el tabaco dominicano empezó a ser rechazado en sus tradicionales mercados europeos debido a su mala calidad por el deficiente tratamiento y curado que se le daba a la hoja, desacreditándose frente a los compradores que terminaron prefiriendo los tabacos de otros puntos del Caribe. Irónicamente, en 1880, cuando los azules llegan al poder gracias al respaldo del tabaco, este producto empieza a perder mercado en Europa y a dar paso al azúcar como el principal producto de exportación.

Además de azúcar, también empezaron los dominicanos de algunas zonas del país a producir café y cacao en estos años, gracias a los buenos precios que alcanzaron estos productos en Europa y en los Estados Unidos. El mismo Luperón, después de ejercer el poder y de viajar por Europa como Enviado Extraordinario y Ministro Plenipotenciario del Gobierno, decidió cerrar su casa de comercio en Puerto Plata y hacer una finca de caña y varias de café, cacao y otros frutos con la intención de colocarlos en el mercado de Nueva York. A juicio del más importante pensador azul de aquellos años, Pedro Francisco Bonó, el descuido del tabaco y el favor que se le estaba dispensando al azúcar, al cacao y al café iba a resultar perjudicial para el bienestar social del país, porque, decía Bonó, el cacao y la caña eran negocios de la gran propiedad y de los grandes propietarios con grandes capitales que no favorecían a la masa campesina que era, en última instancia, en quien descansaba el progreso del comercio y la producción de la riqueza tradicional del país.

Lo que Bonó quería decir, también, era que el desarrollo de la industria azucarera estaba despojando de las pocas tierras que tenían a los campesinos del Sur y del Este del país y los convertía en una masa de proletarios agrícolas sin futuro sujetos a los vaivenes de un producto dependiente de las alzas y bajas de los precios en el extranjero que sólo ofrecía trabajo durante la zafra, pues mientras no se cortaba caña "el tiempo muerto" dejaba cesante a casi todo el mundo con la consiguiente miseria y endeudamiento de aquellos que en un tiempo fueron peones o campesinos con por lo menos un pedazo de tierra en donde vivían de una agricultura de subsistencia, que aunque no producía para

Crisis del tabaco dominicano, 1880.

Plantaciones de cacao y café para la exportación.

Efectos de la industria azucarera.

410

el mercado, por lo menos les ofrecía víveres y frutos para su manutención diaria. Un efecto notable de la industria azucarera a los pocos años de su desarrollo, fue la escasez de frutos y víveres en la ciudad de Santo Domingo a consecuencia de haberse convertido en campos de caña todas las tierras circundantes, desapareciendo los pocos conucos y estancias que anteriormente existían.

Pero la industria azucarera también significaba algo más, y esto era que en el correr de los años, el polo económico del país, que en las últimas dos décadas había girado en torno al tabaco cibaeño, ahora empezaría a desplazarse hacia el azúcar sureño al convertirse Santo Domingo en pocos años en un centro financiero tan importante como Puerto Plata gracias a las transacciones que producía la actividad de la industria azucarera en sus alrededores. Con el tabaco en baja, como se mantuvo durante todo el resto del siglo XIX, ahora los gobiernos tendrían que recurrir al azúcar para aumentar sus entradas o para buscar el apoyo financiero que eventualmente les hiciera falta para mantenerse en el poder.

Santo Domingo, nuevo polo financiero.

Eso fue lo que ocurrió en más de un sentido. En 1879 cuando Luperón instaló su Gobierno Provisional en Puerto Plata nombró Delegado en Santo Domingo, el Sur y el Este a su lugarteniente el General Ulises Heureaux, quien también fungió durante ese año como Ministro de Guerra y Marina. Durante la Presidencia de Meriño, Heureaux siguió residiendo en Santo Domingo y ejerciendo el cargo de ministro de Guerra y Marina, con pleno control de las fuerzas armadas dominicanas. De 1882 a 1884, Heureaux fue nombrado Presidente de la República y como tal hizo todo lo posible por atraerse a aquellos prominentes líderes rojos que se encontraban sin jefe por haber muerto recientemente Buenaventura Báez. Dos de esos líderes, Generoso de Marchena y Manuel María Gautier se convirtieron así, en poco tiempo en importantes asistentes políticos de Heureaux, quien les permitió recobrar parte de su perdida influencia a cambio de la lealtad a su persona de la antigua clientela política baecista que buscaba desesperadamente volver al poder.

Ulises Heureaux, el Sur y los Rojos.

De manera que mientras Luperón y muchos otros azules se contentaron con influir en el nombramiento de los Presidentes de turno, Heureaux fue más lejos incorporando a su servicio a los políticos rojos e integrando con ellos un grupo de poder con base en los partidarios sureños de Báez que le hizo ver las conveniencias de separarse de la tutela del gran caudillo Gregorio Luperón, quien hasta entonces había sido reconocido como jefe del partido azul. Heureaux convino con los rojos en hacerse del poder con su apoyo y trabajó para lograrlo. Y gracias al apoyo del Sur y de los rojos arrancó de las manos de Luperón la maquinaria azul y logró instituir un régimen personalista que llegó a diferenciarse poco de los anteriores regímenes de Báez.

XXXII

LILIS Y LAS DEUDAS

(1887-1899)

EL PREMIO DE HEUREAUX A LOS rojos por su ayuda política fue el nombramiento del antiguo Ministro de Relaciones Exteriores de Báez durante los Seis Años, Manuel María Gautier, como Secretario de Estado de Relaciones Exteriores de su nuevo Gobierno, y el nombramiento del general baecista Wenceslao Figuereo como Secretario de Estado de Interior y Policía. Al general Miguel Andrés Pichardo, Heureaux lo nombró Secretario de Estado de Guerra y Marina en pago por su traición a los moyistas cuando se vendió a Heureaux durante la revolución del año anterior.

El General Ulises Heureaux era conocido popularmente como el *General Lilís,* nombre que se derivaba de una pronunciación defectuosa de Ulises. Cuando joven, sus amigos lo llamaban *Lilises* pero andando el tiempo los dominicanos suprimieron las dos letras del final y terminaron llamándolo Lilís a secas. Este era un apodo y él lo aceptaba de buen grado en las conversaciones y en el trato íntimo.

Tan pronto como se instaló nuevamente en el poder, Lilís instó a sus partidarios para que celebraran manifestaciones públicas pidiendo que el Congreso fuera convertido en Convención Nacional para que modificara la Constitución de manera que el período presidencial que hasta entonces había sido de dos años fuese extendido a cuatro y que las elecciones presidenciales se realizaran en la antigua forma in-

Reforma constitucional, 1887.

Período presidencial de cuatro años.

413

directa de Colegios Electorales de los tiempos de Santana y Báez, en vez de la forma que los azules habían instituido que era la del sufragio universal y el voto directo y secreto. Con la oposición aplastada y Luperón de viaje por Europa, hacia donde se había ausentado después de la revolución de Moya, Lilís no necesitó hacer mucho esfuerzo para obligar al Congreso a modificar la Constitución conforme lo pedían las miles de firmas que él hizo recoger entre sus partidarios.

Los rojos, desde luego, fueron los más entusiastas promotores de estos cambios constitucionales y de la campaña que al año siguiente se hizo en el seno del Congreso para conferir a Heureaux el título de "Pacificador de la Patria" con derecho a usarlo a perpetuidad. Lilís hizo ver desde el principio que gobernaría con hombres de todos los partidos poniendo fin así al exclusivismo político de los azules que sólo nombraban en los altos cargos del Gobierno a los miembros del Partido Nacional Liberal. El nuevo gobierno de unidad nacional fue uno de los pretextos que utilizó Heureaux para completar la destrucción del partido azul y crear una agrupación política que sólo fuera adicta a su persona.

La revolución de Moya hizo que el gobierno incurriera en gastos extraordinarios. Como desde un principio Lilís trabajó en la organización de una extensa red de espías e informadores que requerían dinero para trabajar, los pocos fondos de que su gobierno podía disponer para mantenerse en el poder resultaron escasos. Así Heureaux nombró a otro político rojo, al general Generoso de Marchena, para que fuera a Europa a gestionar un empréstito que le sirviera para pagar los enormes gastos que significaría la compra y mantenimiento de la extensa clientela política roja y azul bajo su nueva bandería política.

Marchena viajó a Londres y a Amsterdam y allí se entrevistó con varios grupos financieros, hasta que en junio de 1888 logró un empréstito por 770,000 libras esterlinas al 6 % de interés anual pagaderos en 30 años. De esta suma, el Gobierno Dominicano destinó 142,860 libras para pagar las 38,095 libras recibidas del empréstito de Hartmont que había contratado Báez en 1869; otra parte la utilizó para saldar parte de la deuda interna dejada por los gobiernos an-

Gobierno de unidad nacional.

Espionaje y gastos del Gobierno.

414

teriores. El resto del dinero lo utilizó Lilís para mantener su nueva maquinaria política funcionando, comprar nuevas armas y uniformes para el ejército, ordenando la adquisición y construcción de barcos de guerra que le sirvieran para defender las costas y transportar tropas rápidamente de un sitio a otro del país.

El empréstito fue contratado con la casa Westendorp y Compañía, de Amsterdam, Holanda. En garantía por el dinero recibido Heureaux hipotecó a esa compañía las rentas de las aduanas de la República hasta un 30 % de los ingresos. Para el cobro de las cuotas de amortización del capital y los intereses que le correspondían, la Westendorp nombró en el país varios agentes fiscales que se encargarían de retener el dinero que entraba por las aduanas y de entregar al Gobierno Dominicano el resto de lo que se produjera una vez deducido el porcentaje de los ingresos que le correspondían en virtud de lo estipulado. El contrato fue ratificado por el Congreso el 26 de octubre de 1888, y con él comenzó la República a ser objeto de una serie de manejos financieros por parte de Lilís que terminarían arruinándola económicamente y sometiéndola políticamente a los intereses de varias potencias extranjeras.

Empréstito con la casa Westendorp y Cía., 26 de octubre de 1888.

Mientras el empréstito se negociaba, los azules reaccionaban ante las tendencias absolutistas de Heureaux. Con las cárceles llenas de presos políticos, con la prensa perseguida y atemorizada, y con el Congreso dominado, los liberales azules que permanecían en el país después de la revolución pidieron a Luperón que regresara para ponerse al frente del Partido para impedir la reelección de Lilís en las próximas elecciones que debían celebrarse en octubre de 1888. Luperón regresó a Puerto Plata y se reunió con sus partidarios que estaban convencidos de que solamente él, por el ascendiente que había ejercido sobre su antiguo lugarteniente, podía convencerlo de que no se reeligiera.

Elecciones de 1888.

Como el partido azul en su mayoría estaba en favor de Luperón, Lilís mismo le escribió ofreciéndole apoyo a su candidatura. Creyendo en la sinceridad de Lilís, Luperón publicó su programa político y comenzó una activa campaña electoral hasta que descubrió que Heureaux sólo estaba esperando tener seguridades de que el empréstito sería obte-

415

nido para también lanzar su propia candidatura. Tan pronto Heureaux le hizo saber a Luperón que él también iría a las elecciones, se desató la persecución y el terrorismo contra los partidarios de Luperón mucho más violentas que los que se habían lanzado contra los seguidores de Moya en 1886. Esta vez el candidato a la Vicepresidencia de Heureaux lo fue el antiguo Ministro de Relaciones Exteriores de Báez, Manuel María Gautier, quien fue escogido frente al otro baecista Wenceslao Figuereo, que también aspiraba a la vicepresidencia.

Inmediatamente fue evidente que las elecciones esta vez tampoco serían libres y Luperón, después de haber gastado en pocos meses gran parte de su fortuna en campañas políticas, se vio obligado a lanzar un manifiesto a finales de julio de 1888 declarando que se retiraba como candidato por la violencia con que las autoridades perseguían y encarcelaban a sus partidarios y a sus comités electorales en diversos puntos del país. Dice Luperón que "las elecciones se realizaron en todos los pueblos de la República, sin más concurrencia que la de los comprados por Heureaux, que no llegaron a once mil electores, donde hay más de cien mil, notándose la casi completa abstención de los urbanos que rehusaron dar su voto por figura tan inmoral y corrompida".

Aunque casi todos los azules querían levantarse en armas contra el Gobierno y pidieron a Luperón que encabezara una nueva revolución, éste se negó pretextando que no quería aparecer como un ambicioso vulgar. Dándose cuenta de que no podía competir con Lilís en una lucha armada habiendo gastado casi todo su dinero en la campaña electoral, mientras Heureaux tenía los bolsillos llenos para comprar a todos los militares que necesitara, Luperón pidió su pasaporte y se fue a vivir al exilio arruinado y traicionado por el hombre a quien él había encumbrado en la Presidencia de la República.

La campaña electoral sirvió para que Lilís detectara con mayor facilidad quiénes eran sus opositores y, tan pronto Luperón salió del país, continuó con las persecuciones, los encarcelamientos y los asesinatos. Los exiliados políticos aumentaron, y bajo el liderazgo de Casimiro N. de Moya empezaron a reunirse en Haití con el propósito de lanzar una invasión para derrocar a Heureaux. Esta invasión contaba con el apoyo del Gobierno haitiano, cuyo Presidente, el General Hippolyte, estaba disgustado con Heureaux por la ayuda que éste le prestaba a los revolucionarios haitianos contrarios a su gobierno. También contaban los exiliados con la colaboración de varios grupos de jóvenes azules que se levantarían en armas en Santiago para apoyar el movimiento.

Intentos de invasión.

Tan pronto Lilís supo que la invasión se preparaba, envió a Puerto Príncipe a su ministro Ignacio María González para que el Gobierno haitiano obligara a salir de Haití a Moya, a cambio de la colaboración del Gobierno dominicano contra los revolucionarios haitianos. Este pacto liquidó el intento de invasión, e hizo fracasar un levantamiento que varios jóvenes azules organizaron en Santiago a mediados de febrero de 1889 con el propósito de tomar por las armas la Fortaleza San Luis. También sirvió este levantamiento a Lilís para hacer nuevos prisioneros y ordenar nuevos fusilamientos de sus contrarios socavando las pocas fuerzas que le quedaban a la oposición dentro del país.

Para garantizar su seguridad exterior, Lilís actuó de la misma manera que acostumbraba a hacerlo Buenaventura Báez, esto es, buscando el apoyo de una potencia extranjera. Para ello Lilís comenzó insistiendo frente al Gobierno de los Estados Unidos para que el Ministro Americano en Puerto Príncipe fuera designado Encargado de Negocios en Santo Domingo, cosa que finalmente logró en el curso de 1889. Luego, en los años siguientes, Heureaux ofreció a los Estados Unidos el arrendamiento de la Bahía y Península de Samaná a cambio de ayuda económica y protección militar para defenderse de cualquier amenaza externa proveniente particularmente del territorio haitiano.

Samaná y los Estados Unidos.

La historia de esas negociaciones está llena de incidentes. Antecedentes a las mismas son los problemas que produjo la negociación de un Tratado de Reciprocidad que Heureaux negoció con el Gobierno Norteamericano para dejar entrar libres de impuestos unos 26 artículos industriales norteamericanos en el país, a cambio de la entrada, también libre de impuestos, de una serie de productos y materias primas dominicanas en el mercado norteamericano. Este

417

Tratado fue firmado y luego ratificado el 14 de junio de 1891, pero no llegó a ponerse en vigor debido a la abierta oposición que le hicieron aquellos países europeos con los que la República Dominicana mantenía relaciones comerciales, pues el acuerdo significaba que ellas quedarían fuera del mercado comprador dominicano al otorgar a los Estados Unidos el privilegio de la nación más favorecida.

Los alemanes, que habían sido los tradicionales compradores del tabaco dominicano, se negaron a comprarlo si el Tratado con los Estados Unidos se ponía en vigencia. Esta medida fue suficiente para que en el Cibao los cultivadores y comerciantes de tabaco se prepararan nuevamente para la revolución contra el Gobierno, que, debido a su política exterior, los privaba de los compradores de la cosecha de 1892 que se calculaba oscilaba entre los 175,000 y los 200,000 quintales.

La impopularidad del Gobierno en el Cibao creció aún más cuando comenzaron los rumores de que Lilís estaba negociando el arrendamiento de Samaná a los norteamericanos. Estos rumores aparecieron al filtrarse la noticia a la prensa de los Estados Unidos, donde Manuel de Jesús Galván llevaba a cabo las negociaciones. Heureaux tuvo que publicar declaraciones oficiales negando que tales negociaciones se estuvieran realizando, pues al agravio del tabaco ahora se unía el agravio a la República que nuevamente era amenazada con perder su soberanía en manos de los Estados Unidos. El ala liberal del partido azul, representante de los intereses tabacaleros cibaeños, se preparó para la guerra. Y para salir de este atolladero político y conseguir que los alemanes retiraran el ultimátum que le dieron al Gobierno Dominicano en unión de Francia, Italia y Holanda, Lilís también se vio obligado a ceder pidiendo a los Estados Unidos dejar sin efecto el Tratado de Reciprocidad.

Entretanto, el país seguía endeudándose debido a la política de Heureaux de buscar dinero a préstamo tanto localmente como en el extranjero para emplearlo en el pago de su servicio de espionaje y en las asignaciones y prebendas a sus militares y seguidores que le requerían continuamente dinero a cambio de su apoyo al Gobierno. El Estado era en aquella época la principal fuente de ingresos, la única indus-

Tratado de Reciprocidad comercial con los Estados Unidos, 14 de junio de 1891.

Alemanes contrarios al Tratado de Reciprocidad.

Fracaso del arrendamiento de Samaná.

418

tria, puede decirse, con excepción de la azucarera y la tabacalera y por eso los políticos y los militares esperaban ser sostenidos y mantenidos por el Presidente de turno a cambio de su adhesión al Gobierno. Lilís sabía que la estabilidad se compraba con dádivas y con miedo, y él estaba dispuesto a pagar ese precio. El orden público que él necesitaba para gobernar le costaba caro y endeudaba al país, pero él decía que al fin de cuentas no sería él quien pagaría las deudas.

Por eso recurrió a un nuevo empréstito de 900,000 libras esterlinas en septiembre de 1890 con la Westendorp y Cía., con la intención de construir un ferrocarril que uniera las ciudades de Santiago y Puerto Plata, y por eso no vacilaba en acudir a las Juntas de Crédito de todo el país en busca de préstamos que se hacían cada día más onerosos a cambio de otorgar a los comerciantes el privilegio de dejarles introducir en el país los contrabandos que quisieran. También por eso, se embarcó Lilís en la acuñación fraudulenta de moneda de plata de baja ley en 1891 que terminó arruinando a muchos y desacreditando al Gobierno. Y por esa misma razón, gestionó un nuevo empréstito frente a la Westendorp en 1892, cuando esta compañía estaba al borde de la quiebra y no pudo facilitárselo, pues al decaer las entradas aduaneras debido al contrabando, la Westendorp no pudo cobrar los ingresos calculados y no pudo pagar a sus accionistas y tenedores de bonos los intereses que debía.

Precisamente para evitar la quiebra total fue que la Westendorp aprovechó las gestiones que Lilís realizaba con el Gobierno Norteamericano acerca de Samaná, y le vendió a un grupo de capitalistas de los Estados Unidos sus intereses en la República Dominicana. Estos capitalistas norteamericanos, entre los cuales había un Secretario de Estado y otros funcionarios del Gobierno de los Estados Unidos, fundaron una compañía llamada "San Domingo Improvement Company" para comprar las acreencias de la Westendorp en unos momentos en que las relaciones dominico-americanas insinuaban que se llegaría al establecimiento de un protectorado gracias al arrendamiento de Samaná. Los accionistas de esta compañía buscaban hacer negocio con la nueva situación que se crearía una vez el arrendamiento de Samaná se concretara.

Nuevo empréstito con la Westendorp, 1890.

Quiebra de la Westendorp, 1892.

La San Domingo Improvement Company sustituye a la Westendorp, 1893.

Lilís aceptó que esta nueva compañía se hiciera cargo de los intereses de la Westendorp en marzo de 1893 pues el dinero del último empréstito había sido gastado rápidamente.

Nuevos empréstitos con la Improvement, 1893.

Las condiciones que puso para ello fue que la "Improvement" le hiciera nuevos préstamos a su Gobierno ascendentes, uno a 1,250,000 dólares y otro a 2,035,000 libras esterlinas adicionales para ser destinados al pago de la deuda interna dominicana. Los manejos de Lilís y de la Improvement que siguieron a este acuerdo difícilmente podrán ser clarificados del todo, pues esta compañía procedió a emitir bonos de varias denominaciones y a diversos tipos de interés que terminaron cubriendo al Gobierno Dominicano bajo una montaña de deudas nacionales e internacionales ascendentes a 17 millones de pesos en 1893, suma ésta que era varias veces más el monto del presupuesto nacional.

Deuda pública, 1893.

Con la introducción de la San Domingo Improvement Company en la vida financiera dominicana, los Estados Unidos adquirían una influencia nunca antes alcanzada en la vida nacional pues no sólo quedaban en completo dominio de las aduanas, sino también de la industria azucarera con sede en Nueva York, y del tráfico con la República Dominicana que también constituía un monopolio de la Línea de Vapores Clyde, a la cual Heureaux le había entregado el privilegio exclusivo del transporte de pasajeros y carga entre esa ciudad y Santo Domingo. Esta creciente influencia económica y financiera norteamericana en nuestro país afectó intereses europeos que tradicionalmente habían dominado el comercio dominicano, e hizo resentirse igualmente a los socios de esos intereses en las diferentes ciudades del país.

Influencia norteamericana.

Intereses europeos vs. intereses norteamericanos, 1892-1893.

Este resentimiento ya se había hecho evidente en la crisis del Tratado de Reciprocidad, y volvió a sentirse con motivo de las nuevas elecciones que debían celebrarse a finales de 1892 a las cuales Lilís expresó que no pensaba acudir por encontrarse cansado, pero en realidad con el propósito de ver cuáles eran los aspirantes a la Presidencia de quienes él debía recelar. En la Capital funcionaba el Banco Nacional de Santo Domingo desde los días de la Westendorp. Este banco estaba constituido por capital francés y uno de sus funcionarios era Generoso de Marchena, agente financiero

Campaña electoral, 1892.

Eugenio Generoso de Marchena vs. Ulises Heureaux.

de Lilís, pero al mismo tiempo aspirante a la Presidencia de la República.

Marchena y sus socios del Banco Nacional de Santo Domingo veían con recelo la creciente influencia de los norteamericanos en Santo Domingo y quisieron contrarrestarla con un plan para consolidar la deuda pública dominicana en una nueva emisión de bonos que realizaría una compañía financiera europea compuesta por capitalistas alemanes, ingleses, belgas, holandeses y españoles, al tiempo que esa compañía también se comprometía a arrendar la Bahía de Samaná con el compromiso de fortificarla y artillarla en un plazo de tres años. Este plan, que no tenía sentido frente a la política exterior de Heureaux de buscar una alianza con los Estados Unidos, se hizo público en la campaña electoral de 1892 y captó muchas simpatías, lo que decidió a Marchena a presentarse como candidato a las elecciones.

Heureaux también se presentó como candidato y, como era de esperarse, Marchena fue abrumadoramente derrotado gracias a la coacción que Lilís ejerció sobre los electores. Marchena, que también estaba conspirando para derrocar a Heureaux, en venganza por el fraude electoral, ordenó al Banco Nacional de Santo Domingo cerrar el crédito a Heureaux alegando que éste se había atrasado más de lo debido en los pagos de los préstamos personales que el Banco le había otorgado. Además, Marchena ordenó congelar los demás fondos que Lilís tenía en el Banco y embargar las demás garantías que Heureaux había ofrecido para el cumplimiento de sus obligaciones.

Heureaux, Presidente por cuarta vez.

Lilís descubrió las intenciones de Marchena y actuó rápido. Lo hizo apresar a principios de diciembre de 1892 y, después de tenerlo prisionero en calabozo durante todo un año, lo fusiló en diciembre de 1893, junto con un grupo de baecistas que quisieron levantarse en su favor en la ciudad de Azua. Entretanto, la Improvement había tomado el control de las Aduanas y Lilís iniciaba una litis contra el Banco Nacional para obligarlo a dejar el país, cosa que ocurrió algún tiempo después, quedando la Improvement en su lugar.

Prisión y fusilamiento de Eugenio Generoso de Marchena, diciembre 1892-diciembre 1893.

La desgracia de Marchena y el frustrado levantamiento de sus partidarios atemorizó al Ministro de Relaciones Exteriores de Heureaux, Ignacio María González, que también estaba envuelto en la conspiración. Para salvar la vida, González salió huyendo del país hacia Puerto Rico, en donde lanzó un manifiesto declarando que había abandonado el Gobierno de Heureaux por haber descubierto sus negociaciones para arrendar Samaná a los Estados Unidos, cosa que era totalmente incierta pues González como Ministro de Relaciones Exteriores estaba informado desde hacía bastante tiempo de estas gestiones.

De Puerto Rico González se fue a Haití en donde se reunió con los generales Luperón y Moya, quienes habían regresado a ese país para preparar otra invasión contra el régimen de Heureaux. Esta vez el Gobierno haitiano los apoyaba y, con armas y municiones facilitadas por el Presidente Hippolyte, los exiliados se prepararon a cruzar la frontera a finales de marzo de 1894. Pero ese apoyo muy pronto se diluyó cuando Lilís le hizo saber a Hippolyte que armaría a los exiliados haitianos contrarios a su Gobierno si no detenía la invasión. Al igual que un par de años atrás, el Presidente de Haití traicionó a los exiliados dominicanos, y la nueva invasión fracasó al obligar a los expedicionarios a salir de su país en un término de 72 horas. Muchos de ellos fueron a parar a Islas Turcas, Saint Thomas y a diferentes puntos del Caribe.

Nuevos planes de invasión. marzo 1894.

Nuevamente triunfaba Heureaux sobre los revolucionarios, pero otra vez como en años anteriores, las dificultades financieras seguían presionándolo. Las hipotecas de las aduanas apenas si dejaban al Gobierno 90,000 pesos de plata al mes. Con el dinero de los anteriores empréstitos ya gastado, otra vez necesitaba Lilís buscar recursos fuera del país. Con el Gobierno haitiano amedrentado, Lilís aprovechó para obligar a Hippolyte a suministrarle varias sumas adeudadas en virtud del Tratado de 1874 y con ellas pudo el Gobierno dominicano pagar a Francia en 1895 las compensaciones que esa nación exigió luego que Lilís violó las cajas del Banco Nacional de Santo Domingo en represalia por las medidas que Marchena había adoptado a finales de 1892.

Dificultades financieras, 1894-1895.

Para lograr nuevos. fondos Lilís se asoció íntimamente con los directores de la Improvement, quienes convinieron en crear nuevas compañías subsidiarias llamadas San Domingo Finance Company y San Domingo Railways Company, ambas con el propósito de facilitar dinero al Gobierno a cambio de jugosas comisiones destinadas a los directores de la Improvement y a Lilís. Lo que tiene lugar en los años 1895 y 1896 es la contratación de varias operaciones secretas por medio de las cuales la República quedó totalmente hipotecada a la Improvement, al tiempo que el Gobierno se quedaba sin ninguna posibilidad de recuperar sus ingresos aduanales o de poseer realmente los ferrocarriles que con ese dinero estaban siendo construidos.

Deudas y operaciones financieras secretas. 1895-1896.

Mientras la Improvement le proporcionara dinero, Lilís seguía aceptándolo por lo necesario que le era para pagar a sus acreedores internos y para mantener su maquinaria política funcionando. Llegó un momento en que él mismo se dispuso a sacar ventaja de estas operaciones y se convirtió también en prestamista del Gobierno cargándole los mismos intereses que le cobraran los comerciantes miembros de las Juntas de Crédito. Pero esos beneficios terminaron esfumándose cuando descubrió que las aduanas no rendían lo suficiente al Gobierno, que la Improvement no podía facilitarle más dinero, y que los comerciantes estaban cada vez más renuentes a facilitarle fondos. De ahí que él mismo tuvo que utilizar su propia fortuna para pagar gastos corrientes del Gobierno, lo mismo que las amortizaciones e intereses por concepto de las diferentes deudas contraídas en el extranjero.

El caos financiero que se presentó no tenía precedentes en toda la historia dominicana, pues los intereses de la Improvement quedaron íntimamente mezclados, aunque en conflicto, con los intereses personales de Heureaux y los oficiales del Gobierno Dominicano. En agosto de 1897 fue necesario elaborar un nuevo plan para consolidar la deuda externa acordando Lilís con la Improvement la emisión de bonos que servirían para recoger y pagar todas las deudas anteriores. Este plan se puso en operación con la emisión de bonos por más de 5 millones de libras esterlinas que sólo sirvieron para crear una nueva deuda, pues los bonos anteriores no se recogieron y el Gobierno Dominicano siguió sin redimirlos, quedando la Improvement con los beneficios de este nuevo fraude.

Caos financiero.

Nuevas deudas.

423

En 1897, el Gobierno de Heureaux se encontraba en la bancarrota total. Las cartas de Lilís a sus amigos, a los funcionarios del Gobierno y a los directores de la Improvement hablan continuamente de la "catástrofe" y de las "desgracias" en que había caído por las muchas y complicadas operaciones fraudulentas negociadas recientemente con la Improvement. Para conseguir dinero adicional con qué pagar a los comerciantes del país, Lilís volvió entonces a recurrir a la emisión de papel moneda por valor de otros 5 millones de pesos. Como no había fondos ni reservas fiscales que respaldaran esta nueva emisión de papeletas, la gente de la ciudad y la del campo se negó a recibirlas a cambio de sus productos y servicios, y muy pronto cayeron en el descrédito.

"Las papeletas de Lilís" fueron famosas durante muchos años por el poco valor que se les daba y por el nuevo engaño que se pretendió hacer con ellas a costa del Estado Dominicano.

Ya en 1898 el Gobierno estaba atrapado en una red de acreedores nacionales y extranjeros de la cual era imposible salir. Por un lado le cobraba la Improvement diferentes obligaciones provenientes de los muchos acuerdos anteriores que subían a más de 15 millones de pesos. Por otro lado, estaban las exigencias de las varias Juntas de Crédito que habían continuado haciendo negocio con el Gobierno. Por otro estaban varias docenas de comerciantes con los que Lilís se había asociado desde el principio de su Gobierno, a quienes él enriqueció con el negocio de los préstamos porque les resultaba más fácil negociar con ellos individualmente que con las Juntas de Crédito. También estaban los empleados del Gobierno, a quienes se les debían normalmente varios meses de sueldos y exigían sus pagos en metálico.

Con el desarrollo de la industria azucarera en el Sur, Lilís pudo contar con una nueva fuente de financiamiento en la década de los años 1890. Poco a poco los comerciantes cibaeños fueron sustituidos por una nueva élite financiera cuya riqueza se basaba en el azúcar y en varias nuevas industrias de alimentos, ropa y calzado que surgieron en esos años en el sur y en Santo Domingo. Con los malos precios

y la pérdida del mercado del tabaco, el Cibao fue dejando el paso al Sur y poco a poco fue evidente que el polo económico del país se trasladaba nuevamente, de Santiago y Puerto Plata a Santo Domingo y San Pedro de Macorís.

Los prestamistas sureños se convirtieron en el curso de estos años en los mayores acreedores individuales del Gobierno y de Lilís porque la masa de dinero que se manejaba en el Sur a consecuencia de la producción azucarera era varias veces mayor que la que podía producir el tabaco en el Cibao. Y el hecho de estar la industria azucarera ligada al mercado newyorkino, que era de donde venían los dólares de la Improvement, también obligaba a Heureaux a mantener estos grupos mejor servidos a la hora de distribuir los pagos de sus deudas. Esto se hizo evidente en 1898 cuando Lilís pudo conseguir un nuevo préstamo en Europa por $ 600,000 destinados a pagar a los prestamistas locales. Esta suma la empleó Heureaux en el pago de las acreencias que tenía con varios comerciantes e industriales de Santo Domingo y San Pedro de Macorís, dejando al comercio cibaeño sin recibir ni un solo centavo.

Nuevo empréstito, 1898.

El disgusto por estas medidas se hizo sentir inmediatamente. En vano intentó Lilís poner en práctica un nuevo mecanismo financiero para conseguir más dinero en el Cibao y pagar las viejas deudas con esta región. La falta de liquidez del comercio cibaeño, debida al continuo drenaje de dinero que le hacía el Gobierno con los frecuentes préstamos, terminó disgustando de una vez por todas a los pobladores de la región. Pero el miedo a los métodos de Lilís les impedía tomar cualquier determinación.

Disgustos contra el Gobierno.

Para que los ánimos se levantaran fue necesario que un viejo comerciante baecista y luego lilisista, que había tenido que irse del país a consecuencia de las depredaciones financieras de Heureaux, lanzara una invasión marítima por Montecristi con el propósito de derrocar el Gobierno en junio de 1898. Este comerciante se llamaba Juan Isidro Jimenes, y había comprado un barco en los Estados Unidos llamado *Fanita*, el cual armó con 3,000 fusiles y varios millones de balas para iniciar una revolución en la Línea Noroeste en donde él había sido durante años el principal hombre de negocios desde los tiempos de Báez. Esta expedición fracasó y Jimenes tuvo que quedarse viviendo en Francia, como exiliado. Pero allá en París, se puso en contacto con varios jó-

Expedición de Juan Isidro Jimenes en el vapor "Fanita", junio 1898.

425

Conspiración de Horacio Vásquez, Ramón Cáceres y Jacobito de Lara, 1899.

venes que venían a la República Dominicana, a quienes estimuló para que organizaran una conspiración. A su regreso al país, uno de estos jóvenes, llamado Jacobito de Lara se unió a un grupo organizado bajo el liderazgo de un comerciante y agricultor llamado Horacio Vásquez junto con otro primo suyo llamado Ramón Cáceres, quienes planearon el derrocamiento de Lilís.

Lilís atrapado en deudas.

Entretanto, Heureaux hacía esfuerzos desesperados por salir de la Improvement que dominaba totalmente las finanzas del país. A finales de 1898 buscó un nuevo entendido con financieros europeos para lograr un nuevo gran empréstito que sirviera para liquidar las acreencias de la Improvement y comenzar con una nueva deuda consolidada. También quería Heureaux protegerse de otro posible ataque proveniente del exterior y trató de negociar con los Estados Unidos un Tratado de Protectorado, pero en esta ocasión no tuvo éxito, pues ahora el Gobierno americano no confiaba ya en su palabra después del fracaso de las negociaciones sobre el arrendamiento de Samaná.

Venta secreta de territorios fronterizos a Haití, octubre 1898.

Y como si este propósito de entrega del país al extranjero fuera poco, Heureaux aprovechó las conversaciones que sostuvieron representantes suyos con el Gobierno haitiano en octubre de 1898 en relación con los problemas fronterizos, y le vendió secretamente a Haití por la suma de 400,000 pesos aquellos territorios que estaban en disputa desde hacía casi cien años y que el Tratado de 1874 había dejado tan mal definidos. A cambio de estos $ 400,000 Lilís le firmó a los haitianos un recibo por la suma de 1,000,000 de pesos que no recibió nunca. Como todavía había que definir topográficamente la frontera, de este acuerdo surgió el convenio de someter al arbitraje del Papa la definición de los límites fronterizos, que no pudo alcanzarse bajo su Gobierno porque las conversaciones tuvieron que suspenderse y, antes de poder reanudarlas, Lilís fue asesinado en una calle de Moca el día 26 de julio de 1899 mientras viajaba por el Cibao tratando de aplacar a los comerciantes de aquella región y de convencerlos de que debían prestarle más dinero a su Gobierno a cambio de nuevas exoneraciones y privilegios financieros.

Muerte de Lilís, 26 de julio de 1899.

426

XXXIII

LA DEUDA Y LOS COMIENZOS DE
LA INFLUENCIA AMERICANA

(1899-1907)

A SU MUERTE, LILIS DEJO el país completamente
arruinado, endeudado y con sus ingresos en manos de una
compañía extranjera —la Improvement— que se había asociado con él para hacer negocios a costa del Estado Dominicano. En los catorce años de su gobierno el país sufrió
notables transformaciones y puede decirse que la República
Dominicana que él dejó era muy diferente a la que existía
cuando se instaló en el poder en 1886. Durante todo el período de su gobierno la economía dominicana cambió radicalmente, pues en vez de la antigua tradición maderera y ganadera de la región sur, los mayores ingresos provenían de
la producción de azúcar para la exportación hacia el mercado norteamericano y en adición a la agricultura tabacalera
del Cibao, ahora los habitantes de esta región también se
ocupaban del cultivo y cosecha del cacao y del café, cultivos
que se desarrollaron grandemente en este período, gracias
al aumento del consumo en los Estados Unidos y Europa y
a las facilidades de transportación que proporcionaron los
ferrocarriles que se construyeron entre Santiago y Puerto
Plata y entre La Vega y Sánchez. Durante la era de Lilís y
años posteriores, Sánchez y San Pedro de Macorís surgieron
como nuevos puertos de exportación en gran escala y se convirtieron, de simples aldeas de pescadores, en pujantes ciu-

Cambios socio-econó-
micos durante la Era
de Lilís.

427

dades comerciales que atrajeron capitales, negociantes y especuladores que introdujeron un estilo de vida urbano desconocido en aquellas regiones.

Muchos de los antiguos comerciantes que tenían prestigio local se arruinaron durante los años de Lilís debido a las continuas crisis financieras y a las perjudiciales emisiones y las consecuentes bajas de valor de la moneda. Pero en su lugar aparecieron otros comerciantes nuevos que tuvieron buen ojo para asociarse con Lilís en los negocios de préstamos al Gobierno desde el principio de su gobierno. Estos comerciantes terminaron constituyéndose en una nueva élite económica cuya fortuna dependía en mucho de su audacia financiera y de su lealtad política al régimen. Esta nueva élite también fue integrada por un extenso grupo de políticos y militares nuevos que hicieron carrera con Lilís dirigiendo su maquinaria política o ejecutando todas las órdenes que emanaban del Dictador. A su muerte, muchos de estos militares y políticos perdieron las prebendas de que habían gozado ininterrumpidamente durante más de diez años y tuvieron que buscar apoyo político en los nuevos líderes que surgieron a cambio de venderles su adhesión y sus influencias en las ciudades o regiones donde ellos operaban.

Pero, en general, casi todos los militares y políticos que acompañaron y sirvieron incondicionalmente a Lilís, continuaron sintiendo que formaban parte de un partido que ahora quedaba sin jefe, que todos llamaban *lilisista*, y que buscó perpetuarse en el poder bajo el mando del nuevo Presidente Wenceslao Figuereo, quien decretó de inmediato la persecución de los revolucionarios que habían asesinado al Dictador. Pero esa persecución fue inefectiva pues a su caída el Gobierno de Lilís había llegado al punto más bajo de su popularidad. Al llamado de Horacio Vásquez, la revolución se extendió rápidamente por el Cibao, de tal manera que en un mes el Gobierno se vio obligado a claudicar y Figuereo tuvo que renunciar a la Presidencia el 30 de agosto de 1899 dejando el poder en manos de una Junta Popular Gubernativa compuesta por opositores de Heureaux, que mantuvo el orden hasta que Horacio Vásquez y sus tropas entraron a la Capital el día 4 de septiembre en representa-

Fin del régimen lilisista.

428

ción del Gobierno Provisional que habían constituido en Santiago varios días antes.

Durante este gobierno provisional Vásquez permitió que la prensa volviera a gozar de su libertad perdida y llamó a todos los exiliados políticos para que se reintegraran al país. También trató de poner algún orden en las finanzas retirando de la circulación las "papeletas de Lilís" que casi nadie aceptaba por su poco valor.

Gobierno Provisional de Horacio Vásquez, septiembre, 1899.

La tasa de cambio que se fijó fue de cinco pesos de plata dominicanos, popularmente llamados *clavaos*, por un dólar oro. La gente reaccionó favorablemente a esta y a otras medidas de carácter económico, y el amplio apoyo popular de que gozó este gobierno le permitió organizar unas elecciones para elegir al Presidente y al Vicepresidente constitucionales de la República.

Elecciones libres.

Al contrario de lo que tradicionalmente ocurría, el Presidente Provisional no aceptó ser elegido Presidente constitucional pues Vásquez, todavía muy joven, prefirió que el Presidente lo fuese el exiliado comerciante Juan Isidro Jimenes, cuya popularidad era muy grande en el país gracias a la expedición antililisista que había lanzado en el vapor Fanita a mediados del año anterior. En el entusiasmo político de aquellos días se llegó al entendido de que la candidatura única que debía presentarse en las elecciones estaría compuesta por dos líderes: Juan Isidro Jimenes para Presidente y Horacio Vásquez para Vicepresidente. Así se hizo. Ambos tomaron posesión el día 15 de noviembre de 1899, después de haber sido electos fácilmente.

Juan Isidro Jimenes, Presidente de la República por primera vez, 15 de noviembre de 1899.

Se mantuvo en vigencia la Constitución de 1896 que fijaba el período presidencial en cuatro años. De manera que Jimenes debía gobernar hasta noviembre de 1903. Pero al poco tiempo de haber iniciado sus gestiones el nuevo Gobierno, los políticos empezaron a debatir quién habría de ser el sucesor de Jimenes en 1903. Mientras los debates se llevaban a cabo, el Gobierno comenzó la difícil tarea de poner en orden el país y sacarlo del increíble caos financiero en que Lilís lo había dejado. Con las aduanas hipotecadas en manos de funcionarios de la Improvement, el Gobierno solamente recibía $ 60,000 mensuales para sus gastos co-

Problemas económicos y financieros.

rrientes, suma que no alcanzaba ni para cubrir las más apremiantes necesidades.

Por eso, las más urgentes medidas del Gobierno fueron aquellas que adoptó para aclarar la situación económica y recobrar el control de las Aduanas. Ahora bien, la Improvement aducía tener derechos adquiridos en virtud de contratos firmados con el Estado Dominicano y antes de ceder el control de las aduanas reclamaba que esos derechos le fuesen reconocidos por el nuevo Gobierno.

La opinión pública consideraba esos derechos de la Improvement como nulos por haber sido adquiridos por medio de tratados secretos y fraudulentos en el Gobierno de Lilís. Durante el Gobierno de Heureaux, la Improvement había puesto a flotar bonos de cada uno de los empréstitos que le hizo al Gobierno y de cada una de las consolidaciones de la deuda que se hicieron. Muchos de esos bonos fueron vendidos en Europa a cientos de inversionistas privados gracias a los grandes descuentos con que fueron ofrecidos y, en muchísimos casos, los compraron campesinos católicos de Francia, Bélgica e Italia a quienes se les hizo creer que eran para favorecer la orden religiosa de los dominicos, que también era llamada dominicana.

El caso de los tenedores de bonos. 1900.

Había varios grupos de tenedores de bonos. Uno en Francia, otro en Bélgica, otro en Alemania, otro en Italia y otro en Inglaterra, además de la Improvement. A todos ellos les debía el Gobierno Dominicano en el año 1900, la suma de 23,957,078 dólares, mientras que en el país la deuda interna ascendía a 10,126,628 dólares. Lo que quiere decir que la deuda total del país sobrepasaba los 34 millones de dólares en aquellos momentos en que los ingresos aduanales apenas llegaban a los dos millones de dólares al año.

Atolladero financiero.

Al saberse en Europa que Lilís había muerto y que el Gobierno Dominicano se hallaba en ruina, los tenedores de bonos hicieron presiones a sus gobiernos para que lograran del Gobierno Dominicano el pago del capital y los intereses atrasados. Pero el Gobierno sencillamente no podía pagarles porque no tenía dinero y los fondos que entraban por las aduanas iban a parar a manos de la Improvement o de los partidarios políticos de los administradores quienes también favorecían los contrabandos de los comerciantes de sus par-

430

tidos. De manera que para salir del atolladero financiero, el Gobierno de Jimenes tenía que despojar a la Improvement del control de las aduanas y pagar inmediatamente a los tenedores de bonos europeos que habían movilizado a sus gobiernos que se disponían a cobrar sus deudas por la fuerza.

Para impedir que los europeos desembarcaran tropas y ocuparan las aduanas para cobrarse por sí mismos, como amenazaban hacerlo, el Gobierno de Jimenes quiso llegar a un entendido con la Improvement y con los tenedores de bonos, de manera que el Gobierno Dominicano pudiera pagarles a todos por igual, pues hasta ahora la Improvement cobraba para sí la mayor parte de los ingresos y apenas dejaba fondos para pagar a los tenedores europeos de bonos. Este plan se puso en marcha y dio buen resultado, pues después de más de un año de negociaciones, y de varios acuerdos entre las partes envueltas, el Gobierno Dominicano resolvió el 10 de enero de 1901, quitar a la Improvement de la administración de las aduanas y entenderse directamente con los tenedores de bonos garantizándoles sus deudas con el 40 % de los ingresos aduaneros. *Amenazas europeas, 1901.*

Crisis con la Improvement. 10 de enero de 1901.

La Improvement protestó y llevó su caso al Departamento de Estado de los Estados Unidos quejándose de violaciones a los acuerdos y contratos que ella había suscrito con el Estado Dominicano. Hasta ese momento, el Gobierno norteamericano no había participado directamente en ninguna de las operaciones ni en las discusiones. Pero ahora, con los intereses de una compañía de su país amenazados, el Departamento de Estado se dispuso a intervenir activamente. *Ingerencia norteamericana.*

Mientras todas estas negociaciones se llevaban a cabo, las pugnas políticas en el país se recrudecían debido al interés de los lilisistas en separar a Vásquez de Jimenes, haciéndole creer al Presidente que Vásquez pensaba eliminarlo del poder en las próximas elecciones de 1903, llevando como Vicepresidente a otro candidato, posiblemente de bandería lilisista. Para reforzar la posición política del Presidente Jimenes se creó en esos días un nuevo partido político llamado Partido Republicano.

Las intrigas terminaron distanciando a Vásquez y a Jimenes. Desde los mismos inicios del Gobierno, Horacio Vás- *Intrigas políticas, 1901-1902.*

431

quez se había ido a vivir a Santiago para desempeñar el cargo de Delegado del Gobierno en el Cibao. Como jefe del llamado Movimiento del 26 de Julio fue rodeado allí por los enemigos de Lilís y por todos los que habían sido afectados por la política financiera de Heureaux. En la Capital, entretanto, Jimenes fue rodeado por muchos de los antiguos lilisistas que buscaban integrarse nuevamente a la Administración Pública. Con el correr de los meses, Vásquez llegó a creer que su vida estaba en peligro, y llamó a sus partidarios a las armas contra el Gobierno el 26 de abril de 1902, marchando con ellos hacia la Capital y obligando al Presidente Jimenes a salir del país el día 2 de mayo.

Revuelta de Vásquez contra Jimenes, 26 de abril de 1902.

Esta revolución, sin más sentido político que el de las luchas personales, dividió nuevamente el país en dos bandos políticos caudillistas pues de ahora en adelante, durante los años siguientes, Horacio Vásquez y Juan Isidro Jimenes encabezarían las dos más importantes facciones políticas del país, cada uno recogiendo lo que podía quedar de las antiguas banderías rojas y azules unificadas por Heureaux durante su gobierno. Jimenes era de origen baecista y de inmediato los rojos o los descendientes y amigos de ellos se aliaron con él. Vásquez reunió lo que quedaba del antiguo partido azul, en especial del ala liberal, la cual, por él haber derrocado a Heureaux, le dispensó gran admiración y afecto. Pero ahora, después de quince años de tiranía y de unipartidismo y, sobre todo, después de los profundos cambios que habían ocurrido en la economía del país, aquellas lealtades habían perdido sentido pues muchos de los viejos líderes habían fallecido y surgía una nueva generación a la arena política. De ahí que los nuevos partidos que se formaron en torno a estas dos personalidades fueran llamados con el nombre de sus nuevos caudillos, el uno *horacista* y el otro *jimenista*. Siendo en aquellos tiempos el juego de gallos el deporte nacional, los partidarios de uno y otro grupo se identificaron con dos tipos de gallos. Los jimenistas fueron llamados *bolos* y los horacistas *coludos*.

Nuevos partidos políticos: Bolos y Coludos.

Horacio Vásquez, Presidente, abril 1902.

Tan pronto como Vásquez tomó posesión tras el derrocamiento de Jimenes, quien salió hacia el exilio, procedió a perseguir a aquellos lilisistas que habían hecho causa común

432

con los bolos. A las pocas semanas, como era de esperar, la reacción se produjo y empezaron los levantamientos en la Línea Noroeste y en Santiago de los Caballeros, en donde Jimenes, por su antiguo prestigio político y comercial, era popular. Estos levantamientos fueron prontamente reprimidos y las cárceles se llenaron de presos políticos, particularmente lilisistas.

Durante varios meses pudo Vásquez mantenerse en el poder, y en todo este tiempo gran parte de las energías del Gobierno fueron dedicadas a solucionar el problema de la deuda externa que crecía cada día debido a los intereses. La Improvement reclamaba al Gobierno Dominicano acreencias por 11,000,000 de dólares para ceder sus derechos y propiedades en el país y entregar al Gobierno Dominicano la propiedad plena del Ferrocarril Central que se había construido con dinero aportado por ella. El Gobierno de Vásquez, al igual que el de Jimenes, rechazó esas demandas aduciendo que esas eran deudas que habían sido infladas en los incontables cohechos financieros de Lilís negándose, por tanto, a reconocerlas.

Reclamaciones de la Improvement, 1902.

Finalmente, la Improvement aceptó recibir $ 4,500,000 por sus alegados derechos en el país, y aceptó también vender unas 850,000 libras esterlinas en bonos que todavía retenía al Gobierno Dominicano por un 50 % de su valor. Ese acuerdo fue formalizado el día 31 de enero de 1903 con la firma de un "Protocolo", por medio del cual la República también convino en que la forma de pago sería fijada por tres árbitros nombrados uno por el Gobierno Dominicano, otro por el de los Estados Unidos y el tercero de común acuerdo entre ambos gobiernos, pero en caso de que no hubiera acuerdo, sería entonces un miembro de la Suprema Corte de los Estados Unidos. El acuerdo fue duramente atacado por la prensa dominicana de aquellos días, pues los dominicanos le habían cobrado un intenso odio a la Improvement por su asociación con Heureaux y consideraban que se le estaba pagando más de lo debido.

El Gobierno y la Improvement firman "Protocolo", 31 de enero de 1903.

Impopularidad de la Improvement.

Mientras este acuerdo se negociaba, los lilisistas conspiraban. La agitación producida por estas negociaciones, unida a la que creó en la Línea Noroeste, mantenía a la Capital

Conspiración de lilisistas.

en un hervidero político. La Fortaleza Ozama estaba llena de presos políticos lilisistas quienes, aprovechando que Vásquez y sus principales ministros estaban en el Cibao dirigiendo las operaciones contra los revolucionarios, se amotinaron dentro de la Fortaleza el día 23 de marzo de 1903 y, auxiliados por los lilisistas de la ciudad, salieron a las calles y dieron un golpe de Estado destituyendo a las autoridades.

Golpe de Estado del 23 de marzo de 1903.

Lo que ocurrió fue sorprendente, pues el Presidente se vio en la curiosa situación de tener que marchar con tropas desde el Cibao para recuperar la sede del Gobierno. El movimiento revolucionario lilisista eligió como jefe al ex-Presidente Alejandro Woss y Gil quien dispuso la defensa de la plaza. Las semanas que siguieron fueron testigos de una sangrienta guerra civil, pues Vásquez y los suyos trataron de tomar la ciudad por asalto fracasando en el intento. En la guerra murieron muchos soldados de ambas partes y el poblado de San Carlos quedó destruido por un incendio. Varios de los más importantes generales gobiernistas perdieron la vida en los combates viéndose Vásquez obligado a retirarse con sus tropas a Santiago renunciando a la Presidencia el día 23 de abril de 1903, varios días antes de completar un año en el poder.

Renuncia de Vásquez, 23 de abril de 1903.

Tal como en los viejos tiempos, Woss y Gil instaló un Gobierno Provisional y convocó a nuevas elecciones. Las elecciones fueron celebradas el 20 de junio de 1903 con una candidatura única que postulaba a Woss y Gil para la Presidencia y a un antiguo combatiente antililisista partidario de Jimenes llamado Eugenio Deschamps, para la vicepresidencia. Jimenes y sus seguidores apoyaron esta candidatura única como un medio de participar en el Gobierno de alguna manera, pues contrario a lo que ellos pensaron al principio de la revolución, Woss y Gil no permitió a Jimenes postularse nuevamente. El nuevo Gobierno constitucional de Woss y Gil se instaló el día 1 de agosto de 1903 y nombró a Jimenes agente financiero en Europa, pero antes de los tres meses una nueva revolución estalló en Puerto Plata encabezada por un jimenista llamado Carlos F. Morales Languasco.

Elecciones.

Alejandro Woss y Gil, Presidente de la República por segunda vez, 1 de agosto de 1903.

Este movimiento fue bautizado como la Revolución "Unionista". Fue una reacción de bolos y coludos contra el lilisismo de Woss y Gil que les hacía prever una nueva

434

dictadura como la de Heureaux. El pretexto de Morales Languasco para lanzarse a la lucha fue aducir que Woss y Gil no había cumplido sus promesas con Jimenes. Con el apoyo de los horacistas, Morales pudo con poco esfuerzo vencer la resistencia del Gobierno en los combates que se trabaron durante el mes de noviembre. Woss y Gil capituló el 24 de noviembre y ya el día 6 de diciembre de 1903 las tropas de Morales Languasco ocupaban la ciudad de Santo Domingo. Woss y Gil y varios dirigentes lilisistas tuvieron entonces que abandonar el país. En menos de un año la República Dominicana había pasado por varias revoluciones y tres gobiernos.

Morales instaló su gobierno provisional en Santo Domingo integrando un gabinete con ministros jimenistas y horacistas e inmediatamente convocó a elecciones que debían celebrarse a principios de 1904. Pero, una vez en el mando, Morales quiso seguir ejerciendo la Presidencia. Contrariamente a lo que ofreció cuando se levantó en armas, que era instalar a Jimenes en el Poder Ejecutivo, Morales buscó el apoyo de los horacistas, que no querían el regreso de Jimenes, y formó una candidatura nueva para las próximas elecciones en la que él sería el candidato a la Presidencia y Ramón Cáceres, primo hermano de Horacio Vásquez, a la Vicepresidencia. Los jimenistas se sintieron traicionados y al tiempo que postularon a Juan Isidro Jimenes a la Presidencia, se lanzaron a la guerra para imponerlo por medio de las armas.

Gobierno Provisional de Morales Languasco.

Nuevamente comenzó la guerra civil. Esta revolución fue llamada "Desunionista", y fue una guerra larga pues se peleó en casi todo el país durante unos seis meses. Morales pudo obtener de inmediato el apoyo de los Estados Unidos a cambio de su aceptación de las exigencias que le hizo el Encargado de Negocios norteamericano en el sentido de observar y respetar los acuerdos a que habían llegado sus predecesores en torno a la deuda con la Improvement, y de aceptar que los Estados Unidos erigieran varios faros en la costa dominicana para facilitar la navegación de los barcos que navegarían por el Canal de Panamá, que se hallaba en esos momentos en construcción.

Revolución "desunionista".

Ingerencia norteamericana.

Este asunto del Canal de Panamá explica mucho de lo

435

que tiene lugar de ahora en adelante. A partir de 1898, en que se inició la Guerra Hispanoamericana, por medio de la cual los Estados Unidos arrancaron las colonias de Cuba y Puerto Rico de las manos de España, el Caribe cobró una nueva dimensión para los intereses norteamericanos al poseer ahora territorios en esta zona que tradicionalmente había sido codiciada por las demás potencias europeas.

El principal atractivo estratégico para las potencias navales en Santo Domingo durante todo el siglo XIX fue la Bahía de Samaná. Después de la guerra hispanoamericana, los Estados Unidos podían prescindir de su anterior interés en Samaná porque ya poseían a Guantánamo en Cuba y varias otras bahías en Puerto Rico.

Intereses norteamericanos en el Caribe.

Pero su interés en la República Dominicana se despertó nuevamente a causa de las amenazas de intervención armada que continuamente hicieron los gobiernos europeos que poseían tenedores de bonos de la deuda externa dominicana. En más de una ocasión estos gobiernos —en 1900 y en 1903— enviaron sus barcos de guerra a Santo Domingo para tratar de obligar al Gobierno Dominicano a pagar con prontitud esas acreencias con sus nacionales. En la República Dominicana, los europeos siempre habían tenido mucho que ver con la vida económica, y ya hemos visto la oposición alemana al Tratado de Reciprocidad dominico-americano de 1893. Ahora, con el Canal de Panamá a punto de concluirse, la presencia europea en el Caribe era una cuestión que afectaba la seguridad de los Estados Unidos, pues no era lo mismo que hubiera comerciantes exigentes de sus intereses en estos países del Caribe, a que los gobiernos de esos comerciantes hicieran uso de sus barcos de guerra para intervenir y ocupar militarmente puertos y territorios que en caso de guerra podían ser utilizados para bloquear el tránsito naval desde y hacia el Canal de Panamá.

El Canal de Panamá y la República Dominicana.

La estabilidad de la República Dominicana, así como la de Nicaragua, Honduras, Haití, Venezuela y El Salvador se convirtió, en cuestión de pocos años, en una preocupación de primer orden para el Gobierno norteamericano, pues la historia reciente de estos países indicaba que las luchas políticas, unidas a su escaso desarrollo económico, los había enredado en una maraña de deudas con capitalistas, empre-

436

sarios y gobiernos europeos, quienes dentro del sistema internacional de la época tenían derecho a hacerse pagar sus acreencias por la fuerza. Ahora bien, este era un derecho que lesionaba la seguridad norteamericana y debía ser impedido invocando la famosa Doctrina de Monroe que establecía que los Estados Unidos no consentirían que ninguna potencia europea ocupase nuevamente ningún territorio de América Latina.

La Doctrina de Monroe y la República Dominicana.

Para el Presidente de los Estados Unidos, Teodoro Roosevelt, esta era una cuestión sobre la que no había mucho que discutir. Su preocupación era sacar a la República Dominicana y a los demás países del Caribe del control o la influencia europea y obligarles a organizarse políticamente, de manera que no tuvieran necesidad de seguir endeudándose y exponiéndose a ser atacados por barcos de guerra europeos, lo que equivalía a decir que los europeos intervinieran en aguas que ahora quedaban bajo la tutela naval norteamericana.

De ahí el interés del Gobierno americano en resolver la cuestión de la deuda externa dominicana. Y de ahí la decisión a que llegaron los árbitros fijados por el Protocolo de enero de 1903 cuando en junio de 1904 obligaron a la Improvement a aceptar el pago de los 4,500,000 dólares por sus bienes e intereses en el país, al tiempo que también obligaron al Gobierno Dominicano a especializar los ingresos de las aduanas de Montecristi, Puerto Plata, Samaná y Sánchez en el pago de los valores adeudados a la Improvement y sus demás compañías. Para colectar esos ingresos aduanales el Gobierno de los Estados Unidos nombraría en virtud de la decisión de esos jueces, un agente financiero "que tendría cerca del Gobierno Dominicano la calidad de consejero, sin cuyo previo consentimiento no podría tener lugar ningún gasto ni ningún pago".

Esta decisión, que se conoce en la historia dominicana como el "Laudo Arbitral", no fue aceptada por los tenedores de bonos europeos, ni por los acreedores dominicanos que veían disminuidas sus posibilidades de cobro pues el grueso de las entradas aduaneras de los principales puertos no azucareros del país iban a caer en los bolsillos de la Improvement. Tampoco agradó el Laudo Arbitral a los políti-

El "Laudo Arbitral", junio 1904.

Impopularidad del Laudo Arbitral como arreglo de la deuda.

437

Apoyo norteamericano a Morales Languasco.

cos de las provincias de Montecristi y Puerto Plata, pues ahora las aduanas de esos puertos caían en manos de un agente sobre quien ellos no tendrían mucha influencia. Lo más ofensivo del Laudo fue que como agente financiero los jueces eligieron a John T. Abbot, quien también era alto funcionario de la Improvement. El Gobierno de Morales, que poseía una precaria base política, acogió las iniciativas norteamericanas con la mejor voluntad, pues para imponer al agente financiero fue necesario utilizar los barcos de guerra norteamericanos contra los revolucionarios y esas operaciones redundaron en su favor al contribuir a debilitar la Oposición en la Línea Noroeste y en Puerto Plata, ya que al despojar a los revolucionarios del control de las aduanas perdieron la fuente de recursos que hacía posible el financiamiento de sus actividades políticas.

Desde el principio, Morales quiso reforzar su gobierno aliándose íntimamente con el de los Estados Unidos, y en marzo de 1904 llegó a proponer al Departamento de Estado un Tratado de Protectorado por cincuenta años. Cuando la revolución fue derrotada gracias al apoyo norteamericano,

Elecciones.

Carlos Morales Languasco, Presidente constitucional, 19 de junio de 1904.

Ramón Cáceres, Vice-Presidente de la República.

las elecciones previstas fueron finalmente celebradas después de haber sido pospuestas a causa de la guerra civil. Como se esperaba, el 31 de mayo resultaron electos Morales y Cáceres en la Presidencia y Vicepresidencia de la República respectivamente, integrándose un gobierno de aparente unidad compuesto por ministros pertenecientes a los jimenistas y a los horacistas. Este gobierno tomó posesión el día 19 de junio de 1904 y las negociaciones de la deuda continuaron.

Negociaciones financieras.

En vista de la inclinación de Morales por llegar a un entendido con el Gobierno americano sobre las bases que Roosevelt deseaba, a finales de septiembre de 1904 el Secretario de Estado de los Estados Unidos le hizo preguntar a través de su Encargado de Negocios, si el Gobierno Dominicano estaría dispuesto a pedir a los Estados Unidos que se encargara oficialmente del cobro de las rentas aduaneras para distribuirlas equitativamente entre los acreedores dominicanos y extranjeros, incluyendo la Improvement. Aunque dio bastante trabajo convencer a todos los miembros del Gobierno Dominicano para que aceptaran, finalmente Morales logró que sus ministros aprobaran un nuevo acuerdo que invalidaría el Laudo Arbitral y dejaría mayor cantidad de dinero en manos del Gobierno Dominicano.

Este nuevo acuerdo fue negociado rápidamente y firmado definitivamente el 7 de febrero de 1905 por los representantes de ambos gobiernos. En él se establecieron las siguientes bases para resolver el problema de la deuda: El Gobierno de los Estados Unidos se compromete a hacerse cargo de todas las obligaciones del Gobierno Dominicano, tanto extranjeras como interiores y, a cambio de este servicio, toma a su cargo el cobro de las entradas aduaneras con el propósito de distribuirlas de la manera siguiente: 45 % del total de las entradas será entregado al Gobierno Dominicano para atender a las necesidades de la administración pública. El restante 55 % será utilizado por el Gobierno norteamericano para pagar a los empleados de las aduanas y para amortizar los capitales e intereses acumulados y vencidos de la deuda dominicana interior o exterior. *Nuevo acuerdo financiero, 7 de febrero de 1905.*

El convenio también establecía que: "Mientras no esté completamente pagado el total de la deuda que el Gobierno de los Estados Unidos toma a su cargo, no podrá hacerse ninguna reforma arancelaria sino de acuerdo con el Presidente de los Estados Unidos, no pudiendo por lo tanto reducirse los actuales derechos de Aduana y Puerto sino es con su consentimiento. En cuanto a los derechos de exportación sobre productos nacionales, el Gobierno Dominicano podrá abolirlos o reducirlos; pero no podrá aumentarlos ni aumentar tampoco su deuda pública sin el consentimiento del Presidente de los Estados Unidos. El Gobierno de los Estados Unidos, a solicitud de la República Dominicana, auxiliará a éste en la forma que estime conveniente para restablecer el crédito, conservar el orden, aumentar la eficacia de la administración civil y promover el adelanto material y el bienestar de la República". *Intervención norteamericana en las finanzas dominicanas.*

Cuando Roosevelt presentó al Senado norteamericano este convenio para su aprobación lo justificó diciendo que "la situación de la República Dominicana, después de algunos años iba de mal en peor, hasta el punto de que hace un año toda la sociedad se encontraba allí bajo el golpe de la disolución. Felizmente en este momento surgió un Jefe,

439

quien, de acuerdo a los demás gobernantes, vio los peligros que amenazaban a su país y recurrió a la amistad del único vecino poderoso y grande que dispone de poder y tiene a la vez el deseo y la voluntad de ayudarles. El peligro de una intervención extranjera era inminente. Los gobiernos precedentes habían contraído deudas en forma desconsiderada y, debido a los disturbios domésticos, la República no podía encontrar medios de pagarlas. La paciencia de los acreedores extranjeros estaba agotada y, al fin, dos Estados europeos se disponían a intervenir y sólo se pudo impedir esto con la seguridad oficiosa de que nuestro gobierno trataría de ayudar a la República Dominicana cuando fuese necesario. En lo que concierne a uno de estos dos Estados, solamente las negociaciones actuales abiertas a este efecto por nuestro gobierno han impedido el embargo del territorio dominicano por una potencia europea. De las deudas contraídas, las unas eran justas, pero las otras no tenían un carácter de sinceridad tal que la República estuviera realmente obligada a pagarlas íntegramente. Pero no podía pagar ninguna hasta que la estabilidad no fuera asegurada a su gobierno y a su pueblo".

El Senado de los Estados Unidos se negó a ratificar este proyecto aduciendo que el mismo establecía un protectorado sobre la República Dominicana y esa no era la intención del pueblo americano. De manera que todo el arreglo se vino momentáneamente abajo, hasta que a alguien se le ocurrió mantenerlo en operación como un *Modus Vivendi*, esto es, como una solución temporal al problema del cobro de las aduanas y del pago de la deuda pública dominicana. De manera que toda la concepción del protectorado implícita en el Convenio anterior quedó en suspenso, pero, mientras tanto, las demás provisiones entraban en operación en virtud de un decreto del 31 de marzo de 1905 del Presidente Morales autorizando al Presidente de los Estados Unidos a nombrar una persona encargada de percibir las rentas de las aduanas para ser distribuidas en la forma acordada anteriormente, esto es, el 45 % para el Gobierno Dominicano y el restante 55 % para pagar los empleados de las aduanas y para ser depositado en un banco de Nueva York "quedan-

El "Modus Vivendi", como arreglo provisional de la deuda, 31 de marzo de 1905.

do el depósito a beneficio de todos los acreedores de la República, tanto dominicanos como extranjeros".

Curiosamente, los acreedores europeos fueron los que más favorecieron este arreglo pues ahora el Gobierno de los Estados Unidos garantizaba el cobro de sus acreencias. La Improvement, en cambio, protestó, porque perdió el control de las aduanas del norte y empezó a ser tratada como un acreedor más, sin ningún privilegio especial. El encargado de administrar las aduanas fue un funcionario norteamericano que había trabajado en la Colecturía de Aduanas en Filipinas, después que esas islas cayeron bajo el control norteamericano a raíz de la Guerra Hispanoamericana.

Curiosamente, también, a partir del establecimiento de la Receptoría General de Aduanas, el Gobierno Dominicano empezó a recibir fondos en mayores cantidades que lo que recibía bajo el sistema anterior. Ese 45 % entregado en forma regular garantizó entradas suficientes para que el Gobierno de Morales pudiera atender las más urgentes necesidades administrativas en el año de 1905. Pero no por eso pudo Morales mantenerse en el poder por mucho tiempo pues la pugna entre partidos se había recrudecido a consecuencia de las negociaciones del Convenio y del decreto del *modus vivendi*.

Creación de la Receptoría General de Aduanas.

Pugna de partidos.

Es cierto que la revolución de la Desunión había terminado el año anterior gracias a la presencia militar norteamericana que obligó a los revolucionarios a deponer las armas con amenazas en unas ocasiones o a cañonazos en otras, como fue el caso del bombardeo que dirigió un crucero norteamericano contra los revolucionarios que sitiaban a la Capital desde Pajarito (Villa Duarte) en febrero de 1904. Para conseguir la paz en la Línea Noroeste, Morales tuvo que complacer a los líderes jimenistas, Demetrio Rodríguez y Desiderio Arias quienes exigieron ser nombrados junto con sus partidarios en la mayoría de los cargos públicos de la provincia.

Pero Morales tuvo dificultades para mantener el equilibrio dentro de su propio Gobierno. Los jimenistas se resentían por el control que los horacistas tenían en el Congreso y en el Gabinete y, además, desconfiaban de Morales por

Horacistas vs. Morales Languasco.

441

haberlos traicionado el año anterior. Los horacistas veían con antipatía los crecientes esfuerzos de los funcionarios jimenistas por atraer nuevamente a Morales a su lado y empezaron a presionarlo para que sustituyera a todos los jimenistas por horacistas. Las presiones fueron creciendo a medida que fue pasando el tiempo, sobre todo cuando un hermano de Horacio Vásquez postuló la tesis de que todo el Gobierno debía estar compuesto por ministros y funcionarios horacistas. El Vicepresidente Cáceres apoyó la actitud de su partido y obligó en varias ocasiones a Morales a destituir aquellos ministros que querían que el Presidente formara un grupo político independiente de los horacistas para gobernar más libremente.

Caída de Morales Languasco, diciembre 1905.

En diciembre de 1905 ya Morales había perdido todo el control de su Gobierno pues sus funcionarios no le obedecían a él sino al Vicepresidente Cáceres que era quien conducía la política horacista. Morales trató de recuperar el poder a través de una demostración de fuerza de varias unidades navales norteamericanas que estaban surtas en el puerto de la Capital, las cuales bajaron botes con marinos armados de ametralladoras a navegar por el río Ozama, pero esa maniobra sólo sirvió para irritar más a los horacistas de su gobierno quienes se dispusieron a combatir a los marinos norteamericanos en caso de que desembarcaran o dispararan contra la ciudad. Las primeras semanas de diciembre de 1905 fueron un período de intensa agitación política en Santo Domingo, en la cual se hizo evidente que Morales ya no mandaba, pues debido a la presión horacista se vio obligado a colocar la Comandancia de Armas de la ciudad en manos del joven general Luis Tejera, y el Ministerio de Relaciones Exteriores en manos del padre de éste, Don Emiliano Tejera, ambos horacistas radicales. Otros cargos públicos y ministerios fueron puestos en manos de los amigos del Vicepresidente Cáceres, a insistencia de éste.

Morales quiso reaccionar aliándose con los jimenistas para dar un golpe de Estado contra su propio gabinete y expulsar de su seno a los horacistas. La noche del 24 de diciembre de 1905 salió secretamente hacia Haina acompañado de Enrique Jiménes sobrino de Juan Isidro. Allí esperaba encontrar hombres, armas y municiones para luchar

442

a su favor. Pero al llegar al sitio convenido no encontró nada y los horacistas, al saber su maniobra, destacaron tropas en su persecución. Solo y abandonado por todos, Morales huyó hacia Azua. En la huida se fracturó una pierna y tuvo que pedir clemencia a sus enemigos, quienes gracias a la intervención de Don Emiliano Tejera y del Ministro Americano, le perdonaron la vida a cambio de su renuncia y salida del país. El Poder Ejecutivo quedó entonces en manos del Consejo de Ministros hasta que Cáceres tomó posesión como Presidente el 29 de diciembre de 1905 cayendo todo el Gobierno bajo el control del partido horacista.

Ramón Cáceres, Presidente de la República, 29 de diciembre de 1905.

También tuvo Cáceres, como los gobiernos que le precedieron, que ocuparse del problema de la deuda. El *modus vivendi* estaba funcionando perfectamente y en los últimos ocho meses el Gobierno Dominicano pudo contar con una abundancia de fondos sin precedentes. Pero la deuda era todavía demasiado alta y se sabía que muchas reclamaciones eran fraudulentas. Un estudio hecho por un experto financiero llamado Jacobo Hollander, enviado por Roosevelt para determinar el monto real de la deuda, estableció que a mediados de 1905 la República debía más de 40,000,000 de dólares en el país y en el extranjero. Pero esta suma, según Hollander podía ser reducida a más de la mitad por carecer de suficiente legitimidad. En ese momento los ingresos aduanales del país apenas alcanzaban los 2,000,000 de dólares al año. De estos ingresos se depositaban unos 100,000 dólares mensuales en el National City Bank de Nueva York para cumplir con el *modus vivendi*, pero para todos era evidente que ésta era una cantidad insuficiente para satisfacer todas las reclamaciones.

La deuda pública en 1905.

Entonces, el Gobierno de Cáceres y el de los Estados Unidos decidieron acoger la idea de Hollander de llevar a cabo un "Plan de Ajuste" para rebajar la deuda a menos de veinte millones. En marzo de 1906 comenzaron las negociaciones en este sentido. El Ministro de Hacienda del Gobierno Dominicano, Federico Velázquez, y el experto financiero norteamericano trabajaron con cada uno de los expedientes de reclamaciones y, con el apoyo y la presión del Gobierno de los Estados Unidos, obligaron a los acreedores a aceptar una reducción que en muchos casos fue mayor del 50 % de

El "Plan de Ajuste" marzo-septiembre 1906.

sus reclamaciones. Las protestas de los acreedores se produjeron inmediatamente, pero ambos gobiernos se mostraron inflexibles y en septiembre de 1906 la mayoría de los reclamantes aceptaron el Plan de Ajuste, quedando reducida la deuda a $ 17,000,000 solamente, suma todavía alta, pero mucho menor que la anterior.

El próximo paso fue liquidar todas esas acreencias y consolidar la deuda de manera que la República quedara con un solo acreedor. El interés del Gobierno de los Estados Unidos era eliminar de una vez por todas la ingerencia europea de las finanzas y la política dominicana y sustituir esa influencia por un protectorado administrativo financiero expresado ya en el Convenio de febrero de 1905. En más de una ocasión Roosevelt había manifestado que ese era un objetivo de su política en el Caribe, particularmente en esos momentos en que el control norteamericano de Panamá convertía a las Antillas en un territorio de alto valor estratégico. Por eso el Gobierno norteamericano respaldó oficialmente a la República Dominicana para que pudiera obtener un préstamo de 20,000,000 de dólares en Nueva York y los dedicara a la cancelación de todas las deudas pendientes que ya habían sido fijadas en $ 17,000,000 y el resto de ese dinero lo utilizara en obras públicas y otras inversiones.

Adquirido este préstamo en septiembre de 1906, el Gobierno logró que casi todos los acreedores firmaran el Plan de Ajuste a principios de diciembre bajo la seguridad de que recibirían su dinero en breve plazo. Por su parte, el Gobierno americano también impuso sus condiciones por la garantía que ofreció a la firma Kuhn, Loeb & Company de Nueva York para que prestara a la República los 20,000,000 de dólares mencionados. Estas condiciones eran casi las mismas que fueron establecidas en el Convenio de febrero del año anterior y consistían en que el Gobierno Dominicano entregaba la administración y el control de sus aduanas al Gobierno de los Estados Unidos hasta tanto esta deuda se pagara, y se comprometía a no modificar su tarifa aduanera ni a aumentar su deuda pública sin el consentimiento previo del Presidente de los Estados Unidos. Para el pago de la deuda, el 50 % de los ingresos aduanales se depositarían en un banco de Nueva York, en tanto que un 5 % se dedicaría

Planes de consolidación de la deuda pública.

Empréstito de US $ 20,000,000.00, para el pago de la deuda.

al pago de los empleados de la Receptoría, y el restante 45 %
se entregaría al Gobierno Dominicano para sus gastos administrativos.

Estas condiciones fueron fijadas en un tratado que se
conoce como la *Convención Dominico-Americana de 1907*,
que fue aprobada por el Congreso Dominicano el día 3 de
mayo de 1907 luego de haber sido firmada *ad referendum*
por los representantes de ambos países en febrero de ese
año. En el artículo 2.º de la Convención se estableció que
para el cumplimiento de los deberes del Receptor General
de Aduanas que nombraría el Presidente de los Estados Unidos, su gobierno le daría a él y sus auxiliares toda la protección que considerara necesaria cuando el Gobierno Dominicano se encontrare imposibilitado para prestarla.

La Convención Dominico-Americana, 3 de mayo de 1907.

Así quedaron los Estados Unidos en perfecto control de
la vida financiera dominicana y con perfecto derecho a intervenir en los acontecimientos políticos dominicanos cada
vez que consideraran que el funcionamiento de la Receptoría General de Aduanas y cobro de sus intereses estuvieran
amenazados.

XXXIV

RAMON CACERES

(1906-1911)

PESE A LA GRAN OPOSICION QUE durante más de un
año se le hizo a la Convención de 1907, los negociadores dominicanos Emiliano Tejera y Federico Velázquez argumen-
taron que ella era la única solución posible ante las continuas demandas de los acreedores europeos y frente a la insistencia norteamericana para que el Gobierno dominicano
pusiera en orden sus finanzas. Como arreglo financiero la
Convención fue efectivamente una buena salida al embrollo
de la deuda dominicana. Pero como acuerdo político, el precio que tuvieron que pagar los dominicanos fue demasiado
alto en términos de la dependencia a que se obligaba con los
Estados Unidos, pero, a juzgar por los acontecimientos que
tenían lugar en aquellos años en otros países del Caribe resulta difícil imaginar de qué otra manera hubieran podido
solucionar los dominicanos la bancarrota heredada de Lilís
que se agravó con las revoluciones y las pugnas de los partidos.

De inmediato,. la Convención surtió los mismos efectos
que ya venía produciendo el *modus vivendi*. El contrabando
fue liquidado. Los sistemas de contabilidad aduanera fueron
perfeccionados. Las filtraciones y malversaciones fueron de-
tenidas. Las aduanas fronterizas fueron reorganizadas, y
todo ello significó un notable aumento de los ingresos. Por
ejemplo, en 1904, antes del establecimiento de la Recepto-

*Efectos del Modus Vi-
vendi y de la Conven-
ción Dominico-Ameri-
cana.*

*Aumento de la rique-
za, 1904-1910.*

ría, las rentas fueron de $ 1,864,755; en 1905 subieron a $ 2,800,000; en 1906 a $ 3,692,000; en 1907 a $ 3,964,000; en 1908 a $ 4,029,000; en 1909 a $ 3,862,000 y en 1910 a la cantidad de $ 4,705,000, lo que quiere decir que en esos cinco años los ingresos aduanales se triplicaron y, asimismo, se triplicaron los del Estado Dominicano.

Además de la nueva administración de las aduanas hubo otros factores que contribuyeron a aumentar la riqueza del país en esos años y éstos fueron el aumento de las exportaciones de azúcar, café, cacao y tabaco gracias al crecimiento de la producción de estos artículos que se debía, particularmente, a la preparación de nuevas tierras para plantaciones iniciadas por capitalistas extranjeros y dominicanos desde los tiempos de Lilís. El alza de los precios en los mercados internacionales aumentó los ingresos de los productores nacionales e inició un período de bienestar económico como el país no había conocido en mucho tiempo. El régimen de Ramón Cáceres vino a convertirse así en el Gobierno que los dominicanos habían esperado durante años y contó con un amplio respaldo popular. Al principio Cáceres fue combatido por los jimenistas, pues tan pronto se supo que Morales había sido derrocado, la revolución se hizo sentir nuevamente en la Línea Noroeste.

Revolución de la Línea Noroeste, enero 1906.

La Línea había sido durante todos estos años el bastión jimenista por excelencia bajo el liderazgo de los caudillos Demetrio Rodríguez y Desiderio Arias. Para impedir que el Gobierno cayera en manos de los horacistas, estos jefes revolucionarios atacaron a principios de enero de 1906 las ciudades de Santiago y Puerto Plata, pero fueron rechazados y en uno de los combates perdió la vida el General Rodríguez, viéndose Arias y sus seguidores obligados a retirarse a Montecristi y a los campos de la Línea. La revolución se acentuó en los meses siguientes debido a la política represiva del sustituto horacista de Arias en la Gobernación de Montecristi, quien reprimió y persiguió a los jimenistas en todas partes. Para defenderse, Arias y los suyos siguieron operando una seria guerra de guerrillas, hasta que Cáceres dispuso un plan de pacificación de la Línea Noroeste que se hizo famoso por lo drástico del método empleado.

Con tropas reclutadas en las provincias, y con el auxilio

de los principales jefes horacistas, Cáceres se trasladó a Santiago y decretó, dentro de un plazo dado, la concentración de la población y de los ganados de la Línea en unos cuantos pueblos. Al expirar el plazo, las tropas del Gobierno procederían a "peinar" militarmente la zona y a matar todo el ganado, del tipo que fuese, con el propósito de privar a los guerrilleros del principal alimento. Al cabo de una enérgica campaña en la que cada uno de los comandantes de las tropas del Gobierno ejecutó las órdenes como le convino, la Línea Noroeste quedó sembrada de cadáveres de animales y su economía completamente arruinada. La población fue sometida y los jefes jimenistas se vieron obligados a huir hacia Haití para escapar de las persecuciones. Pero también, a partir de entonces, la Línea se convirtió en una región rabiosamente antihoracista y sus hombres de armas quedaron poco afectos al Gobierno norteamericano, al que acusaban de favorecer a Ramón Cáceres.

Pacificación de la Línea Noroeste.

Meses después, el sobrino de Juan Isidro Jimenes, Enrique, organizó una expedición marítima que desembarcó por Blanco (hoy Luperón) y que levantó los ánimos de los jimenistas, quienes tomaron las armas nuevamente, pero las tropas del Gobierno también reprimieron estos movimientos y ya a mediados de 1907 la paz y el orden imperaban en el país. Cáceres gobernó con mano fuerte para impedir que surgieran nuevas revoluciones. Desde el principio invirtió fuertes sumas de dinero en la compra de armas y pertrechos para mejorar la capacidad de combate del Ejército, al cual también desde el principio él se dedicó a organizar para convertirlo en un cuerpo de orden al servicio del Presidente de la República y no de los diversos caudillos militares de uno u otro partido.

Reorganización del Ejército.

Lograda la paz, el Gobierno de Cáceres propuso una reforma constitucional que diera al país una Constitución diferente a la de 1896, que era la que regía. Esa reforma se hizo en 1907, pero el Presidente Cáceres la consideró insatisfactoria y convocó una nueva Asamblea Constituyente que empezó sus trabajos a finales de noviembre de ese año en la ciudad de Santiago y los terminó en abril de 1908. La nueva Constitución que elaboró esta Asamblea reorganizó el sistema político dominicano para crear un Poder Ejecutivo

Reforma Constitucional, 1907.

Nueva Constitución, 1 de abril de 1908.

449

fuerte, al tiempo que establecía mecanismos jurídicos para la defensa de los derechos humanos. Se eliminó la Vicepresidencia de la República por considerarse entonces que su existencia era un factor que contribuía a la inestabilidad política a causa de las conspiraciones de los amigos y partidarios de los vicepresidentes. El período presidencial se fijó en seis años y se estableció el sistema bicameral, con un Senado y una Cámara de Diputados. El Consejo de Secretarios de Estado, que antes tenía funciones ejecutivas, fue suprimido y el Poder Ejecutivo quedó como atribución exclusiva del Presidente de la República.

Uno de los capítulos más importantes de la nueva Constitución fue el relativo a las gobernaciones de las provincias. Hasta entonces los gobernadores habían tenido en sus manos funciones políticas y militares, y esas facultades los convertían en verdaderos jefes de la administración pública en las provincias bajo su mando. La Constitución creó solamente Gobernaciones civiles para encargarse de la administración pública y del gobierno político de las provincias, mientras que los asuntos militares los puso en manos de los oficiales del Ejército nombrados a tal efecto. Cáceres quiso reorganizar el Ejército profesionalmente para sacarlo del control y la influencia de los caudillos regionales y colocarlo bajo el mando directo del Presidente de la República.

Para desligar efectivamente de la política esos caudillos, y para no tener que incorporarlos al Ejército que él pretendía mantener bajo un mando centralizado, Cáceres creó una cuenta en el presupuesto titulada "Para generales a las órdenes del Presidente de la República", que recibirían una pensión o una jubilación a cambio de su neutralidad política. A aquellos militares que él no podía retirar del servicio activo, Cáceres los trasladó a regiones en donde no tenían mayor ascendiente político reforzando con ello el papel del Ejército como fuerza de orden en el país. Para dirigir esa labor de reorganización del Ejército, Cáceres nombró como Jefe al Comandante de Armas de Santo Domingo a Alfredo María Victoria, desairando así a otros jóvenes generales que aspiraban a ese importante cargo, entre los cuales se encontraba Luis Tejera, el Gobernador de la Provincia de

Santo Domingo e hijo del Ministro de Relaciones Exteriores Don Emiliano Tejera.

La Constitución fue puesta en vigencia el 1 de abril de 1908 y de inmediato se procedió a la celebración de las elecciones generales pues Cáceres estaba concluyendo el período presidencial iniciado en 1904 con Morales Languasco. Como era de suponer, los candidatos debían salir de las filas del partido horacista. Muchos horacistas querían que Horacio Vásquez, como jefe del Partido, encabezara la candidatura oficial, pero Cáceres, a instancias de sus amigos, optó por concurrir a las elecciones y Vásquez desistió de presentar una candidatura aparte alentando también a Cáceres a que se postulara. Las elecciones se celebraron el día 30 de mayo con la sola candidatura de Ramón Cáceres pues los jimenistas, a sabiendas de que perderían, prefirieron concurrir solamente como candidatos a los puestos del Congreso. Al ganar, Cáceres fue juramentado como Presidente Constitucional por los próximos seis años el día 1 de julio de 1908.

Elecciones presidenciales, 30 de mayo de 1908.

Ramón Cáceres, electo Presidente.

Con los excedentes que le sobraban cada año de los ingresos aduanales Cáceres se dedicó a invertir en obras de infraestructura. Comenzó con la construcción de un nuevo ramal de Moca a Santiago del Ferrocarril Central Dominicano que unía a Santiago y Puerto Plata. Instaló nuevas líneas telegráficas para mejorar las comunicaciones. Reconstruyó los puertos y muelles más importantes y dispuso la construcción de nuevos faros en las costas. Reorganizó el correo y dedicó fondos a la creación de escuelas, subiendo el número de unas 200 que había en 1904 a 526 en 1910. Muchas de esas escuelas fueron fundadas en la zona rural que hasta entonces estuvo marginada de la instrucción pública. Más adelante, el Gobierno creó una Escuela Agrícola en Moca para fomentar la agricultura que ya se veía como un negocio y no como la actividad de subsistencia que había sido considerada durante todo el siglo XIX.

Obras Públicas, 1904-1910.

En la medida que la prosperidad del erario aumentó, el Gobierno procedió a recuperar varias concesiones que estaban en manos extranjeras desde tiempos de Lilís y resultaban perjudiciales al Estado Dominicano. Una de estas concesiones recuperadas fue el monopolio que poseía la compañía de vapores Clyde, para el transporte de mercan-

451

FRANK MOYA PONS

cías y pasajeros de Nueva York a Santo Domingo. También recuperó la administración de los muelles de San Pedro de Macorís que estaba en manos privadas. Para comunicar a la Capital con el Sur y el Cibao, Cáceres inició la construcción de dos carreteras cuyos primeros tramos llegaron hasta Haina y Los Alcarrizos, y creó una Dirección de Obras Públicas que puso en manos de un ingeniero norteamericano para que dirigiera los trabajos de construcción.

La paz también permitió a Cáceres ocuparse en legislar para reorganizar muchos aspectos de la vida pública que llevaban años sin atender. Por ejemplo, en marzo de 1907 promulgó una ley de caminos para que los vecinos contribuyeran a mantener los caminos en buen estado. En abril promulgó otra ley sobre la colonización y fomento de la frontera que llevaba décadas inhabitada favoreciendo ello la ocupación paulatina de las mejores tierras de esas regiones por los haitianos. También aprovechó para reorganizar el Poder Judicial que hacía tiempo demandaba una modificación. En 1909 creó una Dirección General de Agricultura para fomentar el desarrollo de la economía agrícola y al año siguiente creó dos Granjas Escuelas Experimentales en Moca y en Haina para la enseñanza racional y científica de la agricultura.

Este empeño de Cáceres por la agricultura venía de los cambios ocurridos en los últimos veinte años, a consecuencia especialmente del desarrollo de la industria azucarera y de las plantaciones de cacao y café en las regiones húmedas del país. En su interés por favorecer el desarrollo de estos productos de exportación, Cáceres promulgó una ley de franquicias agrarias declarando bajo la protección del Estado a todas las inversiones que se realizaran para plantar, cultivar, manufacturar y exportar los productos de la tierra, así como construir factorías, puentes y muelles e instalar acueductos, telégrafos, teléfonos y plantas eléctricas con este mismo fin.

Ahora, por primera vez desde 1844, la agricultura era tomada en consideración por un gobierno que se daba cuenta de que la economía del país se enrumbaba hacia el cultivo de la tierra y no hacia las formas tradicionales de la explotación ganadera. La ganadería, desde luego, no fue

Leyes de Fomento, 1907-1909.

Fomento de la agricultura.

452

abandonada. Pero el gobierno de Cáceres marca el inicio de una actividad legislativa en favor del desarrollo agrícola nacional que será atención permanente de los gobiernos sucesivos. En este sentido, una de las decisiones que más impacto produjo fue la promulgación de la ley sobre la partición de los terrenos comuneros en abril de 1911, destinada a regularizar la compra y venta de tierras agrícolas que empezaban a adquirir mayor valor a medida que el cacao, el azúcar, el café y otros cultivos, como el guineo, se desarrollaban.

Ley de Partición de los terrenos comuneros, abril 1911.

Ya en abril de 1906 Cáceres había dictado un decreto exonerando de todo impuesto la fabricación y exportación de todo el azúcar que se produjera en el país. Legislando en favor de las grandes compañías azucareras extranjeras Cáceres creía que beneficiaba el país promoviendo la producción y creando fuentes de trabajo. Pero su ley de exoneración de impuestos, unida a esa nueva ley de partición de los terrenos comuneros, pronto sirvió para que esas corporaciones se apropiaran de las mejores tierras agrícolas del sur y del oeste del país gracias a la complicidad de notarios y agrimensores criollos que pronto descubrieron la forma de falsificar los títulos de los terrenos comuneros para otorgarlos o venderlos a precios ridículos a los dueños de los ingenios y de otras plantaciones agrícolas.

Protección a la industria azucarera.

Esta política económica de Cáceres creó cierto resentimiento entre los propietarios y empresarios dominicanos al ver que mientras se exoneraban de impuestos a los extranjeros, sus negocios eran obligados a pagar nuevos impuestos de rentas internas creados con el fin de proporcionar mayores fondos al Estado. La llamada Ley de Estampillas promulgada en julio de 1910 que afectaba la producción de ron y alcoholes en los cientos de alambiques que operaban en el país, le ganó cierta impopularidad a Cáceres y a su Ministro de Hacienda, Federico Velázquez, y no pudo ser aplicada sino después de mucha oposición. Otro grupo que también quedó muy disgustado con Cáceres fue el de los antiguos comerciantes y prestamistas lilisistas quienes después de haber firmado el Plan de Ajuste se negaron a recibir los pagos del Gobierno y se mantuvieron durante varios años pidiendo un mejor tratamiento a sus reclamaciones.

Oposición a la política económica de Cáceres.

Disgustos.

Estos disgustos, unidos a los que la campaña de la Línea

Noroeste había producido y a los que tenían los antiguos caudillos y caciques militares retirados de sus antiguas posiciones de mando, le fueron creando a Cáceres una especial atmósfera de oposición entre los hombres de armas de su partido, quienes azuzados por los militares y políticos lilisistas desalojados del poder hacía años, terminaron aliándose con otros hombres de armas jimenistas que no se resignaban a vivir sin participar del Tesoro público como en otros tiempos.

"Aquellos que anteriormente obtenían sus medios de vida del fraude mercantil, del contrabando marítimo y de todas las irregularidades aduaneras, al no poder tolerar el nuevo régimen, tuvieron que alejarse de las ciudades para poder subsistir, adaptándose a otro medio. De aquí una crisis social, que se tradujo en una miseria espantosa para todos aquellos que no estaban preparados para la lucha intensa por la supervivencia y que no tenían recursos pecuniarios ni poseían ninguna propiedad y se hallaban privados de toda instrucción. Esto explica el notable aumento de la criminalidad de 1906 a 1910: en 1906, los tribunales de justicia juzgaron 1,714 delincuentes implicados en 1,447 causas; en 1910, el número de delincuentes ascendió a 3,061 por 2,580 causas". Estas cifras parecen reflejar la mayor efectividad en la administración de la Justicia en estos años.

División del partido horacista. 1910.

Como quiera que fuese, lo cierto es que ya para 1910, el partido horacista estaba dividido. E igualmente dividido se encontraba el partido jimenista. Casi todos los hombres de armas horacistas que no se sentían cómodos con Cáceres buscaban apoyo en Horacio Vásquez para levantarse contra el Gobierno. Como Cáceres era su primo, y su Gobierno era el régimen de su propio partido, Horacio Vásquez prefirió embarcarse e irse a vivir a Nueva York para impedir que la discordia siguiera creciendo y terminaran usándolo a él para derribar el Gobierno. Sin embargo, hacia Nueva York fueron muchos horacistas disgustados y antiguos lilisistas y jimenistas a buscarlo, hasta que terminaron convenciéndolo de que firmara una carta pública denunciando la política del régimen y criticando especialmente el Plan de Ajuste. Esa carta que circuló profusamente en el país a principios de 1910 dividió definitivamente a Cáceres de Vásquez y arruinó la antigua unidad de los horacistas.

Por otra parte, los líderes civiles e intelectuales del partido jimenista apoyaron a Cáceres en su obra de reconstrucción y el mismo Juan Isidro Jimenes lo favoreció políticamente desde el exilio. Pero los caudillos militares, encabezados por Desiderio Arias, que deseaban el derrocamiento de Cáceres prefirieron apoyar a los horacistas disidentes y los bolos terminaron dividiéndose en dos grupos que con el tiempo serían llamados, aludiendo a las patas del gallo, en bolos "pata blanca" y bolos "pata prieta". Los primeros eran los civiles e intelectuales y los segundos eran los caciques y caudillos militares.

Conspiraciones, 1909-1911.

Así las cosas, los meses transcurrieron y Horacio Vásquez abandonó Nueva York para retirarse a vivir a Saint Thomas al enterarse de que sus propios partidarios pretendían raptar al Presidente y hacerlo renunciar junto con el jefe del Ejército Alfredo Victoria. Vásquez intuyó que algunos pretendían asesinar a Ramón Cáceres. Por eso, al retirarse a Saint Thomas les hizo saber que él no urdía tramas subversivas, ni mucho menos permitía nada que pusiera en peligro la vida de su primo. Ya en 1909 los norteamericanos habían descubierto una conspiración del ex-Presidente Carlos Morales Languasco que pretendía lanzar una invasión desde Puerto Rico, y en los documentos que las autoridades puertorriqueñas incautaron a Morales se descubrió que uno de los implicados era el general Luis Tejera, quien todavía en 1911 seguía tramando el derrocamiento del Gobierno.

Cáceres no hizo detener a Tejera, quien era hijo de su propio Ministro de Relaciones Exteriores y había sido Gobernador de la Provincia de Santo Domingo algunos años antes en su Gobierno. Tejera se encontraba disgustado por no haber obtenido el control del Ejército cuando Cáceres prefirió nombrar a Alfredo Victoria en la Jefatura de ese Cuerpo. Cáceres no creía que en la Capital hubiera quien quisiera atentar contra su vida y la confianza lo llevó a la muerte. En la tarde del 19 de noviembre de 1911, cuando realizaba uno de sus habituales paseos dominicales en coche por la nueva carretera de Haina, los conspiradores intentaron detenerlo para raptarlo, pero fueron enfrentados a

Muerte de Ramón Cáceres, 19 de noviembre de 1911.

tiros por el edecán del Presidente y dispararon a su vez hiriendo a éste de muerte.

Con este asesinato se vino abajo todo el esfuerzo que Cáceres realizó durante cinco años por reorganizar el país. Inmediatamente los conspiradores fueron perseguidos y, al ser capturados, fueron liquidados brutalmente por órdenes del Jefe del Ejército Alfredo Victoria, quien tenía rivalidades personales con Luis Tejera. La represión se impuso en todo el país, pero los caciques bolos dirigidos por Desiderio Arias se levantaron en armas en la Línea Noroeste para aprovechar el vacío de poder y tratar de imponer en la Presidencia a uno de los suyos.

XXXV

EL DERRUMBE DE LA SOBERANIA

(1911-1916)

LA MUERTE DE CACERES PUSO en movimiento las energías guerreras de los dominicanos y permitió el resurgimiento del partido jimenista con la preponderancia política y militar del caudillo guerrillero Desiderio Arias. De inmediato, tanto Juan Isidro Jimenes como Horacio Vásquez permanecieron en el extranjero, pues ni el uno ni el otro querían ligarse a un movimiento revolucionario que diera a entender acerca de una supuesta participación suya en la conspiración contra la vida del Presidente Cáceres.

Lo más importante era elegir un nuevo Presidente. Y este era un serio problema pues el Jefe del Ejército, Alfredo Victoria, se opuso a que fuera escogido ninguno de los dos grandes líderes y mucho menos el Ministro de Hacienda, Federico Velázquez, quien había sido durante los últimos años la eminencia gris de las transformaciones administrativas y políticas del régimen. Entretanto, el Poder Ejecutivo quedó en manos del Consejo de Secretarios de Estado hasta que el Congreso eligiera un nuevo Presidente. Todo el mes de diciembre de 1911 y el mes de enero de 1912 lo pasó el país presenciando los trabajos de un Congreso que no podía ponerse de acuerdo sobre la persona a elegir y, al mismo tiempo, preparándose para la guerra civil que parecía inevitable.

Alfredo Victoria no quería dejar el poder, pero como no tenía la edad constitucionalmente requerida para ser Presi-

Influencia del Ejército en el Congreso.

Alfredo Victoria, Jefe del Ejército.

Esfuerzos del Congreso por elegir un nuevo Presidente.

457

dente, logró finalmente por medio de la fuerza que los congresistas eligieran Presidente de la República a su tío Eladio Victoria, quien había sido Ministro en el Gobierno de Morales y ahora era Senador por Santiago. Victoria tomó posesión el día 27 de febrero de 1912 y contó con el apoyo de Juan Isidro Jimenes y de los "boios pata blanca" que se incorporaron al Gobierno. Como la decisión del Congreso había sido el resultado de amenazas, y los horacistas veían írsele de las manos el poder que su partido había ejercido durante varios años sin interrupción, Horacio Vásquez regresó entonces de Puerto Rico y organizó su gente para la revolución, que a partir de ese momento se extendió por todo el Cibao. Los partidarios de Vásquez y los partidarios de Arias lucharon entonces durante un año en todo el país para derrocar el Gobierno.

Eladio Victoria se convirtió en un títere de su sobrino, quien se enfrentó a la revolución con gran energía y violencia. La represión se hizo universal en todos los sitios en que el gobierno dominaba. Las cárceles se llenaron de presos políticos y los fusilamientos por parte del Gobierno se ejecutaban a montones. Hasta ese momento el país no había conocido una guerra civil más feroz que esta de 1912 que se hizo célebre por los combates de La Vega, Santiago y la Línea Noroeste. La reserva fiscal que Cáceres había dejado fue prontamente gastada por el Gobierno en sus operaciones militares derrochando así más de 4,000,000 de pesos que estaban depositados en las arcas del Tesoro. El pago de los sueldos de los empleados públicos tuvo que ser suspendido, y a mediados de año ya era evidente que el Gobierno de Victoria necesitaba más fondos para combatir a la revolución.

Pensando que Victoria liquidaría pronto la revuelta, el Gobierno de los Estados Unidos siguió prestándole ayuda facilitándole las partidas mensuales correspondientes a las entradas aduaneras. En vista de que Arias había aprovechado la guerra para apoderarse de las aduanas fronterizas y que los haitianos también habían aprovechado el descuido de la frontera para ocupar nuevos territorios, el Gobierno de los Estados Unidos empezó a considerar seriamente la posibilidad de intervenir militarmente para detener la lucha y reinstalar a los funcionarios de las aduanas de la frontera conforme al derecho adquirido en este sentido en virtud de la Convención de 1907.

Por eso, el Presidente de los Estados Unidos, William Taft, envió a finales de septiembre una Comisión de Pacificación a Santo Domingo con el propósito de negociar con las partes contendientes' la terminación de la guerra y fijar una línea fronteriza provisional que garantizara el funcionamiento de las aduanas y el retiro de los ocupantes haitianos de tierras dominicanas. Hacía un par de años que los Estados Unidos habían acordado con ambos gobiernos servir de mediador para resolver sus disputas fronterizas y, ahora, interpretando a su modo la Convención de 1907, el Presidente Taft pensaba resolver dos problemas al mismo tiempo.

La Comisión llegó a Santo Domingo acompañada de 750 marinos americanos y en seguida comenzaron las negociaciones amenazando a los revolucionarios con intervenir militarmente si sus exigencias no se cumplían. Al principio trataron de negociar la permanencia del Presidente Eladio Victoria en el poder hasta 1914, a cambio de la renuncia de su sobrino Alfredo como jefe del Ejército, pero luego se convencieron de que la impopularidad de los dos era igualmente grande y convinieron con los jefes de la revolución en el establecimiento de un Gobierno Provisional encabezado por el Arzobispo Adolfo Alejandro Nouel, quien había servido de enlace en las negociaciones y, como hombre de Iglesia, resultaba aceptable para todos, incluyendo al Gobierno.

De esta manera se consiguió que Eladio Victoria renunciara el día 26 de noviembre y que el Congreso eligiera a Nouel el día 30 de noviembre de 1912 como Presidente Provisional con el específico encargo de organizar y realizar elecciones libres en el plazo de un año. Con la presencia de esta Comisión de Pacificación comenzó el Gobierno de los Estados Unidos a tratar de influir directamente, y bajo la amenaza de una intervención armada, en la vida política dominicana amparándose en la Convención de 1907 que hasta entonces había servido para recuperar económicamente la República, pero ahora se convertía en el instrumento de un protectorado político y financiero violador de la soberanía del país.

El Secretario de Estado de los Estados Unidos resucitó

Ingerencia norteamericana, 1912.

Monseñor Adolfo Alejandro Nouel, Presidente de la República, 30 de noviembre de 1912.

Renuncia de Victoria, 26 de noviembre de 1912.

459

en estos años la vieja doctrina del *Destino Manifiesto* y la enunció nuevamente en 1912 diciendo que "Nuestra Nación es una Roma más grande y más noble; está colocada por Dios para ser árbitro no sólo de los destinos de toda América, sino incluso de Asia y Europa... Nuestro destino manifiesto como contralor de los destinos de toda América es un hecho inevitable y lógico, hasta el punto que sólo falta discutir los medios a emplear para establecer este control. Pero nadie pone en duda nuestra misión y nuestra intención de cumplirla o, lo que es lo mismo, nuestro poder de realizarla".

Política latinoamericana de los Estados Unidos, 1912.

Y así, siguiendo las directrices del anterior Presidente, Teodoro Roosevelt, en el sentido de que era la obligación moral de los Estados Unidos ejercer una tutoría política sobre los países del Caribe para enseñarlos a gobernarse hasta tanto alcanzaran su madurez, los demás gobiernos americanos de esos años se dispusieron a ejercer el papel de policía internacional en las Antillas y Centroamérica que también resultaba ser zona que afectaba estratégicamente la seguridad del Canal de Panamá.

En más de una ocasión, el Gobierno de los Estados Unidos trató de hacer entender sus intenciones a los líderes dominicanos, pero las pugnas de partido impidieron a éstos darse cuenta de los peligros que corría la soberanía nacional en cada movimiento revolucionario. La muerte de Cáceres abrió una compuerta por donde se desbordaron con inexorable fuerza las inclinaciones intervencionistas de los norteamericanos y la ceguedad política de los jefes de partido dominicanos.

Desiderio Arias contra el Gobierno de Nouel, enero 1913.

Por ejemplo, no bien había tomado posesión como Presidente el Arzobispo Nouel, Desiderio Arias se declaró en abierta desobediencia al Gobierno, cosa que era bastante grave si se tiene en cuenta que los jimenistas encabezados por él controlaban todo el noroeste del país, incluyendo las provincias de La Vega, Santiago y Montecristi. La intención de Arias era que Nouel colocara en los puestos públicos a una enorme cantidad de partidarios para quienes no había empleos suficientes en todo el Gobierno. No bastó que Nouel se trasladara a Montecristi en persona a finales de enero de 1913 a entrevistarse con él procurando una tregua, pues al mes siguiente ya Arias se había trasladado a la Capital junto con cientos de sus hombres a imponer personalmente sus exigencias al Presidente Provisional.

Como también los horacistas ejercían presión sobre el Gobierno para que no entregara el control del país a sus enemigos políticos, Nouel mantuvo una política de compromisos sumamente vacilante nombrando y destituyendo sucesivamente a sus empleados públicos y terminando por no satisfacer a nadie. Viéndose entonces incapaz de gobernar, quiso hacer efectiva su renuncia que había redactado apenas un mes después de haberse juramentado como Presidente. El Gobierno norteamericano lo instó en varias ocasiones a continuar y le ofreció su ayuda económica y militar para sostenerle e incluso lo autorizó, en virtud de la Convención de 1907, a concertar un empréstito de 1,500,000 dólares para proveer de fondos nuevamente al Gobierno y pagar los sueldos atrasados de los empleados públicos que no cobraban desde hacía más de seis meses.

Debilidad política de Nouel.

Pero Nouel estaba al borde de una crisis nerviosa y su ánimo se encontraba sumamente deprimido. A finales de marzo se fue a Barahona y desde allí renunció aduciendo razones de salud. En los cuatro meses de su gobierno apenas pudo hacer nada que no fuera ceder ante las presiones de Arias y sus partidarios y favorecer tímidamente las posiciones de los jimenistas. De inmediato se reunió el Senado para elegir un nuevo Presidente que organizara las próximas elecciones. Pero nuevamente las divisiones políticas impidieron al Congreso alcanzar la mayoría requerida para elegir a los principales candidatos propuestos que eran Vásquez, Jimenes y Velázquez. Pasaron dos semanas antes de que triunfara la tesis de que debía elegirse un candidato independiente de estos tres líderes, hasta que el Senador José Bordas Valdez, quien la proponía, fue electo Presidente Provisional como una solución transaccional entre los partidos. Bordas tomó posesión el día 14 de abril de 1913 y los partidos comenzaron inmediatamente su campaña electoral.

Renuncia de Nouel, marzo 1913.

Elecciones presidenciales en el Congreso.

José Bordas Valdez, Presidente de la República, 14 de abril de 1913.

Por varios meses el país se mantuvo en calma mientras los políticos se preparaban para las elecciones. Bordas recibió el mismo apoyo de los norteamericanos que éstos habían ofrecido a Nouel. El empréstito autorizado de

Apoyo norteamericano a Bordas.

461

$ 1,500,000 se comenzó a negociar con diversos bancos interesados. Pero contrariamente a lo que se esperaba, Bordas dio muestras desde el principio de aprovechar las próximas elecciones para quedarse en el poder. Los primeros en reaccionar fueron los horacistas, pues Bordas había pertenecido a este partido y había prometido a Vásquez gobernar en armonía con él. Bordas quiso independizarse y sacar ventaja de las divisiones existentes y para ganar el apoyo de los jimenistas nombró a Desiderio Arias como Delegado del Gobierno en el Cibao, mientras que para conquistar la provincia de Azua, que entonces llegaba hasta la frontera, nombró comisionado en el sur al líder de aquella región que se llamaba Luis Felipe Vidal, uno de los conjurados en el asesinato de Cáceres.

Los horacistas se sintieron traicionados cuando Bordas les arrancó el control de la administración del Ferrocarril Central Dominicano y convocó a una subasta que ganó uno de los partidarios de Arias por la suma de $ 130,000, la cual todos sabían que Arias nunca pagaría al gobierno. El ferrocarril de Santiago a Puerto Plata era uno de los negocios del partido horacista que permitía a los líderes coludos manejar fondos y empleos suficientes para mantener satisfecha su clientela en el Cibao. Después que la administración de las aduanas había caído bajo el control norteamericano, los partidos tuvieron que buscar otros modos de financiarse, especialmente los jimenistas que quedaron fuera del gobierno durante unos seis años. Apareció entonces el sistema de las contribuciones voluntarias o forzadas de los comerciantes y propietarios y, después de la caída de Cáceres, la extorsión a los gobiernos provisionales bajo la amenaza de una revuelta. Los horacistas pudieron conservar el ferrocarril aun a través de la dictadura de los Victoria y de ahí se mantenían. Perderlo ahora, en camino hacia unas elecciones, era algo intolerable, sobre todo por la forma en que Bordas les quitó su administración.

Por eso el 1 de septiembre de 1913 Horacio Vásquez y sus hombres nuevamente se lanzaron a la guerra, que fue llamada en aquellos tiempos la "Revolución del Ferrocarril". Pero esta revuelta tuvo corta vida a pesar de haberse proclamado a Vásquez "Presidente Provisional", pues Bordas

La "Revolución del Ferrocarril", 1 de septiembre de 1913.

contó con los recursos militares de los jimenistas encabezados por Desiderio Arias y, además, con el apoyo militar y diplomático del Gobierno americano que tan pronto comenzó la guerra hizo saber a Vásquez que los Estados Unidos no reconocerían un gobierno de facto y que en caso de que triunfara la revolución la Receptoría General de Aduanas le suspendería la entrega de los fondos necesarios para su desenvolvimiento. También actuó el Gobierno norteamericano ordenando a su Ministro en Santo Domingo que iniciara una mediación rápidamente para concertar un arreglo entre el Gobierno y los horacistas. *Ingerencia norteamericana.*

Esa mediación dio resultados. Los horacistas convinieron en deponer las armas en el entendido de que los Estados Unidos garantizaban la limpieza y la libertad de las próximas elecciones que debían celebrarse en diciembre para elegir los Ayuntamientos y los diputados a la Asamblea Constituyente que prepararía las reformas legales para hacer posible las elecciones presidenciales en junio del año próximo. Para apaciguar a varios militares horacistas, Bordas los nombró en determinados cargos políticos y militares. Las elecciones se realizaron y constituyeron un flagrante fraude pues para poder ganar, el Gobierno lanzó sus tropas a las calles a reprimir los mítines políticos que se celebraron en las vísperas, encarcelando docenas de líderes políticos en todo el país y, finalmente, cambiando votos de las urnas. La oposición que se produjo, impidió a la Asamblea Constituyente trabajar normalmente pues ahora fueron los jimenistas los que se opusieron a continuar los trabajos de la Asamblea para impedir que, al terminar, Bordas se reeligiese. *Elecciones Municipales.* *Fraude electoral.*

A principios de enero de 1914 la situación económica del Gobierno era bastante mala, pues había unos $ 386,000 atrasados por concepto de sueldos y el Gobierno decía necesitar $ 740,000 para hacer frente a numerosas reclamaciones pendientes. Los mismos congresistas amenazaron con no volver a sus trabajos si el Gobierno no les pagaba. Para apoyar a Bordas, la Receptoría General de Aduanas recibió órdenes del Departamento de Estado de avanzarle $ 40,000 de las entradas aduaneras. Y a cambio de permitirle utilizar $ 1,200,000 adicionales en bonos no vendidos del empréstito *Problemas financieros, enero 1914.*

463

Nueva ingerencia norteamericana.

La cuestión del "experto financiero".

Bordas reelecto Presidente en simulacro de elecciones, 15 de junio de 1914.

Revolución contra Bordas, julio 1914.

El "Plan Wilson", julio 1914.

de 1907, el Gobierno de los Estados Unidos hizo que Bordas aceptara el nombramiento de un Contralor norteamericano que tendría a su cargo la supervisión de todos los gastos del Gobierno Dominicano y de la ejecución del presupuesto nacional.

El Contralor o "experto financiero", como también se le llamó, vino al país inmediatamente y la Receptoría siguió suministrando fondos a Bordas. Pero el tiempo avanzaba rápidamente y el plazo para la celebración de las elecciones terminó venciéndose en el aniversario de la toma de posesión de Bordas. Esta coyuntura fue aprovechada por los horacistas para proclamar que ya Bordas no era presidente legalmente y se lanzaron nuevamente a la revolución. Horacio Vásquez regresó rápidamente de Puerto Rico donde se había retirado después de la derrota del año anterior y se puso al frente de su partido en armas. Pero Bordas, con suficiente dinero para comprar algunos militares horacistas, logró conservar las principales ciudades y armó un simulacro de elecciones el día 15 de junio resultando, como se esperaba, electo Presidente de la República hasta 1920.

La revolución continuó entonces con más fuerzas que antes, pues a los horacistas se le unieron los jimenistas y los vidalistas del Sur para derrocar a Bordas. El Gobierno haitiano le dio ayuda a los revolucionarios y todo el mes de julio transcurrió en intensos combates en todo el país y, especialmente, en Puerto Plata. A finales de julio el Gobierno norteamericano nuevamente volvió a intervenir con amenazas obligando a los contendientes a concertar una tregua mientras llegaba una nueva comisión mediadora con una propuesta redactada por el mismo Presidente de los Estados Unidos, Woodrow Wilson. A esta propuesta, se le llamó el "Plan Wilson". Los Estados Unidos declararon que todos debían acogerse a ella o de lo contrario la infantería de marina de la base de Guantánamo sería enviada al país a proteger los intereses norteamericanos en Santo Domingo.

De acuerdo con el Plan Wilson los revolucionarios debían deponer las armas y ponerse de acuerdo eligiendo un presidente provisional o de lo contrario los Estados Unidos lo elegirían y lo mantendrían con su propia fuerza. Este nuevo Presidente organizaría un gobierno que celebraría eleccio-

464

MANUAL DE HISTORIA DOMINICANA

nes supervisadas por los Estados Unidos. El Gobierno que resultara de estas elecciones sería respetado por los perdedores y gozaría de todo el apoyo del Gobierno norteamericano que en lo adelante no toleraría nuevas revoluciones.

Humillante como era para los dominicanos, esto tuvo que ser aceptado por todos. Bordas renunció y los jefes de los partidos horacista, jimenista, velazquista y vidalista escogieron al doctor Ramón Báez como Presidente Provisional para que en un plazo de tres meses celebrara las tan deseadas elecciones presidenciales. Báez tomó posesión el 27 de agosto de 1914 y de inmediato constituyó su gobierno compuesto por sus amigos íntimos y por miembros del partido jimenista, del cual él era simpatizante aunque no un miembro activo. Este hecho favoreció a Jimenes a la hora de las elecciones cuando se presentó frente a su contendiente Horacio Vásquez, pues la ley electoral y los demás mecanismos que se elaboraron en esos tres meses fueron preparados por funcionarios de filiación jimenista. El Presidente Provisional era hijo de Buenaventura Báez, y aprovechó la oportunidad para traer al país los restos de su padre muerto en exilio en 1884.

Las elecciones se celebraron el 25 de octubre de 1914. Fueron libres y, aunque ocurrieron ciertas irregularidades, los perdedores aceptaron los resultados. Las ganó Juan Isidro Jimenes con el apoyo del partido velazquista, que se unió a los jimenistas a cambio de un 25 % de los cargos públicos en el nuevo Gobierno. Jimenes tomó posesión el día 5 de diciembre de 1914 y dos días después nombró un gabinete compuesto por miembros de los partidos vencedores. Como los comicios resultaron muy reñidos, el Congreso quedó bastante dividido pero con un fuerte predominio de los partidarios de Arias que, aunque jimenistas, le debían a éste sus posiciones pues, después de la muerte de Cáceres, Arias había adquirido una posición preponderante en el Partido. Esa posición hizo que Jimenes lo nombrara Secretario de Guerra y Marina quedando en completo control de las fuerzas armadas.

Cualquiera que hubiera sido electo Presidente en esos momentos hubiera debido su posición a la política de intervención de los Estados Unidos pues cada una de las crisis

Renuncia de Bordas.

Ramón Báez, Presidente Provisional, 27 de agosto de 1914.

Nuevas elecciones presidenciales, 25 de octubre de 1914.

Juan Isidro Jimenes, Presidente por segunda vez, 5 de diciembre de 1914.

Preponderancia de Desiderio Arias.

Casabe.

Intervencionismo norteamericano en el Caribe.

465

que se habían producido después de la muerte de Cáceres terminaron con algún tipo de mediación o imposición norteamericana. Estas elecciones fueron también una imposición, como lo habían sido el gobierno de Nouel, el de Bordas y el nombramiento del contralor o experto financiero que Bordas aceptó con tal de preservar el apoyo norteamericano.

En los últimos años, los Estados Unidos habían ido derivando hacia una política de tutelaje en el Caribe y Centroamérica que no tenía más salida que la intervención diplomática y militar. La convicción de que solamente a través del manejo de las finanzas de estos países podía obligárseles a moderar su conducta política y a suprimir las revoluciones marcó las relaciones de los Estados Unidos con los países del Caribe y terminó obligándolos a intervenir activamente tanto por la vía diplomática como por la acción militar.

En el momento en que Jimenes tomó posesión, el Gobierno americano deseaba expresamente que el Gobierno Dominicano aprobara el nombramiento del experto financiero para regularizar su posición oficial en el país. Jimenes prometió confidencialmente a los norteamericanos ayudarlos a resolver este problema tan pronto tomara posesión. Pero en vez de reconocer oficialmente al experto financiero por medio de un decreto, como los americanos querían, Jimenes sometió la cuestión a la consideración del Congreso. Los diputados y senadores rechazaron el reconocimiento enfrentándose abiertamente a las presiones de los Estados Unidos. El Gobierno americano reaccionó entonces imponiendo al experto financiero y ordenándole permanecer en el país supervisando las entregas de fondos de las aduanas al Gobierno y firmando todos los cheques para pagar los gastos públicos.

Exigencias, amenazas y presiones norteamericanas.

Esta imposición norteamericana sólo sirvió para debilitar al Gobierno que ellos decían apoyar contra la oposición horacista que en enero recibió una fuerte advertencia del Departamento de Estado con motivo de los incidentes políticos ocurridos en Puerto Plata. El Secretario de Estado norteamericano amenazó con el envío de fuerzas navales en caso de que la oposición estorbara las reformas que Jimenes debía emprender a instancias del Gobierno americano.

Entre estas reformas, sin embargo, había varias que Jimenes no estaba dispuesto a aceptar, y una de ellas era la creación de una guardia nacional bajo la dirección de militares norteamericanos que reemplazaría a las actuales fuerzas armadas dominicanas entonces bajo el mando de Desiderio Arias. Y también quería el Gobierno de los Estados Unidos, y Jimenes tampoco aceptó, que el Director de Obras Públicas no pudiera ser removido de su cargo si no era con el consentimiento del Departamento de Estado.

Estas presiones norteamericanas produjeron una crisis política en el Gobierno pues como Jimenes no pudo remover al experto financiero, el Congreso amenazó en abril de 1915 con juzgarlo ante el Senado. En vano envió Jimenes una comisión de alto nivel a Washington en esos días para buscar una solución diplomática. El Departamento de Estado mantuvo sus exigencias y a estas presiones se unieron las que ya empezaban a vislumbrarse en el mismo seno del Gobierno a consecuencia de la vieja división entre los "bolos pata blanca" y "los bolos pata prieta", y a consecuencia también del interés de Desiderio Arias en eliminar del Gabinete a su viejo antagonista Federico Velázquez quien otra vez ocupaba la Secretaría de Hacienda.

Bolos "pata blanca" y bolos "pata prieta".

En julio la situación del Gobierno se complicó aún más cuando varios generales horacistas encabezados por el Gobernador de Puerto Plata, Quírico Felíu, se levantaron en armas en varios puntos del norte y del este del país a consecuencia de los disgustos producidos por la imposibilidad de Jimenes de otorgarles a sus partidarios todos los cargos públicos que ellos exigían a cambio de su adhesión al Gobierno. La revuelta tardó un par de meses en ser reprimida pero sirvió al Gobierno norteamericano para advertir al jefe del partido Horacio Vásquez sobre los peligros que conllevaban las actividades de los revolucionarios, amenazando nuevamente con enviar tropas para mantener el orden si fuera necesario. La revuelta terminó cuando el Gobierno convino en distribuir entre los jefes revolucionarios varios contratos de construcción de caminos y nombrarlos en los cargos públicos que ellos demandaban. Horacio Vásquez es-

Revuelta de Quírico Felíu en Puerto Plata, julio 1915.

467

FRANK MOYA PONS

tuvo ajeno a este levantamiento y contribuyó a lograr que sus partidarios depusieran las armas.

Estas complicaciones coincidieron con la ocupación militar norteamericana de Haití el día 28 de julio de 1915, que venía incubándose desde hacía años a consecuencia de las dificultades financieras y de las revoluciones que también tenían lugar allende las fronteras. Este hecho advirtió a muchos de la seriedad de las amenazas norteamericanas y puede decirse también que facilitó la enunciación de nuevas advertencias en tono más duro por parte de los funcionarios americanos en el Departamento de Estado. Por ejemplo, el 19 de octubre de 1915, en ocasión de la llegada del nuevo Ministro norteamericano, William Russell, quien venía al país en tal calidad por segunda vez, el Gobierno americano volvió a insistir en sus anteriores exigencias para que la República Dominicana aceptara el nombramiento del experto financiero y la disolución de la Guardia Republicana y la creación de dos cuerpos de policía y guardia bajo el mando de oficiales norteamericanos nombrados por el Gobierno de los Estados Unidos.

Estas demandas se hicieron famosas como la Nota 14, pues fueron formuladas en una nota diplomática presentada por el Ministro norteamericano a la Cancillería dominicana. Para responderla, Jimenes se reunió con Vásquez y con otros líderes de la Oposición y del Gobierno y, entre todos, tomaron la resolución de rechazarla con dignidad en otra nota firmada el día 8 de diciembre expresando la firme oposición del pueblo dominicano a toda ingerencia extranjera. Se tardó tanto en contestar esta nota porque Jimenes se encontraba hacía más de dos meses fuera de la Capital en viaje de descanso pues las tensiones del Gobierno terminaron arruinando su salud a mediados de 1915.

Lo peor que le ocurría al Gobierno Dominicano era que el Gobierno norteamericano estaba renuente a facilitarle la ayuda financiera que necesitaba, en adición a las entradas fiscales normales, con la esperanza de que Jimenes finalmente accedería a sus demandas. Esta falta de recursos para emprender obras que produjeran empleos y para sufragar gastos de su administración, también contribuyó a debilitar su posición que, a finales de 1915 y a principios

468

de 1916, era sumamente precaria pues Arias se mostraba en verdadera desobediencia dentro del Gobierno a causa del disgusto que le produjo la decisión de Jimenes de colocar al cuidaðo de la Dirección de Obras Públicas el ferrocarril que él había arrebatado a los horacistas hacía dos años.

Con el Presidente enfermo, y contando con el apoyo de la totalidad de los congresistas del partido bolo y con el apoyo de las fuerzas armadas de las cuales él era el Jefe, Arias terminó rebelándose en el mes de abril de 1916 en ocasión de encontrarse Jimenes retirado descansando en una finca del Arzobispo situada a 24 kilómetros de la Capital en un sitio llamado Cambelén. Las pugnas de Arias con sus adversarios pata blanca y con los velazquistas dentro del Gobierno terminaron colocándolo en una actitud de franca rebeldía frente al Presidente quien, cansado ya de su conducta, resolvió el día 14 de abril arrestar al Comandante de Armas de la Plaza y al Jefe de la Guardia Republicana, fieles a Arias, para luego proceder contra este caudillo.

Desiderio Arias vs. Juan Isidro Jimenes, abril 1916.

Pero Arias tomó el control de la Fortaleza, a pesar de que los partidarios de Jimenes, auxiliados por algunos horacistas, trataron de impedírselo. De buenas a primeras Jimenes se encontró fuera de la ciudad y con el Secretario de la Guerra en armas contra el Gobierno. Esto alarmó a los horacistas y a los bolos pata blanca que de inmediato reunieron tropas en Cambelén para ir a combatir a Arias en defensa de Jimenes. También alarmó a los norteamericanos, que desde hacía años venían combatiéndolo, en la Línea Noroeste y en la frontera, pues Arias ahora surgía como el sucesor aparente de Jimenes.

Nitaínos.

Arias en control de las Fuerzas Armadas y del Congreso.

Arias y sus partidarios, aliados a algunos congresistas horacistas resolvieron destituir a Jimenes a finales de abril por medio de una acusación en las Cámaras manteniendo un proceso legal aparente. Pero para el Ministro americano aquello era un golpe de Estado y ofreció a Jimenes tropas de los barcos de guerra de su país que estaban anclados frente a las costas dominicanas. Jimenes prefirió aceptar sólo armas y municiones, pero el Gobierno americano no se las proporcionó y decidió desembarcar sus marinos para "proteger la vida y los intereses de los extranjeros que había en la ciudad" rodeando primero la Legación americana y la

Acusación de Jimenes ante el Congreso, abril 1916.

Receptoría General de Aduanas y, luego, la Legación de Haití en donde había varios políticos asilados.

Frente a la insistencia norteamericana de que Jimenes se apoyara en sus marinos para volver a la Presidencia, éste prefirió renunciar el día 7 de mayo pues Jimenes tampoco quería ser juzgado por un Congreso que él estimaba actuaba bajo el imperio de la fuerza. El Poder Ejecutivo quedó entonces en manos del Consejo de Secretarios de Estado, mientras los norteamericanos presionaban sobre Arias para

que entregara el mando y se sometiera. Pero Arias se resistió hasta el día 13 de mayo cuando el Jefe de las fuerzas navales de los Estados Unidos le dio un ultimátum para que depusiera las armas o de lo contrario bombardearían la ciudad. Para evitar un enfrentamiento con las tropas norteamericanas, Arias decidió recoger sus armas y municiones e irse en campaña hacia la Línea Noroeste a combatir la intervención miliar en el terreno que le era familiar.

Los marinos ocuparon el día 16 la Capital y en las semanas siguientes siguieron enviando tropas a otros puntos del país procediendo a ocuparlo progresivamente en los meses de junio y julio, a pesar de la resistencia militar que Arias y sus seguidores le hicieron a las tropas norteamericanas en Puerto Plata y en Mao, en la Línea Noroeste. A finales de julio los más importantes puestos militares del

país estaban ocupados por los infantes de marina mientras en la Capital, los políticos se debatían en los problemas para elegir un nuevo Presidente.

En efecto, tan pronto como Arias salió de la Capital, el Congreso procedió a discutir las candidaturas para elegir al sucesor de Jimenes. Durante varias semanas los senadores y diputados estuvieron reunidos examinando candidaturas y recibiendo las presiones de los partidos políticos, por un lado, y de la Legación Americana, por el otro. El Gobierno americano estaba empeñado en evitar que la elección del nuevo Presidente recayera sobre un partidario de Arias o sobre alguien que no aceptara las "reformas" propuestas por el Departamento de Estado en torno a las cuestiones militares y financieras. Como los miembros de las Cámaras estaban divididos, no fue posible alcanzar la mayoría requerida para elegir al Presidente. Las dos candidaturas con

470

mayores posibilidades, la del Presidente de la Suprema Corte de Justicia, Federico Henríquez y Carvajal, y la de Don Jacinto de Castro, tuvieron que ser descartadas.

Mientras el Congreso discutía, los Estados Unidos hacían saber a los senadores y diputados que mantendrían sus fuerzas de ocupación en territorio dominicano hasta tanto sus demandas fueran aceptadas satisfactoriamente. Eso significaba que la elección del Presidente tendría que ser el resultado de una negociación con el Gobierno norteamericano. El Congreso finalmente se puso de acuerdo y tomó de sorpresa a los norteamericanos eligiendo al doctor Francisco Henríquez y Carvajal, hermano del anterior candidato, quien se encontraba residiendo en Cuba desde hacía varios años. El doctor Henríquez aceptó y ya el día 31 de julio había regresado al país y tomaba posesión como Presidente Constitucional.

Pero el Departamento de Estado le comunicó inmediatamente que su elección no sería reconocida por los Estados Unidos si no eran aceptadas sus demandas para el nombramiento de un experto financiero y el establecimiento de una gendarmería nacional comandada por oficiales norteamericanos. Hasta entonces, decía el Ministro americano en su comunicación al Gobierno Dominicano, todos los fondos provenientes de las entradas aduaneras serían retenidos. Henríquez rechazó estas exigencias norteamericanas, y por ello el día 18 de agosto el Receptor General de Aduanas le comunicó que, de acuerdo con instrucciones recibidas de Washington, no haría más entregas de fondos al Gobierno Dominicano hasta tanto se llegara a un entendido sobre "ciertos artículos de la Convención Dominico-Americana de 1907".

Exigencias norteamericanas al Gobierno de Henríquez, agosto 1916.

De manera que el Gobierno de Henríquez y Carvajal comenzó mal: sin un solo centavo para sufragar los gastos de la Administración Pública, con el país ocupado por fuerzas extranjeras y con la amenaza de los Estados Unidos de no reconocerlo si no aceptaba colocar la administración del presupuesto y la dirección de las fuerzas armadas dominicanas bajo el control de funcionarios y oficiales norteamericanos. Henríquez argumentó continuamente que esas exigencias norteamericanas eran violatorias a la Constitución y a la soberanía dominicana. Pero los Estados Unidos, que ya habían descubierto en Haití el año anterior la fórmula de instalar un Gobierno títere que aceptó poner en práctica medidas similares a las exigidas a los dominicanos mientras sus tropas ocupaban aquel país, siguieron presionando a Henríquez en la creencia de que los dominicanos finalmente cederían.

Sin embargo, nadie cedió. Los empleados públicos, comenzando por los Secretarios de Estado, siguieron trabajando sin cobrar sus sueldos e incluso comprando los materiales de oficina con dinero de sus bolsillos. El comercio se fue paralizando poco a poco debido a la cada vez menor cantidad de dinero en circulación. Y Henríquez, en un intento de salvar la situación, aceptó nombrar el experto financiero, pero manteniendo las fuerzas armadas bajo la dirección de los dominicanos. El Departamento de Estado, sin embargo, no quiso aceptar esta solución y exigió la disolución de las actuales fuerzas armadas y la creación de una gendarmería dirigida por oficiales americanos.

Así quedaron las cosas hasta que el 31 de octubre, altos funcionarios del Departamento de Estado y del Departamento de Marina de los Estados Unidos, se reunieron para considerar si se retiraban del país o si legalizaban la ocupación, pues veían que esta situación no podía continuar indefinidamente. La guerra europea fue considerada como un factor muy serio que recomendaba la ocupación militar de la República Dominicana pues los Estados Unidos ya sabían que irían a la guerra contra Alemania y sabían, además, que tanto Desiderio Arias como los más importantes líderes jimenistas eran abiertamente proalemanes. En esta reunión esos funcionarios convinieron en que era una amenaza para la seguridad de los Estados Unidos dejar que el país fuera dominado por Arias mientras ellos libraran una guerra contra Alemania pues el territorio dominicano podría convertirse en un centro de operaciones de los alemanes que pondría en peligro la navegación por el Canal de Panamá.

De ahí que el día 22 de noviembre el Secretario de Estado de los Estados Unidos le recomendara al Presidente Woodrow Wilson tomar una decisión en cuanto al caso dominicano, haciéndole ver que "la única solución a la dificultad"

Crisis económica y financiera.

Decisiones norteamericanas para legalizar la ocupación militar, 31 de octubre-26 de noviembre 1916.

era formalizar la intervención militar. El día 26 de noviembre Wilson aceptó estas recomendaciones y dio instrucciones de inmediato para que el Capitán H. S. Knapp proclamara oficialmente la ocupación militar de la Republica Dominicana.

El día 29 de noviembre de 1916 Knapp publicó su célebre proclama anunciando que a partir de ese momento la República quedaba "en un estado de ocupación militar por las fuerzas bajo mi mando, y queda sometida al Gobierno Militar y al ejercicio de la Ley Militar, aplicable a tal ocupación". Asimismo, anunciaba Knapp, "las leyes dominicanas, pues, quedarán en efecto siempre que no estén en conflicto con los fines de la ocupación o con los reglamentos necesarios establecidos al efecto". Con éstas y otras disposiciones contenidas en la proclama terminaba de derrumbarse la soberanía dominicana por el abismo en que había sido colocada por Ulises Heureaux veinte años atrás.

Proclama del Capitán H. S. Knapp anunciando la creación de un Gobierno Militar norteamericano en la República Dominicana, 29 de agosto de 1916.

XXXVI

LA OCUPACION MILITAR NORTEAMERICANA

(1916-1924)

EN LOS DIAS QUE SIGUIERON a la proclama de la ocupación del Capitán William Knapp, el Gobierno Militar tomó varias medidas para asegurarse el control total del país. La primera de esas medidas fue prohibir a los dominicanos el porte de armas de fuego lo mismo que la posesión de municiones y explosivos. En virtud de la segunda se dispuso la censura a la prensa estableciendo que toda noticia acerca de la ocupación que los periódicos quisieran publicar debía ser sometida previamente al examen de un censor local y prohibiendo también la publicación de expresiones "que tiendan a dar aliento a la hostilidad o a la resistencia al Gobierno Militar" y la publicación de proclamas y hojas sueltas conteniendo "opiniones no favorables al Gobierno de los Estados Unidos de América o al Gobierno Militar en Santo Domingo". El día 8 de diciembre de 1916, Knapp anunció la destitución de los Secretarios de Estado del Gobierno del Presidente Henríquez, declarando vacantes sus cargos. Días más tarde, el 12 de diciembre, nombró a varios oficiales de la Marina norteamericana para desempeñar las distintas Secretarías y dio comienzo así a la administración del Estado Dominicano.

Otro de los primeros actos del Gobierno Militar fue la reanudación del pago de los empleados públicos cuyos sueldos habían sido retenidos durante meses a causa de los de-

El desarme.

La Censura.

Extinción del Gobierno Dominicano, 1-12 de diciembre de 1916.

Los empleados públicos.

475

sacuerdos entre el Gobierno Dominicano y el Departamento de Estado tras la caída de Jimenes. Esta medida neutralizó parte de las antipatías ganadas por los norteamericanos en los meses anteriores pues el Gobierno la utilizó para hacer resaltar las diferencias entre uno y otro regímenes. De ahora en adelante, los empleados públicos cobrarían regularmente sus sueldos y el Gobierno Militar exhibiría una abundancia de fondos desconocida hasta el momento pues Knapp y sus oficiales encontraron bastantes recursos financieros no utilizados por haber sido retenidos por la Receptoría General de Aduanas desde los tiempos de Jimenes.

Las obras públicas.

Con esos fondos pudo el Gobierno Militar dedicarse de lleno a la realización de obras públicas que ya habían sido planeadas en el Gobierno de Cáceres pero que habían sido suspendidas en 1911. La labor de Knapp y de sus sucesores fue facilitada grandemente por el espíritu de derrota que cobró cuerpo durante los años de 1917 y 1918 entre los dominicanos a medida que fue ejecutándose la orden de desarme de la población, pues los métodos que se utilizaron para obligar a los que poseían armas a entregarlas al Gobierno fueron tan drásticos que muy poca gente quiso correr el riesgo que suponía guardar sus revólveres, rifles, escopetas y municiones en sus casas.

Efectos del desarme.

El desarme logró pacificar al país, con excepción de los habitantes de la región del Este, especialmente los de la provincia de El Seibo en donde los campesinos hicieron frente a la ocupación norteamericana por medio de una guerra de guerrillas que duró más de cuatro años y obligó al Gobierno Militar a mantener en operación sus tropas librando un tipo de guerra hasta entonces desconocido por los soldados norteamericanos. Esa lucha tuvo sus causas en el desarrollo de la industria azucarera en la región oriental del país en donde durante años las empresas extranjeras habían comprado a precios irrisorios sus tierras a los campesinos o los habían despojado de ellas a la fuerza. De suerte que después de tres décadas de expansión de las plantaciones, muchas familias apenas tenían un lote en donde vivir o habían sido obligadas a trasladarse a las tierras menos fértiles de las serranías orientales. Los líderes guerrilleros más importantes del Este fueron Vicente Evangelista, Ramón Natera y

476

Martín Peguero, quienes fueron perseguidos continuamente entre los años de 1917 y 1921 por los soldados norteamericanos. Estos guerrilleros fueron llamados *gavilleros*. A pesar de la captura y fusilamiento de su jefe, Vicente Evangelista, no pudieron ser vencidos fácilmente. Los gavilleros contaron en todo momento con la colaboración del grueso de la población de la región y hasta con la increíble tolerancia de los administradores de los ingenios, quienes en su empeño por evitar que los gavilleros quemaran o asaltaran sus bateyes y bodegas e incendiaran sus campos de caña llegaron al punto de enviarles dinero y comida con tal de mantenerlos alejados de sus plantaciones. De manera que mientras en el resto del país los norteamericanos mantenían el orden, en el Este la guerra de guerrillas les impidió ejercer un control total durante los primeros años de la ocupación.

Los gavilleros, 1917-1921.

Pero como los gavilleros quedaron reducidos a la región oriental, y no hubo otras manifestaciones de apoyo a su movimiento en el resto del país, con excepción de San Francisco de Macorís donde también hubo resistencia militar a los norteamericanos, el Gobierno Militar pudo dedicarse de lleno al logro de sus metas que eran la organización de la administración pública, la creación de un sistema de recaudación de rentas internas y el establecimiento de un sistema de contabilidad pública más moderno que el que existía y, como se ha visto, a la creación de una Guardia Nacional que sustituyera las antiguas fuerzas armadas agrupadas en la Marina de Guerra y en la llamada Guardia Republicana desde los tiempos de Cáceres. Otra de las metas del Gobierno Militar fue continuar y completar la red de carreteras iniciada en el Gobierno de Cáceres y establecer un sistema de enseñanza primaria que disminuyera o eliminara el analfabetismo.

Metas del Gobierno Militar.

Creación de la Guardia Nacional, abril 1917.

Tanto el gobernador Knapp, que había sido ascendido a Contralmirante, como sus sucesores trabajaron para llevar a cabo esos programas y terminaron realizándolos aunque fuese parcialmente en su mayoría. En abril de 1917 fue creada la Guardia Nacional Dominicana para sustituir a los antiguos cuerpos armados y, a principios de mayo, fueron nombrados sus jefes y comandantes escogiéndolos entre los oficiales de la Infantería de Marina norteamericana. Muchos soldados dominicanos pasaron a formar parte de la Guardia Nacional Dominicana, y muchos jóvenes sin empleo aprovecharon la ocasión para iniciarse en la carrera militar en este nuevo cuerpo que había sido creado, según las intenciones del Gobierno Militar, para que al terminar la ocupación la República pudiera contar con un cuerpo de orden que combatiera o evitara las revoluciones que hasta entonces habían afectado la vida nacional.

Andando el tiempo, en junio de 1921, el nombre de este cuerpo entrenado por los oficiales de la Marina norteamericana fue cambiado al de Policía Nacional Dominicana. Sus miembros fueron entrenados según los reglamentos de la Infantería de Marina de los Estados Unidos y terminaron convirtiéndose en una prolongación de este cuerpo militar norteamericano, hasta el punto que los gavilleros sólo pudieron ser derrotados cuando las operaciones militares en el Este fueron reforzadas con soldados de la Guardia Nacional Dominicana que conocían el terreno o estaban familiarizados con los métodos guerrilleros criollos. Fue en estos años cuando inició su carrera militar un joven que había sido telegrafista en San Cristóbal y guardacampestre en uno de los ingenios del Este, llamado Rafael Trujillo, quien ingresó a la Guardia Nacional el día 18 de diciembre de 1918.

Creación de Rentas Internas.

Para aumentar la recaudación de las rentas internas, el Gobierno Militar dictó una serie de órdenes ejecutivas reglamentando la aplicación de impuestos a la fabricación de alcoholes y otros productos dominicanos y reglamentando el cobro de esos impuestos por medio de un sistema de sellos y estampillas que permitió controlar la producción manufacturera nacional. Aunque esos impuestos produjeron nuevos ingresos al Gobierno, en general terminaron desalentando la producción de alcoholes y arruinando cientos de familias que vivían de la fabricación de aguardiente y ron para su exportación hacia Haití y para el mercado nacional, pues el nuevo sistema de recaudación, que tenía sus antecedentes en la ley de alcoholes dictada por el Gobierno de Ramón Cáceres en 1910, obligaba a los productores a concentrar sus alambiques y destilerías en las cabeceras de provincia para facilitar así el cobro de los impuestos.

Quiebra de alambiques.

De los centenares de alambiqueros que había en el país

478

y que constituían un importante sector de la vida económica nacional solamente sobrevivieron unas cuantas docenas, iniciándose así un proceso de concentración de la producción de ron y aguardiente en pocas firmas, que, en las décadas siguientes, quedarían reducidas a menos de una docena. A pesar de las protestas, que la censura no permitía publicar, el Gobierno Militar continuó con su política fiscal y logró aumentar notablemente sus ingresos por este concepto. Para centralizar el cobro de la administración de estas entradas, el Gobierno creó en agosto de 1918 la Dirección General de Rentas Internas, al tiempo que también trabajaba en la reorganización de la administración de aduanas.

En abril de 1917 los Estados Unidos declararon la guerra a Alemania. Con ese motivo el Gobierno lanzó una proclama advirtiendo a los ciudadanos o simpatizantes de Alemania que se guardaran de demostrar sus simpatías a los alemanes o a sus aliados. Sin embargo, más importante que esta advertencia, que le costó la cárcel a muchos dominicanos y extranjeros, fue la suspensión del comercio de la República Dominicana con Alemania y otros países. Fue necesario, inicialmente, crear una Comisión encargada de controlar la importación y distribución de mercancías y alimentos, así como las exportaciones para impedir cualquier transacción con Alemania y sus aliados. Muchas casas comerciales tuvieron que cerrar sus puertas o reorientar sus compras y sus ventas hacia los Estados Unidos. De esta situación resultó que al terminar la guerra un par de años más tarde, la casi totalidad del comercio dominicano estaba ligado a las exportaciones e importaciones norteamericanas.

La terminación de la guerra en 1918 también produjo efectos y el más importante de todos fue el impresionante aumento de los precios de los productos y materias primas tropicales en todo el mundo, particularmente del azúcar, del tabaco, del cacao y del café. Desde 1910, por lo menos, la economía dominicana descansaba en la producción de azúcar y cacao, que constituían las cuatro quintas partes de todos los ingresos del país, en tanto que el tabaco y el café representaban el quinto restante. Como la guerra se había librado en los campos productores de remolacha azucarera en Francia, Rusia y Alemania, la escasez de azúcar se hizo

Guerra de los Estados Unidos con Alemania, abril 1917.

Desplazamiento del comercio alemán por los norteamericanos.

Efectos de la Primera Guerra Mundial, 1918.

479

sentir inmediatamente en todo el mundo y el resultado fue un enorme crecimiento de la demanda de azúcar de caña.

Subida de precios.

Al subir los precios, la prosperidad se hizo sentir de inmediato en todo el país, pues aunque la mayor parte de los ingresos quedaban en manos de los dueños de los ingenios, que eran extranjeros, hubo sustanciales aumentos de salarios y, desde luego, considerables beneficios para los colonos dueños de tierras cañeras. Lo mismo ocurrió con los cultivadores y exportadores de tabaco, cacao y café, quienes al recibir más dinero por sus productos aumentaron su capacidad de compra produciéndose entonces una gran expansión de la demanda de manufacturas y artículos producidos en el extranjero. El comercio, por su parte, empezó a importar enormes cantidades de mercancías y, durante los años 1918 a 1921, la economía dominicana creció hasta alcanzar niveles nunca antes imaginados. El quintal de azúcar, por ejemplo, subió de $ 5.50 en 1914, a $ 12.50 en 1918, y de ahí a $ 22.50 en 1920.

Crecimiento económico, 1918-1921.

Esta súbita y gigantesca expansión de la vida económica y de los negocios en el país recibió el nombre de la *Danza de los Millones.* Durante este corto período, algunos pueblos como Santiago, La Vega, San Pedro de Macorís y Puerto Plata adquirieron una categoría urbana que no habían conocido anteriormente. El azúcar hizo de Macorís una ciudad con grandes casas de concreto armado y tranvías en las calles para el transporte de pasajeros. Puerto Plata y Santiago con el tabaco, y La Vega y Sánchez con el cacao, favorecidas por los ferrocarriles, también se convirtieron en bulliciosos centros comerciales en donde día tras día se levantaban nuevos edificios y almacenes y las familias que tenían intereses comerciales se enriquecían de la noche a la mañana. Algunas ciudades instalaron alumbrado eléctrico y, por primera vez, pavimentaron sus calles y construyeron sistemas de alcantarillado, mientras también proliferaban los clubes sociales, se fundaban sociedades literarias o se construían teatros y parques.

La "Danza de los Millones".

Entretanto, el Gobierno Militar, favorecido por la subida de los precios y de las exportaciones y de sus ingresos, se dedicó a concluir las tres carreteras planeadas e iniciadas en tiempos de Cáceres destinando fondos para ello. Los

480

gobernadores militares que sucedieron a Knapp negociaron dos nuevos empréstitos autorizados por el Departamento de Estado y amparados en la Convención de 1907. Con esos nuevos fondos agilizaron la construcción de las carreteras, de tal manera que en mayo de 1922 pudo ser inaugurada la Carretera Duarte entre las ciudades de Santo Domingo y Santiago, enlazando las poblaciones de Bonao, La Vega y Moca. Las otras carreteras, hacia el Sur y hacia el Este, también fueron adelantadas concluyéndose los tramos de Santo Domingo a San Pedro de Macorís, y de la Capital a Baní, y luego a Azua. Las tres carreteras estuvieron completamente concluidas poco tiempo después de terminada la Ocupación en 1924.

Nuevos empréstitos.

Carreteras, 1922.

El impacto que tuvieron estas tres carreteras en la vida dominicana fue enorme pues por primera vez quedaban unidas las regiones más importantes de la República con la sede del Gobierno, iniciándose así la unificación política del país que había sido imposible conseguir en el pasado. El transporte entre la costa norte y la costa sur, que antaño tomaba de dos a tres días en los pequeños barcos de cabotaje, quedó reducido a menos de doce horas, por lo que el correo se agilizó enormemente y el tráfico hacia la Capital se acentuó en forma notable. Por primera vez los habitantes de Santo Domingo tenían la oportunidad de consumir frescos los productos del Cibao y del Sur y en grandes cantidades.

Impacto de las carreteras en la vida dominicana

Tan pronto como las carreteras entraron en uso se notó una inmediata afluencia de campesinos al borde de estas nuevas vías, pues anteriormente vivían aislados en los campos por miedo a las revoluciones. En años posteriores, las carreteras facilitaron la migración interna y contribuyeron a poblar vertiginosamente la ciudad de Santo Domingo que en estos años apenas si tenía unos cuantos miles de habitantes más que Santiago. Las carreteras iniciaron el fin de la fragmentación regional del país y estimularon el desarrollo urbano de la ciudad de Santo Domingo que hacía años permanecía estancada.

Los empréstitos a que recurrieron los gobernadores militares para construir las carreteras y otras obras públicas, aumentaron la deuda externa del país, que se había reducido en los últimos años gracias a los pagos periódicos del

481

empréstito de 1908 con Kuhn, Loeb and Company. De hecho, cuando el Gobierno Militar hizo el primer empréstito en 1918 por un millón y medio de dólares, la deuda de 1908 estaba reducida a menos de la mitad. Con los empréstitos para continuar los programas de obras públicas, la deuda subió a casi quince millones de dólares en 1922, no obstante la oposición de los líderes políticos y hombres de negocio dominicanos que argüían que un gobierno extranjero no tenía derecho a endeudar a la República Dominicana.

Aumento de la deuda pública.

Las obras públicas continuaron y con ellas la ejecución de los programas de fomento a la educación primaria del país, así como la organización de un sistema sanitario. Para desarrollar la enseñanza primaria, el Gobierno Militar promulgó una nueva Ley de Enseñanza en abril de 1918 y creó un Consejo Nacional de Educación encargado de la supervisión general de la instrucción pública en el país. Durante los años de 1917 a 1920, el Gobierno Militar construyó varios cientos de escuelas, grandes y pequeñas, en las ciudades y en los campos y el número de estudiantes matriculados subió de unos 20,000 que había en 1916, a más de 100,000. La inversión en educación que hizo el Gobierno Militar fue bastante alta, si se tiene en cuenta que anteriormente éste era un aspecto bastante descuidado de la administración pública.

La enseñanza primaria.

En materia sanitaria, el Gobierno Militar también introdujo reformas importantes al promulgar una nueva ley de sanidad y al crear la Secretaría de Estado de Sanidad y Beneficencia. Esta Secretaría llevó a cabo varias campañas para combatir el paludismo, la sífilis, las enfermedades venéreas, y los parásitos intestinales que afectaban a la mayoría de la población dominicana. En muchas ocasiones se cometieron excesos e injusticias en la aplicación de los reglamentos sanitarios, como fue el tratamiento que se les dio a las prostitutas al obligarlas a vivir en zonas de tolerancia, pero puede decirse que la política sanitaria del Gobierno Militar puso las bases para mejorar las condiciones de salud en la población en los gobiernos posteriores.

Política sanitaria.

Antes de terminar la Primera Guerra Mundial, el Contralmirante Knapp fue relevado de su cargo y ascendido en noviembre de 1918. Su puesto lo ocupó interinamente el Ge-

482

neral B. H. Fuller, hasta tanto llegara su sucesor, el Contral-mirante Thomas Snowden, quien estuvo en el país desde febrero de 1919 hasta junio de 1921. Durante los años del Gobierno de Snowden, la actitud de inconformidad de los dominicanos hacia la ocupación fue haciéndose cada vez más evidente. Snowden abandonó la anterior política de Knapp de trabajar en estrecho contacto con los dominicanos más ilustrados nombrándolos en comisiones consultivas o asesoras para la redacción de leyes y reglamentos administrativos y, lo que fue peor, hizo saber públicamente su convicción de que la ocupación debía continuar por veinte años o más hasta tanto, decía él, los dominicanos aprendieran a gobernarse y administrar correctamente su país.

Cambio de política del Gobierno Militar.

Estas declaraciones de Snowden eran un reflejo del control absoluto en que quedó la República Dominicana durante los años de la Primera Guerra Mundial como un territorio ocupado administrado por el Departamento de Marina de los Estados Unidos, al cual el Departamento de Estado dejó manos libres para entonces ocuparse de las tareas diplomáticas de la guerra en Europa. La Marina de los Estados Unidos tomó en serio su labor y se creyó comprometida en una misión a largo plazo que terminaría cuando así lo creyera conveniente. El cambio de Knapp por Snowden significó también la sustitución de los primeros oficiales que trabajaron en la administración pública por otros de menor rango y de menor preparación y, por lo tanto, más ignorantes de la vida dominicana.

A pesar del bienestar económico, los dominicanos no aceptaban ser gobernados por soldados norteamericanos, como no habían aceptado ser gobernados por soldados españoles en tiempos de la Anexión, o por soldados haitianos en tiempos de Boyer, o por soldados franceses en tiempos de Ferrand. Una larga tradición de independencia hacía intolerable un gobierno extranjero, y en muchas ocasiones los políticos e intelectuales dominicanos hicieron saber que preferían un país libre y con revoluciones a un país ocupado viviendo bajo una paz impuesta. Algunos de esos intelectuales como Américo Lugo, Emiliano Tejera, Fabio Fiallo y Enrique Henríquez mantuvieron en continuo fermento los espíritus de Santo Domingo, al tiempo que el ex-Presidente

Impopularidad de la ocupación militar norteamericana.

483

Resistencia patrióti-ca.

Francisco Henríquez y Carvajal viajaba por los países de América Latina denunciando la ocupación y la falta de libertades de los dominicanos. La censura, el uso obligatorio de pasaportes, las cortes militares de justicia y los arrestos de sospechosos, además de las torturas a los presos acusados de oponerse a la ocupación, crearon una atmósfera de resistencia patriótica en el país. Al difundirse, estos hechos crearon también un ambiente de preocupación entre los gobiernos latinoamericanos temerosos de que el caso se repitiera en otras partes del Continente.

En el curso del año 1919 varios gobiernos de América Latina protestaron ante el Gobierno de los Estados Unidos y demandaron al Presidente Wilson que pusiera término a la ocupación de la República Dominicana. Los líderes obreros dominicanos obtuvieron que la Federación Americana del Trabajo exigiera al Presidente Wilson una rectificación de su política en Santo Domingo. Y al mismo tiempo, el ex-Presidente Henríquez, que había fundado una Comisión Nacionalista Dominicana, también se movía en los círculos diplomáticos de Washington, hasta que finalmente logró que el Departamento de Estado escuchara su demanda de que se iniciara un cambio de política suprimiendo la censura y las cortes militares de justicia, y que algunos tribunales de justicia dominicanos que habían sido suprimidos fueran restituidos. También pedía Henríquez al Gobierno norteamericano que nombrara una *Junta Consultiva* que preparara las leyes que harían falta para asegurar la transición del Gobierno Militar a un nuevo gobierno civil manejado exclusivamente por los dominicanos.

La Comisión Naciona-lista.

La Junta consultiva, 3 de noviembre de 1919.

Esa Junta Consultiva fue nombrada el día 3 de noviembre de 1919 y estuvo compuesta por prominentes dominicanos que habían colaborado con el Gobierno Militar, pero la agitación popular que ya existía en la ciudad de Santo Domingo y las acciones represivas de Snowden, quien no quería permitir ninguna manifestación contra la ocupación militar, hizo que sus miembros renunciaran a principios de enero de 1920. Los directores de la agitación nacionalista se organizaron entonces y crearon en marzo de 1920 una agrupación patriótica llamada *Unión Nacional Dominicana*, presidida por el respetado intelectual Don Emiliano Tejera, con

La Unión Nacional Do-minicana, marzo 1920.

el propósito de organizar y realizar una campaña de resistencia civil frente al Gobierno Militar que obligara a los Estados Unidos a retirarse de la República Dominicana.

La campaña nacionalista pronto cobró fuerzas fuera del país y llegó a convertirse en tema de discusión en la campaña electoral de los Estados Unidos que se llevaba a cabo en 1920. Uno de los candidatos a la Presidencia, Warren G. Harding, atacó en un discurso pronunciado en agosto de ese año la política intervencionista de Wilson en el Caribe y dio a conocer su intención de retirar las tropas norteamericanas en donde hubieran sido enviadas en violación de los derechos de sus vecinos latinoamericanos. De manera que cuando Harding ganó las elecciones, en noviembre de 1920, ya existía una atmósfera favorable para poner fin a la intervención.

Esa atmósfera fue favorecida con las nuevas presiones de los demás países latinoamericanos que exigían una rápida desocupación de la República Dominicana por los Estados Unidos. Esas presiones llevaron a Wilson el día 24 de diciembre de 1920 a ordenar a Snowden que integrara una nueva Comisión que realizara las reformas constitucionales y legales que debió haber llevado a cabo la Junta Consultiva nombrada el año anterior. Además de estas instrucciones, el Gobierno norteamericano ordenó al Gobernador Militar liberalizar las medidas que restringían la libertad de prensa y reunión y permitir a los dominicanos reunirse libremente y hacer campaña en favor de la desocupación.

Anuncio norteamericano de condiciones para terminar la ocupación militar, noviembre - diciembre 1920.

La Unión Nacional Dominicana arreció entonces su campaña en favor de una desocupación "pura y simple", pero el Gobierno de los Estados Unidos se negó a salir del país incondicionalmente pues en los últimos cuatro años se habían promulgado muchas leyes y se habían realizado numerosas transacciones que creaban o envolvían derechos de terceros. Los Estados Unidos querían salvaguardar esos derechos asegurándose de que los dominicanos aceptaran una fórmula de desocupación que reconociera como buenos y válidos los actos del Gobierno Militar. Pocos meses después que Harding tomó posesión de la Presidencia de los Estados Unidos, nombró un nuevo Gobernador Militar, llamado Sa-

La campaña por la desocupación "pura y simple".

485

muel S. Robinson, para que viniera a Santo Domingo a facilitar los trabajos de la desocupación.

Planes de desocupación, junio-julio 1921.

Robinson llegó en junio de 1921 e inmediatamente publicó una proclama preparada en Washington en la cual daba a conocer un plan de evacuación escalonado que haría posible la celebración de unas elecciones generales supervisadas por el Gobierno Militar para la elección de un Presidente de la República que encabezaría un Gobierno Constitucional dominicano. De acuerdo con el plan, este gobierno reconocería todos los actos del Gobierno Militar y aceptaría que la Policía Nacional Dominicana quedara bajo la dirección de oficiales norteamericanos. El plan fue rechazado unánimemente y en forma multitudinaria en julio de 1921 en los mítines y asambleas públicas que organizó la Unión Nacional Dominicana pues el mismo, decían los dominicanos, tendía al establecimiento de un gobierno títere de los Estados Unidos. En vista de este rechazo, el Gobierno norteamericano hizo saber a los dominicanos que las elecciones anunciadas quedaban en suspenso, hasta tanto el pueblo dominicano se manifestara dispuesto a colaborar en la ejecución del plan del Presidente Harding, por lo que la ocupación no terminaría antes del 1 de julio de 1924.

Mientras esos acontecimientos tenían lugar, también ocurrían hechos de carácter económico que terminaron con la prosperidad existente. A consecuencia de la subida de los precios del azúcar y del cacao, el dinero circuló en grandes cantidades en el país y el comercio gozó de la época más próspera hasta entonces conocida. Previendo precios más altos que los de 1920, los comerciantes planearon para el año siguiente gigantescas operaciones de compra y venta, y situaron pedidos en el extranjero por valor de unos 40 millones de dólares. Pero ya en esos momentos la producción de azúcar de remolacha estaba recuperándose en Europa, y los demás países productores no europeos habían estado ampliando sus áreas cañeras y su producción con el propósito de aprovechar los altos precios y aumentar sus ganancias. De manera que en el momento en que todo el mundo esperaba grandes beneficios, la producción mundial de azúcar subió inesperadamente y el mercado se vio inundado

Crisis económica, 1921.

produciéndose una caída vertical de los precios de $ 22.50 el quintal a sólo $ 2.00 en el año 1921. *Caída de precios.*

De buenas a primeras, los comerciantes se vieron inundados de mercancías que ahora no tenían ninguna salida pues al no poder venderse el azúcar a los precios esperados, se produjo una gran depresión económica que se caracterizó por la falta de dinero de parte de los ingenios y, por lo tanto, en manos de los colonos y de los obreros y cortadores de caña. Junto con los precios del azúcar también cayeron, por razones similares, los del cacao, los del tabaco y los del café, y el país se vio envuelto en una crisis económica que arruinó a centenares de comerciantes que se encontraron con sus establecimientos llenos de mercancías o de productos de exportación producidos o comprados a altos precios y con muy poca o ninguna salida como no fuera a bajísimos precios. Muchos ingenios resultaron doblemente perjudicados pues el Gobernador Snowden, antes de partir, había obligado a sus administradores a almacenar unas 8,000,000 de libras de azúcar esperando mejores precios. Ahora resultaba que ese azúcar valía diez veces menos que lo que hubiera podido valer en 1920. *Ruina de comerciantes y campesinos dominicanos.*

Los comerciantes se vieron obligados a cancelar muchos de sus pedidos, pero más de la mitad de los mismos ya habían llegado y tenían que pagarlos. Al no poder venderlos, muchos comerciantes tuvieron que buscar arreglos con sus acreedores para saldar en pagos parciales las deudas contraídas tanto en el extranjero como con los mayoristas locales. La "Danza de los Millones" había terminado. En los pueblos y ciudades las quiebras se hicieron una cosa de cada día. Hubo quiebras innecesarias, pues algunos comerciantes, para salvar su prestigio social, prefirieron sacrificar sus reservas pagando de contado las deudas contraídas en unos momentos en que los más hábiles aprovechaban para no pagar. La crisis del año 1921 fue la primera de dos grandes crisis económicas que tuvieron lugar durante ese decenio y que dejaron postrada la economía dominicana en la década de los años de 1930. *Fin de la Danza de los Millones.*

Esta crisis creó un problema muy serio al Gobierno Militar, que se vio de repente privado de recursos para continuar sus programas de obras públicas por falta de ingresos a causa de la paralización del comercio. Y por eso a principios de 1922 el Gobierno Militar tuvo que gestionar un nuevo empréstito para seguir adelante con la construcción de carreteras y para pagar los sueldos de los empleados públicos. Este empréstito fue de unos 6,700,000 dólares y con ellos pudo el Gobierno Militar sobrevivir económicamente en los meses siguientes. En estas circunstancias, en febrero de 1922, el Gobierno norteamericano volvió a resucitar la idea de la evacuación anunciando a los líderes políticos dominicanos a través del Gobernador Robinson que desistía del plan anterior de elecciones supervisadas por el Gobierno Militar.

Como el Presidente Harding quería sacar sus tropas de Santo Domingo y el Departamento de Estado así lo había hecho ver a los líderes políticos, un importante abogado llamado don Francisco J. Peynado se trasladó a Washington en mayo de 1922, en busca de un entendido con el Secretario de Estado de los Estados Unidos que armonizara las posiciones y resultara aceptable para ambas partes. Después de varias reuniones con el Secretario de Estado Charles Evans Hughes, don "Pancho" Peynado, como le llamaban, llegó a un acuerdo de evacuación para ser sometido a los líderes políticos dominicanos.

Este acuerdo llegó a llamarse "Plan Hughes-Peynado", y consistió en lo siguiente: Se instalaría un Gobierno Provisional cuyo Presidente sería electo por los principales líderes de los partidos políticos y el Arzobispo de Santo Domingo. Este gobierno prepararía la legislación apropiada para regular la celebración de elecciones y reorganizar el régimen municipal y provincial, y modificaría la Constitución de la República para dar cabida a las reformas que fuesen necesarias. Más adelante, el Gobierno Provisional organizaría las susodichas elecciones, pero entretanto nombraría plenipotenciarios para negociar con el Gobierno Militar reconociendo aquellos actos legales que hubiesen creado derechos en favor de terceros y reconociendo, asimismo, las emisiones de bonos de los empréstitos contratados y la validez de las tarifas aduaneras establecidas por el Gobierno Militar en 1919. La Convención de 1907 quedaría en vigor hasta tanto la República Dominicana terminara de pagar su deuda externa, aumentada ahora a consecuencia de esos empréstitos.

A pesar de la oposición al Plan Hughes-Peynado del ex-Presidente Henríquez y de la Unión Nacional Dominicana, que sostenían una posición radical en favor de la desocupación "pura y simple" y el regreso de Henríquez a la Presidencia, los líderes de los más importantes partidos políticos aceptaron el Plan, luego de haberse trasladado a Washington a finales de junio de 1922, para discutirlo con Peynado y el Secretario de Estado americano. El día 23 de septiembre de 1922 Horacio Vásquez, Federico Velázquez y Elías Brache hijo, en representación de los partidos horacista, velazquista y jimenista, respectivamente, firmaron el plan acompañados de Francisco J. Peynado y Monseñor Adolfo Nouel, por la parte dominicana. Por parte del Gobierno norteamericano firmaron el Secretario de Estado Charles Evans Hughes y el diplomático Sumner Welles, quien fue nombrado Comisionado Norteamericano en la República Dominicana para trabajar junto con los demás firmantes en la ejecución del Plan.

Aceptación del Plan Hughes-Peynado, 23 de septiembre de 1922.

Summer Welles, enviado norteamericano.

Después de varios días de discusiones acerca de los candidatos, esta Comisión nombró a un comerciante llamado Juan Bautista Vicini Burgos como Presidente Provisional el día 1 de octubre de 1922, quien fue juramentado y tomó posesión de su cargo el día 21 de ese mismo mes.

Juan Bautista Vicini, Presidente Provisional, 1 de octubre de 1922.

El Comisionado Welles trabajó de cerca con los líderes políticos dominicanos y logró vencer la oposición que el Departamento de Marina hacía frente al Departamento de Estado tratando de impedir que la evacuación se realizara. El Contralmirante Robinson salió del país y en su lugar quedó el Brigadier Harry Lee, con funciones puramente militares, encargado de completar el entrenamiento de la Policía Nacional Dominicana que quedaría como único cuerpo de orden luego que las tropas norteamericanas salieran del país. La dirección de la Policía también quedaría en manos dominicanas, y por eso se hacía tan urgente completar la formación de sus oficiales en el sentido de que este cuerpo quedase constituido como una fuerza apolítica al servicio del Presidente de la República y alejada de la influencia de los partidos.

Proceso de desocupación.

489

Tan pronto como el Gobierno de Vicini Burgos comenzó a trabajar en las reformas legales acordadas, que fueron muchas, los partidos políticos reiniciaron sus actividades y su reorganización. En los años de la ocupación habían ocurrido algunos cambios, pues Juan Isidro Jimenes había muerto y ahora su partido había quedado bajo la influencia de Desiderio Arias a través de uno de sus partidarios llamado Elías Brache, hijo. El partido horacista cambió de nombre y empezó a llamarse *Partido Nacional*. El partido velazquista, también cambió de nombre y se llamó *Partido Progresista*. El antiguo partido de Luis Felipe Vidal había perdido fuerza. Por su parte, Desiderio Arias tenía una capacidad de acción muy limitada pues durante la ocupación fue obligado a vivir en la ciudad de Santiago prácticamente en estado de reclusión fabricando cigarros para ganarse la vida y durante el gobierno de Vicini Burgos dejó la dirección del partido en manos de Brache.

Mientras las reformas legales se llevaban a cabo, los partidos hacían sus combinaciones. De estas actividades salieron dos fuerzas electorales. Una llamada *Alianza Nacional Progresista*, que agrupó a los partidarios de Vásquez y Velázquez en torno a un acuerdo que daría a Velázquez la Vicepresidencia y a su partido el 30 % de los ministerios y cargos públicos. La otra se llamó Coalición Patriótica de Ciudadanos y agrupó a los jimenistas en torno a una fórmula electoral que llevaría como candidato a la Presidencia a Francisco J. Peynado, quien aceptó participar en la lucha política.

Estas elecciones, que sólo servían para elegir al Presidente y al Congreso, fueron finalmente celebradas el día 15 de marzo de 1924, después de una intensa campaña que mantuvo en tensión a todo el país durante muchos meses y que hizo revivir el espíritu de partido de los dominicanos. Las ganó abrumadoramente Horacio Vásquez quien todavía poseía una agrupación política fiel a su persona y estaba rodeado de una aureola de heroismo proveniente de las antiguas luchas revolucionarias, siendo su figura mucho más popular que la de Don Francisco J. Peynado, que recién entraba a la arena política. Estas elecciones fueron ordenadas, libres y limpias y se pusieron en práctica varios métodos de

490

control para evitar fraudes. Tan pronto como Peynado supo el resultado se adelantó a felicitar al triunfador y a ofrecerle su colaboración en el nuevo Gobierno Constitucional que habría de iniciarse el día 12 de julio de 1924.

Así terminó la ocupación militar norteamericana, pues al tiempo que se hacían los preparativos para la inauguración del gobierno de Vásquez, las tropas norteamericanas levantaban sus campamentos y se preparaban para partir. De manera que en los mismos días en que el nuevo gobierno se instalaba, también dejaban el suelo dominicano los últimos infantes de la Marina Norteamericana y ya en agosto de 1924 todas las tropas extranjeras habían salido del país. La ocupación había durado ocho años y durante los mismos la República había cambiado. Ahora el país estaba cruzado por tres carreteras que comunicaban la Capital con las tres regiones del país. Ahora la población estaba desarmada y no se preveía en un futuro próximo la posibilidad de nuevas revoluciones ya que la Policía Nacional parecía adecuadamente entrenada y suficientemente fuerte para hacer frente a cualquier intento de sedición. Ahora, la administración pública había sido reorganizada y existían sistemas de contabilidad y de contraloría que hacían esperar un adecuado manejo de las rentas públicas.

Fin de la ocupación militar norteamericana.

Ahora también estaba el país otra vez en manos de sus propios hijos que durante esos últimos ocho años se vieron privados del ejercicio democrático del gobierno en la forma en que los Estados Unidos habían dicho que deseaban prepararlos. El gobierno de la Ocupación fue un gobierno militar y como tal enseñó a los dominicanos las ventajas de los métodos represivos, particularmente a los miembros de la Policía Nacional que ahora eran los encargados de mantener el orden en el país. De manera que a su salida, los norteamericanos dejaron el sistema político dominicano en una posición mucho más precaria que antes. En los tiempos anteriores a la Ocupación, las revoluciones eran posibles gracias al aislamiento en que vivía la población y a la abundancia de armas en manos de la gente, pero ahora el país quedaba expuesto a que cualquiera que obtuviese el control de la Policía Nacional, pudiera ejercer fácilmente la dictadura sobre el resto de la población.

Efectos de la ocupación norteamericana.

491

También quedó el país en una posición jurídica muy cercana al protectorado, tal como lo establecía la Convención Dominico-Americana de 1907, pues todavía quedaban los Estados Unidos reservándose el derecho de administrar las aduanas y de intervenir para hacer cumplir sus estipulaciones y de autorizar cualesquiera aumentos de la deuda pública que la República Dominicana quisiese realizar. Ese protectorado podía ser ejercido mucho más fácilmente ahora, luego que los dominicanos habían aprendido que el centro del poder político en el Caribe estaba en Washington y que la República Dominicana hacía tiempo había caído en la órbita de los intereses norteamericanos. El ejercicio de la soberanía, de ahora en adelante, sería entendido por los líderes dominicanos en forma mediatizada y siempre condicionado a la política exterior norteamericana o a los intereses económicos de los Estados Unidos que se desarrollaron enormemente en los años de la ocupación y fueron favorecidos con las medidas proteccionistas del Gobierno Militar.

Entre esas medidas proteccionistas pueden destacarse preferentemente, la Tarifa Aduanera puesta en vigor en 1919 con el propósito de favorecer la entrada al país de artículos manufacturados norteamericanos libres de impuestos. En virtud de esta tarifa fueron declarados libres de derecho de importación más de 245 artículos y les fueron exageradamente reducidos los derechos de importación a más de 700, lo que dio por resultado una perniciosa competencia de artículos y manufacturas extranjeras contra las manufacturas locales arruinando en muchos casos a las pequeñas artesanías e industrias con la avalancha de artículos norteamericanos que tuvo lugar luego de la promulgación de esa nueva tarifa aduanera. El incipiente desarrollo industrial dominicano, que pudo haberse fortalecido gracias a los capitales que se formaron con la subida de los precios durante la Ocupación, se retrasó por lo menos unos veinte años al hacerse prácticamente imposible competir con los productos norteamericanos que llegaban al país libres de impuestos. Aunque en años posteriores la Tarifa de 1919 fue modificada por el Gobierno de Horacio Vásquez, lo cierto es que desalentó la inversión industrial por mucho tiempo.

La ocupación norteamericana también dejó un gusto muy

marcado por el consumo de artículos y manufacturas norteamericanas y aunque, en los años que siguieron, los dominicanos volvieron a consumir mercancías europeas, desde entonces más de la mitad de las importaciones dominicanas habrían de venir siempre de los Estados Unidos. Una marcada americanización del lenguaje también tuvo lugar durante aquellos años con la diseminación de marcas de fábricas en inglés de casi todos los productos que se consumían en el país. También se difundieron entre los dominicanos algunos entretenimientos norteamericanos como fue el juego de béisbol, que andando el tiempo sustituiría a los gallos como el deporte nacional. En las élites urbanas la música americana se convirtió en signo de buen gusto, aunque también tuvo lugar el fenómeno inverso en el grueso de la población que se dedicó a bailar sus merengues con mayor vehemencia que antes como un signo de rechazo a la dominación extranjera.

La modernización y los cambios en las costumbres.

En materia de transportación, la Ocupación también produjo grandes transformaciones pues al abrirse las carreteras los autos y camiones ganaron popularidad rápidamente entre los que podían comprarlos, y el burro y el caballo fueron dejados a un lado para la realización de viajes largos. También el ferrocarril fue afectado en los años siguientes debido a que los fletes carreteros se abarataron gracias a la versatilidad de los camiones y al bajo precio de la gasolina. Veinte años después de la Ocupación, los ferrocarriles resultaban demasiado costosos de mantener y sus operaciones demasiado rígidas para las necesidades del país. Los programas de obras públicas del Gobierno Militar se convirtieron en un modelo para los gobiernos siguientes y gobernar casi vino a significar un sinónimo de construir. De ahora en adelante, la propaganda presentaría como un buen gobierno a aquel que construyera muchas obras públicas. El interés directo del Estado en el fomento de la educación y la agricultura se hizo permanente a partir de la ocupación militar norteamericana, y también puede decirse que el Gobierno Militar sentó la norma para la construcción sistemática de escuelas y la atención a los planes de colonización agrícola.

Sin embargo, con el desarrollo de la industria azucarera, que fue favorecida con la Ley de Franquicias Agrícolas de

1910, con la Ley de Partición de Terrenos Comuneros de 1911, con los incentivos otorgados por el Gobierno Militar y, luego, por la Ley de Registro de Tierras de 1920, y con la subida de los precios al terminar la Guerra, la economía del país quedó convertida en una economía de plantación sumamente dependiente de la dinámica de los precios mundiales del azúcar sobre los cuales la República no tenía ningún control. Por la misma historia de su desarrollo, debido a la abundancia de tierras baratas en el país que atrajo a numerosos inversionistas extranjeros, la industria azucarera quedó convertida en una actividad ajena al control del Gobierno Dominicano por muchos años y sus ingenios se transformaron en enclaves independientes o semi-independientes del Gobierno. La vida en los ingenios quedó así fuera de la fiscalización del Estado y a medida que sus plantaciones fueron creciendo, más y más tierras quedaron bajo su dominio desapareciendo muchas comunidades rurales que antes llevaban una vida agrícola o ganadera independiente. Al terminar la Ocupación, la industria azucarera controlaba más de 2 millones de tareas de tierra agrícola, que era una cantidad exorbitante.

XXXVII

HORACIO VASQUEZ

(1924-1930)

EL GOBIERNO DEL PRESIDENTE Horacio Vásquez fue, en cierto sentido, una prolongación de la Ocupación Militar norteamericana. Todos los programas de fomento y obras públicas iniciados por el Gobierno Militar fueron continuados, ampliados o terminados durante este nuevo régimen que se caracterizó por el amplio respeto de todas las libertades ciudadanas. Las obras públicas, los servicios sanitarios, la educación y la agricultura fueron objeto de la atención del Gobierno que, a su vez, dio inicio a nuevas obras de irrigación y de colonización de tierras inexplotadas para aumentar la producción agrícola y hacer al país autosuficiente en algunos renglones básicos, pues desde hacía tiempo los dominicanos importaban arroz, maíz, frijoles, cebollas, ajo, papas, carnes y hasta verduras que podían ser producidas en el país. Y, aunque la República contaba con riquísimos bosques, las maderas fueron un importante renglón de importación. Era evidente que el país debía desarrollar su agricultura y que el Gobierno debía favorecer ese desarrollo realizando obras‑de fomento y de infraestructura.

Programas del Gobierno de Vásquez.

Para ello necesitaba el nuevo Gobierno de recursos financieros pues el empréstito de 1922 ya se había agotado y las entradas fiscales no eran suficientes para mantener el ritmo de construcción de los proyectos en marcha. De ahí

Cuestiones financieras, 1924-1925.

el empeño de Vásquez por negociar un empréstito de 25,000,000 de dólares en los Estados Unidos para consolidar y pagar la deuda dejada por el Gobierno ,Militar y destinarlo, asimismo, a nuevas inversiones públicas. Este empréstito fue objetado por los diputados y senadores de todos los partidos, incluyendo los del suyo, y Vásquez tuvo que desistir de las negociaciones. De manera que la segunda parte del año 1924 y todo el año 1925 los pasó el Gobierno trabajando con los fondos que las rentas internas y las entradas aduaneras le proporcionaban, y los programas de construcción fueron llevados a cabo sin avances extraordinarios.

Como los empréstitos del Gobierno Militar habían dejado a la República Dominicana endeudada sin que en ello hubieran participado los dominicanos, durante el año de 1924 los gobiernos de la República Dominicana y de los Estados Unidos negociaron una nueva Convención Dominico-Americana que modificaba ligeramente la de 1907, pero que mantenía los mismos privilegios de los Estados Unidos de recaudar las rentas aduaneras y dar la protección que estimaren necesaria a los colectores de aduana, limitando el derecho del Gobierno Dominicano a aumentar su deuda pública solamente con el consentimiento de los Estados Unidos. Las modificaciones que se introdujeron en esta nueva Convención sirvieron para prolongar por dieciocho años más la intervención de los Estados Unidos en la vida financiera dominicana y para reajustar la Convención de 1907 a las nuevas realidades dejadas por el Gobierno de la Ocupación Militar.

Nueva Convención Dominico-Americana, diciembre 1924.

Esta nueva Convención fue duramente atacada en el Congreso por los diputados y senadores de todos los partidos, especialmente por los miembros del Partido Progresista que dirigía el Vicepresidente Federico Velázquez. Pero, a pesar de esa oposición, la Convención fue firmada el 27 de diciembre de 1924 y ratificada a finales de abril de 1925. Las discusiones parlamentarias en torno a la Convención sirvieron para hacer evidente que la Alianza Nacional-Progresista que había llevado a Vásquez y a Velázquez al poder se estaba deteriorando rápidamente pues los ataques de los partidarios de Velázquez contra el Presidente Vásquez así lo demostraban claramente. Esos ataques también tenían su origen en la incapacidad en que quedaron Velázquez y sus amigos para influir en las decisiones del Gobierno, pues desde un principio se hizo notorio el interés de los dirigentes del Partido Nacional por gobernar sin que el Vicepresidente y sus parciales tuvieran acceso al proceso de la toma de decisiones. Vásquez y Velázquez habían sido antagonistas políticos por muchos años y ahora sus viejos celos y antipatías volvían a resurgir espoleados por los dirigentes del partido horacista que temían perder influencia permitiendo que Velázquez recobrara el poder que gozó durante la administración de Ramón Cáceres.

Antagonismos políticos.

Así, pues, la Alianza Nacional-Progresista apenas sobrevivió a las elecciones y sólo sirvió como acuerdo electoral para favorecer la subida de Vásquez al poder. En los dos primeros años del Gobierno de Vásquez las relaciones entre estos dos partidos fueron extinguiéndose hasta dar por resultado la salida de Velázquez y su partido de la Administración Pública, para entonces producirse la curiosa integración de la Coalición Patriótica de Ciudadanos al Gobierno. Los coalicionistas estuvieron en la oposición durante este corto período, pero tan pronto como Velázquez salió con su partido del Gobierno, ellos se apresuraron a llenar el vacío dejado por el Partido Progresista, reforzando así el régimen de Vásquez con la fuerza política más importante que había en el país después del Partido Nacional. Esta nueva alianza, entre los antiguos bolos y coludos, reforzó notablemente el régimen de Vásquez a partir de diciembre de 1926, cuando se celebraron unas elecciones provinciales a las cuales los velazquistas no asistieron, en tanto que los coalicionistas participaron como aliados del Partido Nacional.

Ruptura de la Alianza Nacional-Progresista, 1926.

Alianza de bolos y coludos, diciembre 1926.

Vásquez volvió nuevamente, en septiembre de 1926, a insistir ante el Congreso sobre la necesidad de concertar un nuevo empréstito que sirviera para realizar nuevas inversiones públicas. Como la oposición velazquista estaba debilitada y ya los coalicionistas habían declarado su intención de incorporarse al Gobierno, fue sumamente fácil para Vásquez conseguir la autorización del Congreso para emitir dos series de bonos de 5,000,000 de dólares cada una que dotarían al Gobierno de $ 10,000,000 para los proyectos de obras

Nuevo empréstito, diciembre 1926.

públicas en los próximos años. Tan fácil fue, que la solicitud original del Presidente fue solamente por $ 2,500,000 y los diputados y senadores consideraron que esa suma era insuficiente y debía elevarse a los diez millones aprobados. Ya en diciembre de 1926 el Congreso había aprobado la concertación de este nuevo empréstito, e inmediatamente se emitieron los primeros cinco millones de dólares en bonos que sirvieron para financiar un impresionante programa de obras públicas que hizo circular dinero en abundancia durante el año de 1927 y que, combinado con una coyuntura favorable de precios de nuestros artículos de exportación y un aumento de la producción de los mismos, trajo nuevamente a la República a un corto período de prosperidad que recordaba la "Danza de los Millones".

Prosperidad económica, 1927.

Con ese dinero se construyó el acueducto de la ciudad de Santo Domingo, cuya población, durante más de cuatro siglos, había bebido agua de pozos y aljibes; se mejoraron las instalaciones y se dragaron los puertos de Santo Domingo, Puerto Plata y San Pedro de Macorís; se continuó el plan de riego y colonización en diferentes zonas del país, especialmente la Línea Noroeste y la Frontera, comprándose y mensurándose terrenos para las nuevas colonias agrícolas. Se construyeron edificios para nuevas escuelas en diez ciudades del país; y se continuó la construcción de carreteras, cuyo impacto se hizo aún mayor al abrirse los tramos que unieron a San Pedro de Macorís con Higüey, a San Francisco de Macorís con Rincón y con Pimentel, a Santiago de los Caballeros con Puerto Plata y con San José de Las Matas, a Moca con Salcedo y con Jamao, a Rincón con Cotuí, a Jarabacoa con La Vega, y a Hato Mayor con Sabana de la Mar.

Obras públicas, 1927-1930.

Algunos de estos caminos fueron completados durante el Gobierno de Vásquez pero otros fueron terminados años más tarde cuando llegaron al país y fueron instalados sus puentes de acero construidos en el extranjero por lo que la propaganda política atribuyó la gloria de su construcción al gobierno que sustituyó a Vásquez. Pero lo cierto es que todos fueron iniciados y avanzaron grandemente durante estos años y, para fines prácticos, estaban casi completados antes de 1930. De manera que el país pudo contar a partir de entonces con una de las más completas redes de carrete-

498

ras existentes en todo el Caribe pues esas vías enlazaron los puntos y poblaciones más importantes de la República en una época en que el país contaba apenas con un poco más de un millón de habitantes y muchas zonas del territorio nacional estaban casi despobladas. Nunca hasta entonces las comunicaciones habían sido tan buenas, y de ahí el gusto por los autos que desarrollaron los dominicanos de aquellos años.

Según un calificado testigo de los cambios que tenían lugar en el país, "el año 1927 marca la cúspide de la prosperidad nacional. Había trabajo, dinero, abundancia, paz, bienestar y un aparente empeño general de superación. El comercio, la agricultura, las industrias se ensanchaban florecientes y emprendedoras". En cuanto a la ciudad de Santo Domingo, el mismo testigo también informa que "antes, en la Capital, los mejores edificios comerciales tenían un aspecto ruinoso, con gruesas paredes de mampostería y techos romanos, recias puertas de tablones o planchas de acero aseguradas por pesados aldabones; ahora se levantaban modernas construcciones y edificios comerciales de concreto reforzado, algunos de ellos de varios pisos, como el Edificio Baquero levantado en 1927 en la calle El Conde, con amplias vitrinas de exhibición que en el pasado se desconocían... Hermosas residencias surgieron aquí y allá, con preferencia en las afueras de la Capital, en lo que se conoce como Gazcue y Avenida Independencia. Poco a poco aquellas casas de tablas de palma, tejamaní y techos de caña que aún existían en algunas calles importantes de la Capital fueron desapareciendo para ceder el paso a modernas construcciones de hormigón armado, cómodas, vistosas, atractivas e higiénicas. El barrio de Villa Francisca empezó a poblarse rápidamente." *Transformación de la ciudad de Santo Domingo.*

La modernización de la República Dominicana había comenzado. Se había originado en el último cuarto del siglo XIX con la introducción de los modernos centrales azucareros, con sus máquinas y calderas de vapor y sus ferrocarriles; con la llegada del telégrafo y el alumbrado eléctrico; con la importación callada pero continua de miles de artículos modernos manufacturados en las nuevas industrias norteamericanas y europeas que habían transformado *Modernización.*

499

aquellas sociedades en verdaderos polos industriales durante el siglo XIX; con la construcción de las carreteras y la llegada de automóviles y camiones; y también con la introducción de nuevas ideas de impulso modernizante, como lo fue el positivismo que llegó por los mismos años que los ingenios azucareros.

La modernización de la República Dominicana fue acelerada por la ocupación militar norteamericana al poner al país en contacto directo con otros modos de vida y con sistemas de organización y administración que facilitaron grandemente la conducción del Estado y las innovaciones tecnológicas que llegaron en grandes cantidades convertidas en mercancías gracias a las Tarifas Aduaneras de 1910 y 1919.

Cambios culturales.

La americanización creciente de las élites urbanas del país fue en más de un sentido la adopción de modos de conducta y de hábitos de consumo modernos provenientes de los Estados Unidos que, al terminar la Primera Guerra Mundial, empezaban a perfilarse como la potencia industrial más importante del futuro por ser la más dispuesta al cambio tecnológico. Desde luego, todavía tomaría años antes de que los Estados Unidos adquirieran el papel hegemónico que lograron después de la Segunda Guerra Mundial, y también le tomaría todavía muchos a la República Dominicana cambiar el carácter de sociedad rural, tradicional y atrasada en que por siglos había vivido, pero ya en 1927 podía decirse que el país se encaminaba a experimentar transformaciones mucho más radicales y más profundas que todos los que había sufrido en el curso de su historia.

Esos cambios se producían como por inercia histórica al caer la República Dominicana bajo la tutela política norteamericana y al entrar su economía bajo el dominio de los bancos y compañías extranjeras, en su mayoría norteamericanas. Todavía es difícil comprobar si los líderes políticos de aquellos años se daban cuenta de las profundas transfor-

Pervivencia del caudillismo.

maciones que empezaba a sufrir la República, pues su conducta y sus prácticas políticas seguían atadas a los viejos hábitos caudillistas del pasado y el juego partidista seguía siendo visto como una carrera hacia el Poder para la satisfacción de ambiciones personales, por medio de alianzas y pactos de grupos y de intereses igualmente personales que aseguraban la mayor participación posible en las gratificaciones que suponía la participación en el Gobierno. A pesar del avance material durante los años del Gobierno de Horacio Vásquez, los hábitos políticos seculares llevaron el país nuevamente hacia el pasado al resucitar el caudillismo y, con él, la inestabilidad política, el cambio de constituciones y el uso de la fuerza armada para alcanzar la Presidencia de la República.

A mediados de 1926 aparecieron los primeros signos de esta vuelta al pasado cuando empezó a discutirse en la prensa la cuestión de las elecciones presidenciales que debían celebrarse en 1928. En artículos que fueron publicados en esos días, varios intelectuales y políticos sugirieron que Vásquez y los miembros del Congreso habían sido electos de acuerdo con la Constitución de 1908 y que, por lo tanto, sus mandatos respectivos eran de seis años y no de cuatro, por lo que debían cesar en sus funciones en 1930 y no en 1928. Y sugerían, además, que como el Vicepresidente de la República, Federico Velázquez había sido electo luego de proclamada la Constitución de 1924 que fijaba la duración de las funciones del Poder Ejecutivo en cuatro años, no tenía derecho a permanecer en dicho cargo más allá del 16 de agosto de 1928. Todo lo cual significaba que los poderes del Presidente de la República se prolongarían por dos años más, mientras que los del Vicepresidente quedaban limitados solamente a cuatro años.

Orígenes de la "Prolongación", 1926.

Este movimiento de opinión cobró fuerza dentro del Partido Nacional, y se le llamó la "Prolongación". Mucho fue lo que se debatió en la prensa de aquellos días sobre si la prolongación era o no constitucionalmente válida. En verdad, no era válida pues Vásquez no había sido elegido de acuerdo con la Constitución de 1908 sino en virtud de las estipulaciones del Tratado de Evacuación que funcionó como especie de Pacto Constitucional durante el Gobierno de Vicini Burgos hasta tanto la Constitución de 1924 fue aprobada y proclamada. Además, Vásquez y Velázquez se juramentaron luego de proclamada esta nueva Constitución comprometiéndose a respetarla y hacerla respetar, lo que quería decir que se acogían a la duración de sus mandatos, limitada a cuatro años.

Campaña por la Prolongación, 1926-1927.

Pero la propaganda oficialista se impuso, favorecida por el interés de los coalicionistas de copar todos los cargos que dejarían los velazquistas al salir del Gobierno. A principios de 1927 todo estaba preparado para que el Congreso se pronunciara sobre la cuestión, a pesar de que el mismo Horacio Vásquez había recibido varias advertencias de la Legación Americana en el sentido de que el Gobierno de los Estados Unidos no vería con agrado una prolongación inconstitucional de sus poderes. Ya en septiembre de 1926 Vásquez se había pronunciado dispuesto a aceptarla y todo lo que hacía falta era discutir los procedimientos a seguir para legalizar la Prolongación pues obviamente la Constitución vigente establecía claramente el término de las funciones del Gobierno de Vásquez para 1928.

Reforma constitucional, abril-junio 1927.

El día 7 de abril de 1927 varios senadores presentaron un proyecto de ley tendiente a modificar la Constitución para extender el período presidencial a seis años, esto es, hasta el 16 de agosto de 1930. Este proyecto de ley fue prontamente aceptado. Para el 1 de abril de 1927 se convocaron las elecciones para elegir los Diputados a una Asamblea Revisora. Esta Asamblea se reunió el día 9 de junio y ya el día 17 había preparado una nueva Constitución prorrogando los mandatos del Presidente y del Vicepresidente, así como de los Diputados que debían concluir sus períodos el 16 de agosto de 1928. De manera que las elecciones que debían celebrarse dentro de un año, fueron pospuestas para celebrarse dentro de tres.

Exito de la Prolongación, 16 de agosto de 1927.

Los velazquistas protestaron, aunque no todos, pues hubo diputados y funcionarios del Partido Progresista que decidieron seguir el Gobierno uniéndose al movimiento por la Prolongación. El mismo Federico Velázquez viajó a Washington en un intento por conseguir que el Gobierno de los Estados Unidos impidiera que Vásquez continuara gobernando más allá de 1928, pero no pudo conseguir nada pues en esos momentos la política latinoamericana de los Estados Unidos estaba tomando un nuevo rumbo que consistía en mantener una actitud de no intervención directa para evitar verse envueltos en conflictos similares a los que llevaron a la ocupación militar de Santo Domingo, Nicaragua y Haití. De manera que el Gobierno de Vásquez siguió

502

impertérrito su camino y ya al año siguiente, cuando llegó el momento de efectuar constitucionalmente la Prolongación, Velázquez se negó a continuar en su cargo, siendo sustituido el 16 de agosto de 1928 por el doctor José Dolores Alfonseca, quien ocupaba la poderosa posición de Presidente de la Junta Superior Directiva del Partido Nacional.

Desde los primeros días del Gobierno de Vásquez, Alfonseca había sido el Director político del partido horacista y se perfilaba como el sucesor presidencial pues en más de una ocasión Horacio Vásquez había anunciado su decisión de dejar a Alfonseca en su lugar cuando concluyera su mandato. La ascensión de Alfonseca a la Vicepresidencia de la República constituyó para él un triunfo personal pues ahora la sucesión que él esperaba se perfilaba claramente. Pero Alfonseca tenía grandes enemigos dentro y fuera del Partido y tan pronto se juramentó como Vicepresidente, las intrigas comenzaron para impedir que sucediera a Vásquez en 1930.

Estas intrigas tomaron varias vertientes. La primera y más visible fue la que urdieron sus antagonistas dentro del Partido Nacional pues muy pronto empezaron una campaña en favor de la reelección de Horacio Vásquez para el período presidencial de 1930 a 1934. Y a esa campaña Alfonseca tuvo que unirse para no ser calificado de ambicioso o de traidor. De manera que en los dos años que siguieron a su elección, Alfonseca se vio atrapado en las redes reeleccionistas de su propio partido que no tardaron en verse manipuladas por el mismo Horacio Vásquez, quien empezó a promover políticamente a su sobrino Martín de Moya, Secretario de Estado de Hacienda, como posible candidato a la Presidencia, para balancear la influencia de Alfonseca dentro del Partido.

Alfonseca contaba entre sus enemigos uno muy poderoso que se llamaba Rafael Trujillo, Jefe de la antigua Policía Nacional Dominicana, cuyo nombre había sido cambiado en mayo de 1928 al de Ejército Nacional.

José Dolores Alfonseca vs. Rafael Trujillo.

El antagonismo de Trujillo y Alfonseca fue aprovechado por Martín de Moya y sus seguidores y en breve el Partido se dividió entre los seguidores del Vicepresidente y los amigos y seguidores del Secretario de Hacienda y del Jefe del Ejército. Este último grupo se hacía cada vez más numeroso pues mucha gente veía mayor fuerza política en Moya, que

503

era sobrino del Presidente y que aparentemente contaba con el decisivo apoyo del Jefe del Ejército. Sin embargo, a medida que pasó el tiempo, la campaña por la reelección de Vásquez fue también haciéndose más palpable, Horacio Vásquez favorecía con su silencio esta campaña y también favorecía las que realizaban Moya y Alfonseca por su propia cuenta, pues así todos llegaron a declarar que solamente él, Horacio Vásquez, podía seguir siendo Presidente de la República ya que ningún otro líder político estaba en condiciones de mantener unido el Partido.

Entretanto, el Gobierno continuaba sus programas de obras públicas y su política de colonización y desarrollo agrícola. El dinero circulaba abundantemente y se decía que muchas de las nuevas fortunas surgidas en los últimos años provenían de la corrupción de ciertos funcionarios públicos. La prensa atacaba y defendía al Gobierno libremente. Había periódicos gobiernistas, como el *Listín Diario*, y periódicos oposicionistas como *La Opinión* y *La Información* de Santiago de los Caballeros. Los debates en el Congreso se conducían dentro de la mayor de las libertades posibles y nadie era perseguido por sus ideas o por sus posiciones políticas.

Por primera vez en toda la historia dominicana existía un Gobierno estable que era capaz de mantener el orden y las libertades ciudadanas al mismo tiempo. Para los dominicanos, este era un hecho más que evidente cuando recordaban los viejos tiempos de las revoluciones o la dictadura militar de la Ocupación Norteamericana con su censura, sus cortes militares de justicia, sus patrullas de caminos, sus procedimientos violentos de requisamiento, y sus torturas a los sospechosos o acusados de oponerse a la Ocupación. El mismo Presidente Vásquez ponía especial empeño en preservar las libertades públicas y, las pocas veces que hubo políticos de la Oposición detenidos, los hizo libertar a pesar de haber declarado públicamente su oposición al Gobierno incitando al asesinato del Presidente de la República.

Pero la campaña por la reelección y la división del Partido Nacional terminaron debilitando al Gobierno pues tanto los velazquistas como los mismos coalicionistas que ocupaban cargos en la Administración Pública, veían con inquietud las posibilidades de una continuación del Partido

Nacional en el Poder. Vásquez había demostrado una honradez y una honestidad a toda prueba, pero su sectarismo político, que sólo era superado por el de Alfonseca, era un obstáculo para los coalicionistas que apenas participaban de las decisiones del Gobierno. De ahí que algunos coalicionistas hacían contacto con el Jefe del Ejército, Rafael Trujillo, a quien ellos también buscaron cultivar políticamente explotando su rivalidad con Alfonseca y haciéndole ver sus posibilidades presidenciales en caso de que Vásquez faltara.

Intrigas políticas.

No era un secreto para nadie que Vásquez estaba enfermo y que su vida podía verse en peligro en caso de que su dolencia se agravara. Todos sabían que Alfonseca sucedería a Vásquez y que su primera víctima sería Trujillo. Pero los opositores de Alfonseca dentro del Partido Nacional, así como los coalicionistas querían impedirle su llegada al Poder, y la única forma posible de hacerlo era a través de Trujillo. De manera que el Jefe del Ejército vino a convertirse así en la figura clave de aquella coyuntura que fue agravándose a medida que transcurría el año 1929, culminando en una crisis cuando Horacio Vásquez finalmente cayó postrado en cama y tuvo que ser trasladado urgentemente en avión a Baltimore, Estados Unidos, a someterse a una operación quirúrgica con el propósito de extirparle un cálculo renal que terminó con la extirpación de uno de sus riñones.

Enfermedad de Horacio Vásquez.

Trujillo había hecho una rápida carrera militar desde su ingreso en la Policía Nacional Dominicana en tiempos de la Ocupación Militar Norteamericana. A medida que fue ascendiendo había ido utilizando su creciente poder para hacer fortuna realizando negocios con la compra de alimentos, ropa y equipo de soldados. Al llegar a la Jefatura del Ejército, Trujillo se enriqueció más aún e invirtió su dinero en tierras y propiedades urbanas, demostrando con ello poseer un decidido espíritu empresarial y un afán de lucro poco común. Trujillo aprovechó la desmedida confianza que le dispensaba el Presidente Vásquez, quien lo había hecho Jefe del Ejército en reconocimiento a su demostrado horacismo, para colocar en los mandos claves del Ejército a oficiales adictos a su persona aparentando que eran adictos a Horacio Vásquez. Poco a poco, Trujillo convirtió aquel cuerpo de orden en un negocio personal y en una maquinaria

Carrera de Rafael Trujillo.

505

FRANK MOYA PONS

militar al servicio de sus intereses, aunque momentáneamente sirviera para sostener a Vásquez y apoyar la política
del Partido Nacional.

En poco tiempo la riqueza de Trujillo fue ampliamente
conocida y se hizo público que el sistema de compras y
aprovisionamiento del Ejército era su principal fuente de
ingresos. En 1927, por ejemplo, el presupuesto del Ejército
cerró con déficit y Trujillo no pudo justificar cómo había
gastado el dinero ese año. En 1929, en ocasión de un estudio
administrativo-financiero que hizo una misión norteamericana contratada por Vásquez para modernizar diversos departamentos del Gobierno, se descubrieron las vías de esca-
pe del presupuesto militar que Trujillo utilizaba en su provecho. No obstante las recomendaciones de esa comisión
para que fuese corregida esa situación, y a pesar de las demandas de los alfonsequistas para que Trujillo fuese removido de su cargo, Vásquez siguió dándole todo su apoyo y se
negó a creer las informaciones que también le llegaron de
que él estaba conspirando para derrocarlo en combinación
con varios políticos coalicionistas. Esa confianza de Vásquez
en Trujillo convirtió a éste en una figura intocable dentro
del régimen y más adelante, en un punto de serios conflictos
dentro del Partido cuando Vásquez salió del país y el Jefe
del Ejército quedó bajo el mando directo de su enemigo
José Dolores Alfonseca, quien ahora detentaba provisionalmente las funciones de Presidente de la República.

Vásquez salió del país el día 28 de octubre de 1929 y regresó el día 5 de enero de 1930 luego de haber sufrido una
seria operación que lo mantuvo al borde de la muerte durante más de un mes y le quitó mucho de su proverbial
energía física. Durante esas diez semanas en que Vásquez
estuvo ausente, la campaña por la reelección siguió adelante. Pero la situación política se agravó al rumorearse que el
Jefe del Ejército sería destituido por conspirador y al presentarse éste fuertemente armado y con escolta en franca
actitud de desafío en las oficinas de Alfonseca. A partir de
entonces se difundió el rumor de que Trujillo conspiraba
auxiliado por un preso de su confianza que había en la Fortaleza Ozama, nombrado Rafael Vidal y por el coalicionista
Roberto Despradel, quienes le habían hecho ver la posibi-

Presidencia interina de José Dolores Alfonseca, 28 de octubre de 1929 al 5 de enero de 1930.

Rumores de conspiración de Trujillo.

506

lidad de que Vásquez no regresara vivo y su necesidad de impedir que Alfonseca continuara en el Poder.

Tan notorios se hicieron estos rumores que el Ministro Norteamericano invitó a Trujillo a pasar por la Legación de los Estados Unidos en dos ocasiones para advertirle que su Gobierno no reconocería un régimen surgido como resultado del uso de la fuerza. Trujillo protestó en una y otra ocasión declarando ser fiel al Gobierno de Vásquez, pero a medida que pasaron los días los preparativos del golpe de Estado seguían avanzando. Un político llamado Rafael Estrella Ureña, que había sido Secretario de Estado de Vásquez y se había separado del Gobierno para combatir la reelección, había formado una agrupación llamada Partido Republicano. Este político había estado aglutinando opositores en la Capital y en Santiago y había celebrado un pacto con los líderes de otros pequeños partidos opuestos a Vásquez, entre los que se destacaba Desiderio Arias, quien dirigía la "pata prieta" del antiguo partido jimenista, ahora bajo el nombre de Partido Liberal. También hizo contacto Estrella Ureña con los velazquistas, o progresistas con quienes acordó integrar una candidatura antirreeleccionista encabezada por Velázquez como candidato a la Presidencia y secundada por él como candidato a la Vicepresidencia.

Pero en realidad, Estrella Ureña sólo estaba reuniendo fuerzas políticas de la Oposición para dar apoyo al movimiento que él y Trujillo habían acordado pues ya a principios de febrero ambos habían convenido en que Estrella Ureña y sus parciales iniciarían un movimiento en Santiago de los Caballeros que se apoderaría de la Fortaleza San Luis y desde allí levantarían un "Movimiento Cívico" que marcharía con hombres y armas hacia la Capital para obligar a Vásquez a renunciar, mientras el Ejército, aparentando querer evitar derramamiento de sangre, se abstendría de intervenir. A pesar de las numerosas denuncias que recibió Horacio Vásquez en el sentido de que Trujillo lo estaba traicionando, a ninguna dio crédito pensando en que todas eran obra de las intrigas y pugnas políticas entre el Jefe del Ejército y Alfonseca.

Esta confianza perdió a Vásquez pues lo cierto es que el golpe estaba planeado para el día 16 de febrero de 1930 y no fue llevado a cabo en esa fecha porque ese mismo día, precisamente, el nuevo Ministro norteamericano en el país, viajó a conocer a Santiago y los conspiradores no creyeron prudente iniciar el movimiento en la fecha convenida. Pero ya el día 23 de febrero Estrella Ureña y sus partidarios, secundados por Desiderio Arias y Elías Brache, antiguos líderes del jimenismo, dieron inicio a lo convenido. Un tío de Estrella Ureña, el General José Estrella, "atacó" la Fortaleza San Luis y la tomó. La guarnición de la Fortaleza no hizo resistencia. La marcha hacia la Capital se inició de inmediato y tres días más tarde varios cientos de hombres, parcialmente armados con rifles viejos que Trujillo les había enviado subrepticiamente, hacían su entrada en la ciudad de Santo Domingo luego que Horacio Vásquez se convenciera, tras una dolorosa pugna consigo mismo, que el hombre a quien él había encumbrado a la más alta posición militar lo había traicionado.

Vásquez se asiló en la Legación norteamericana, a pesar de los esfuerzos de sus amigos para que reaccionara destituyendo a Trujillo y lanzándose a la lucha como en los viejos tiempos. Pero el Presidente ya era un hombre viejo, enfermo y cansado y sus energías de antaño lo habían abandonado. Para no romper con el orden constitucional, aceptó negociar con los líderes rebeldes, encabezados por Estrella Ureña, mientras Trujillo permanecía en la Fortaleza Ozama esperando los resultados y manejando los hilos de la trama. De estas negociaciones surgió el entendido de que Vásquez nombraría a Estrella Ureña Secretario de Estado de Interior y Policía, que era a quien le correspondía ejercer la Presidencia en falta del Presidente y del Vicepresidente. Alfonseca y Vásquez presentaron formalmente sus renuncias al Congreso el día 2 de marzo y al día siguiente pasó a ocupar la Presidencia de la República Rafael Estrella Ureña, siendo recibido y juramentado por el Congreso el día 3 de marzo de 1930. Un par de días más tarde, Alfonseca y Vásquez tomaron el camino del exilio embarcándose hacia Puerto Rico.

El movimiento del 23 de febrero detuvo la reelección de Vásquez, pero no calmó la intensa agitación política que había con motivo de las próximas elecciones que debían ce-

Golpe de Estado, 23 de febrero de 1930.

Transición política, 23 de febrero-3 de marzo de 1930.

Rafael Estrella Ureña, Presidente, 3 de marzo de 1930.

Exilio de Vásquez y Alfonseca, 5 de marzo de 1930.

508

lebrarse el próximo 16 de mayo. Tan pronto Vásquez y Alfonseca salieron del país, los partidos reiniciaron sus campañas pues los progresistas y los coalicionistas, que habían apoyado a Estrella Ureña, esperaban triunfar en las elecciones ya que desde la Presidencia éste podía hacer mucho por la candidatura que había integrado con Velázquez varias semanas atrás. La Legación norteamericana había declarado que no reconocería ningún gobierno presidido por el General Trujillo a resultas del derrocamiento de Vásquez, y todos confiaban en que las urnas decidirían la pugna por el Poder.

Continuación de la campaña electoral.

Pero todos estaban equivocados pues pocos días después de la juramentación de Estrella Ureña, se hizo evidente que quien mandaba era el Jefe del Ejército y que el nuevo Presidente no era más que un juguete en sus manos. También se hizo evidente que el General Trujillo quería la candidatura a la Presidencia para sí mismo y que no pensaba cederla ni a Velázquez ni a Estrella Ureña. Los coalicionistas apoyaron a Trujillo en sus pretensiones y se entendieron con él y Estrella Ureña para lanzar una nueva candidatura encabezada por Trujillo. Para apoyar esta candidatura se formó una "Confederación de Partidos" que agrupaba esta candidatura a los coalicionistas, a los liberales de Arias, a los republicanos de Estrella Ureña y a los seguidores de dos pequeños grupos llamados Partido Nacionalista y Partido Obrero que apenas tenían significación política.

Candidatura de Trujillo.

Velázquez comprendió su error al apoyar el movimiento de Estrella Ureña. Como reacción, negoció otra vez con los líderes del Partido Nacional la integración de una nueva "Alianza Nacional-Progresista", similar a la de 1924 que lo llevaría a él como candidato a la Presidencia y al líder horacista Angel Morales, ex-Ministro dominicano en Washington, como candidato a la Vicepresidencia. No pasaron muchos días cuando los jefes de la Alianza descubrieron que sus seguidores y partidarios estaban siendo perseguidos y encarcelados por miembros del Ejército. No obstante esta persecución Velázquez y Morales insistieron en hacer campaña, y en una ocasión Morales y sus acompañantes fueron atacados a tiros en las afueras de Santiago después de haber asistido a varias manifestaciones políticas en esa ciudad. Fue milagroso que Morales y sus acompañantes no perdie-

Terrorismo político, abril-mayo 1930.

509

ran la vida, pues algunos escaparon del atentado con sus pantalones y sombreros perforados por las balas.

Todo el mes de abril transcurrió en una campaña de terror político y de intimidación policial a la población. La Alianza Nacional-Progresista suspendió sus actividades poco a poco, mientras la Confederación de Partidos gozaba de amplia libertad de acción para celebrar sus manifestaciones. Frente a la violencia militar, la Junta Central Electoral renunció el día 7 de mayo, pero fue sustituida por nuevos miembros favorables a la candidatura de Trujillo-Estrella Ureña. Como la violencia y el terrorismo continuaron, la Alianza Nacional-Progresista anunció el día 15 de mayo de 1930, en la víspera de las elecciones, que se retiraba del proceso electoral por considerar que no había garantías para ejercer el voto libremente en el país. Al otro día se celebraron las elecciones con la sola participación de la candidatura oficial que obtuvo el 45 % de los votos de los sufragantes inscritos. A pesar de las protestas de la Alianza y de los periódicos, la nueva Junta Central Electoral reconoció la validez de las elecciones el día 24 de mayo y proclamó a Trujillo y a Estrella Ureña como Presidente y Vicepresidente de la República, respectivamente.

El terrorismo continuó en los meses siguientes. Los más destacados opositores a Trujillo fueron perseguidos y encarcelados. El líder alfonsequista Virgilio Martínez Reyna, que había propuesto la destitución de Trujillo cuando Horacio Vásquez se encontraba enfermo en Baltimore, fue asesinado a tiros y puñaladas junto con su esposa embarazada mientras dormían en su casa de campo en San José de las Matas. Trujillo organizó una banda terrorista llamada "La 42", encargada de perseguir y asesinar a sus opositores y de imponer el miedo en el país. Esta banda azotaba la República en automóvil dejando tras de sí una estela de cadáveres y hogares desgraciados. El *Listín Diario*, que había hecho campaña en favor de la Alianza, fue asaltado a finales de mayo y sus directores fueron obligados a callar su campaña de denuncias. Los jueces de la Corte de Apelación de Santo Domingo, que impugnaron las elecciones fueron también perseguidos. Después de seis años de libertades, el Pue-

Violencia militar.

Renuncia de la Junta Central Electoral. 7 de mayo de 1930.

Elecciones.

Asesinatos y persecuciones.

blo Dominicano volvía a caer en la tiranía. El 16 de agosto de 1930, Rafael Trujillo y Rafael Estrella Ureña tomaron posesión de la Presidencia y la Vicepresidencia de la República ante la consternación de la mayoría del país. La Era de Trujillo había comenzado.

Rafael Trujillo, Presidente de la República, 16 de agosto de 1930.

511

XXXVIII

LA ERA DE TRUJILLO

(1930-1961)

El ascenso del General Rafael Trujillo al Poder en 1930 puso en evidencia otra de las consecuencias de la Ocupación Militar Norteamericana: el indiscutible peso del Ejército Nacional en la vida dominicana en una forma totalmente diferente a como había ocurrido en el pasado, pues ahora, con la población totalmente desarmada, no había ningún grupo político capaz de hacer frente en el terreno militar a los soldados y oficiales entrenados por el Gobierno Militar entre 1917 y 1924. Trujillo fue el heredero de ese cuerpo de orden creado por los norteamericanos y no tardó en demostrar que sabía utilizar a cabalidad los métodos de control que se utilizaron durante la Ocupación para luchar contra los gavilleros y reprimir cualquier tipo de oposición que se presentara.

Trujillo como consecuencia de la ocupación militar norteamericana.

Trujillo utilizó su ejército para imponer su dominio sobre el resto de la población dominicana por medio de la violencia, el terror, la tortura y el asesinato. También fue el Ejército la primera fuente de su riqueza al aprovechar las compras de ropas, alimentos y equipos para cobrar comisiones y establecer descuentos a su favor. Incluso una de sus amantes en sus tiempos de General se lucró grandemente de la posición de Trujillo en la jefatura del Ejército al obtener un contrato exclusivo para dar servicio de lavandería a los soldados, a quienes se les descontaba mensualmente una

Instauración de la Dictadura: Robo, violencia, asesinatos.

513

parte de su salario para el lavado de la ropa. Se sabe que en los primeros años de su Gobierno, Trujillo enriqueció a su amante con este solo negocio.

Régimen de rapiña.

Desde un principio el régimen de Trujillo fue un régimen de rapiña. Su ambición sin límites lo llevó a buscar el control de todos los negocios que había en el país en el momento de su llegada al Poder y, finalmente, terminó consiguiéndolo Al negocio de las compras y al de la lavandería del

Negocios de Trujillo.

Ejército, sucedió un nuevo negocio consistente en el monopolio de la producción y venta de la sal en 1931, que Trujillo pudo imponer amparándose en su condición de Presidente de· la República haciendo aprobar una ley que prohibió la producción de las salinas marítimas para que la población se viera obligada a consumir sal de las minas de Barahona cuya producción él controlaba. Establecido el monopolio, el precio de la sal subió de 60 centavos a $ 3.00 el quintal, lo que según las informaciones de aquellos días le reportaba a Trujillo beneficios anuales ascendentes a unos $ 400,000.

Monopolios.

Trujillo trabajó en el establecimiento de la mayor cantidad de monopolios posibles. Al de la sal siguió el de la carne y de las carnicerías de la ciudad de Santo Domingo que también le proporcionaron ingresos de unos 500,000 pesos anualmente. A éste se unió el del arroz, que Trujillo instituyó prohibiendo la importación de arroz y obligando a los dominicanos a consumir arroz criollo. distribuido a través de una compañía suya que elevó el precio de unos 6 centavos a 12 y 15 centavos la libra, dependiendo de la calidad. En los primeros años de su gobierno, Trujillo anduvo rápido en la creación de estos monopolios que también abarcaron la venta y distribución de leche en la Capital y la instalación de un banco de canje de cheques del Gobierno, que manejaba su esposa María Martínez, por medio del cual los empleados públicos pagaban un porcentaje de sus sueldos para poder cobrar sus cheques por adelantado. Con el dinero acumulado rápidamente con estos primeros negocios, Trujillo compró en los años siguientes acciones de varias empresas que ya funcionaban en el país y terminó arrebatándoselas a sus dueños, como fue el caso de una Compañía de Seguros que él hizo que le vendieran y que, luego de adquirida, bautizó con el nombre de San Rafael, y como fue

514

el caso también de la Compañía Anónima Tabacalera cuyos dueños fueron forzados a venderle acciones para después verse obligados a cederle la propiedad casi total de la empresa.

Con éstos y con otros muchos negocios que abarcaban desde la prostitución hasta la exportación de frutos del país, incluyendo las comisiones por la concesión de contratos de obras públicas y el descuento de un 10 % que se les hacía a los empleados públicos de sus sueldos destinado al Partido Dominicano, Trujillo terminó convirtiéndose a finales de su primera administración presidencial en el hombre más rico del país. Durante el resto de su vida, Trujillo utilizaría el poder político y militar para enriquecerse y para favorecer a los miembros de su familia o a sus allegados más íntimos. El Gobierno fue para él un medio de engrandecimiento personal y no un instrumento de servicio público, a pesar de los esfuerzos que hicieron sus seguidores por crear una ideología basada en una supuesta reconstrucción nacional inspirada en el más puro patriotismo.

Ahora bien, en su afán por aumentar su riqueza personal, Trujillo tenía frente a sí la enorme tarea de desarrollar la riqueza nacional pues la suya necesariamente debía provenir de ésta. Y de ahí su vigoroso empeño por continuar con la política de fomento agrícola y de obras públicas iniciada por los gobiernos anteriores. Tal como dijeron sus panegiristas a lo largo de los 32 años de su régimen, el Gobierno de Trujillo llevó a cabo el más grandioso plan de obras públicas y de construcciones jamás realizado en la República Dominicana hasta entonces. Es cierto que en los primeros años Trujillo casi se limitó a concluir las obras ya comenzadas o contratadas durante el Gobierno de Vásquez pues la situación económica del país después de la crisis mundial de 1929 había quedado sumamente deteriorada y el Gobierno quedó sin recursos suficientes para atender a las obras públicas. Pero también es cierto que tan pronto como la economía empezó a recuperarse alrededor de 1938, el Gobierno Trujillo reemprendió con inusitada energía los anteriores programas de carreteras, puentes, canales de riego y colonización agrícola y, a la vuelta de pocos años, la riqueza del país empezó a hacerse evidente gracias a la apertura de de-

Obras públicas.

515

Desarrollo de la agricultura.

cenas de miles de tareas de tierras a la agricultura y al asentamiento de miles de campesinos en tierras donadas por el Estado en regiones hasta entonces abandonadas. Gracias a esos programas de colonización, que fueron en realidad una incipiente reforma agraria, aumentó la producción agrícola en todos los renglones haciendo al país autosuficiente en arroz, maíz, frijoles, y demás víveres, pues hasta la década de los años de 1930, no siempre se produjo todo lo que se necesitaba.

Los dominicanos tuvieron siempre la idea de que vivían en un país despoblado que necesitaba aumentar su población. De manera que el Gobierno de Trujillo desde el principio estimuló no sólo la inmigración sino que además patrocinó la constitución de familias numerosas pues en los primeros años de su régimen el problema era contar con suficientes brazos para incorporarlos a la fuerza de trabajo. Esta política demográfica estuvo acompañada de un mejoramiento notable de los servicios de salud iniciados durante la Ocupación Militar Norteamericana que produjo una baja en la mortalidad lo que dio por resultado que entre los años 1935 y 1950 la población creciera visiblemente y pasara de

Crecimiento demográfico.

1,480,000 habitantes en 1935 a 2,100,000 en 1950 y a 3,000,000 en 1960. Este crecimiento demográfico tuvo consecuencias inmediatas, pues con la facilidad de las nuevas comunicaciones y con la modernización de las ciudades, que fueron dotadas de luz eléctrica, acueductos, centros sanitarios, escuelas, y otros servicios urbanos, muchos campesinos que no tenían oportunidades de trabajo empezaron a emigrar hacia las ciudades, acelerándose así el proceso de urbanización que se había iniciado en Santo Domingo durante los años de Horacio Vásquez.

Modernización de pueblos y ciudades.

Urbanización.

Este proceso de urbanización se hizo más rápido a partir de la Segunda Guerra Mundial y, particularmente, en la década de los años de 1950, pues con el capital acumulado en sus primeros negocios, Trujillo empezó a establecer industrias en la ciudad de Santo Domingo para aprovechar los altos precios originados por la Guerra en algunos artículos de primera necesidad. Así comenzaron la industria de aceites comestibles, la industria del cemento, a las cuales siguieron otras de bebidas y licores, papel, embutidos, leche

Industrialización.

procesada, clavos, botellas y vidrio, café, carnes, chocolate, dulces, mármol, medicinas, pan, pinturas, sacos, cordeles y tejidos, y muchos otros artículos más. La industrialización que se inició durante la Segunda Guerra Mundial terminó cambiando el antiguo carácter meramente administrativo de la ciudad de Santo Domingo al convertirla en un centro manufacturero a donde acudieron decenas de miles de dominicanos provenientes de los campos y ciudades del interior en busca de ocupación. Este patrón de migración interna se repitió en grados diversos en los demás centros urbanos del país, dando por resultado que en 1960 solamente el 60 % de la población dominicana vivía en el campo, en tanto que en 1930 el 84 % de la población habitaba en la zona rural. Hoy, a consecuencia de esa industrialización y urbanización iniciadas en la Era de Trujillo, más de la mitad de la población del país vive en las ciudades. Santo Domingo, es un conglomerado urbano cuya población crece seis veces más rápidamente que la del resto del país y contiene el 20 % de la población de todo el país.

Otra industria que Trujillo también desarrolló fue la azucarera. Al terminar la Segunda Guerra Mundial él y sus consejeros pudieron apreciar el monto de los enormes beneficios logrados por los dueños de los ingenios que existían en el país desde hacía más de medio siglo. El no quiso quedarse fuera de este negocio y en 1949 comenzó construyendo un ingenio en las cercanías de Villa Altagracia, el Ingenio Catarey, en una finca de su propiedad. Pero este ingenio resultó muy pequeño para sus nuevas aspiraciones y ya al año siguiente inició la construcción del Central Río Haina, que él aspiraba a que fuera el más grande del país. En los años siguientes Trujillo utilizó fondos estatales y propios, a través de complicadas operaciones financieras para comprar la mayoría de los ingenios extranjeros que operaban en el país, convirtiéndose así en el principal productor de azúcar de la República Dominicana. Sólo quedaron sin venderle sus ingenios, la Casa Vicini y la llamada entonces South Puerto Rico Sugar Company, propietaria del Central Romana, compañía con la cual Trujillo no llegó a concertar un arreglo rápido al no ponerse de acuerdo con sus propietarios sobre el precio de venta del Central Romana. Otras empresas ex-

Desarrollo de la industria azucarera.

517

tranjeras que el Gobierno de Trujillo también adquirió, en su empeño por controlar toda la vida económica de la nación fueron el National City Bank que se convirtió en el Banco de Reservas en 1941, y la Compañía Eléctrica, llamada hoy Corporación Dominicana de Electricidad.

Creación del Banco de Reservas.

El crecimiento del imperio económico de Trujillo llegó a ser tan grande, que al final de su vida él controlaba cerca del 80 % de la producción industrial y sus empresas daban ocupación al 45 % de la mano de obra activa en el país, lo que unido a su control absoluto del Estado, que empleaba el 15 % de la población activa, hacía que un 60 % de las familias dominicanas dependieran de una manera o de otra de su voluntad. Todo esto, unido a un sistema de impuestos y las contribuciones forzadas en favor del Partido Dominicano o del Gobierno, cuyos fondos él manejaba absolutamente, hace verosímil la observación de un testigo que llegó a decir que durante su gobierno se llegó al extremo de que los dominicanos no podían comer, calzar, vestir o alojarse sin que de alguna manera Trujillo o su familia resultaran beneficiados. Desde un principio el Gobierno Dominicano fue una maquinaria al servicio de su engrandecimiento personal y la reconstrucción del Estado fue un pretexto para el enaltecimiento de su gloria.

Totalitarismo económico de Trujillo.

El caso de los haitianos sirve de ejemplo. Desde hacía más de un siglo los haitianos habían estado penetrando pacíficamente en el país asentándose en tierras agrícolas abandonadas por los dominicanos en tiempos de la Primera República. Por más esfuerzos que se hicieron en el siglo XIX por llegar a un acuerdo con Haití, nunca fue posible aclarar la cuestión de los límites fronterizos, pues el Tratado de 1874 fue un instrumento defectuoso, y las negociaciones de Lilís poco antes de morir otorgaron derechos a los haitianos sobre tierras hasta entonces reclamadas por los dominicanos. Durante muchos años, a principios del siglo XX, se procuró llegar a un arreglo sobre los límites fronterizos, el cual sólo pudo alcanzarse en 1929 durante el Gobierno de Horacio Vásquez. Pero a pesar de haberse firmado el 21 de enero de ese año un Tratado sobre la Fijación de Límites, en el país quedaron viviendo varias decenas de miles de haitianos que trabajaban como obreros de la industria azucarera o como sirvientes en las casas de familia o como agricultores y pequeños comerciantes en el sur y en la Línea Noroeste cerca de la Frontera.

Esos haitianos estaban completamente marginados de la vida dominicana y el territorio por ellos ocupado era una extensión de la República de Haití. La moneda haitiana circulaba libremente hasta el pueblo de Mao y era aceptada por el comercio de Santiago, en el Cibao. En el Sur la moneda circulaba hasta Azua. A pesar de los nuevos límites fronterizos, fijados en 1929, había zonas del país en donde la población no pertenecía a la República y era ajena a las disposiciones y leyes del Gobierno Dominicano. Inspirado quién sabe por qué, Trujillo viajó a Dajabón a principios de octubre de 1937 y allí pronunció un discurso señalando que esa ocupación de los haitianos de las tierras fronterizas no debía continuar, ordenando luego que todos los haitianos que hubiera en el país fuesen exterminados. En los días que siguieron al 4 de octubre de 1937, Trujillo hizo perseguir y dio órdenes de asesinar a los haitianos donde quiera que se encontraran muriendo unos 18,000 de ellos en todas partes del país, pudiendo salvar la vida aquellos que lograron cruzar la frontera o los que fueron protegidos por los ingenios azucareros que no querían perder su mano de obra.

Masacre de los haitianos, octubre 1937.

La matanza de los haitianos en 1937 produjo un escándalo internacional y creó en toda América Latina y en los Estados Unidos una repulsa unánime. Después de muchas protestas e investigaciones, el caso quedó cerrado cuando el Gobierno Dominicano pagó al Gobierno haitiano $ 750,000 en compensación de los daños y perjuicios ocasionados por lo que oficialmente se llamó "conflictos fronterizos". El Gobierno de Trujillo quiso hacer aparecer la matanza como un simple incidente ocurrido en la frontera entre campesinos dominicanos y ladrones de ganado haitianos cuando los dominicanos, cansados de los robos que padecían, decidieron atacar a los haitianos dando muerte a unos cuantos. Lo cierto es que aunque todo el mundo sabía que aquello había sido un genocidio, los defensores del Gobierno lanzaron una intensa campaña de propaganda en favor de Trujillo haciéndolo aparecer como el defensor de la nacionalidad.

Después de la eliminación de los haitianos de las zonas fronterizas, el Gobierno inició años más tarde un vasto programa de Dominicanización de la Frontera consistente en la creación y construcción de pueblos a lo largo de la nueva línea de demarcación, cuya dominicanidad estaría asegurada por una serie de instalaciones militares que impedirían una nueva penetración haitiana.

Dominicación de la Frontera. 1941-1948.

En los años siguientes, la dominicanización de la Frontera se convirtió en una especie de cruzada de reivindicación nacional al recuperar y traer de nuevo al control de los dominicanos aquellas zonas que perdidas en tiempos de Toussaint y que las invasiones haitianas de la Primera República, primero, y el comercio fronterizo, después, habían impedido recuperar. Esos pueblos y puestos militares fueron dotados de todas las facilidades. La frontera fue repoblada en pocos años con familias dominicanas a las cuales se les cedieron tierras en numerosas colonias agrícolas que fueron creadas con la finalidad de asentar una población que diera vida a aquellas regiones despobladas. El plan de dominicanización de la Frontera dio sus resultados positivos pues a partir de entonces la Frontera quedó incorporada a la República con la creación de varias provincias que la ligaron administrativamente a la Capital y con la construcción de numerosos caminos y canales de riego que hicieron de aquellas tierras una zona poblada permanentemente incorporada a la producción general del país.

Cuando Trujillo llegó al Poder en 1930 en medio de una crisis económica general, parte importante de las dificultades financieras del país se debían a las obligaciones de la República en virtud de la Convención Dominico-americana de 1924 que le impedía suscribir nuevos empréstitos o elevar los aranceles aduaneros sin consentimiento del Gobierno de los Estados Unidos y, al mismo tiempo, obligaban al Gobierno Dominicano a respetar la distribución de las rentas aduaneras del país que llevaba a cabo la Receptoría General de Aduanas, consistente en descontar un 50 % de las mismas

Liquidación de la deuda externa.

para el pago de la deuda externa, el Gobierno de Trujillo inició en 1931 gestiones para obtener de los Estados Unidos una moratoria que le permitiera pagar solamente los intereses de la deuda mientras persistiera la actual crisis económica mundial. Esas gestiones dieron un resultado positivo y permitieron al Gobierno de Trujillo contar con recursos adicionales a los que normalmente hubiera recibido de continuar bajo los términos de la Convención de 1924.

La crisis económica llevó al Gobierno Dominicano en 1931 a iniciar negociaciones con el Gobierno de los Estados Unidos para que devolviera a la República el derecho de administrar por sí misma sus Aduanas, enajenadas desde tiempos de Lilís y puestas bajo la administración de la Receptoría desde 1905. Este acuerdo tardó varios años en ser elaborado pues las negociaciones entre ambos gobiernos estuvieron llenas de incidentes y tampoco fue fácil convencer a los tenedores de bonos de que seguirían gozando de las mismas garantías para el pago de su deuda. Pero, finalmente, el 24 de septiembre de 1940, Trujillo, que ya había sido dos veces Presidente de la República, y ahora se había hecho nombrar Embajador Extraordinario y Ministro Plenipotenciario, firmó junto con el Secretario de Estado de los Estados Unidos, Cordell Hull, un Tratado modificando la Convención de 1924 en el sentido de que a partir de ese momento la Receptoría General de Aduanas dejaba de funcionar bajo la dirección del Gobierno norteamericano y sus oficinas y dependencias pasaban a formar parte de la Administración Pública de la República Dominicana.

Este tratado, que se conoce como el "Tratado Trujillo-Hull", fue ratificado el 15 de febrero de 1941, y fue objeto de una enorme propaganda por parte del Gobierno para hacer aparecer a Trujillo como el restaurador de la independencia financiera del país pues los apologistas del Gobierno utilizaron la escandalosa y deprimente historia financiera dominicana para hacer aparecer a Trujillo como el hombre providencial que había sido capaz de restituir la soberanía de la República, mutilada por la administración extranjera de las aduanas, para darle verdadera independencia al país. De hecho, la administración de las aduanas quedó en manos dominicanas a partir del Tratado Trujillo-Hull, pero en virtud del mismo, todos los fondos recaudados por el Gobierno Dominicano debían ser depositados en el National City Bank of New York, que operaba en Santo Domingo, para que uno de sus funcionarios que hacía las veces

521

de representante de los tenedores de bonos dispusiera la distribución de los mismos, entre el Gobierno Dominicano y los acreedores extranjeros de los empréstitos de 1922 y 1926.

Entretanto la deuda externa siguió amortizándose. De los 16,000,000 de dólares que el país adeudaba en 1930, sólo quedaban por pagar unos $ 9,401,855.55 en julio de 1947. Aprovechando que la situación financiera del país había mejorado a causa del alza de los ingresos fiscales que tuvo lugar durante la Segunda Guerra Mundial, esto es, entre 1939 y 1945, el Gobierno entregó el día 21 de julio de 1947 un cheque en favor de los representantes de los tenedores de bonos por la suma pendiente.

La cuestión de la deuda externa fue una de las muchas cosas heredadas del pasado que encontraron su final en la Era de Trujillo. La propaganda que se hizo en torno a su liquidación fue tanta y duró tantos años que andando el tiempo los dominicanos llegaron a acostumbrarse a ella y en la mente de muchos se diluyó la noción de la importancia de la recuperación del control de las aduanas y la recaudación de las rentas internas. Pero Trujillo no lo olvidó nunca y durante su gobierno se insistió hasta el final en su gloria histórica como el restaurador de la independencia financiera dominicana.

Continuidad del régimen de Trujillo.

Políticamente, el régimen del Trujillo logró una continuidad inalterable a pesar de las numerosas conspiraciones que hubo y de las invasiones que los exiliados dominicanos organizaron contra él en los años posteriores a la Segunda Guerra Mundial. Constitucionalmente Trujillo fue Presidente de la República cuatro veces. La primera de 1930 a 1934; la segunda de 1934 a 1938. Entonces fue sustituido por el que hasta entonces había sido su Vicepresidente, Jacinto B. Peynado, quien al morir en 1940, fue sustituido por Manuel de Jesús Troncoso de la Concha. La razón por la cual Peynado fue electo Presidente, aunque Trujillo siguió gobernando, se explica por la oposición que hizo el Gobierno de los Estados Unidos a que Trujillo se reeligiera en 1938, apenas unos meses después de la matanza de los haitianos. Sin embargo, con el programa de Dominicanización de la Frontera en marcha, y con cinco años por el medio para olvidar los conflictos, el Gobierno americano no objetó que Trujillo volviera a ser Presidente por tercera vez en 1942 hasta 1947 ni que se reeligiera ese año para gobernar hasta 1952, cuando entregó el poder a su hermano Héctor B. Trujillo, quien fungió como Presidente hasta agosto de 1960 cuando renunció, a causa de la crisis internacional que confrontaba el Gobierno debido a las sanciones económicas que le fueron impuestas al régimen por la Organización de Estados Americanos (OEA) luego que Trujillo intentó asesinar al Presidente de Venezuela Rómulo Betancourt en junio de 1960. Quedó entonces como Presidente de la República el Doctor Joaquín Balaguer, quien hasta ese momento había ejercido las funciones de Vicepresidente.

De las dos invasiones que realizaron los exiliados dominicanos, la de Luperón, en junio de 1949, y la de Constanza, Maimón y Estero Hondo, en junio de 1959, fue esta última la que, a pesar de su fracaso, creó problemas insolubles al régimen, pues luego muchos dominicanos creyeron que podrían encontrar apoyo en el Gobierno cubano dirigido por Fidel Castro que tomó el Poder en enero de 1959, y se dispusieron a conspirar. Esa conspiración se extendió ampliamente, pero fue descubierta y ya en 1960 las cárceles del país estaban llenas de centenares de presos políticos de todas las clases sociales, mientras el régimen acentuaba sus viejos métodos de terror, vigilando en forma ostensible y amenazadora a los ciudadanos y torturando y matando a los presos políticos y a los opositores al Gobierno. Muchos dominicanos fueron asesinados en 1960, entre ellos tres hermanas de la sección de Conuco, Salcedo, pertenecientes a la respetada familia Mirabal, cuyos esposos estaban encarcelados por participar en la conspiración originada por la invasión del 14 de junio del año anterior. El asesinato de las Hermanas Mirabal, ocurrido el 25 de noviembre de 1960, colmó los ánimos de la gente sensata y decente contra Trujillo y acrecentó la atmósfera de profunda animadversión que ya existía contra el Gobierno.

Nuevas conspiraciones surgieron, incluso entre los mismos amigos de Trujillo y entre personas que habían sido funcionarios del gobierno y colaboradores cercanos suyos. Una de esas conspiraciones contó con el apoyo de los servi-

Invasión de Luperón, junio 1949.

Invasión del 14 de junio de 1959.

Terrorismo, torturas, encarcelamientos y asesinatos.

Las Hermanas Mirabal, 25 de noviembre de 1960.

Conspiraciones.

523

cios de inteligencia de los Estados Unidos, que también creían llegado el momento de liquidar esta larga tiranía. Alentados por ese apoyo, este grupo de hombres, dirigidos por un amigo de infancia de Trujillo, Juan Tomás Díaz, que se encontraba en desgracia a causa de la oposición política de su hermana, urdió la trama de atacar a Trujillo a balazos cuando se dirigiera a su "Hacienda Fundación", en San Cristóbal, cosa que hicieron en la noche del 30 de mayo de 1961. El asesinato del Dictador ocurrió cuando ya el régimen se desmoronaba a consecuencia de las sanciones económicas impuestas por la Organización de Estados Americanos (OEA) el año anterior, y mientras la oposición popular crecía por los ataques que Trujillo había lanzado en los últimos meses contra la Iglesia Católica luego que ésta se negara a otorgarle el título de Benefactor de la Iglesia, que él quería añadir a los de "Generalísimo", "Benefactor de la Patria" y "Padre de la Patria Nueva".

Muerte de Trujillo, 30 de mayo de 1961.

A lo largo de esos treinta y dos años de su Gobierno, Trujillo completó la obra de fomento de la riqueza pública iniciada a principios de siglo por Ramón Cáceres y acelerada durante la Ocupación Militar Norteamericana. Pero la naturaleza depredadora de su régimen, que tendía a explotar las riquezas del país en su beneficio personal y familiar, creó un sistema de apropiación de los recursos económicos de la Nación que terminó por desposeer a miles de campesinos de sus tierras obligándolos a emigrar a las ciudades, y terminó creando un gobierno encerrado en sí mismo que limitaba la participación de las mayorías en el ejercicio del poder y, al mismo tiempo, en las posibilidades de hacer fortuna. El país creció económicamente durante la Era de Trujillo y aunque el Estado fue organizado y la burocracia civil y militar funcionaban con relativa eficiencia, sólo se sostenían sobre la base del miedo que el Dictador inspiraba y en la función de los intereses personales de Trujillo. La naturaleza monopolística de sus empresas dejaba poco campo a la inversión privada pues nadie se sentía seguro de no ser despojado de sus negocios una vez éstos mostraran que estaban dejando beneficios.

Carácter del régimen de Trujillo.

Trujillo fue simplemente trujillista, no nacionalista, como se ha dicho insistentemente, pues la nacionalización

524

de diversas empresas extranjeras que él realizó, fue llevada a cabo en su propio favor y, aunque invertía normalmente sus beneficios en la creación de nuevas empresas, una parte sustancial de su fortuna fue depositada en bancos extranjeros calculándose que a su muerte su familia contaba fuera del país con unos 300 millones de dólares. Sus empresas funcionaban y dejaban beneficios porque gozaban de todas las protecciones posibles. Muchas no pagaban impuestos, los salarios que ganaban sus trabajadores eran bajísimos, otras utilizaban empleados públicos, miembros del Ejército y presidiarios como trabajadores, y en aquellos casos en que alguna dejaba pérdidas, Trujillo las vendía al Estado con ganancias. Cuando esta empresa se recuperaba, él volvía a comprarla nuevamente con ganancia. La idea de que Trujillo hizo del Estado Dominicano una empresa particular no está alejada de la verdad, aunque se guardaran las fórmulas constitucionales y existiera un Congreso Nacional, una Suprema Corte de Justicia y otras instituciones públicas.

A su caída, el Poder se distribuyó en múltiples individuos e instituciones y poco a poco la República ha venido recuperando su dignidad perdida, pero todavía hay muchos Trujillos dentro y fuera del Gobierno que no han aprendido, o han olvidado, que la misión de los gobiernos es servir a sus ciudadanos y proporcionarles medios de satisfacer las más urgentes necesidades de la vida. En más de un sentido, la Era de Trujillo fue una continuación del pasado, pero con tales aberraciones que su régimen ha dejado un profundo trauma en la mentalidad política dominicana.

XXXIX

DEMOCRATIZACION Y GUERRA CIVIL

(1961-1966)

LA MUERTE DE TRUJILLO sirvió para despertar las energías sociales y políticas de la nación y dio inicio a un intenso proceso de democratización. De pronto surgieron actores que la dictadura había reprimido o marginado: exiliados políticos, partidos políticos, sindicatos, asociaciones de profesionales, organizaciones estudiantiles y una prensa libre. En los meses siguientes, el sistema político dominicano sufrió una rápida transformación. Las manifestaciones políticas y las concentraciones de masas se convirtieron en medios efectivos para ejercer presión popular contra la familia Trujillo y contra Joaquín Balaguer, el último presidente nombrado por Trujillo.

Democratización y organizaciones políticas.

Esas manifestaciones fueron organizadas por los nuevos movimientos y partidos políticos que surgieron a partir de junio de 1961, y por el Movimiento Popular Dominicano (MPD), un partido de extrema izquierda autorizado por Trujillo para operar abiertamente en 1960. Las principales organizaciones que se crearon en aquellos días fueron la Unión Cívica Nacional (UCN), un gran frente popular encabezado por el doctor Viriato Fiallo, un médico que nunca se subordinó a la

527

dictadura; el Partido Revolucionario Dominicano (PRD), encabezado por el escritor Juan Bosch y otros exiliados políticos que regresaron al país a principios de julio; Vanguardia Revolucionaria Dominicana (VRD), un pequeño partido encabezado por Horacio Julio Ornes, otro exiliado que había participado en la invasión de Luperón en 1949; y el Movimiento Revolucionario 14 de Junio (MR-1J4), una organización política izquierdista dirigida por Manuel Tavares Justo que deseaba instituir en el país un régimen similar al de la revolución cubana.

Rebelión militar y expulsión de los Trujillo, 1961.

Estos grupos políticos aunaron esfuerzos para liquidar la tiranía trujillista representada entonces por Joaquín Balaguer y los hijos y hermanos del dictador que controlaban las fuerzas armadas. El 19 de noviembre de 1961 un grupo de oficiales militares se rebeló contra los Trujillo recibiendo de inmediato el apoyo de todas las organizaciones políticas y del gobierno de los Estados Unidos. En consecuencia, toda la familia Trujillo, junto con sus más cercanos colaboradores, fueron expulsados para siempre del país, pero la crisis política continuó por dos meses más debido a que Balaguer logró permanecer en la Presidencia con el apoyo de los nuevos líderes militares.

Durante ese período, Balaguer maniobró para mantenerse en el poder y sobrevivir políticamente. Disolvió el Partido Dominicano, el partido político oficial de la dictadura, y repartió sus fondos entre sus amigos burócratas, las fuerzas armadas y el servicio secreto. Trató de ganarse el apoyo de los pobres bajando los precios de los alimentos básicos y eliminando los impuestos de importación de los principales artículos de consumo. A pesar de estas medidas, la agitación política continuó y Balaguer tuvo que enfrentar una huelga general que duró doce días durante el mes de diciembre. Esta huelga y las crecientes presiones políticas lo obligaron a ceder ante la oposición y permitir que la Unión Cívica Nacional tuviera cierta participación en el gobierno. Después de intensas negociaciones, Balaguer accedió a que el Congreso se reuniera para modificar la Constitución y creara un Consejo de Estado integrado por siete miembros y presidido por él para gobernar el país.

Consejo de Estado.

Este Consejo de Estado estuvo compuesto por simpatizantes o miembros de la Unión Cívica Nacional, pues los demás grupos políticos se abstuvieron de participar en el poder. La Iglesia Católica también estuvo representada, así como los dos sobrevivientes del atentado que le costó la vida a Trujillo. El Consejo de Estado ejercería los poderes ejecutivo y legislativo hasta que se redactara una nueva constitución, más democrática, y pudieran realizarse elecciones generales libres un año después. Sin embargo, el 16 de enero de 1962, Balaguer organizó un golpe de Estado contra el Consejo de Estado para sustituirlo por una junta cívico-militar presidida por el licenciado Huberto Bogaert y por dos militares trujillista-balagueristas.

Golpe de Estado y junta cívico militar, 1962.

La reacción popular contra esta intentona fue una huelga general mucho más violenta que la del mes anterior que paralizó el país por completo. La junta cayó dos días después y Balaguer tuvo que huir hacia el exilio. De inmediato, Rafael F. Bonnelly sustituyó a Balaguer como Presidente del Consejo de Estado. Bonnelly había sido durante muchos años un colaborador de Trujillo que había perdido el favor del dictador cuando uno de sus hijos fue arrestado y enviado a prisión por participar en el movimiento clandestino antitrujillista organizado en 1959.

Exilio de Balaguer. Rafael F. Bonelly, Presidente del Consejo de Estado.

Los objetivos del Consejo de Estado eran esencialmente políticos pues fue concebido como un gobierno de transición cuya responsabilidad principal era organizar elecciones libres antes de un año y preparar el clima político para la instalación de un nuevo gobierno constitucional. Esas elecciones se celebraron el 20 de diciembre de 1962 y las ganó arrolladoramente Juan Bosch, candidato del Partido Revolucionario Dominicano (PRD), fundado en Cuba en 1939. Bosch había vivido la mayor parte de su vida adulta en el extranjero y había regresado al país en 1961 junto a muchos otros exiliados.

Primeras elecciones libres en cuarenta años, 1962.

Bosch tomó posesión el 27 de febrero de 1963. Sus ideas generales sobre el ejercicio del gobierno eran populistas y reformistas. Las había aprendido en Cuba y Costa Rica y resultaron muy avanzadas para muchos en la República Dominicana. Por esta razón, muchos terratenientes, comerciantes, industriales, militares y sacerdotes lo tildaban de comunista o izquierdista.

Juan Bosch, Presidente Constitucional, 1963.

A pesar de la retórica anticomunista de los grupos de extrema derecha, aun aquellos que no confiaban en Bosch le dieron inicialmente el beneficio de la duda. La libertad política que ofreció su nuevo gobierno constitucional generó un clima de optimismo y estimuló el debate sobre cuál sería la mejor forma de acelerar el desarrollo. La economía dominicana había iniciado su recuperación en 1962 gracias a un plan de emergencia ejecutado por el Consejo de Estado con la ayuda de la Alianza para el Progreso, un programa de ayuda económica puesto en marcha por los Estados Unidos para ayudar al desarrollo de América Latina.

El Consejo de Estado había respondido favorablemente a los intereses de los comerciantes e industriales, pero el nuevo gobierno de Bosch no era tan manejable. A los dos meses de haberse juramentado, ya la Asociación de Industrias de la República Dominicana le exigía a Bosch que definiera su política económica y ofreciera garantías firmes a las nuevas inversiones. La Asociación de Industrias había sido creada en 1962 por los empresarios industriales más importantes, algunos de los cuales habían prosperado durante la década de los cincuenta gracias al extraordinario crecimiento económico de la post-guerra. Muchos de estos industriales no habían disfrutado de los privilegios otorgados a las empresas de Trujillo, aunque otros habían sido socios o favoritos de Trujillo y habían logrado sobrevivir las confiscaciones realizadas entre los años 1961 y 1962, cuando los monopolios de Trujillo fueron convertidos en propiedad estatal por Balaguer y el Consejo de Estado.

Muchos empresarios y profesionales participaron en la campaña electoral en contra de Bosch por considerarlo un candidato errático y poco confiable. Algunos de ellos formaron un movimiento político llamado Acción Dominicana Independiente (ADI) y establecieron un frente común con el recién fundado Consejo Nacional de Hombres de Empresa (CNHE) para enfrentar el gobierno de Bosch en unión de algunos miembros de la Iglesia Católica y la extrema derecha. Con este apoyo, la ADI y varios clérigos antiboschistas organizaron grandes concentraciones de campesinos llamadas "mítines de reafirmación cristiana" para protestar contra la infiltración comunista en el gobierno de Bosch y en la República Dominicana.

530

Aquéllos eran días de intensa propaganda contra la revolución cubana. La República Dominicana había acogido a cientos de exiliados cubanos, especialmente empresarios, políticos, profesionales y clérigos que participaban en una activa campaña contra Fidel Castro, a quien asociaban erróneamente con el gobierno de Bosch. Ellos consideraban que la filosofía socialdemócrata y reformista de Bosch era una amenaza para sus intereses. Esos exiliados y clérigos cubanos atizaban el movimiento antiboschista y ofrecían apoyo ideológico a los políticos en contra del comunismo. Bosch, mientras tanto, se negaba a enfrentar a los pocos comunistas dominicanos. El consideraba que éstos debían ser tolerados dentro de la nueva democracia política. Esta conducta alarmaba también a los miembros de la misión militar de la embajada de los Estados Unidos, algunos de los cuales transmitían su preocupación a los militares dominicanos.

Día a día crecía la oposición a Bosch. Su incomprensión parcial de la realidad dominicana tras 25 años en el exilio hizo que entrara en conflicto con casi todos los grupos sociales, incluyendo su propio partido. En pocos meses, Bosch se encontró completamente aislado y la mayoría de sus seguidores terminó abandonándolo. Este hecho se hizo evidente el 20 de septiembre de 1963 cuando los grupos empresariales llamaron a una huelga general que paralizó el país por dos días. Esta huelga fue para los militares la señal de que el tiempo era propicio para el golpe de Estado que habían estado planificando con importantes comerciantes, industriales, terratenientes, dirigentes políticos de los partidos minoritarios y miembros de la Iglesia Católica. Cinco días después, el 25 de septiembre de 1963, Bosch fue derrocado y reemplazado por un Triunvirato compuesto por empresarios y abogados de empresas. El gabinete del Triunvirato estuvo conformado por políticos derechistas e individuos ligados a la comunidad empresarial dominicana.

Golpe de Estado a Bosch, 1963.

Gobierno del Triunvirato.

En diciembre, un grupo guerrillero encabezado por los líderes del Movimiento Revolucionario 14 de Junio se sublevó en las montañas para luchar contra el Triunvirato. Los guerrilleros fueron rodeados rápidamente por las tropas del ejército y forzados a rendirse. Una vez hechos prisioneros, casi todos

Levantamiento guerrillero y asesinato de combatientes.

531

FRANK MOYA PONS

*Renuncia de Emilio
de los Santos. Donald
Reid Cabral, Presiden-
te del Triunvirato.*

fueron asesinados y sólo a unos pocos se les perdonó la vida.
Cuando el Presidente del Triunvirato, Emilio de los Santos, se
enteró de lo ocurrido, renunció inmediatamente a su cargo
declarando que no quería ser cómplice del asesinato de un
grupo de jovenzuelos. De los Santos fue sustituido rápidamente por Donald Reid Cabral, un importador de vehículos ligado
a la Unión Cívica Nacional que había participado activamente
en la conspiración contra Bosch.

*Impopularidad del
Triunvirato.*

El Triunvirato sólo pudo mantenerse en el poder gracias al
apoyo de los Estados Unidos, de importantes sectores de la
Iglesia Católica y de los generales trujillistas en las fuerzas
armadas a quienes Reid Cabral concedió privilegios extraordinarios. El más escandaloso de dichos privilegios fue la autorización de establecer una cantina para vender de contrabando
enormes cantidades de bienes de manufactura extranjera que
llegaban al país en aviones de la Fuerza Aérea. Al ser el
Triunvirato un régimen de facto creado por un golpe militar,
su impopularidad era extrema. A pesar de las fallas políticas de
Bosch, el pueblo dominicano había disfrutado de su estilo
democrático y había cifrado grandes esperanzas en su gobierno. Después de todo, Bosch había ganado las elecciones con el
apoyo de más del sesenta por ciento del electorado.

Al verse forzados a operar en la clandestinidad, varios de
los partidos políticos comenzaron a conspirar junto a Bosch,
quien se encontraba en el exilio en Río Piedras, Puerto Rico.
Un grupo de jóvenes oficiales militares que deseaban un
retorno al régimen constitucional, se pusieron en contacto con
Bosch y le ofrecieron su apoyo para derrocar al Triunvirato y
llevarlo de nuevo a la Presidencia. Al mismo tiempo, Joaquín
Balaguer constituyó en Nueva York el Partido Reformista con
los cuadros remanentes del Partido Dominicano de Trujillo, y
acordó una alianza con Bosch para derrocar el Triunvirato.
Cuando Bosch y Balaguer se aliaron, la posición de Reid
Cabral se debilitó en extremo. Las constantes huelgas de los

*Huelgas y represión
política.*

trabajadores de las empresas estatales y de los choferes de
carros públicos obligaron al Triunvirato a mantener la policía
en las calles para aplacar los disturbios y arrestar a los dirigentes sindicales, políticos y estudiantiles.

Ante la alianza populista de Bosch y Balaguer, los empresarios y terratenientes derechistas organizaron un nuevo par-

532

tido llamado Partido Liberal Evolucionista (PLE) encabezado por Luis Amiama Tió, uno de participantes en el ajusticiamiento de Trujillo. Reid Cabral había acordado con ellos organizar unas elecciones en septiembre de 1965 para perpetuar a los golpistas en el poder y continuar él en la presidencia de la República. Esas elecciones se llevarían a cabo sin la participación de Bosch o Balaguer, los líderes de las dos mayores fuerzas políticas del país. Para poder ganarles, Reid Cabral contaba con el apoyo de una facción del Partido Revolucionario Dominicano (PRD) que sostenía que la única forma de resolver la crisis política era a través de nuevas elecciones.

Bosch y los dirigentes del Partido Revolucionario Social Cristiano (PRSC), fundado a principios de 1962, también firmaron un acuerdo político llamado Pacto de Río Piedras en enero de 1965, y acordaron protestar contra la ilegalidad del Triunvirato y movilizar a la opinión pública en favor de un "retorno a la constitucionalidad sin elecciones". Esta posición recibió el apoyo público del pequeño, aunque estridente, Partido Socialista Popular (PSP), y de una buena porción de los sindicatos y grupos estudiantiles. Para ejecutar su plan de derrocar el Triunvirato, Bosch operaba desde Puerto Rico. Allí logró orquestar una conspiración que se extendió hasta los bajos estamentos militares, muchos de cuyos miembros se sentían marginados por los altos oficiales que apoyaban el Triunvirato y querían retornar al régimen constitucional.

Pacto de Río Piedras, 1965.

Cuando la conspiración fue finalmente descubierta, el 24 de abril de 1965, nadie salió en defensa de Reid Cabral o del Triunvirato. Por el contrario, la mayor parte de la población se volcó a las calles a celebrar la caída de ambos que fue anunciada por equivocación a través de la radio y la televisión antes de que se ejecutara el golpe de Estado. Este anuncio provocó una seria crisis dentro de las fuerzas armadas, que estaban divididas entre los que deseaban el retorno de Bosch sin elecciones para que terminara su gobierno constitucional, y los que deseaban que se formara una junta militar para reemplazar el Triunvirato.

Caída del Triunvirato, 1965.

Reid Cabral trató en vano de asegurarse el apoyo de los militares. En un lapso de veinticuatro horas, los oficiales que lo habían apoyado anteriormente lo hicieron prisionero en el

533

Palacio Nacional y comenzaron a negociar con los líderes militares constitucionalistas. Estos dos grupos militares no lograron ponerse de acuerdo y, para reforzar su posición, los jefes militares constitucionalistas distribuyeron armas a la población civil que los apoyaba. El 25 de abril de 1965 explotó la guerra civil en la ciudad de Santo Domingo. Los grupos izquierdistas y los seguidores de Bosch organizaron guerrillas urbanas para destruir al antiguo ejército trujillista que había permanecido intacto durante los gobiernos del Consejo de Estado, Bosch y el Triunvirato.

Guerra civil, 1965.

Al cabo de tres días de intensos combates en las calles de Santo Domingo, las fuerzas constitucionalistas lograron derrotar a las tropas regulares del ejército y se preparaban para lanzar el ataque final sobre la base aérea de San Isidro, que era el principal foco de resistencia contra el movimiento boschista. Mientras tanto, los comandantes de los destacamentos militares en el interior del país observaban el desarrollo de los acontecimientos sin intervenir directamente en el conflicto.

El ataque a San Isidro nunca se materializó pues para evitar que Bosch regresara al poder, y "para prevenir el surgimiento de una segunda Cuba en América Latina", el Presidente de los Estados Unidos, Lyndon B. Johnson, ordenó la intervención de 42,000 soldados de la marina norteamericana en la República Dominicana bajo el pretexto de salvar vidas y proteger los intereses norteamericanos en el país. Así, lo que comenzó como un golpe de Estado se convirtió en una guerra civil y terminó en una crisis internacional ligada a la política norteamericana contra Cuba, a la escalada militar norteamericana en Vietnam y, más tarde, a la intención declarada de los Estados Unidos de mantener la democracia en la República Dominicana.

Intervención norte-americana, 1965.

Las primeras tropas norteamericanas desembarcaron el 28 de abril de 1965, poniéndose inmediatamente del lado de los militares trujillistas y golpistas. La ciudad de Santo Domingo quedó rápidamente dividida en dos zonas ocupadas por los bandos contendientes. De un lado quedó un ejército constitucionalista compuesto de cientos de oficiales y hombres pertenecientes a las fuerzas armadas regulares. Este ejército fue ayudado por varios miles de hombres y mujeres

534

MANUAL DE HISTORIA DOMINICANA

armados que se organizaron en docenas de "comandos constitucionalistas" para defender su territorio compuesto por la antigua ciudad colonial y los barrios aledaños construidos a principios de siglo. Del otro lado quedaron las fuerzas armadas regulares: ejército, marina y fuerza aérea, asistidas por tropas de los Estados Unidos, Brasil, Honduras, Paraguay y Costa Rica. Estos países, presionados por los Estados Unidos en la Organización de Estados Americanos (OEA), formaron la llamada Fuerza Interamericana de Paz (FIP) para que la intervención unilateral de los Estados Unidos tuviera cierto carácter de legalidad pues la acción norteamericana había violado la carta fundamental de la OEA, al igual que la de las Naciones Unidas.

Entre mayo y septiembre de 1965 hubo dos gobiernos militares en la República Dominicana: uno, llamado "gobierno constitucionalista", presidido por el líder militar de la revuelta, el Coronel Francisco Alberto Caamaño; y el otro, llamado "gobierno de reconstrucción nacional", presidido por uno de los matadores de Trujillo, el General Antonio Imbert Barreras, un enemigo declarado de Bosch y de los comunistas, a quien los Estados Unidos escogieron e instalaron como presidente para manipular la política local.

Gobierno Constitucionalista y Gobierno de Reconstrucción Nacional.

A pesar de la superioridad de las fuerzas extranjeras, el conflicto no se resolvió a través de la acción militar. Las operaciones militares norteamericanas en Santo Domingo sirvieron de cortina de humo a la primera escalada militar de los Estados Unidos en Vietnam. En abril de 1965 sólo había 17,000 soldados norteamericanos en la antigua Indochina, pero en diciembre su número había ascendido a 245,000, sin que el pueblo norteamericano se hubiera dado cuenta.

La guerra civil terminó luego de cuatro meses de intensas conversaciones dirigidas por el representante de los Estados Unidos ante la OEA. Estas negociaciones se alternaban con sangrientas batallas en las calles de Santo Domingo. De estas gestiones surgió una fómula para poner fin a la revuelta constitucionalista. A finales de agosto de 1965, ambos gobiernos convinieron en renunciar para dejar paso a un nuevo gobierno civil que debía celebrar elecciones libres el 1 de junio de 1966. Este gobierno provisional quedó presidido por Héctor

Fin de la Guerra Civil. Gobierno provisional de Héctor García Godoy, 1965.

García Godoy, empresario y diplomático de carrera, y uno de los vicepresidentes del Partido Reformista. Para regir legalmente las actuaciones del nuevo gobierno provisional, los constitucionalistas negociaron y firmaron con la OEA la redacción de un Acto Institucional basado en la Constitución de 1963 y firmaron también un Acta de Reconciliación.

Acto Institucional y Acta de Reconciliación.

Uno de los puntos básicos del Acta de Reconciliación firmada el 3 de septiembre de 1965 para poner fin a la guerra civil expresaba que los militares combatientes debían reintegrarse a los cuarteles y sus líderes que así lo desearan podrían salir del país con ayuda del gobierno provisional. Mientras tanto, las tropas de ocupación permanecieron en el país hasta la celebración de las elecciones y la instalación del nuevo gobierno constitucional. Durante ese período, los Estados Unidos lograron reestructurar las fuerzas armadas dominicanas como una entidad directamente bajo sus órdenes y totalmente dependiente del gobierno norteamericano para el pago de salarios y la provisión de ropa, comida, municiones y equipos.

Elecciones, 1966.

Triunfo del Partido Reformista.

Represión al PRD en campaña electoral.

Bosch al exilio.

García Godoy logró organizar las anunciadas elecciones. Durante la campaña electoral, los principales candidatos fueron Joaquín Balaguer y Juan Bosch, quienes retornaron del exilio y procedieron a reorganizar sus partidos. El Partido Reformista de Balaguer ganó las elecciones con el apoyo de los oficiales militares trujillistas quienes patrocinaron una campaña terrorista en contra de Bosch y del Partido Revolucionario Dominicano (PRD) en la cual fueron asesinados más de 350 activistas políticos entre enero y mayo de 1966. Durante la campaña electoral Bosch no pudo salir de su casa y tuvo que dirigirse a sus seguidores a través de discursos diarios que difundía la radio. Los jefes militares dominicanos hicieron de conocimiento público que si Bosch se aventuraba a salir de su residencia sería enfrentado por ellos y probablemente asesinado. Después de su derrota, Bosch se fue al exilio en España y allí pasó más de tres años.

XL

LOS DOCE AÑOS DE BALAGUER

(1966-1978)

LA CAMPAÑA ELECTORAL no hizo más que extender la guerra civil. Muy pocos militares constitucionalistas fueron aceptados de nuevo por sus antiguos compañeros de armas. Docenas fueron asesinados durante los meses de transición del gobierno provisional o después de la elección de Balaguer como Presidente de la República, el 1 de junio de 1966. A la ciudad de Santo Domingo le tomó muchos meses volver a la normalidad ya que los combates de la guerra civil fueron reemplazados por una campaña de terrorismo anticomunista y anticonstitucionalista ejecutada por fuerzas paramilitares.

Terrorismo antico-munista.

Los grupos de guerrilleros urbanos, compuestos por miembros izquierdistas de los antiguos comandos constitucionalistas, respondieron al terrorismo de la derecha con la violencia. Muchos antiguos combatientes quedaron en posesión de sus armas pues lograron esconder en diversos puntos del país importantes pertrechos de guerra. Como algunos creyeron que era posible hacer la revolución desde las calles, durante los años siguientes la guerra civil siguió librándose clandestinamente en las principales ciudades del país en violentos enfrentamientos entre las fuerzas de seguridad del

Guerrillas urbanas.

gobierno y los grupos armados de la izquierda dominicana. Entre éstos hubo grupos que aprovecharon la confusión reinante y utilizaron sus armas para asaltar bancos y establecimientos comerciales, mientras otros atacaban soldados y policías para arrancarles sus armas.

La República Dominicana sufrió por varios años el clima de terror impuesto por los militares y políticos balagueristas y las fuerzas paramilitares. Estos grupos reprimieron sistemáticamente a los partidos de oposición, sin distinguir si eran o no de tendencia izquierdista. El ala izquierda del PRD fue perseguida y reprimida con singular dureza entre 1966 y 1970, pues algunos de sus miembros mantenían estrechos contactos con el Movimiento Popular Dominicano, un grupo de extrema izquierda que proponía el uso de guerrillas urbanas para crear las condiciones que llevaran a un "golpe de Estado revolucionario".

Regreso de Bosch, 1970.

Juan Bosch regresó de su exilio en marzo de 1970 y se dedicó con gran empeño a erradicar las influencias del MPD sobre su partido, al tiempo que influyó para que el PRD se abstuviera de concurrir a elecciones. Bosch argumentaba que la violencia y el terrorismo oficiales convertían las elecciones en un "matadero electoral" y que el PRD no podía exponerse a ello. Perseguidos, y literalmente cazados en las calles, los líderes del PRD y los partidos de izquierda no presentaron candidatos en las elecciones de 1970 y Balaguer ganó sin oposición.

Elecciones. Reelección de Joaquín Balaguer, 1970.

A fin de hacer aparecer menos obvio el rol de las fuerzas armadas regulares, Balaguer permitió la organización de un grupo paramilitar llamado "La Banda", compuesto por desertores de los partidos de izquierda y matones profesionales pagados con fondos de los organismos de inteligencia militar. Para desvincularse públicamente de las acciones de sus fuerzas paramilitares, y para amedrentar aún más a la población, en sus discursos Balaguer llamaba a los grupos terroristas de derecha "fuerzas incontrolables".

La Banda y los "incontrolables".

Más de tres mil dominicanos perdieron sus vidas en actos de violencia entre los años de 1966 y 1974. Esta situación terminó solamente cuando los líderes más combativos de los partidos de izquierda fueron aniquilados, y cuando los Esta-

538

dos Unidos y otros países democráticos exigieron a Balaguer, en 1972, que pusiera fin al terrorismo y a las violaciones de los derechos humanos. Estas presiones externas fueron el resultado de una intensa campaña a nivel internacional llevada a cabo por el líder perredeísta José Francisco Peña Gómez en Europa, América Latina y los Estados Unidos. Las evidencias indican que sin la presión directa del Departamento de Estado norteamericano, la represión no hubiera disminuido tan drásticamente como lo hizo en aquellos momentos.

Terrorismo y violaciones de los derechos humanos.

La represión también disminuyó luego del lanzamiento de la candidatura de Balaguer para las elecciones de 1974. Tratando de crear la impresión de normalidad política en respuesta a la protesta internacional que reclamaba el respeto a los derechos humanos en la República Dominicana, Balaguer ordenó el desmantelamiento de La Banda, y empezó a preparar su reelección. En términos de vidas humanas, el costo de la estabilidad política fue extremadamente alto, pero Balaguer siempre presentaba el clima de paz en el país, luego de la guerra civil, como uno de sus grandes logros políticos.

Uno de los muchos líderes izquierdistas que perdieron la vida durante este período fue el Coronel Francisco Caamaño, quien fue hecho prisionero a mediados de febrero de 1973 en las montañas de Ocoa, luego de haber regresado al país para establecer un foco guerrillero similar al intentado por el Che Guevara en Bolivia. Luego de la guerra civil, Caamaño había sido enviado a Londres por el Presidente García Godoy como agregado militar de la embajada dominicana. De allí se trasladó clandestinamente a Cuba, donde permaneció varios años adoctrinándose y entrenándose para regresar un día al país a iniciar una revolución socialista. Bosch hizo los arreglos para la partida de Caamaño hacia Cuba y para su reeducación política. En años posteriores, Bosch también sostuvo contactos políticos con Caamaño y con el gobierno cubano a través de emisarios personales que viajaban a La Habana.

Muerte del Corone. Francisco Alberto Caamaño.

A pesar de la oposición de Fidel Castro, quien no quería verse involucrado en otros focos guerrilleros luego del fracaso de Guevara en Bolivia, Caamaño logró salir de Cuba con un grupo de colaboradores y llegó a las montañas dominicanas el 1 de febrero de 1973, ocho años después de la revuelta de 1965.

Causas del fracaso de la guerrilla.

Para ese entonces, las cosas habían cambiado mucho. El ejército había sido entrenado para enfrentar focos guerrilleros, y el país también se había visto transformado por la recuperación económica. Una vigorosa política de crecimiento industrial y de urbanización acelerada dió paso a una nueva clase media con un grado de influencia nunca antes visto en la historia dominicana.

Muchos de los antiguos camaradas de Caamaño también habían cambiado mucho durante esos ocho años. Unos habían visto caer a sus colegas víctimas del terrorismo gubernamental y se habían amedrentado. Otros se habían integrado al mundo de los negocios o al ejercicio de sus profesiones y oficios en una economía en expansión que durante los años de 1970 a 1974 alcanzó las tasas más altas de crecimiento en toda América Latina. En consecuencia, la guerrilla de Caamaño no recibió el respaldo popular que él esperaba encontrar y quedó completamente aislada en las montañas, siendo prontamente aniquilada.

Juan Bosch y la tesis de la "dictadura con respaldo popular".

Juan Bosch, por su parte, también atravesó por una profunda transformación personal e ideológica. Hondamente resentido contra los Estados Unidos por la intervención de 1965, Bosch hizo contactos con los gobiernos de China, Corea del Norte y Vietnam del Norte, y comenzó a estudiar marxismo, transformándose rápidamente, según sus propias palabras, en un adepto del "marxismo no leninista". A su regreso a Santo Domingo, Bosch consideró que el PRD había equivocado su misión y entró en serios conflictos personales e ideológicos con sus seguidores. Habiendo renunciado a su antigua fe en la democracia representantiva, Bosch trató de imponer en el PRD, sin éxito, una nueva línea política radical proponiendo la instauración de una "dictadura con respaldo popular".

División del PRD.

La muerte de Caamaño agravó las contradicciones entre Bosch y sus compañeros de partido debido a las agrias recriminaciones recíprocas que se hicieron entre sí los líderes del Partido Revolucionario Dominicano. Finalmente, Bosch decidió que su suerte estaba echada fuera del PRD, pues él consideraba que este partido político se había movido hacia la derecha y no sería capaz de realizar la revolución socialista que ahora él propugnaba. Bosch renunció del PRD en noviembre de 1973 y formó inmediatamente una nueva organización revolucionaria llamada Partido de la Liberación Dominicana (PLD).

Antes de esta ruptura, el PRD había formado, junto con otros partidos, una alianza antibalaguerista llamada Bloque de la Dignidad Nacional. Al dividirse el PRD, Bosch siguió encabezando esta alianza con el apoyo de varios partidos de izquierda, mientras el PRD, encabezado ahora por José Francisco Peña Gómez, logró articular un frente de oposición junto con el PRSC, el MPD y el Partido Quisqueyano Demócrata (PQD), fundado por el ex-general Elías Wessin y Wessin, quien se encontraba en el exilio desde 1971 después de haber sido expulsado del país por conspirar para derrocar a Balaguer. Este frente de oposición se llamó Acuerdo de Santiago y logró montar una formidable campaña electoral contra Balaguer, a pesar de las disputas que sostenía continuamente con el Bloque de la Dignidad Nacional.

Balaguer aprovechó las contradicciones de sus antagonistas y ordenó a las fuerzas armadas y a la policía que reprimieran a la oposición. En consecuencia, los asesinatos se reanudaron y los partidos políticos fueron perseguidos y aterrorizados. Durante los últimos días de la campaña electoral, las tropas del ejército salieron a las calles gritando vivas al presidente, pidiendo la reelección de Balaguer, vistiendo insignias del Partido Reformista e izando banderolas rojas en la punta de sus bayonetas y en los vehículos militares. La represión se hizo tan violenta que los activistas de los partidos no podían salir a las calles por miedo a ser muertos o arrestados. Atemorizados por la represión, los partidos del Acuerdo de Santiago retiraron sus candidaturas, abandonaron las elecciones y dejaron a Balaguer solo y sin oposición por segunda vez.

Al comenzar el tercer período de gobierno de su régimen de 12 años, Balaguer podía sentirse seguro. Los dirigentes izquierdistas más peligrosos habían sido aniquilados, mientras los sobrevivientes eran conquistados a través de diversos mecanismos: los ingenieros, arquitectos y demás profesionales de la construcción recibieron contratos para las obras públicas del Estado; los intelectuales y los profesionales fue-

Participación de la izquierda en la vida pública.

ron dejados en libertad para incorporarse a la nómina del gobierno a través de su nombramiento como profesores de la universidad estatal, muchos de ellos sin tener adecuadas calificaciones profesionales.

Más de un millar de militantes de los minúsculos partidos de izquierda se convirtieron en profesores y empleados de la Universidad Autónoma de Santo Domingo, transformándose gradualmente en elementos conservadores, aun cuando desplegaban un estridente discurso revolucionario. Balaguer cedió el control de la universidad estatal a los grupos izquierdistas para mantenerlos ocupados y bajo observación pues la universidad fue penetrada por los organismos de inteligencia del gobierno y casi todas las actividades de los partidos revolucionarios podían ser detectadas por sus espías antes de ser ejecutadas.

Legalización del Partido Comunista Dominicano.

A muchos otros militantes izquierdistas se les ofrecieron empleos en los miles de proyectos de obras públicas, o en muchas de las nuevas compañías comerciales y de servicios que surgieron durante los años de bonanza económica de principios de los años setenta. Hasta el Partido Comunista Dominicano (PCD) fue utilizado por Balaguer en su programa de reforma agraria que puso fin al latifundio en los distritos arroceros del país a partir de 1972. Los miembros del Partido Comunista se convirtieron en los principales ideólogos de la política agraria del gobierno y en un canal de comunicación entre Balaguer y Fidel Castro. Como premio a su cooperación y actividades pacíficas, Balaguer les permitió entrar y salir libremente del país, publicar sus propios periódicos y revistas, y celebrar sus reuniones públicamente. Finalmente, Balaguer les concedió la legalización del Partido Comunista Dominicano en noviembre de 1977.

Centralización política.

Cuando Joaquín Balaguer asumió la presidencia el 1 de julio de 1966, el gobierno dominicano estaba controlado por unos 400 funcionarios y asesores norteamericanos que trabajaban en casi todos los niveles de la administración pública. Las fuerzas armadas estaban prácticamente manejadas por el equipo militar norteamericano compuesto por 75 asesores. La Secretaría de Agricultura estaba controlada por 45 técnicos norteamericanos, quienes tomaban casi todas las decisiones.

542

La Policía Nacional y las fuerzas de seguridad estaban asesoradas por 15 expertos en materia de seguridad pública, un tercio de los cuales pertenecían a la CIA. Otros departamentos gubernamentales, tales como la Secretaría de Estado de Educación, la Oficina de Desarrollo de la Comunidad y el Instituto Agrario Dominicano, recibían sus directrices directamente de varios grupos de asesores norteamericanos.

Al asumir la presidencia, Balaguer anuló rápidamente la influencia de esos asesores extranjeros y centralizó fuertemente la administración pública bajo su dirección personal. Estos asesores habían estado ejerciendo una considerable presión sobre sus contrapartes dominicanos para que ejecutaran las políticas administrativas que emanaban de la Agencia para el Desarrollo Internacional (AID) o la Embajada de los Estados Unidos. A partir de 1966, las riendas del Estado volvieron a manos dominicanas y el estilo de gobernar retornó al centralismo trujillista.

La presencia de aquellos asesores se explica pues en ellos descansó durante muchos meses la continuidad del Estado dominicano. La guerra civil había creado tal vacío de poder que los ingresos fiscales prácticamente desaparecieron porque ninguno de los gobiernos en conflicto había sido capaz de recaudar impuestos. De no haber sido por la masiva ayuda económica otorgada por el gobierno de los Estados Unidos, y por la gestión de los asesores de la AID y la OEA, el país se habría paralizado totalmente.

Ayuda económica del gobierno norteamericano.

La cantidad de dinero que los Estados Unidos desembolsaron en la República Dominicana entre 1966 y 1973 fue enorme en proporción al tamaño de la economía del país. Entre abril de 1965 y junio de 1966, el país recibió unos US$122 millones, la mayor parte en forma de donaciones otorgadas con el propósito de salvar el país de la bancarrota. Durante cada uno de los tres años siguientes, es decir, de 1967 a 1969, esta ayuda aumentó a US$133 millones al año. La mayor parte de estos fondos fueron préstamos a largo plazo para programas de desarrollo negociados a través de la AID. En más de una ocasión, los préstamos se hicieron bajo la jurisdicción de la Ley Pública 480, un programa de créditos especiales para la adquisición de productos alimenticios.

De junio de 1969 a junio de 1973, la ayuda descendió a un

543

promedio de US$78 millones por año. La dependencia económica de la ayuda extranjera, especialmente durante el período de 1966 a 1970, fue realmente extraordinaria, y no hay dudas de que sin las inyecciones directas de dinero y la cuota azucarera ofrecida por Washington, el país difícilmente hubiera podido soportar la política de austeridad impuesta por Balaguer en 1966. Durante este período, la ayuda extranjera provenía casi en su totalidad del gobierno de los Estados Unidos. Por su parte, los dividendos producidos por la cuota azucarera norteamericana representaron el 32 por ciento de las divisas generadas por el país.

El tema de la cuota azucarera.

El gobierno de Balaguer consideró siempre la cuota azucarera como algo sumamente importante para obtener divisas, y por ello le dedicó gran atención convirtiéndola en objeto de un intenso cabildeo tanto en Washington como en Santo Domingo. En una ocasión, por ejemplo, cuando se debatía en el Congreso norteamericano si se recortaba o no la cuota, el Presidente Balaguer ofreció renunciar ante el Presidente Nixon -no ante el Congreso Dominicano- en caso de que él fuera un obstáculo para asegurar la cuota azucarera. Por supuesto, Balaguer no renunció. El gobierno obtuvo la cuota solicitada, que eran 700,000 toneladas, y, como resultado, Balaguer pudo reforzar su posición económica y demostrar que los Estados Unidos lo apoyaban políticamente.

La importancia de la cuota azucarera entre 1966 y 1974 se derivaba del hecho de que el precio promedio del principal producto de exportación del país estaba mucho más alto en el mercado norteamericano que en el mercado mundial. En l973 la República Dominicana no logró ventaja alguna al exportar su azúcar a Estados Unidos; más bien fue una desventaja el no haberla vendido en el mercado mundial pues en ese año los precios mundiales del azúcar empezaron a subir por encima de los precios norteamericanos. En 1975 y 1976 los precios en el mercado mundial subieron aún más y la República Dominicana recibió el ingreso más alto de divisas en su historia. Este permitió al gobierno acumular grandes reservas y le ayudó a disimular las profundas contradicciones de una economía que había estado creciendo muy rápidamente pero de manera poco balanceada.

En 1966, la ayuda norteamericana, unida a la cuota azucarera, representó el 47 por ciento del ingreso total de divisas; en 1972 representó menos del 9 por ciento. Esta reducción indica dos cosas: que el país se estaba recobrando de la crisis de la guerra civil y que la recuperación hacía menos necesaria la ayuda externa. Además de la ayuda, hubo otros factores que contribuyeron al despegue económico como fueron el aumento de la inversión extranjera y doméstica, así como el apoyo político continuado que Washington brindaba al gobierno de Balaguer. Los Estados Unidos normalmente aseguraban las inversiones norteamericanas en la minería, la industria, la banca y los servicios, y las garantizaban contra cualquier tipo de riesgo político, particularmente contra una posible expropiación.

La formación de capital en la República Dominicana fue algo impresionante, si se tiene en cuenta el pequeño tamaño de la economía dominicana. Entre 1966 y 1971, se invirtieron casi US$1,000 millones en el país. Una parte sustancial de la inversión privada estuvo dirigida a la minería y la energía. La inversión pública, por su parte, estuvo dirigida hacia la construcción de obras de infraestructura pues la planta física del país se había deteriorado considerablemente después de la caída de Trujillo. Además, los planes de desarrollo diseñados por las agencias internacionales de cooperación reclamaban que el gobierno construyera puertos, carreteras, acueductos, calles y sistemas de energía. El gobierno también invirtió considerables recursos en la edificación de escuelas y viviendas, así como en la preparación de una infraestructura vial y de servicios para la futura industria turística que el gobierno quería desarrollar.

Construcción de obras de infraestructura y desarrollo económico.

En consecuencia, las ciudades más importantes del país, así como numerosos centros poblados de la zona rural pasaron por un importante proceso de renovación física. Santo Domingo y Santiago recibieron el grueso de la inversión pública, pero La Vega, Moca, San Francisco de Macorís, San Juan de la Maguana, San Cristóbal, Haina, La Romana, Hato Mayor, Puerto Plata, Mao y Nagua se modernizaron y crecieron bastante durante aquellos años. En todos estos centros urbanos, así como en muchas otras localidades, el gobierno construyó instalaciones deportivas y educativas, calles nuevas y cami-

Modernización de ciudades.

nos vecinales. Al mismo tiempo, la industria del transporte creció y los negocios de todo tipo proliferaron. El mercado interno se amplió considerablemente. Miles de pequeños y medianos empresarios, así como profesionales jóvenes instalaron sus empresas y oficinas y, en consecuencia, la demanda de crédito también aumentó generando un gran dinamismo en el sector bancario.

*Crecimiento econó-
mico.*

Gracias a las inversiones extranjeras y a la inversión nacional pública y privada, el crecimiento económico de la República Dominicana a principios de los años setenta fue de los más altos de América Latina. En 1972, la tasa de crecimiento fue de casi un 12 por ciento. El optimismo en el mundo de los negocios era el rasgo predominante, y la confianza de los empresarios en que la economía seguiría creciendo indefinidamente era algo así como un artículo de fe entre los banqueros, comerciantes e industriales, y entre los inversionistas extranjeros. No era para menos. Las condiciones ofrecidas por el gobierno dominicano a la inversión extranjera fueron siempre sumamente generosas.

Inversión extranjera.

Falconbridge Dominicana, por ejemplo, una firma canadiense-norteamericana dedicada a la explotación de ferroníquel en la región central del país, invirtió unos US$250 millones y levantó gran parte de este capital con el aval del Estado. Algo más modestas pero de gran importancia fueron las inversiones en la compañía minera de oro Rosario Dominicana, de propiedad norteamericana; en la Refinería Dominicana de Petróleo, cuya propiedad compartían la Shell y el Estado; y en una industria de productos lácteos operada por Nestlé. La Gulf & Western, propietaria del Central Romana, recibió inmensos incentivos para sus operaciones azucareras y turísticas durante la presidencia de Balaguer. Tanto la Nestlé como la Gulf & Western también levantaron parte de su capital en el mercado financiero dominicano y obtuvieron grandes ventajas al negociar sus contratos de operaciones con el gobierno dominicano. Otras compañías, como la Philip Morris, también recibieron la pro-tección presidencial para instalarse en esos años, a pesar de que competían directamente con las empresas estatales.

Balaguer frecuentemente explicaba la necesidad de la inversión extranjera para financiar el desarrollo dominicano y ofreció siempre generosas concesiones a los inversionistas foráneos. En 1972, por ejemplo, Balaguer llegó a arrendarle la isla Saona a una compañía extranjera por una suma irrisoria y por un período de 99 años. Este contrato tuvo que ser anulado después que el pueblo dominicano se movilizó a través de organizaciones políticas que demostraron con pruebas fehacientes que Balaguer estaba mutilando la soberanía dominicana al enajenar el territorio nacional a un grupo de especuladores extranjeros.

Durante los 12 años de Balaguer, la prensa dominicana y los políticos denunciaban a diario numerosas operaciones ilegales que iban desde el soborno a los más altos funcionarios públicos, hasta inmensos contrabandos, o desde el cobro de comisiones para la obtención de contratos de construcción del gobierno, hasta la extorsión a empresarios. Al final del régimen de los doce años, la opinión pública nacional le reclamaba a Balaguer, casi unánimemente, que se pusiera fin a los continuos abusos políticos y a las continuas violaciones de derechos humanos cometidos por los jefes militares y los jerarcas del partido oficial. *Corrupción guberna-mental.*

Estos individuos se repartían generosamente los contratos de obras públicas, gozaban de exoneraciones para importar libres de impuestos todos los bienes que deseaban, y se enriquecían a través de una competencia desleal que afectaba seriamente a los comerciantes e industriales. La corrupción gubernamental en el régimen de Joaquín Balaguer llegó a extenderse tanto, que la Iglesia Católica llegó a referirse a ella en sus cartas pastorales. Balaguer la negaba unas veces, pero cuando las evidencias eran demasiado contundentes admitía que su gobierno estaba corrompido aclarando, de paso, que la corrupción se detenía ante la puerta de su despacho.

Por otra parte, cada vez que los políticos dentro del gobierno o fuera de él reclamaban que se limitaran, regularan o expropiaran las inversiones norteamericanas, Balaguer salía en su defensa señalando lo que él llamaba "destino geopolítico" del Caribe, lo cual significaba que por el gran tamaño de los Estados Unidos, la República Dominicana siempre sería su satélite en la región ya que el gobierno norteamericano nunca permitiría otra Cuba en el Caribe. Las opiniones de Balaguer eran ampliamente compartidas en la República Dominicana. El pueblo recordaba que los Estados Unidos habían ocupado el país en 1916 y lo habían gobernado durante ocho años. *Dependencia geopolítica de los Estados Unidos.*

547

Los dominicanos también tenían muy presente que como resultado de la muerte de Trujillo, la política nacional había sido influida de manera decisiva por el Departamento de Estado norteamericano a través de sus oficiales diplomáticos y consulares. Asimismo, recordaban que el movimiento cívico-militar para reinstalar al depuesto Presidente Bosch en el poder, había sido frustrado por el uso masivo de la fuerza militar norteamericana y que las tropas estadounidenses no habían abandonado el país hasta establecer un gobierno que garantizaba la protección y extensión de los intereses norteamericanos.

Elecciones, mayo 1978.

Estas convicciones políticas quedaron confirmadas en mayo de 1978 cuando el Presidente de los Estados Unidos Jimmy Carter intervino abiertamente para impedir que Balaguer continuara en el poder de manera fraudulenta -un hecho que hubiese ido en contra de su política sobre los derechos humanos y que habría retardado la democratización de la República Dominicana. Luego de doce años de ejercer el poder absoluto, Balaguer y sus colaboradores se negaron a aceptar los resultados de las elecciones celebradas el 16 de mayo de 1978 en las que Antonio Guzmán, candidato por el Partido Revolucionario Dominicano (PRD), había resultado ganador por un margen arrollador.

Asalto militar contra la Junta Central Electoral, 1978.

Esa noche, mientras la población observaba el conteo general de votos que se transmitía por televisión a todo el país, varios jefes militares que apoyaban la reelección de Balaguer entraron a las oficinas de la Junta Central Electoral e interrumpieron el conteo que ya mostraba a Guzmán como el seguro ganador de las elecciones. Inmediatamente comenzaron a confiscar y a destruir las urnas electorales y encarcelaron a un gran número de representantes de los partidos políticos.

Resistencia popular contra Balaguer.

La indignación general provocada por este acto de fuerza no tiene paralelo en la historia dominicana. Inmediatamente, una gran cantidad de organizaciones en todo el país lanzaron una campaña de protesta y resistencia pacífica, dejando muy en claro que la nación dominicana no aceptaría una prolongación fraudulenta del gobierno de Balaguer. Los observadores extranjeros que estaban en Santo Domingo representando a la OEA, al Partido Demócrata norteamericano, al Partido Acción Democrática de Venezuela y a la Internacional Socialista, encabezaron un movimiento internacional para repudiar las maquinaciones de Balaguer y su mafia político-militar.

En esta ocasión, los Estados Unidos se mantuvieron firmes en su posición de no reconocer ningún gobierno que no hubiese obtenido la mayoría de los votos. La posición norteamericana fue respaldada inmediatamente por Venezuela y otros gobiernos amigos del Partido Revolucionario Dominicano (PRD). Finalmente, Balaguer tuvo que ceder y el 16 de agosto de 1978 se vio obligado a entregar el gobierno a Antonio Guzmán, luego de tres meses de profunda crisis política. Para ceder la presidencia, Balaguer forzó a Antonio Guzmán a aceptar la falsificación de los resultados electorales para que el Partido Reformista obtuviera la mayoría política del Senado y una participación ampliada en la Cámara de Diputados. Esta falsificación fue realizada por los miembros de la Junta Electoral, adictos a Balaguer, mediante una resolución llamada en ese entonces "fallo histórico".

De esta manera, Balaguer "ganó" cuatro senadurías y una diputación adicionales. Con tal de asegurar la presidencia de la República, el candidato ganador Antonio Guzmán pactó con Balaguer la preservación de este acuerdo y aceptó que el Partido Reformista se quedara ilegalmente con la mayoría en el Senado. Los reformistas pudieron así determinar la elección de los jueces y quedaron en control de la aplicación de la justicia, evitando con ello ser perseguidos por los actos de corrupción cometidos durante el régimen de los doce años. La negativa de Balaguer de aceptar los resultados de las elecciones demostró una vez más que su gobierno había sido, en más de un sentido, una prolongación de la Era de Trujillo y que su mentalidad política nunca había sido democrática.

Balaguer forzado a entregar el poder el 16 de agosto de 1978.

Falsificación de resultados electorales. "Fallo histórico".

XLI

ANTONIO GUZMAN

(1978-1982)

EL REPUDIO MASIVO que generó la intentona de Balaguer por prolongarse ilegalmente en el poder hizo que Antonio Guzmán ascendiera al poder con el mayor apoyo popular jamás logrado por ningún otro político de la República Dominicana. Luego de presenciar las últimas maniobras de Balaguer y sus agentes políticos para violentar las reglas del juego democrático y despojar al Partido Revolucionario Dominicano de su victoria electoral, la mayoría del pueblo dominicano dio la espalda a Balaguer y al Partido Reformista. Guzmán aprovechó la impopularidad de Balaguer y sus jefes militares para desmantelar la jefatura de la oligarquía militar y política trujillista que Balaguer había estructurado y alimentado desde 1966. Esta oligarquía militar se había vuelto tan poderosa que hasta había forzado a Balaguer a cambiar su candidato vicepresidencial durante las últimas semanas de la campaña electoral de 1978.

Popularidad inicial del gobierno de Antonio Guzmán.

Los dominicanos habían votado por el cambio. Guzmán era el candidato del cambio y toda su campaña electoral se había basado en este tema. Hasta entonces, Guzmán se había mostrado como un hombre obediente a la burocracia partidista y muchos creían que gobernaría a la manera en que Juan

551

Nepotismo.

Bosch había querido hacerlo en 1963, es decir, ejecutando reformas sociales fundamentales. En cambio, desde el primer día de su administración, Guzmán enfatizó que el nuevo régimen era su gobierno ("mi gobierno", decía él), no el del Partido Revolucionario Dominicano. Nombró a sus hijos y a los amigos de sus hijos, así como a numerosos parientes y allegados en posiciones gubernamentales. Algunos de estos individuos gobernaron a su antojo y abusaron de sus cargos para enriquecerse ilegalmente. La corrupción, que había alcanzado niveles escandalosos durante la época de Balaguer por el gran número de personas involucradas, ahora quedó concentrada en algunos miembros del grupo más cercano al Presidente de la República.

Corrupción en el gobierno.

Cisma del PRD.

En consecuencia, el PRD se dividió en dos facciones: la de Guzmán y sus colaboradores, y la de aquéllos que permanecieron fuera de la administración pública. Muchos perredeístas se convirtieron en críticos del gobierno argumentando que Guzmán y su familia habían traicionado al PRD. El cisma se hizo mucho más agudo cuando Guzmán comenzó a aspirar a una reelección indefinida al estilo de Trujillo y Balaguer. Como esta operación requería una maquinaria partidista, y el PRD siempre se había opuesto a la reelección presidencial, Guzmán trató de comprar a los líderes medios y a los activistas del partido colocándolos en la nómina gubernamental. Guzmán nombró casi 8,000 nuevos empleados públicos antes de que terminara el primer año de su régimen. Durante el resto de su gobierno, el número de empleados públicos aumentó de 129,161 a 201,301 individuos, muchos de los cuales ocupaban posiciones superfluas.

Aumento de los gastos corrientes del gobierno.

Los gastos corrientes del gobierno central muy pronto consumieron casi el 85 por ciento de sus ingresos quedando muy pocos recursos para inversión. Los programas de obras públicas se detuvieron por falta de fondos, al igual que muchos otros proyectos de desarrollo financiados con contribuciones del Banco Interamericano de Desarrollo, la Agencia para el Desarrollo Internacional y el Banco Mundial porque el gobierno se quedó sin dinero para las contrapartidas. Para poder financiar los déficit del sector público, el gobierno se vio obligado a recurrir a la emisión de papel moneda sin respaldo y tuvo que tomar dinero prestado dentro y fuera del país.

Al principio, los economistas de Guzmán trataron de justificar su política económica diciendo que estaban siguiendo un modelo neo-keynesiano de crecimiento a través de la expansión del gasto público y de la demanda agregada. Los críticos del gobierno señalaban que la economía dominicana era extremadamente abierta y que el sector externo no podría soportar un aumento excesivo del dinero circulante sin incurrir en grandes déficit en la balanza de pagos. La industria y la agricultura no sólo eran incapaces de suplir al país, sino que el mismo gobierno necesitaba de las importaciones para asegurarse fondos ya que el 43 por ciento de los ingresos públicos eran generados por los impuestos de importación. El debate económico a veces se conducía con gran vehemencia, pero Guzmán y sus funcionarios continuaron defendiendo su política de endeudamiento fácil y de subsidios a los sectores deficitarios del gobierno utilizando dinero "inorgánico".

Política económica de demanda inducida.

A medida que las distorsiones económicas se hicieron más evidentes, quedó claro que muchas de ellas se habían originado en tiempos de Balaguer cuando el gobierno estimuló el rápido crecimiento de industrias de sustitución de importaciones a costa de la agricultura, y cuando ejecutó una política de congelación de precios agrícolas para beneficiar a los consumidores urbanos. Guzmán apoyó vigorosamente numerosos programas de desarrollo rural para favorecer el desarrollo agrícola que se había rezagado durante la administración balaguerista. Para financiar esos programas, Guzmán tuvo que imprimir más papel moneda. Así, los ajustes que hizo en favor de los productores agrícolas, tales como permitir que subieran los precios, fueron neutralizados por la inflación.

Política agrícola de Guzmán.

El alza de los precios también afectó seriamente a las empresas estatales. La República Dominicana tenía uno de los mayores sectores de empresas públicas en América Latina pues la mayoría de las propiedades industriales, comerciales, agrícolas y ganaderas de Trujillo habían pasado a manos del Estado entre 1961 y 1962. El Estado dominicano se había convertido en el propietario del 60 por ciento de la producción azucarera nacional, de la Corporación Dominicana de Electricidad y de casi 50 compañías comerciales, industriales y de servicio que fueron consolidadas en 1966 bajo la Corporación Dominicana de Empresas Estatales (CORDE).

El déficit de CORDE.

Durante el gobierno de Guzmán, las empresas estatales fueron colocadas bajo la administración del vicepresidente de la República Jacobo Majluta, quien había trabajado como consultor financiero de CORDE durante el régimen de Balaguer. Para financiar el plan de saneamiento financiero y administrativo de CORDE, el gobierno de Guzmán obtuvo un préstamo de US$185 millones pero las empresas estatales, que ya venían produciendo grandes déficit bajo la administración de Balaguer, colapsaron y se convirtieron en un barril sin fondo para los subsidios gubernamentales que no alcanzaban a reponer su producción ni evitar sus crecientes pérdidas.

El déficit de INESPRE.

Otra institución gubernamental que también operaba con grandes déficit fue el Instituto de Estabilización de Precios (INESPRE), creado en 1968 para intervenir el proceso de mercadeo de productos agrícolas y agroindustriales y mantener los precios estables subsidiando a los consumidores urbanos. Con el tiempo, y debido a la baja de la producción agrícola, INESPRE se transformó en el mayor importador comercial de productos alimenticios del país, con un presupuesto mayor que el del gobierno haitiano.

Al aumentar la dependencia de los alimentos que se importaban bajo el amparo de la Ley Pública 480 y de la Commodity Credit Corporation de los Estados Unidos, la agricultura comercial dominicana quedó seriamente afectada pues los campesinos y productores rurales no podían competir con los grandes comerciantes y comisionistas que importaban alimentos subsidiados de los Estados Unidos para ser distribuidos por INESPRE a bajos precios en las ciudades del país. Con el alza en los precios del petróleo en 1979, el costo de los alimentos importados comenzó a aumentar junto con los precios de los combustibles. Estos aumentos comenzaron a reflejarse en los precios de los productos agrícolas e industriales, ya fueran de manufactura local o extranjera.

Devaluación del peso dominicano.

El déficit creciente en la balanza de pagos hizo que la moneda dominicana se devaluara continuamente. Así, en 1982 un dólar de los Estados Unidos costaba RD$1.35 en el mercado libre, a pesar de los esfuerzos gubernamentales por mantener la antigua paridad oficial de un peso por un dólar. Desde la época de Balaguer surgieron gradualmente varios

554

tipos de cambio mientras el gobierno mantenía la moneda sobrevaluada oficialmente. Esta política limitó el crecimiento de las exportaciones y eliminó la posibilidad de obtener divisas suficientes para pagar las importaciones. Como la situación de la balanza de pagos siguió deteriorándose, el gobierno recurrió a la imposición de cuotas y prohibición de importaciones.

La política económica deficitaria de Guzmán hizo que el gobierno tuviera que recurrir cada vez más frecuentemente a este tipo de medidas restrictivas, pero eventualmente la realidad se impuso a los deseos de Guzmán y sus economistas. El crecimiento de la deuda externa y el aumento extraordinario en los precios del petróleo dejaron al gobierno con muy pocas divisas para pagar importaciones. Las empresas estatales, obligadas a incurrir en constantes déficit, aumentaron su endeudamiento negociando préstamos en moneda extranjera a altas tasas de interés. Guzmán trató en vano de subsidiar al gobierno central con recursos generados por la venta de oro de la compañía minera Rosario Dominicana que fue nacionalizada a fines de 1979. Pero esto tampoco fue suficiente, y ya para 1981 era evidente que todo el sector público se encontraba al borde de la bancarrota. Más de US$800 millones en préstamos extranjeros y donaciones, que pudieron haberse utilizado para financiar el déficit de la balanza de pagos, quedaron suspendidos por falta de fondos de contrapartida.

A pesar de que los precios del azúcar alcanzaron el nivel más alto de su historia entre 1980 y 1981, los ingenios azucareros quedaron afectados por el mayor endeudamiento de su historia. La Corporación Dominicana de Electricidad (CDE) continuó con la política de vender energía barata al público a fin de mantener la popularidad política del gobierno al mismo tiempo que compraba caro el combustible importado. La disminución de los ingresos de la CDE fue tan severa que a menudo no podía cumplir a tiempo sus compromisos con sus suplidores extranjeros. Debido a estos problemas, el país se quedaba frecuentemente con apenas una semana de reservas petroleras. En otro intento por conservar su popularidad, Guzmán trató de ampliar la cobertura de INESPRE, haciendo llegar más alimentos subsidiados a un número mayor de personas en las áreas urbanas, agravando así el déficit del sector público.

Críticas al gobierno de Guzmán.

A pesar de todos sus esfuerzos, la popularidad de Guzmán comenzó a evaporarse. Su gobierno terminó siendo percibido por sus críticos como un gran fraude político en el que el Presidente había utilizado al Partido Revolucionario Dominicano para enriquecer a familiares y amigos y tratar de mantenerse en el poder indefinidamente. El desencanto se volvió universal. Los comerciantes e industriales, antagonizados desde el primer día por los funcionarios de Guzmán, se quejaban constantemente de la competencia desleal que estaban recibiendo de las empresas estatales y de INESPRE. Los terratenientes protestaban contra las continuas amenazas de algunos funcionarios que deseaban ejecutar un caprichoso programa de reforma agraria sin cumplir la ley y sin ofrecer compensaciones a los dueños de tierras confiscadas. Los sindicatos obreros y las masas pobres de la población protestaban constantemente contra el alza en el costo de la vida.

Rehabilitación política de Balaguer.

A medida que la popularidad de Guzmán declinaba, la rehabilitación política de Balaguer avanzaba. Las inversiones públicas masivas que Balaguer había realizado para estimular la economía se comparaban favorablemente con el dispendio improductivo en salarios del gobierno de Guzmán. La gente recordaba que durante el régimen de los 12 años el mercado interno se expandió considerablemente y muchas personas aumentaron sus ingresos, particularmente en los sectores de la clase media y entre los industriales y comerciantes. El logro más visible de Guzmán había sido político: había sacado del gobierno a los principales cabecillas de la oligarquía militar balaguerista, había respetado la libertad de prensa y de palabra, y también había permitido la libertad de acción del Congreso Nacional que en tiempos de Balaguer había sido una simple extensión del Poder Ejecutivo.

División del PRD.

Mientras tanto, el Partido Revolucionario Dominicano quedó dividido en dos bandos irreconciliables. Uno de ellos se convirtió en partido de oposición y se reorganizó bajo el liderazgo de su Secretario General, José Francisco Peña Gómez, y del Senador por el Distrito Nacional, Salvador Jorge Blanco, un reconocido abogado que había enfrentado a Guzmán en las elecciones primarias del partido en 1977. Cuando Guzmán se dio cuenta de que ya no podía ser el candidato de su partido para un segundo período presidencial, trató de imponer la candidatura de su vicepresidente, Jacobo Majluta. Pero ya era demasiado tarde. El partido se había emancipado del gobierno y había escogido a su candidato presidencial para 1982. Jorge Blanco prometía establecer un gobierno del partido y para el partido, y proyectaba una imagen de integridad irreprochable, reconocida entonces por sus propios enemigos.

Guzmán y sus familiares trataron de evitar que Jorge Blanco fuera electo presidente. Se acercaron y cortejaron a Joaquín Balaguer, y algunos altos funcionarios hasta llegaron a sugerir a los militares que trataran de evitar la celebración de las elecciones o impedir que Jorge Blanco llegara con vida a la toma de posesión si ganaba las elecciones. Pero los militares no accedieron. La mentalidad militar había estado cambiando gradualmente gracias a la despolitización que Guzmán había introducido durante los primeros dos años de su gobierno, y gracias a la insistencia de los Estados Unidos de que las fuerzas armadas dominicanas debían ser el sostén de la democracia, no su amenaza, a fin de evitar un cataclismo como la guerra civil de 1965.

Salvador Jorge Blanco fue electo el 16 de mayo de 1982, derrotando a Joaquín Balaguer luego de una impresionante campaña electoral en la cual fueron utilizadas las técnicas de mercadeo más modernas. Guzmán y su familia se encontraron aislados y en desgracia, y varios altos funcionarios del gobierno se aprovecharon de los últimos meses de su gestión para amasar fortuna. En la comunidad financiera nacional era un secreto a voces las transferencias que se hacían a bancos radicados en Miami, Brasil, Nueva York, Suiza y Londres, y la enorme cantidad de dólares que compraban funcionarios gubernamentales en las casas de cambio de Santo Domingo. Tan notorio se hizo ese movimiento de dinero que algunas publicaciones extranjeras informaron que altos funcionarios y familiares de Guzmán estaban realizando importantes transferencias interbancarias.

Guzmán entró en un gran estado depresivo. Tanto él como importantes miembros de su familia habían asegurado numerosas veces en reuniones privadas y ante jefes militares que Jorge Blanco sólo sería presidente de la República por encima de su cadáver. Avergonzado por no haber cumplido con sus

Elecciones, 1982. Salvador Jorge Blanco, presidente.

Transferencias de fondos al exterior.

Estado depresivo del presidente Guzmán.

557

Suicidio de Antonio Guzmán, 3 de Julio 1982.

Jacobo Majluta, presidente.

promesas de detener a Jorge Blanco, y sintiéndose asustado por las crecientes acusaciones de corrupción que se hacían a diario contra los más altos funcionarios de su gobierno, Guzmán se suicidó con un disparo en la cabeza la noche del 3 de julio de 1982. El vicepresidente Majluta fue juramentado inmediatamente como Presidente de la República y trabajó fervientemente para que los oficiales militares que antes apoyaban a Guzmán aceptaran a Jorge Blanco. Este último ascendió al poder el 16 de agosto de 1982 en medio de una crisis financiera que amenazaba con llevar a la República Dominicana a la bancarrota.

XLII

SALVADOR JORGE BLANCO

(1982-1986)

LA POLITICA ECONOMICA del gobierno de Jorge Blanco estuvo diseñada desde varios meses antes de su elección y fue discutida en numerosas reuniones públicas en las cuales participaron la mayoría de los grupos organizados del país. Durante su campaña electoral Jorge Blanco había prometido perfeccionar la democracia política con la "democracia económica". Sin embargo, su manejo de la crisis, así como el plan de ajuste que su gobierno llevó a cabo de acuerdo con el Fondo Monetario Internacional (FMI), echaron por tierra el sueño de la democracia económica y condujeron a un intenso proceso de concentración del ingreso. Esto tuvo lugar justamente cuando la clase media estaba sufriendo un dramático descenso en su calidad de vida y mientras las clases más pobres se encontraban agobiadas por la inflación.

Al inicio de su gobierno a mediados de 1982, Jorge Blanco anunció que su gobierno iba a corregir las distorsiones que afectaban la economía dominicana. Dijo que no era posible, en un país afectado por serios problemas de balanza de pagos, que las importaciones estuvieran protegidas por una tasa de cambio sobrevaluada que no tenía nada que ver con la realidad

Política económica del gobierno de Salvador Jorge Blanco.

559

de una moneda depreciada. Desde su punto de vista, tampoco era apropiado que el sector público continuara endeudándose para subsidiar a otros sectores económicos. También dijo que no era saludable para la economía nacional que los precios internos no reflejaran la estructura de precios de la economía mundial, incluyendo las tasas de interés, que en la República Dominicana eran extraordinariamente bajas comparadas con las de los Estados Unidos.

Crisis económica.

Si en agosto de 1982 existía un consenso sobre la crisis dominicana, éste era el de que la economía necesitaba un reajuste. La agricultura se encontraba paralizada por falta de incentivos. La industria era ineficiente por la exagerada protección y los inmensos subsidios e incentivos que le ofrecía el Estado. Las empresas públicas estaban al borde de la quiebra a pesar de los crecientes subsidios que recibían del gobierno. El sistema fiscal había perdido su capacidad de captar recursos para financiar al sector público. El déficit en la balanza de pagos sobrepasaba los US$400 millones y las reservas netas reflejaban un déficit de más de US$700 millones. Para un país pequeño, con una población de 5.6 millones, cuyas exportaciones no excedían los US$1,000 millones al año y cuyo presupuesto era apenas de RD$1,000 millones de pesos, esta situación era particularmente grave. Según Jorge Blanco, si el gobierno no realizaba esfuerzos extraordinarios de austeridad, de limitación del gasto y del crédito públicos, y si la ayuda externa no aumentaba sustancialmente para atacar el problema de la balanza de pagos, la República Dominicana no podría salir adelante.

En agosto de 1982, justo en el momento en que Jorge Blanco tomó posesión como Presidente, México declaró una moratoria sobre su deuda externa y dejó de hacer los pagos correspondientes a sus acreedores. A partir de entonces, los bancos extranjeros, que tan alegremente habían prestado dinero al gobierno de Guzmán, empezaron a negarse a extender nuevos créditos a la República Dominicana a menos que se llegara a un acuerdo con el Fondo Monetario Internacional. Estas sugerencias fueron aceptadas por las nuevas autoridades monetarias que se habían preparado para negociar con el FMI desde antes de la instalación del gobierno, pero fueron prontamente objetadas por algunos importantes funcionarios políticos del equipo de Jorge Blanco. A pesar de estas objeciones, el 21 de enero de 1983 el FMI aprobó un acuerdo de facilidad ampliada que tendría una vigencia de tres años.

Acuerdo con el FMI.

Las relaciones con el FMI bajo este acuerdo fueron excesivamente tormentosas porque el gobierno trató de aprovecharlas para mostrar que la austeridad, la contracción del crédito, la reducción de los salarios, el alza de los precios y las nuevas restricciones en las importaciones eran imposiciones del FMI. El gobierno de Jorge Blanco se dedicó a criticar su propio programa de ajustes económicos rechazando públicamente las condicionalidades del FMI. Las autoridades monetarias quedaron entonces atrapadas entre la retórica del gobierno y sus propias medidas de ajuste.

En su determinación de reducir la tasa de cambio frente al dólar norteamericano para alcanzar la paridad monetaria perdida desde hacía largo tiempo, los funcionarios y asesores económicos del gobierno sugirieron a Jorge Blanco que enviara la policía y tropas armadas a cerrar las casas de cambio para que la gente solamente pudiera comprar y vender dólares en los bancos comerciales. Jorge Blanco así lo hizo, pero el resultado inmediato fue un extraordinario desorden financiero, una vertiginosa fuga de capitales y una ola especulativa que devaluó el peso en más de un 100 por ciento. El gobierno tuvo que reconocer muy pronto que estas medidas habían sido mal concebidas y, eventualmente, accedió a legalizar las casas de cambio en un esfuerzo por restaurar el equilibrio financiero. Pero la tasa cambiaria permaneció a tres pesos por un dólar y los precios no dejaron de subir porque los importadores inmediatamente ajustaron sus cálculos de costos para reflejar la nueva tasa de cambio.

Devaluación de la moneda.

En sus relaciones con el FMI, el gobierno de Jorge Blanco mantuvo su actitud de denuncia sobre las condiciones que el FMI quería imponerle. En realidad, la suspensión de las emisiones inorgánicas de dinero, la congelación del gasto público, el control de los déficit del sector público, el alza de los impuestos directos para aumentar las recaudaciones fiscales, un mayor control de las importaciones y el alza en las tasas de interés, eran todas medidas que figuraban en el programa de

Denuncias del gobierno contra el FMI.

Jorge Blanco, pero el gobierno había encontrado en el FMI una especie de villano al que podía traspasarle la culpabilidad política del programa de ajuste. Los responsables de esta estrategia justificaban su política diciendo que si ajustaban los precios domésticos a la tasa de cambio real, los precios resultarían intolerables para la mayor parte de la población y por ello era preferible una política de ajustes graduales que les permitiera preservar la popularidad del gobierno.

Descrédito de la política de ajustes.

El fallo de esta estrategia estuvo en que al atacar consistentemente al Fondo Monetario Internacional, mientras el gobierno trataba de ejecutar por su propia cuenta las recomendaciones del FMI, el equipo de Jorge Blanco terminó desacreditando su propia política de ajustes. Esto se hizo evidente a fines de abril de 1984 cuando los responsables de las políticas gubernamentales intentaron aprovechar las vacaciones de Semana Santa para subir los precios de todos los productos esenciales mientras la clase media urbana vacacionaba lejos de las ciudades. El aislamiento burocrático de los que entonces gobernaban no les permitió darse cuenta

Protestas violentas de abril de 1984.

de que la protesta vendría de los pobres que no habían ido a las montañas ni a las playas. El lunes siguiente, 24 de abril, el país despertó en medio de un estallido popular que fue sofocado tres días después cuando los militares mataron a más de 70 personas que protestaban contra la política económica del gobierno.

Crisis interna del PRD.

Para esta época, el Partido Revolucionario Dominicano se había dividido aún más. Su secretario general, José Francisco Peña Gómez, atacaba a veces la política económica oficial, pero generalmente apoyaba a Jorge Blanco. El apoyo de Peña Gómez al gobierno tuvo su precio pues él necesitaba asistencia política y financiera para hacer un buen papel como síndico de la ciudad de Santo Domingo y poder convertirse en candidato presidencial para las elecciones de 1986. Por otra parte, Jacobo Majluta se había convertido en presidente del Senado y utilizaba su plataforma congresional para promover su candidatura antagonizando las políticas de Jorge Blanco.

Majluta se opuso sistemáticamente a muchas de las iniciativas legislativas de Jorge Blanco y boicoteó la aprobación de las leyes más importantes para legalizar la entrada de la ayuda externa. Como resultado del boicot congresional de Majluta, muchos de los proyectos de desarrollo destinados a reactivar la economía y cumplir con los programas del FMI quedaron bloqueados en el Congreso y no pudieron ser ejecutados. Esta disputa, que se discutía día tras día en la prensa escrita, la radio y la televisión, terminó creando la impresión de que el gobierno y su partido eran incapaces de gobernar la nación eficazmente. La falta de apoyo congresional ató las manos del gobierno y le impidió reactivar la economía oportunamente.

El gobierno de Jorge Blanco continuó con su política conflictiva frente al FMI hasta noviembre de 1984. Entonces, sus funcionarios se dieron cuenta de que la República Dominicana no podría continuar sin renegociar su deuda con los gobiernos extranjeros y los bancos comerciales y sin firmar un acuerdo con el FMI. Fue entonces cuando Jorge Blanco y sus asesores decidieron suavizar su actitud ante el FMI para evitar el colapso total de la balanza de pagos que habría significado el cese de todo crédito externo, la paralización del país debido a la falta de combustibles y la cancelación de casi todas las importaciones de materias primas industriales. Este cambio de política estuvo acompañado de la sustitución, por segunda vez, de los responsables de la política monetaria, y le permitió al gobierno firmar un nuevo acuerdo stand-by con el FMI en abril de 1985.

Nuevo acuerdo con el FMI.

Este acuerdo fue diseñado para reestructurar completamente el sistema financiero e impulsar la economía. Antes de firmar este acuerdo, en enero de 1985, el gobierno permitió que el dólar flotara libremente en los mercados y creó una nueva tasa de cambio unificada y devaluada para regir en todas las operaciones financieras del país. Las tasas de interés y los precios también se ajustaron de acuerdo al nuevo valor del dólar y los mercados cambiarios recibieron el impacto de una devaluación de casi un 30 por ciento. Así, la economía dominicana ingresó en un proceso formal de dolarización similar al experimentado antes por otros países latinoamericanos.

Los efectos del nuevo acuerdo con el FMI se notaron inmediatamente. La flotación de los precios estimuló la agricultura dominicana. Los productos agropecuarios, antes sujetos a control, empezaron a dejar mayores beneficios a los productores estimulando rápidamente la producción. De la misma manera, la devaluación creó incentivos adicionales para la producción y exportación de productos agroindustriales. La limitación del crédito al sector público ayudó a aliviar la presión sobre la emisión monetaria, mientras el gobierno pudo aumentar nuevamente sus ingresos fiscales mediante los impuestos de importación y la creación de nuevos impuestos de exportación. El control de la emisión monetaria y las nuevas medidas de austeridad permitieron mantener la inflación bajo control. Los recursos del FMI y los ingresos procedentes del turismo, las zonas francas y las remesas de dominicanos ausentes contribuyeron a aumentar las reservas en moneda extranjera. Así, entre 1985 y 1986, el peso dominicano comenzó a apreciarse pasando de RD$3.35 a RD$2.80 por dólar.

Reformas políticas y militares.

    Además del programa de ajustes del FMI, Jorge Blanco introdujo una importante reforma política. En sus esfuerzos por profesionalizar las fuerzas armadas y eliminar todo vestigio de trujillismo dentro de sus filas, Jorge Blanco promovió un fuerte sentido de institucionalización y profesionalización en los militares dominicanos, continuando el esfuerzo iniciado por Antonio Guzmán. Durante sus primeros dos años en el poder, Jorge Blanco pasó gran cantidad de tiempo entre los militares, a quienes les predicaba la necesidad de profesionalizarse y mantenerse obedientes a la autoridad civil legalmente constituida. En este período, Jorge Blanco suspendió a cientos de antiguos oficiales y los reemplazó por jóvenes recién salidos de la academia militar o provenientes de los rangos menores.

    Al principio, los militares estuvieron muy entusiasmados con Jorge Blanco porque éste finalmente había removido los obstáculos impuestos por los viejos jefes militares balagueristas que interferían en su promoción y que no fueron removidos por Guzmán. Así, Jorge Blanco pudo constituir su propia base militar, y en sus primeros dos años se hizo muy popular tanto entre los soldados como entre los oficiales. Los suministros y equipos militares fueron modernizados o renovados, y el entrenamiento se convirtió en la preocupación de los oficiales recién promovidos. Por primera vez, se respetaba el escalafón a la hora de la promoción militar.

Sorprendentemente, sin embargo, Jorge Blanco no supo cuándo ni dónde detenerse. Durante sus últimos dos años en el poder Jorge Blanco se dejó arrastrar por una frenética ola de promociones y retiros que provocó serios disgustos en la milicia y un sordo enfrentamiento con el gobierno de los Estados Unidos que había pasado muchos años entrenando a una organización militar proestadounidense. Las cosas se pusieron peor en la medida en que Jorge Blanco siguió cancelando oficiales militares de quienes sospechaba que eran demasiado leales al gobierno de Estados Unidos, o habían cumplido más de veinte años de servicio. Jorge Blanco canceló a más de 4,000 oficiales en una época en que las fuerzas armadas tenían menos de 22,000 miembros. A principios de 1986 solamente quedaban dos altos oficiales que habían ingresado al ejército antes de la muerte de Trujillo en 1961.

Cancelaciones de militares.

Los efectos de esta política se evidenciaron durante el último año del mandato de Jorge Blanco cuando sus propios defensores dentro del ejército, que temían ser cancelados, empezaron silenciosamente a retirarle su apoyo. Muchos de sus protegidos iniciales quedaron convencidos de que ellos serían los próximos en ser separados de la milicia. Al final de su gobierno, el apoyo militar que Jorge Blanco había logrado concertar se le había escurrido de las manos como el agua.

Por otra parte, la política de Jorge Blanco convenció a sus opositores y enemigos políticos de que él estaba preparando a las fuerzas armadas para que le permanecieran fieles después de entregar el poder en agosto de 1986. Jorge Blanco reforzó esas sospechas al hacer espléndidos regalos a sus seguidores civiles y militares, utilizando su facultad de exonerar impuestos aduaneros. Concedió privilegios de importación a prácticamente todo aquel que solicitaba un permiso para importar automóviles libres de impuestos, así como a importantes comerciantes e industriales que aprovecharon su cercanía con el Presidente para importar embarques gigantescos de mercancías y materias primas sin pagar impuestos.

Exoneraciones de impuestos.

Jorge Blanco también permitió que ciertos amigos entraran al negocio de suministrar alimentos, ropa, armas, municiones y otros artículos a los militares mediante grandes ventas al por mayor. Al permitir que estos recién llegados penetraran el cerrado círculo de proveedores militares que habían estado ligados a Balaguer y a los reformistas por más de quince años, Jorge Blanco tocó una fibra política muy sensible. En consecuencia, durante el último año de su gobierno los agentes balagueristas y otros opositores orquestaron una bien dirigida campaña para mostrar que la administración de Jorge Blanco estaba salpicada de corrupción.

Denuncias de corrupción.

A medida que la campaña se fortalecía y Jorge Blanco no hacía nada por desmentirla, su popularidad se desplomaba. Su prestigio como un presidente honesto también quedó seriamente lesionado cuando empezaron a circular versiones de que varios importantes funcionarios de su gobierno estaban realizando negocios fabulosos en algunas compañías estatales y en instituciones públicas descentralizadas.

Desprestigio del gobierno.

Tanto Jorge Blanco como algunos de sus más altos funcionarios dieron frecuentes muestras de intolerancia contra los críticos del gobierno. Sus relaciones con la prensa y con diversos grupos de interés estuvieron afectadas por continuas tensiones, y pronto el gobierno fue acusado por Balaguer y sus seguidores de "arrogante y prepotente". Estos adjetivos calaron hondo en el ánimo popular y se utilizaban frecuentemente para caracterizar las actuaciones del gobierno. Esta imagen negativa persiguió a varios funcionarios hasta las postrimerías del gobierno de Jorge Blanco y les hizo mucho daño a sus candidaturas cuando intentaron ser elegidos senadores y diputados en las elecciones de 1986.

Debilidad política del gobierno.

Aunque Jorge Blanco siguió siendo ampliamente respetado por sus valores democráticos y por su intención de no buscar la reelección, su gobierno se debilitó en grado extremo a causa de su reciente política militar. No solamente había asustado a los oficiales que quedaban, sino que también había ofendido al gobierno de los Estados Unidos al querer declarar persona non grata al agregado militar cuando este oficial trató de bloquear su política de despidos y promociones militares. Además, Jorge Blanco expresó varias veces su intención de permanecer en la política activa con miras a las elecciones de 1990. Esto atemorizó aún más a sus enemigos que esperaban

566

encontrar un ambiente hostil dentro del aparato militar si él ganaba las elecciones, y los catapultó frontalmente contra el gobierno.

Mientras tanto, los partidos comenzaron a prepararse para las elecciones generales a celebrarse el 16 de mayo de 1986. Los principales candidatos fueron Joaquín Balaguer, Jacobo Majluta y Juan Bosch. El presidente Jorge Blanco trabajó incansablemente para que las elecciones fueran libres y limpias. Designó una comisión especial para supervisarlas cuando percibió signos de que la Junta Central Electoral no estaba capacitada para llevarlas a cabo sin problemas. Esta Comisión de Asesores Electorales estaba compuesta de nueve prestigiosos ciudadanos no partidistas quienes se encargaron casi a última hora de todo el proceso electoral y garantizaron lo que ha sido el conteo de votos más limpio en la historia dominicana. Jorge Blanco apoyó el trabajo de la Comisión aun cuando su propio partido, el PRD, perdió las elecciones y algunos trataron de alterar el resultado electoral.

Elecciones del 16 de mayo de 1986.

Estas fueron unas elecciones sumamente reñidas. Joaquín Balaguer, del Partido Reformista, ganó por un estrecho margen de 40,000 votos sobre Jacobo Majluta, candidato del PRD. El retorno del octogenario ex-Presidente al poder por quinta vez en veinticinco años fue un evento excepcional en vista de que había perdido el poder en 1978 en medio del mayor descrédito posible y lograba recuperarlo democráticamente en una época en que el glaucoma le había ocasionado la pérdida casi total de su visión. Aunque ciego y enfermo, Balaguer logró unificar y reorganizar su partido, asimilando de paso al antiguo Partido Revolucionario Social Cristiano, y cambiándole el nombre a Partido Reformista Social Cristiano (PRSC).

Joaquín Balaguer, presidente por 5ta. vez.

Con este cambio el Partido Reformista adquirió una ideología política y una estructura de relaciones internacionales similar a la red de contactos que sostenía el PRD con los social-demócratas y la Internacional Socialista. El apoyo internacional de la democracia cristiana ayudó a Balaguer a modernizar su partido y llevar a cabo una moderna campaña en la que la propaganda, los discursos y los anuncios estuvieron basados en grandes encuestas que medían la opinión pública. Frente al deficiente manejo político de la crisis económica durante los ocho años de gobierno del PRD, Balaguer se presentó como el único capaz de imponer autoridad política y reorganizar la economía.

Balaguer también gozó del apoyo que le dieron los propios líderes del PRD al mantener vivos sus conflictos internos y *Conflictos internos en* desplegarlos ruidosamente en los medios de comunicación día *el PRD.* tras día durante ocho años. Esos conflictos terminaron desacreditando y desorganizando el PRD, y contribuyeron al triunfo electoral de Balaguer, sobre todo después que la convención del PRD para nominar a sus candidatos presidenciales terminó a tiros, entre acusaciones recíprocas de fraude y en medio de una gran confusión. A juicio de muchos expertos, el PRD no habría perdido nunca esas elecciones de no haber sido por las enemistades y malquerencias internas, y por la sistemática destrucción de reputaciones que se infligieron sus propios líderes.

El tercer lugar en las elecciones presidenciales de 1986 *Crecimiento del PLD.* correspondió al ex-Presidente Juan Bosch, quien en años anteriores había logrado organizar un gran partido compuesto de cuadros revolucionarios, llamado Partido de la Liberación Dominicana (PLD). Este partido, fundado por Bosch poco después de la invasión de Caamaño en 1973, obtuvo el 18 por ciento de las votaciones de 1986, duplicando los resultados de las elecciones de 1982, y señalando el rápido crecimiento de una izquierda radical que se proponía obtener el poder mediante elecciones en la República Dominicana.

XLIII

EL RETORNO DE BALAGUER

(1986-1990)

BALAGUER VOLVIO A LA PRESIDENCIA en 1986 con la intención de mantenerse en el poder por el resto de su vida y convencido de que Jorge Blanco había creado un rico y poderoso grupo político que financiaría su campaña presidencial en 1990, y de que el presidente saliente sería nuevamente candidato del PRD en 1990. Para evitar el retorno de Jorge Blanco al poder, Balaguer gastó la mayor parte de su primer año de gobierno tratando de destruir cualquier residuo de prestigio o influencia que Jorge Blanco hubiese podido conservar.

Retorno de Balaguer a la Presidencia.

Tan pronto como Jorge Blanco regresó a su casa fue acusado, entre docenas de cargos, de conspirar para derrocar al gobierno, de ordenar el asesinato de un banquero, de malversación de fondos, de contrabando y de utilizar la presidencia para enriquecerse junto con sus amigos y protegidos. El tema central de las acusaciones fue la venta de suministros a las fuerzas armadas que había seguido el mismo patrón de ventas sobrevaluadas y pago de comisiones que se practicó durante el régimen de los 12 años y el gobierno de Guzmán. Balaguer reclutó varios abogados, periodistas y comentaristas

Acusaciones a Jorge Blanco.

de radio y televisión para lanzar acusaciones contra Jorge Blanco y sus más cercanos colaboradores. Estos acusadores recibieron copias de documentos que reposaban en los archivos de la presidencia y de las fuerzas armadas para respaldar sus denuncias que fueron difundidas por radio, televisión y prensa escrita continuamente durante meses.

Cuando Balaguer retornó al poder en 1986 se sintió amenazado por la posible influencia de Jorge Blanco dentro de las fuerzas armadas. Para protegerse de la organización militar recién heredada, Balaguer reintegró varias docenas de oficiales que habían sido cancelados durante los gobiernos del PRD y los situó en importantes posiciones de mando. Estos nombramientos violaban la ley orgánica de las fuerzas armadas que prohibe reinstalar a cualquier oficial o soldado cancelado. Pero la despolitización militar ahora funcionaba en favor de Balaguer ya que las fuerzas armadas habían sido adoctrinadas para obedecer mansamente al poder civil.

Como jefe de las fuerzas armadas Balaguer nombró al General Antonio Imbert Barreras, quien había comandado a los militares en contra del PRD durante la guerra civil de 1965. También reclutó a varios políticos derechistas asociados con el Triunvirato y los designó en puestos claves. De esos nombramientos, los más sobresalientes fueron la designación del expresidente del Triunvirato, Donald Reid Cabral, como Secretario de Relaciones Exteriores; de Ramón Tapia Espinal, otro miembro del Triunvirato, como Abogado del Estado encargado de procesar judicialmente a Jorge Blanco; y del general retirado Elías Wessin y Wessin, líder militar del golpe de Estado contra Juan Bosch y el PRD en 1963. Siendo Secretario de Interior y Policía en representación del PQD, Wessin y Wessin abrió la campaña para la reelección de Balaguer. Acto seguido, Balaguer lo reincorporó ilegalmente a las filas del ejército y lo nombró Mayor General y Secretario de Estado de las Fuerzas Armadas en 1988.

Durante diez meses, cada lunes en la noche, Balaguer presidía las comparecencias televisadas de sus ministros y funcionarios quienes lanzaban letanías de cargos contra sus antecesores, acusándolos de crímenes y delitos contra el Estado. Ante esta lluvia de acusaciones, Jorge Blanco permaneció

Reintegro de militares balagueristas.

Los hombres del Triunvirato apoyan a Balaguer.

Campaña contra Jorge Blanco.

en silencio, lo cual la gente interpretaba como señal de culpa. Cuando finalmente intentó contraatacar mediante una serie de discursos televisados en noviembre de 1986, ya era demasiado tarde.

Entre octubre y diciembre sus enemigos políticos lo acusaron formalmente de 31 delitos penales, civiles, criminales y constitucionales. Si Jorge Blanco era encontrado culpable, perdería sus derechos políticos y civiles y jamás podría volver a aspirar a la presidencia. Muchos de sus amigos y colaboradores lo abandonaron, y algunos prominentes miembros del PRD se unieron al coro de sus acusadores. De manera que la división del PRD ayudó nuevamente a Balaguer contra el mismo PRD ya que, eventualmente, el propósito final de toda la campaña era demostrar que el PRD era el partido más corrupto en la historia dominicana.

El 29 de abril de 1987, Jorge Blanco se presentó ante una Juez de Instrucción para responder a un interrogatorio preliminar que decidiría si los cargos en su contra eran válidos. La juez lo sometió a un interrogatorio de más de diez horas repitiendo la mayoría de las acusaciones lanzadas en su contra. Al final de la jornada, justo en los momentos en que la juez dictaba una orden de prisión inmediata, Jorge Blanco sufrió repentinos espasmos coronarios y alta presión arterial. Esta situación fue aprovechada por los acompañantes de Jorge Blanco para llevarlo rápidamente a su casa en busca de cuidado médico. Al otro día, el ex-Presidente se refugió en la embajada de Venezuela y solicitó asilo político.

Jorge Blanco a la justicia. Orden de prisión en su contra.

Solicitud y negación de asilo político.

El Presidente venezolano, Jaime Lusinchi, se negó a aceptar la petición de Jorge Blanco. La posición del gobierno de Venezuela obedecía a los esfuerzos de Lusinchi por escapar de los cargos de corrupción que se hacían contra él y su propio gobierno, y al interés del Partido Acción Democrática de preservar la próxima candidatura del ex-Presidente Carlos Andrés Pérez, quien en años anteriores había sido juzgado por corrupción ante el Senado venezolano. Cuando los líderes del partido oficial de Venezuela cuestionaron a varios altos dirigentes del PRD sobre la validez de los argumentos de Jorge Blanco para solicitar asilo político, éstos descartaron la persecución política. Siguiendo la misma línea de pensamiento, el embajador venezolano en Santo Domingo recomendó que se negara el asilo político.

Este hecho marcó el destino de Jorge Blanco. Cuando el gobierno de Venezuela le comunicó que el asilo no sería concedido, su condición cardíaca se deterioró rápidamente y Jorge Blanco se desmayó dentro de la embajada venezolana por lo que tuvo que ser llevado de emergencia a un hospital privado. Esto no conmovió ni a Lusinchi ni a Balaguer. Los fiscales del gobierno dominicano se movilizaron para sacar a Jorge Blanco de la clínica y enviarlo a la cárcel. Se necesitaron varios días de negociación para convencer a Balaguer de que debía permitir su traslado a un hospital en los Estados Unidos. Para dejar salir a Jorge Blanco, Balaguer impuso la condición de que sus representantes firmaran un documento que establecía que el ex-Presidente estaba técnicamente en prisión y que debería volver a la cárcel tan pronto se recuperara.

Durante los primeros nueve meses de su gobierno, Balaguer y sus principales funcionarios y asesores invirtieron ingentes energías en la persecución política de Jorge Blanco y sus más cercanos colaboradores, muchos de los cuales fueron enviados a prisión sin juicio previo, mientras que otros lograron escapar hacia el exilio. El gobierno los acusó a todos de diversos delitos. Ninguno de ellos fue debidamente juzgado y, eventualmente, todos fueron puestos en libertad de acuerdo a la conveniencia política de Balaguer, pero sin que el gobierno retirara sus acusaciones.

Al finalizar el primer año de gobierno, Balaguer ya le había hecho un gran daño al PRD y había destruido políticamente a su más temido rival. Balaguer sostenía que era mucho más fácil derrotar a Bosch, Majluta y Peña Gómez que a Jorge Blanco en las elecciones de 1990. En ocasiones Balaguer confiaba a sus amigos privadamente que la historia política dominicana enseñaba que todo aquél que había ejercido la presidencia de la República tarde o temprano volvería a ejercerla.

Con Jorge Blanco fuera del panorama, se abrió el camino de la reelección. Pero, por el momento, el gobierno tenía que prestar atención a la deteriorada economía nacional. A mediados de 1987, el interés de la opinión pública estaba girando

Problemas de salud y traslado de Jorge Blanco a Estados Unidos.

Persecución contra colaboradores de Jorge Blanco.

hacia los crecientes problemas económicos y sociales creados por la nueva política económica de Balaguer. Esta política estaba revirtiendo todo cuanto se había logrado bajo el programa de ajustes del Fondo Monetario Internacional (FMI), al cual Balaguer y sus asesores culpaban del estancamiento económico.

Política económica de Balaguer.

Una vez en el poder, Balaguer renunció a todas sus promesas en cuanto a la privatización y reordenamiento de la economía y manejó el país contrariando todos los principios del libre mercado. El primer paso en esa dirección fue la desorganización total del sistema monetario mediante la manipulación desordenada y arbitraria del Banco Central y la adopción de numerosas medidas autoritarias que obligaban a los exportadores a vender sus dólares al Banco Central a un precio más bajo que el que se pagaba en el mercado libre. En los primeros trece meses, el nuevo gobernador del Banco Central y los miembros de la Junta Monetaria designados por Balaguer dictaron 84 resoluciones dirigidas a ampliar el control del gobierno sobre la economía y a revertir todos los logros del programa de ajuste ejecutado por el gobierno de Jorge Blanco con el Fondo Monetario Internacional.

En sus primeros dos años, el gobierno redujo considerablemente el crédito al sector privado mientras ampliaba generosamente el crédito al sector público para financiar un ambicioso programa de obras públicas. Balaguer trató de reactivar la economía expandiendo el gasto público y emitiendo papel moneda sin respaldo. Cuando su gobierno se inició, en agosto de 1986, el dinero en circulación era de RD$1,400 millones, pero a fines del primer año Balaguer lo había duplicado a RD$2,700 millones. Una consecuencia inmediata del exceso de dinero circulante fue el aumento en la demanda de divisas y la devaluación del peso dominicano, que cayó de RD$2.70 por un dólar, en agosto de 1986, a RD$4.75 a mediados de 1987.

Aumento de la inflación y devaluación.

Los resultados simultáneos de esta política fueron la inflación repentina y el desorden monetario. La República Dominicana volvió al sistema de tasas de cambio múltiples diseñadas por el gobierno para captar una enorme proporción de las divisas generadas por el sector exportador, mientras Balaguer ampliaba su poder político al conceder divisas arbitrariamente a los importadores e industriales. Cuando el dólar se cotizó a RD$4.75 en el mercado libre, el gobierno legisló a través de la Junta Monetaria para obligar a los exportadores a entregar sus divisas al Banco Central a RD$3.50 por dólar.

Regulaciones mone-
tarias de carácter au-
toritario.

Los exportadores volvieron entonces a esconder sus divisas mediante la subvaluación de sus exportaciones o simplemente rehusando cumplir con las regulaciones gubernamentales. El gobierno reaccionó ejerciendo presión política sobre ellos y amenazándolos con someterlos a la justicia para enviarlos a la cárcel. Además, el gobierno presionó a los bancos y a los operadores de turismo para obligarlos a entregar sus dólares al Banco Central. Cuando estos grupos decidieron entregar menos divisas de lo que Balaguer esperaba, el gobierno les prohibió recibir dólares a la tasa del mercado para forzarlos a pagar la tasa oficial devaluada y entregar sus divisas al gobierno.

Mercado negro del dó-
lar norteamericano.

Tanto el dólar como otras monedas extranjeras salieron de circulación y rápidamente se formó un mercado negro. El gobierno utilizó la fuerza pública para cerrar los bancos de cambio e intervenir en el mercado monetario utilizando a la policía secreta para imponer las nuevas regulaciones del Banco Central. Algunos banqueros, industriales y comerciantes fueron detenidos y enviados a prisión sin ser juzgados, acusados de retener dólares ilegalmente, mientras que otros fueron forzados a abrir sus libros ante inspectores especiales del Banco Central que iban acompañados por miembros de la policía secreta.

"Sistema de Reintegro
de Divisas."

Este nuevo sistema de controles cambiarios, impuesto en agosto de 1988, se llamó "Sistema de Reintegro de Divisas". Balaguer y sus funcionarios lo justificaban como el único instrumento mediante el cual sería posible acabar con la especulación y controlar la inflación. Como el gobierno no podía captar suficientes dólares, las operaciones más importantes en divisas extranjeras se trasladaron a los Estados Unidos. Como resultado, las reservas en moneda extranjera disminuyeron, y el Banco Central volvió a atrasarse con sus acreedores internacionales. Para el mes de diciembre de 1987, la tasa cambiaria se había deteriorado al nivel de los RD$5 por dólar.

574

Balaguer continuó imprimiendo dinero. Durante su segundo año, el gobierno aumentó el medio circulante a RD$3,100 millones. Su política macroeconómica se basaba en la teoría de que la economía solamente podía ser reactivada a través de una fuerte inversión pública que él dirigía personalmente. Esta política de expansión monetaria contribuyó al crecimiento del mercado interno y produjo altos índices de crecimiento económico en 1987 y 1988, pero también produjo inflación y devaluación.

Política de expansión monetaria, 1987.

Inicialmente, los empresarios se entusiasmaron ante el prospecto del crecimiento económico como consecuencia del aumento en el gasto público. Las inversiones realizadas en el área de la construcción hicieron crecer la economía en un 8 por ciento en 1987, una tasa mayor que la de años anteriores. Con el medio circulante aumentando en más de 50 por ciento al año, el ciclo económico se aceleró y los empresarios gozaron de un período inicial de bonanza. Entre 1987 y 1989 las industrias dominicanas no podían responder al aumento de la demanda y operaban a toda capacidad. En la misma situación se encontraban los importadores de artículos de consumo. Por ello la traición de Balaguer a sus promesas electorales de privatizar la economía e institucionalizar el Estado no fue cuestionada por los dirigentes empresariales.

Crecimiento económico, 1987.

Sin embargo, algunos economistas, profesionales y empresarios se dieron cuenta del daño que el gobierno le estaba haciendo a la economía y solicitaron a Balaguer que redujera gradualmente el medio circulante. Balaguer se resistió durante meses y continuó emitiendo dinero sin respaldo. En un esfuerzo por equipararse al nivel del mercado paralelo, el gobierno devaluó la tasa de cambio oficial a RD$6.35 en agosto de 1988, pero a medida que las reservas en moneda extranjera disminuían, la depreciación se aceleraba. La inflación, que había sido alta durante el año anterior, alcanzó casi el 60 por ciento en 1988. Para fines de marzo de 1989, el dinero circulante ascendió a la cifra récord de RD$4,700 millones, más de tres veces los niveles de 1986. Los precios al consumidor subieron más de cinco veces, mientras que el valor del peso dominicano continuaba en descenso. En abril de 1989, los dominicanos tenían que pagar RD$6.63 por un dólar en el mercado paralelo.

Continúa expansión monetaria, 1988-89.

575

Depreciación mone-
taria, 1989.

Aun cuando la creación de dinero se hizo más lenta durante algunos meses, en julio de 1989 el valor de la moneda cayó a RD$7 por un dólar y en diciembre alcanzó la cifra récord de RD$8.40 por dólar. A pesar de la depreciación monetaria, el gobierno siguió manteniendo la tasa de cambio oficial a RD$6.35 por dólar sin hacer caso a las protestas provenientes de los exportadores, turistas y operadores de turismo que generaban la mayor parte de las divisas y estaban obligados a entregarlas al Banco Central.

Deuda externa y suspensión del crédito internacional.

Sin reservas suficientes en moneda extranjera, el gobierno se vio forzado a solicitar a sus acreedores internacionales mayores períodos de tiempo para pagar la deuda externa a corto plazo, particularmente aquéllas contraídas por la compra de combustibles, medicinas y productos alimenticios. En mayo de 1989, el gobierno suspendió el pago de la deuda ya que no pudo pagar US$23 millones a los bancos extranjeros. Para el mes de agosto, el gobierno dejó de pagar otros US$12 millones, y en septiembre el gobernador del Banco Central anunció la suspensión total de los pagos a su deuda con los bancos comerciales que sumaba unos US$800 millones. A medida que los atrasos aumentaban en 1989, muchos suplidores suspendieron sus créditos a la República Dominicana.

Escasez de combustibles, materias primas y alimentos.

En septiembre de 1989, Venezuela suspendió sus entregas de petróleo y, rápidamente, los efectos de la escasez de combustibles se hicieron sentir entre la población. Lo mismo ocurrió cuando otros suplidores dejaron de entregar alimentos, medicinas y materias primas a los importadores e industriales dominicanos. Balaguer trató de desestimular el consumo de combustibles subiendo los precios de la gasolina en un 67 por ciento en octubre de 1989, lo que provocó una ola de protestas populares. La capacidad del gobierno para pagar por el petróleo que consumían la refinería y las plantas termoeléctricas era muy limitada. En consecuencia, la escasez de combustibles y de energía eléctrica se prolongó. El Banco Central sencillamente no disponía de suficientes reservas en divisas para costear sus importaciones estratégicas.

Crisis energética.

Los apagones, que eran rutina diaria desde 1986, ahora se convirtieron en una pesadilla nacional. Al iniciar su nuevo gobierno, Balaguer declaró que la Corporación Dominicana de

Electricidad (CDE) sería manejada bajo su supervisión directa. Al tercer año de su gestión, la CDE era incapaz de producir la mitad de la demanda, y los dominicanos -empresas y particulares- no recibían más de tres horas de electricidad al día. Para empeorar las cosas, el gobierno aumentó arbitrariamente el precio de la energía en más de un 20 por ciento basado en promedios de consumos normales, de manera que la población pagaba más dinero por un servicio que no estaba recibiendo. En diciembre de 1989, solamente siete plantas termoeléctricas estaban produciendo energía. Las otras doce se encontraban apagadas por reparaciones o por falta de combustible.

La depreciación de la moneda continuó. En abril de 1990 la tasa de cambio alcanzó los RD$11 por un dólar. Balaguer tuvo entonces que enfrentar a una clase empresarial resentida que se resistía a entregar sus dólares al gobierno y tuvo que acceder a devaluar la tasa de cambio oficial de RD$6.35 a RD$7.30 por dólar. Pero, una vez más, esta devaluación fue insuficiente para compensar la brecha existente con la tasa del mercado paralelo. Aunque era necesario cambiar el rumbo de la economía, Balaguer se mantuvo inmutable y continuó acusando a ciertos grupos del sector empresarial de especulación, culpándolos de la inflación y la devaluación.

Nueva devaluación de la moneda, 1990.

Los operadores de turismo y los exportadores siguieron resistiéndose a entregar sus divisas a la tasa oficial de RD$7.30 por dólar. Al darse cuenta de que la represión no era suficiente para convencerlos, el gobierno devaluó nuevamente el peso hasta RD$11.50 por un dólar en octubre de 1990. Cuando esta decisión fue adoptada, la tasa de cambio en el mercado paralelo estaba llegando a los RD$15 pesos por dólar. En octubre de 1990, el medio circulante alcanzó la cifra récord de RD$6,573 millones. Las reservas netas de divisas se redujeron a US$106 millones, mientras el déficit de la balanza de pagos para ese año era de más de US$1,100 millones. Nunca antes, desde los tiempos de Ulises Heureaux, el pueblo dominicano había vivido en tal desorden monetario.

Para enfrentar esta crisis, los empresarios necesitados de divisas descubrieron que ellos podían resolver sus problemas visitando el Palacio Nacional. Allí podían negociar la rápida

Crisis monetaria.

577

aprobación de sus cartas de crédito mientras otros pagaban sobornos a algunos funcionarios del Banco Central convertidos en corredores que ayudaban a agilizar las aprobaciones. Como la mayoría de las importaciones estaban sujetas a controles, las excepciones a esos controles había que obtenerlas en el Palacio Nacional en donde se organizó rápidamente un gran mercado de influencias políticas. Las entrevistas con Balaguer se convirtieron en una valiosa mercancía y pronto aparecieron corredores que cobraban altas sumas de dinero para gestionar entrevistas con el presidente de la República. También volvió a aparecer la costumbre entre algunos secretarios de Estado, tan común en el régimen de los doce años, de posponer sus decisiones sobre asuntos rutinarios para dar tiempo a que sus agentes gestionaran comisiones.

La corrupción gubernamental volvió a sus viejos cauces con magnitudes nunca antes conocidas. La práctica de sobrevaluar todo lo que el gobierno compraba, y el pago de sobornos y comisiones, volvieron a convertirse en la regla de oro a la hora de hacer negocios con el gobierno. Al principio de su mandato, Balaguer justificó el "macuteo" y autorizó a los empleados públicos, civiles y uniformados, a que pidieran o aceptaran gratificaciones para compensar sus magros salarios. En consecuencia, durante el gobierno de Balaguer todas las gestiones normales que los ciudadanos hacían en la administración pública quedaron sujetas a numerosas "mordidas", desde la expedición de una licencia de conducir o un pasaporte, hasta la obtención de una decisión importante en el Palacio Nacional o en cualquier otra oficina del gobierno.

Estas políticas de Balaguer otra vez fomentaron la creación de una nueva casta de millonarios y produjeron una nueva oleada de concentración del ingreso nacional que amplió la brecha entre los ricos y los pobres. La mayor parte de las nuevas fortunas que se hicieron durante este período buscaron la seguridad ofrecida por los bancos extranjeros. En consecuencia, los depósitos privados de los ciudadanos dominicanos en bancos de Estados Unidos y Europa subieron de US$936 millones a US$1,098 millones durante el primer año de Balaguer en el poder. En los años siguientes, la fuga de capitales continuó. No solamente los inversionistas y ahorrantes, sino también los nuevos millonarios, preferían

Macuteo, sobornos y venta de influencias políticas.

Corrupción gubernamental.

Concentración del ingreso y fuga de capitales.

578

mantener sus dólares en el extranjero por miedo a que fueran confiscados por el gobierno.

Estas fueron solamente algunas de las consecuencias más visibles de la nueva estrategia económica de Balaguer. Durante la campaña electoral de 1986, Balaguer y sus técnicos prometieron privatizar la economía y descentralizar el Estado. Esa plataforma política logró captar una amplia cantidad de votos pues ante el desorden y la división del PRD, Balaguer aparecía como el único capaz de acelerar la institucionalización del país. Pero una vez que Balaguer tomó el poder en agosto de 1986, abandonó todas sus promesas electorales y retornó a sus antiguas prácticas personalistas. Sus economistas y tecnócratas que antes abogaban radicalmente por la privatización de la economía se convirtieron en vehementes defensores del centralismo y del intervencionismo estatal tan pronto fueron nombrados en diferentes ministerios y altos cargos oficiales. Bajo la inspiración de Balaguer, esos funcionarios cambiaron rápidamente su discurso para atacar frecuentemente al sector privado defendiendo el estatismo neo-trujillista del gobierno.

Fracaso de la política económica de Balaguer.

Cuando Balaguer inició su tercer año de gobierno, el fracaso de sus políticas ya era evidente en el estancamiento de la economía. La tasa de crecimiento para 1988 fue de apenas 0.7 por ciento. La inflación se mantuvo cerca del 60 por ciento. La escasez de productos alimenticios se tornó crítica y la fuga de capitales se dejaba sentir en la economía. La mayoría de los empresarios se dio cuenta de que para poder manejar este fenómeno tenían que ajustar sus precios para compensar la reposición de sus inventarios. La especulación en los precios fue una característica de todo este período. Para descargar su responsabilidad, el presidente y sus funcionarios acusaban frecuentemente a los comerciantes, banqueros e industriales de ser especuladores y culpables de la inflación. Si la concentración de riquezas fue alta durante el gobierno de Jorge Blanco, bajo la nueva administración de Balaguer alcanzó niveles extraordinarios pues muchos empresarios ajustaban los precios más allá de los niveles de reposición de sus inventarios.

Especulación.

Las políticas de Balaguer empeoraron la situación de los pobres y la clase media y deterioraron el ingreso de la mayor

579

parte de la población. Mientras en 1984 el número de indigentes ascendía a un millón de dominicanos, en 1989 esta cifra se había duplicado hasta sobrepasar los dos millones. En 1989, el 57 por ciento de los hogares dominicanos vivían por debajo de la línea de pobreza.

Protestas populares, huelgas y represión.

Las reacciones contra las políticas gubernamentales se manifestaron en numerosas protestas populares. Las huelgas de trabajadores organizadas por sindicatos y organizaciones de profesionales en demanda de salarios más altos se hicieron cada vez más frecuentes. Al principio, Balaguer trató de cortejar a los huelguistas diciendo que apoyaba sus demandas, pero a medida que se fue agravando la situación política en las ciudades del interior, el gobierno utilizó cada vez más a la policía y el ejército para reprimir las huelgas e imponer el orden. Nuevamente, Balaguer mostraba su disgusto por la fuerza laboral organizada y trató de destruir a los sindicatos más importantes sobornando a sus líderes o simplemente enviándolos a prisión cada vez que se organizaba una huelga.

Por ejemplo, en febrero de 1988, cinco personas murieron y más de veinte fueron heridas por la policía durante protestas organizadas para denunciar el empeoramiento de las condiciones de vida y protestar contra el gobierno y los empresarios que se negaban a aumentar el salario mínimo de RD$300 a RD$400 mensuales. A finales de ese mes, Balaguer envió tropas del ejército a los barrios más pobres de Santo Domingo para aplastar las protestas. Dos huelgas más se sucedieron durante los meses de marzo y abril. La última fue convocada por los médicos que laboraban en los hospitales del Estado porque sus ingresos reales estaban mermando aceleradamente.

Demandas de aumento de salarios y mejores condiciones de vida.

El 19 y 20 de junio de 1988, las centrales sindicales más importantes llamaron nuevamente a una huelga general para protestar contra la política económica y demandar nuevas alzas de salarios y el mejoramiento de los servicios públicos. Balaguer envió otra vez el ejército a las calles para reforzar la labor de la policía. Más de 20,000 soldados y policías fueron movilizados para patrullar las calles de Santo Domingo. Cuatro personas resultaron muertas y más de 3,000 fueron arrestadas. En agosto de 1988 tuvieron lugar nuevas demostraciones en Santo Domingo en demanda de mayores salarios y, de nuevo, sus líderes fueron encarcelados o perseguidos. Cuando el gobierno subió los precios de la gasolina, en octubre de ese mismo año, los sindicatos y organizaciones populares organizaron nuevas manifestaciones.

En febrero de 1989, más de 100 campesinos y trabajadores agrícolas de Cotuí fueron arrestados tras un enfrentamiento con el ejército. Ellos también protestaban por la merma de sus ingresos debido a la inflación. Durante las primeras dos semanas de marzo, la población de San Francisco de Macorís y varios pueblos vecinos se fueron a una huelga general en protesta por el deterioro de los servicios públicos básicos. El resultado de esta revuelta fue de un muerto y varios heridos. El 15 de mayo, las uniones sindicales llamaron a una huelga general a nivel nacional en la que resultó muerta una persona.

Para 1990 casi la mayoría del pueblo dominicano se había empobrecido por la inflación y la devaluación, y los consumidores no podían soportar las alzas en los precios. La pobreza generalizada aceleró la migración hacia Estados Unidos y Venezuela. La migración ilegal por bote hacia Puerto Rico se convirtió en una de las formas más populares de abandonar la isla, a pesar de los enormes riesgos que conlleva cruzar el Canal de la Mona. Un indicador de la magnitud de este problema es el hecho de que en 1989 y 1990, las autoridades de inmigración de Puerto Rico deportaron a un promedio de 300 dominicanos por mes. En 1987, las autoridades de inmigración en Puerto Rico estimaron que el número de inmigrantes dominicanos ilegales ascendía a 160,000. En 1990, había unos 900,000 dominicanos residiendo legal e ilegalmente en los Estados Unidos, es decir, un 12 por ciento de la población dominicana.

Aumento de la emigración.

Una paradoja de la vida política dominicana ha sido la creciente internacionalización de los partidos políticos mientras la cultura política dominicana sigue regida por el caudillismo y el personalismo. Los partidos políticos se han aliado con las redes internacionales de la social democracia y de la democracia cristiana con sede en Europa, así como con los comunistas, pero estas alianzas no han alterado la esencia caudillista de la cultura política dominicana. Los partidos han buscado y han obtenido el apoyo de sus aliados extranjeros,

Caudillismo y personalismo político.

581

FRANK MOYA PONS

pero sus líderes todavía controlan las maquinarias partidistas de manera personalista. Así, las campañas políticas, aunque muy modernas en sus técnicas de comunicación, no están basadas en programas o plataformas sino en el arraigo personal de los caciques políticos.

Pluralización de la sociedad dominicana.

Aún más paradójico es el hecho de que el caudillismo en la República Dominicana florece dentro del contexto formal del pluralismo institucional. Después de la muerte de Trujillo, los dominicanos han creado miles de nuevas instituciones: organizaciones empresariales, periódicos, revistas, escuelas, universidades, fundaciones, organizaciones sin fines de lucro, iglesias, asociaciones deportivas, estaciones de radio y televisión y casas editoras que han contribuido a la pluralización de la sociedad dominicana. Sin embargo, todavía prevalece el caudillismo, permeando y corrompiendo casi todas las instituciones dominicanas. En este sentido, puede afirmarse que la República Dominicana ha evolucionado desde una ruda dictadura totalitaria hacia una democracia imperfecta, pasando por doce años de despotismo personalista.

Límites del desarrollo dominicano.

Por muchos años la República Dominicana fue señalada como una "revolución capitalista" exitosa en el Caribe, sobre todo en la época en que Cuba ofrecía la alternativa del modelo socialista. Sin embargo, los límites de esta "revolución" se observan en el deterioro de todos los indicadores sociales y económicos, y en la perpetuación de una cultura política caudillista y autoritaria que ha obstaculizado la modernización y democratización del sistema político. Para demostrar esta última afirmación basta un ejemplo: durante las elecciones presidenciales de mayo de 1990, los candidatos de mayor arrastre fueron Joaquín Balaguer y Juan Bosch, dos caudillos octogenarios que llegaron a la presidencia de la República por primera vez en 1960 y 1963 respectivamente, pero que han dominado la vida política dominicana durante tres décadas.

Cultura política autoritaria.

Crecimiento del PLD.

El crecimiento del partido de Bosch puede explicarse por la diferencia en el estilo político que introdujo al país. Mientras los otros grandes partidos tradicionales mantuvieron durante años un discurso que expresaba básicamente sus luchas internas o los intereses de sus líderes, el partido de Bosch, por el contrario, mantuvo persistentemente una línea política de

582

defensa de los grupos más pobres de la nación. En abril de 1989, una encuesta de opinión pública reveló que Bosch le ganaba a Balaguer en un 47 por ciento sobre 29 por ciento, mientras Peña Gómez también figuraba con un 29 por ciento contra un 25 por ciento de Majluta. Era obvio, entonces, que si las elecciones se celebraban en ese mes, y el PRD permanecía dividido, Juan Bosch fácilmente podía ser electo presidente. Para consolidar su ventajosa posición política, el PLD seleccionó temprano a Bosch como su candidato presidencial para las elecciones de 1990.

Gradualmente, aunque visiblemente, Bosch cambió su anterior discurso izquierdista radical por uno más conservador que apelaba a mayores segmentos de la clase media, y hasta a la clase empresarial, a la cual prometía una política económica basada en la privatización de las empresas estatales y en el desarrollo industrial. Conocedor de la rudeza política de Balaguer, Bosch optó por no confrontar al gobierno abiertamente. Criticó ligeramente la política económica de Balaguer desde una perspectiva típicamente empresarial, pero en silencio apoyaba las protestas populares y las huelgas que retaban al gobierno a nivel nacional. Más aún, Bosch se acercó a numerosos grupos sociales que anteriormente habían apoyado al PRD y logró construir una formidable base política durante el año 1989. Una parte sustancial de esta nueva base política estaba compuesta por miembros y simpatizantes del PRD desencantados y por ex-simpatizantes reformistas.

Para ventaja de Bosch, el PRD estaba seriamente dividido entre los seguidores de José Francisco Peña Gómez, Salvador Jorge Blanco y Jacobo Majluta, y se había convertido en un inefectivo instrumento de oposición. Bosch también aprovechó la división interna del partido de Balaguer, el Partido Reformista Social Cristiano. Muchos líderes reformistas estaban convencidos de que la impopularidad de Balaguer era un boleto seguro hacia la derrota electoral de 1990, y se unieron a Fernando Alvarez Bogaert para ofrecer una candidatura alterna. Alvarez Bogaert había sido candidato vicepresidencial de Balaguer en 1978, y había logrado edificar su propia base política dentro del Partido Reformista. Sin embargo, Alvarez Bogaert no pudo ganarle a la maquinaria política de Balaguer

División del PRD.

Contradicciones internas en el PRSC.

y renunció a su candidatura cuando Balaguer maniobró en su contra mediante el soborno y el terrorismo instrumentado contra sus seguidores en una convención irregular del Partido Reformista.

A medida que empeoraba la situación económica y financiera del país, en 1989, aumentaba la popularidad de Bosch, a pesar de la fuerte campaña reeleccionista de Balaguer. El PRD no podría resolver sus disputas internas y, por tanto, no era una opción viable contra el PRSC. Las disputas entre las diferentes facciones del PRD se ventilaban diariamente en los medios de comunicación y desacreditaban seriamente a sus líderes, quienes se acusaban mutuamente de las peores acciones posibles y enlodaban aún más sus reputaciones. Peña Gómez y Jorge Blanco se unieron contra Majluta pero no alcanzaron suficiente fuerza para controlar totalmente el partido hasta principios de 1990. Fue entonces cuando el PRD se dividió definitivamente y Majluta formó su propia organización llamada Partido Revolucionario Institucional (PRI),con la cual trató en diversas ocasiones de llegar a un acuerdo electoral con Balaguer y el PRSC, pero sin éxito.

A fines de abril de 1990, Bosch seguía encabezando las encuestas de opinión pública con un 36 por ciento de las preferencias, mientras que Balaguer se mantenía con el 26 por ciento. Peña Gómez, por su parte, estaba en un distante tercer lugar con un 15 por ciento, mientras Majluta había descendido al cuarto lugar con sólo un 9 por ciento.

Ante una victoria de Bosch que parecía asegurada, los líderes del Partido Reformista se deprimieron convencidos de que perderían las elecciones. Pero los estrategas de Balaguer diseñaron una nueva táctica para frenar a Bosch. Conocedores de que la mayor parte de los simpatizantes de Bosch no eran miembros del PLD, sino personas que anteriormente habían votado por el PRD y por el PRSC, decidieron comprar a los más pobres con dinero. El Partido Reformista desplegó una red nacional para comprar los carnets electorales de todos aquéllos a quienes se les reconocía su actitud de votar por Bosch pero que estaban dispuestos a renunciar a su voto por RD$100. Dada la situación desesperada de los pobres, particularmente en las áreas rurales, miles de personas vendieron sus carnets, despojando a Bosch de muchos votos.

División definitiva del PRD.

Jacobo Majluta forma el PRI.

Compañía electoral de 1990.

584

Además, el Secretario de las Fuerzas Armadas, General Elías Wessin y Wessin, quien había sido uno de los más fuertes defensores de la reelección de Balaguer, dio instrucciones a varios miles de militares, policías y veteranos para que votaran por Balaguer y por el propio partido de Wessin, el Partido Quisqueyano Demócrata. Cerca de 8,000 miembros activos de las fuerzas armadas y la policía nacional fueron dotados ilegalmente de carnets electorales para participar en las elecciones y muchos lograron hacerlo impunemente. La misma impunidad tuvieron numerosos reformistas quienes obtuvieron varios carnets electorales registrados en diferentes mesas de votación y lograron votar hasta tres veces después de haber borrado la mancha de tinta de sus dedos.

El gobierno lanzó una campaña de violentos ataques contra Bosch durante las tres semanas que precedieron a las elecciones. Esta campaña desestabilizó a Bosch hasta arrastrarlo a dos virulentas discusiones públicas. Una, con el arzobispo católico, quien había estado apoyando políticamente a Balaguer durante años. La otra, con el líder del Partido Quisqueyano Demócrata (PQD) y Jefe de las Fuerzas Armadas, Elías Wessin y Wessin, quien promovía abiertamente la reelección de Balaguer. El gobierno aprovechó la violencia verbal de Bosch contra sus antagonistas, proyectando en su campaña publicitaria a un posible Presidente Bosch peligroso e inestable.

Adicionalmente, el gobierno echó a correr el rumor de que las fuerzas armadas no aceptarían a Bosch como presidente y que se produciría un nuevo golpe de Estado que conduciría de nuevo al país hacia una dictadura militar o una guerra civil. La Iglesia Católica, por su parte, a través de sus máximos representantes, tampoco ocultaba su desagrado hacia la candidatura de Bosch y advertía a los votantes sobre el peligro de elegir un candidato con sus cualidades. Esta estrategia produjo el efecto buscado. En los últimos días de la campaña muchos dominicanos que habían acariciado la idea de votar por Bosch comenzaron a retractarse.

Sin ganas de votar por los partidos existentes, el 40 por ciento del electorado se abstuvo de participar en las elecciones celebradas el 16 de mayo de 1990. El Partido de la Liberación

Irregularidades en el proceso electoral.

La Iglesia Católica y los militares contra Juan Bosch y el PLD.

Elecciones de 1990.

Resultados de las elecciones.

Dominicana obtuvo más votos que el Partido Reformista Social Cristiano, esto es, 653,278 votos el PLD, contra 647,616 votos el PRSC. Con todo, Balaguer resultó ser el ganador cuando los 23,730 votos del Partido Quisqueyano Demócrata (PQD), de Wessin, se sumaron al Partido Reformista junto con los votos de otros pequeños grupos políticos, incluyendo el Partido Nacional de Veteranos Civiles y el Partido La Estructura. Este último había apoyado antiguamente a Majluta pero su líder cambió oportunamente su lealtad hacia Balaguer. En total, a la candidatura de Balaguer se le adjudicaron 678,055 votos, y con ellos el ciego Presidente de la República logró derrotar otra vez a sus contendientes.

Balaguer recibió el 35.06 por ciento de los votos, mientras Bosch recibió el 33.81 por ciento. A última hora, Peña Gómez capitalizó a muchos votantes desencantados de Bosch y aumentó su participación a 23.23 por ciento, mientras que Majluta descendió a un 6.99 por ciento. El margen entre Balaguer y Bosch fue de apenas 24,460 votos, la mayoría de ellos suplidos por el partido paramilitar de Wessin y Wessin, entonces Secretario de las Fuerzas Armadas. Dado el alto grado de abstención, Balaguer recibió solamente el 21 por ciento de los votos del electorado.

Bosch proclama fraude.

Durante el conteo de los votos en la Junta Central Electoral, Bosch y sus seguidores más radicales proclamaron que se había cometido un fraude. En los días siguientes al 16 de mayo de 1990 se produjo una profunda crisis política. Esta crisis fue apagada parcialmente por el ex-presidente norteamericano Jimmy Carter y el secretario General de la OEA, Joao Baena Soares quienes se encontraban en Santo Domingo en calidad de observadores del proceso electoral. Mientras tanto, Balaguer envió el ejército a patrullar las calles e impuso una ley marcial de facto sobre todo el país, impidiendo que Bosch lanzara la revuelta popular que había prometido organizar si se le despojaba del triunfo. Dos meses depués, la Junta Central Electoral proclamó a Balaguer como ganador para el sexto período en su larga carrera presidencial.

Balaguer, presidente para un 6to. período gubernamental.

Bosch y sus seguidores se negaron a reconocer la legitimidad del gobierno acusándolo de fraudulento e ilegítimo. A pesar de estos alegatos, Balaguer se invistió nuevamente como

586

presidente el 16 de agosto de 1990, luego de dos días de violentas manifestaciones que dejaron un saldo de 12 muertos y más de 5,000 arrestados. Seis semanas después, el 26 de septiembre, las mayores centrales sindicales decretaron una huelga general de tres días en demanda de aumentos salariales. De nuevo, la violencia dejó 23 muertos y más de 400 arrestados. Con el peso devaluado a RD$15 por un dólar, los precios se hicieron insoportables para la mayoría de la población. Otra vez, el gobierno dejó de pagar su deuda con sus suplidores de combustibles y las entregas fueron suspendidas. Por casi tres meses, entre septiembre y noviembre de 1990, la República Dominicana estuvo prácticamente paralizada sin combustible, sin energía eléctrica, sin agua corriente y sin transporte.

Violentas manifestaciones y huelga general, 1990.

Durante varias semanas numerosos grupos, incluyendo a partidos políticos, grupos empresariales y organizaciones profesionales demandaron públicamente la renuncia de Balaguer como la única vía de evitar un golpe militar o una explosión social. En un discurso que pronunció el 18 de octubre de 1990, Balaguer rechazó la idea de dejar el poder, pero como se estaba preparando otra huelga general para obligarlo a renunciar, trató de evitarla prometiendo días más tarde renunciar en 1992 y organizar elecciones libres para elegir un nuevo gobierno. Su partido, por supuesto, se opuso a esta propuesta, pero el desconcierto que produjo entre los demás partidos le dio tiempo a Balaguer a recuperarse políticamente pues la oposición se dividió en diversas posiciones políticas ante la perspectiva de que Balaguer entregara el poder en 1992. El gobierno entonces diluyó la huelga general con amenazas y sobornos a diversos líderes sindicales, y Balaguer pudo seguir en la presidencia de la República.

Demandas de renuncia de Balaguer.

Una vez que pasó el peligro de huelga general, la policía secreta volvió a hostigar a varias docenas de empresarios a quienes el Banco Central acusaba de traficar con dólares. En meses posteriores, el gobierno siguió amedrentando a empresarios desafectos enviándoles patrullas de la policía secreta a amenazarlos con violencia y cárcel si no les mostraban sus libros de contabilidad y demostraban que no tenían dólares ocultos.

Represión política, y persecución de empresarios.

587

Esta intensa ola de persecuciones contra supuestos o reales traficantes de dólares, a partir de octubre de 1990, fue utilizada por el gobierno para esconder un problema financiero más serio que el control de la tasa de cambio. Luego de cuatro semanas de brutalidad policial contra individuos seleccionados dentro del sector empresarial, el gobierno ya no pudo mantener oculto el hecho de que seis bancos comerciales tenían que cerrar sus operaciones al no poder enfrentar las desordenadas políticas monetarias y las drásticas restricciones impuestas por el Banco Central. Otros dos bancos habían sido cerrados el año anterior por razones similares. En varios de estos casos, la mala administración de sus directores quedó impune gracias a la negligencia de las autoridades monetarias.

Septiembre, octubre y noviembre de 1990 fueron tres meses de pánico financiero en la República Dominicana así como de una depresión económica y moral generalizada. La inflación terminó en 100 por ciento en 1990, el nivel más alto en todo el siglo XX. Una fuga frenética de capitales y de divisas tuvo lugar mientras miles de migrantes dominicanos que habían regresado al país empacaron sus maletas y retornaron a los Estados Unidos, revirtiendo así la tendencia tradicional de regresar para las vacaciones de navidad en diciembre. Con el país sin gasolina, sin electricidad, sin agua corriente, sin harina, sin azúcar, sin leche, sin comestibles básicos, sin transporte, sin seguridad policial, sin escuelas, sin hospitales, el pueblo dominicano vivió la crisis más deprimente de su historia contemporánea.

Nunca, desde el final de la dictadura de Trujillo, la República Dominicana había experimentado un estado anímico tan deprimido ni una situación económica tan desastrosa. Mientras escribo estas líneas, en enero de 1991, muchos dominicanos están convencidos de que Balaguer gobernará el país hasta su muerte, desconociendo muchos de los principios legales y constitucionales y sin importarle las consecuencias de sus políticas económicas. A medida que la clase media se empobrece cada vez más, sus miembros tratan de emigrar a los Estados Unidos, Venezuela, España y Europa. La fuga de cerebros está afectando seriamente ciertas profesiones claves y está despojando al país de su pequeña élite profesional cuya

Crisis financiera y quiebra de bancos

Descalabro económico y derrumbe moral.

formación tomó veinte años y costó importantes recursos. El desencanto y la frustración se han convertido en las actitudes prevalecientes de los dominicanos ante el futuro, en contraste con el optimismo que existía dos décadas antes.

Ante el descalabro de la economía, y ante las intensas presiones nacionales e internacionales, el gobierno de Balaguer prometió realizar reformas fundamentales para mitigar la crisis, pero el resultado final de esas promesas aún está por verse. Al comenzar el año 1991, la República Dominicana todavía sigue siendo un país sin seguridad social, sin escuelas ni hospitales adecuados, con una población enferma y desnutrida y con un sistema político autoritario, corrompido y caudillista. Si Joaquín Balaguer, dejara hoy el poder, esta sería una herencia sumamente cuestionable para un hombre que ha sido seis veces Presidente de la República y que ha gobernado el país durante 17 de los 25 años transcurridos desde la guerra civil de 1965.

Promesas de reformas.

BIBLIOGRAFIA

CAPITULO I

ALBERTI BOSCH, NARCISO. *Apuntes para la Prehistoria de Quisqueya.* La Vega: Imprenta El Progreso, 1912, Vol. 1.

CHANCA, DIEGO ALVAREZ. "Carta al Cabildo de Sevilla. 30 de enero de 1494". Ed. Martín Fernández de Navarrete. *Colección...* (Madrid: 1925).

COLÓN, CRISTÓBAL. *Carta a Luis de Santángel Anunciando el Descubrimiento del Nuevo Mundo.* Ed. Carlos Sanz. Madrid: Gráficas Yagües, 1961.

————. "Diario de Navegación". *Historia de las Indias.* I, 178-329. Ed. Bartolomé de las Casas. México: Fondo de Cultura Económica, 1965.

DE BOYRIE MOYA, EMIL. *Monumento Megalítico y Petroglifos de Chacuey.* Ciudad Trujillo: Universidad de Santo Domingo, 1955.

————. *"Cinco Años de Arqueología Dominicana".* Santo Domingo: Universidad de Santo Domingo, 1960.

FERNÁNDEZ DE OVIEDO, GONZALO. *Historia General y Natural de las Indias.* Madrid: Biblioteca de Autores Españoles, 1959.

————. *Sumario de la Natural Historia de las Indias.* México: Fondo de Cultura Económica, 1950.

GOWER, CHARLOTTE D. *The Northern and Southern Affiliations of Antillean Culture.* Menasha, Wis.: American Anthropological Association, 1927.

LAS CASAS, BARTOLOMÉ DE. *Apologética Historia Sumaria.* Madrid: Biblioteca de Autores Españoles, 1958.

————. *Historia de las Indias.* México: Fondo de Cultura Económica, 1965.

LINTON, RALPH. *Estudio del Hombre.* México: Fondo de Cultura Económica, 1965.

PÉREZ DE OLIVA, HERNÁN. *Historia de la Inuención de las Indias.* Ed. José Juan Arrom. Bogotá: Instituto Caro y Cuervo, 1965.

PICHARDO MOYA, FELIPE. *Los Aborígenes de las Antillas.* México: Fondo de Cultura Económica, 1956.

591

PINCHON, LE REVÉREND PERE. "Les Peuples Precolombiens dans les Petites Antilles et Leurs Migrations". *Memoria del V Congreso Histórico Municipal Interamericano.* I, 155-167. Ciudad Trujillo: El Caribe, 1952.

RADIN, PAUL. *Los Indios de la América del Sur.* Buenos Aires: año 1948.

RIVET, PAUL. *Los Orígenes del Hombre Americano.* México: Fondo de Cultura Económica, 1960.

ROUSE, IRVING. "The West Indies—The Arawak—The Carib." *Handbook of the South American Indians.* Vol. IV, 481-565. New York: Cooper Square Publishers, 1963.

————. "The Southeast and the West Indies." *The Florida Indians and its Neighbors.* Ed. John W. Griffin. Winter Park, Fla. Inter-American Center, Rollins College, 1949.

————. *Prehistory in Haiti.* A Study in Method. New York: Yale University Publications in Anthropology, 1964.

SAUER, CARL ORTWIN. *The Early Spanish Main.* Berkeley: University of California Press, 1966.

CAPITULO II

CASTRO, AMÉRICO. "Hidalguismo: The Sense of Nobility". *Sociology and History.* Ed. Werner J. Cahnman y Alvin Boskoff. New York: The Free Press, 1964.

CARANDE, RAMÓN. *Carlos V y sus Banqueros.* La Vida Económica en Castilla (1516-1556). Madrid: Sociedad de Estudios y Publicaciones, 1965.

ELIOT, J. H. *Imperial Spain.* New York: Mentor Books, 1966.

GILMORE, MYRON P. *The World of Humanism 1453-1517.* New York: Harper & Row, 1962.

HAYES, CARLTON J. H. *A Political and Cultural History of Modern Europe.* Vol. I. Three Centuries of Predominantly Agricultural Society, 1500-1630. New York: The Macmillan Company, 1936.

MERRIMAN, ROGER BIGELOW. *La Formación del Imperio Español en el Viejo Mundo y en el Nuevo.* Vol. I. La Edad Media. Barcelona: Editorial Juventud, 1959.

PRESCOTT, WILLIAM H. *History of the Reign of Ferdinand and Isabella,* New York: International Book Company, 1838. 2 vols.

SÉE, HENRI. *Orígenes del Capitalismo Moderno.* México: Fondo de Cultura Económica, 1961.

STRIEDER, JACOBO. "El Advenimiento y el Crecimiento del Capitalismo en sus Primeras Formas Europeas". *La Epoca del Gótico y el Renacimiento.* (1250-1500). Vol. IV. Ed. Water Goetz. Madrid: Espasa-Calpe, 1963.

VICENS VIVES, JAIME, Ed. *Historia de España y América.* Vol. II. Barcelona: Editorial Vicens-Vives, 1961.

592

CAPITULO III

CÉSPEDES DEL CASTILLO, G. "Las Indias en el Reinado de los Reyes Católicos. *Historia Social y Económica de España e Hispanoamérica*. Vol. II. Ed. Jaime Vicens-Vives. Barcelona: Editorial Teide, 1957.

COLÓN, FERNANDO. *Vida del Almirante Don Cristóbal Colón*. Ed. Ramón Iglesia. México: Fondo de Cultura Económica, 1947.

CHAPMAN, CHARLES E. *Colonial Hispanic America*. New York: The Macmillan Company, 1933.

KAMEN, HENRY. *The Spanish Inquisition*. New York: Mentor Books, 1968.

LAMB, URSULA. *Frey Nicolás de Ovando. Gobernador de las Indias (1501-1509)*. Madrid: Consejo Superior de Investigaciones Científicas, Instituto "Gonzalo Fernández de Oviedo", 1956.

LAS CASAS, BARTOLOMÉ DE. *Historia de las Indias*. Ed. Agustín Millares Carlo. México: Fondo de Cultura Económica, 1951. 3 vols.

MIR, PEDRO. *Tres Leyendas de Colores*. Santo Domingo: Editora Nacional, 1969.

MOYA PONS, FRANK. *La Española en el Siglo XVI (1493-1522)*. Trabajo, Sociedad y Política en la Economía del Oro. Santo Domingo: Universidad Católica Madre y Maestra, 1971.

PARRY, J. H. *The Age of Reconnaissance*. The Quest for Gold and the Service of God. New York: Mentor Books, 1964.

SIMPSON, LESLEY BYRD. *The Encomienda in New Spain*. Forced Labor in the Spanish Colonies. 1492-1559. Berkeley: University of California Press, 1929.

SOBREQUÉS, S. *"La Epoca de los Reyes Católicos"*. Historia Social y Económica de España e Hispanoamérica. Vol. II. Ed. Jaime Vicens-Vives. Barcelona: Editorial Teide, 1957.

TUDELA BUESO, JUAN PÉREZ DE. "Castilla ante los dos Comienzos de la Colonización de las Indias". *Revista de Indias*, LIX (Enero-Marzo, 1955), 11-88.

———. "La Quiebra de la Factoría y el Nuevo Poblamiento de la Española". *Revista de Indias*, LX (Abril-Junio, 1955), 197-252.

———. "Política de Poblamiento y Política de Contratación de las Indias". (1502-1505). *Revista de Indias*, LXI-LXII (Julio-Diciembre, 1955), 311-420.

CAPITULO IV

BASTIDE, ROGER. *Las Américas Negras*. Madrid: Alianza Editorial, 1967.

BENZONI, GIROLANO. *History of the New World*. London: Hakluyt Society, 1857.

CHAUNU, PIERRE ET HUGUETTE. *Seville et l'Atlantique*. París: Armand Colin, 1955-1958.

CHEVALIER, FRANÇOIS. *Land and Society in Colonial México*. Berkeley: University of California Press, 1970.

ECHAGOIAN, LICENCIADO. "Relación de la Isla Española Enviada al Rey Don Felipe II". *Boletín del Archivo general de la Nación*. XIX (Diciembre, 1941), 441-461.

INCHÁUSTEGUI, J. MARINO. *Reales Cédulas y Correspondencia de Gobernadores de Santo Domingo*. Vols. I-III. Madrid: Gráficas Reunidas, 1958.

LUGO, AMÉRICO. *Historia de Santo Domingo, 1556-1608*. Ciudad Trujillo: Librería Dominicana, 1952.

ORTIZ, FERNANDO. *Cuban Counterpoint*. Tobacco and Sugar. New York: Vintage Books, 1970.

OTTE, ENRIQUE. "Carlos V y sus Vasallos Patrimoniales de América". *Clío* CXVI (Enero-Junio, 1960), 1-27.

OVIEDO, GONZALO FERNÁNDEZ DE. *Historia General y Natural de las Indias*. Madrid: Real Academia de la Historia, 1851.

PALM, ERWIN WALTER. *Los Monumentos Arquitectónicos de la Española*. Vol. I. Ciudad Trujillo: Universidad de Santo Domingo, 1955.

RATEKIN, MERVYN. "The Early Sugar Industry in Española". *Hispanic American Historical Review* XXXIV (February, 1954), pp. 1-19.

SACO, JOSÉ ANTONIO. *Historia de la Esclavitud de la Raza Negra en el Nuevo Mundo*. La Habana: Cultural, S. A., 1938. 4 vols.

UTRERA, FRAY CIPRIANO DE. *Historia Militar de Santo Domingo*. Documentos y Noticias. Vol. I. Ciudad Trujillo: Tipografía Franciscana, 1951.

VÁSQUEZ DE ESPINOSA, ANTONIO. *Compendio y Descripción de las Indias Occidentales*.

WRIGHT, IRENE. "The Commencement of the Sugar Cane Sugar Industry in America, 1519-1538 (1563)". *American Historical Review* XXI (July, 1916), 755-780.

CAPITULO V

CARANDE, RAMÓN. *Carlos V y sus Banqueros*. Madrid: Sociedad de Estudios y Publicaciones, 1949.

FERNÁNDEZ ALVAREZ, MANUEL. "Orígenes de la Rivalidad Naval Hispano-Inglesa en el siglo XVI". *Revista de Indias* XXVIII-XXIX (Abril-Septiembre, 1947), 311-369.

HARING, C. H. *El Comercio y la Navegación entre España y las Indias en Epoca de los Habsburgos*. París-Brujas: Desclée, De Brouwer, 1939.

INCHÁUSTEGUI, J. MARINO. *Reales Cédulas y Correspondencia de Gobernadores de Santo Domingo*. Vols. I-II. Madrid: Gráficas Reunidas, 1958.

JOHNSON. A. H. *Europe in the Sixteenth Century, 1494-1598*. London: Rivingtons, 1964.

LUGO, AMÉRICO. *Historia de Santo Domingo, 1556-1608*. Ciudad Trujillo: Librería Dominicana, 1952.

Linch, John. *Spain under the Habsburgs, 1516-1598.* Empire and Absolutism. Vol. I. New York: Oxford University Press, 1965.
Matthews, George T. Ed. *News and Rumor in Renaissance Europe. The Fugger Newsletters.* New York: Capricon Books, 1959.
Newton, A. P. *The European Nations in the West Indies, 1493-1688.* New York: Barnes & Nobles, Inc., 1967.
Rodríguez, Demorizi, Emilio. *Relaciones Históricas de Santo Domingo.* Vol. II. Ciudad Trujillo: Archivo General de la Nación, 1945.
Sée, Henri. *Orígenes del Capitalismo Moderno.* México: Fondo de Cultura Económica, 1961.
Sluiter, Engel. "Dutch-Spanish Rivalry in the Caribbean Area, 1594-1609". *Hispanic American Historical Review.* XXVIII (February, 1948), 165-196.
Wright, Irene. Ed. *Spanish Documents Concerning English Voyages to the Caribbean, 1527-1568.* London: The Hakluyt Society, 1928.
————. *Documents Concerning Further English Voyages to the Spanish Main.* London: The Hakluyt Society, 1932.

CAPITULO VI

Chaunu, Pierre et Huguette. *Seville et l'Atlantique.* Paris: Armand Colin, 1955-58.
Lugo, Américo. *Historia de Santo Domingo, 1556-1608.* Ciudad Trujillo: Librería Dominicana, 1952.
Oviedo, Gonzalo Fernández de. *Historia General y Natural de las Indias.* Madrid: Biblioteca de Autores Españoles, 1959. 5 vols.
Peña Batlle, Manuel Arturo. *La Isla de la Tortuga.* Madrid: Instituto de Cultura Hispánica, 1951.
Rodríguez Demorizi, Emilio. *Relaciones Históricas de Santo Domingo.* Vol. II. Ciudad Trujillo: Archivo General de la Nación, 1945.
Sluiter, Engel. "Dutch-Spanish Rivalry in the Caribbean Area, 1594-1609". *Hispanic American Historical Review,* XXVIII (February, 1948), 165-196.

CAPITULO VII

Incháustegui, J. Marino. *Reales Cédulas y Correspondencia de Gobernadores de Santo Domingo.* Vols. IV y V. Madrid: Gráficas Reunidas, 1958.
Rodríguez Demorizi, Emilio. Ed. *Relaciones Históricas de Santo Domingo.* Vol. II. Ciudad Trujillo: Archivo General de la Nación, 1945.

CAPITULO VIII

Burns, Sir Alan. *History of the British West Indies.* London: George Allen & Unwin Ltd., 1965.

FRANK MOYA PONS

COLECCIÓN INCHÁUSTEGUI. *Documentos del Archivo General de Indias y del Archivo General de Simancas.* 1620-1655. Volúmenes 12, 13, 14, 15, 16, 17, 20, 23, 24, 25-33.
CÓRDOVA BELLO, ELEAZAR. *Compañías Holandesas de Navegación.* Sevilla: Escuela de Estudios Hispanoamericanos, 1964.
GALL, J. Y F. *El Filibusterismo.* México: Fondo de Cultura Económica, 1957.
HARING, C. H. *Los Bucaneros de las Indias Occidentales en el Siglo XVII.* París-Brujas: Desclée, De Brouwer, 1939.
INCHÁUSTEGUI, J. MARINO. *La Gran Expedición Inglesa Contra las Antillas Mayores.* El Plan Antillano de Cromwell (1651-1655). México: Gráfica Panamericana, 1958.
————. *Reales Cédulas y Correspondencia de Gobernadores de Santo Domingo.* Volúmenes IV y V. Madrid: Gráficas Reunidas, 1958.
LYNCH, JOHN. *Spain under the Habsburgs.* Vol. II. Spain and America, 1598-1700. New York: Oxford University Press, 1969.
NEWTON, A. P. *The European Nations in the West Indies, 1493-1688.* New York: Barnes and Noble, Inc., 1967.
OEXQUEMELIN, ALEXANDRE OLIVIER. "Historia de los Aventureros, Filibusteros y Bucaneros de América". *"Boletín del Archivo General de la Nación".* LXXIII-LXXV. (Abril-diciembre, 1952).
PEÑA BATLLE, MANUEL ARTURO. *La Isla de la Tortuga.* Madrid: Ediciones Cultura Hispánica, 1951.
RODRÍGUEZ DEMORIZI, EMILIO. "Invasión Inglesa de 1655". *Boletín del Archivo General de la Nación,* LXXXVIII-XCII (enero-junio, 1956 y enero-marzo, 1957).
WATJEN, HERMANN. "El Movimiento de Expansión Holandés, Español y Portugués de los Siglos XVI al XVIII". Ed. Water Goetz, *La Época del Absolutismo* (1660-1789), 375-418. Madrid: Espasa-Calpe, 1963.

CAPITULO IX

COLECCIÓN INCHÁUSTEGUI. *Archivo General de Indias.* Documentos 1655-1700. Volúmenes 42, 45 y 46.
GOBIERNO DOMINICANO. *Recopilación Diplomática Relativa a las Colonias Española y Francesa de la Isla de Santo Domingo (1640-1701).* Ciudad Trujillo: Editorial "La Nación", 1944.

CAPITULO X

COLECCIÓN INCHÁUSTEGUI. *Archivo General de Indias,* Santo Domingo. Documentos 1655-1700. Vols. 17, 42, 45 y 46.
CÓRDOVA-BELLO, ELEAZAR. *Compañías Holandesas de Navegación, Agentes de la Colonización Neerlandesa.* Sevilla: Escuela de Estudios Hispanoamericanos, 1964.
HAMILTON, EARL J. "La Decadencia Española en el Siglo XVII". *El Flo-*

recimiento del Capitalismo y otros Ensayos de Historia Económi-ca. Madrid: Revista de Occidente, 1948; 119-135.

LINCH, JOHN. *Spain under the Habsburgs*. Vol. II. Spain and America, 1598-1700. New York: Oxford University Press, 1969.

VALLE LLANO, ANTONIO. *La Compañia de Jesús en Santo Domingo durante el Período Hispánico*. Ciudad Trujillo: Impresora Dominicana, 1950.

CAPITULO XI

COLECCIÓN INCHÁUSTEGUI. *Archivo General d ? Indias*. Documentos 1700-1750. Volúmenes 47, 49, 50 y 51.

COLECCIÓN LUGO. "Recopilación Diplomática Relativa a las Colonias Española y Francesa de la Isla de Santo Domingo". 1700-1741. *Boletín del Archivo General de la Nación*, LXXIX-XCVIII (octubre, 1953-diciembre, 1959).

GOBIERNO DOMINICANO. *Recopilación Diplomática Relativa a las Colonias Francesa y Española de la Isla de Santo Domingo (1640-1701)*. Ciudad Trujillo: Editorial "La Nación", 1944.

MOREAU DE SAINT-MÉRY, M. L. *Descripción de la Parte Española de Santo Domingo*. Ciudad Trujillo: Editorial Montalvo, 1944.

VAISSIERE, PIERRE DE SAINT-DOMINGUE. *La Société et la Vie Créoles sous l'Ancien Régime* (1629-1789). París: Perrin et Cie., Libraires-Editeurs, 1909.

CAPITULO XII

COLECCIÓN INCHÁUSTEGUI. *Archivo General de Indias*. Documentos 1700-1750. Volúmenes 47, 49, 50 y 51.

COLECCIÓN LUGO. "Recopilación Diplomática Relativa a las Colonias Española y Francesa de la Isla de Santo Domingo". *Boletín del Archivo General de la Nación*, LXXIX-XCVIII (octubre, 1953-diciembre, 1959).

GOBIERNO DOMINICANO. *Recopilación Diplomática Relativa a las Colonias Francesa y Española de la Isla de Santo Domingo (1640-1701)*. Ciudad Trujillo: Editorial "La Nación", 1944.

MOREAU DE SAINT MÉRY, M. L. *Descripción de la Parte Española de Santo Domingo*. Ciudad Trujillo: Editora Montalvo, 1944.

SÁNCHEZ VALVERDE, ANTONIO. *Idea del valor de la Isla Española*. Ciudad Trujillo: Editora Montalvo, 1947. Notas de Frey Cipriano de Utrera y Emilio Rodríguez Demorizi.

PEÑA BATLLE, MANUEL ARTURO. *Historia de la Cuestión Fronteriza Domínico-Haitiana*. Ciudad Trujillo: Luis Sánchez Andújar, 1946.

DEL MONTE Y TEJADA, ANTONIO. *Historia de Santo Domingo*. Volumen III. Ciudad Trujillo: Impresora Dominicana, 1953.

McLEAN, JAMES J. PINA CHEVALIER T. *Datos Históricos sobre la Frontera Domínico-Haitana*. Santo Domingo, 1921.

CAPITULO XIII

COLECCIÓN INCHÁUSTEGUI. *Archivo General de Indias*. Documentos 1750-1800. Volúmenes 52 y 53.

COLECCIÓN LUGO. "Recopilación Diplomática Relativa a las Colonias Española y Francesa de la Isla de Santo Domingo". *Boletín del Archivo General de la Nación*, LXXIX-XCVIII (octubre 1953-diciembre 1959).

CHARLEVOIX, PIERRE FRANÇOIS. *Histoire de L'Isle Espagnole ou de S. Domingue*. Paris: Chez Hippolyte-Louis Guerin. 1730. Vol. II.

MOREAU DE SAINT-MÉRY, M. L. *Descripción de la Parte Española de Santo Domingo*. Ciudad Trujillo: Editora Montalvo, 1944.

SÁNCHEZ VALVERDE, ANTONIO. *Idea del Valor de la Isla Española*. Ciudad Trujillo: Editorial Montalvo, 1947. Notas de Fray Cipriano de Utrera y Emilio Rodríguez Demorizi.

CAPITULO XIV

BEGOUEN DEMEAUX, MAURICE. *Memorial d'une Famille du Havre*. Les Fondateurs. Choses et Gens dur XVIII° siécle en France et a Saint-Domingue. Paris: Editions Larose, 1948.

BURNS, SIR ALAN. *History o fthe British West Indies*. London: George Allen & Unwin Ltd., 1965.

CURTIN, PHILIP D. *The Atlantic Slave Trade. A. Census*. Madison: The University of Wisconsin Press, 1970.

DEBIEN, GABRIEL. *Les Engagés pour les Antilles (1634-1715)*. Paris: Societé de l'Histoire des Colonies Françaises. 1952.

DE VAISIERE, PIERRE. *Saint-Domingue. La Société et la Vie Créoles*. Paris: Perrin et Cie., Libraires-Editeurs, 1909.

DUNN, RICHARD S. *Sugar and Slaves*. The Rise of the Planter Class in the English West Indies, 1624-1713. New York: W. W. Norton & Company, 1973.

EDWARD, BRYAN. *An Historical Survey of the French Colony in the Island of St. Domingo: Comprehending a Short Account of its Ancient Government, Political State, Population, Productions, and Exports; a Narrative of the Calamities which have desolated the Country ever since the Year 1789, with some Reflections on their Causes and Probable Consecuences; and a Detail of the Military Transactions of the British Army in that Island to the End of 1794*. London: John Stockdale, 1797.

FRANCO, JOSÉ LUCIANO. *Historia de la Revolución de Haití*. La Habana: Academia de Ciencias de Cuba, 1966.

GASTON-MARTIN. *Histoire de l'Esclavage dans les Colonies Françaises*. Paris: Presses Universitaires de France, 1948.

INCHÁUSTEGUI, J. MARINO. *Documentos para Estudio*. Marco de la Epoca y Problemas del Tratado de Basilea de 1795, en la Parte Española de Santo Domingo. Buenos Aires: Academia Dominicana de la Historia, 1957. 2 vols.

JAMES, C. L. R. *The Balck Jacobins.* Toussaint L'Overture and the San Domingo Revolution. New York: Vintage Books, 1963.

LEYBURN, JAMES G. *The Haitien People.* New Haven: Yale University Press, 1966.

STODDARD, J. LOTHROP. *The French Revolution in San Domingo.* Boston: Houghton Mifflin Company, 1914.

TANNENBAUM, FRANK. *Slave & Citizen.* The Negro in the Americas. New York: Vintage Books, 1946.

WILLIAMS, ERIC. Capitalism & Slavery. New York: Capricorn Books, 1966.

—————. *From Columbus to Castro: The History of the Caribbean 1492-1969.* New York: Harper & Row, Publishers, 1970.

CAPITULO XV

CHANLATTE, ANTONIO Y KERVERSAU. *Manifiesto Histórico de los Hechos que han precedido a la Ymbasion del territorio de la parte española de Santo Domingo.* Puerto Cabello, 3 de pluvioso, Año 9 de la República Francesa. Archivo General de Indias, Estado 61.

CHANLATTE, ANTONIO. "Al Gobierno Francés y a Todos los Amigos de la Soberanía Nacional y del Orden". Santo Domingo, 20 de Prairial, Año VIII (9 de junio de 1800). Ed. Emilio Rodríguez Demorizi, *La Era de Francia en Santo Domingo.* Ciudad Trujillo: Academia Dominicana de la Historia, 1955.

MONTE Y TEJADA, ANTONIO. *Historia de Santo Domingo.* Vols. III y IV. Santo Domingo: Imprenta de García Hermanos, 1892.

EL CAPITÁN GENERAL DE CARACAS. *Acompaña relaciones de las Familias que han Continuado emigrándose de Santo Domingo y han llegado a las Provincias de Maracaybo, Coro y Barcelona de aquella Capitanía General de su mando.* Maracaybo, 24 de Febrero de 1801. 42 folios. Archivo General de Indias, Estado 60.

GARCÍA, JOSÉ GABRIEL. *Compendio de la Historia de Santo Domingo.* Vol. I. Santo Domingo: Imprenta de García Hermanos.

INCHÁUSTEGUI, J. MARINO. *Documentos para Estudio. Marco de la Epoca y Problemas del Tratado de Basilea de 1795, en la Parte Española de Santo Domingo.* Buenos Aires: Academia Dominicana de la Historia, 1957. II Vols.

KERVERSAU. "Al Ciudadano Ministro de la Marina y de las Colonias. Santo Domingo, 22 de Fructidor, Año VIII (9 de septiembre de 1800). Ed. Emilio Rodríguez Demorizi, *La Era de Francia en Santo Domingo,* Ciudad Trujillo: Academia Dominicana de la Historia, 1955.

LUGO LOVATÓN, RAMÓN. "El Tratado de Basilea". *Boletín del Archivo General de la Nación* LXVIII (enero-marzo, 1951), 86-119.

PEÑA BATLLE, MANUEL ARTURO. *El Tratado de Basilea.* Ciudad Trujillo: 1952.

RODRÍGUEZ DEMORIZI, EMILIO, Ed. *Cesión de Santo Domingo a Francia.* Ciudad Trujillo: Archivo General de la Nación, 1958.

599

FRANK MOYA PONS

—————. *Invasiones Haitianas de 1801, 1805 y 1822*. Ciudad Trujillo: Academia Dominicana de la Historia, 1955.
—————. *La Era de Francia en Santo Domingo*. Ciudad Trujillo: Academia Dominicana de la Historia, 1955.

CAPITULO XVI

ARREDONDO Y PICHARDO, GASPAR. "Memoria de mi salida de la Isla de Santo Domingo el 28 de abril de 1805". Ed. Emilio Rodríguez Demorizi. *Invasiones Haitianas de 1801, 1805 y 1822*. Ciudad Trujillo: Academia Dominicana de la Historia, 1955.
CIFRÉ DE LOUBRIEL, ESTELA. *La Inmigración a Puerto Rico durante el Siglo XIX*. San Juan de Puerto Rico: Instituto de Cultura Puertorriqueña, 1964.
CORDERO, MICHEL, EMILIO. "Dessalines en el Santo Domingo Español". *La Revolución Haitiana y Santo Domingo*. Santo Domingo: Editora Nacional, 1968.
DELAFOSSE, LEMONIER. *Segunda Campaña de Santo Domingo*. Guerra Domínico-Francesa de 1808. Santiago: Editorial "El Diario", 1946.
DEL MONTE Y TEJADA, ANTONIO. *Historia de la Isla de Santo Domingo*. Vol. III. Santo Domingo: Imprenta de García Hermanos, 1892.
DESSALINES, JEAN JACQUES. "Diario de la Campaña de Santo Domingo". Ed. Emilio Rodríguez Demorizi. *Invasiones Haitianas de 1801, 1805 y 1822*. Ciudad Trujillo: Academia Dominicana de la Historia, 1955.
—————. "Alocución del Emperador al Pueblo, a su Regreso del Sitio de Santo Domingo. Cuartel Imperial de Laville, 12 de abril de 1805". Ed. Emilio Rodríguez Demorizi. *Invasiones Haitianas de 1801, 1805 y 1822*. Ciudad Trujillo: Academia Dominicana de la Historia, 1955.
GARCÍA, JOSÉ GABRIEL. *Compendio de la Historia de Santo Domingo*. Vol. I. Santo Domingo: Publicaciones ¡Ahora!, 1968.
GUILLERMÍN, GILBERT. *Diario Histórico de la Revolución de la Parte del Este de Santo Domingo Comenzada el 10 de Agosto de 1808, con Notas Estadísticas sobre esta Parte*. Ciudad Trujillo: Academia Dominicana de la Historia, 1938.
HEREDIA Y MIESES, JOSÉ FRANCISCO DE. "Informe Presentado al Ayuntamiento de Santo Domingo, 1812". Ed. Emilio Rodríguez Demorizi. *Invasiones Haitianas de 1801, 1805 y 1822*. Ciudad Trujillo: Academia Dominicana de la Historia, 1955.
L'OVERTURE, TOUSSAINT. "Decretos y Proclamas". *EME-EME Estudios Dominicanos XII* (mayo-junio, 1974).
RODRÍGUEZ DEMORIZI, EMILIO. *La Era de Francia en Santo Domingo*. Ciudad Trujillo: Academia Dominicana de la Historia, 1955.
SÁNCHEZ RAMÍREZ, JUAN. *Diario de la Reconquista*. Ed. Fray Cipriano de Utrera. Ciudad Trujillo: Academia Militar Batalla de las Carreras, 1957.

CAPITULO XVII

BONNET, GUY JOSEPH. "Recuerdos Históricos, 1822". Ed. Rodríguez Demorizi, Emilio. *Invasiones Haitianas de 1801, 1805 y 1822.* Ciudad Trujillo: Academia Dominicana de la Historia, 1955.

DEL MONTE Y TEJADA, ANTONIO. *Historia de Santo Domingo.* Volumen III. Santo Domingo: Imprenta de García Hermanos, 1892.

GARCÍA, JOSÉ GABRIEL. *Compendio de la Historia de Santo Domingo.* Vol. II. Santo Domingo: Publicaciones ¡Ahora!, 1968.

HEREDIA Y MIESES, JOSÉ FRANCISCO DE. "Informe Presentado al Ayuntamiento de Santo Domingo en 1812". Ed. Emilio Rodríguez Demorizi. *Invasiones Haitianas de 1801, 1805 y 1822.*

"Insurrección de Negros Esclavos, 1812-1813", *Boletín del Archivo General de la Nación.* XLVIII-XLIX (septiembre-diciembre, 1946), 285-288.

JOS, EMILIO. *Un Capítulo Inacabado de Historia de la Isla Española de 1819-20.* Sevilla: Anuario de Estudios Hispanoamericanos, 1952.

LEYBURN, JAMES. *The Haitian People.* New Haven: Yale University Press, 1966.

MEJÍA, GUSTAVO ADOLFO. *Historia de Santo Domingo.* Vol. VIII. Ciudad Trujillo: Editores Pol Hermanos, 1956.

—————. *El Estado Independiente de Haití Español.* Santiago: Editorial "El Diario", 1938.

MORILLA, JOSÉ MARÍA. "Noticias de lo que presentó el doctor Morilla, escritas por él mismo". Ed. Antonio Del Monte y Tejada. *Historia de Santo Domingo.* Vol. III. Santo Domingo: Imprenta de García Hermanos, 1892.

MOYA PONS, FRANK. *La Dominación Haitiana.* Santiago de los Caballeros: Universidad Católica Madre y Maestra, 1971.

PRICE MARS, JEAN. *La República de Haití y la República Dominicana. Diversos Aspectos de un Problema Histórico, Geográfico y Etnológico.* Puerto Príncipe: Industrias Gráficas España, 1953.

RODRÍGUEZ DEMORIZI, EMILIO. *Santo Domingo y la Gran Colombia.* Santo Domingo, Academia Dominicana de la Historia, 1971.

Secretaría de Estado de Relaciones Exteriores. República Dominicana. *Documentos Históricos Procedentes del Archivo de Indias.* Vol. III. Santo Domingo: Tip. Luis Sánchez A., 1928.

CAPITULOS XVIII-XXI

Academia Dominicana de la Historia, Ed. *Homenaje a Mella.* Santo Domingo: El Caribe, 1964.

—————. *Informe de la Comisión de los Estados Unidos en Santo Domingo.* 1871. Ciudad Trujillo: El Caribe, 1960.

—————. *Pedro Alejandrino Pina.* Santo Domingo: El Caribe, 1970.

ALBURQUERQUE, ALCIBÍADES. *Títulos de los Terrenos Comuneros de la República Dominicana.* Ciudad Trujillo: Impresora Dominicana, 1961.

ALFAU, DURÁN, VETILIO. "Acerca del 27 de Febrero". *¡Ahora!* CCCXXXV 31 de agosto de 1970), 62-64.

—. "Apuntaciones en Torno al 27 de Febrero de 1844". *Listín Diario* (febrero-diciembre, 1967). 26 artículos.

—. "La Representación del 8 de junio de 1843 a la Junta Popular de Santo Domingo", *¡Ahora!* CCXLV (22 de julio de 1968), 68-71, 74.

ANGULO GURIDI, ALEJANDRO. "Examen Crítico de la Anexión de Santo Domingo a España". Emilio Rodríguez Demorizi, Ed. *Antecedentes de la Anexión a España*. Ciudad Trujillo: Academia Dominicana de la Historia, 1955.

—. *Temas Políticos*. Examen Comparativo de las Constituciones de Hispano-América, El Brasil y Haití. Santiago de Chile: Imprenta Cervantes, 1891, 2 vols.

ARDOUIN, BEAUBRUN. *Etudes sur l'Histoire d'Haiti*. Paris: Dézobry, E. Madeleine et Ce., Libraires-Editeurs, 1860, II Vols.

BELLEGARDE, DANTES. *La Nation Haitienne*. Paris: J. de Gigord, Editeur, 1938.

BOBADILLA, JOSÉ MARÍA. *Opinión sobre el Derecho de las Iglesias y Dominicanos Emigrados, en los Bienes de que Fueron Despojados por el Gobierno Haitiano durante su ocupación en la Parte del Este de la Isla de Santo Domingo*. Santo Domingo: Imprenta Nacional, 1845. Firmado con el seudónimo *Un Dominicano*.

BORGELLA, JEROME MAXIMILIEN. "Discurso Dirigido a los Ciudadanos del Distrito de Santo Domingo el 16 de noviembre de 1828". *Clío* LXXXIII (enero-abril, 1949), 16.

BROWN, JONATHAN. *The History and Present Condition of St. Domingo*. Philadelphia: William Marshall and Co., 1837. 2 vols.

Correspondencia de Levasseur y de otros Agentes de Francia Relativa a la Proclamación de la Proclamación de la República Dominicana 1843-1844. Ciudad Trujillo: Editorial El Diario, 1944.

DE LESPINASSE, PIERRE-EUGENE. *Gens d'Autrefois... Vieux Souvenirs...* Paris: Les Editions du Scorpion, 1961.

DELORME, D. *La Miseria en el Seno de las Riquezas; Reflexiones sobre Haití*. Puerto Plata: Impr. de Ravelo y Hermano. 1882.

DESPRADEL BATISTA, GUIDO. *Historia de la Concepción de la Vega*. La Vega: Imprenta La Palabra, 1938.

—. "La Municipalidad de Santo Domingo ante el Golpe Libertador del 27 de Febrero", *Boletín del Archivo General de la Nación*, XXVI-XXVII (enero-abril, 1943), 3-21.

DUARTE, ROSA. *Apuntes para la Historia de la Isla de Santo Domingo y para la Biografía del General Dominicano Juan Pablo Duarte y Díez*. Santo Domingo: Instituto Duartiano, 1970.

FERNÁNDEZ DE CASTRO, FELIPE. "Memorial Acerca de la Reclamación de la Parte Española de la Isla". "Independencia de 1821". Documentos. *Boletín del Archivo General de la Nación*. XLIV-XLV (enero-abril, 1946), 65-83.

FRANCO, JOSÉ LUCIANO. *Revoluciones y Conflictos Internacionales en el Caribe 1789-1854*. La Habana: Academia de Ciencias, 1965.

602

García, José Gabriel. *Compendio de la Historia de Santo Domingo.* Vol. II. Santo Domingo: Publicaciones ¡Ahora!, 1968.

—————. *Rasgos Biográficos de Dominicanos Célebres.* Santo Domingo: Academia Dominicana de la Historia, 1971.

Garrido, Víctor. "Antecedentes de la Invasión Haitiana de 1822 (Correspondencia Oficial de 1820-1822)". *Espigas Históricas.* Santo Domingo: Academia Dominicana de la Historia, 1972.

Hazard, Samuel. *Santo Domingo, Past and Present, with a Glance to Hayti.* New York: Harper and Brothers, Publishers, 1873.

Henríquez Ureña, Max. *El Arzobispo Valera.* Río de Janeiro: Tipografía do Departamento Profisional de Fundaçao Romao de Mattos Duarte, 1944.

—————. *La Conspiración de los Alcarrizos.* Lisboa: Sociedade Industrial de Tipografía, 1941.

—————. *El Ideal de los Trinitarios.* Madrid: Edisol, 1951.

—————. "Un Proyecto Anglófilo en 1843 frente al Plan Levasseur". *La Nación* DCX (23 octubre de 1941).

Incháustegui, J. Marino. *Documentos para Estudio.* Marco de la Epoca del Tratado de Basilea, en la Parte Española de Santo Domingo. Buenos Aires: Academia Dominicana de la Historia, 1957.

Incháustegui, Joaquín S. *Reseña Histórica de Baní.* Valencia: Editorial Guerri, 1930.

Lacombe, Robert. *Histoire Monétaire de Saint-Domingue et de la Republique d'Haiti jusq en 1874.* Paris: Editions Larose, 1958.

Larrazábal Blanco, Carlos. Ed. Felipe Fernández de Castro y la Ocupación Haitiana. *Clío.* XCI (septiembre-diciembre, 1951), 135-136.

Lepelletier de Saint-Rémy, R. *Etude et Solution Nouvelle de la Question Haitienne.* Paris: Editorial y fecha Demorisi.

Leyburn, James *The Haitien People.* New Haven: Yale University Press, 1966.

Lugo Lovatón, Ramón. Ed. "Don Tomás Bobadilla y Briones". *Boletín del Archivo General de la Nación,* LXVIII (enero-marzo, 1951), 183-185.

—————. Sánchez. Ciudad Trujillo: Editora Montalvo, 1947.

Mackenzie, Charles. *Notes on Haiti, Made during a Residence in that Republic.* London: Henry Colburn and Richard Bentley, 1830. 2 vols.

Madiou, Thomas. *Histoire d'Haiti.* Anneés 1843-1846. Port-au-Prince: Imprimerie J. Verrolot, 1904.

Mejía Ricart, Gustavo A. *El Estado Independiente de Haití Español.* Santiago: Editorial El Diario, 1938.

Nouel, Carlos. *Historia Eclesiástica de la Arquidiócesis de Santo Domingo Primada de América.* Vol. II. Santo Domingo: Imp. "La Cuna de América", 1914.

Ots Capdequi, José María. *Manual de Historia del Derecho Español en Indias.* Buenos Aires: Editorial Losada, 1945.

—————. *El Régimen de la Tierra en la América Española.* Ciudad Trujillo: Universidad de Santo Domingo, 1946.

FRANK MOYA PONS

POLANCO BRITO, MONS. HUGO E., Ed. *Manuel María Valencia*. Santo Domingo: El Caribe, 1970.

PRADINE, LINSTANT. *Recueil de Lois et Actes du Gouvernement Haitienne* Vols. III-V. París: A. Durand, 1860-1866.

PRESSOIR, CATTS, ET AL. *Historiographie d'Haiti*. México: Instituto Panamericano de Geografía e Historia, 1953.

PRICE MARS, JEAN. *La República de Haiti y la República Dominicana. Diversos aspectos de un Problema Histórico, Geográfico y Etnológico*. Vol. I. Puerto Príncipe: Industrias Gráficas España, 1953.

REPÚBLICA DOMINICANA. *Colección de Leyes, Decretos y Resoluciones*, Vol. I. Santo Domingo: Imprenta Nacional, 1942.

RODRÍGUEZ DEMORIZI, EMILIO. "El Acta de la Separación Dominicana y el Acta de Independencia de los Estados Unidos de América". *Cuadernos Dominicanos de la Cultura* (septiembre, 1943), 25-46.

—————. *Documentos para la Historia de la República Dominicana*. Vol. 1. Santiago: El Diario, 1944.

—————. Ed. "Hoja de Servicios del Magistrado Don Tomás de Bobadilla". *Clío*, LXXXVIII (septiembre-diciembre, 1950), 94-104.

—————. *La imprenta y los Primeros Periódicos en Santo Domingo*. Ciudad Trujillo: Academia Dominicana de la Historia, 1944.

—————. *Invasiones Haitianas de 1801, 1805 y 1822*. Ciudad Trujillo: Academia Dominicana de la Historia, 1955.

—————. Ed. "Juan José Illas y el Terremoto de 1842". *Clío*, LII-LIII (marzo-junio, 1942), 73-82.

—————. *Papeles de Santana*. Roma: Stab. Tipográfico G. Menaglia, 1952.

—————. Ed. "La Revolución de 1843. Apuntes y Documentos para su Estudio". *Boletín del Archivo General de la Nación*, XXV-XXVI (enero-abril, 1943), 28-109.

—————. *Santo Domingo y la Gran Colombia*. Academia Dominicana de la Historia, 1971.

RUIZ TEJADA, MANUEL RAMÓN. *Estudio sobre la Propiedad Inmobiliaria en la República Dominicana*. Ciudad Trujillo.

SAINT JOHN, SIR SPENCER. *Hayti, or the Black Republic*. London: 1889.

Secretaría de Estado de Relaciones Exteriores. República Dominicana. *Documentos Históricos Procedentes del Archivo de Indias*. Santo Domingo: Tip. Luis Sánchez A., 1928, 5 vols.

"Sentencias Penales de la Epoca de la Dominación Haitiana". *Boletín del Archivo General de la Nación*, LXXIX (octubre-diciembre, 1953), 329-353; LXXX (enero-marzo, 1954), 24-46; LXXXI (abril-junio, 1954), 219-230; LXXXII (julio-septiembre, 1954), 327-337; LXXXIII (octubre-diciembre, 1954), 400-408; LXXXIV (enero-marzo, 1955), 66-79; LXXXV (abril-junio, 1955), 157-165; LXXXVI (julio-septiembre, 1955), 275-292; LXXXVII (octubre-diciembre, 1955), 388-399.

SERRA, JOSÉ MARÍA, "Apuntes para la Historia de los Trinitarios Fundadores de la República Dominicana". *Boletín del Archivo General de la Nación*, XXXII-XXXIII (enero-abril, 1944), 49-69.

604

VALENCIA, MANUEL MARÍA. *Homenaje a la Razón.* Santo Domingo: Imprenta Nacional, 1845. Firmado con el seudónimo *Un Aprendiz.*

WALLEZ, M. *Précis Historique des Négotiations entre la France et Saint Domingue suivi de Pieces Justificatives.* Paris: Imprimerie de Goetshy, 1826.

CAPITULOS XXII-XXV

ALFAU DURÁN, VETILIO. "Apuntaciones en Torno al 27 de Febrero de 1844". *Listín Diario* (febrero-diciembre, 1967). 26 artículos.

————. Ed. *Controversia Histórica. Polémica de Santana.* Santo Domingo: Academia Dominicana de la Historia, 1968.

BERAS, FRANCISCO ELPIDIO. *Nuevas Perspectivas del Procesamiento de María Trinidad Sánchez.* Ciudad Trujillo: Talleres Tipográficos "Librería Dominicana", 1957.

BOBADILLA, JOSÉ MARÍA. *Opinión sobre el Derecho de las Iglesias y Dominicanos Emigrados, en los Bienes de que Fueron Despojados por el Gobierno Haitiano durante su Ocupación en la Parte del Este de la Isla de Santo Domingo.* Santo Domingo: Imprenta Nacional, 1845. Firmado con el seudónimo *Un Dominicano.*

FRANCO, JOSÉ LUCIANO. *Revoluciones y Conflictos Internacionales en el Caribe, 1789-1854.* La Habana: Academia de Ciencias, 1965.

GARCÍA, JOSÉ GABRIEL. *Compendio de Historia de Santo Domingo.* Volumen III. Santo Domingo: Publicaciones ¡Ahora!, 1968.

GARCÍA LLUBERES, ALCIDES. *Duarte y Otros Temas.* Santo Domingo: Academia Dominicana de la Historia, 1971.

GARCÍA LLUBERES, LEÓNIDAS. *Crítica Histórica.* Santo Domingo: Academia Dominicana de la Historia, 1964.

GARRIDO, VÍCTOR. *Política de Francia en Santo Domingo, 1844-1846.* Santo Domingo: Academia Dominicana de la Historia, 1962.

————. *Los Puello.* Ciudad Trujillo: Academia Dominicana de la Historia, 1959.

HERRERA, CÉSAR. *La Batalla de las Carreras.* Ciudad Trujillo: Impresora Dominicana, 1949.

————. *Cuadros Históricos Dominicanos.* Ciudad Trujillo: Impresora Dominicana, 1949.

MADIOU, THOMAS. *Histoire d'Haiti.* Années, 1843-1846. Port-au-Prince: Imprimerie J. Verrollot, 1904.

MARTÍNEZ, RUFINO. *Hombres Dominicanos: Báez y Santana.* Santiago: Editorial El Diario, 1943.

NOLASCO, SÓCRATES. *Viejas Memorias.* Santiago: Editorial El Diario, 1941 y 1968.

PEÑA BATLLE, MANUEL ARTURO. Ed. *Colección Trujillo.* 16 vols. Santiago: Editorial El Diario, 1944.

República Dominicana. *Colección de Leyes, decretos y resoluciones, 1844-1859.* Vols. I-III. Santo Domingo: Imprenta de Listín Diario, 1927.

RODRÍGUEZ DEMORIZI, EMILIO. *Relaciones Domínico-españolas (1844-*

1859). Ciudad Trujillo: Academia Dominicana de la Historia, 1955.
————. *Documentos para la Historia de la República Dominicana.* Tres volúmenes. Ciudad Trujillo: Archivo General de la Nación. Vol. I, 1944; Vol. II, 1947; Vol. III, 1959.
————. *Guerra Dominico-Haitiana. Documentos para su Estudio.* Ciudad Trujillo: Academia Dominicana de la Historia, 1957.
————. *Papeles de Buenaventura Báez.* Santo Domingo: Academia Dominicana de la Historia, 1969.
————. *Santana y los Poetas de su Tiempo.* Santo Domingo: Academia Dominicana de la Historia, 1969.
————. *Antecedentes de la Anexión a España.* Ciudad Trujillo: Academia Dominicana de la Historia, 1955.
————. *Papeles de Santana.* Roma: Stab. Tipográfico G. Managlia, 1952.
————. *Hojas de Servicios del Ejército Dominicano, 1844-1865.* Santo Domingo: Academia Dominicana de la Historia, 1968.
————. *En Torno a Duarte.* Santo Domingo: Academia Dominicana de la Historia, 1976.
————. *La Marina de Guerra Dominicana.* Ciudad Trujillo: Academia Militar Batalla de las Carreras, 1959.
————. *Correspondencia del Cónsul de Francia en Santo Domingo.* Ciudad Trujillo: Archivo General de la Nación. Vol. I, 1944; Vol. II, 1947.
————. *Juan Isidro Pérez. El Ilustre Loco.* Santo Domingo: Editora Cultural Dominicana, 1973.
————. Larrazábal Blanco, C. y Alfau Durán, V., Eds. *Apuntes de Rosa Duarte, Archivo y Versos de Juan Pablo Duarte.* Santo Domingo: Instituto Duartiano, 1970.
TRONCOSO SÁNCHEZ, PEDRO. *Vida de Juan Pablo Duarte.* Santo Domingo: Instituto Duartiano, 1975.
SENIOR, RAFAEL. *Santana. Libertador, Gobernante, Anexionista.* Santiago: Imprenta "La Información", 1938.
VALENCIA, MANUEL MARÍA. *Homenaje a la Razón.* Santo Domingo: Imprenta Nacional, 1845. Firmado con el seudónimo *Un Aprendiz.*

CAPITULO XXVI

ALFAU DURÁN, VETILIO. "El Bloqueo Marítimo durante la Restauración", *Clío,* XXVIII (1960), 331-342.
ARCHAMBAULT, PEDRO M. *Historia de la Restauración.* París: La Librairie Technique et Economique, 1938.
Colección Herrera. "La Restauración en el Sur. Los Sucesos de Neiba". *Boletín del Archivo General de la Nación,* XXIV (1962), 109-210.
Diario de las Sesiones de Cortes. Senado. Legislatura de 1864 a 1865. Madrid: Imprenta Nacional, 1865.
Documentos Relativos a la Cuestión de Santo Domingo Remitidos al

Congreso de los Diputados por el Ministerio de Estado. Madrid, 1864.

GÁNDARA, JOSÉ DE LA. *Anexión y Guerra de Santo Domingo*. Santo Domingo: Sociedad Dominicana de Bibliófilos, 1975.

GARCÍA, JOSÉ GABRIEL. *Compendio de la Historia de Santo Domingo*. Vol. III. Santo Domingo: Publicaciones ¡Ahora!, 1968.

GONZÁLEZ TABLAS, RAMÓN. *Historia de la Dominación y Ultima Guerra de España en Santo Domingo*. Santo Domingo: Sociedad Dominicana de Bibliófilos, 1974.

LUGO LOVATÓN, RAMÓN. *Manuel Rodríguez Objío. Poeta, Restaurador, Historiador, Mártir*. Ciudad Trujillo: Archivo General de la Nación, 1951.

LUPERÓN, GREGORIO. *Notas Autobiográficas y Apuntes Históricos*. Santiago: Editorial El Diario, 1939, 3 vols.

—————. *Escritos*. (Colección y notas de Emilio Rodríguez Demorizi). Ciudad Trujillo: Imp. de J. R. García Sucs., 1941.

MONCIÓN, BENITO. "De Capotillo a Santiago. Relación Histórica". *Clío*, XVI (1948), 33-39.

NOLASCO, SÓCRATES. *José María Cabral (El Guerrero)*. 1816-1899. Santo Domingo: Editora Montalvo, 1963.

NOUEL, CARLOS. *Historia Eclesiástica de la Arquidiócesis de Santo Domingo*. Vol. VII. Santo Domingo: Imp. El Progreso, 1915.

PERKINS, DEXTER. *La Cuestión de Santo Domingo, 1849-1865*. Ciudad Trujillo: Editora Montalvo, 1956.

RODRÍGUEZ DEMORIZI, EMILIO, Ed. *Papeles de Espaillat. Para la Historia de las Ideas Políticas en Santo Domingo*. Santo Domingo: Biblioteca Espaillat, 1963.

—————. *Actos y Doctrina del Gobierno de la Restauración*. Santo Domingo: Academia Dominicana de la Historia, 1963.

—————. *Cancionero de la Restauración*. Santo Domingo: Academia Dominicana de la Historia, 1963.

—————. *Próceres de la Restauración. Noticias Biográficas*. Santo Domingo, 1963.

—————. *Diarios de la Guerra Dominico-Española de 1863-1865*. Santo Domingo: Editora del Caribe, 1963.

—————. *Papeles de Pedro Francisco Bonó*. Santo Domingo: Academia Dominicana de la Historia, 1964.

RODRÍGUEZ OBJÍO, MANUEL. *Relaciones*. Ciudad Trujillo: Archivo General de la Nación, 1951.

—————. *Gregorio Luperón e Historia de la Restauración*. Santiago: Editorial El Diario, 1939, 2 vols.

SENIOR, EUGENIO J. *La Restauración en Puerto Plata. Relato de un Restaurador*. Santo Domingo: Editora Montalvo, 1963.

TRONCOSO SÁNCHEZ, PEDRO. *La Restauración y sus Enlaces con la Historia de Occidente*. Santo Domingo: Academia Dominicana de la Historia, 1963.

CAPITULOS XXVII-XXXII

ABAD, J. R. *La República Dominicana. Reseña General Geográfico-Estadística.* Santo Domingo: Imprenta de García Hermanos, 1888.

BONÓ, PEDRO FRANCISCO. *El Montero.* Santo Domingo: Julio D. Postigo e hijos, 1968.

CAMPILLO PÉREZ, JULIO G. *El Grillo y el Ruiseñor. Elecciones Presidenciales Dominicanas. Contribución a su Estudio.* Santo Domingo: Editora del Caribe, 1966.

CASTRO, VÍCTOR M. *Cosas de Lilís.* Santo Domingo: Imp. Cuna de América, 1919.

DAMIRÓN, RAFAEL. *Cronicones de Antaño.* Ciudad Trujillo: Imprenta Dominicana, 1949.

DE LA ROSA, ANTONIO. *Las Finanzas de Santo Domingo y el Control Americano.* Editora Nacional, 1969.

DÍAZ, VIGIL. *Lilís y Alejandrito.* Ciudad Trujillo: Editora Montalvo, 1956.

ESPAILLAT, ULISES FRANCISCO. *Escritos.* Santo Domingo: Biblioteca Espaillat, 1962.

GARCÍA, JOSÉ GABRIEL. *Historia Moderna de la República Dominicana.* Santo Domingo: Imprenta García Hnos., 1893.

GÓMEZ ALFAU, LUIS EMILIO. *Ayer, o el Santo Domingo de hace 50 años.* Ciudad Trujillo: Pol Hermanos, Editores, 1944.

HAZARD, SAMUEL. *Santo Domingo, su Pasado y Presente.* Santo Domingo: Sociedad Dominicana de Bibliófilos, 1974.

HENRÍQUEZ Y CARVAJAL, FEDERICO. *El Mensajero, 1886-1889.* La Habana: Instituto de Historia, 1964, 2 vols.

HERRERA, CÉSAR. *Cuadros Históricos Dominicanos.* Ciudad Trujillo, 1949.

————. *De Hartmont a Trujillo.* Ciudad Trujillo: Impresora Dominicana, 1953.

————. *Las Finanzas de la República Dominicana.* Vol. I. Ciudad Trujillo: Impresora Dominicana, 1955.

HOETINK HARRY. *El Pueblo Dominicano, 1850-1900.* Santiago: Universidad Católica Madre y Maestra, 1972.

HOSTOS, EUGENIO MARÍA DE. *Páginas Dominicanas.* (Selección de Emilio Rodríguez Demorizi). Santo Domingo: Librería Dominicana, 1963.

JOUBERT, EMILIO. *Cosas que Fueron.* Ciudad Trujillo: Imp. J. R. García, Sucs., 1936.

La República Dominicana en la Exposición Internacional de Bruselas. Santo Domingo: Imprenta Cuna de América, J. R. Roques, 1897.

LUPERÓN, GREGORIO. *Notas Autobiográficas y Apuntes Históricos.* Santiago: Editorial El Diario, 1939. 3 Vols.

MARTÍNEZ, RUFINO. *Hombres Dominicanos. Deschamps, Heureaux, Luperón.* Ciudad Trujillo: Imprenta Montalvo, 1936.

MONCLÚS, MIGUEL ANGEL. *El Caudillismo en la República Dominicana.* Santo Domingo: Editora del Caribe, 1962.

Peña Batlle, Manuel Arturo. *Historia de la Cuestión Fronteriza Dominico-Haitiana.* Vol. I. Ciudad Trujillo: Luis Sánchez Andújar, Casa Editora, 1946.

Resumen General del Activo y Pasivo de la Sucesión Heureaux, Hecho por el Notario Miguel Joaquín Alfau a Requerimiento de la Comisión Judicial Designada para la Formación del Inventario. Santo Domingo: Imprenta de García Hnos., 1900.

Rodríguez Demorizi, Emilio, Ed. *Papeles de Pedro Francisco Bonó.* Santo Domingo: Academia Dominicana de la Historia, 1964.

————. *Informe de la Comisión de Investigación de los Estados Unidos de América en Santo Domingo en 1871.* Ciudad Trujillo: Academia Dominicana de la Historia, 1960.

————. *Proyecto de Incorporación de Santo Domingo a Norteamérica. Apuntes y Documentos.* Santo Domingo: Editora Montalvo, 1963.

————. *Cancionero de Lilís. Poesía, Dictadura y Libertad.* Santo Domingo: Editorial del Caribe, 1962.

————. *Hostos en Santo Domingo.* Ciudad Trujillo: Imp. J. R. Vda. García Sucs., 1939, I Vol., 1939; II Vol., 1942.

————. *Baní y la Novela de Billini.* Santo Domingo: Editora del Caribe, 1964.

Sang, Peng Kiam Miguel. "Finanzas y Economía del Gobierno de Ulises Francisco Espaillat". *EME-EME Estudios Dominicanos,* I (octubre-noviembre, 1972). Número 3, 89-102.

Sánchez, Juan J. *La Caña en Santo Domingo.* Santo Domingo: Editora Taller, 1972.

Tansill, Charles Callan. *The United States and Santo Domingo, 1789-1873. A Chapter in Caribbean Diplomacy.* Gloucester, Mass.: 1967.

Veloz Maggiolo, Francisco. *La Misericordia y sus Contornos.* Santo Domingo: Editora Arte y Cine, 1967.

Welles, Sumner. *La Viña de Naboth.* I Vol. Santiago: Editorial El Diario, 1939.

CAPITULOS XXXIII-XXXVII

Abreu Licairac, Rafael. *La Cuestión Palpitante.* Santo Domingo: Imp. Listín Diario, 1906.

Academia Colombina. *Memorial de protesta contra la arbitraria ocupación de la República Dominicana por tropas de los Estados Unidos de América.* Santo Domingo: Imprenta Listín Diario, 1916.

Alburquerque, Alcibiades *Títulos de los terrenos comuneros de la República Dominicana.* Ciudad Trujillo: Impresora Dominicana, 1961.

Alfau Durán, Vetilio. *Marcial Guerrero, héroe y mártir, 1888-1918.* Extra de *El Progreso.* La Vega: Tipografía El Progreso (noviembre, 1937).

————. "Nuestros próceres: Wenceslao Báez (Laito)", *Listín Diario,* 17 de marzo de 1940.

————. "Planes patrióticos de desocupación", ¡Ahora!, VI, Número 208 (noviembre, 1967), 62-63.

AMERICAN FEDERATION OF LABOR. *Report of Proceedings of the 40th Annual Convention of the American Federation of Labor held at Montreal, Quebec, Canada, June 7 to 19, Inclusive, 1920.* Washington, D. C.: The Law Reporter Printing Company, 1920.

AMIAMA, MIGUEL A. *El Terrateniente.* Santo Domingo: Impresora Arte y Cine, 1970.

ARZENO, JULIO V. *Sumario explicativo de los actos del gobierno militar que valida el Plan Hughes-Peynado.* San Pedro de Macorís: Imprenta La Provincia, 1923.

BAUGHMANN, C. C. "United States Occupation of the Dominican Republic", *United States Naval Institute Proceedings,* LI, Núm. 274 (diciembre, 1925), 2306-2327.

BERCEDO Y GARCÍA, ELPIDÉFORO. *Los Yankees en Calzoncillos (escenas hipócritas).* Santo Domingo: Imp. La Cuna de América, 1905.

BLANCO FOMBONA, HORACIO. *Crímenes del imperialismo norteamericano.* México, D. F.: Editorial Churubusco, 1927.

BURKS, ARTHUR J. *Land of Checkerboard Families.* New York: Coward McCann, 1932.

CALCOTT, WILFRED HARDY. *The Caribbean Policy of the United States, 1890-1920.* Baltimore: The Johns Hopkins Press, 1942.

CALDER, BRUCE JOHNSON. *Some Aspects of the U.S. Occupation of the Dominican Republic, 1916-1924.* Unpublished Disertation. The University of Texas, Austin, 1974.

CAMPILLO PÉREZ, JULIO G. *El grillo y el ruiseñor, elecciones presidenciales dominicanas; contribución a su estudio.* Santo Domingo: Editora del Caribe, 1966.

CASTILLO, PELEGRÍN. *La intervención americana.* Santo Domingo: Imprenta Listín Diario, 1916.

CESTERO, MANUEL F., y FLORES CABRERA, M. *Circulares de la Oficina de Información en Los Estados Unidos.* (Washington, D. C.?), 1921.

CESTERO BURGOS, TULIO M. *Entre las garras del águila.* Santo Domingo, 1922.

————. *El problema dominicano.* New York, 1919.

CLAUSNER, MARLIN D. *Rural Santo Domingo; Settled, Unsettled, and Resettled.* Philadelphia: Temple University Press, 1973.

CONDIT, KENNETH W., AND TURNBLADH, EDWIN T. *Hold High the Torch; A History of the 4th Marines.* Washington, D. C. U.S. Marine Corps, 1960.

DE BOOY, T. H. N. "Eastern Part of the Dominican Republic", Pan American Union, *Bulletin,* XL, Núm. 3 (septiembre, 1917), 315-321.

DEL CASTILLO, LUIS C. *Medios adecuados para conservar i desarrollar el nacionalismo en la república.* (Santo Domingo): Imprenta la Cuna de América, 1920.

DE LA ROSA, ANTONIO (ALEXANDRE POUJOLS). *Las Finanzas de Santo Domingo y el control americano.* Santo Domingo: Editora Nacional, 1969.

DESCHAMPS, ENRIQUE. *El espíritu de España en la Liberación de la República Dominicana, 1916-1924.* Caracas: Tipografía Universal, 1928.

————. *La República Dominicana: directorio y guía general.* Barcelona: J. Cunill, 1907.

DOMINICAN CUSTOMS RECEIVERSHIP. *Report with a Summary of Commerce,* 1907-1938.

DOMINICAN REPUBLIC. Comisión de Reclamaciones. *Informe final de la Comisión Dominicana de Reclamaciones, 1917.* Santo Domingo, 1920.

————. *Primer Censo Nacional, 1920.* Santo Domingo: 1923.

FAIRCHILD, FRED R. "The Public Finance of Santo Domingo", *Political Science Quarterly,* XXXIII (December, 1918), 461-481.

FIALLO, FABIO. *La Comisión Nacionalista en Washington, 1920-1921.* Ciudad Trujillo: Imprenta La Opinión, 1939.

FRANCK, HARRY ALVERSON. *Roaming Through the West Indies.* New York: The Century Company, 1920.

————. "Santo Domingo, the Land of Bullet-Holes", *Century Magazine,* C (July, 1920), 300-311.

FRANCO, PERSIO C. *Algunas ideas.* Santiago, 1926.

FRANCO-FRANCO, TULIO. *La situación internationale de la République Dominicaine a partir du 8 Février, 1907.* Paris: Presses Universitaires de France, 1923.

GARCÍA GODOY, FEDERICO. *El Derrumbe.* Santo Domingo: Universidad Autónoma de Santo Domingo, 1975.

GÓMEZ, JUAN. "Gallant Dominicans," *American Mercury,* XVII (May 1929), 89-95.

GÓMEZ ALFAU, L. E. *Ayer, o el Santo Domingo de hace 50 años.* Ciudad Trujillo, 1944.

GRIEB, KENNETH J. "Warren G. Harding and the Dominican Republic U. S. Withdrawal, 1921-1923. Journal of Inter-American Studies XI (July 1969), 425-440.

HAGELBERG, G. B. *The Caribbean Sugar Industries: Constraints and Opportunities.* New Haven: Yale University, 1970.

HAZARD, SAMUEL. *Santo Domingo, Past and Present, with a Glance at Haiti.* New York: Harper and Bros., 1873.

HENRÍQUEZ, ENRIQUE APOLINAR. *Episodios Imperialistas.* Ciudad Trujillo: Editora Montalvo, 1959.

————. *Reminiscencias y evocaciones.* Santo Domingo: Editora Librería Hispañola, 1970.

HENRÍQUEZ GARCÍA, ENRIQUILLO. *Federico Henríquez y Carvajal; como lo vieron sus compatriotas.* Santo Domingo: Casa de Don Federico y Biblioteca del Maestro, 1969.

————, y FRANCISCO HENRÍQUEZ Y CARVAJAL, eds. *Cartas del Presidente Francisco Henríquez y Carvajal.* Santo Domingo: Imprenta Sánchez, 1970.

HENRÍQUEZ UREÑA, MAX. *Los Estados Unidos y la República Dominicana; la verdad de los hechos comprobada por datos y documentos oficiales.* Havana: El Siglo XX, 1919.

611

————. *Los Yanquis en Santo Domingo; la verdad de los hechos comprobada por datos y documentos oficiales.* Madrid: M. Aguilar, 1929.

HENRÍQUEZ Y CARVAJAL, FEDERICO. *Nacionalismo; tópicos jurídicos é internacionales.* Santo Domingo: Imprenta de J. R. Viuda García, 1925.

HOEPELMAN, ANTONIO, Y SENIOR, JUAN A. *Documentos históricos que se refieren a la intervención armada de los Estados Unidos de Norte-América y la implantación de un gobierno militar en la República Dominicana.* Santo Domingo: Imprenta de J. R. Viuda García, 1922.

HOEPELMAN, ANTONIO. *Páginas dominicanas de historia contemporánea.* Ciudad Trujillo: Impresora Dominicana, 1951.

HOETINK, HARRY (HARMANNUS). "19th Century Santo Domingo," *Caribbean Review*, II, N.º 4 (Winter 1970), 6-7.

————. *El pueblo dominicano: 1850-1900; apuntes para su sociología histórica.* Santiago: Universidad Católica Madre y Maestra, 1971.

HUNGRÍA, PEDRO M. *Apuntes para la historia de Santiago; Centro de Recreo, sociedad fundada el 16 de agosto de 1894.* Santiago, 1946.

INMAN, SAMUEL GUY. *Through Santo Domingo and Haiti, a Cruise with the Marines.* New York: Committee on Co-operation in Latin America, 1919.

JIMÉNEZ, R. EMILIO. *Al amor del bohío; tradiciones y costumbres dominicanas*, 2 vols. Santiago: Editora La Información, 1927-1929.

JOUBERT, EMILIO C. *Cosas que fueron.* Santo Domingo: Imprenta de J. R. Viuda García, 1936.

KELSEY, CARL. "The American Intervention in Haiti and the Dominican Republic," *The Annals of the American Academy of Political and Social Science*, C, N.º 189 (March 1922), 110-202.

(KEMP, ALVIN B.) "Private Kemp Reports on our War in Santo Domingo." *Literary Digest*, LX (22 February 1919), 105-108.

KNIGHT, MELVIN M. *The Americans in Santo Domingo.* New York: Vanguard Press, 1928.

LINK, ARTHUR S. *Woodrow Wilson and the Progressive Era, 1910-1917.* 1954; reprint New York: Harper and Row, 1963.

LLAVERIAS, FEDERICO. *El canal de Panamá y la República Dominicana.* Santo Domingo: Imprenta Escobar y Cía., 1914.

LLOYD, GEORGE WILLIAM. "Economic and Social Changes in Santo Domingo, 1916-1926." Unpublished M. A. thesis, Clark University, Worcester, Mass., 1928.

LUGO, AMÉRICO. *Américo Lugo*, ed. V. Alfau Durán. Ciudad Trujillo: Librería Dominicana, 1949.

————. *La intervención americana.* Santo Domingo: Tip. "El Progreso", 1916.

————. *El nacionalismo dominicano.* Santiago: Linotipografía "La Información", 1923.

LOGAN, RAYFORD W. *Haiti and the Dominican Republic.* New York and London: Oxford University Press under the auspices of the Royal Institute of International Affairs, 1968.

LOGIA "LA FE". N.º 7. *El caso de la respetable Logia "La Fe". N.º 7 con el gobierno Militar. Relación documentada.* Santo Domingo: Imprenta de J. R. Viuda García, Sucs., 1926.

LUGO, AMÉRICO. "Emiliano Tejera", *Boletín del Archivo General de la Nación,* IV (1940), 283-318.

MARRERO ARISTY, RAMÓN. *Over.* Ciudad Trujillo: Imprenta La Opinión, 1939.

MARVIN, GEORGE. "Watchful Acting in Santo Domingo." *World's Work,* XXXIV (June 1917), 205-218.

MAYO, ARTHUR H. *Report on Economic and Financial Conditions of the Dominican Republic.* Santo Domingo: Imprenta de J. R. Viuda García, 1920.

MCCLELLAN, EDWIN N. "Operations Ashore in the Dominican Republic", *United States Naval Institute Proceedings,* XLVII, N.º 216 (February 1921), 235-245.

MCLEAN, JAMES J., AND PIÑA CHEVALIER, T. *Datos históricos sobre la frontera dominico-haitiana.* Santo Domingo, 1921.

MEDINA BENET, VÍCTOR M. *Los Responsables, Fracaso de la Tercera República, Narraciones de Historia Dominicana, 1924-1930.* Santo Domingo: Imprenta Amigo del Hogar, 1976.

MEJÍA, FÉLIX E. *Alrededor y en contra del plan Hughes-Peynado.* Santo Domingo: Imprenta de Gran Librería Selecta, 1922.

MEJÍA, LUIS F. *De Lilís a Trujillo: historia contemporánea de la República Dominicana.* Caracas: Editorial Elite, 1944.

MEJÍA RICART, GUSTAVO ADOLFO. *Acuso a Roma. Yo contra el invasor.* Habana: Imprenta El Fígaro, 1920.

Misión Nacionalista Dominicana. *Memorándum del entendido de evacuación de la República Dominicana por las fuerzas militares de los Estados Unidos de América.* Santo Domingo, 1922.

MONCLÚS MIGUEL ANGEL. *El caudillismo en la República Dominicana.* 3.ª ed., Santo Domingo: Editora del Caribe, 1962.

MOSCOSO PUELLO, F. E. *Cañas y bueyes.* Santo Domingo: Editora La nación, n.d. (ca. 1935).

MUNRO, DANA GARDNER. *Intervention and Dollar Diplomacy in the Caribbean, 1900-1921.* Princeton, N. J.: Princeton University Press, 1964.

MUTO, PAUL. "La Economía de Exportación de la República Dominicana, 1900-1930". *EME-EME Estudios Dominicanos,* III, N.º 15 (noviembre-diciembre, 1974), 67-110.

————. "Las importaciones y el Impacto del Cambio Económico en la República Dominicana". *EME-EME Estudios Dominicanos,* IV, N.º 20 (septiembre-octubre, 1975), 15-36.

————. The Illusory Promise: *The Dominican Republic and the Process of Economic Development,* 1900-1930. Unpublished Dissertation. Seattle: University of Washington, 1976.

PAN AMERICAN FEDERATION OF LABOR. *Report of the Proceedings of the Second Congress of the Pan-American Federation of Labor held*

613

at New York City, N. Y. July 7th to 10th, inclusive, 1919. Washington, D. C., n.d.

PAN AMERICAN UNION. *Dominican Republic; General Descriptive Data.* Washington, D. C. Government Printing Office, 1923.

PERKINS, DEXTER. *The United States and the Caribbean.* Cambridge: Harvard University Press, 1966.

PEYNADO, FRANCISCO JOSÉ. *Por el establecimiento de gobierno civil en la República Dominicana.* Santo Domingo: Imp. Cuna de América, 1912.

————. "Deslinde, mensura y partición de terrenos", *Revista jurídica; publicación mensual de doctrina, legislación y jurisprudencia, órgano del Colegio de Abogados* (Santo Domingo), N.º 4 (1919), 1-19.

————, Y GARCÍA MELLA, MOISÉS. *Capacidad de los alcaldes para actuar como escribanos o como notarios.* (Santo Domingo), 1919.

PICHARDO, BERNARDO. *Resumen de historia patria.* 3.ª ed. 1st ed., 1921), Buenos Aires: Talleres Gráficos Americalée, 1947.

PULLIAM, WILLIAM E. "The Chocolate Age: Dominican Cacao," Pan American Union, *Bulletin,* LVII (September 1923), 245-252.

República Dominicana. *Censo de la República Dominicana. Primer Censo nacional, 1920.* Santo Domingo, 1920.

————. *Colección de leyes, decretos y resoluciones emanados de los poderes legislativo y ejecutivo de la República Dominicana.* Vol. XX, Años 1910-1911. Santo Domingo: Imprenta del Listín Diario, 1929.

————. *Colección de leyes, decretos y resoluciones del Gobierno Provisional de la República.* 2 vols. (1923-1924). Santo Domingo: Imprenta de J. R. Viuda García, 1924.

————. *Colección de órdenes ejecutivas.* 6 vols. (1917-1922). Santo Domingo: Imprenta de J. R. Viuda García, 1918-1923.

————. Department of Promotion and Public Works (Secretaría de Estado de Fomento y Obras Públicas). *The Dominican Republic.* Published by Direction of the Department of Promotion and Public Works for the Jamestown Ter-centennial Exposition, Press of Byron S. Adams, 1907.

————. Secretaría de Estado de Fomento y Obras Públicas. *La República Dominicana.* Santo Domingo: Imprenta La Cuna de América, 1906.

————. Secretaría de Estado de lo Interior y Policía. *A los habitantes de la República Dominicana.* Santo Domingo: Imprenta de J. R. Viuda García, 1919.

RICHIEZ ACEVEDO, FRANCISCO. *Cocolandia.* Santo Domingo: 1967.

RIPPY, J. FRED. "The Initiation of the Customs Receivership in the Dominican Republic." *Hispanic American Historical Review,* 17 (November, 1937), 419-457.

ROIG DE LEUCHENRING, EMILIO. *La ocupación de la República Dominicana por los Estados Unidos y el derecho de las pequeñas nacionalidades de América.* Habana: Imprenta El Siglo XX, 1919.

614

RUIZ TEJADA, MANUEL RAMÓN. *Estudio sobre la propiedad inmobiliaria en la República Dominicana*. Publicaciones de la Universidad de Santo Domingo, Vol. LXXXV, N.º 2, Series III. Ciudad Trujillo: Editora del Caribe, 1952.

SÁNCHEZ, JUAN J. *La Caña en Santo Domingo*. Santo Domingo: Editora Taller, 1972.

SANTIAGO. AYUNTAMIENTO COMUNAL. *Censo de población y datos históricos y estadísticos de la Ciudad de Santiago de los Caballeros, República Dominicana, Antillas*. Santiago: Tipografía La Información de Franco Hermanos, 1917.

SANTO DOMINGO. AYUNTAMIENTO. *Censo de población y otros datos estadísticos de la Ciudad de Santo Domingo, 1908*. Santo Domingo: Imprenta de J. R. Viuda García, 1908.

SCHMIDT, HANS. *The United States Occupation of Haiti, 1915-1934*. New Brunswick, New Jersey: Rutgers University Press, 1971.

SCHOENRICH, OTTO. "The Present American Intervention in Santo Domingo and Haiti" in Blakeslee, George Hubbard, ed., *México and the Caribbean*. New York: Stechert and Company, 1920.

————. *Santo Domingo, A Country with a Future*. New York: The MacMillan Company, 1918.

TEJERA, EMILIANO. *Emiliano Tejera: antología*, ed. Manuel Arturo Peña Batlle. Ciudad Trujillo: Librería Dominicana, 1951.

THORPE, GEORGE C. "American Achievements in Santo Domingo, Haiti and the Virgin Islands," *Journal of International Relations*, XI, N.º 1 (1920), 63-86.

TRONCOSO DE LA CONCHA, MANUEL DE JESÚS. *La Génesis de la Convención Dominico-Americana*. Santiago: Editorial El Diario, 1946.

TRONCOSO SÁNCHEZ, PEDRO. *Ramón Cáceres*. Santo Domingo: Editorial Stella, 1964.

TULCHIN, JOSEPH S. *The Aftermath of War; World War I and U.S. Policy Toward Latin America*. New York: New York University Press, 1971.

United States-Cuban Sugar Council. *Sugar, Facts and Figures*. New York: United States-Cuban Sugar Council, 1948.

United States. Bureau of Insular Affairs. War Department. *Report...*, *Dominican Customs Receivership*. Washington, D. C.: Government Printing Office, 1908-1940.

————. Bureau of Labor Statistics. "Wages in the Dominican Republic," *Monthly Review of the Bureau of Labor Statistics*. (January, 1918), 109.

————. Bureau of Labor Statistics. "Wages and Prices in the Dominican Republic", *Monthly Labor Review*. (August, 1926), 119-120.

————. Commission of Inquiry to Santo Domingo. *Report of the Commission of Inquiry to Santo Domingo*. Washington, D. C.: Government Printing Office, 1871.

————. Military Government of Santo Domingo. *Santo Domingo; its Past and its Present Condition*. Santo Domingo, 1920.

————. Department of the Navy. "Information on Living Conditions in Santo Domingo and Haiti, 6 April 1921," in *Haiti and San-*

to *Domingo*, a specially bound volume of pamphlets in the U.S. Naval Library, Washington, D. C.

—————. Department of State. *Papers Relating to the Foreign Relations of the United States*. Washington, D. C.: Government Printing Office, 1909-1940.

—————. Senate. Inquiry into Occupation and Administration of Haiti and Santo Domingo. *Hearings Before a Select Committee on Haiti and Santo Domingo*. 67th Cong., 1st and 2nd Sess., 1922.

VEGA Y PAGÁN, ERNESTO. *Historia de las fuerzas armadas*. Vols. XVI y XVII de *La Era de Trujillo, 25 años de historia dominicana*. Ciudad Trujillo: Impresora Dominicana, 1955.

—————. *Síntesis histórica de la Guardia Nacional Dominicana*. Ciudad Trujillo: Editorial "Atenas", 1953.

VERRIL, A. HYATT. *The Book of the West Indies*. New York: E. P. Dutton and Company, 1917.

—————. *Porto Rico, Past and Present, and Santo Domingo of Today*. New York: Dodd, Mead and Co., 1914.

VICINI, JOSÉ D. *La Isla de Azúcar*. Ciudad Trujillo: Editorial Pol Hermanos, 1957.

WELLES, SUMMER. *La Viña de Naboth*. II Vol. Santiago: Editorial El Diario, 1939.

WESTON, RUBIN FRANCIS. *Racism in U.S. Imperialism; the Influence of Racial Assumptions on American Foreign Policy, 1893-1946*. Columbia, S. C.: University of South Carolina Press, 1972.

WIARDA, HOWARD J. *Dictatorship and Development: The Methods of Control in Trujillo's Dominican Republic*. Gainesville, Florida: University of Florida Press, 1968.

CAPITULO XXXVIII

AL-HIMANI, KASIM. *Santo Domingo de Ayer y Hoy*. Santo Domingo, 1934.

ALMOINA, JOSÉ. *Yo fui Secretario de Trujillo*. Buenos Aires: Editora y Distribuidora del Plata, 1950.

ALEXANDER, ROBERT J. "Dictatorship in the Caribbean," *Canadian Forum*, XXVIII (May, 1948), 35.

—————. "The Trujillo Tyranny". The Dominican Dictatorship in Crisis," *The Socialist Call*, XXV (March, 1957), 12-14.

ARIZA, SANDER. *Trujillo: The Man and His Country*. (New York: Orlin Tremaine Company, 1939).

ATKINS, POPE AND WILSON, LARMAN. *The United States and the Trujillo Regime*. New Brunswick, N. J.: Rutgers University Press, 1972.

BALAGUER, JOAQUÍN. *Discursos: panegíricos, política y educación, política internacional*. Madrid: Ediciones Acies, 1957.

—————. *El pensamiento vivo de Trujillo*. Ciudad Trujillo: Impresora Dominicana, 1955.

—————. *La realidad dominicana: semblanza de un país y de un régimen*. Buenos Aires: Imprenta Ferrari Hermanos, 1947.

616

BEALS, CARLETON. "Caesar of the Caribbean," *Current History*, XLVIII (January, 1938), 31-34.

BOSCH, JUAN. "Trujillo: Problema de América," *Combate*, I (marzo-abril, 1959), 9-13.

————. "Trujillo y su ambición de poder", *El Dominicano Libre*. Noviembre, 1959, p. 2.

————. Crisis de la Democracia de América en la República Dominicana. México: B. Costa-Amie, 1964.

————. *Trujillo: Causas de una tiranía sin ejemplo*. Caracas: Grabados Nacionales, 1959.

CASTILLO DE AZA, ZENÓN. *Trujillo: Benefactor de la Iglesia*. Ciudad Trujillo: Editora del Caribe, 1955.

————. *Trujillo y otros Benefactores de la Iglesia*. Ciudad Trujillo: Editora Handicap, 1961.

COROMINAS, ENRIQUE V., *In the Caribbean Political Areas*. Cambridge: Cambridge University Press, 1954.

CRASSWELLER, ROBERT D. *Trujillo: The Life and Times of a Caribbean Dictador*. New York: Macmillan, 1966.

CURRY, E. *The United States and the Dominican Republic, 1924-1933: Dilemma in the Caribbean*. Unpublished dissertation. Minneapolis: University of Minnesota, 1966.

DAMIRÓN, RAFAEL. *Nosotros*. Ciudad Trujillo: Impresora Dominicana, 1955.

El Atentado contra el Señor Presidente de la República de Venezuela, Rómulo Betancourt. Caracas: Brabados Nacionales, 1960.

ESPAILLAT, ARTURO. *Trujillo; The Last Caesar*. Chicago: Henry Regnery Company, 1964.

FRANCO ORNÉS, PERICLES. *La Tragedia Dominicana*. Santiago de Chile: Federación de Estudiantes de Chile, 1946.

FRANCO, FRANKLIN J. *República Dominicana: Clases, Crisis y Comandos*. Habana: Casa de las Américas, 1966.

GALÍNDEZ, JESÚS DE. *La Era de Trujillo; un Estudio Casuístico de Dictadura Hispanoamericana*. Buenos Aires: Editorial Atlántico, 1958.

————. *La Era de Trujillo*. Santiago de Chile: Editorial del Pacífico, 1956.

————. "Un Reportaje sobre Santo Domingo". *Cuadernos Americanos*, LXXX, marzo-abril, 1955, 37-56.

GALLEGOS, GERARDO. *Trujillo en la historia: Veinticinco años en la ruta de un glorioso destino*. Ciudad Trujillo: Editora del Caribe, 1956.

GARCÍA BONNELLY, JUAN ELISES. *Las obras públicas en la era de Trujillo*. Ciudad Trujillo: Impresora Dominicana, 1955.

GOLDWERT, MARVIN. *The Constabulary in the Dominican Republic: Progeny and Legacy of United States Intervention*. Gainesville: University of Florida Press, 1962.

GONZÁLEZ BLANCO, PEDRO. *Algunas observaciones sobre la política del Generalísimo Trujillo*. Madrid: Impresora Gráficas Uguina, 1936.

————. *Decadencia y liberación de la economía dominicana*. México: Ediciones Rex, 1946.

617

————. *La era de Trujillo*. Ciudad Trujillo: Editora del Caribe, 1955.

HARDY, OSGOOD. "Rafael Leónidas Trujillo Molina". *Pacific Historical Review*, Vol. 15, N.º 4, 1946, pp. 409-416.

HERRAIZ, ISMAEL. *Trujillo Dentro de la Historia*. Madrid: Ediciones Acies, 1957.

HICKS, ALBERT C. *Blood in the Streets; The Life and Rule of Trujillo*. New York: Creative Age Press, Inc., 1946.

INCHÁUSTEGUI CABRAL, JOAQUÍN MARINO. *La República Dominicana de Hoy*. Ciudad Trujillo: Impresora y Grabados "Cosmopolita", 1938.

JIMÉNES-GRULLÓN, JUAN ISIDRO. *Una Gestapo en América*. La Habana: Editorial LEX, 1946.

JOHNSON, JOHN J. *Political Change in Latin America: The Emergence of the Middle Sectors*. Stanford: Stanford University Press, 1958.

MARTIN, JOHN BARTLOW. *Overtaken by Events: The Dominican Republic from the Fall of Trujillo to the Civil War*. Garden City, New Jersey: Doubleday, 1966.

MEJÍA, LUIS F. *De Lilís a Trujillo: Historia Contemporánea de la República Dominicana*. Caracas: Editorial Elite, 1944.

MIOLÁN, ANGEL. *La Revolución Social Frente a la Tiranía de Trujillo*. México, 1938.

MUNRO, DANA G. *The United States and the Caribbean Republics, 1921-1933*. Princeton University Press, 1974.

NANITA, ABELARDO R. *La Era de Trujillo*. Ciudad Trujillo: Impresora Dominicana, 1955.

ORNÉS, GERMÁN E. *Trujillo: Little Caesar of the Caribbean*. New York: Thomas Nelson and Sons, 1958.

OSORIO LIZARAZO, J. A. *The Illumined Island*. México: Editorial Offset Continente, 1947.

PACHECO, ARMANDO OSCAR. *La obra educativa de Trujillo*. Ciudad Trujillo: Impresora Dominicana, 1955.

PUIGSUBIRA-MENINO, JUAN ENRIQUE. *Pensamientos en la lucha contra la tiranía*. Santo Domingo: Editora Montalvo, 1963.

RODRÍGUEZ DEMORIZI, EMILIO. *Cronología de Trujillo*. Ciudad Trujillo: Impresora Dominicana, 1955.

————. *Trujillo y las aspiraciones dominicanas: discurso en Santiago*. Ciudad Trujillo: Editora Montalvo, 1957.

SÁNCHEZ LUSTRINO, GILBERTO. *Trujillo; el constructor de una nacionalidad*. Habana: Cultural, S. A., 1938.

TEJEDA, TEODORO. *Yo Investigué la Muerte de Trujillo*. Barcelona: Plaza & Janés, S. A., 1963.

THOMSON, C. A. "Dictatorship in the Dominican Republic". *Foreign Policy Reports*, Vol. 12, April, 15, 1936. (Foreign Policy Association, New York.)

TRONCOSO, JESÚS MARÍA. *La Política Económica de Trujillo*. Ciudad Trujillo: Editora del Caribe, 1953.

TRUJILLO MOLINA, RAFAEL LEÓNIDAS. *Discursos, Mensajes y Proclamas*. Santiago: Editorial El Diario, 1946-1953, 11 vols.

————. *Reajuste de la deuda externa*. Ciudad Trujillo: Editora del Caribe, 1959.

VEGA Y PAGÁN, ERNESTO. *Historia de las Fuerzas Armadas.* ? Vols. Ciudad Trujillo: Impresora Dominicana, 1955.

WIARDA, HOWARD J. *The Dominican Republic Nation in Transition.* New York: Frederick A. Praeger, Publishers, 1969.

————. *Latin American Monographs. Dictatorship and Development. The Methods of Control in Trujillo's Dominican Republic.* Center for Latin American Studies. Gainesville: University of Florida, 1968.

LOS PADRES DE LA PATRIA

JUAN PABLO DUARTE

RANCISCO DEL ROSARIO SANCHEZ   MATIAS RAMON MELLA

RETRATOS DE
PRESIDENTES Y GOBERNANTES
DE LA REPUBLICA DOMINICANA

1. Lic. Tomás Bobadilla y Briones

2. Gral. Pedro Santana Familias

3. Gral. Manuel Jimenes González

4. Gral. Buenaventura Báez Méndez

5. Gral. Manuel de Regla Mota y Alvarez

6. Gral. José Desiderio Valverde y Mallol

7. Gral. José Antonio Salcedo y Ramírez
(Pepillo)

8. Gral. Gaspar Polanco y Borbón

9. Dr. Benigno Filomeno Rojas Ramos

10. Gral. Pedro Antonio Pimentel y Chamorro

11. Gral. José María Cabral y Luna

12. Gral. Pedro Guillermo y Guerrero

13. Gral. Gregorio Luperón

14. Gral. Ignacio María González y Santin

15. Don Ulises Francisco Espaillat y Quiñones

16. Gral. Marcos A. Cabral Figuereo

17. Gral. Cesáreo Guillermo y Bastardo

18. Lic. Jacinto R. de Castro

19. Dr. Fernando Arturo Meriño y
Ramírez

20. Gral. Ulises Heureaux

21. Gral. Francisco Gregorio Billini y
Aristy

22. Lic. Alejandro Wos y Gil

23. Gral. Wenceslao Figuereo

24. Gral. Horacio Vásquez Lajara

25. Don Juan Isidro Jimenes Pereyra

26. Gral. Carlos F. Morales Languasco

27. Gral. Ramón Cáceres Vásquez

28. Don Eladio Victoria y Victoria

29. Dr. Adolfo Alejandro Nouel y
Bobadilla

30. Gral. José Bordas Valdés

31. Dr. Ramón Báez Machado

32. Dr. Francisco Henríquez y Carvajal

33. Don Juan Bautista Vicini Burgos

34. Lic. Rafael Estrella Ureña

35. Gmo. Rafael Leónidas Trujillo Molina

36. Lic. Jacinto Bienvenido Peynado
y Peynado

37. Dr. Manuel de Jesús Troncoso de la Concha

38. Gmo. Héctor Bienvenido Trujillo Molina

39. Dr. Joaquín Balaguer Ricardo

40. Lic. Rafael Filiberto Bonelly Fondeur

41. Juan Bosch y Gaviño

42. Lic. Emilio de los Santos

43. Dr. Donald Reid Cabral

44. Dr. Rafael Molina Ureña

45. Col. Pedro Bartolomé Benoit

46. Col. Francisco A. Caamaño Deñó

47. Gral. Antonio Imbert Barreras

48. Dr. Héctor García Godoy

49. Silvestre Antonio Guzmán

50. Lic. Jacobo Majluta

51. Dr. Salvador Jorge Blanco

MAPAS Y GRAFICOS

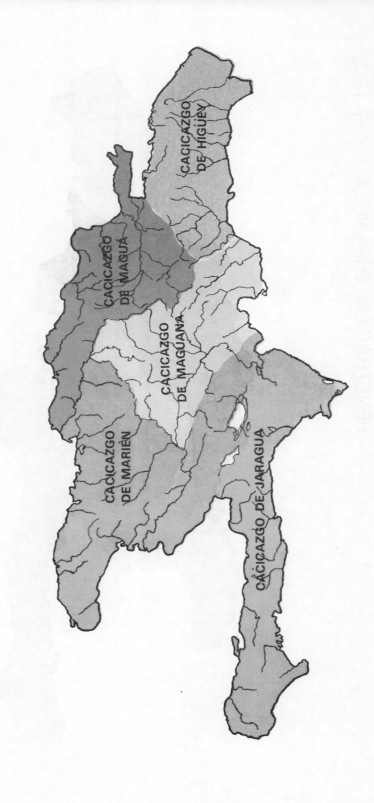

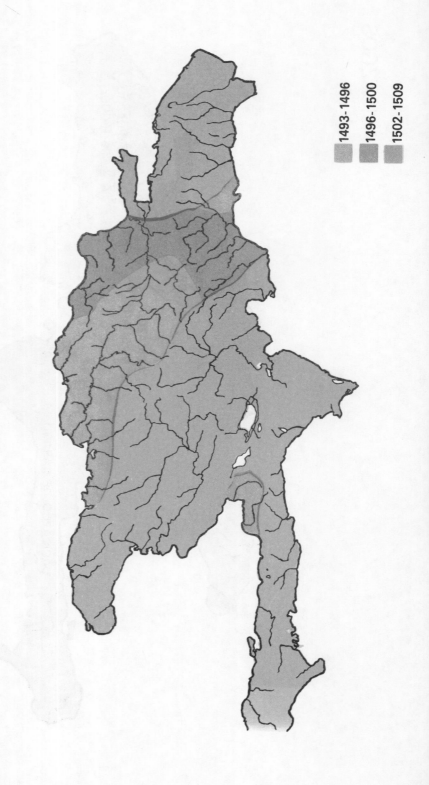

PENETRACION ESPAÑOLA (1493-1509)

1493-1496
1496-1500
1502-1509

FUNDACION DE CIUDADES (1493–1509)

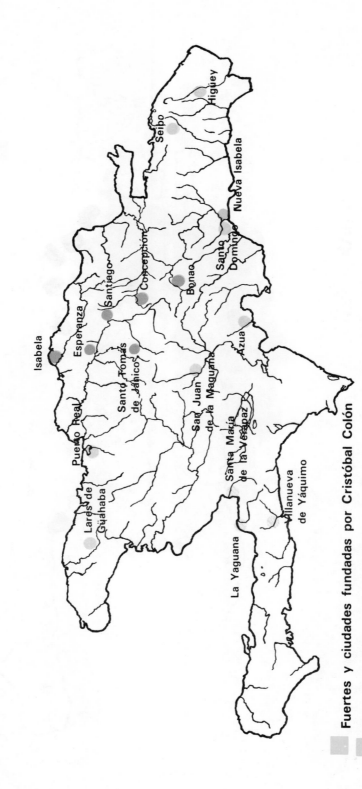

Higüey

Seibo

Nueva Isabela

Santo Domingo

Bonao

Concepción

Santiago

Esperanza

Isabela

Santo Tomás de Janico

Puerto Real

San Juan de la Maguana

Azua

Santa María de la Vega-Paz

Lares de Guahaba

Villanueva de Yáquimo

La Yaguana

■ Fuertes y ciudades fundadas por Cristóbal Colón

■ Ciudad fundada por Bartolomé Colón

■ Fuertes y ciudades fundadas por Nicolás de Ovando

AREAS DE PRODUCCION DE CAÑA DE AZUCAR
(Siglo XVI)

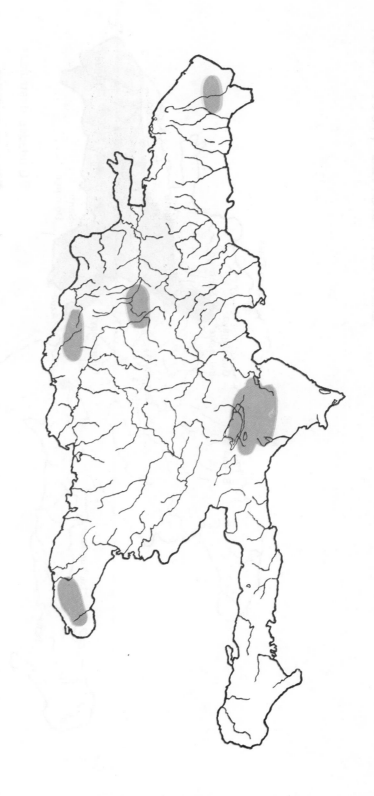

AREAS DE ACTIVIDAD DE NEGROS CIMARRONES
(Siglo XVI)

DEVASTACIONES (1605-1606)

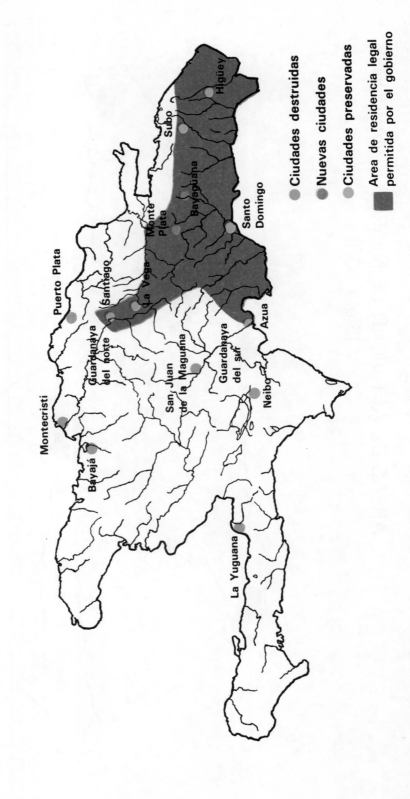

- ● Ciudades destruidas
- ● Nuevas ciudades
- ● Ciudades preservadas
- ■ Area de residencia legal permitida por el gobierno

Higüey

Subo

Bayaguana

Santo Domingo

Monte Plata

La Vega

Santiago

Puerto Plata

Azua

Guardaraya del norte

San Juan de la Maguana

Guardaraya del sur

Neiba

Montecristi

Bayajá

La Yuguana

PRIMEROS TERRITORIOS OCUPADOS POR LOS FRANCESES (1656-1680)

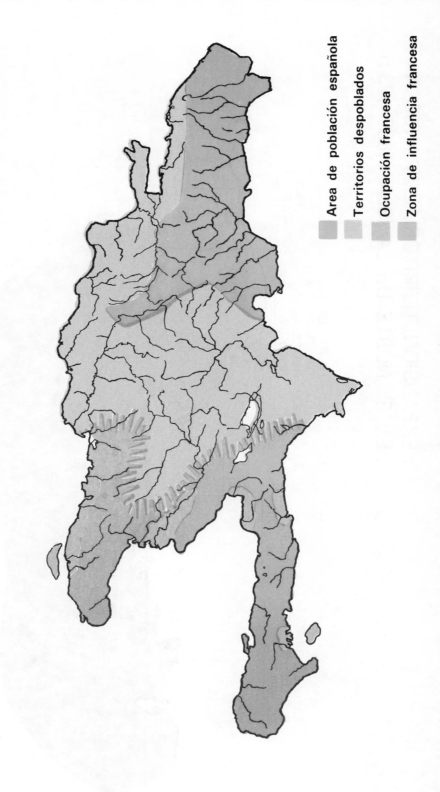

- Area de población española
- Territorios despoblados
- Ocupación francesa
- Zona de influencia francesa

EXPANSION TERRITORIAL FRANCESA EN EL NORTE DE LA ISLA (1697–1731)

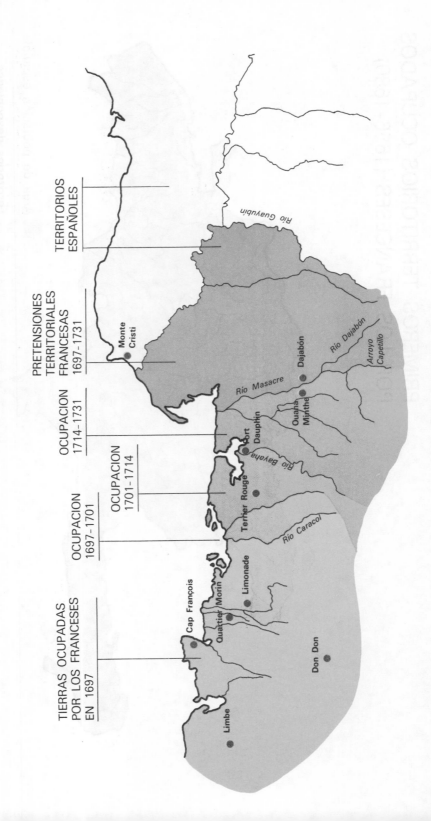

TIERRAS OCUPADAS POR LOS FRANCESES EN 1697

OCUPACION 1697-1701

OCUPACION 1701-1714

OCUPACION 1714-1731

PRETENSIONES TERRITORIALES FRANCESAS 1697-1731

TERRITORIOS ESPAÑOLES

Cap François

Quartier Morin

Limonade

Limbe

Don Don

Terrier Rouge

Río Caracol

Port Dauphin

Río Bayaha

Río Masacre

Ouana Minthe

Dajabón

Río Dajabón

Arroyo Capetillo

Monte Cristi

Río Guayubín

REPOBLACION ESPAÑOLA DE LA COLONIA
(1664-1764)

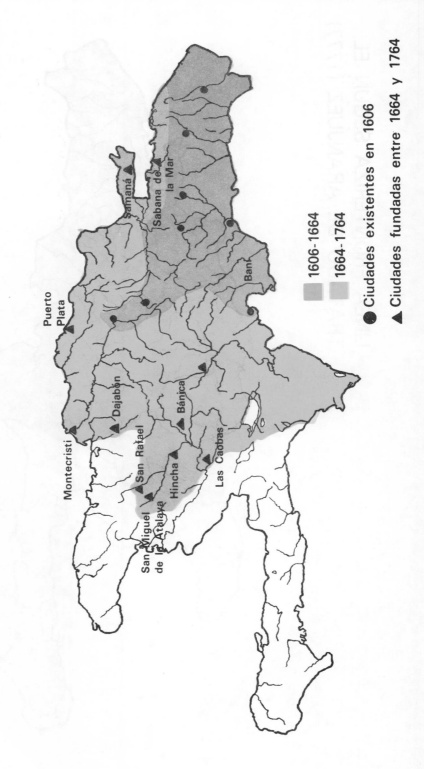

Puerto Plata

Samaná

Sabana de la Mar

Montecristi

Dajabón

Bánica

San Rafael

San Miguel de la Atalaya

Hincha

Las Caobas

Bani

1606-1664

1664-1764

● Ciudades existentes en 1606

▲ Ciudades fundadas entre 1664 y 1764

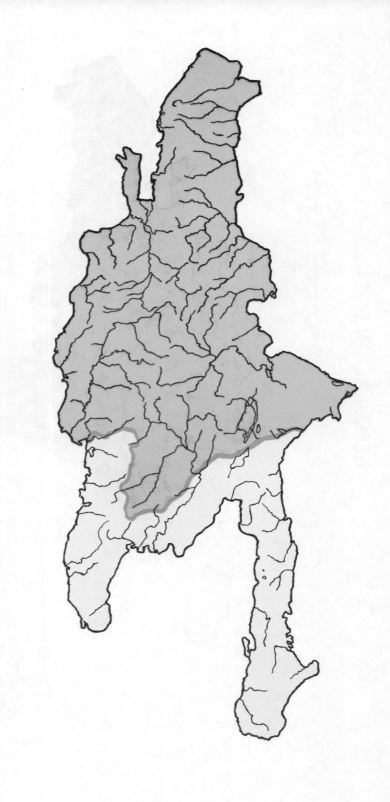

LINEA FRONTERIZA SEGUN EL
TRATADO DE ARANJUEZ (1777)

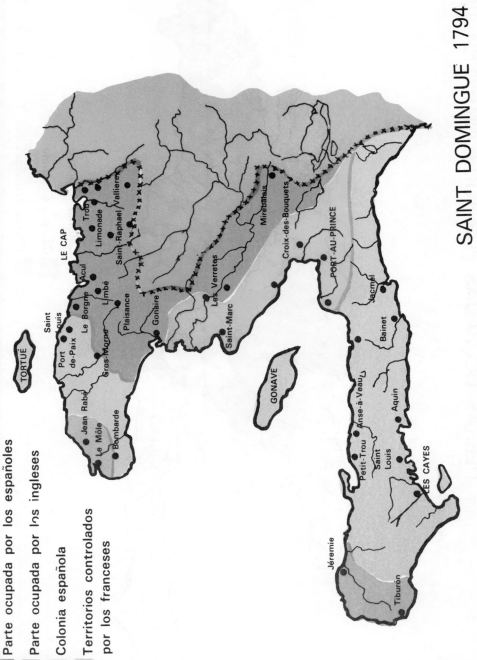

Parte ocupada por los españoles

Parte ocupada por los ingleses

Colonia española

Territorios controlados
por los franceses

SAINT DOMINGUE 1794

TORTUE

LE CAP

Saint
Louis

Port
de-Paix

Le Borgne

Acul

L'Imbé

Gros-Morne

Plaisance

Jean Rabel

Le Môle

Bombarde

Trou

Limonade

Saint-Raphael

Vallieres

Gonaïve

Les Verretes

Saint-Marc

Mirebalais

Croix-des-Bouquets

PORT-AU-PRINCE

Jacmel

Bainet

GONAVE

Anse-à-Veau

Petit-Trou

Saint
Louis

Aquin

LES CAVES

Jéremie

Tiburon

TIERRAS OCUPADAS POR TOUSSAINT (1794-1801)

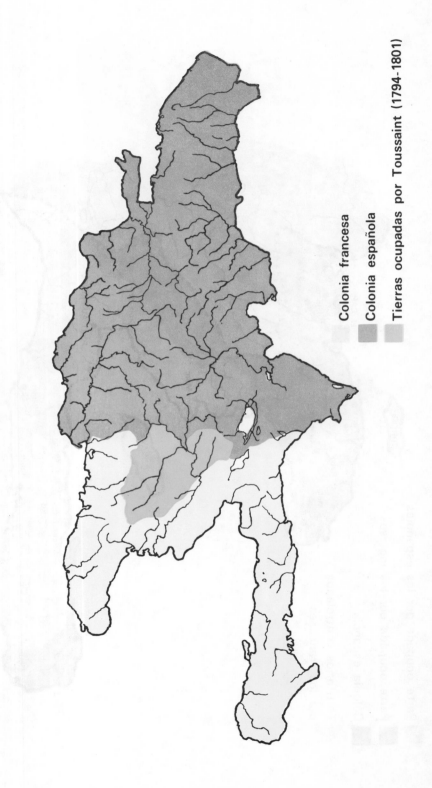

Colonia francesa

Colonia española

Tierras ocupadas por Toussaint (1794-1801)

DIVISION POLITICA DE LA ISLA (1822-1844)

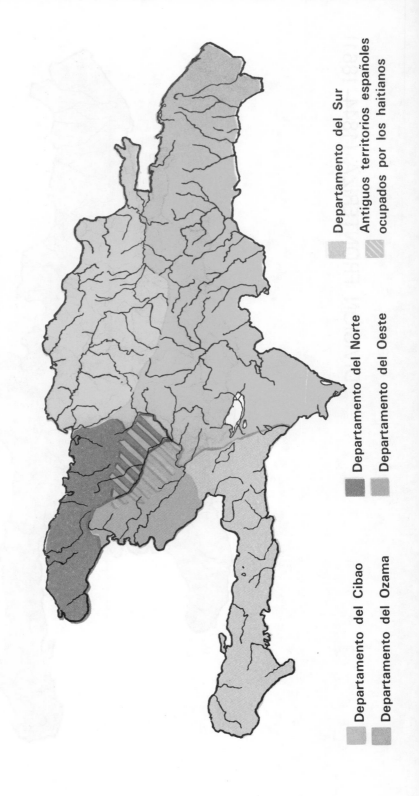

Departamento del Cibao

Departamento del Ozama

Departamento del Norte

Departamento del Oeste

Departamento del Sur

Antiguos territorios españoles ocupados por los haitianos

DIVISION FRONTERIZA (1844–1861)

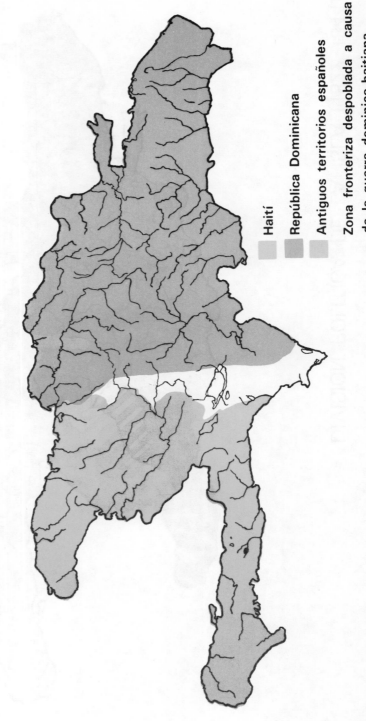

Haití

República Dominicana

Antiguos territorios españoles

Zona fronteriza despoblada a causa
de la guerra dominico-haitiana

EXPANSION TERRITORIAL DE LA INDUSTRIA AZUCARERA DOMINICANA

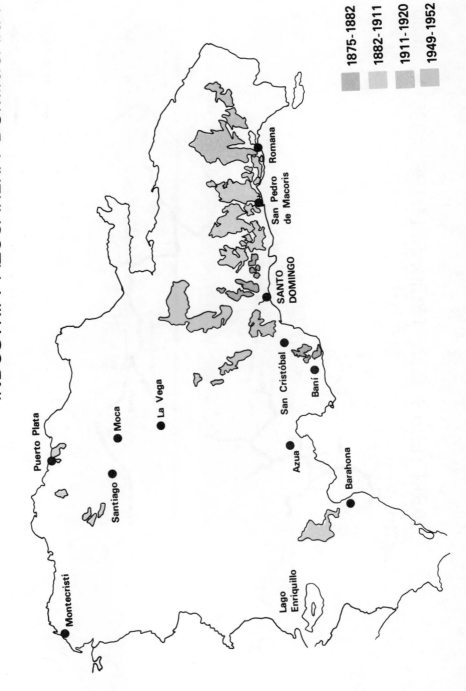

1875-1882
1882-1911
1911-1920
1949-1952

Romana
San Pedro de Macoris
SANTO DOMINGO
San Cristóbal
Baní
Azua
Barahona
Lago Enriquillo
Montecristi
Santiago
Puerto Plata
Moca
La Vega

CARRETERAS CONSTRUIDAS ENTRE 1906 Y 1930

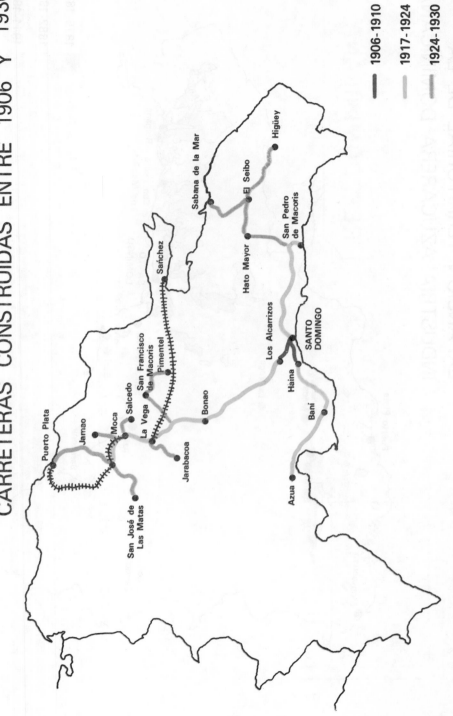

1906-1910

1917-1924

1924-1930

Ferrocarriles

San José de
Las Matas

Puerto Plata

Jarao

Moca

Salcedo

La Vega

San Francisco
de Macorís

Pimentel

Sánchez

Jarabacoa

Bonao

Los Alcarrizos

SANTO
DOMINGO

Haina

Baní

Azua

Hato Mayor

San Pedro
de Macorís

El Seibo

Higüey

Sabana de la Mar

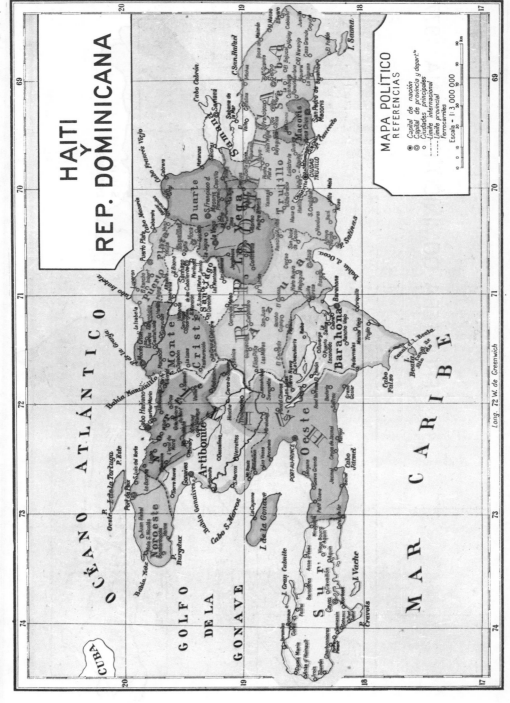

HAITI
Y
REP. DOMINICANA

MAPA POLÍTICO
REFERENCIAS

● Capital de nación
◎ Capital de provincia y depart.⁰
○ Ciudades principales
- - - - Límite internacional
- - - - - Límite provincial
Ferrocarriles

Escala = 1 : 3 000 000

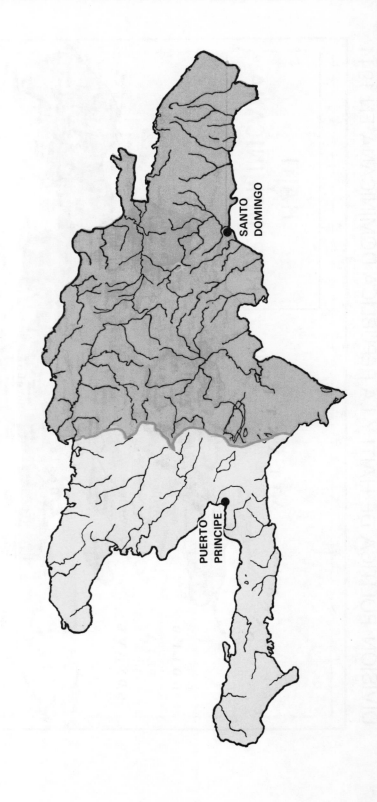

FRONTERA DOMINICO-HAITIANA 1977

SANTO DOMINGO

PUERTO PRINCIPE

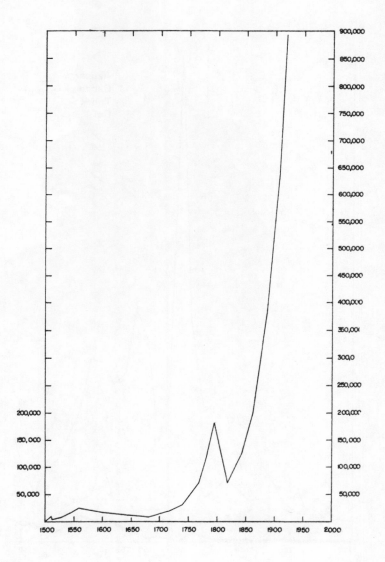

900,000
850,000
800,000
750,000
700,000
650,000
600,000
550,000
500,000
450,000
400,000
350,000
300,0
250,000
200,000
150,000
100,000
50,000

200,000
150,000
100,000
50,000

1500 1550 1600 1650 1700 1750 1800 1850 1900 1950 2000

Crecimiento de la población dominicana desde 1500 a 1920

Valor de la exportación dominicana, 1905-1935
(En millones de dólares)

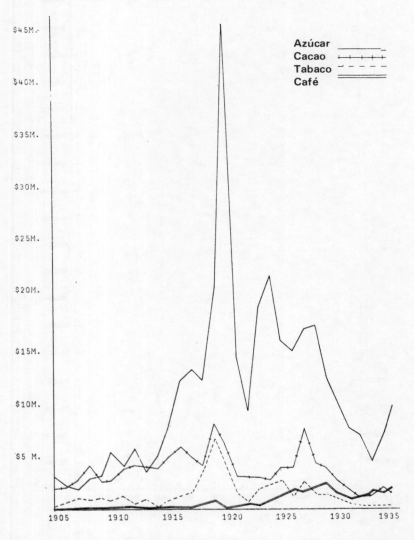

Azúcar
Cacao
Tabaco
Café

Procedencia: Paul Mutto/Desarrollo de la Economía de Exportación Dominicana, 1900-1930. *Eme Eme. Estudios Dominicanos III* (Noviembre-Diciembre) n.º 15.

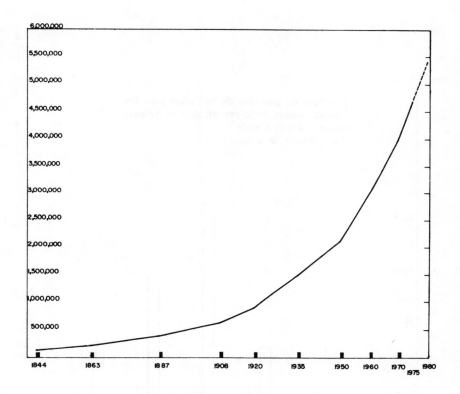

Crecimiento de la población dominicana desde 1844 a 1980

Average de los valores de los productos de exportación, 1905-1936.

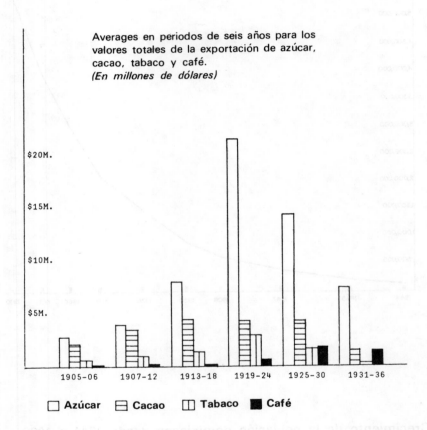

Averages en periodos de seis años para los valores totales de la exportación de azúcar, cacao, tabaco y café.
(En millones de dólares)

$20M.

$15M.

$10M.

$5M.

1905-06   1907-12   1913-18   1919-24   1925-30   1931-36

☐ Azúcar   ⊟ Cacao   ▥ Tabaco   ■ Café

Fuente: Dominican Customs Receivership, *Annual Reports.* Todos en períodos de seis años excepto el primer período de 1905-1906.

Procedencia: Paul Mutto/Desarrollo de la Economía de Exportación Dominicana, 1900-1930. *Eme Eme. Estudios Dominicanos III* (Noviembre-Diciembre) n.º 15.

Exportación del azúcar crudo de la República Dominicana 1890-1936*

(En millones de kilógramos)

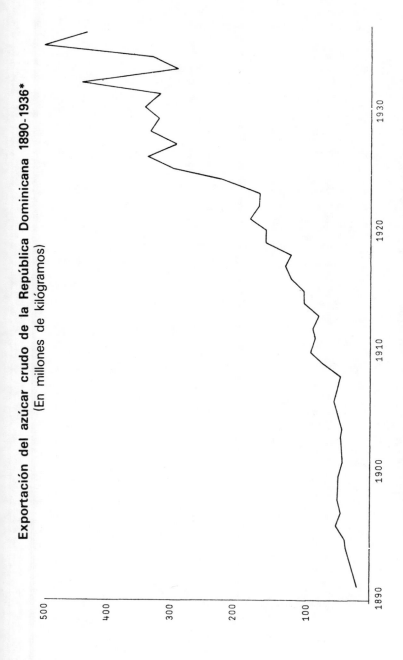

*El período de 1890 a 1904 está basado en estimados de producción de las Naciones Unidas para el período 1890-1895 y las estadísticas de exportación compiladas por Noel Deer para el período 1897-1904.

Fuentes: Dominican Customs Receivership, *Annual Report with Summary of Commerce*, 1907-1936. Noel Deer. *The History of Sugar* (London, 1949). 123. United Nations. Food an Agriculture Organization. *The World Sugar Economy in Figures, 1880-1959.*

Procedencia: Paul Mutto/Desarrollo de la Economía de Exportación Dominicana, 1900-1930. *Eme Eme. Estudios Dominicanos III* (Noviembre-Diciembre) n.º 15.

GOBIERNOS Y GOBERNANTES DE LA REPUBLICA DOMINICANA
1844-1978

PRIMERA REPUBLICA: 1844-1861

JUNTA GUBERNATIVA PROVISIONAL: 27 de febrero de 1844.

28 de febrero de 1844: Francisco del Rosario Sánchez, Joaquín Puello, Remigio del Castillo, Tomás Bobadilla, Manuel Jimenes, Ramón Matías Mella.

JUNTA CENTRAL GUBERNATIVA:

1 de marzo de 1844: Tomás Bobadilla, presidente; Manuel Jimenes, vicepresidente; Manuel María Valverde, Francisco Javier Abreu, Félix Mercenario, Carlos Moreno, Ramón Echavarría, Francisco del Rosario Sánchez, José María Caminero, Ramón Matía Mella. Silvano Pujol, secretario.

11 de marzo de 1844: Tomás Bobadilla, presidente; Carlos Moreno, Ramón Echavarría, Francisco Javier Abreu, José María Caminero, Félix Mercenario, Silvano Pujo, secretario.

19 de abril de 1844: Tomás Bobadilla, presidente; Manuel Jiménes, vicepresidente; José María Caminero, Ramón Echavarría, Carlos Moreno, José Ramón Delorve, Manuel María Valverde, José Tomás Medrano, Juan Pablo Duarte, Silvano Pujol, secretario.

6 de mayo de 1844: Tomás de Bobadilla, presidente; Manuel Jiménes, vicepresidente; Ramón Echavarría, José María Ramírez, Francisco del Rosario Sánchez, Manuel María Valverde, Carlos Moreno, José Tomás Medrano. Silvano Pujol, secretario.

11 de mayo de 1844: Tomás Bobadilla, presidente; Manuel Jiménes, vicepresidente; Ramón Echavarría, Francisco del Rosario Sánchez, Manuel María Valverde, José Tomás Medrano, Juan Pablo Duarte, Carlos Moreno. Silvano Pujol, secretario.

5 de junio de 1844: José María Caminero, presidente; Carlos Moreno, Francisco del Rosario Sánchez, Tomás Bobadilla, José Tomás Medrano, Juan Pablo Duarte, Félix Mercenario. Silvano Pujol, secretario.

5 de junio de 1844: En otro decreto de la misma fecha aparecen, además, las firmas de Manuel Jimenes y de Ramón Echavarría.

13 de julio de 1844: Se nombra jefe a Pedro Santana.

16 de julio de 1844: Pedro Santana, presidente y jefe supremo; Manuel Jimenes, Francisco del Rosario Sánchez, Félix Mercenario, Jose Ramón Delorve, Carlos Moreno, Toribio Mañón, Tomás Bobadilla. Lorenzo Santamaría, secretario ad-hoc.

16 de julio de 1844: En esta fecha se reorganiza la Junta y se agregan Telesforo Objío y Toribio López Villanueva.

24 de julio de 1844: Pedro Santana, presidente y jefe supremo; Manuel Jimenes, José Ramón Delorve, Toribio Mañón, Félix Mercenario, Tomás Bobadilla, Carlos Moreno. Lorenzo Santamaría, secretario ad-hoc.

27 de julio de 1844: Pedro Santana, presidente y jefe supremo; Félix Mercenario, José Ramón Delorve, Manuel Jimenes, Toribio Mañón, Tomás Bobadilla, Juan Tomás Medrano. Manuel Cabral Bernal, secretario ad-hoc.

22 de agosto de 1844: Pedro Santana, presidente y jefe supremo; Manuel Jimenes, Tomás Bobadilla, Félix Mercenario, Toribio Mañón, José Tomás Medrano, Norberto Linares, Toribio López Villanueva. Félix M. Marcano, secretario ad-hoc.

29 de agosto de ·1844: Pedro Santana, presidente y jefe supremo; Félix Mercenario, Tomás Bobadilla, Rudecindo Ramírez, Telesforo Objío, José Tomás Medrano, Toribio Mañón. Diputado secretario: Toribio López Villanueva.

PEDRO SANTANA, PRESIDENTE DE LA REPÚBLICA:

14 de noviembre de 1844 a 4 de agosto de 1848.

CONSEJO DE SECRETARIOS DE ESTADO:

(Domingo de la Rocha, de Justicia e Instrucción Pública; José María Caminero, de Hacienda, Comercio y Relaciones Exteriores; Félix Mercenario, de lo Interior y Policía; y Manuel Jimenes, de Guerra y Marina).

4 de agosto de 1848 a 8 de septiembre de 1848.

MANUEL JIMENES:

8 de septiembre de 1848 a 29 de mayo de 1849.

PEDRO SANTANA:

30 de mayo de 1849 a 23 de septiembre de 1849.

ELECTO SANTIAGO ESPAILLAT, no aceptó.

BUENAVENTURA BÁEZ:

24 de septiembre de 1849 a 15 de febrero de 1853.

PEDRO SANTANA:

15 de febrero de 1853 a 26 de mayo de 1856.
Manuel de Regla Mota (vicepresidente interino):
2 de enero de 1855 a 30 de mayo de 1855.
2 de julio de 1855 a 5 de septiembre de 1855.

MANUEL DE REGLA MOTA:
26 de mayo de 1856 a 8 de octubre de 1856.

BUENAVENTURA BÁEZ:
8 de octubre de 1856 a 12 de junio de 1858.

JOSÉ DESIDERIO VALVERDE:
7 de julio de 1857 a 31 de agosto de 1858.

PEDRO SANTANA:
13 de junio de 1858 a 18 de marzo de 1861.
Antonio Abad Alfau (vicepresidente interino):
1 de abril de 1859 a 1 de mayo de 1859.
11 de mayo de 1859 a 27 de mayo de 1859.
30 de junio de 1859 a 18 de noviembre de 1859.

ANEXION A ESPAÑA: 1861-1865

CAPITÁN GENERAL PEDRO SANTANA:
18 de marzo de 1861 a 20 de julio de 1862.

CAPITÁN GENERAL FELIPE RIBERO Y LEMOINE:
20 de julio de 1862 a 22 de octubre de 1863.

CAPITÁN GENERAL CARLOS DE VARGAS Y CERVETO:
23 de octubre de 1863 a 30 de marzo de 1864.

CAPITÁN GENERAL JOSÉ DE LA GÁNDARA Y NAVARRO:
31 de marzo de 1864 a 11 de julio de 1865.

RESTAURACION Y SEGUNDA REPUBLICA: 1863-1916

JOSÉ ANTONIO SALCEDO:
14 de septiembre de 1863 a 10 de octubre de 1864.

GASPAR POLANCO:
10 de octubre de 1864 a 24 de enero de 1865.

BENIGNO FILOMENO DE ROJAS:
24 de enero de 1865 a 24 de marzo de 1865.

PEDRO ANTONIO PIMENTEL:
25 de marzo de 1865 a 4 de agosto de 1865.

José María Cabral:
4 de agosto de 1865 a 15 de noviembre de 1865.

Pedro Guillermo:
15 de noviembre de 1865 a 8 de diciembre de 1865.

Buenaventura Báez:
8 de diciembre de 1865 a 29 de mayo de 1866.

Triunvirato:
(Gregorio Luperón, Pedro Antonio Pimentel y Federico de Jesús García):
1 de mayo de 1866 a 22 de agosto de 1866.

José María Cabral:
22 de agosto de 1866 a 31 de enero de 1868.

Manuel Cáceres:
31 de enero de 1868 a 13 de febrero de 1868.

Junta de Generales Encargados del Poder Ejecutivo:
(José Hungría, Antonio Gómez y José Ramón Luciano):
13 de febrero de 1868 a 2 de mayo de 1868.

Buenaventura Báez:
2 de mayo de 1868 a 2 de enero de 1874.

Ignacio María González:
25 de noviembre de 1873 a 21 de enero de 1874.

Generales Encargados del Poder Supremo de la Nación:
(Ignacio María González y Manuel Altagracia Cáceres):
22 de enero de 1874 a 5 de febrero de 1874.

Ignacio María González:
5 de febrero de 1874 a 23 de febrero de 1876.

Consejo de Secretarios de Estado:
(Pedro T. Garrido, Interior y Policía; José de Js. Castro, Relaciones Exteriores; Pedro P. Bonilla, Justicia e instrucción Pública; Juan B. Zafra, Hacienda y Comercio; y Pablo L. Vilanueva, Guerra y Marina):
23 de febrero de 1876 a 29 de abril de 1876.

Ulises Francisco Espaillat:
29 de abril de 1876 a 5 de octubre de 1876.

JUNTA GUBERNATIVA:
(Pedro T. Garrido, José de Js. Castro, Juan B. Zafra, Pablo López Villanueva, José Caminero, Fidel Rodríguez Urdaneta y Juan Ariza):
5 de octubre de 1876 a 11 de noviembre de 1876.

IGNACIO MARÍA GONZÁLEZ:
11 de noviembre de 1876 a 9 de diciembre de 1876.

MARCOS ANTONIO CABRAL:
10 de diciembre de 1876 a 26 de diciembre de 1876.

BUENAVENTURA BÁEZ:
27 de diciembre de 1876 a 2 de marzo de 1878.

CONSEJO DE SECRETARIOS DE ESTADO:
(José María Cabral, Interior y Policía; y encargado de Guerra y Marina; Joaquín Montolío, Justicia e Instrucción Pública; y Encargado de Relaciones Exteriores y de Hacienda y Comercio):
2 de marzo de 1878 a 5 de marzo de 1878.

IGNACIO MARÍA GONZÁLEZ:
1 de marzo de 1878 a 3 de mayo de 1878.

CESÁREO GUILLERMO:
5 de marzo de 1878 a 6 de julio de 1878.

IGNACIO MARÍA GONZÁLEZ:
6 de julio de 1878 a 2 de septiembre de 1878.

JEFES SUPERIORES DE OPERACIONES DEL MOVIMIENTO UNÁNIME POPULAR:
(Ulises Heureaux y Cesáreo Guillermo):
2 de septiembre de 1878 a 6 de septiembre de 1878.

JACINTO DE CASTRO:
7 de septiembre de 1878 a 29 de septiembre de 1878.

CONSEJO DE SECRETARIOS DE ESTADO:
(Cesáreo Guillermo, Interior y Policía; y encargado de Guerra y Marina; Alejandro Angulo Guridi, Justicia e Instrucción Pública; y encargado de Relaciones Exteriores; y Pedro María Aristy, Hacienda y Comercio):
30 de septiembre de 1878 a 27 de febrero de 1879.

CESÁREO GUILLERMO:
27 de febrero de 1879 a 6 de diciembre de 1879.

GREGORIO LUPERÓN:
7 de octubre de 1879 a 1 de septiembre de 1880.

FERNANDO A. DE MERIÑO:
1 de septiembre de 1880 a 1 de septiembre de 1882.

ULISES HEUREAUX:
1 de septiembre de 1882 a 1 de septiembre de 1884.

FRANCISCO GREGORIO BILLINI:
1 de septiembre de 1884 a 16 de mayo de 1885.

ALEJANDRO WOSS Y GIL:
16 de mayo de 1885 a 6 de enero de 1887.

ULISES HEUREAUX:
6 de enero de 1887 a 27 de febrero de 1889.

ULISES HEUREAUX:
27 de febrero de 1889 a 27 de febrero de 1893.

ULISES HEUREAUX:
27 de febrero de 1893 a 27 de febrero de 1897.

ULISES HEUREAUX:
27 de febrero de 1897 a 26 de julio de 1899.

WENCESLAO FIGUEREO:
26 de julio de 1899 a 30 de agosto de 1899.

CONSEJO DE SECRETARIOS DE ESTADO:
(Tomás D. Morales, Interior y Policía; Enrique Henríquez, Relaciones Exteriores; Jaime R. Vidal, Hacienda y Comercio; y de Fomento y Obras Públicas; Arístides Patiño, de Guerra; y Braulio Alvarez, subsecretario de Interior):
31 de agosto de 1899 (un día).

HORACIO VÁSQUEZ:
18 de agosto de 1899 a 15 de noviembre de 1899.

JUNTA POPULAR:
(Mariano A. Cestero, Alvaro Logroño, Arístides Patiño y Pedro María Mejía):
31 de agosto de 1899 a 4 de septiembre de 1899.

JUAN ISIDRO JIMENES:
15 de noviembre de 1899 a 2 de mayo de 1902.

672

HORACIO VÁSQUEZ:
26 de abril de 1902 a 23 de abril de 1903.

ALEJANDRO WOSS Y GIL:
23 de marzo de 1903 y 24 de noviembre de 1903.

CARLOS F. MORALES LANGUASCO:
24 de octubre de 1903 a 24 de diciembre de 1905.

CONSEJO DE SECRETARIOS DE ESTADO:
(Manuel Lamarche García, Interior y Policía; Emiliano Tejera, Relaciones Exteriores; Andrés Julio Montolío, Justicia e Instrucción Pública; Francisco Leonte Vásquez, Fomento y Obras Públicas; Carlos Ginebra, Guerra y Marina; Eladio Victoria, Correos y Telégrafos; y Federico Velásquez y Hernández, Hacienda y Comercio):
24 de diciembre de 1905 a 29 de diciembre de 1905.

RAMÓN CÁCERES:
29 de diciembre de 1905 a 19 de noviembre de 1911.

CONSEJO DE SECRETARIOS DE ESTADO:
(Miguel A. Román hijo, Interior y Policía; y José María Cabral y Báez, Relaciones Exteriores):
19 de noviembre de 1911 a 5 de diciembre de 1911.

ELADIO VICTORIA:
5 de diciembre de 1911 a 30 de noviembre de 1912.

ADOLFO ALEJANDRO NOUEL:
1 de diciembre de 1912 a 13 de abril de 1913.

JOSÉ BORDAS VALDEZ:
14 de abril de 1913 a 27 de agosto de 1914.

RAMÓN BÁEZ:
28 de agosto de 1914 a 5 de diciembre de 1914.

JUAN ISIDRO JIMENES:
6 de diciembre de 1914 a 7 de mayo de 1916.

CONSEJO DE SECRETARIOS DE ESTADO:
(Federico Velásquez y Hernández, Fomento y Comercio; Jaime Mota, Interior y Policía; y Agricultura e Inmigración; y Bernardo Pichardo, de Relaciones Exteriores):
7 de mayo de 1916 a 31 de julio de 1916.

673

Francisco Henríquez y Carvajal:
31 de julio de 1916 a 29 de noviembre de 1916.

OCUPACION MILITAR NORTEAMERICANA: 1916-1924

Gobernador Militar H. S. Knapp:
29 de noviembre de 1916 a 23 de agosto de 1917.

Gobernador Militar interino Adwin A. Anderson:
23 de agosto de 1917 a 11 de septiembre de 1917.

Gobernador Militar H. S. Knapp:
11 de septiembre de 1917 a 5 de febrero de 1918.

Gobernador Militar interino J. H. Pendleton:
5 de febrero de 1918 a 17 de marzo de 1918.

Gobernador Militar H. S. Knapp:
17 de marzo de 1918 a 6 de abril de 1918.

Gobernador Militar interino J. H. Pendleton:
6 de abril de 1918 a 1 de junio de 1918.

Gobernador Militar H. S. Knapp:
1 de junio de 1918 a 2 de julio de 1918.

Gobernador Militar interino J. H. Pendleton:
2 de julio de 1918 a 1 de septiembre de 1918.

Gobernador Militar H. S. Knapp:
1 de septiembre de 1918 a 18 de noviembre de 1918.

Gobernador Militar B. H. Fuller:
18 de noviembre de 1918 a 25 de febrero de 1919.

Gobernador Militar Thomas Snowden:
25 de febrero de 1919 a 3 de junio de 1921.

Gobernador Militar S. S. Robinson:
3 de junio de 1921 a 3 de enero de 1922.

Gobernador Militar interino Harry Lee:
3 de enero de 1922 a 19 de febrero de 1922.

Gobernador Militar S. S. Robinson:
19 de febrero de 1922 a 14 de junio de 1922.

GOBERNADOR MILITAR INTERINO HARRY LEE:
14 de junio de 1922 a 24 de julio de 1922.

GOBERNADOR MILITAR S. S. ROBINSON:
24 de julio de 1922 a 20 de octubre de 1922.

PRESIDENTE PROVISIONAL: JUAN BAUTISTA VICINI BURGOS:
21 de octubre de 1922 a 12 de julio de 1924.

TERCERA REPUBLICA: 1924 HASTA HOY

HORACIO VÁSQUEZ:
12 de julio de 1924 a 28 de febrero de 1930.
José Dolores Alfonseca (vicepresidente interino).
2 de noviembre de 1929 a 6 de enero de 1930.

RAFAEL ESTRELLA UREÑA:
23 de febrero de 1930 a 16 de agosto de 1930.
Jacinto Bienvenido Peynado (Secretario de Interior, Policía,
Guerra y Marina, presidente interino).
21 de abril de 1930 a 3 de junio de 1930.

RAFAEL LEÓNIDAS TRUJILLO MOLINA:
16 de agosto de 1930 a 16 de agosto de 1934.

RAFAEL LEÓNIDAS TRUJILLO MOLINA:
16 de agosto de 1934 a 16 de agosto de 1938.
Jacinto Bienvenido Peynado (vicepresidente interino).
1 de noviembre de 1935 a 1 de febrero de 1936.

JACINTO BIENVENIDO PEYNADO:
16 de agosto de 1938 a 7 de marzo de 1940.

MANUEL DE JESÚS TRONCOSO DE LA CONCHA:
7 de marzo de 1940 a 18 de mayo de 1942.

RAFAEL LEÓNIDAS TRUJILLO MOLINA:
18 de mayo de 1942 a 16 de agosto de 1942.

RAFAEL LEÓNIDAS TRUJILLO MOLINA:
16 de agosto de 1942 a 16 de agosto de 1947.

RAFAEL LEÓNIDAS TRUJILLO MOLINA:
16 de agosto de 1947 a 16 de agosto de 1952.

Héctor Bienvenido Trujillo Molina (Secretario de Guerra, Marina y Aviación, presidente interino).
1 de marzo de 1951 a 1 de octubre de 1951.

HÉCTOR BIENVENIDO TRUJILLO MOLINA:
16 de agosto de 1952 a 3 de agosto de 1960.

JOAQUÍN BALAGUER:
3 de agosto de 1960 a 31 de diciembre de 1961.
Francisco González Cruz (Secretario de Estado de las Fuerzas Armadas, Presidente interino).
1 de octubre de 1961 a 8 de octubre de 1961.

CONSEJO DE ESTADO:
(Presidido por Joaquín Balaguer. Rafael F. Bonnelly, vicepresidente y Eduardo Read Barreras como segundo vicepresidente. Miembros: Mons. Eliseo Pérez Sánchez, Nicolás Pichardo, Luis Amiama Tió y Antonio Imbert Barreras).
1 de enero de 1962 a 16 de enero de 1962.

JUNTA CÍVICO-MILITAR:
(Presidida por Huberto Bogaert. Miembros: Armando Oscar Pacheco, Luis Amiama Tió, Antonio Imbert Barreras, Contraalmirante Enrique Valdez Vidaurre (M. de G.), Piloto Wilfredo Medina Natalio (Av. M.) y el Coronel Neit R. Nivar Seijas (E. N.).
16 de enero de 1962 a 18 de enero de 1962.

CONSEJO DE ESTADO:
(Presidido por Rafael F. Bonnelly. Miembros: Eduardo Read Barreras, Mons. Eliseo Pérez Sánchez, Nicolás Pichardo, Luis Amiama Tió, Antonio Imbert Barreras y Donald Reid Cabral).
18 de enero de 1962 a 27 de febrero de 1963.

JUAN BOSCH:
27 de febrero de 1963 a 25 de septiembre de 1963.

JUNTA PROVISIONAL DE GOBIERNO:
(Formada por los Oficiales Superiores de las Fuerzas Armadas).
25 de septiembre de 1963 a 26 de septiembre de 1963.
(Víctor Elby Viñas Román, Mayor General E. N.; Renato Hungría Morel, General de Brigada E. N.; Atila Luna Pérez, General de Brigada F. A. D.; Julio Alberto Rib Santamaría, Jefe de Estado Mayor M. de G.; Belisario Peguero Guerrero, P. N.; Félix Hermida, hijo, General de Brigada E. N.; Manuel García Urbáez, General de Brigada E. N.; Antonio Imbert Barreras,

676

General de Brigada E. N.; Luis Amiama Tió, General de Brigada E. N., Salvador A. Montár Guerrero, General de Brigada E. N.; Marcos A. Rivera Cuesta, Coronel E. N.; Ramón Eduardo Cruzado Piña, Coronel Piloto F. A. D.; Librado Andújar Matos, Capitán de Navío M. de G.; Elías Wessin y Wessin, General F. A. D.; Manuel Ramón Pagán Montás, Coronel E. N.; Braulio Alvarez Sánchez, Coronel E. N.; Juan N. Folch Pérez, Coronel Piloto F. A. D.; Andrés Germán Torres, Capitán de Navío M. de G.; José María Sánchez Pérez, Coronel Piloto F. A. D.; Carlos María Paulino Asiático, Teniente Coronel E. N.; Rafael Emilio Santana J., Teniente Coronel, F. A.; Rubén Antonio Tapia Cesse, Coronel E. N.; Sergio de Js. Díaz Toribio, Capitán M. de G.; e Ismael Emilio Román Carbucia, Coronel Piloto, F. A. D.).

TRIUNVIRATO:

(Presidido por Emilio de los Santos. Miembros: Manuel Enrique Tavares y Ramón Tapia Espinal).
26 de septiembre de 1963 a 25 de abril de 1965.
23 de diciembre de 1963: Donald Reid Cabral, Presidente. Miembros: Manuel Enrique Tavares y Ramón Tapia Espinal.
8 de abril de 1964: Donald Reid Cabral, Presidente. Miembros: Manuel Enrique Tavares y Ramón Cáceres Troncoso.
27 de junio de 1964 a 25 de abril de 1965: Donald Reid Cabral, Presidente. Miembro: Ramón Cáceres Troncoso.

"COMANDO MILITAR REVOLUCIONARIO":

(Encabezado por los Militares: Vinicio Fernández Pérez, Giovanni Gutiérrez Ramírez, Francisco Caamaño Deñó, Eladio Ramírez Sánchez y Pedro Bartolomé Benoit).
25 de abril de 1965. (De 10:30 am a 8:00 pm).

JOSÉ RAFAEL MOLINA UREÑA:

25 al 27 de abril de 1965.

"JUNTA MILITAR":

Presidida por Bartolomé Benoit (F. A. D.). Miembros: Olgo Santana Carrasco (M. de G.) y Enrique A. Casado Saladin (E. N.).
1 de mayo a 7 de mayo de 1965.

FRANCISCO A. CAAMAÑO DEÑÓ:

4 de mayo a 3 de septiembre de 1965.

"GOBIERNO DE RECONSTRUCCIÓN NACIONAL":

(Presidido por Antonio Imbert Barreras. Miembros: Carlos Grisolía Poloney, Alejandro Zeller Cocco, Bartolomé Benoit y Julio D. Postigo).
7 de mayo de 1965 a 30 de agosto de 1965.

677

FRANK MOYA PONS

"GOBIERNO DE RECONSTRUCCIÓN NACIONAL":
(Presidido por Antonio Imbert Barreras. Miembros: Carlos Grisolía Poloney, Alejandro Zeller Cocco, Bartolomé Benoit y Leonte Bernard Vásquez).
10 de agosto de 1965.

HÉCTOR GARCÍA GODOY, PRESIDENTE PROVISIONAL:
3 de septiembre de 1965 a 1 de julio de 1966.

JOAQUÍN BALAGUER:
1 de julio de 1966 a 16 de agosto de 1970.

RAMÓN RUIZ TEJADA, ENCARGADO DEL PODER EJECUTIVO:
16 de abril a 22 de mayo de 1970.

JOAQUÍN BALAGUER:
16 de agosto de 1970 a 16 de agosto de 1974.

JOAQUÍN BALAGUER:
16 de agosto de 1974 a 16 de agosto de 1978.

ANTONIO GUZMÁN FERNÁNDEZ
16 de agosto de 1978 a 3 de julio de 1982

JACOBO MAJLUTA
4 de julio de 1982 a 16 de agosto de 1982

SALVADOR JORGE BLANCO
16 de agosto de 1982 a 16 de agosto de 1986

JOAQUÍN BALAGUER
16 de agosto de 1986 a 16 de agosto de 1990

JOAQUÍN BALAGUER
16 de agosto de 1990 hasta hoy.

INDICE ONOMASTICO

A

Abbot, John T., 439
Abreu, Francisco Javier, 289
Acuña, Diego de, 66-67
Acta de Independencia, 352
Administración Pública, 432, 471, 497, 504, 521
Administrador de Aduanas, 272
Administrador de Hacienda, 272, 298
Aduanas, 272, 421, 430, 440, 442, 446, 471, 476, 492, 520-521
Africa, 11, 21, 33-34, 45, 108, 161-162, 304
Agé, General, 189-191
Aguilar, Teniente, 212
Aguilón, 31
Alburquerque, Rodrigo de, 27-28
Alemania, 294, 364, 430, 472, 479
Alfau, Antonio Abad, 275, 292
Alfau, Felipe, 275, 303, 306, 337, 340
Alfonseca, José Dolores, 503-509
Alí, Pablo, 219-221, 226, 268
Alianza Nacional Progresista, 490, 496-497, 509-510
Almirante, 9, 22-23, 26
Alvarez, Braulio, 396-397
Alvarez Abreu, Domingo Pantaleón, 155
Amarantes, Andrés, 220
Amberes, 14, 41, 120
América, 3, 11, 15, 17, 19, 39-41, 47, 66, 76, 78, 82-83, 118-119, 128, 137, 149, 185, 211, 215, 438, 460, 484

América del Norte, 42, 149
América del Sur, 2
América Latina, 438, 484, 519
Ampiés, Juan de, 32
Amsterdam, 76, 414-415
Anacaona, 8
Andalucía, 14
Angola, 108
Anjou, Felipe de, 127
Anse-à-Veau, 265
Antillas, 1, 2, 44, 48, 49, 55, 65, 83, 86, 91, 118, 137, 161-163, 178, 192, 199, 313, 338, 344, 350, 445, 460
Antillas Danesas, 372
Antillas Mayores, 2
Antillas Menores, 2-3, 202
Aragón, 14
Arana, María de, 52
Arauaco, 2
Archivo General de Indias, 116
Ardouin, Beaubrun, 250
Arias, Desiderio, 442, 448, 455-458, 460-463, 465, 467, 469-470, 472, 490, 507-509
Armada de Barlovento, 55, 77, 94
Arredondo y Pichardo, Gaspar, 201
Arroyo de Capotillo, 134
Arroyo Seco, 137, 140
Arzobispo de Santo Domingo, 104-105, 228-229, 233, 288, 293, 311-312, 348, 469, 488
Asamblea Constituyente, 270-271, 274, 276, 294-295, 313, 328, 449, 463
Asamblea Revisora, 502

Asambleas Electorales, 294
Asia, 20, 47, 76, 460
Atibonico, 133
Atlántico, 46, 76, 127
Auditor General de Guerra de Santo Domingo, 133
Aury, Comodoro, 220
Austria, 131
Avenida Independencia, 499
Ayuntamiento, 314-315, 463
Azlor, Manuel, 138, 145, 150, 154
Azua, 32-33, 36, 43, 60, 71-72, 109, 145, 169, 178, 184, 191, 202, 216, 221, 244, 258, 267, 277, 279, 281, 283, 285, 290-291, 305-306, 312, 317, 339, 362-363, 381, 397, 409, 444, 462, 481, 519
Azules, 368, 371, 377, 380, 382-392, 394-395, 397

B

Báez, Buenaventura, 270, 275, 277, 295, 301, 304, 307, 309, 311-312, 316, 319-320, 323-332, 339, 346, 355, 364-367, 369, 371-380, 382-383, 386-389, 391-392, 394, 398, 403-404, 406-408, 412, 414, 416-417, 425, 465
Báez, Ramón, 465
Bahamas, 2
Bahía, 68, 76
Bahía de Gonaives, 59, 72
Bahía de Ocoa, 71
Bahía de Samaná, 195, 276, 287-288, 305, 310, 316, 369-370, 372, 376-377, 417, 421, 437
Balaguer, Joaquín, 523
Balboa de Mogrovejo, Juan, 100, 104
Ballester, Miguel de, 31
Baltimore, 505, 510
Baluarte de El Conde, 278
Banco de Anticipo y Recaudación, 386
Banco Nacional de Santo Domingo, 420-422
Banco de Reservas, 518
Banda del Norte, 52-61, 63-64, 67, 87, 90

Banda del Sur, 229
Bánica, 108, 127, 135-136, 144, 169, 177-178, 185, 190
Baní, 145, 184, 223, 258, 263, 267-268, 272, 279, 282-283, 362, 409
Baoruco, 35-36, 154
Barahona, 461, 514
Baralt, Rafael María, 313
Barbados, 83-85, 159-160
Barcelona, 151
Bardecí, Lope de, 32
Barranco, Juan de, 128
Barón de la Atalaya, 139, 146
Barón, Juan, 196
Barrot, Adolphe, 277
Basilea, 170, 178, 181, 197, 206, 227
Bastidas, Rodrigo de, 52
Batalla de Beler, 300
Batalla de las Carreras, 306
Batalla de Santomé, 317
Batalla del 19 de Marzo, 286
Batalla del 30 de Marzo, 299
Batallón, 31, 268
Batlle, Cosme, 402
Bayaguana, 59-60, 63-64, 203, 279
Bayahá, 55, 60, 94, 126, 130, 133, 137, 177, 183
Behechío, 8
Bélgica, 430
Benefactor de la Iglesia, 524
Benefactor de la Patria, 524
Benoit, M., 263-264
Betancourt, Rómulo, 523
Biassou, Jean François, 176-177, 183
Billini, Francisco Gregorio, 395, 398-400
Billini, Hipólito, 272
Bitrián de Biamonte, Juan, 70-71
Blanco, 449
Bobadilla, Francisco de, 24
Bobadilla, José María, 257, 298
Bobadilla, Tomás de, 244-245, 257, 275, 277, 279, 287-289, 298, 301-303, 311
Boca de Nigua, 32
Boca de Yuma, 206
Bolívar, Simón, 215
Bonao, 481

Bonaparte, José, 204
Bonaparte, Napoleón, 172-173, 187, 191, 195-196, 204
Bonnet, Guy Joseph, 222-223, 263
Bonó, Pedro Francisco, 352, 392, 398, 400, 410
Bordas Valdez, José, 461-466
Borgellá, Maximilien, 227, 229, 243-244, 246, 263, 265
Borinquen, 6
Boyá, 279
Boyer, Jean Pierre, 210, 216-223, 225-234, 235-244, 246-257, 260-262, 264-270, 275-276, 285, 361
Brache, Elías, 490, 508
Boyl, Padre Bernardo, 22
Brasil, 68, 76, 159
Bremen, 404-405
Bristol, 128
Brouard, Augusto, 272
Bruto, 292
Buenos Aires, 212
Burdeos, 163

C

Caballero, Diego, 32
Caballero de Fontenay, 80-82
Caballero de Vallière, 139
Caballero, Manuel, 212
Cabildo Metropolitano, 230
Cabildo de Santo Domingo, 101, 104, 107, 109, 153, 230
Cabo Beata, 126
Cabo Haitiano, 201, 261, 272, 278, 284-285
Cabo de Higuey, 35
Cabo de San Nicolás, 35
Cabo Verde, 21
Cabral, 317
Cabral, José María, 343, 364, 368-369, 371-372, 374, 376, 379
Cabral, Marcos A., 268, 386
Cabrera, 9
Cabrera, José, 350, 371
Cáceres, Manuel Altagracia, 377, 380-382, 388, 391
Cachimán, 317
Cádiz, 40, 219

Cajas Reales de México, 66, 145
Calderón, Baltasar de, 87-88
Cámara, 315
Cámaras, Las, 263, 302, 469, 470
Cámara de Diputados, 251-252, 261, 450
Cámara de Representantes, 249, 252, 314
Cambelén, 469
Cambronal, 317
Caminero, José María, 289
Canal de Panamá, 436-437, 460, 472
Cancillería, 468
Caonabo, 8-9
Cap François, 11, 96, 134, 148, 152-153, 168, 173
Capital, La, 279, 306-307, 327, 369, 379, 383, 386-388, 390-391, 393, 394, 396, 398, 408, 420, 428, 432-433, 442-443, 452, 455, 461, 469-470, 499, 507-508, 514, 520
Capitulaciones de Santa Fe, 26
Capotillo, 134-135, 137, 140, 350-351
Caracas, 139, 144, 151, 179, 192, 194, 211-212, 215
Cárdenas, Alonso de, 72, 82-83
Caribe, 42-44, 47-48, 66, 69, 73, 76, 79, 91, 103, 118, 128, 147-148, 160, 162, 215, 310, 410, 422, 437-438, 445, 447, 460, 466, 485, 492, 499
Caribes, 2
Carlos I, 29, 82
Carlos II, 127
Carlos IV, 204
Carlos V, 33, 41-43
Carmichael, Hugh Lyle, 208
Carretera Duarte, 481
Carretera Mella, 481
Carretera Sánchez, 481
Carrié, Alexis, 257-258, 268
Carta de Ciudadanía, 219
Carta Pastoral, 293
Cartagena, 47, 77, 96-97
Carvajal, Manuel, 217
Carvajal, Pedro de, 116
Carvajal y Cobos, Pedro, 100, 116
Casa de la Contratación, 39-40, 160

681

Casa Vicini, 517
Castellón, Jácome de, 32
Castilla, 3, 12, 15
Castilla La Nueva, 14
Castilla La Vieja, 16
Castillo de Aranjuez, 141
Castillo de San Jerónimo, 207
Castro, Fidel, 523
Castro, Jacinto de, 272, 388, 471
Castro, Melchor de, 34-35
Castro y Mazo, Alfonso, 144, 147
Catedral de Santo Domingo, 104, 230-231, 233, 267, 343
Cayacoa, 8
Cayacoa, Inés de, 8
Cazeau, Coronel, 265
Cazneau, William, 313
Central Río Haina, 517
Central Romana, 517
Centroamérica, 82, 460, 466
Cercado, El, 343
Cerrato, Alonso, 36-37
Cestero, Mariano, 386, 402
Cibao, 157, 211, 214, 217, 230, 233, 248, 271, 279, 289-292, 324-326, 328, 331-332, 346-347, 349, 352-353, 355, 360-361, 363, 365, 367-368, 381, 389-390, 392, 400-401, 404-407, 418, 424, 425-428, 432, 435, 452, 458, 462, 481, 519
Ciguayos, 35
Cisneros, Francisco Jiménez de, 28-29
Chanlatte, Antonio, 187-191
Chavannes, Jean Baptiste, 166
Chávez de Osorio, Gabriel, 67
Charlot, Coronel, 273
China, 19-20
Clero, 189
Club Massiac, 164
Coalición Patriótica de Ciudadanos, 490, 497
Código Negro, 165
Código Rural, 235-237, 241, 248
Colbert, Jean Baptiste, 90, 159
Colecturía de Aduanas, 442
Colegios Electorales, 414
Colombia, 269
Colón, Bartolomé, 22

Colón, Cristóbal, 1, 3, 9, 11, 17, 20-26, 31, 49, 51
Colón, Diego,. 22, 26-27, 35
Colonia, 24, 26-28, 31-33, 37-38, 51, 64, 66, 70, 84, 92, 94, 96, 100-104, 108, 110-111, 113-114, 121, 126, 128-129, 136, 153, 155, 164, 166-171, 173-174, 178, 180, 182-183, 185, 189, 194-196, 202-205, 207-208, 210-213, 347
Coludos, 497
Comandancia de Armas, 443
Comandante de Armas, 267, 280, 291, 349, 450, 469
Comandante de los Ejércitos Revolucionarios, 379
Comandante en Jefe del Departamento de Santiago, 293
Comandante Militar del Departamento de Santo Domingo, 289
Comandante Superior Provisional, 265
Comisión Civil, 167, 170, 173
Comisión Investigadora del Senado, 375
Comisión de Pacificación, 459
Comisionado Norteamer i c a n o, 489
Comité Insurreccional, 278-279
Compagnie Royale de Saint-Domingue, 127
Compañía Anónima Tabacalera, 515
Compañía de Cataluña, 151
Compañía Francesa de las Indias Occidentales, 78-79, 88-90
Compañía Guipuzcoana, 151
Compañía de las Indias Occidentales, 66-67, 76-77, 80
Compañía Inglesa de la Providencia, 78-79
Compañía de Seguros San Rafael, 514
Compañía Eléctrica, 518
Concepción de La Vega, 31, 33
Concordato, 311
Concha, Wenceslao de la, 257-258
Conde de Etrées, 91
Conde de Peñalba, 84

Confederación de Partidos, 509, 510
Congreso, 250, 294, 301-303, 306-307, 312-315, 322-323, 326, 383, 393, 399, 413, 415, 451, 457-459, 461, 465-467, 470-471, 497-498, 501-502, 504, 508, 525
Congreso Constituyente, 293
Congreso Haitiano, 294, 394
Congreso Nacional, 302, 311, 322
Consejo de Guerra, 303
Consejo de Indias, 83, 107, 125, 129-130, 134, 136, 144, 152
Consejo de Ministros, 295
Consejo Nacional de Educación, 482
Consejo Real, 15
Consejo de Secretarios de Estado, 303-304, 365, 383, 450, 457, 470
Constantinopla, 20
Constanza, 523
Constanzo y Ramírez, Fernando, 115, 132
Constitución, 294-295, 299, 302, 306, 311-315, 320, 365, 367, 371, 377, 380, 382-383, 393-395, 397, 403, 413, 449-451, 471, 488, 500-502
Constitución de Cádiz, 219
Constitución Haitiana, 294
Constitución de Moca, 331, 357, 360, 366, 393
Constitución Norteamericana, 294
Constitución de San Cristóbal, 294
Constitución de 1816, 261-262
Constitución de 1854, 316, 366, 403
Constitución de 1865, 357, 366-367
Constitución de 1880, 397
Constitución de 1896, 429
Constitución de 1908, 501
Constitución de 1929, 501
Constituyentes, 357
Continente, 3
Contralor, 464
Contreras, Domingo, 317
Contreras, José, 343
Cónsul, 316, 319

Cónsul Francés, 269-270, 276, 278, 282, 286-287, 291-292
Cónsul General de la Isla, 279
Cónsul Inglés, 269
Consulado, 41, 318
Consulado francés, 387
Conuco, 523
Convención Domínico-Americana, 446, 471, 496, 520
Convención Nacional, 357, 367, 371, 393, 413
Convención de 1731, 135-136
Convención de 1907, 447, 459, 461, 481, 492, 496
Convención de 1924, 521
Convenio de Alianza, 118
Convenio de Febrero de 1905, 441, 445
Convento de La Merced, 226
Convento de Regina, 226
Convento de San Francisco, 226
Convento Santa Clara, 226
Convento de Santo Domingo, 226
Cordillera Central, 353
Cordillera Septentrional, 353
Corona, 11-12, 14-15, 22-27, 32-33, 37-40, 43-44, 47, 53-54, 56, 59, 61, 64, 67, 70, 75-76, 96, 100, 102, 107, 109, 111, 119-120, 128, 132, 144, 146, 152-153, 156-157, 215
Corporación Dominicana de Electricidad, 518
Corte de Apelación, 510
Corte Española, 21, 29, 55, 66, 130, 140-141, 152, 215
Corte Francesa, 130
Cortes, 16, 354, 357
Correa y Cidrón, Bernardo, 229
Correoso y Catalán, Gil, 128-129
Cotuí, 52, 116, 202-203, 205, 207, 221, 271, 351, 363-364, 498
Couret, 251-252
Cristóbal, 236
Cristophe, Henri, 174, 201-202, 218
Cromwell, Oliverio, 82-83
Cruzadas, 11
Cuba, 2, 22, 43, 49, 55, 59, 103, 117, 147, 149, 172, 179, 182-183, 198, 200, 203, 215, 245, 269, 338, 341-

683

342, 344-345, 353-354, 356, 358, 407-408, 437, 471
Cul de Sac, 89-90
Cultura Taína, 2
Cumaná, 48
Curazao, 78, 104, 275, 286, 312, 327, 339, 342, 364-365, 368-369, 371, 373, 387, 404
Curiel, Belisario, 352
Cussy, Tarin de, 92-94

D

Dajabón, 116, 130, 133-135, 145, 176-177, 185, 220-222, 272, 285, 317-318, 350, 381, 519
Dalmasí, Dezir, 216-217
Danza de los Millones, 487, 498
Dávila, Alonso, 32
Dávila y Padilla, Fray Agustín, 55-56, 58
D'Ennery, Mr., 141
D'Estaing, Conde, 138
D'Ogeron, 88-90
Del Campo, Diego, 36-37
Del Monte y Tejada, Antonio, 192, 200
De la Rocha, Francisco, 144, 153
Decreto de San Fernando, 396
Deetjen, Alfredo, 352
Delafose, Lemonier, 203
Delegado, 411
Delegado del Gobierno, 293, 400, 462
Delgado, Joaquín Manuel, 275, 409
Delgados, 275
Delmonte, Manuel Joaquín, 20
Departamento de Estado, 431, 439, 466-468, 470-472, 476, 480, 483-484, 488-489
Departamento de Marina, 472
Departamento Sur, 265
Deschamps, Eugenio, 435
Deschamps, Jéremie, 88
Desgrotte, Etienne, 267, 272
Despradel, Roberto, 506
Dessalines, Jean Jacques, 174, 198, 200-203, 207, 211, 223, 234-236

Devastaciones, 99, 103, 125, 146
Díaz, Juan Tomás, 524
Dictador, 365, 428, 524
Dictadura de Meriño, 397
Dios, 460
Dirección General de Agricultura, 452
Dirección General de Rentas Internas, 479
Dirección de Obras Públicas, 452, 469
Director de Obras Públicas, 467
Doctrina del Destino Manifiesto, 460
Doctrina de Monroe, 438
Dominación Haitiana, 256, 277, 298, 362
Domingo, Sebastián, 117
Dondón, 133, 136-137
Drake, Francis, 38, 46-47, 82
Duarte, Juan Pablo, 254, 258-259, 267, 270, 273-275, 286-294, 297, 304, 406
Duarte, Rosa, 259
Duarte, Manuel, 117
Duarte, Vicente Celestino, 274-275
Dubarquier, General, 207
Ducasse, Juan, 97, 112, 130, 162
Duclós, Mr., 122
Dumesle, H., 250, 260
Du Rausset, 89
Duvergé, Antonio, 283, 300, 305-306

E

Echagoian, Oidor, 37-38
Edificio Baquero, 499
Egipto, 174
Ejército, 288, 299, 304, 306, 309, 312, 450, 455-456, 503-507, 511, 514, 525
Ejército del Sur, 220, 289-291, 293, 299
Ejército Dominicano, 305
Ejército Español, 355
El Algodonal, 396
El Cabo, 134, 136, 173
El Carmelo, 383

El Havre, 41, 120
El Número, 283, 305-306
El Memiso, 283
El Prado, 307
El Salvador, 437
El Seibo, 203, 206, 271, 281, 303, 307, 316, 319, 389, 476
Emperador, 317
Encargado de Negocios de Santo Domingo, 417-418
Enriquillo, 35, 126
Era Cristiana, 1, 2
Era de Trujillo, 511, 517, 522, 524-525
Erario, 326
Escalante y Turcios, Juan, 104
Escuela Agrícola, 451
Escuela Normal, 394
Espaillat, Santiago, 307
Espaillat, Ulises Francisco, 352, 384-387, 392
España, 11, 13-14, 19-25, 31, 34, 37, 39-48, 53, 65-67, 71, 76-79, 82-83, 86-87, 90-91, 94, 99, 101, 103, 105-107, 109-110, 117-121, 127-129, 131-134, 136-137, 140-141, 146-150, 153, 168, 170, 173, 176-178, 181, 190, 192, 204-206, 209-212, 214-215, 220, 229-230, 238, 244-246, 258, 274, 301, 309-310, 312-313, 318, 337-338, 340-342, 344, 348, 350, 352, 354, 437
España Boba, La, 210
Española, La, 2-3, 9, 14, 17, 21, 23-25, 27-29, 31, 33-34, 38-41, 43-46, 48-49, 53, 65, 68-69, 71, 77-80, 82-83, 85-91, 96-97, 103-104, 107, 110-111, 117, 128-129, 131, 141, 145, 151, 157
Espinosa, Fernando de, 139
Estado, 228, 230-234, 249, 251, 255-256, 298, 314, 326, 328, 360, 373, 376, 384-385, 392, 418, 430-431, 452-453, 469, 475, 518, 524-525
Estado Dominicano, 424, 427, 430-431, 448, 451, 475
Estado Mayor, 287, 367
Estados Unidos, 163-164, 171-172, 204, 251-252, 294, 307, 309-310, 313,

316, 318, 333-335, 337, 339-341, 369-370, 373-376, 382, 403, 410, 417-422, 425-427, 431, 433, 436-442, 444-447, 454, 458-460, 472, 475, 479, 484-486, 488, 491-493, 500, 502, 507, 519-520, 522, 524
Este, 194, 218, 220-222, 225-228, 230, 232-234, 236, 240, 244, 256, 260, 264, 273, 361, 397, 410-411, 476, 481
Estero Hondo, 523
Estrecho del Bósforo, 20
Estrella, José, 508
Estrella Ureña, Rafael, 507-511
Estrelleta, La, 300
Europa, 13, 19-20, 25, 28, 31, 34, 38, 40-47, 90, 105-106, 114, 118-119, 125, 127, 131, 137, 147, 149, 151, 154, 159, 161, 172, 178, 204, 251-252, 258, 301, 304, 337-338, 399, 410, 414, 425, 427, 430, 435, 460, 483
Evangelista, Vicente, 476-477

F

Fabens, Joseph, 376
Factoría de Santo Domingo, 156
Familia Mirabal, 523
Fanita, 425
Fernando el Católico, 26, 29
Fernando VII, 204-205, 229, 245
Federación Americana de Trabajo, 484
Felipe II, 46
Felipe III, 55
Felipe IV, 126-127, 130, 132
Felíu, Quírico, 467
Fermín, Don, 211
Fernández de Castro, Felipe, 245-246, 269
Fernández de Fuenmayor, Ruy, 68, 77
Fernández de Oviedo, Gonzalo, 133
Ferrand, Louis, 198-207, 227, 483
Ferrocarril Central, 433, 451, 462
Fiallo, Fabio, 483

Figuereo, Wenceslao, 400, 413, 416, 428
Figueroa, Rodrigo de, 32
Filipinas, 442
Fiscal de la Audiencia, 144
Flandes, 29
Flood, Roger, 78-79
Florida, 89
Florín, Jean, 42
Fortaleza de Santiago, 326
Fortaleza Ozama, 278, 288, 289, 356, 435, 469, 506, 508
Fortaleza San Luis, 351, 382, 417, 507-508
Francia, 42, 44, 72, 75, 83, 88, 91, 94, 107, 109, 117, 121, 126-134, 136-137, 141-142, 147, 149-150, 153, 159-162, 165-168, 170-173, 175-177, 187-190, 195, 198-199, 204-206, 216, 237-241, 243, 249, 253, 258, 270, 275-277, 279, 281, 286, 288-289, 301, 304, 305, 307, 309-310, 313, 316, 418, 422, 425
Francisco I, 42-43
Franco Bidó, Juan Luis, 327-328
Fremont, Coronel, 221
Frontera, 121, 498, 519-520, 522
Fuerzas Armadas, 288, 314, 319, 398
Fuerte San Gerónimo, 85

G

Gabinete, 296, 399
Gage, Thomas, 82
Gallard (Galá), 207
Galván, Manuel de Jesús, 418
Garabito, Alvaro, 87
García, Federico de Jesús, 367
García, José Gabriel, 247-248, 260, 324, 330, 343
García y Moreno, Joaquín, 176, 180, 182-186, 188-192
Gautier, Manuel María, 377, 400, 411, 413, 416
Gavilleros, 511
Gazcue, 499
Geffrad, Fabre, 264, 333, 338-339, 350-351, 369

General de Brigada, 286, 288
General de División, 288, 293
General en Jefe del Ejército, 288
Generalísimo, 524
Génova, 14, 41, 120
Gibraltar, 127
Glass, José María, 400
Goacanagarix, 8
Gobernación, 129, 450
Gobernador, 399, 450, 467
Gobernador de Cap François, 134
Gobernador de Puerto Plata, 377
Gobernador de Puerto Rico, 390, 396
Gobernador de Santo Domingo, 110, 116-117, 128-131, 134-136, 354
Gobernador Francés, 33
Gobierno, 229-230, 236, 241, 245, 249-250, 252, 256, 261, 263, 265, 279, 287, 292, 297, 299, 302-303, 306, 311-313, 316, 318-320, 323, 328, 346-350, 354-355, 357, 363-369, 371-374, 376-377, 380, 382-383, 385-397, 400, 402, 416, 418, 424-426, 428-429, 448-449, 451, 453-454, 458-461, 463, 465-469, 472, 495-497, 500-502, 504-507, 514, 523
Gobierno de Báez, 372-374, 377, 387, 394
Gobierno de Cáceres, 449
Gobierno de Espaillat, 386
Gobierno de González, 380-381, 383, 394
Gobierno de Guillermo, 394
Gobierno de Henríquez y Carvajal, 471
Gobierno de Heureaux, 398, 422, 424, 428, 430
Gobierno de Jimenes, 431
Gobierno de la Anexión, 368
Gobierno de la Ocupación Militar Norteamericana, 496
Gobierno de la Reina, 354
Gobierno de las Cámaras, 250
Gobierno de los Estados Unidos de América, 372, 376, 385, 387, 417, 419, 426, 438-440, 445, 449, 458-461, 463-471, 502, 520-523
Gobierno de Luperón, 393-395

Gobierno de Meriño, 396
Gobierno de Morales, 439, 458
Gobierno de Santana, 296-297, 301, 303, 318
Gobierno de Santiago, 327, 359-360, 364, 418
Gobierno de Trujillo, 514-516, 518-521, 524
Gobierno de Vásquez, 433, 436, 495, 497-498, 501-502, 507, 515, 518
Gobierno de Vicini Burgos, 501
Gobierno de Victoria, 458
Gobierno del Cibao, 418
Gobierno Dominicano, 282, 313, 316, 321-322, 395, 414-415, 418, 420, 423, 430-433, 435, 437-447, 464, 466, 468, 471, 476, 494, 496, 518-522
Gobierno Español, 133, 269, 301, 313, 319, 349-350
Gobierno Francés, 134, 238-239, 301
Gobierno Haitiano, 254, 350, 369, 380, 387, 394, 417, 422, 426, 464, 519
Gobierno Inglés, 301
Gobierno Militar, 473, 475-480, 484-488, 492-493, 495-496, 513
Gobierno Provisional, 270, 276, 326, 379, 388, 392, 411, 429, 435, 459, 488
Gobierno Provisional de Puerto Plata, 392
Gobierno Restaurador, 352-353, 355-357, 359-360
Godoy, Manuel, 184, 204
Golfo de las Flechas, 9
Golpe de Estado del 18 Brumario, 172
Golpes de Estado, 360, 368
Gómez, Antonio, 369
Gómez de Sandoval, Diego, 63-66
González, Ignacio María, 377-383, 385-389, 391-392, 394, 408, 417, 422
González, Pedro, 229
Gorjón, Hernando, 32
Gran Ciudadano, 371
Gran Colombia, 219-221, 260
Granada, 12
Grandbois, 185

Granjas Escuelas Experimentales, 452
Grant, Ulises, 370, 374-376
Grillo, Domingo, 100
Groninga, 76
Grullón, Máximo, 352
Guaba, 133
Guadalupe, 160
Guantabanó, 179
Guantánamo, 437, 464
Guanuma, 353, 355
Guardia Nacional, 477-478
Guardia Republicana, 468-469, 477
Guarico, 111, 113, 188
Guarionex, 8
Guatemala, 67
Guayacanes, 275
Guayanas, 1
Guayubín, 349-350, 362
Guerra de Europa, 97
Guerra de Italia, 148
Guerra Hispanoamericana, 437, 442
Guerra de la Liga Augsburgo, 126
Guerra de la Reconquista, 11, 207, 210, 212-213
Guerra de la Restauración, 352, 358-360, 392, 397
Guerra de la Sucesión Española, 117, 128
Guerra de los Siete Años, 153
Guerra de los Treinta Años, 65-66, 71-72, 75
Guerrier, Philipe, 285, 299
Guillermo, Cesáreo, 388-391, 394, 396-397, 399
Guillermo, Pedro, 365
Guinea, 21
Guma Gibes, 133
Guzmán, Diego de, 36
Guzmán, José, 139, 146

H

Hacienda Fundación, 524
Hacienda Gallard (Galá), 207
Hacienda Pública, 219, 320, 322
Hacienda Real, 39, 154

687

Haina, 8, 23, 32, 46, 84-85, 443, 452, 455

Haití, 2, 6, 74, 141-142, 174, 199-202, 216-218, 220-222, 225, 229, 234-235, 238-240, 243, 244-245, 248-249, 251-253, 260, 270, 279, 281-282, 284, 286, 298, 300, 304, 306, 309, 314, 316, 318, 324, 337, 343, 350, 361-362, 376, 380, 394-396, 416-417, 422, 426, 437, 449, 468-469, 471, 478, 502, 518-519

Haití Español, 221

Hamburgo, 404-405

Hampton, Tomás, 45

Harding, Warren, 485-486, 488

Hartmont, Edward, 373-374, 385, 414

Hato Mayor, 279, 352, 498

Hawkins, John, 44-46

Hedouville, General, 186-187

Heneken, Teodoro Stanley, 284

Henríquez, Enrique, 483

Henríquez y Carvajal, Federico, 471

Henríquez y Carvajal, Francisco, 471-472, 475, 484, 489

Hérard Ainé, Charles, 262, 264-265, 272-274, 281-285, 299

Hereaux, Ulises, 389, 391, 395, 397, 400-402, 411-430, 432-433, 436, 447-448, 451, 473, 518, 521

Hermanas Mirabal, 523

Hernández, Gaspar, 259, 269

Higüey, 6, 25, 33, 35, 37, 203, 205, 271, 273, 279, 327, 329-330, 352, 368, 397, 498

Hincha, 127, 135-136, 144, 169, 177, 350, 345

Hippolyte, General, 417, 422

Hollander, Jacobo, 444

Honduras, 437

Hospital San Andrés, 227

Hospital San Lázaro, 227

Hostos, Eugenio María de, 394

Hughes, Charles Evans, 488-489

Hull, Cordell, 521

Hungría, José Antonio, 349

I

Ibarra, Carlos, 78

Iglesia Católica, 12, 103, 180, 189, 255-256, 297-298, 311-312, 348, 459, 524

Igneri, 2

Illas, Juan José, 293

Imbert, José María, 282

Imbert, Segundo, 398-399

Independencia, 215-216, 220, 223, 267, 297, 301, 312

India, 19-21

Indias, Las, 17, 26, 29, 39-43, 46-47, 53, 55, 66, 69, 75-76, 99-100, 102, 105, 118-120, 151, 159-160

Indias Occidentales, 34, 79

Infantería de Marina de los Estados Unidos, 477-478

Ingenio Catarey, 517

Inginac, Baltasar, 252-253

Inglaterra, 46, 53, 72, 75, 84, 90, 117-118, 127, 153, 159-160, 168, 176, 185, 258, 269, 294, 301, 307, 309-310, 316, 332, 404, 430

Inquisición, 45

Inspector General de Hacienda, 298

Invasión de Luperón, 523

Isabel I, 46

Isabela, La, 21-23, 31

Isla, La, 4, 23-26, 28-29, 31, 33-37, 40, 51-52, 54, 57, 60-61, 63, 68, 70-71, 75, 84, 91, 94, 101-118, 111, 115, 118, 120, 125, 127, 131-132, 136, 138, 144-146, 148-149, 151, 156, 170, 173-174, 176-177, 180-181, 187, 191, 193-194, 197, 204, 208, 215-217, 221, 223, 226, 231, 238-241, 243, 246-248, 253, 261, 275-276, 286, 301, 305, 309, 356, 374

Isla de Alta Vela, 373

Isla Mona, 48

Isla de San Cristóbal, 68, 75, 77-79

Isla de la Tortuga, 68, 71-73, 77-82, 87-89

Islas Canarias, 31, 42, 44-45, 56, 107-108, 127, 143-145

Islas Lucayas, 26
Islas Turcas, 422
Istmo de Panamá, 43
Italia, 23, 174, 348, 418, 423

J

Jainamosa, 207
Jamaica, 2, 22, 55, 85, 113, 147, 159-160, 168, 179, 198, 310
Jamao, 498
Jarabacoa, 362, 498
Jefatura del Ejército, 455
Jefe del Ejército, 286, 307, 311, 456-457, 459, 503-505, 509
Jefe de las Fuerzas Navales de los Estados Unidos, 470
Jefe de Operaciones, 352
Jefe Supremo del Pueblo, 292-293, 364, 379
Jéremie, 260
Jesurum, Abraham, 373
Jesurum & Zoon, 371, 373
Jimenes, Enrique, 442
Jimenes, Juan Evangelista, 293, 304
Jimenes, Juan Isidro, 425, 429, 431-433, 435-436, 449, 455, 457-458, 461, 465-469, 476, 490
Jimenes, Manuel, 304, 306-307, 323
Jovovava, 9
Juez de Indias, 145
Juez de Paz, 235
Junta Auxiliar, 367
Junta Central Electoral, 510
Junta Central Gubernativa, 279-280, 282, 286-295
Junta Clasificadora, 346
Junta de Gobierno, 205, 212-213, 388
Junta de Guerra, 55, 83
Junta Popular, 268, 270-271
Junta Popular Gubernativa, 428
Junta Provisional Gubernativa, 357
Junta Superior Directiva del Partido Nacional, 503

Juntas de Crédito, 392-393, 396, 419, 423-424
Justicia, 454

K

Kerversau, 189, 191, 196, 198-199
Kindelán, Sebastián de, 214-215, 217-219
Knapp, William, 473, 475-477, 480-483
Kuhn, Loeb & Company, 445, 482

L

Laborde, 244
Lago Enriquillo, 126
Lara, Jacobito de, 426
Larnage, Gobernador, 147
Laudo Arbitral, 438-440
Laveaux, Juan Esteban, 170, 182, 184
La Habana, 44, 47, 68, 118, 149, 185, 215
La Información, 504
La Opinión, 504
La Romana, 363
La Trinitaria, 353, 259-260, 268, 270-271, 287
La Vega, 22, 36, 52, 116, 155, 182, 195, 200, 202-203, 211, 221-222, 260, 273, 282, 351, 362, 402, 427, 458, 460, 480-481, 498
Las Caobas, 135, 154, 169, 177-178, 184-185, 222, 317, 345, 350
Las Carreras, 305
Las Casas, Bartolomé de, 6, 29
Las Matas, 216, 222
Las Matas de Farfán, 269, 300, 317
Leclerc, Charles, 173, 197
Lee, Harry, 489
Legación de Haití, 469
Legación Norteamericana, 469-470, 502, 508-509
Lemba, 37
Leogane, 89, 96, 253
Les Cayes, 260-261, 263-266

689

León, 45
Levasseur, Mr., 79-80, 276, 279, 287
L'Exclusive, 160
Ley de Bienes Nacionales, 298
Ley de Enseñanza, 482
Ley de Estampillas, 453
Ley de Franquicias Agrícolas de 1910, 493
Ley Militar, 473
Ley de Partición de Terrenos Comuneros, 494
Ley de Registro de Tierras de 1920, 494
Ley del 8 de julio de 1824, 255
Libertador, 371
Libón, 127
Liga de Augsburgo, 96, 126
Liga de la Paz, 383
Limonade, 114
Línea Noroeste, 351, 354, 367, 371, 425, 433, 439, 442, 448-449, 453-454, 456, 458, 469-470
Línea de Vapores Clyde, 420, 451
Lisboa, 41, 120
Liverpool, 120, 128
Londres, 41, 72, 82, 88, 120, 128, 374, 414
López de Castro, Baltasar, 54-57
López de Morla, Juan, 117
López de Villanueva, Andrés, 269, 288
Los Alcarrizos, 229-230, 452
Louisiana, 173, 181-182
L'Overture, Paul, 196-197
L'Ouverture, Toussaint, 169-174, 176-178, 184, 186-189, 191-197, 223, 234, 345, 520
Luciano, José Ramón, 369
Luis XIV, 90-91, 126-127
Luis XV, 132
Luis XVI, 176
Luis XVII, 249
Lugo, Américo, 483
Luperón, Gregorio, 353, 357, 367-368, 371-372, 374, 379, 382, 384-386, 388-389, 391-402, 407-408, 410-412, 414-416, 442, 449, 523

M

Madre Patria, 205, 345
Madrid, 55, 141, 152, 183-184, 190-191, 354, 356
Madrigal, 16
Maimón, 523
Maitland, 171
Maniel, 100
Manifiesto, 261-262, 293, 312
Manifiesto de Les Cayes, 261-262
Manifiesto del 24 de Julio, 293
Manzaneda, Severino de, 117, 128
Manzueta, Eusebio, 343, 364
Mar Caribe, 1, 55, 129, 182-185
Mar Rojo, 20
Maracaibo, 192
Marcano, Merced, 302
Marchena, Generoso de, 400, 411, 414, 420-422
Margarite, Mosén Pedro, 22
Marina de Guerra, 283, 309, 477
Marina de los Estados Unidos, 313, 491
Mariscal de Campo, 129
Martínez, María, 514
Martínez Reyna, Virgilio, 510
Martinica, 160, 216
Matanzas, 401
Mayobanex, 9
Mediterráneo, 127
Mella, Matías Ramón, 264, 271, 273-275, 282, 288, 290-293, 304, 312-313, 341
Memoria del Ministro de Hacienda, 302
Meneses y Bracamonte, Bernardino, 84, 88
Meriño, Fernando Arturo de, 343, 387, 389, 395-398, 401, 411
México, 33, 43, 46, 65-66, 69, 100, 103, 145-147, 212
Middelburgo, 76
Mina, 108
Minguet, 135
Ministerio de Guerra de Madrid, 354
Ministerio de Guerra y Marina, 400

Ministro Americano en Puerto Príncipe, 417
Ministro de Estado de España, 313
Ministro de Guerra y Marina, 304, 323, 385, 388, 391, 395, 397
Ministro de Hacienda, 301-302, 322, 386, 453, 457, 503
Ministro de lo Interior, 395, 397
Ministro de Relaciones Exteriores, 375, 377, 413, 416, 421-422, 451, 455
Ministro Norteamericano, 507-508
Ministro Plenipotenciario del Gobierno, 410
Mirebalais, 135, 185
Miura, D. Javier, 257
Miura, Ricardo, 302
Moca, 202-203, 282, 329, 346, 351, 357, 362, 393, 451-452, 481
Modus vivendi, 441-442, 444, 447
Mojarra, 212
Monción, Benito, 350, 402
Monte Plata, 59-60, 63-64, 202-203, 279, 351, 353-354
Montecristi, 52, 58-59, 144-145, 154, 177, 185-186, 198, 220-222, 327, 354-356, 359, 362-363, 407, 438-439, 448, 460
Montegrande, 212
Montemayor de Cuenca, Juan Francisco, 81, 83-84
Montes, Toribio, 205-206
Montesinos, Antón de, 29
Montoro, Hernando de, 59
Monzón, Bienvenido de, 347-348
Morales, Angel, 509
Morales Languasco, Carlos, 435-436, 439, 441-444, 448, 451, 455, 458
Morel de Santa Cruz, Juan, 116
Morel de Santa Cruz, Santiago, 116
Morfi, Guillermo de, 115, 129
Morin, Jean Baptiste, 271
Moscoso, Juan Vicente, 246
Movimiento Cívico, 507
Movimiento de La Reforma, 264, 267-268, 270, 275

Movimiento del 26 de Julio, 432
Movimiento Unionista, 377-378
Moya, Casimiro Nemesio de, 397-402, 414-415, 422
Moya, Martín de, 503-504
Moyse, General, 191

N

Nación, La, 352, 524
Nagua, 9, 35
Narváez, 354
Natera, Ramón, 476
National City Bank of New York, 444, 518, 521
Neiba, 60, 63, 110, 126-127, 140, 145, 170, 184-185, 190, 217, 221-222, 279, 317, 320, 349
Nicaragua, 335, 437, 502
Nigua, 32
Nimega, 91-92, 109
Nizao, 32, 84-85, 155
Nolivos, Mr. de, 133
Nombre de Dios, 43
Nouel, Adolfo Alejandro, 459-461, 466, 489
Nova, Baltazar de, 229
Norte, 244, 261, 363, 407
Norteamérica, 160, 162, 164
Nuestra Señora de la Candelaria, 145
Nueva Granada, 212
Nueva York, 410, 420, 441, 444-445, 452, 454, 518, 521
Nuevo Mundo, 12, 15, 21, 39, 42, 118
Núñez de Cáceres, José, 245, 269

O

Obras Públicas, 467
Ocoa, 32, 43, 71, 362
Ocupación Militar Norteamericana, 491-496, 500, 504-505, 513, 516, 524
O'Donnell, Leopoldo, 340
Oeste, 20, 241, 244, 250, 260, 264, 274, 317

Oexmelin, 80
Ogando, Andres, 371
Ogando, Benito, 371
Ogando, Timoteo, 371
Ogé, Vicente, 166, 176
Oposición, 249-253, 260-264, 318-319, 439, 468, 507
Oposición Haitiana, 253
Orden Militar de Calatrava, 24
Organización de los Estados Americanos (OEA), 523-524
Oriente, 8
Orinoco, 1
Osorio, Antonio de, 56, 58-61, 64
Ovando, Cristóbal de, 47
Ovando, Nicolás, 24-26, 39, 51
Oyarzábal, Juan, 183

P

Pacificador de la Patria, 414
Pacto Constitucional, 501
Pacto de Familia, 149
Pacto de Zanjón, 407
Padilla y Guardiola, Juan de, 108
Padres Jerónimos, 28-29, 31-33
Países Bajos, 48, 75
Pajarito (Villa Duarte), 442
Palmar de Ocoa, 283
Palo Hincado, 206-207
Pamiés, Pedro, 269
Panamá, 37, 43, 445, 460, 472
Pané, Ramón, 9
Papa, 54, 426
Papel de Concordia, 129
Paredes, Bonifacio, 303
París, 90, 164, 166, 181, 190, 425
Parte del Este, 194, 218, 220-222, 225-228, 230, 232-234, 243, 245, 249, 252-253, 255, 257, 260, 263, 268-269, 271-272, 274, 276-277, 279, 281, 286, 305, 361, 397
Parte del Sur, 233-234, 360-361, 363-365, 397
Partido, 451
Partido Azul, 366, 380, 383, 385, 398-401, 403, 411
Partido Dominicano, 515, 518

Partido Horacista, 497, 503
Partido Nacional, 490, 497, 501, 503-506
Partido Nacional Liberal, 366, 392, 398-399, 414-415
Partido Nacionalista, 509
Partido Obrero, 509
Partido Progresista, 490, 497, 502
Partido Republicano, 431, 507
Partido Rojo, 366-367, 377, 380, 383, 385-386, 391-392
Partido Verde, 382, 386, 392
Pasamonte, Miguel de, 26-27, 32
Pata Prieta, 507
Patria, 205, 293, 299, 320, 361, 400
Paz de Nimega, 92, 109
Paz de Ryswick, 97, 126, 128
Paz de Westphalia, 72, 82
Paz del Castillo, Pablo, 271
Pedernales, 140
Peguero, Martín, 477
Peláez de Campomanes, Antonio, 344
Península de Araya, 48
Península de Samaná, 287-288, 310, 313, 316, 372, 376-377, 385, 417
Península Ibérica, 15, 22-23, 45, 47, 119, 178, 205
Penn, William, 84
Pérez, Juan Isidro, 209, 292-293, 304
Pérez Caro, Ignacio, 94, 96, 115, 117, 129
Pérez Franco, Andrés, 81
Pérez Guerra, Domingo, 217
Perú, 33, 43, 66
Petión, Alexander, 206, 225, 234
Petit Goave, 93, 96
Peynado, Francisco J., 488-491
Peynado, Jacinto B., 582
Pichardo, Miguel Angel, 413
Pierce, Franklin, 313
Pierrot, Jean Louis, 284-285, 299-300
Pimentel, 498
Pimentel, Pedro Antonio, 350, 360, 364, 367-368, 379
Pimentel, Rodrigo de, 104-105

Pina, Pedro Alejandrino, 260, 271, 289, 292, 304
Plaine Central, 350
Plan de Ajuste, 444-445, 453-454
Plan Hughes-Peynado, 488-489
Plan Wilson, 464
Playa Caracoles, 283
Plymouth, 46
Poder, 288, 302, 311, 314, 319-320, 500, 514
Poder Ejecutivo, 294, 303-304, 307, 311, 315, 365, 368-369, 383, 436, 444, 449-450, 457, 470, 501
Poder Judicial, 425
Poder Legislativo, 294
Polanco, 356, 360
Poincy de, 79-80
Policía Nacional Dominicana, 478, 486, 489, 491, 503, 505
Portal, M. de, 138
Ponthieux, Alcius, 263-264, 267
Portillo y Torres, Fernando de, 180
Port-de Paix, 96, 261
Port-au-Prince, 304
Portes e Infante, Tomás de, 288, 293
Portobelo, 37, 47, 69
Portugal, 48, 53, 79
Pouancay, Mr., 90-92, 106
Prado, Francisco, 32
Praslin, 264
Presidencia, 307, 320, 368, 377, 379, 383-384, 387-389, 395, 397, 411, 420, 436, 439, 456, 470, 503, 509, 511
Presidencia de la República, 323, 387, 398, 400, 402, 416, 421, 511
Presidente, 240, 291-292, 295, 300, 306-307, 311, 313, 314-315, 319-320, 352-353, 357, 364-366, 368, 370, 372, 377, 381, 383, 389-401, 404, 411, 417, 429, 449-451, 458, 461, 464-465, 469-471, 496, 498, 501-502, 504, 506, 508, 510, 522-523
Presidente de Haití, 300, 372, 394, 422
Presidente de la Real Audiencia, 129

Presidente de Venezuela, 523
Presidente de los Estados Unidos, 370, 373-374, 464
Presidente del Congreso, 307
Presidente Provisional, 429, 459, 461, 465
Presidio de Santo Domingo, 129
Primera Guerra Mundial, 482, 483, 500
Primera República, 392, 404, 406, 520
Príncipe de la Paz, 184, 204
Prolongación, La, 501-502
Protector de la República, 364, 371
Protocolo, 433, 438
Provincia de Santo Domingo, 450-451, 455
Pueblo Dominicano, 143, 511
Puello, Gabino, 302
Puello, José Joaquín, 279, 288, 291, 300, 302
Pujol, Pablo, 352
Puerta de la Misericordia, 278
Puerta del Conde, 283
Puerto, 440
Puerto de Naybuco, 132-133
Puerto Napoleón, 204
Puerto Plata, 37, 45, 52, 55, 58-60, 145, 154, 186, 200, 206, 211, 222, 229, 245, 260, 269, 272-273, 279, 290, 292-293, 300-301, 327, 364, 366, 374, 382, 383, 389, 391, 395, 399, 404-405, 407-408, 410-411, 415, 419, 425, 427, 438-439, 448, 451, 462, 464, 466-467, 470, 480, 498
Puerto Príncipe, 173, 217, 239-240, 245, 261, 265-266, 268, 272-276, 285, 287, 333, 417
Puerto Real, 33
Puerto Republicano, 273
Puerto Rico, 2, 6, 44, 47-48, 52, 59, 76, 103, 117, 118, 144, 179, 185-186, 192, 203, 205-207, 230, 269, 338, 342, 344, 353-354, 358, 388, 390, 396-398, 409, 422, 437, 455, 458, 464, 508, 517
Punta de Caucedo, 46
Punta de Guanahatabibes, 2

Punta de Samaná, 35
Punta Tiburón, 2

R

Ramírez, Ciriaco, 206
Ramírez, Valentín, 339
Ramírez, Vicente, 273
Ramos, Fray Nicolás, 54
Ravelo, Juan Nepomuceno, 263
Raybaud, Maxime, 333, 335, 337
Real Audiencia, 27, 36, 42, 54-55,
  57, 60, 69-70, 102-104, 109, 115,
  117, 129, 131, 180, 185-186, 188
Real Cédula, 156
Real Hacienda, 154
Real Orden, 350
Real, Pascual, 219, 221
Real Servicio, 347
Receptor General de Aduanas,
  446, 463-464, 470-471
Receptoría General de Aduanas,
  442, 446, 448, 476, 520-521
Reconquista, 11, 15-16
Reforma, La, 42, 264, 267-268, 270,
  275
Regina, 226
Regla Mota, Manuel de, 316, 319
Reina de España, 21, 25, 29, 337-
  338, 354, 357
Reina Isabel, 21, 357
Reinoso de Orbe, José Serapio,
  201
Religión Católica, 271
Repartimiento de Alburquerque,
  28
República, 216, 218, 221, 223, 226,
  230-231, 241, 243, 246-247, 252,
  277, 289-290, 292, 298-299, 301,
  306, 310, 312, 317, 319, 324, 349,
  351-352, 361, 363-364, 366-368, 370-
  371, 375-377, 380, 384-385, 387,
  392, 394, 397-398, 403-404, 407-
  408, 415-416, 418, 421, 423, 429,
  433, 436-441, 444-445, 459, 481, 483-
  484, 486, 488, 495, 498-499, 510,
  514, 520-521, 525
República de Haití, 206, 222

República Dominicana, 255, 268,
  279, 286, 288, 292, 294-295, 297,
  300-301, 305, 309-313, 316, 318,
  321, 333-334, 337, 341, 348, 363-
  364, 366, 370, 375-377, 380, 387,
  394, 407, 418-420, 423, 427, 468,
  472-473, 479, 484, 488-489, 492,
  494, 496, 499-500, 515, 517, 521
República Francesa, 178
Restauración, 352, 363-364, 366,
  369, 384, 392, 403-404, 406-407
Revolución, 237, 327, 462
Revolución de 1857, 334, 366, 392
Revolución del Ferrocarril, 462
Revolución Desunionista, 436, 442
Revolución Francesa, 155, 167,
  172, 175, 210
Revolución Haitiana, 195
Revolución Unionista, 435
Revuelta de los Capitanes, 122
Rey de España, 12, 14-16, 22, 26,
  28-29, 39, 53, 59, 65, 83, 130, 132,
  134, 144-146, 149-150, 178-179, 181,
  204
Rey Fernando, 26, 29
Rey Francés, 88, 90, 127, 132, 239
Reyes, 12-14, 16-17, 20-23, 25, 39-
  40
Reyes Católicos, 12-14, 16-17, 20,
  22, 40
Ribero Lemoine, Felipe, 345, 354
Riché, General, 300
Rigaud, General, 170-171, 187
Rijo, Nicolás, 273
Rincón, 498
Río Artibonite, 127, 133
Río Canot, 127, 140
Río Caracol, 114
Río Dajabón, 132, 134, 140
Río de la Seiba, 135
Río de Neiba, 126-127
Río Guayubín, 114, 126
Río Haina, 23, 32, 517
Río Jura, 282
Río Las Caobas, 222
Río Masacre, 114, 134, 140
Río Nizao, 191
Río Ocoa, 305

Río Ozama, 107-108, 155, 207, 282, 443.
Río Rebouc, 114, 126, 129
Río San Juan, 9, 35
Río Soco, 110
Río Yaque del Norte, 284, 407
Río Yaque del Sur, 32, 126
Río Yaquesí, 114
Robinson, Samuel S., 486, 488-489
Robles, Andrés, 93-94, 109-110
Roca, Esteban, 290
Rodríguez, Demetrio, 442, 448
Rodríguez, Rafael Servando, 271
Rojas, Benigno Filomeno de, 324, 326, 329, 352, 357, 392
Rojas del Valle, Gabriel, 87
Roldán, Francisco, 22-25, 51
Roma, 292, 460
Roosevelt, Teodoro, 438-440, 444-445, 460
Rotterdam, 76
Roume de Saint Laurent, 173, 181-183, 187-190, 194-195
Rubio y Peñaranda, Francisco, 154
Ruiz, Francisco, 289
Rusia, 479
Russell, William, 468

S

Sabana Buey, 283, 305-306
Sabana de Baní, 145
Sabana de Beller, 300
Sabana de Jácuba, 318
Sabana de Santomé, 317
Sabana de la Mar, 145, 154, 203, 401, 498
Sabana Larga, 318
Sabana de Verettes, 135, 140
Sabaneta, 349-350
Saget, Nissage, 372, 376
Saint Croix, 97
Saint Denys, Eustache Juchereau, 278, 287, 292
Saint Domingue, 113, 160-162, 164, 166-167, 171-174, 176-177, 181-183, 186-188, 194, 196, 198, 203
Saint Mausuy, 139

Saint Méry, 133
Saint-Preux, D., 250, 257
Saint Thomas, 274, 316, 319, 323-324, 327, 339, 364, 399, 404-405, 407, 422, 455
Salcedo, 498, 523
Salcedo, Francisco Antonio, 282, 300
Salcedo, José Antonio (Pepillo), 352-354, 356-357, 360
Salnave, Silvain, 369, 372, 376
Salomón, Lysius, 394
Salvatierra de la Sabana, 33
Samaná, 144-146, 154, 156, 173, 195, 203, 207, 227-228, 287-288, 310, 316, 327, 329-330, 340-341, 363, 368-370, 372, 374, 376-377, 380, 417-419, 422, 426, 437-438
Samaná Bay Company, 376-377, 380
San Agustín de la Florida, 47
San Antonio de Monte Plata, 59
San Carlos, 108, 144, 201, 223, 307, 401, 409, 435
San Carlos de Tenerife, 108
San Cristóbal, 258, 263, 267, 279, 291, 294-295, 299, 361, 396, 401, 409, 478, 524
San Domingo Finance Company, 422-423
San Domingo Improvement Company, 419-424, 416-427, 429-431, 436, 438-439, 442
San Domingo Railways Company, 423
San Fernando de Montecristi, 145
San Francisco de Macorís, 221, 271, 273, 279, 351, 398, 477, 498
San José de las Matas, 203, 282, 498, 510
San José de Ocoa, 32, 43, 71, 362
San Juan Bautista de Bayaguana, 59
San Juan de la Maguana, 8, 33, 35-36, 60, 63, 109, 136, 140, 145, 169-170, 178, 184-185, 190-191, 216-217, 221-222, 343, 362, 381
San Lorenzo de los Mina, 108, 176

San Miguel, 154, 177
San Miguel de la Atalaya, 141, 146, 169, 350
San Pedro de Macorís, 425, 427, 452, 480-481, 498
San Rafael, 138, 145, 154, 169, 176-177, 345, 350
Sánchez, 427, 438
Sánchez, Francisco del Rosario, 274-275, 277-280, 288-291, 293, 297, 304, 339, 342-343
Sánchez, Gabriel, 21
Sánchez, María Trinidad, 297
Sánchez Ramírez, Juan, 205-208, 210, 212-213
Sánchez Valverde, Antonio, 148, 155
Sanlúcar, 40, 56
Santa María, 299
Santa María del Puerto, 33
Santa Sede, 311
Santana, Pedro, 271, 273, 278, 281, 283, 286-287, 290-292, 294-295, 297-299, 301-304, 306-307, 311-316, 318-320, 322-324, 327-335, 339-346, 350, 352-356, 365, 371, 403, 417
Santana, Ramón, 277, 278, 281, 290
Santángel, Luis de, 20-21
Santiago, 32, 52, 60, 64, 89, 94, 109-111, 116, 122, 130, 134, 156, 185, 200-201, 203, 211, 218, 221-223, 229, 245, 261, 271, 273, 279, 281, 284-286, 290-291, 293, 299, 324, 326, 329-330, 346, 349-351, 354, 359-360, 362, 364, 366, 382, 399, 408, 417, 419, 425, 427, 432-433, 435, 448-449, 451, 458, 460, 462, 480-481, 490, 498, 504, 507-509, 519
Santiago de Cuba, 147, 198, 246
Santiago Rodríguez, 349-351
Santo Domingo, 23, 25, 31-35, 37-38, 42-47, 52-58, 60, 63-72, 77, 81, 83-85, 87-94, 96-97, 99-106, 108, 110-111, 115-122, 125, 128-134, 136-141, 143-148, 150-151, 153-157, 169-170, 172-173, 175-179, 181-199, 201, 203-208, 211-221, 223, 225-228, 230, 234, 239, 243-247, 253-254, 256-257, 259, 263-264, 267-269, 271-275, 277-279, 282-287, 289-290, 292-294, 301, 303, 309-310, 313, 318, 321, 326, 328, 330-333, 338, 340-341, 343-344, 346-347, 352-354, 356-358, 363-364, 367, 372, 375, 377, 387-388, 391, 395, 404, 407, 411, 417, 420-421, 424-425, 437, 443, 450-452, 455, 459, 463-464, 481, 483-484, 486, 488, 498-499, 502, 508, 510, 514, 516-517, 521
Schomburgk, Robert, 316
Secretario de Estado, 459, 466, 472
Secretario de Estado de Guerra y Marina, 413, 465, 469
Secretario de Estado de Interior y Policía, 413, 508
Secretario de Estado de los Estados Unidos de América, 489
Secretario de Estado de Sanidad y Beneficencia Social, 482
Segovia, Antonio María, 318-319, 326, 330
Segunda Guerra Mundial, 516-517, 522
Segura, Sandoval y Castilla, Francisco de, 91, 105-106
Senado, 240-241, 249, 266, 313-314, 320, 372, 375, 379, 450, 458, 461, 467
Senado Consultor, 315, 325, 365, 379
Senado Haitiano, 235
Senado Norteamericano, 440-441
Separación, 255, 275, 279, 286
Serra, José María, 258, 277
Serrano, Antonio, 32
Serrano, Francisco, 344
Sevilla, 33, 37, 39-43, 53, 56, 76, 107, 156-157, 160, 213
Seward, William, 372
Siboneyes, 2
Sierra Leona, 45
Sierras de Maniel, 100
Sillón de la Viuda, 353, 355, 390
Silva, José Justo de, 218
San Phelipe, 145
Snowden, Thomas, 483-484, 487

Sociedad de Amigos de los Negros, 165-166
Sociedad de los Derechos del Hombre y del Ciudadano, 260-262
Sociedad Dramática, 259
Solá, Francisco, 245
Solano Bote, José, 139-141, 151-152, 154, 157
Solano, Diego, 52
Sosa, Francisco, 317
Soulouque, Faustino, 304-306, 310, 317, 323, 333
South Puerto Rico Sugar Company, 517
Su Majestad Británica, 208
Sudamérica, 1, 3
Suez, 20
Sumner, Charles, 376
Suprema Corte de Justicia, 388, 471, 525
Suprema Corte de los Estados Unidos de América, 433
Sur, 261, 265, 273, 285-286, 306, 317, 398, 404-412, 424-425, 452, 464, 481

T

Taft, William, 459
Tarifa Aduanera de 1919, 492, 500
Tapajos, 1
Tapia, Cristóbal de, 32
Tapia, Francisco de, 42
Te-Deum, 273
Tejera, Emiliano, 443-444, 447, 451, 483-484
Tejera, Luis, 443, 450, 455-456
Telégrafo, 374
Tenerife, 45, 108
Tesoro Público, 321, 323, 343, 366, 384, 389, 454, 458
Tiburcio, Bartolomé, 116
Tierra Firme, 48
Tierra Grande, 78-79
Toledo, Fradique de, 68, 76-77
Torʃ del Homenaje, 211, 221
ʃorres, lchor de, 34
Tostado, Francisco de, 32

Tratado, 318-319
Tratado de Amistad, Comercio y Navegación, 316
Tratado de Aranjuez, 141, 152, 155, 176, 350, 381
Tratado de Basilea, 181, 197, 206, 227
Tratado de Chateau-Cambrésy, 44
Tratado de Comercio, 316
Tratado de Economía Política, 324
Tratado de Evacuación, 501
Tratado de Fijación de Límites, 518
Tratado de 1874, 394-395, 422-426, 518
Tratado de Nimega, 91
Tratado de Paz, Amistad, Comercio y Navegación, 304, 309, 313, 380-381
Tratado de Protectorado, 426, 439
Tratado de Reciprocidad, 417-418, 420, 437
Tratado Trujillo-Hull, 521
Tratado de Utrecht, 118, 127, 131, 170
Tregua de Ratisbona, 109
Trinidad, 3
Triunvirato, 367-368
Troncoso, Tomás, 303
Troncoso de la Concha, Manuel de Jesús, 522
Trujillo, Héctor B., 523
Trujillo, Rafael, 478, 503, 505-511, 513-525

U

Ulúa, San Juan de, 46
Unión Nacional Dominicana, 484, 486
Universidad de Santo Tomás, 229
Urrutia, Carlos, 213-214

V

Valencia, Manuel María, 263, 276-277, 298

Valera, Pedro de, 229, 245-246
Valle del Yuna, 195
Valle, Gregorio del, 293
Valle de Guaba, 59
Valverde, José Desiderio, 326, 329, 331-332
Valverde, Manuel María, 289
Valverde, Sebastián, 352
Valverde y Lara, Pedro, 260
Vaquero, Juan, 35
Vargas, Carlos de, 354, 356
Vásquez, D. N., 220
Vásquez de Ayllón, Lucas, 27
Vásquez, Horacio, 426, 428-429, 431, 433, 435-436, 443, 451, 454-455, 457-458, 461, 462-465, 467-468, 489-492, 495-498, 501-510, 515-516, 518
Vega Real, La, 22
Velasco y Altamirano, Nicolás de, 72, 82
Velázquez, Cayetano, 349
Velázquez, Federico, 444, 447, 453, 457 461, 467, 489-490, 496-497, 501-503, 508
Vellosa, Gonzalo de, 31
Venables, Robert, 84-85
Venezuela, 1, 48, 52, 55, 102, 151, 179, 192, 212, 229-230, 275, 294, 342, 437, 523
Vicepresidencia de la República, 436, 439, 443, 450, 503, 509, 511
Vicepresidencia de Hereaux, 416
Vicepresidencia de la República, 314, 319, 326, 352, 377, 398-401, 429, 496, 502-503, 508, 510
Victoria, Alfredo María, 450, 455-457, 459
Victoria, Eladio, 458-459
Vicini Burgos, Juan Bautista, 489-490
Vidal, Luis Felipe, 462, 490

Vidal, Rafael, 506
Villa Altagracia, 517
Villa de la Buenaventura, 60
Villa Duarte, 442
Villa de Guaba, 109
Villa Francisca, 499
Villanueva, Federico, 399
Villanueva, General, 383

W

Warner, Thomas, 75
Washington, 369, 375, 467, 471, 484, 486, 488-489, 502, 509
Welles, Summer, 489
Westerndorp y Compañía, 415, 419-420
Wilson, Woodrow, 464, 472-473, 484-485
Woss y Gil, Alejandro, 398-402, 435-436

X

Xingú, 1
Xaraguá, 8, 23, 25

Y

Yaguana, 33, 52, 55, 57-60, 89
Yáñez Pinzón, Martín, 21
Yaquezillo, 132
Yuma, 368
Yuna, 156, 195

Z

Zorrilla de San Martín, Pedro, 136, 148-149, 154
Zúñiga, Félix de, 88

698

INDICE ANALITICO

I. *LA SOCIEDAD TAINA*

Origen sudamericano de los indios antillanos (1). Migraciones (1). Siboneyes (2). Igneris (2). Cultura taína (2). Caribes (2). Origen sudamericano de los taínos (3). Agricultura aborigen (3). Casabe (3). Cultivos aborígenes (3) Alimentos de los indios (4). Viviendas taínas (4). Cerámica (5). Cestería (5). Canoas (5). La familia taína (5). Clanes (6). Comercio (6). Solidaridad social (6). Conflictos sociales (6). Hechiceros (7). Nitaínos (7). Naborías (7). Caciques (7). Cacicazgos (8). Guerras (8). Ciguayos (9). Idioma (9). Religión (9). Mitos (9). Cemíes (10). Tabaco (10). Ritos (10).

II. *LA SOCIEDAD ESPAÑOLA EN EL SIGLO XV*

Guerra de la Reconquista (11). Pastoreo de ovejas (11). Pueblos y municipalidades (11). Hermandades (12). Hidalguismo (12). Ganadería ovina (13). Industria española (13). Mercaderes y banqueros (13). Genoveses y judíos (13). Absolutismo político (14). La ganadería y la economía (14). Estructura social (14). Castilla (15). Organización política castellana (15). Los Ayuntamientos (16).

III. *EL ORO Y LAS ENCOMIENDAS DE INDIOS (1493-1520)*

El Descubrimiento de América (19). Las rutas de las especies (20). El oro y la economía europea (20). La empresa del descubrimiento (20). Financiamiento de la expedición de Colón (21). Fundación de la Isabela (21). Dificultades en la Isabela (21). Campañas militares de Colón, 1494-1495 (22). Regreso de Colón a España, marzo de 1496 (22). Rebelión de Roldán (22). Regreso de Colón (23). Agosto de 1497 (23). Efectos sociales de la rebelión de Roldán (23). Francisco de Bobadilla, Gobernador, 1500 (24). Nicolás de Ovando, Gobernador, 1502 (24). Trabajo forzado de los indios, 20 de diciembre de 1503 (25). Descenso de la población aborigen (26). Diego Colón, Gobernador, 1509 (26). Miguel de Pasamonte, Tesorero, 1508 (26). Pugnas por la posesión de los indios (26). Real Audiencia de Santo Domingo, 1511 (27). **Bandos** políticos en 1512 (27). Repartimiento de Indios, 1514 (27). Población aborigen en 1514 (27). Concentración de la Riqueza (28). Emigración (28). Descenso de la población española (28). Agotamiento de las minas en 1515 (28). Bartolomé de las Casas (29). Comienzos de la industria azucarera (29).

IV. *EL AZUCAR Y LA ESCLAVITUD DE LOS NEGROS (1520-1607)*

Orígenes de la industria azucarera, 1506 (31). Alza de precios del azúcar en 1510 (31). Primeros embarques de azúcar, 1521 (32). Inversionistas azucareros, 1520 (32). Primeros ingenios, 1520-1527 (32). Importación de negros esclavos (33). Emigración española (33). Despoblación (33). Situación general de la Isla en 1528 (34). Ingenios y esclavos (34). Multiplicación de los ingenios, 1548 (34). Aumento de la población negra, 1546 (34). Rebelión de Enriquillo, 1519-1533 (35). Negros cimarrones en Baoruco, 1537 (35). Luchas contra los negros cimarrones (36). Lemba, 1548 (37). Las rebeliones negras y la industria azucarera (37). Concentración de ingenios en pocas manos, 1548 (37). Población negra en 1568 (38). Enfermedades de los negros (38). Cultivo del jengibre, 1581 (38). Población esclava en 1606 (38).

V. *MONOPOLIO Y CONTRABANDO EN EL CARIBE (1503-1603)*

Orígenes del monopolio español en América (39). Casa de Contratación, 1503 (39). Efectos del monopolio en la Española (40). Alza de precios en España (40). Los comerciantes y el Consulado de Sevilla (41). Las guerras europeas y el comercio español en América (42). Corso y Contrabando (42). Primeros corsarios, 1513 (42). Comerciantes ingleses en Santo Domingo, 1527 (42). Contrabando de negros, 1526 (43). Ataques corsarios en Azua y Ocoa, 1537 y 1540 (43). Plan de murallas para Santo Domingo, 1541 (43). Orígenes de las flotas, 1543 (43). Sistema de flotas (43). Galeones, 1566 (43). Amenazas de corsarios y defensa de las costas, 1550-1559 (44). Impopularidad del monopolio (44). Causas del contrabando (44). John Hawkins y sus negocios en la Española (44). Hawkins en Puerto Plata, abril, 1563 (45). Antagonismos entre Inglaterra y España, 1585 (46). Francis Drake ataca a Santo Domingo, enero de 1586 (46). Fortificaciones españolas en el Caribe (47). Continuación contrabando, 1590-1600 (47). Antagonismos entre España y Holanda, 1594 (48). Presencia de holandeses en el Caribe, 1598 (48). Comercio holandés en las Antillas (48).

VI. *LA GANADERIA, EL CONTRABANDO Y LAS DEVASTACIONES (1503-1606)*

Orígenes de la ganadería en la Española (51). Principales propietarios de ganado. 1544-1546 (52). Transporte de ganado a Santo Domingo (52). El ganado y los corsarios (52). Orígenes del contrabando de cueros (52). Consolidación del contrabando en el comercio de Santo Domingo (53). El contrabando y el protestantismo, 1594 (54). Baltasar López de Castro y sus propuestas para liquidar el contrabando, 1598 (54). Armada de Barlovento, 1601 (55). La despoblación de las costas como medio de evitar el contrabando, 1603 (55). La iglesia, el contrabando y el protestantismo (55). Ordenes reales para despoblar la costa norte, 1603-1604 (56). Protestas de vecinos contra despoblación (57). Cuadro social del contrabando (57). Advertencias contra las despoblaciones (57). Comienzos de las despoblaciones, febrero de 1605 (58). Proceso de las despoblaciones, 1605-1606 (58). Pueblos y lugares despoblados: Montecristi, Puerto Plata, Bayajá y la Yaguana (59). Resistencia armada a las despoblaciones (59). Nuevas despoblaciones cerca de Santo Domingo: Monte Plata y Bayaguana (59). Guardarrayas (60). Efectos inmediatos de las despoblaciones, 1606-1608 (60).

VII. CONSECUENCIAS DE LAS DEVASTACIONES (1606-1655)

Efectos de las despoblaciones (63). Crisis económica, 1608 (63). Situación general de la Colonia, 1606-1609 (64). Crisis de la ganadería (64). Alza de precios (65). Situados (65). España y la Guerra de los Treinta Años, 1619 (65). Pobreza de la Colonia, 1624 (66). Compañías de las Indias Occidentales, 1621 (66). Actividades militares, 1623-1625 (66). Asuntos militares, 1626 (67). Comienzos del militarismo colonial (67). Decadencia de la industria azucarera, 1628 (67). Falta de dinero en la Colonia, 1629 (67). Extranjeros en la Isla de la Tortuga, 1630 (68). Expulsión de los extranjeros de la Tortuga, 1630 (68). Nueva expedición contra la Tortuga, 1635 (68). Situación económica de la Colonia, 1635 (69). Comienzos de la hegemonía militar en Santo Domingo (69). Militarización de la vida dominicana, 1636-1644 (69). Efectos de la militarización (70). Oligarquía colonial (71). Ataques corsarios, 1642 (71). Necesidad de militarización (71). Nuevos ataques corsarios, 1644 (72). Aumento de la guarnición militar de Santo Domingo, 1647 (72). Paz de Westphalia, 1648 (72).

VIII. LOS BUCANEROS, LOS FILIBUSTEROS Y LA INVASION INGLESA DE 1655 (1621-1655)

Los enemigos de España en el Caribe (75). Compañía Holandesa de las Indias Occidentales (76). Armada de Barlovento, 1629 (76). Orígenes de la ocupación extranjera de la Tortuga (77). Ataque español contra extranjeros de la Tortuga, 1635 (77). Repoblamiento extranjero de la Tortuga, 1636 (78). Nuevo ataque español a la Tortuga, 1638 (78). Nuevo repoblamiento de la Tortuga, 1639 (78). Compañía Francesa de las Indias Occidentales y la Tortuga, 1640 (78). Control francés de la Tortuga, 1640-1653 (79). Fracaso de un nuevo ataque español contra la Tortuga, 1643 (79). Filibusteros (79). Bucaneros (79). Habitantes (80). Cambio de gobierno en la Tortuga, 1652 (80). Planes españoles contra la Tortuga (81). Gran ataque español contra la Tortuga (81). Ocupación española de la Tortuga, 1654 (82). Plan inglés para desalojar españoles de Santo Domingo, agosto de 1654 (82). Preparativos de expedición inglesa contra Santo Domingo, 1654 (83). Preparativos españoles para resistir expedición inglesa (83). Expedición de Penn y Venables, abril, 1655 (83). Trabajo de defensa de Santo Domingo, (84). Desembarco inglés en Nizao (84). Problemas de la expedición inglesa (84). Ventajas de los españoles sobre los ingleses (85). Batallas entre ingleses y españoles (85). Victoria española (85). Derrota y retirada de los ingleses (85). Causas de la derrota inglesa (86).

IX. *LA OCUPACION FRANCESA DEL OESTE DE LA ISLA (1655-1697)*

Inseguridad de la población de Santo Domingo, junio, 1655 (87). Desocupación española de la Tortuga, septimbre, 1655 (88). Nueva ocupación francesa de la Tortuga, 1656 (88). Gobierno de la Compañía de las Indias Occidentales en la Tortuga, 1659 (88). Población de la Tortuga, 1659 (88). Ataque de bucaneros y filibusteros contra Santiago de los Caballeros, 1667 (89). Ocupación francesa de las costas occidentales de la Isla, 1668 (89). Aumento de la población de la Tortuga, 1668 (89). Situación económica de los bucaneros, 1669-1670 (89). Revueltas de bucaneros contra la Compañía, 1665-1671 (89). Disolución de la Compañía Francesa de Indias Occidentales, 1676 (90). Fomento del tabaco entre franceses, 1677 (91). Fortificación de las poblaciones de franceses, 1677 (91). Ataque españoles contra los franceses, 1677-1678 (91). Tratado de Nimega, 1678 (91). Inicio de relaciones franco-españolas en la Isla, 1680 (91). Inicio del comercio entre franceses y españoles, 1681 (92). Aumento de la población francesa, 1681 (92). Cultivos de los franceses, 1681 (92). Comunicaciones entre franceses y españoles, 1685 (92). Falta de mujeres y negros en poblados franceses, 1684 (93). Situación económica de los franceses, 1685 (93). Agravamiento de conflictos, 1687-1688 (93). Planes franceses para desalojar españoles de la Isla, 1688-1690 (94). Nuevo ataque francés contra Santiago, julio, 1690 (94). Reacción española contra ataque francés, noviembre, 1690 (94). Ataque español contra franceses de El Cabo (95). Batalla de la Limonade, enero, 1691 (95). Antagonismos entre franceses y españoles (95). Corsarios franceses (95). Alianza anglo-española contra franceses, 1694 (95). Nuevo ataque contra El Cabo y Port de Paix, 1694 (96). Reconstrucción y reorganización de la colonia francesa, 1695-1697 (97).

X. *LA POBREZA DOMINICANA EN LA SEGUNDA MITAD DEL SIGLO XVII (1655-1700)*

Decadencia de la economía española y decadencia de Santo Domingo (99). Exportación de cueros, 1639 (99). Siembra de cacao,

702

1648 (99). Epidemia y muerte de negros, 1651 (100). Impuestos y alza de precios, 1661 (100). Licencia para entrada de esclavos negros en Santo Domingo, 1662 (100). Compañía militar contra negros alzados en El Maniel, 1665 (100). Epidemia de viruelas, 1666 (100). Plaga del cacao, 1666 (100). Pobreza general, 1669 (100). Nueva epidemia, 1669 (101). Crisis económica colonial (101). Ruralización de la vida colonial (101). Miseria de vecinos de Santo Domingo (101). Ciclón y pérdida de plantaciones de cacao y yuca, 1672 (102). Terremoto, 1673 (102). Fin de calamidades, 1675 (102). Pobreza general, 1678 (102). Marginación de Santo Domingo del sistema comercial español (103). El situado (103). Complot de militares, 1661 (103). Acaparamiento de la riqueza (104). Rodrigo de Pimentel y el Arzobispo de Santo Domingo, 1683 (104). Deuda pública en 1685 (105). Crisis económica, 1687 (105). Falta de mercados para productos de la Colonia (105). Inicio de comercio entre franceses y españoles, 1680 (105). Irregularidad del comercio franco-español (106). Amenazas francesas (106). Cincuentenas (106). Planes españoles para repoblar la Isla, 1681 (107). Inmigración de Canarios (107). Llegada de primeros inmigrantes canarios, 1684 (107). Fundación de Villa de San Carlos, 1686 (107). Epidemia de viruelas y muerte de familias canarias (107). Huida de negros franceses hacia Santo Domingo (108). Fundación de San Lorenzo de los Minas, 1678 (108). Fundación de Bánica, 1664 (108). Nuevas familias canarias, 1687 (108). Pedido de más familias canarias, 1690 (109). Llegada de otras familias canarias, 1691 (109). Evolución del comercio con los franceses, 1679-1687 (109). Ruina económica de la Colonia (110). Decadencia comercial de Santo Domingo (110). Santiago y el Comercio con los franceses, 1689 (110). Aumento del comercio con los franceses, 1680-1689 (111).

XI. *LA POBREZA DOMINICANA EN LA SEGUNDA MITAD DEL SIGLO XVII (1655-1700)*

Construcción de ingenios por los franceses, 1694 (113). Aumento de la población francesa (114). Uso de la tierra en parte francesa de la Isla, 1711 (114). Aumento del número de ingenios franceses, 1716 (114). Aumento del comercio de ganado con los franceses (115). Venalidad de los gobernadores españoles (115). Rebelión de los Capitanes en Santiago, 1720-1721 (116). Causas de la Rebelión de los Capitanes (116). Contrabando de mercancías en los ríos del sur (117). Corsarios españoles de Santo Domingo (117). Guerra de la Sucesión Española, 1702-1713 (117). Tratado de Utrecht, 1713 (118). Actividades de los Corsarios españoles en el Caribe, 1715-1720 (118). Causas del contrabando en los siglos XVI y XVII (118). Necesidad del contrabando y del comercio con los franceses (120). Complementaridad económica de las colonias francesa y española en el siglo XVIII (121). Recuperación económica de la colonia española (121). Necesidad del comercio entre franceses y españoles, 1729 (122). Primer acuerdo fronterizo entre franceses y españoles, 1731 (122).

703

XII. *LA OCUPACION FRANCESA DE LAS TIERRAS FRONTERI-
ZAS (1697-1777)*

Efectos del comercio fronterizo, 1680-1731 (125). Paz de Ryswick (126). Felipe V, Rey de España, 1701 (126). Efectos en Santo
Domingo de la Paz de Ryswick (126). Pretensiones territoriales francesas (126). Fundación de Hincha, 1704 (127). Guerra de la Sucesión
Española, 1702-1713 (127). Efectos de la Guerra de la Sucesión Española en Santo Domingo (128). Militarización (128). Inestabilidad Política (128). Gobernadores Militares, 1706 (129). Política de tolerancia
hacia ocupación territorial francesa, 1710 (129). Límites de la tolerancia española (130). Oficialización de la política de tolerancia,
1715 (130). Avances franceses y ocupación de nuevas tierras, 1713-
1717 (131). Ventajas y desventajas de la penetración francesa, 1717-
1719 (131). Consolidación de las ocupaciones francesas, 1721-1723 (132).
Nuevos avances franceses, 1724 (132). Fundación del puesto de guardia de Dajabón, 1727 (133). Nuevos avances franceses, 1729 (133). Negociación de Límites, 1729-1730 (133). Avances franceses y oposición
española, 1731 (134). Primer acuerdo de límites: Río Dajabón como
frontera del norte, 1731 (134). Falta de precisión de acuerdo fomenta
conflictos fronterizos (134). Frontera sigue indefinida por el sur,
1731 (135). Continúan conflictos fronterizos, 1736 (135). Nuevos conflictos, 1737 (135). Repoblamiento de tierras fronterizas, 1739 (136).
Planes para ceder Santo Domingo a Francia, 1741 (136). Nuevos conflictos fronterizos, 1747-1765 (136). Pacto de Familia entre Corona de
España y Francia (137). Cambios de política fronteriza, 1761 (137).
Amenaza inglesa fomenta alianza franco-española (137). Nuevas negociaciones sobre límites, 1764-1766 (138). Continúan negociaciones
sobre límites, 1766-1770 (138). Nuevos conflictos fronterizos, 1771 (139).
Comienzan trabajos de fijación topográfica de la frontera, 1771 (139).
Continúan trabajos topográficos en la frontera, 1772-1776 (140). Discrepancias franco-españolas sobre límites, 1772-1773 (140). Aceptación
francesa de demandas españolas, agosto, 1773 (140). Autoridades firman nuevo acuerdo más preciso sobre límites, febrero, 1776 (141). Ratificación oficial de acuerdo sobre límites por Tratado de Aranjuez,
junio de 1777 (141). Otros acuerdos sobre comercio de ganado y restitución de negros fugitivos, 1777 (141).

XIII. *LA FORMACION DE LA FRONTERA (1731-1789)*

La Frontera y la formación nacional dominicana (143). Importación de familias canarias (143). Fundación de San Carlos, 1684 (144).
Fundación de Hincha, 1704 (144). Crecimiento de colonia francesa (144). Pedido de nuevas familias canarias, 1718 (144). Llegada de
nuevas familias canarias, 1720 (144). Planes para repoblar la costa
norte, 1728-1735 (144). Llegada de más familias canarias (145). Fundación de Puerto Plata, 1737 (145). Fundación de San Juan de la Maguana, 1733 (145). Fundación de Neiba, 1735 (145). Fundación de Parro-

quia de Dajabón, 1740 (145). Fundación de Montecristi, 1751 (145). Fundación de Samaná, 1756 (145). Fundación de la Sabana de la Mar, 1760 (145). Fundación de San Rafael, 1761 (145). Repoblamiento de Azua, 1761 (145). Fundación de Baní, 1764 (145). Financiamiento de la repoblación de la Colonia, 1739-1744 (145). Fundación de San Miguel de la Atalaya, 1768 (146). Acuerdos de límites favorecen comercio fronterizo y estimulan economía colonial (146). Dependencia francesa del ganado español (146). Exportación de cueros a través de colonia francesa (147). Nueva guerra entre España e Inglaterra, 1739 (147). Resurgimiento del corso entre habitantes de Santo Domingo, 1739-1748 (148). Comercio de ganado y venta de carne en la colonia francesa, 1741-1764 (148). Tratado sobre comercio de ganado, 1764 (150). Compañía de Cataluña, 1755 (151). Impopularidad de la Compañía de Cataluña (151). Contrabando de ganado, 1772-1776 (152). Efectos de la Revolución norteamericana en la Isla, 1776-1783 (153). Comercio libre de la carne, 1787 (153). Efectos del desarrollo de la colonia francesa, 1728-1777 (153). Reactivación económica de la colonia española (154). Inmigrantes, negros y extranjeros en Santo Domingo (154). Fundación de ciudades (154). Agricultura (154). Crecimiento demográfico en el siglo XVIII (155). Fundación de nuevos ingenios azucareros, 1740-1783 (155). Nuevas plantaciones de cacao, añil y algodón (156). Fomento del tabaco en Santiago y La Vega (156). Precios y monopolio del tabaco, 1771-1778 (156).

XIV. *LA COLONIA FRANCESA DE SAINT DOMINGUE Y LA RE- VOLUCION HAITIANA (1789-1804)*

La economía mundial y las colonias europeas en las Antillas (159). La trata de esclavos (160). El comercio triangular (161). El azúcar y el desarrollo de Saint Domingue (161). Multiplicación de ingenios y crecimiento demográfico de la colonia francesa (162). Beneficios del comercio triangular (163). Disgustos de colonos franceses (164). Los mulatos de la colonia francesa (164). Blancos vs. mulatos (165). Sociedad de Amigos de los Negros (165). Sociedades abolicionistas (165). La Revolución Francesa y los mulatos de Saint Domingue, 1789 (166). Demandas de colonos blancos y mulatos de Saint Domingue (166). Vicente Ogé y Jean Baptiste Chavannes, octubre, 1790 (166). Fermentos revolucionarios, 1790 (167). Rebelión de los esclavos, agosto, 1791 (167). Blancos y mulatos contra esclavos (167). La Primera Comisión Civil Francesa, diciembre, 1791 (167). Apoyo español a los negros rebeldes, 1792 (168). La Segunda Comisión Civil, septiembre, 1792 (168). Cambios políticos en Europa (168). Abolición de la esclavitud en Saint Domingue, 29 de agosto de 1793 (169). División de los negros (169). Toussaint L'Ouverture, aliado de los franceses (169). Pérdidas españolas (169). Guerra contra los ingleses (169). Tratado de Basilea, 22 de julio de 1795 (170). Expulsión de los ingleses de la Isla, abril, 1798 (171). Gobierno de Toussaint L'Ouverture (171). Mulatos vs. negros (171). Rigaud contra Toussaint, febrero, 1799 (171)

Guerra civil (171). Victoria de Toussaint (171). Política económica de Toussaint, octubre de 1800 (172). Napoleón Bonaparte contra Toussaint, 1800 (172). Planes de Napoleón (172). Toussaint unifica la Isla, 26 de enero de 1801 (173). Invasión francesa, 29 de enero de 1802 (173). Guerra entre negros y franceses, 1802-1804 (174). Prisión y muerte de Toussaint, 1802 (174). Derrota francesa (174). Independencia de Haití, 1 de enero de 1804 (174). Dessalines y Cristophe (174).

XV. *EL TRATADO DE BASILEA Y SUS CONSECUENCIAS (1795-1801)*

Efectos de la Revolución Francesa en Santo Domingo, 1789-1809 (175). Guerra entre Francia y España, marzo, 1793 (176). Apoyo español a negros rebeldes, 1792-1794 (176). Toussaint abandona españoles, mayo, 1794 (176). Efectos de la guerra entre Francia y España (177). Derrotas españolas en la Frontera, octubre, 1794-agosto, 1795 (177). Tratado de Basilea, 22 de julio de 1795 (178). Reacción de habitantes de Santo Domingo ante el Tratado de Basilea (178). Emigración de Familias, diciembre, 1795 (179). Problemas de la emigración (179). Salida del clero de la Isla (179). Resistencia del clero a abandonar sus posesiones (180). Los franceses y la Iglesia de Santo Domingo (180). Salida del Arzobispo de Santo Domingo, abril, 1798 (181). Expectativas de la población de Santo Domingo, 1796 (181). Preparativos para la entrega de Santo Domingo a Francia (181). Intereses franceses en Santo Domingo, 1795-1796 (182). Rebelión de esclavos en Boca de Nigua, octubre, 1796 (183). Emigración de negros auxiliares, 1796 (183). Entrega paulatina de la colonia a Francia (183). Crisis financiera (184). Crisis de la ganadería (184). Derrota de los ingleses en las fronteras, abril, 1797 (185). Amenazas inglesas (185). Problemas de la emigración (185). Continuación de la guerra con Inglaterra (186). Dificultades del Gobernador español, julio, 1797 (186). Imposibilidad de entregar la Colonia a Francia, abril-octubre, 1798 (187). Posposición de entrega de la Colonia a Francia, febrero, 1799-agosto, 1800 (187). Política francesa hacia Toussaint (187). Salida de funcionarios españoles, noviembre, 1799 (188). Planes de Toussaint para invadir colonia española diciembre de 1799 (188). Toussaint prepara invasión, abril, 1800 (188). Misión del General Agé (189). Resistencia francesa contra Toussaint en Santo Domingo (189). Movilizaciones militares de Toussaint, noviembre-diciembre, 1800 (190). Invasión de Toussaint, enero, 1801 (191). Oposición a Toussaint (191). Capitulación de Santo Domingo, 26 de enero de 1801 (191). Nuevas emigraciones, febrero, 1801 (192).

XVI. *LA ERA DE FRANCIA Y LA RECONQUISTA (1801-1809)*

Política de Toussaint en Santo Domingo (193). Decretos y proclamas de Toussaint sobre la economía (193). Política agraria de Toussaint (194). Situación económica de Santo Domingo, 1801 (194).

MANUAL DE HISTORIA DOMINICANA

Programa económico de Toussaint, 1801 (195). Invasión francesa, 1802 (195). Apoyo dominicano a los franceses (196). La raza y la nacionalidad dominicanas, 1800 (196). "Blancos de la tierra" (197). Formación nacional dominicana en el siglo XVIII (197). Oposición dominicana a Toussaint, 1801-1802 (197). Ocupación militar francesa, 1802-1804 (198). Fin de la guerra franco-haitiana, 28 de noviembre de 1803 (198). El General Louis Ferrand ocupa a Santo Domingo, 1804 (199). Reorganización de la colonia bajo Ferrand (199). Política económica de Ferrand, 1804 (199). Influencia haitiana en el interior del país (200). Franceses desalojan a los haitianos de Santiago, mayo de 1804 (200). Temor a los haitianos (200). Nuevas emigraciones (200). Invasión de Cristóbal y Dessalines (201). Devastación y degüellos de Dessalines en el interior del país, marzo-abril, 1805 (202). Nuevas emigraciones (203). Reconstrucción de la Colonia, 1805 (203). Gobierno paternal de Ferrand (204). Napoleón invade a España, 1808 (204). Impacto de invasión francesa en España (204). Juan Sánchez Ramírez y la resistencia contra la ocupación francesa, julio, 1808 (205). Planes para expulsar a los franceses de Santo Domingo (206). Conspiración, octubre, 1808 (206). Batalla de Palo Hincado, 7 de noviembre de 1808 (206). Cerco de Santo Domingo, 27 de noviembre de 1808 (207). Apoyo inglés a Sánchez Ramírez (207). Ruina de la ganadería (208). Rendición francesa, julio, 1809 (208). Ocupación inglesa de Santo Domingo, 11 de julio de 1809 (208). Salida de ingleses de Santo Domingo, agosto, 1809 (208).

XVII. *LA ESPAÑA BOBA Y LA INVASION DE BOYER (1809-1822)*

Efectos de la Guerra de la Reconquista (211). Situación de la agricultura (211). Situación de la ganadería (212). Conspiraciones en 1810, 1811 y 1812 (212). Rebelión de los haitianos, 1810 (212). Falta de dinero (213). Complot de sargentos (213). Rebelión de negros, agosto, 1812 (213). Emisión de papel moneda, 1812 (214). Carlos Urrutia, nuevo Gobernador, 1813 (214). Situación económica (214). Sebastián de Kindelán, nuevo Gobernador, 1818 (215). Tabaco en el Cibao (215). Falta de dinero (215). Situado desde La Habana (216). Crisis económica, julio, 1821 (216). Malestar político (216). Rumores de golpe de Estado, 1821 (216). Rumores de invasión francesa contra Haití, 1814-1816 y 1820 (217). Campaña haitiana en favor de la unificación de la Isla, diciembre, 1820 (217). Misión de Désir Dalmassi en favor de unificación (218). Rumores de invasión haitiana, enero. 1821 (218). Nuevos rumores de invasión francesa, febrero-marzo, 1821 (219). Política de sonsaca de los haitianos (219). Interés haitiano por Santo Domingo (219). Planes de golpe de Estado en Santo Domingo (220). Conspiración de Núñez de Cáceres (220). Malestar en las fuerzas armadas (220). Conspiradores (221). Proclamación de la Independencia de España en Beler, 8 de noviembre de 1821 (221). Proclamación de la Independencia en Santo Domingo, 1 de diciembre de 1821 (222). El Estado Independiente del Haití Español (222). Manifiestos del parti-

 707

do prohaitiano en favor de la unificación, diciembre, 1821-enero, 1822 (222). Boyer anuncia invasión, 11 de enero de 1822 (222). Avance del ejército haitiano (223). Boyer en Bahí, 6 de febrero de 1822 (224). Boyer en Santo Domingo, 8 de febrero de 1822 (224). Abolición de la esclavitud, 9 de febrero de 1822 (224).

XVIII. *LA DOMINACION HAITIANA: COMIENZOS (1822-1825)*

La cuestión de la tierra (225). Oferta de tierras a los libertos (225). Libertos convertidos en soldados (226). Comisión investigadora de la tenencia de la tierra, 26 de agosto de 1822 (226). Informe de la Comisión, 12 de octubre de 1822 (226). Bienes del Estado (227). Primeras confiscaciones y repartos de tierras, noviembre, 1822 (227). Nueva comisión investigadora, 22 de enero de 1823 (227). La Iglesia y el Estado (228). Conspiraciones, 1824 (229). La conspiración de los Alcarrizos, febrero-marzo, 1824 (229). Emigración de familias (230). Ley sobre derechos de propiedad y bienes del Estado y de la Iglesia, 8 de julio de 1824 (230). Problemas de la aplicación de la Ley del 8 de julio de 1824 (231). Boyer y los grandes propietarios dominicanos (232). Ruina de la Iglesia (233). Resistencia dominicana a la dominación haitiana (233). Política agraria de Boyer (233). Cortes de caoba (234). Agricultura (234). Código Rural, 1 de mayo de 1826 (235). Poca aplicación del Código Rural (236). Campesinado (236). El Ejército y el Código Rural (237). Francia reconoce la independencia de Haití, 1825 (237). Deuda con Francia (238). Tratado de Reconocimiento de la Independencia e imposición de la deuda, abril-julio, 1825 (239). Empréstitos con banco francés (240). Cuotas de la deuda, 1825-1826 (240). Los dominicanos y la deuda con Francia (241). Malestar político, 1827 (241). Emisión de papel moneda, 1827 (241). Nuevo empréstito. 1827 (241).

XIX LA DOMINACION HAITIANA: PROBLEMAS (1826-1838)

Ruina del Tesoro Público, 1827 (243). Malestar político y conspiración, 1827 (243). Boyer y Borgellá (244). Rumores de invasión española, 1828 (244). España reclama devolución de Santo Domingo, enero, 1830 (245). El Arzobispo Valera contra el Gobierno haitiano (245). Salida del Arzobispo Valera de la Isla, 28 de julio de 1830 (246). Fracaso de la unificación de la Isla, 1830 (246). Oposición dominicana a la dominación haitiana (246). Agricultura vs. ganadería, 1829 (247). Protección de Boyer a la agricultura (248). Impuestos: abusos y disgustos (248). Cortes de caoba (248). Descontento general, 1832 (248). Oposición de líderes parlamentarios, 1832 (249). Centralismo y autoritarismo (249). Diputados contrarios al Gobierno, abril, 1835 (249). Defensores del Gobierno en el Congreso (250). Decadencia de la economía y oposición política, 1837 (250). Crisis comercial (251). Comerciantes contrarios al gobierno, 1837-1838 (252). Complot contra el Gobierno en Puerto Príncipe, mayo, 1838 (252). Reducción de la deuda con Francia, 1838 (253). La crisis comercial y la fundación de la Trinitaria, 16 de julio de 1838 (253).

XX. *LA TRINITARIA, LA REFORMA Y LA CAIDA DE BOYER (1838-1843)*

Oposición permanente a la dominación haitiana (255). Quejas por las confiscaciones de tierras (255). Resistencia a la aplicación de la Ley del 8 de julio de 1824 (255). Despojos de tierras y propiedades a los dominicanos (257). José María Serra y la propaganda dominicana contra la dominación haitiana, 1834 (258). Juan Pablo Duarte y José María Serra, 1834-1838 (258). Activismo político de Duarte, 1834-1838 (258). Fundación de la Trinitaria, 16 de julio de 1838 (259). Impacto de la Trinitaria en la juventud de Santo Domingo, 1838-1842 (259). Riesgos políticos de los trinitarios (260). La Sociedad de los Derechos del Hombre y del Ciudadano (260). "Los banquetes patrióticos" (260). Terremoto del 7 de mayo de 1842 (261). Manifiesto de Les Cayes contra Boyer, 1 de septiembre de 1842 (261). Preparativos de revolución contra Boyer, 21 de noviembre de 1842 (262). Impopularidad de Boyer (262). Alianza de liberales dominicanos con revolucionarios haitianos, enero, 1843 (264). Charles Hérard encabeza revolución contra Boyer, 27 de enero de 1843 (264). Boyer enfrenta la revolución, enero-marzo, 1843 (265). Derrota de fuerzas boyeristas, 4 de marzo de 1843 (265). Caída y exilio de Boyer, 13 de marzo de 1843 (266).

XXI. *LA SEPARACION (1843-1844)*

Impacto del derrocamiento de Boyer en Santo Domingo, 24 de marzo de 1843 (267). Revuelta contra funcionarios boyeristas en Santo Domingo, 24-26 de marzo de 1843 (268). Juntas Populares, abril, 1843 (268). La Trinitaria y el movimiento por la Independencia (268). Grupos separatistas (269). Grupo pro-español (269). Grupo pro-inglés (269). Afrancesados (270). Preparación de Asamblea Constituyente en Puerto Príncipe (270). Elecciones municipales, 15 de junio de 1843 (270). Demandas de los dominicanos por sus derechos: La Representación del 8 de junio de 1843 (270). Victoria de los trinitarios en las elecciones municipales (271). Agitación política (272). Invasión de Charles Hérard, julio de 1843 (272). Medidas represivas de Hérard (272). Duarte y los trinitarios perseguidos (273). Exilio de Juan Pablo Duarte, 2 de agosto de 1843 (274). Desarticulación y reestructuración del movimiento trinitario (274). Liderazgo de Sánchez y Mella (274). Conspiraciones de los trinitarios con los boyeristas, diciembre, 1843 (275). Plan del golpe de Estado de los afrancesados para el 25 de abril de 1844 (277). Plan trinitario de golpe militar para el 20 de febrero de 1844 (277). Manifiesto de Azua, 1 de enero de 1844 (277). Manifiesto trinitario del 16 de enero de 1844 (277). Los hateros seibanos (278). Posposición del golpe trinitario hasta el 27 de febrero

FRANK MOYA PONS

de 1844 (278). Capitulación de los haitianos, 28-29 febrero de 1844 (278). Pronunciamientos separatistas, 29 de febrero al 14 de marzo de 1844 (279). Organización de la Junta Central Gubernativa (279).

XXII. *GUERRA Y POLITICA EN 1844*

Reacción haitiana al golpe del 27 de febrero, 3-10 de marzo de 1844 (281). Organización del ejército dominicano del sur (281). Preparativos para resistir invasión haitiana en el Cibao (281). Miedo a los haitianos en Santo Domingo (282). Batalla del 19 de marzo de 1844 (282). Retirada de Santana a Baní, 20 de marzo de 1844 (282). El Memiso (283). Efectos de la Batalla del 19 de marzo (283). Batalla del 30 de marzo de 1844 (284). Retirada de los haitianos, 31 de marzo (284). Efectos de la batalla del 30 de marzo en Haití (285). Golpe de Estado en Haití, 25 de abril de 1844 (285). Retirada de los haitianos de Azua (285). La política dominicana después del 30 de marzo (286). Regreso de Duarte al país, 15 de marzo de 1844 (286). Duarte. nombrado General, enviado a Baní, 23 de marzo de 1844. Pugnas entre Duarte y Santana (286). Trinitarios y Conservadores (287). Gestiones por el protectorado francés, 8 de marzo de 1844 (287). Oposición duartista al protectorado francés, 26 de mayo de 1844 (288). Duarte busca el poder militar, 31 de mayo de 1844 (288). Nueva petición de ayuda a los franceses, 1 de junio de 1844 (289). Golpe de Estado del 9 de junio de 1844 (289). Nueva Junta Central Gubernativa, 10 de junio de 1844 (289). Sánchez, Presidente de la nueva Junta Central Gubernativa (289). Duarte va al Cibao, 20 de junio de 1844 (289). Duarte proclamado Presidente en el Cibao, 4 de julio de 1844 (290). Militares a favor de Santana, 3 de julio de 1844 (290). Reacciones de Santana y Sánchez contra la Presidencia de Duarte. (291). Regreso de Santana a Santo Domingo, 12 de julio de 1844 (291). Movimiento militar contra los trinitarios. 13 de julio de 1844. Nueva Junta Central Gubernativa, 16 de julio de 1844 (292). Santana, Presidente de la nueva Junta (292). Destitución de Duarte y Mella como Delegados del Gobierno en el Cibao, 24 de julio de 1844 (293). Duarte y Mella declarados traidores a la Patria, 24 de julio de 1844 (293). Destierro de los trinitarios, 1-22 de agosto de 1844 (293). Prisión y destierro de Duarte, 27 agosto-10 septiembre de 1844 (294). Asamblea Constituyente, agosto-noviembre de 1844 (294). Constitución de San Cristóbal, 6 de noviembre de 1844 (294). El artículo 210 de la Constitución (295). Legalización de la dictadura (295). Santana, Primer Presidente Constitucional de la República (295). Disolución de la Junta Central Gubernativa (295).

XXIII. *SANTANA (1844-1849)*

Conspiración y fusilamiento de María Trinidad Sánchez, 27 de febrero de 1845 (297). Los bienes de la Iglesia y los bienes nacionales,

710